COLLECTION "BEST SELLERS"

JAMES A. MICHENER

LA SOURCE

roman

traduit de l'américain par France-Marie Watkins

EDITIONS
LAFFONT

UNE ÉDITION SPÉCIALE DE LAFFONT CANADA LTÉE

Titre original :

THE SOURCE

© RANDOM HOUSE Inc., 1965.
Robert LAFFONT, Paris, 1966.

Imprimé aux Etats-Unis, 1979

Ceci est un roman. Les scènes sont imaginaires, les personnages aussi, à part certains, comme le grand rabbin Akiba, qui mourut comme il est dit à la fin de ce livre, en 137. Toutes les citations qui lui sont attribuées peuvent être vérifiées. Le roi David et Abisag la Sulamite, Hérode le Grand et sa famille, le général Pétrone, Vespasien et Titus, Flavius Josèphe et Maïmonidès, tous ceux-là ont également vécu et les citations du philosophe Maïmonidès peuvent être vérifiées.

Acre, Zefat, Tibériade existent, en Galilée, et les descriptions que nous en donnons sont exactes ; mais Makor, son site, son histoire et ses fouilles sont entièrement imaginaires.

Carte des principales villes dont il est question dans les récits de ce livre.

∴ Fouilles Archéologiques

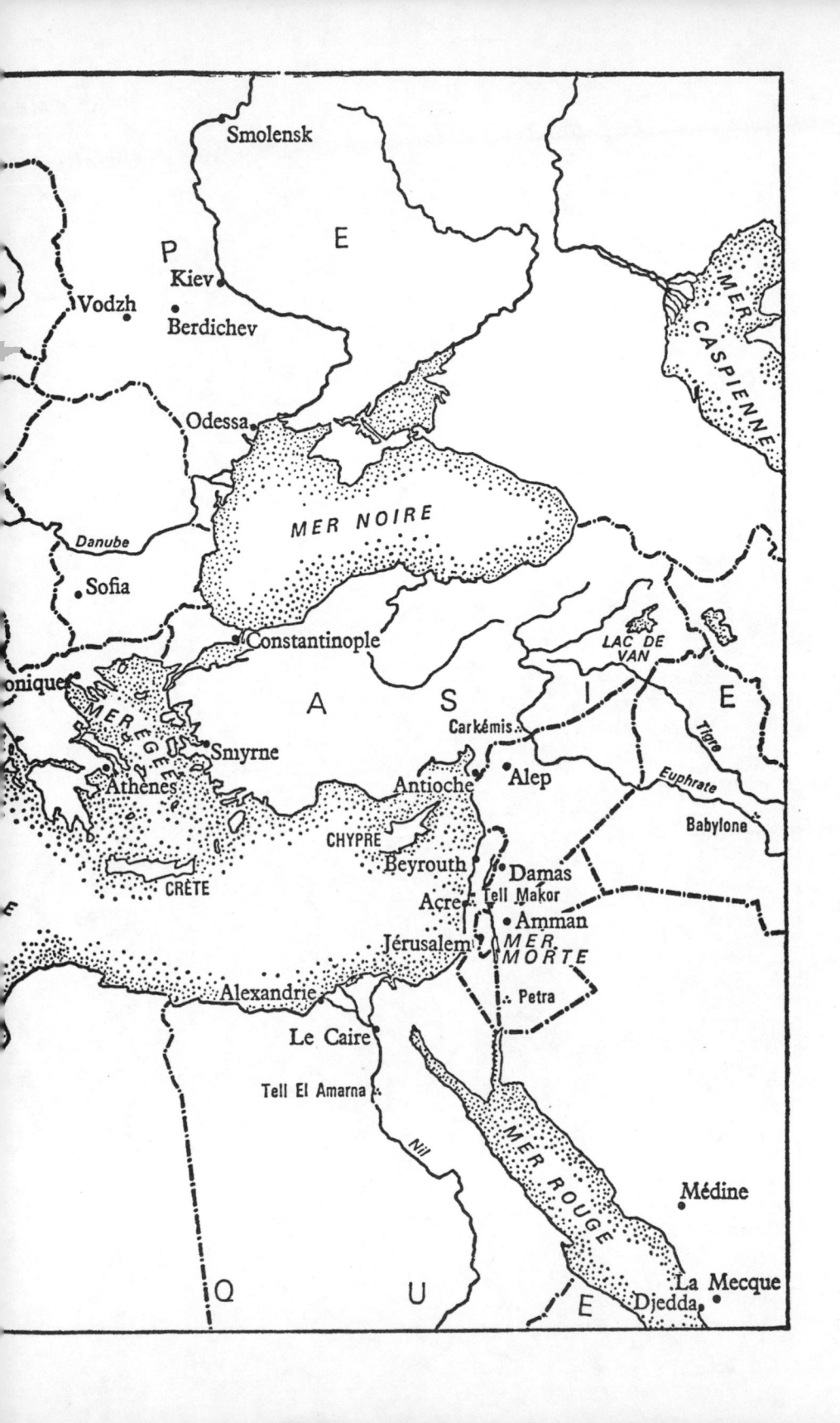

Smolensk

P
E

Vodzh

Kiev
Berdichev

Odessa

MER CASPIENNE

MER NOIRE

Danube

Sofia

Constantinople

A
S
I
E

LAC DE
VAN

onique

MER ÉGÉE

Smyrne

Athènes

Carkémis

Antioche

Alep

Tigre

Euphrate

CHYPRE

Babylone

Beyrouth

Damas

Acre

Tell Makor

CRÈTE

Jérusalem

Amman

MER
MORTE

Alexandrie

Petra

Le Caire

Tell El Amarna

Nil

MER ROUGE

Médine

Q

U

E

La Mecque

Djedda

LES FOUILLES

NIVEAU 0 — MAI-SEPTEMBRE 1964

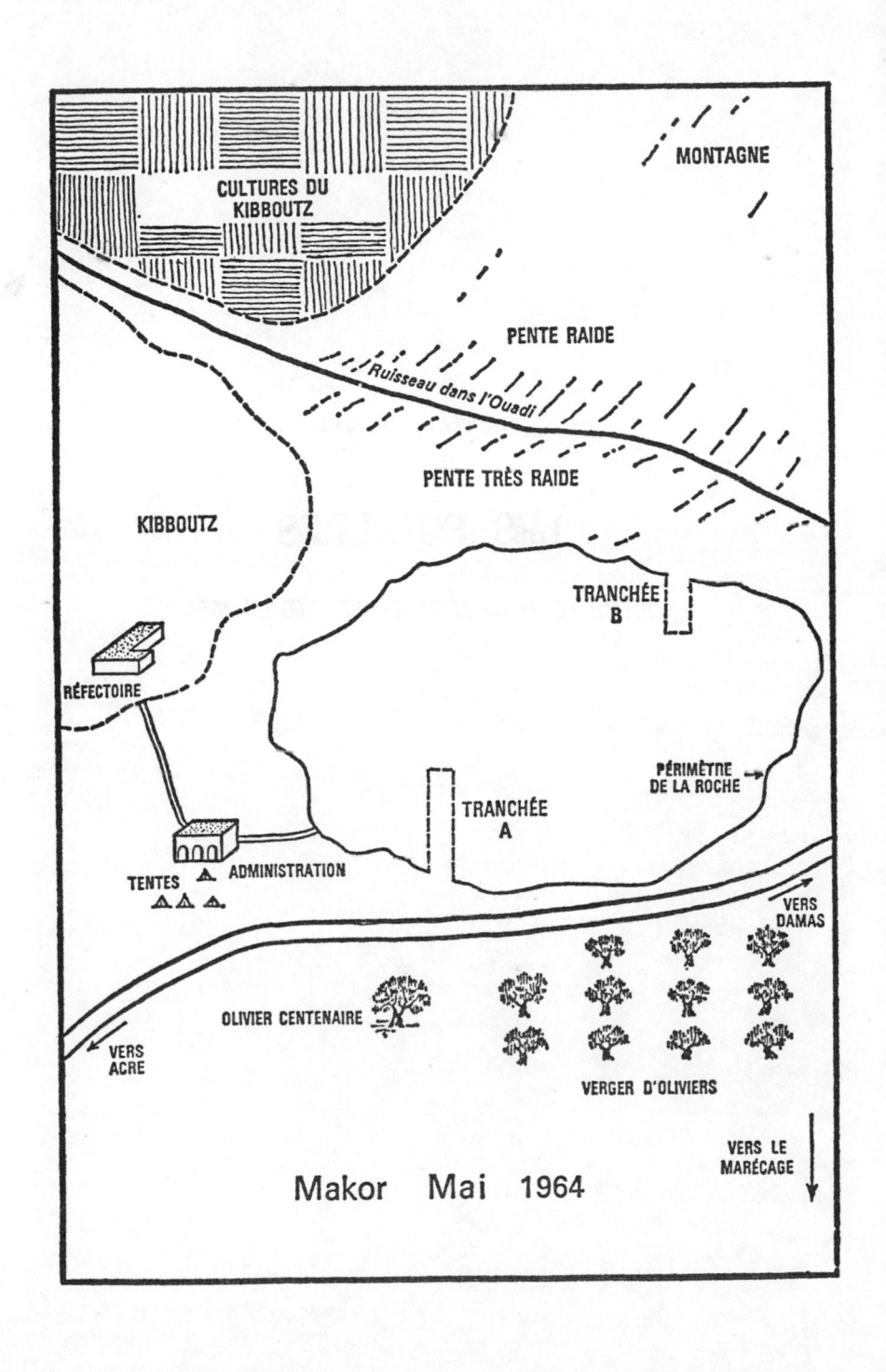

MONTAGNE

CULTURES DU
KIBBOUTZ

PENTE RAIDE

Ruisseau dans l'Ouadi

PENTE TRÈS RAIDE

KIBBOUTZ

TRANCHÉE
B

RÉFECTOIRE

PÉRIMÈTRE
DE LA ROCHE

TRANCHÉE
A

TENTES ▲ ADMINISTRATION
▲ ▲ ▲ ▲

VERS
DAMAS

OLIVIER CENTENAIRE

VERS
ACRE

VERGER D'OLIVIERS

VERS LE
MARÉCAGE

Makor Mai 1964

L E cargo franchit le détroit de Gibraltar le mardi et fendit les eaux de la Méditerranée vers l'est, en passant près d'îles et de péninsules riches en histoire, et, le samedi soir, le steward avertit le Pr Cullinane :

— Si vous désirez assister à l'arrivée en Terre sainte, il faudra vous lever à l'aube.

Le steward était italien et répugnait à employer le nom d'Israël. Pour le bon catholique qu'il était, ces lieux seraient toujours la Terre sainte.

Un peu avant le lever du jour, Cullinane entendit gratter à la porte de sa cabine. Les étoiles brillaient encore quand il monta sur le pont, mais tandis que la lune se couchait vers les horizons qu'il laissait derrière lui, le soleil se levait sur la terre où il allait aborder ; les dernières étoiles s'éteignirent au-dessus d'Israël. Il distinguait vaguement le littoral, des collines mauves dans l'aube grise, et il reconnut trois sites qu'il connaissait : à gauche, la mosquée musulmane blanche d'Akko, au centre la coupole dorée du temple de Bahai et sur la droite, au sommet d'une éminence, les murailles brunes du couvent des Carmélites.

— C'est bien juif, ça, murmura-t-il. Alors que le monde entier leur interdit la liberté de leur culte, ils offrent à tous cette même liberté.

Il se dit que ce pourrait être une bonne devise pour le nouvel Etat d'Israël, mais comme le cargo approchait de la terre, il ajouta :

— J'aurais davantage l'impression de visiter Israël s'ils me montraient au moins une bonne synagogue.

Mais la religion juive était essentiellement interne, un système d'organisation de la vie plutôt qu'une civilisation constructrice, et il n'y avait aucun édifice juif à visiter.

Même une fois à terre, il n'entra pas d'emblée dans l'État juif, car le premier homme qui le reconnut fut un aimable Arabe frisant la quarantaine, beau, élégant, qui lui cria du quai, en anglais :

— Hello ! Soyez le bienvenu ! Tout est prêt !

Deux générations d'archéologues britanniques et américains avaient été accueillies de la sorte, soit par l'actuel Jemail Tabari, soit par son oncle célèbre, Mahmoud, qui avait travaillé à presque toutes les fouilles historiques de la région. Le Pr Cullinane, du Biblical Museum de Chicago, se sentit rassuré.

Depuis de longues années, il rêvait de fouiller un des monticules silencieux de Terre sainte, pour y découvrir peut-être de nouveaux indices sur l'histoire de l'homme et de ses dieux en ce pays élu. Accoudé à la lisse tandis que le cargo manœuvrait pour accoster, il contemplait Akko, de l'autre côté de la baie, cette perle des ports où une grande partie de l'histoire qu'il entendait découvrir avait débuté. Les Phéniciens, les Grecs, les Romains, les Arabes, et enfin Richard Cœur de Lion et ses croisés, tous avaient abordé dans cette rade, étendards déployés, et, pour Cullinane, les suivre et marcher sur leurs traces était un privilège insigne.

— J'espère que je ferai du bon travail, murmura-t-il.

Dès qu'il eut signé les bordereaux de transport du monceau de matériel entassé dans les cales — les livres, les manuels, les produits chimiques, le matériel photographique, la petite locomotive diesel, les mille et une choses auxquelles un profane ne penserait jamais — il dévala la passerelle en courant et se jeta dans les bras de Tabari. L'Arabe lui annonça :

— Tout est parfait. Les choses ne pourraient mieux s'arranger. Le Pr Bar-El ne va pas tarder. Les autres Américains sont déjà installés et le photographe arrive de Londres par avion cet après-midi.

— Et le temps ? Il a fait beau ? demanda Cullinane.

C'était un homme de quarante ans, grand, maigre, un catholique d'origine irlandaise qui avait fait ses études à Harvard et à Grenoble, et avait déjà participé à des fouilles en Arizona, en Egypte et au sud de Jérusalem. Celles qu'il s'apprêtait à diriger étaient financées par un richissime Juif de Chicago, et l'on avait choisi Cullinane parce qu'il parlait hébreu, français et un peu l'arabe.

— Il fait un temps magnifique, assura l'Arabe dans un anglais parfait, comme il seyait au fils de sir Tewfik Tabari, décoré de l'ordre du Mérite britannique et chevalier de l'Empire, un des rares dirigeants arabes en qui les Anglais avaient eu confiance.

Sir Tewfik avait envoyé son fils à Oxford dans l'espoir qu'il prendrait sa succession, mais dès son plus jeune âge l'enfant avait été fasciné par les travaux d'historien de son oncle Mahmoud, et ses professeurs d'Oxford avaient fait de lui un archéologue scientifique de valeur. En 1948, quand les Juifs avaient menacé de s'emparer de la Palestine aux dépens des Arabes, le jeune Jemail, alors âgé de vingt-deux ans, avait longuement réfléchi à ce qu'il devait faire. Il avait choisi de demeurer en Israël, finalement, et de travailler avec les Juifs à reconstruire le pays déchiré par la guerre. Cette décision hardie l'avait fait respecter par tous, et il était devenu le seul Arabe qui fît autorité pour les nombreuses fouilles archéologiques qui foisonnaient dans toute la contrée.

Tandis que les deux amis bavardaient, une jeep s'arrêta devant le bâtiment de la douane et une jeune femme de trente ans sauta à terre, passa outre aux protestations du garde et se jeta au cou de Cullinane.

— Shalom, John ! C'est merveilleux de vous revoir !

Elle était l'éminent Pr Vered Bar-El, le premier expert en vestiges de poterie d'Israël, et, sans son assistance, Cullinane ne pouvait réussir. Douée d'une mémoire incroyable, elle n'avait qu'à jeter un coup d'œil

à un fragment de pichet cassé par mégarde sept mille ans plus tôt par une ménagère, et annoncer son âge en le comparant à d'autres morceaux découverts à Jéricho ou en Egypte. Les archéologues de cinq pays différents l'appelaient « notre calendrier vivant » et ce qu'elle avait de plus remarquable, en dehors de sa science réelle, c'était que lorsqu'elle ne savait pas quelque chose, elle le disait simplement. Elle était belle, menue, souriante, et c'était une joie de travailler avec elle. Toutes ses études, elle les avait faites à l'Université Hébraïque de Jérusalem.

— Laissez tout le matériel ici, dit-elle à Cullinane. J'ai amené deux hommes de notre équipe, et ils monteront la garde jusqu'à ce que tout soit déchargé. Allons tout de suite aux fouilles. J'ai hâte de commencer.

Elle entraîna Cullinane à sa jeep et bientôt ils roulèrent sur l'ancienne route d'Akko à Zefat qui continuait ensuite jusqu'à Damas en Syrie. Depuis quelque cinq mille ans, c'était l'artère principale par laquelle les richesses de l'Asie affluaient vers Gênes et Venise. Cullinane s'efforçait de s'orienter.

— Vous ne pourriez pas arrêter la jeep un instant ? demanda-t-il enfin. Je suis navré, mais si je ne sais pas dès le début où je suis, je n'arrive plus à me retrouver.

Il descendit à terre, étudia sa carte et se tourna vers la direction d'où ils venaient.

— Bon. Là, droit devant nous, à l'ouest, c'est Akko et la Méditerranée. A ma droite, le château fort des croisés de Starkenberg. A ma gauche, Jérusalem. Derrière moi, à l'est, la mer de Galilée. C'est bien ça ?

— Absolument, dit Tabari, mais il trouvait étrange qu'en Terre sainte un homme s'orientât en tournant le dos à Jérusalem.

Ils repartirent et discutèrent des fouilles et de leurs collaborateurs.

— Le photographe qui arrive de Londres est excellent, assura Cullinane. Il a fait du très bon travail à Jéricho. Et notre architecte est remarquable. Université de Pennsylvanie. Mais je n'ai jamais vu de dessins de la jeune fille que vous avez choisie pour les esquisses et les rapports. Qu'est-ce qu'elle vaut ?

— Elle a été jugée assez bonne pour les fouilles de Hazor, dit Mrs Bar-El.

— Ah, c'est celle-là ? Alors, nous avons de la chance, j'imagine.

— Oui, répondit l'expert en poterie, d'un ton presque agressif.

Ils se turent en approchant de l'endroit d'où l'on verrait pour la première fois le site des fouilles. Cullinane se penchait en avant, le cœur battant. Des collines se dessinèrent au nord, des remparts assez hauts pour avoir protégé cette route des envahisseurs du Liban, aux temps immémoriaux. D'autres collines se dressaient aussi au sud, formant ainsi une petite vallée bien abritée où les riches caravanes avaient pu voyager jadis en toute sécurité. Le Pr Bar-El donna un coup de volant et au bout de quelques minutes ils aperçurent devant eux le monticule mystérieux qu'ils allaient attaquer.

C'était Makor, un tertre aride ovale, au pied d'une falaise rocheuse,

haut de plus de vingt mètres. On avait peine à croire qu'il était réel, car
le sommet était parfaitement plan et les côtés, en pente à quarante-cinq
degrés, étaient lisses et tassés comme si une main géante avait aplati le
dessus et égalisé les flancs avec le doigt. C'était artificiel, comme une
forteresse sans murailles, une impression qui était accentuée par les
rochers à pic qui se dressaient derrière, les collines abruptes et les montagnes déchiquetées qui se découpaient en arrière-plan sur le ciel bleu.
Le monticule était ainsi le point terminus d'une chaîne de fortifications,
le plus bas de quatre vastes échelons ascendants, parfaitement situé aussi
bien pour sa protection que pour celle de la route capitale qui passait à
ses pieds.

Le lieu s'appelait Tell Makor, ce qui signifiait que les autochtones
savaient que ce n'était pas un tertre naturel mais la patiente accumulation
des restes de nombreux établissements abandonnés les uns après les
autres, chacun reposant sur les ruines du précédent. Du niveau rocheux
du sol jusqu'au sommet herbu, ce n'était qu'un entassement de briques
brisées, de murs écroulés, de tourelles abattues, de silex préhistoriques
et, plus précieux que tout, de ces fragments de poterie qui, une fois
délicatement nettoyés et examinés par le Pr Bar-El, raconteraient l'histoire de ce lieu solennel et passionnant.

Cullinane prit dans sa serviette les cartes préliminaires dessinées
d'après des photos aériennes sur lesquelles une grille découpée en carrés
de dix mètres de côté avait été appliquée en surimpression sur le tell.
En cet instant capital, les trois archéologues assis dans la jeep furent certains que leur volonté finirait par arracher ses secrets au monticule. La
veille encore, Tell Makor n'avait été qu'un merveilleux tertre elliptique
endormi au bord de la route d'Akko à Damas. Aujourd'hui, c'était une
cible soigneusement cotée où aucun coup de pioche ne serait donné au
hasard.

— Comparons ça avec la carte de Palestine au cent millième, suggéra
Cullinane.

Tabari déplia une partie de cette admirable carte établie de nombreuses années auparavant par des ingénieurs anglais. Les deux hommes
firent des calculs qu'ils reportèrent dessus pour mieux situer Tell Makor,
afin que les archéologues du monde entier puissent l'identifier aisément.
Désormais, le site s'appellerait 17072584, un nombre dans lequel les
quatre premiers chiffres indiquaient l'orientation est-ouest, les quatre
autres l'orientation nord-sud. Il ne pouvait y avoir d'autre site semblable,
et, quand les couches superposées auraient été violées une par une, le
monde entier saurait avec quelque certitude ce qu'il s'était passé au cours
des âges à 17072584. C'était cette méticuleuse re-création de l'Histoire
qui allait occuper John Cullinane et ses équipiers pendant les années à
venir.

Il rangea ses cartes et, à grandes enjambées, il escalada le glacis
abrupt et sauta enfin sur l'herbe du plateau, large d'environ cent trente
mètres, sur deux cents mètres de long. Dans un endroit ou un autre de ce
monticule, il mettrait ses hommes au travail, et la réussite ou l'échec,

au début, dépendraient en grande partie de son choix ; on a vu des archéologues manquer de chance en désignant tel ou tel endroit d'un site et creuser en vain pendant des mois et des mois alors que d'autres, arrivant plus tard au même endroit et doués de plus d'intuition découvraient rapidement de riches couches successives. Cullinane espérait qu'il serait de ces derniers.

— Vous cherchez par quel bout commencer ? demanda Tabari en le rejoignant.

L'Irlandais attendit Mrs Bar-El et déclara :

— Je suis un peu comme sir Flinders Petrie. Il organisait ses fouilles en partant du principe que sur cent monticules différents, plus de quatre-vingt-dix auront disposé leurs principaux bâtiments dans la région nord-ouest. Pourquoi, nul ne le sait. Peut-être à cause des couchers de soleil ? Je suis donc naturellement enclin à commencer par le nord-ouest ; nous pourrons jeter nos gravats là-bas.

Il désignait l'extrémité nord du plateau, qui plongeait à pic dans une profonde gorge, invisible de la route, appelée dans tout l'orient un *ouadi*, dont les bords abrupts avaient toujours protégé Makor des armées cherchant à l'assiéger par le nord. L'ouadi était assez profond pour contenir les débris du tell tout entier, si jamais milliardaire était assez riche pour financer des fouilles aussi totales.

Celles de Makor, telles que les avait projetées Cullinane, exigeraient dix ans de travaux à cinquante mille dollars par an, et comme il n'avait en main que les fonds nécessaires aux premiers cinq ans, il était indispensable de découvrir rapidement des zones d'intérêt. L'expérience lui avait appris que l'on peut compter sur les gens qui financent les fouilles archéologiques pour peu que leur intérêt soit éveillé dès la première année, tandis qu'ils refermeront vivement leurs chéquiers si l'on ne découvre rien. Il était donc capital qu'il débutât aux bons endroits, car même après avoir passé dix ans à découvrir des niveaux divers il n'aurait exploré que quinze pour cent du monticule.

Un plateau de deux cents mètres de long sur cent trente de large, ce n'est pas grand-chose, songeait-il. Deux terrains de football ordinaires... Mais quand on est là, une petite cuillère à la main, et qu'on vous dit « Creuse », cela vous paraît immense. Il se mit à prier. Tant de choses dépendaient de sa réussite ! Que Dieu l'inspire et lui permette de bien choisir ! Soudain, son attention fut attirée par un petit objet gros comme un caillou. En se penchant pour l'examiner, il vit que c'était un morceau de plomb, légèrement aplati d'un côté. C'était une balle perdue et il allait la rejeter quand il se ravisa.

— Voilà ! Notre première découverte à Tell Makor, murmura-t-il.

Il porta sa main à sa bouche, mouilla ses doigts et nettoya soigneusement la balle. Puis, la soupesant dans sa main, il se demanda : « Niveau ? Age ? Provenance ? » ; la balle lui fournissait une excuse pour retarder sa décision. Il prit une fiche dans sa serviette, s'assit au bord du monticule et se mit à la remplir de sa petite écriture nette et précise. La balle avait sans doute été tirée par un fusil britannique, puisqu'ils étaient les

plus courants dans ces régions. N'importe quelle date récente serait
acceptable, mais celle de 1950 ap. J.-C. était la plus logique, car le
plomb était déjà bien terni, et il la nota. Mais aussitôt, il biffa l'indica-
tion après J.-C. et la remplaça par E. C. Il travaillait dans un pays juif,
qui avant cela avait été musulman et toute allusion à Jésus-Christ y
semblait malséante. Cependant, il fallait bien respecter le calendrier uni-
versel et pour cela force était bien de s'en tenir aux mentions avant ou
après Jésus-Christ, que ça plaise ou non aux Juifs et aux musulmans,
tout comme les longitudes étaient mesurées d'après un observatoire anglais
proche de Londres, que ça plaise ou non aux anglophobes. Aussi Cullinane écrivit-il 1950 E. C., ce qui à l'origine avait signifié Ere chrétienne
mais que l'on traduisait généralement aujourd'hui par Ere commune.
Les dates précédant l'avènement de Jésus-Christ étaient appelées av. E. C.,
avant l'Ere commune, et tout le monde était content.

A petits traits de plume précis, il fit un croquis de la balle deux fois
grandeur nature, indiqua l'échelle 2/1, sa date et sa provenance supposées
et, en relisant en souriant cette première fiche pour rire, il fut satisfait de
voir qu'il n'avait pas perdu la main ; il la signa de ses initiales, J. C.

Quand il eut fini, il leva les yeux et vit arriver le membre le plus
important de son équipe qui venait de Jérusalem pour accueillir ses
collègues. C'était un grand Juif mince, plus âgé que Cullinane de deux
ans, aux yeux renfoncés sous d'épais sourcils noirs. Il avait des joues
creuses et une bouche charnue toujours prête à sourire. Il appartenait à
l'un des ministères de Jérusalem, et il était heureux de sa mission aux
fouilles qui lui permettrait de rester à Makor de la mi-mai à la mi-octobre,
car il était un archéologue de qualité dont l'habileté politique avait été
jugée si précieuse par le gouvernement qu'il avait rarement l'occasion de
se livrer à sa passion. Il allait occuper à Makor un poste ambigu.
Officiellement, il devait faire office de principal administrateur du projet,
il déciderait des salaires, des heures de travail et du logement, il s'efforcerait de prévenir et d'empêcher les rivalités et les disputes. Il était là comme
un dictateur, en somme, mais personne à Makor n'aurait à en souffrir
car Ilan Eliav était un administrateur rêvé, un homme qui se mettait
rarement en colère. D'une éducation parfaite, il parlait de nombreuses
langues, mais son principal avantage était sa pipe, dont il roulait lentement le fourneau entre ses paumes jusqu'à ce que le plaignant about-
tisse de lui-même à une solution raisonnable sans qu'Eliav eût à intervenir. A d'autres fouilles, des ouvriers avaient pu dire : « Je vais un
peu voir si la pipe consentira à une augmentation. » Et le Juif aimable
aux yeux creux écoutait comme s'il avait le cœur brisé, et le fourneau de
la pipe roulait et tournait entre les paumes, et finalement l'ouvrier comprenait que le moment ne pouvait être plus mal choisi pour une augmentation.

En réalité, le Dr Eliav était le chien de garde des fouilles ; les tells
d'Israël étaient bien trop précieux pour que n'importe qui pût arriver avec
une bande d'amateurs et les massacrer. Le problème était surtout grave
quand des archéologues comme Cullinane se proposaient de fouiller en
employant la méthode des tranchées, car bien des crimes contre l'histoire

avaient été perpétrés dans le passé, par des enthousiastes armés de pelles et de pioches qui creusaient à tort et à travers et à n'importe quels niveaux. Normalement, le gouvernement israélien aurait repoussé la demande de Cullinane, mais l'Irlandais avait une solide réputation et on fit exception pour lui ; néanmoins, le Dr Eliav avait été dépêché pour s'assurer que le précieux tell ne serait pas mutilé.

Il traversa vivement le plateau, tendit un long bras à cet homme qui lui plaisait d'emblée, et s'excusa :

— Je suis navré de ne pas avoir été là pour vous accueillir à votre arrivée.

— Nous sommes heureux de vous avoir ici, dans n'importe quelles conditions, répondit Cullinane.

Il savait bien pourquoi un homme aussi important et érudit qu'Eliav avait été détaché auprès de lui, mais s'il devait avoir un chien de garde, il se félicitait que ce fût celui-ci ; c'est toujours plus facile d'expliquer ses problèmes à un homme qui en sait encore plus que vous.

— J'ai pu m'échapper la semaine dernière pendant trois jours, dit Eliav, et je suis venu organiser les choses ici, mais j'ai dû retourner à mon bureau. Venez, je vais vous montrer le camp.

Il conduisit Cullinane à l'extrémité ouest du plateau, où un étroit sentier descendait en zigzag au flanc du glacis vers une construction rectangulaire en vieilles pierres dont la façade sud était formée de trois gracieuses arches mauresques, une fraîche arcade sur laquelle donnaient trois chambres blanches. La plus grande devait être le bureau de Cullinane et la bibliothèque, les autres serviraient aux services de photographie, de céramique et de dessin.

— C'est beaucoup mieux que ce que j'espérais, s'écria Cullinane. Quelle était donc cette construction, à l'origine ?

Ce fut Tabari qui répondit :

— Probablement la maison d'un marchand d'olives arabe, il y a deux ou trois cents ans.

Cullinane était agréablement surpris par l'aisance des rapports entre Eliav et Tabari, entièrement dépourvus du traditionnel antagonisme entre Juifs et Arabes. Ils avaient déjà collaboré dans diverses autres fouilles et chacun respectait et admirait sincèrement la compétence de l'autre.

— Par là-bas, reprit Eliav, vous trouverez quatre tentes, pour y dormir, et au bout de ce sentier le kibboutz Makor, où nous prendrons nos repas.

Tandis qu'il les précédait vers le centre agricole communautaire, Cullinane remarqua les jeunes gens bronzés qui travaillaient aux champs. Il les trouvait tous singulièrement beaux et se dit que quelques années à peine suffisaient pour transformer le Juif voûté du ghetto en cultivateur solide et joyeux. En contemplant ces jeunes gens musclés, ces filles aux allures dégagées, il ne leur trouvait aucune caractéristique juive. Il y avait des blonds aux yeux bleus qui avaient l'air de Suédois, des blonds aux cheveux en brosse sur un crâne carré qui ressemblaient à des Allemands, des roux qui auraient pu être américains, d'autres à l'allure estudiantine

anglaise et d'autres, au teint hâlé que l'on eût facilement pris pour des Arabes. Un homme ordinaire, jeté parmi ces jeunes gens du kibboutz Makor n'en aurait guère trouvé que dix pour cent au type juif marqué, et encore parmi ceux-ci eût-il désigné Jemail Tabari, l'Arabe.

— Nous avons pris trois décisions, en ce qui concerne ce kibboutz, expliqua Eliav en faisant entrer le groupe dans un vaste réfectoire. Nous ne coucherons pas ici ; nous y prendrons nos repas. Et jusqu'à la moisson, nous aurons le droit d'employer les *kibboutzniks* aux fouilles.

— Est-ce une bonne idée ? s'inquiéta Cullinane.

— Ne vous faites pas de souci, assura Eliav. Ce tell a été porté à votre attention uniquement parce que ces jeunes gens du kibboutz n'arrêtaient pas de nous importuner avec des échantillons. « Voyez ce que nous avons trouvé dans notre tell ! » Ces gamins adorent l'archéologie comme les petits Américains ont la passion du base-ball.

Les archéologues s'installèrent à une grande table. Un homme jeune, d'environ trente-cinq ans, la tête rase, en short, sandales et T-shirt, s'approcha d'eux et se présenta.

— Schwartz... le secrétaire de ce kibboutz. Heureux de vous avoir à notre table.

Cullinane se lança dans une réponse protocolaire et courtoise, commençant par : « Nous tenons à ce que vous sachiez combien nous apprécions... », mais Schwartz l'interrompit sèchement :

— Nous apprécions vos dollars, nous.

Il leur tourna le dos et alla prévenir une fille solide, qui servait du café.

— Charmant garçon, murmura Cullinane.

— Vous voyez en lui le nouveau Juif, dit Eliav comme pour s'excuser. C'est la force d'Israël.

— D'où est-il ? Il parle comme un Américain.

— Personne n'en sait rien. Il a été probablement appelé Schwartz parce qu'il est brun. Il a survécu, Dieu seul sait comment, à Dachau et Auschwitz. Il n'a pas de famille, pas de passé, rien que de l'énergie à l'état brut. Regardez son bras quand il reviendra.

Une belle fille trapue en short étroit arriva, disposa des tasses et des soucoupes à la va-comme-je-te-pousse et servit du café comme un ouvrier versant du ciment. Elle posa brutalement la cafetière au cas où ils voudraient se resservir et partit chercher du sucre, mais Schwartz l'avait devancée et plaquait un sucrier devant Cullinane.

— Les Américains mangent tout très sucré, grommela-t-il.

Cullinane ne répondit pas ; il regardait l'avant-bras gauche de Schwartz, le matricule tatoué en bleu, S-13741... La solide fille reparut avec le sucre, vit que Schwartz en avait déjà apporté et alla flanquer brutalement le sucrier sur une autre table. Comme elle s'éloignait, Cullinane observa :

— Ça fait plaisir, une jeune fille sans rouge à lèvres.

— Elle fait ça pour la défense d'Israël, gronda Schwartz d'un ton belliqueux.

— Comment cela ?

— Pas de rouge à lèvres. Pas de danses de salon.

— Pour la défense d'Israël, répéta Cullinane.

— Ouais, grogna Schwartz. Demandez-lui vous-même. Aviva, viens là.

Elle fit demi-tour, revint lentement et lança d'un air méprisant :

— Je ne suis pas de ces *salonims* !

— Salonim, traduisit Schwartz. Les filles de salon.

— J'ai fait serment avec tous mes amis de ne jamais danser les danses de salon.

Elle toisa dédaigneusement Cullinane et repartit de ce pas lourd et gauche des filles habituées aux danses folkloriques, et Schwartz la suivit.

— J'espère qu'Aviva ne sera pas de l'équipe des poteries, observa Cullinane.

— Je vous en prie ! s'interposa vivement Mme le professeur Bar-El. Quand j'avais dix-sept ans j'ai fait le même serment. Nous avions alors les mêmes sentiments qu'Aviva. Israël avait besoin de femmes prêtes à porter les armes... à mourir sur le champ de bataille s'il le fallait. Le rouge à lèvres et les danses mondaines étaient pour les femmes inutiles et bonnes à rien de France et d'Amérique. Je suis heureuse de voir que cet esprit existe encore.

— Mais maintenant, vous vous maquillez, lui dit Cullinane.

— Je suis plus vieille. Et maintenant je lutte pour Israël sur d'autres champs de bataille.

C'était un étrange propos, que Cullinane jugea plus sage de ne pas approfondir pour le moment.

— Je crois que nous devrions retourner là-bas pour la réunion, proposa-t-il.

Les quatre archéologues reprirent le petit sentier sinueux pour regagner la gracieuse maison qui leur servirait de quartier général.

Son équipe rétribuée et ses collaborateurs bénévoles attendaient dans une des pièces. Ces derniers étaient venus de tous les coins du globe en réponse à la petite annonce qu'il avait fait paraître dans divers journaux de Grande-Bretagne et d'Europe : « Des fouilles archéologiques vont être entreprises en Galilée pendant l'été de 1964 et les années suivantes. Les experts qualifiés seront les bienvenus s'ils peuvent payer leur voyage en Israël. Ils seront logés et nourris, des soins médicaux seront assurés, mais il n'y aura pas de salaire. » Il avait reçu plus de cent cinquante réponses, et il avait choisi sur cette liste l'équipe d'hommes et de femmes qu'il avait à présent devant lui. Ils étaient tous des érudits passionnés, prêts à travailler pour rien afin de percer les secrets enfouis dans le tell, et chacun avait l'intention d'employer son cerveau et son imagination aussi habilement que le pic et la pelle.

Sur un tableau noir, Eliav avait inscrit l'emploi du temps ardu qui allait être le leur :

5 heures	Réveil
5 h 30	Petit déjeuner
6 à 14 heures	Travail aux fouilles
14 heures	Déjeuner
15 à 16 heures	Sieste
16 à 19 heures	Travail aux bureaux
19 h 30	Dîner
20 h 30 à 22 heures	Conférences

— Pas de questions ? demanda Eliav.

D'une voix aiguë et plaintive, le photographe anglais s'exclama :

— Et l'heure du thé ? Je ne vois pas de pause-thé !

Ceux qui connaissaient sa puissance de travail éclatèrent de rire et Eliav lui assura qu'il aurait son thé.

— Ouf, je respire, dit l'Anglais.

Cullinane se leva alors.

— Nos fouilles ne sont pas très étendues, aussi pourrons-nous nous permettre de travailler lentement. Nous ferons des croquis de chaque pièce dès qu'elle sera trouvée et nous la photographierons sous des angles différents. Notre plateau ne couvre guère qu'un hectare et demi, mais n'oubliez pas qu'au temps du roi David, Jérusalem n'était pas plus grande. Mais cette année, nous n'attaquerons qu'à peine deux pour cent de notre superficie totale.

Il demanda que l'on distribue des cartes du tell et tandis que les collaborateurs se penchaient dessus, Jemail Tabari se leva à son tour.

— Tout ce que nous savons de l'histoire de Makor se trouve dans six passages ambigus. Les anciennes sources hébraïques la mentionnent une fois, quand les douze tribus ont reçu leurs lieux de résidence. Makor figure comme une localité sans importance située sur la frontière entre le secteur d'Asher au bord de la mer et celui de Nephtali à l'intérieur. Ce n'a jamais été une ville importante comme Hazor ni une capitale de district comme Megiddo. Dans les lettres d'Amarna découvertes en Egypte, qui datent d'environ 1400 avant l'Ere chrétienne, une seule référence : « Rampant sur mon ventre, ma tête couverte des cendres de la honte, mes yeux détournés de ton aspect divin, je me prosterne sept fois sept fois et j'annonce au roi des Cieux et du Nil que Makor a été brûlée. » Un commentaire sur Flavius Josèphe comporte un passage mystérieux : « La tradition juive prétend que Josèphe s'est enfui de Makor pendant la nuit. » Dans un célèbre commentaire sur le Talmud, nous trouvons une suite de délectables citations de Rabbi Asher, le fabricant de gruau, décrivant la vie quotidienne dans cette région. Pendant sept cents ans, ensuite, le silence, à part une brève remarque dans le rapport d'un marchand arabe de Damas : « Et des olives de Makor, force bénéfices. » Les oliveraies que nous avons traversées pour aller au kibboutz doivent avoir plusieurs milliers d'années. Au temps des croisades, cependant, nous tombons sur un bon nombre de chroniques et j'espère que vous lirez tous celles de *Wenzel de Trèves*. Vous en trouverez trois pho-

tocopies à la bibliothèque. Wenzel nous apprend que Makor a été prise
par les croisés en 1099 et que pendant près de deux cents ans elle a
été le fief de plusieurs comtes Volkmar de Gretz. Nous sommes convaincus qu'à ce niveau-là nous ferons d'importantes découvertes. Après 1291,
date à laquelle Makor tomba aux mains des mameluks, le lieu disparaît
de l'histoire. Même les marchands n'en parlent plus et nous devons supposer que l'occupation des hommes a cessé à cette date. Mais du niveau
rocheux jusqu'au sommet, il y a exactement vingt et un mètres six cent
quarante et nous sommes en droit de supposer que bien des choses sont
enfouies dans un tertre de cette élévation. John va vous expliquer ce que
nous allons faire.

— Avant, je voudrais poser une question, dit le photographe anglais.
Qu'est-ce que ça veut dire, Makor ?

— Excusez-moi. C'est un terme hébreu qui signifie source.

— On ne voit pourtant pas de ruisseau par ici.

— Non. Et il n'en est fait mention dans aucun des textes connus
à ce jour. Si quelqu'un d'entre vous a une idée brillante, nous serons
heureux de la connaître.

— Il y a peut-être une source cachée sous le tell ?

— Nous nous le sommes souvent demandé. A vous, John.

Cullinane fixa une grande carte du tell sur le tableau et l'examina
en soupirant.

— Par où commencer ? murmura-t-il. Nous allons creuser deux
tranchées, mais où ? Chaque fouille, dit-il plus fort en se tournant vers
ses coéquipiers, a ses problèmes mais nous en avons un nouveau. Comme
vous le savez, j'essaye depuis quelques années de récolter des fonds
pour entreprendre ces fouilles. Je désespérais d'en trouver jamais quand un
soir, à un dîner, j'ai dit par hasard que le tell que j'avais envie d'explorer devait à mon idée contenir un château fort des croisés. Le convive
assis à ma droite s'est écrié : « Un château ? Un château fort ? Ce serait
quand même formidable de creuser et de découvrir un château fort ! »
Je lui ai expliqué qu'en disant château je pensais naturellement à des
ruines, mais ça n'a fait qu'éveiller encore plus son intérêt et il s'est
tourné vers sa femme en s'écriant : « Tu te rends compte ? Découvrir
des ruines ! » Avant la fin de la semaine, il m'avait accordé sa subven-
tion. A trois reprises, je lui ai bien expliqué que s'il s'intéressait au
château fort, je me souciais bien davantage de ce qu'il y avait en dessous. Je suis persuadé qu'il ne m'a pas écouté et qu'il n'a même pas
entendu. Donc, à Makor...

— Nous ferions bien de découvrir un château fort, acheva Tabari.

— Exactement. Et si nous en trouvons un, je suis sûr que nous pouvons amadouer ce monsieur et lui faire subventionner les véritables travaux que nous désirons mener à bien, vous et moi. Alors, la question se
pose, soupira Cullinane en se retournant vers la carte. Où trouver un
château ? Toute mon intuition me souffle de faire commencer au moins
une des tranchées dans le secteur nord-ouest, mais je suis arrêté
par deux facteurs. Le tell monte légèrement d'ouest en est, d'où j'en

conclus que les croisés ont peut-être bien rejeté la tradition, et construit leur forteresse dans le secteur nord-est. Deuxièmement, nous n'avons
pas encore déterminé où se trouvait la porte principale du tell, et Tabari
et Eliav pensent tous les deux qu'elle se trouvait au sud-ouest. J'ai longtemps estimé qu'elle devait être plein sud au milieu de ce mur-là. Mais
maintenant, je veux bien leur donner raison. Donc cet après-midi, j'ai
fini par arrêter mon choix. Voilà, au sud-ouest, notre tranchée principale, dit-il en traçant une ligne droite en plein dans le tell. Et là, au
nord-est, une autre tranchée pour le château fort.

Il traça une courte ligne nord-sud. Les archéologues se détendirent.
La décision était prise et il était évident que Cullinane avait l'intention
de presser les fouilles au nord-est afin de découvrir des vestiges de château fort pour faire plaisir au commanditaire ; mais il poursuivrait
discrètement les fouilles dans le secteur présumé de la porte, dans
l'espoir de trouver ces couches significatives, ces fragments de poterie,
ces restes de murailles et de maisons qui raconteraient la grande histoire
du tell.

Quand la réunion fut terminée et que tous furent partis, Tabari
demeura, l'air inquiet, et Cullinane se dit qu'il était peut-être de ces gens
assommants qui écoutent, ne disent rien et vous laissent parler, pour
venir ensuite vous déclarer qu'ils ne peuvent vous approuver. Mais il
rejeta aussitôt cette pensée mesquine. Jemail Tabari n'était pas comme
ça. S'il était soucieux, il devait avoir de bonnes raisons.

— Qu'y a-t-il, Jemail ?

— Vous avez raison sur tous les points...

— Sauf un, j'imagine ?

— Correct, soupira l'Arabe et il s'approcha de la grande carte. La
tranchée A est bien à sa place. La tranchée B tombera fatalement sur
le château fort. Ce que je n'aime pas, John, c'est votre intention de
déverser tous les débris et la terre dans l'ouadi.

— Ça, par exemple ! Pourquoi ? Il me semble que c'est un dépôt
tout trouvé.

— Correct, répéta Tabari. C'est justement pour cela que c'est un
endroit idéal, naturel, où bien des choses ont pu se passer. Il peut y
avoir des cimetières, des dépôts et des débarras, des grottes. John, nous
cherchons ici des choses fabuleusement importantes, et pas seulement
les ruines d'un château des croisades pour faire plaisir à un...

— Correct, coupa Cullinane en se servant contre l'Arabe de son
expression favorite.

— Bon. Dans mes travaux de recherches, il y a une chose qui m'a
toujours rendu perplexe... Tenez, venez avec moi au tell...

Tabari conduisit Cullinane par l'étroit sentier jusqu'au sommet du
plateau, où ils eurent la surprise de voir la silhouette tassée du
Pr Eliav, un genou en terre à l'extrémité est, là où l'on allait creuser
la tranchée B ; en les entendant approcher, il se redressa vivement, et disparut le long de la pente.

— Ce n'était pas Eliav, là ? s'étonna Tabari.

— Je ne crois pas, répondit Cullinane, mais il avait bien reconnu l'Israélien.

Tabari le mena vers le rebord nord, d'où leurs regards plongeaient le long d'une pente extrêmement abrupte dans les profondeurs de l'ouadi. La falaise tombait presque à pic, à part une espèce de corniche longue d'une centaine de mètres à mi-hauteur.

— Dans tous les textes que j'ai consultés, tous les ouvrages que j'ai lus, dit Tabari, le même facteur manquant sur lequel on bute, si l'on peut dire, tire son origine du nom même de Makor — la source. La source de vie, le facteur essentiel. Pourquoi les gens se sont-ils établis ici, génération après génération ? La seule explication valable, c'est qu'il y avait de l'eau... de l'eau en abondance. Mais nous n'avons aucune idée du lieu d'où elle provenait ni où cette source, si source il y a, était située.

— D'où le kibboutz tire-t-il son eau ?

— De puits artésiens modernes.

Cela n'apportait aucun indice. Cullinane demanda :

— Vous pensez que le puits aurait pu se trouver en dehors des murs de la ville ? Comme à Megiddo ?

— Je ne sais que penser, soupira Tabari. Tout ce que je vous demande, c'est de ne pas combler cet ouadi, parce que dans quelques années, nous voudrons peut-être y faire des fouilles. Là, dans ce trou.

— Votre oncle Mahmoud est célèbre pour son intuition. Vous voulez que j'obéisse à la vôtre ?

— Correct, répondit Tabari en riant.

Et Cullinane chercha un autre endroit pour les gravats.

Le lendemain matin, Tabari distribua les petites pioches et binettes utilisées par l'archéologue moderne — aucune pelle ne saurait être autorisée pour des fouilles qui se respectent — et le travail débuta sous d'heureux auspices. A la tranchée B, dans le secteur nord-est, l'Arabe vit par hasard un des kibboutzniks ramasser un petit objet et se retourner pour appeler le contremaître. Mais le jeune homme parut se raviser et vouloir glisser subrepticement l'objet dans sa poche. Tabari s'approcha d'un air nonchalant, et tendit la main :

— Vous avez fait une découverte ?

— Oui, dit le jeune garçon. Je crois que j'ai trouvé quelque chose.

Il remit à Tabari une pièce d'or, qui devait par la suite causer bien des discussions au réfectoire.

La pièce était de toute évidence arabe, mais il n'était pas facile de deviner ce qu'elle pouvait faire à Makor. Cullinane s'étonna qu'elle eût été découverte si près de la surface.

— Elle ne peut tout de même pas révéler l'existence d'une ville arabe dont personne n'aurait jamais entendu parler ! Et pourtant elle paraît très ancienne. Pouvez-vous la déchiffrer, Jemail ?

Tabari avait pu reconnaître certains des caractères arabes et s'efforçait de déchiffrer le reste quand le photographe survint avec deux volumes de la bibliothèque sur les monnaies de Palestine. Après de multiples comparaisons il fut conclu que cette pièce avait été frappée vers l'an 1000.

— C'est difficile à croire, protesta Cullinane. Ce serait un siècle avant les croisades et si ce que vous dites est vrai...

Il hésita, et puis il eut recours à la plainte classique des archéologues :

— Cette pièce n'a rien à faire ici !

Un peu plus tard, il attira Tabari à l'écart et lui déclara :

— Tout aurait été plus simple si vous aviez laissé le kibboutznik empocher sa pièce pour la revendre à quelque fichu touriste. Avertissez vos hommes de ne pas déterrer des objets qui sèment la confusion !

Mais quatre jours plus tard, les ouvriers de la tranchée B découvrirent quelque chose d'extrêmement bizarre en vérité, et lorsque Cullinane eut fini de remplir sa fiche, il plaisanta :

— Tabari, quelqu'un s'amuse à perturber nos fouilles.

C'était un danger constant, commun à toutes les fouilles : des ouvriers enthousiastes, cherchant à obtenir des primes et aussi à faire plaisir aux étrangers qu'ils aimaient bien, avaient l'habitude de cacher des objets dans la terre et de les « découvrir » triomphalement. Mais un rapide examen de la nouvelle trouvaille persuada même Cullinane qu'aucun ouvrier n'aurait pu s'amuser avec cet objet-là, car il était en or massif. C'était un chandelier à sept branches, un menorah.

Cette découverte, par son caractère essentiellement juif, occasionna énormément de surexcitation tant aux fouilles qu'au kibboutz, mais il était impossible de lui fixer une date, car ces chandeliers avaient été en usage chez les Juifs depuis l'Exode, quand Dieu lui-même avait donné des instructions détaillées pour leur fabrication.

— C'est une œuvre d'art, reconnut à contrecœur Cullinane, mais sans aucune valeur archéologique.

Et il l'écarta, sans se douter que ce serait là une des trouvailles les plus sensationnelles des fouilles.

— Bon Dieu, maugréa-t-il, une balle, une pièce d'or vieille de mille ans et un menorah. Tout ça à des niveaux invraisemblables et aux mauvaises époques. Mais qu'est-ce que c'est que ces fouilles ?

Trois jours plus tard, il se produisit un incident qu'il ne jugea pas important sur le moment ; un journaliste australien, un brave jeune homme plein d'entrain, passa par les fouilles et, après avoir posé énormément de questions sans intérêt, avisa le menorah.

— Qu'est-ce que c'est que ça ? demanda-t-il.

— Ça s'appelle un menorah, répondit Cullinane avec un peu d'irritation.

— C'est en or, hein ? Vous allez trouver beaucoup d'or...

— C'est bien trop récent pour avoir une valeur archéologique.

— Oui, je comprends, mais tout de même... Dites, je peux le photographier ?

— Je n'en vois pas l'utilité.

— Qu'est-ce que c'est ? Vous ne m'avez pas répondu.

— Un chandelier à sept branches, expliqua Cullinane en soupirant.

Quelques jours plus tard, lorsque le moment arriva de savoir ce qui

s'était passé, il put se rappeler quelques détails de la scène. L'Australien avait soigneusement compté les branches — « cinq, six, sept » — et un sourire presque puéril avait illuminé sa figure sympathique. Il avait insisté :

— Professeur Cullinane, si j'expliquais bien dans mon article que ce menorah, comme vous dites, n'a pas d'intérêt historique, vous me permettriez de le photographier ?

Cullinane y avait consenti, à regret. L'Australien avait rapidement mis au point un appareil japonais et avait demandé à l'un des anciens du kibboutz de poser avec le chandelier à la main, en lui disant de le regarder, de ne pas se tourner vers l'objectif, surtout. Puis après avoir pris quelques clichés en coup de vent, il avait remballé son matériel, remercié Cullinane et repris la route de Tel-Aviv et de l'aéroport.

— J'envie une telle énergie, avait observé en riant l'archéologue.

Mais il oublia l'incident quand Tabari arriva en courant de la tranchée B en brandissant une pièce de monnaie qui avait sauté d'une fissure dans des pans de murailles enfouis. Elle était si grande qu'ils pensèrent qu'à l'origine elle devait avoir eu une grande valeur, mais après l'avoir nettoyée ils s'aperçurent que ce n'était pas une pièce mais un sceau de bronze portant à l'avers la figure d'un croisé à cheval et l'inscription

VKMR VIII GREZ : S : MCUR : COND : DOV : REAVME : DACR

et au revers une tour crénelée entourée de l'inscription :

CE : EST : LE : CHASZ : DE : MA : COVER : DE : JÉSUS

C'était une trouvaille exceptionnelle, une authentique pièce remontant aux croisades, et si elle ne prouvait pas que la tranchée B allait aboutir au château fort, elle révélait qu'au moins un des comtes Volkmar avait vécu là.

— Je crois que nous ne sommes pas loin du château, dit Tabari avec un enthousiasme réservé.

Sur quoi Cullinane expédia à Paul J. Zodman, son milliardaire de Chicago, un câble annonçant que l'on était très près des ruines.

Mais avant que Zodman ait répondu, un quotidien de Londres arriva à Makor, avec un article qui bouleversa les archéologues, vite suivi par des journaux de Paris, Rome et New York reproduisant une histoire fantastique sur les fouilles. L'Australien avait publié ses photos en les accompagnant d'un récit à sensation intitulé le « Chandelier de la Mort ». A l'en croire, aux temps bibliques, un mauvais roi avait désigné ses sept ennemis les plus implacables et avait allumé les sept bougies du chandelier en disant à son général en chef : « Quand les sept bougies auront brûlé, tous mes ennemis devront être morts. » Les six premières chandelles s'étaient éteintes, et six des ennemis avaient été tués, mais comme la flamme de la septième baissait, le général s'était brusquement retourné et d'un seul coup d'épée avait décapité le roi, car il était son propre pire ennemi. Sur quoi le général avait enseveli le chandelier fatidique au pied des murailles, où « le Pr John Cullinane venait de la retrouver, car c'était un objet maudit ».

Le plus grand des clichés représentait un vieux monsieur distingué qui semblait se détourner avec horreur du chandelier à sept branches. En

dessous, la légende précisait : « Le Pr Gheorghe Moscowitz, éminent archéologue, nous dit : « Cet objet fatal porte malheur à quiconque le possède, car il est maudit. »

En lisant cela, le Pr Cullinane jura.

— Qui diable est le Pr Moscowitz ? demanda-t-il.

— C'est ce vieux Roumain, lui dit Tabari, celui qui balaye derrière nous.

— Faites-le venir, ordonna Cullinane.

Mais quand le kibboutznik apparut, inquiet et intimidé, ce fut Tabari qui l'interrogea.

— C'est bien vous, sur cette photo ?

— Oui. Le Pr Cullinane était là, quand le journaliste l'a prise.

— Je ne me souviens pas que vous faisiez cette tête-là, grommela Cullinane.

— Juste avant de prendre sa photo, il m'a fait une vilaine grimace, expliqua le Roumain. J'ai eu un sursaut.

— Mais vous ne lui avez tout de même pas raconté cette histoire de malédiction, j'espère ?

— Non. C'est juste au moment où il remontait en voiture, il m'a demandé si je pensais que ce chandelier pouvait être maudit, alors pour me débarrasser de lui, j'ai dit peut-être.

Dans l'après-midi même, les premiers excursionnistes se présentèrent aux fouilles pour voir le Chandelier de la Mort, et le lendemain un car entier arriva. Cullinane était furieux, et décida d'interdire l'accès du tell aux journalistes et aux touristes, mais il n'avait pas fini de parler qu'on lui apportait un câble de Chicago :

CULLINANE STOP QUELLES QUE SOIENT AUTRES DÉCOUVERTES QUE LE GOU-VERNEMENT ISRAÉLIEN TIENT A CONSERVER IL EST INDISPENSABLE QUE VOUS VOUS ASSURIEZ POSSESSION DU CHANDELIER POUR MUSÉE CHICAGO STOP PAUL J. ZODMAN.

Cullinane soupira et confia à Tabari la tâche de rassurer Zodman et de lui promettre son chandelier.

Mais le lendemain matin, ces incidents furent oubliés car Eliav vint annoncer qu'à la tranchée B les ouvriers avaient enfin la preuve formelle qu'ils creusaient dans les ruines d'un château fort des croisés.

— Une inscription qui a l'air de remonter à 1105, John. On dirait que nous avons découvert le fameux château !

Cullinane se précipita, ainsi qu'une foule de kibboutzniks. Tabari dut les écarter résolument, de crainte qu'ils ne provoquent des éboulements, tandis que dix des ouvriers les plus solides sautaient dans l'excavation pour dégager la découverte. Mais ils ne touchèrent pas à la pierre portant l'inscription ; car il fallait d'abord la photographier *in situ*, et relever des croquis précis et nombreux. De ces clichés et de ces dessins, un savant qui ne verrait sans doute jamais Makor pourrait échafauder une théorie qui

jetterait enfin la clarté sur toute une période de l'histoire de Makor. Quand les photographes et les dessinateurs eurent fini, Tabari laissa défiler la foule devant la première découverte importante de Makor. Cullinane fit humblement la queue comme les autres, et quand il vit la merveilleuse pierre, gravée avec amour par un artisan médiéval, son cœur bondit de joie. Le château existait. Le premier stade des fouilles était une réussite, et, dans les années à venir, les belles ruines pourraient être explorées à loisir. En attendant, il fit une fiche soigneuse de la pierre gravée, dont l'inscription était nettement lisible :

« HIC IACET VOLKMAR DE GRTZ CVIVS ANIMA REQVIESCAT IN PACEM AMEN + »

C'était manifestement la pierre tombale du croisé Volkmar 1er, et Cullinane fixa la date à 1125 E. C. En voyant cela, Tabari protesta en disant que, selon les chroniques de Wenzel de Trèves, le comte Volkmar 1er de Gretz était mort en 1105, à quoi Cullinane répliqua que l'on savait sans doute la date de sa mort, mais pas celle à laquelle on avait gravé et érigé cette pierre.

Tout marchait à merveille à la tranchée B et les travaux se poursuivaient dans l'enthousiasme, mais il n'en allait pas de même à la tranchée A. On avait manifestement manqué la porte principale. Après des semaines de fouilles vaines, Eliav reconnut que Cullinane avait sans doute eu raison, et que la porte devait se trouver plus à l'est. Il proposa d'abandonner cette tranchée et d'en creuser une autre, mais Cullinane refusa.

— Non, dit-il. A la tranchée B nous avons découvert le château fort, et si le reste du teḷl est négatif, nous devons le savoir.

Les kibboutzniks de la tranchée A, découragés, furent déçus lorsqu'on leur ordonna de continuer comme prévu, et Cullinane eut du mal à leur faire comprendre que leur travail était aussi capital que celui de la tranchée B. Lui-même avait d'ailleurs **du mal** à croire ce qu'il disait.

Les ouvriers bénévoles de la tranchée A creusèrent donc avec un acharnement méritoire jusqu'à ce qu'enfin, à force de volonté et de travail pénible, ils eussent rejeté assez de terre pour révéler au grand jour les trois murailles concentriques de Makor. Vers 3500 av. E. C., des hommes encore inconnus avaient édifié l'épais mur d'enceinte en entassant au petit bonheur d'énormes blocs de pierre assemblés sans mortier. Deux mille ans plus tard, bien avant l'ère de Saul et de Salomon, un autre groupe ethnique inconnu avait construit le solide mur du milieu. Et deux mille cinq cents ans après, au temps des croisades, le mur intérieur avait été dressé, et c'était un chef-d'œuvre européen. Cependant, à la tranchée B, on avait découvert une multitude de restes, et surtout, en juin, des pierres noircies, brûlées, certaines même que la chaleur avait fait éclater et chacun se demanda quelle avait pu être la cause de l'incendie, et comment des envahisseurs avaient pu percer les murailles découvertes à la tranchée A.

Un regain d'enthousiasme soutenait les ouvriers de la tranchée A et à quelque distance du mur intérieur ils firent coup sur coup trois nouvelles trouvailles, moins spectaculaires sans doute que les ruines du

château fort mais toutes les trois d'une nature telle qu'elles catapultaient
l'histoire de Makor dans le passé. La première découverte n'était qu'un
morceau de pierre à chaux artistement sculptée dans un style que nul
Juif ni chrétien ne songerait à adopter ; c'était manifestement une décora-
tion d'origine musulmane, un entrelacs de cercles et de bandes destiné à
une mosquée, mais sur une des faces une main chrétienne avait appliqué
un panneau orné de cinq croix.

Les experts tournèrent alors toute leur attention vers la tranchée A,
où des pans de murs et des fondations comblées se confondaient dans un
chaos chronologique. La pierre mauresque prouvait qu'il y avait eu là
une mosquée, que des chrétiens avaient par la suite convertie en église.
Cependant, en creusant plus profondément, on s'aperçut qu'à l'origine le
bâtiment avait été une basilique byzantine, avec un magnifique sol de
mosaïque, et Cullinane enthousiasmé creusa de ses mains, dans l'espoir
de mettre au jour la preuve formelle que Makor avait eu une des premières
églises chrétiennes de Galilée ; mais ce fut Tabari qui balaya finalement
le sable qui recouvrait une belle pierre d'angle sur laquelle avait été sculpté
en bas-relief un motif de trois croix, deux dans des cercles et une latine au
milieu.

Eliav accompagna le photographe qui vint prendre des clichés de la
pierre *in situ*, car il était capital d'enregistrer pour les archives l'endroit
exact où elle se trouvait et comment elle s'insérait dans le mur, d'autant
que la pierre semblait placée dans un secteur qui avait dû être détruit
et reconstruit plusieurs fois. Il était impossible de savoir à première vue
si elle avait à l'origine fait partie du mur de la mosquée ; ce ne serait
qu'en creusant plus avant que l'on parviendrait à établir des rapports.

Mais quand Eliav chassa de sa main un peu de terre pour permettre
à l'objectif de saisir une ombre montrant comment la pierre avançait,
une irrégularité sur la surface supérieure attira son regard et il demanda
une brosse fine et un grattoir. Avec ces instruments, il ôta délicatement
la poussière des siècles qui s'était insinuée entre les pierres et il comprit
tout de suite qu'il venait de faire une découverte capitale. Sans un mot,
il s'écarta pour laisser travailler le photographe, et il alla lentement
rejoindre Cullinane qui montrait à Vered Bar-El et à Tabari le croquis
qu'il venait de faire sur une fiche. Eliav prit la carte, l'examina, et
déclara paisiblement :

— Je crois que vous allez avoir encore un peu de travail sur celle-
ci, John.

— Comment cela ?

Eliav regarda gravement ses collègues.

— Ce genre de chose dont nous rêvons tous...

Les trois autres experts le suivirent au fond de la tranchée. Personne
ne parlait. Devant la pierre, Cullinane demanda au photographe de se
retirer, puis il se mit à genoux et regarda de près le petit interstice
terreux d'un demi-centimètre de haut. Quand il se releva, ses yeux brillaient. Tabari et Vered eurent la même réaction, après avoir vu ce que
le Pr Eliav venait de découvrir.

— Il va falloir ôter les couches du dessus avec précaution, dit-il.

Cela dura plus d'une heure. Enfin la pierre importante fut presque dégagée. Il n'en restait plus qu'une dessus, et Cullinane appela le photographe pour une dernière série de clichés, après quoi Eliav et lui s'arcboutèrent pour soulever le moellon supérieur avec des leviers. Lentement, ils le hissèrent et l'écartèrent, et soudain Tabari, qui se penchait en avant et fouillait du regard les ténèbres du trou, s'écria en se redressant, rouge d'excitation :

— C'est là ! Ça y est ! Mon Dieu ! C'est presque parfait !

Ils écartèrent complètement la pierre supérieure, puis ils époussetèrent délicatement la surface qui avait été cachée depuis plus de six cents ans. Une délicate gravure apparut, représentant une drôle de petite maison haute avec un toit arrondi, posée sur des roues aplaties et encadrée par des palmiers. Les archéologues reculèrent pour laisser les kibboutzniks l'admirer, mais personne ne parla. Enfin, Eliav souffla :

— C'est une grande journée pour les Juifs.

Car ce dessin puéril était la représentation traditionnelle du wagonnet qui porta l'Arche d'alliance contenant les Tables de la Loi du mont Sinaï à la Terre promise. A l'origine, cette pierre avait dû trôner à la place d'honneur dans la synagogue de Makor, mais quand l'édifice avait été abattu par les chrétiens victorieux, quelque artisan avait gravé ses trois croix sur un des autres côtés de la pierre tandis que la surface juive vaincue était cachée dans les profondeurs de la basilique. La révélation, la découverte de ces symboles juifs en cet instant, devant des Juifs revenus d'exil pour construire leur kibboutz près de l'antique site, ce fut un moment lumineux. Cullinane, en levant par hasard la tête, vit des larmes briller dans les yeux des plus vieux des kibboutzniks. Avec une joie profonde, il modifia son premier croquis.

Il l'avait à peine achevé qu'un ouvrier découvrait une monnaie qui complétait la violente suite d'événements de cette époque : temple romain, synagogue, basilique, mosquée, église... tous ces sanctuaires également détruits et partageant le même effondrement.

Cullinane autorisa l'exposition de la pierre et de la monnaie romaine au kibboutz, pendant quelques jours, et des Juifs au visage grave contemplèrent d'abord leur Arche retrouvée, mais surtout, et plus longuement, le dur profil de Vespasien, dont les armées avaient abattu leur temple, et l'allégorie de la Judée Captive, pleurant sous son palmier sous la garde humiliante d'un soldat romain. C'était une des plus belles pièces jamais frappées, unissant la force impériale et le malheur des vaincus ; elle fascinait ces Juifs modernes dont elle résumait l'histoire. Cullinane, profondément ému lui-même par ces trois découvertes presque simultanées et si étroitement reliées entre elles, expédia un câble à Paul Zodman pour lui annoncer que les événements se précipitaient et qu'il devrait venir.

Les rapports entre les deux tranchées étaient maintenant inversés, comme cela se produit bien souvent dans les fouilles. La tranchée B s'enfonçait dans les fondations du château fort du croisé, dont les murs plon-

geaient dans plusieurs niveaux d'occupation, les oblitéraient tous et les rendaient pratiquement inutilisables pour l'étude, ce qui fait que là les ouvriers s'occupaient surtout de déplacer de gros blocs de pierre, tandis qu'à la tranchée A, qui traversait de multiples structures religieuses, l'activité archéologique et intellectuelle était vive, et justifiait la présence d'un architecte de l'université de Pennsylvanie. La tranchée n'avait que dix mètres de large au sommet, et, comme ses flancs étaient en pente douce, une très petite partie du mur était exposée, mais dès que les kibboutzniks avaient dégagé un infime secteur, l'architecte était là, à genoux, parfois avec une petite brosse fine, et en grattant, en calculant, il parvenait à déduire comment les diverses pièces du puzzle s'étaient raccordées.

En dépit de l'emploi du temps exténuant imposé par Eliav, il y avait quand même de la gaieté au kibboutz et durant les longues soirées d'été, le groupe des archéologues s'y réunissait pour les feux de camp et les danses folkloriques. Le bruit s'était répandu que le grand patron était célibataire et quelques très jolies filles entraînaient Cullinane pour danser au son de l'accordéon de merveilleuses danses anciennes des steppes de Russie ou des montagnes du Yémen. Il trouvait les filles du kibboutz trop jeunes pour lui, mais il avoua à Tabari un changement d'opinion :

— Chez nous en Amérique, j'avais toujours pensé que les danses folkloriques n'étaient bonnes que pour les filles trop laides et trop lourdes pour nos danses modernes, mais ces jeunesses m'ont infligé un démenti.

Quand vint juillet, il s'aperçut avec chagrin qu'aux danses du kibboutz Vered Bar-El préférait danser avec Eliav, et qu'ils formaient un couple charmant. Elle semblait plus menue encore face à la puissante musculature de l'Israélien, et tourbillonnait avec grâce dans un envol de jupons.

Tabari organisa des excursions de nuit à des lieux historiques, comme Tibériade sur la mer de Galilée, ou bien aux ruines poétiques de Césarée, l'ancienne capitale du roi Hérode où Cullinane vit Vered debout au clair de lune à côté d'une colonne de marbre qui avait jadis orné les jardins du roi ; elle semblait incarner l'âme même d'Israël, cette ravissante Juive des temps bibliques, et il avait voulu courir vers elle pour le lui dire, mais Eliav l'avait devancé. Il avait surgi de derrière la colonne ; il lui prenait la main, et Cullinane se sentit stupide.

Et puis une nuit de la mi-juillet, comme il inspectait les fouilles au clair de lune, son attention fut attirée par une silhouette se déplaçant à l'extrémité nord du plateau. Il crut que c'était un des ouvriers cherchant à voler une quelconque relique des croisés ; mais c'était Vered Bar-El. Impulsivement, il courut la rejoindre et la prit dans ses bras, et l'embrassa avec un élan qui les surprit tous deux. Lentement, elle le repoussa, les mains cramponnées aux revers de sa veste, et le contempla de ses grands yeux noirs impertinents.

— John, s'écria-t-elle en riant, vous ne savez donc pas que je suis fiancée avec Eliav ?

— Non ? C'est vrai ?

— Mais oui. C'est pour ça que je suis venue ici, plutôt qu'aux fouilles de Massada.

Il s'était posé la question à Chicago ; il s'était demandé pourquoi Bar-El laissait passer une occasion sûre comme Massada pour travailler avec lui. Il se mit en colère.

— Bon Dieu, Vered, si vous êtes fiancés, pourquoi ne vous épouse-t-il pas ?

Pendant un bref instant, elle donna l'impression de se l'être demandé aussi, mais elle se ressaisit vite et répondit d'un ton léger :

— Oh !... Parfois ces choses...

Cullinane l'embrassa encore, et déclara, plus gravement :

— Vered, s'il tarde tant à se déclarer, pourquoi ne pas épouser un homme plus résolu ?

Elle hésita, comme si elle attendait qu'il l'embrassât encore, puis elle le repoussa nettement.

— Vous êtes trop résolu, John...

— Vous êtes fiancés depuis combien de temps ?

La tête détournée, elle murmura :

— Nous avons fait la guerre ensemble. J'habitais avec sa femme, avant qu'elle soit tuée. Il a combattu aux côtés de mon mari. Ce sont des choses qui vous lient...

— A vous entendre, on dirait d'un inceste patriotique.

Elle le gifla, violemment, avec rage.

— Il y a des sujets graves qu'il ne faut pas...

Et puis brusquement elle se jeta dans ses bras en sanglotant. Au bout d'un moment, elle souffla :

— Vous êtes un homme que je pourrais aimer, John. Mais j'ai lutté désespérément pour l'Etat juif et je n'épouserai jamais un autre qu'un Juif.

La force de ses paroles contraignit Cullinane à les respecter, mais il ne pouvait raisonnablement les accepter. Ce qu'il pouvait savoir des relations humaines le portait à croire que Vered Bar-El n'épouserait pas le Pr Eliav. Elle n'avait pas l'air amoureuse de lui et il ne paraissait pas la désirer. Comme cet Etat d'Israël auquel elle appartenait, elle était prise dans les feux croisés de l'Histoire, plutôt que dans les rets de l'amour, et l'on devinait qu'elle n'était pas satisfaite de la situation. Cullinane l'observa un moment, avec compassion, puis il murmura :

— Vered, j'ai passé vingt ans de ma vie à chercher une femme. Je la voulais intelligente, courageuse, je voulais qu'elle ne craigne pas les grandes idées généreuses et qu'elle soit... qu'elle soit féminine. Ce genre de fille n'est pas facile à trouver, et je ne vous laisserai pas échapper. Vous n'épouserez jamais Eliav. J'en suis convaincu. Mais vous m'épouserez, moi.

— Rentrons, dit-elle.

Quand ils revinrent dans la salle principale de la vieille maison arabe, les autres se mirent à rire, et Cullinane se sentit plus sûr de lui quand Eliav dit d'un ton léger, non comme un amant jaloux mais plutôt comme un étudiant s'adressant à son camarade de chambre :

— J'ai dans l'idée, Cullinane, que vous venez d'embrasser ma fiancée.

L'Irlandais s'essuya les lèvres, regarda le dos de sa main et répondit :

— Je croyais que les filles d'Israël méprisaient les salonims et le rouge à lèvres.

— Parfois, oui. Mais elles se ravisent plus tard.

Cullinane choisit de jouer le jeu et tendit sa main.

— Dans les années à venir, Eliav, votre femme pourra vous taquiner sans mentir en vous disant que si elle ne vous avait pas épousé, elle aurait pu s'en aller vivre à Chicago avec un homme, un vrai !

— Je n'en doute pas, répliqua le grand Juif en riant, et les deux archéologues se serrèrent la main.

— Si ce sont des fiançailles officielles, lança le photographe anglais, nous allons fêter ça toute la nuit !

Quelqu'un sauta dans une jeep pour aller chercher à Akko quelques bouteilles d'arrack ; mais pour John Cullinane, les chants et les danses furent irritants, car en observant Vered et son fiancé il savait que ces fiançailles étaient factices. Plus grave encore, il avait avoué à Vered qu'il l'aimait, qu'il avait besoin d'elle, et il se demandait quels allaient être leurs rapports désormais.

Le lendemain matin, alors que Cullinane esquissait le premier·objet découvert jusque-là qui remontât à des temps plus reculés, avant l'Ere chrétienne, un petit flacon de verre à long col, le Pr Eliav reçut un coup de téléphone du bureau du Premier ministre à Jérusalem l'avertissant de l'arrivée à l'aéroport de Paul J. Zodman de Chicago, dans l'après-midi même. Quelques minutes plus tard, Cullinane fut prévenu à son tour par télégramme et puis le représentant à Tel-Aviv de l'*United Jewish Appeal*, l'organisation en faveur d'Israël, téléphona aussi pour annoncer l'arrivée de Zodman, et supplier qu'on le reçoive bien et qu'on le « maintienne de bonne humeur ». Cullinane acheva son croquis et annonça à ses collègues :

— Maintenant, nous allons tous en baver.

Deux voitures descendirent de Makor, Tabari et Eliav dans la première, Mrs Bar-El et Cullinane dans l'autre. Ce fut Eliav qui décida de cet arrangement, en sentant que l'éventuel désagrément de la veille devait être complètement dissipé dans l'intérêt des fouilles.

— De plus, ajouta-t-il, j'ai appris que ça ne fait jamais de mal, quand on accueille un milliardaire, d'avoir une jolie fille sous la main.

— Ce n'est pas une jolie fille, protesta Cullinane. Vered est la beauté même !

Sur quoi elle l'embrassa légèrement sur le bout du nez, devant tout le monde, et toute tension qui aurait pu demeurer s'envola.

Sur la longue route de l'aéroport, elle demanda :

— Nous avons beaucoup entendu parler de Paul Zodman. Quel genre d'homme est-il ?

— Ma foi... Il est trois fois plus intelligent qu'il n'en a l'air. Et trois fois plus stupide.

— Il est déjà venu en Israël ?

— Jamais.

— Je sais qu'il a fait pas mal de dons. Cinquante mille dollars pour qu'on plante des arbres. Un demi-million pour l'école d'administration commerciale. Et pour les fouilles ? Trois cent mille dollars ?

— Il n'est pas complètement dénué de générosité, comme diraient les Anglais.

— Pourquoi a-t-il fait ça, s'il n'est jamais venu ici ?

— Il est le type même de beaucoup de Juifs américains. Un jour il a dit : « En Allemagne, je serais mort. En Amérique, je possède sept magasins. Si je ne donnais pas à Israël, je serais un salaud. »

— C'est strictement de la charité. Il ne se sent pas l'un de nous ? Cullinane se mit à rire.

— Quand il verra la réussite de ce pays... les écoles, les routes, les hôpitaux, il va être horriblement déçu. Il a l'impression qu'il fait l'aumône à des parias dans un ghetto.

— Comment est-il ?

— Qu'est-ce que vous croyez ?

— Quel âge a-t-il ?

— Ça, je peux vous le dire. Quarante-quatre ans.

— Marié ?

— Oui.

— Il a hérité la fortune de son père ?

— Quatre des magasins. Les autres il les a créés lui-même.

— Je l'imagine grand, solide, agressif, qui n'a jamais rien lu mais admire des universitaires comme vous. Il doit être très libéral, avoir les idées larges, pour avoir embauché un catholique comme vous.

— Vous parliez sérieusement, demanda brusquement Cullinane, quand vous avez dit que vous n'épouseriez jamais un non-Juif ?

— Certainement. Il y a dans notre famille une histoire qui résume tout. Quand nous avons fui la Russie pour l'Allemagne, ma tante voulait épouser un Aryen.

— Si ça veut dire quelque chose.

— Dans son cas, ça voulait dire un beau Prussien blond aux yeux bleus, très cultivé. Notre famille a poussé les hauts cris, mais c'est ma grand-mère qui a porté le coup décisif. Elle a dit textuellement : « Pour n'importe quel homme, le mariage est difficile, et aucun homme ne devrait jamais être tenté de se débarrasser de sa femme parce qu'elle est juive. Il a bien assez de raisons autrement. » Mon père m'a raconté que tout le monde a ri de ce raisonnement et que ma tante a pleuré en protestant : « Pourquoi Otto serait-il tenté de se débarrasser de moi parce que je suis juive ? » A quoi ma grand-mère a répondu que le jour viendrait peut-être en Allemagne où les hommes seraient contraints de répudier leurs épouses juives. Ma tante a beaucoup pleuré, mais elle ne s'est pas mariée. Otto a épousé une autre jeune fille juive et en 1938 il a été obligé de se séparer d'elle, et la malheureuse a été envoyée dans un camp de la mort. Naturellement, ma tante a fini dans le même camp, mais elle était avec son mari.

— Vous croyez qu'un jour pourrait venir en Amérique où je recevrais l'ordre de me débarrasser de vous parce que vous êtes juive ?

— Je ne m'occupe pas de cas d'espèces, répliqua Vered. Tout ce que je sais, c'est que ma vieille grand-mère a eu raison.

Parmi tous les passagers qui descendaient de l'avion à réaction, il était impossible de ne pas reconnaître Zodman. Il n'était pas grand, il était fluet, vêtu d'un costume bleu marine croisé de coupe britannique, et son visage devait son hâle à la lampe à brunir de son gymnase. Il dévala les marches de la passerelle d'un pas alerte, ses yeux vifs regardaient avec intérêt tout ce qu'ils voyaient, et il courut littéralement à la rencontre de Cullinane.

— John ! Quelle surprise ! Vous n'aviez pas besoin de faire tout ce chemin pour me recevoir...

Mais il était évident que John aurait eu à se mordre les doigts de n'être pas venu !

— Voici le Pr Bar-El, notre expert en poteries, dit Cullinane, sachant combien les hommes d'affaires étaient impressionnés par ce titre de « professeur ». Et puis le Pr Ilan Eliav, et enfin l'expert des experts, Jemail Tabari, de l'université d'Oxford.

Paul Zodman recula d'un pas, contempla son équipe — trois hommes avenants, jeunes et bronzés, et une jeune femme ravissante — et s'écria :

— Vous formez un groupe qui fait plaisir à voir. J'espère que vos collègues sont à la hauteur, John.

— Faites-leur passer l'examen pendant que je vais chercher vos bagages, dit Cullinane.

— Une seule valise, un sac de nuit, dit Zodman en lui tendant son billet.

Cela aussi, c'était la preuve qu'il était Paul Zodman ; il avait appris que la plupart des voyageurs s'encombrent d'une masse de bagages inutiles. Quand Cullinane prit la petite valise, il vit que c'était une de ces choses en fibre de verre et magnésium qui coûtent des fortunes et ne pèsent rien. Par curiosité, il regarda la balance quand l'employé d'El-Al la pesa ; dix-neuf livres. Deux Juifs de New York passèrent ensuite, croulants sous cent kilos de bagages au moins.

Pour se rendre aux fouilles, Zodman proposa de faire la première moitié du trajet avec Eliav et Tabari, et la seconde moitié en compagnie de Cullinane et de Bar-El, et tandis que les deux voitures quittaient l'aéroport, Cullinane demanda à Vered :

— Alors ?

— Je suis très impressionnée. Il est plus jeune et plus intelligent que je ne pensais.

— Attendez avant de juger, conseilla Cullinane.

Ils en eurent l'occasion à mi-chemin, quand Zodman sauta de la voiture d'Eliav.

— Deux types excellents, dit-il en montant dans celle de Cullinane.

J'embaucherais n'importe lequel des deux sur l'heure pour un de mes magasins. Ce Tabari est un charmeur éhonté. Il a essayé de me jeter de la poudre aux yeux avec des flatteries. Eliav est une force. Vous les payez convenablement, John ?

— Des salaires de misère, déclara Vered.

— Ma foi, s'ils sont aussi bien qu'ils en ont l'air, au bout de six ou sept ans, vous pourriez les augmenter de cinq dollars. Même chose aussi pour vous, miss Bar-El.

— Mrs Bar-El.

— Cette affaire de salaire, dans des fouilles archéologiques, est bien déroutante, dit Zodman. Depuis votre départ, John, j'ai demandé à miss Kramer de me communiquer les rapports de toutes les fouilles importantes de cette région, Macalister, Kenyon, Yadin, Albright, tous ces archéologues...

Il dévida à la suite encore une douzaine de noms. Vered s'étonna :

— Vous avez lu tous ces rapports ? Les gros in-folio ?

— Les gros volumes si chers, oui. J'ai dépensé presque autant d'argent sur ces livres que sur vous, John, et...

Commença alors une suite d'incidents qui devaient prouver à quel point il savait être stupide.

— Dites, vous croyez que je pourrais voir les arbres ?

— Quels arbres ? demanda Cullinane.

— J'ai fait don de quatre-vingt-un mille dollars pour faire planter des arbres dans ce pays.

— Ma foi... marmonna Cullinane.

Vered sauva la situation :

— Les forêts sont par là-bas, dit-elle en tendant vaguement une main vers la droite, et, pour détourner l'attention de Zodman, elle lui posa des questions précises sur les rapports archéologiques, ce qui lui permit de découvrir qu'il ne s'était pas contenté de les parcourir mais en connaissait bien les détails.

Mais à un tournant de la route, la voiture se dirigea vers l'endroit que Vered avait indiqué, et le commanditaire en revint à ses arbres.

— C'est par là, la forêt ?

— Oui, un peu plus loin. De ce côté.

Cullinane entreprit alors de parler longuement des découvertes sur le site du château fort et ils arrivèrent ainsi aux fouilles, tandis qu'à chaque question de Zodman sur ses arbres, Vered répondait qu'ils étaient « un peu plus loin ». Enfin, Zodman coupa la parole à Cullinane :

— Vous allez peut-être trouver ça bête, mais je tiens à voir mes arbres. Ce château fort est mort il y a mille ans. Les arbres sont vivants.

Tabari prit Eliav à part et l'avertit :

— Voilà que ça recommence, chuchota-t-il. Je vous conseille de dénicher des arbres, sinon on va se retrouver dans de sales draps.

Un répit provisoire fut apporté lorsque Cullinane présenta le menorah d'or massif.

— Voilà votre Chandelier de la Mort, dit-il.

Pendant quelques minutes, Zodman se plongea dans la contemplation de l'objet fatidique.

— C'est à laquelle des bougies qu'ils ont coupé la tête du roi ? demanda-t-il.

— Celle du milieu, assura Tabari sans broncher.

Eliav ne sourit pas, car il était inquiet. Il avait eu souvent à résoudre ce problème des arbres. Les habiles collecteurs de fonds pour Israël qui parcouraient les Etats-Unis pour le compte de l'Agence juive, soutiraient des dollars à de nombreux Juifs américains richissimes en les persuadant de contribuer au reboisement de la Terre sainte. « Pensez un peu, disaient-ils. Vos arbres vont pousser sur la terre même où le roi David a vécu ! » Aussi, quand ces généreux donateurs venaient en Israël, leur premier souhait était de voir leurs arbres. Paul Zodman avait fait don d'un demi-million de dollars pour la construction mais il n'avait aucun désir de voir ces bâtiments, car il savait que les briques et la pierre sont pareils partout dans le monde ; mais un arbre vivant, croissant sur la terre d'Israël, enfiévrait son imagination.

Malheureusement, un jeune arbre nouvellement planté n'avait rien de bien spectaculaire. A plusieurs reprises, Eliav avait emmené des hommes comme Zodman voir ce que leurs dons avaient permis de créer, mais une pépinière au flanc d'une montagne ne ressemblait qu'à de maigres broussailles et certains visiteurs ne s'étaient jamais relevés du choc.

— Ce qu'il nous faudrait, c'est une forêt toute prête, chuchota-t-il à Tabari, et l'Arabe claqua soudain des doigts.

— Nous en avons une ! Ne vous inquiétez plus. Notre problème est résolu.

— Qu'est-ce que vous allez faire ?

— Vous verrez bien... Monsieur Zodman, s'écria Tabari d'une voix joviale, demain matin nous irons visiter une des plus magnifiques forêts...

— Appelez-moi Paul. Vous aussi, Mrs Bar-El.

— Demain matin, Paul, je vous conduirai à vos arbres.

— On ne peut pas y aller maintenant ?

— Non, déclara catégoriquement Tabari et il fut surpris de voir comment Zodman s'inclinait devant sa résolution. Il attira ensuite Cullinane à l'écart et lui demanda tout bas : Dites, vous n'avez pas de peinture qui sèche instantanément ?

— Un peu, oui... qui m'a coûté très cher.

— Elle ne saurait être utilisée dans un plus noble but.

— Quel but ? demanda Eliav.

— Je m'en vais rebaptiser la forêt Orde Wingate.

— Quoi ? Ces grands arbres ?

— Zodman ne s'apercevra de rien.

Le soir même, Tabari peignit une impressionnante pancarte : « Forêt Paul J. Zodman. » Une fois sèche, la pancarte avait vraiment l'air trop neuve, aussi Tabari l'emporta-t-il au tell pour la traîner dans des tas de terre, puis il disparut.

Ce même soir, à la suite d'une série de malentendus, les fouilles de Makor faillirent être étouffées dans l'œuf. Les ennuis commencèrent quand Paul Zodman, en se promenant aux abords du quartier général demanda à un kibboutznik :

— Où est la synagogue, jeune homme ?

— Vous voulez rigoler ? lui rétorqua le cultivateur en le plantant là pour aller traire les vaches.

Zodman retourna au bureau et se plaignit à Eliav :

— J'ai organisé mon voyage de manière à arriver en Israël le vendredi. Pour assister aux prières le premier soir. Et maintenant, j'apprends qu'il n'y a pas de synagogue au kibboutz !

— A ce kibboutz-ci, non. Mais d'autres en ont.

— Chez vous en Amérique, vous fréquentez la synagogue ? demanda Vered.

— Non, mais les Juifs qui viennent en aide à Israël... eh bien, nous nous attendons à...

— Vous vous attendez, coupa sèchement Vered, à ce que nous autres, Juifs d'Israël, soyons plus pieux que les Juifs d'Amérique ?

'— Franchement, oui. Vous vivez en Israël. Vous avez certaines obligations. Je vis en Amérique, j'ai d'autres obligations.

— Gagner de l'argent, par exemple ?

Zodman comprit qu'il était ridicule, et il baissa la voix.

— Je m'excuse si mes questions vous embarrassent, mais, Mrs Bar-El, chaque année vos compatriotes viennent mendier des fonds pour... afin qu'Israël demeure un Etat juif...

— Et chaque année, vous nous envoyez quelques dollars afin que nous accomplissions vos devoirs religieux à votre place ?

Zodman se maîtrisa.

— J'ai peur d'avoir... de m'être mal exprimé, mais... Mais est-ce que les Juifs ne font pas cela depuis des siècles ? Quand mes aïeux vivaient en Allemagne, des hommes venaient chaque hiver de Terre sainte pour mendier de quoi entretenir les communautés religieuses juives de Tibériade ou de Zefat...

— Le temps de la charité est passé, déclara sèchement Vered. Une nouvelle race de Juifs vit en Israël.

Paul Zodman n'allait pas tarder à en rencontrer un. Comme il s'asseyait à la table du réfectoire, il vit devant lui une soupière fumante, de la viande et du beurre dans un ravier... Atterré, il contempla cet assemblage de beurre et de viande, puis il appela un des serveurs. Il tomba sur Schwartz.

— Est-ce bien du beurre ? demanda-t-il.

Schwartz enfonça hardiment son index dans le beurre, le goûta et s'essuya le doigt sur son T-shirt en grommelant :

— Qu'est-ce que vous voulez que ça soit ?

— Ce kibboutz n'est donc pas kasher ?

Schwartz dévisagea Zodman, puis il regarda Cullinane et demanda, avec son accent américain :

— Non mais ? Il est dingue, ou quoi ?

Zodman ne releva pas le propos, mais quand Schwartz se fut éloigné, il demanda tout bas :

— Vous ne trouvez pas extraordinaire que cet endroit ne soit pas kasher ?

— Vous êtes kasher chez vous ? demanda Vered d'un ton persifleur.

— Non, mais je...

— Mais vous voulez qu'Israël le soit.

Une fois encore, Zodman refusa de se fâcher.

— J'aurais pensé qu'un kibboutz... où des jeunes gens sont élevés...

Eliav tenta de l'apaiser.

— Nos paquebots, nos avions, nos hôtels sont kasher. Cela ne vous rassure pas ?

Zodman ne répondit pas. Il était réellement bouleversé d'avoir découvert un kibboutz où il n'y avait pas de synagogue, et où les repas n'étaient pas kasher. Ce fut Tabari, un Arabe musulman, qui sauva la situation.

— Paul ! Quand vous verrez votre forêt demain !

— Sa quoi ? demanda Vered.

— Sa forêt. J'y suis justement allé cet après-midi. Elle est superbe. Après l'avoir vue, pourquoi ne pousserions-nous pas jusqu'à Zefat ? C'est le sabbat et nous pourrons aller à l'office religieux, à la synagogue de Rebbe Vodzher.

— Bonne idée, approuva Eliav. Monsieur Zodman, vous trouverez là cet Israël dont vous rêvez.

Mais Zodman resta sombre et ce soir-là, le groupe alla se coucher en proie à l'appréhension. Zodman se disait qu'il gaspillait son argent en venant en aide à un Etat d'Israël qui ne se souciait pas des synagogues ni des rites ; Cullinane craignait d'avoir perdu son commanditaire ; Eliav estimait qu'en qualité d'agent du gouvernement israélien il aurait dû savoir contenter Zodman, et Vered considérait l'Américain comme un imbécile espérant et condescendant. Elle avait hâte de le voir partir, pour que les archéologues se remettent sérieusement au travail. Seul Tabari était satisfait de cette première journée et à minuit, il entra dans la tente de Cullinane et d'Eliav, les réveilla tous les deux et leur offrit de la bière fraîche.

— Ça ne va pas si mal que ça, déclara-t-il. Mon oncle Mahmoud en savait plus long sur les fouilles que n'importe qui en Israël et il avait une règle fondamentale. L'homme qui avance les fonds doit être heureux. Mahmoud gardait en permanence une pièce importante enfouie dans le sable, en prévision de l'arrivée d'un visiteur de marque... Demain soir, Paul J. Zodman sera un des milliardaires les plus heureux du monde, parce que vous ne pouvez pas savoir ce que les hommes ont découvert ce matin ! C'est caché là-bas en ce moment, avec deux bonshommes pour monter la garde ! Non, non, recouchez-vous. Demain matin, au moment où nous partirons pour la forêt, Raanan de Budapest va arriver en courant à ma voiture, en criant : *Effendi ! Effendi !...*

— *Effendi ?* grommela Eliav. Il ne connaît même pas ce mot-là !

— A la forêt Paul Zodman, j'ai une surprise en réserve pour vous tous, et quand nous reviendrons de la synagogue Vodzher, nous aurons la plus grande surprise de toutes... John, un bon conseil, si vous voulez réclamer encore de l'argent à Zodman, faites-le demain soir. Il ne saura rien vous refuser.

Comme l'avait prédit Tabari, le lendemain matin de bonne heure, alors que les voitures allaient démarrer, Raanan arriva en courant.

— *Effendi ! Effendi !* A la tranchée A ! Vite !

Tout le monde se dépêcha de descendre des voitures pour aller voir ce que l'on avait découvert.

Cullinane en eut le souffle coupé. C'était un fragment de statue grecque, une main de marbre si délicatement sculptée que le cœur palpitait d'admiration. La main tenait un strigile et ce simple fragment révélait ce qu'avait dû être le reste de la statue. Sans aucun doute, un marbre représentant un athlète grec avait dû orner jadis un gymnase, à Makor ; et, tandis qu'il faisait un croquis pour ses fiches, Cullinane croyait entendre les philosophes d'Athènes discuter avec les Juifs, il imaginait les raisonnements des adorateurs de Zeus et d'Aphrodite affrontant les arguties du peuple élu ; le paganisme contre le monothéisme... Et il croyait voir la lutte dans laquelle l'hellénisme, une des civilisations les plus spontanées de l'Histoire, avait tenté d'étouffer le judaïsme, une des plus rigides.

Du fond de la tranchée, il cria aux autres :

— Allez à Zefat ! Moi je reste ici.

— John, protesta Tabari, on a besoin de vous !

Cullinane fut brutalement ramené dans le présent. On avait besoin de lui et le reste de la statue, si elle était encore enfouie là, pourrait attendre.

Sur une des collines, entre Akko et Zefat, des Juifs reconnaissants avaient planté en 1949 une petite forêt à la mémoire d'Orde Wingate, l'Anglais compréhensif qui avait jadis servi en Palestine et qui était mort en Birmanie. Les arbres avaient magnifiquement poussé et leurs troncs solides soutenaient de longues branches touffues. Les deux voitures firent halte l'une derrière l'autre. L'écriteau annonçant que c'était là la forêt Orde Wingate était caché, recouvert par la pancarte neuve — et bien salie — de Tabari. Les quatre archéologues mirent pied à terre, un peu gênés de leur subterfuge, et se gardèrent de sourire tandis que Zodman allait examiner sa forêt. Il resta quelques minutes immobile sur la route, puis il avança sous bois, et caressa les troncs rugueux des pins. Un peu de résine colla à ses doigts, et il la goûta. Il remua du pied le tapis d'aiguilles glissantes et de feuilles, il les écarta et vit qu'un humus se formait, qui retiendrait l'eau et empêcherait les inondations qui avaient autrefois ravagé cette région. Il se retourna vers les archéologues, mais sa gorge nouée par l'émotion lui interdisait de parler. Il fit quelques pas sous les arbres, perdu dans sa contemplation.

Tabari avait pris ses dispositions pour qu'à cette heure-là un groupe d'enfants traverse la forêt en criant. Il n'en était pas venu depuis des mois et leurs voix juvéniles réveillèrent les échos du bois. Zodman se retourna, surpris, et quand ils passèrent devant lui en courant il saisit au passage une petite fille aux joues rouges et la souleva dans ses bras. Elle ne parlait pas anglais, et lui pas un mot d'hébreu, mais ils se contemplèrent gravement ; et puis elle se débattit un peu, mais Tabari lui avait fait la leçon et elle le consulta du regard, pardessus l'épaule de Zodman, avant d'embrasser l'Américain sur la joue. Zodman la serra fort contre lui, et courba la tête. Puis il la lâcha et elle courut à la poursuite de ses compagnons vers l'endroit où une voiture les attendait pour les reconduire à leur village.

Zodman, vaincu par l'émotion, resta un moment immobile, le dos tourné. Quand il revint vers le groupe, des larmes brillaient dans ses yeux.

— En Allemagne, dans notre famille, il y avait beaucoup d'enfants... C'est bon que des enfants puissent courir librement dans une forêt.

Il reprit sa place dans la voiture et garda le silence pendant le reste du trajet. Eliav avait attiré Tabari à l'écart et lui avait chuchoté :

— J'espère que maintenant, vous allez décrocher cette foutue pancarte !

— Pensez-vous ! Il va y revenir.

Ils arrivèrent à Zefat, une ravissante ville à flanc de colline, et comme l'heure de l'office religieux approchait, Eliav expliqua :

— A la synagogue Vodzher, il n'y a pas d'emplacement réservé aux femmes, alors il vaut mieux que Vered nous attende dans la voiture. Cullinane et Tabari ne sont pas juifs, mais j'ai apporté des *yarmulkes* pour eux, et ils seront les bienvenus. J'ai une calotte pour vous aussi, monsieur Zodman.

Zodman sortit de la synagogue en pleine euphorie, soulagé de savoir qu'en Israël il y avait au moins quelques personnes qui observaient les rites juifs. Quand les autres le rejoignirent à la voiture où Vered les attendait, il les surprit tous en déclarant solennellement :

— Je ne crois pas qu'il soit permis de conduire le jour du sabbat.

Il refusa de partir avant la fin de la journée sacrée.

— Est-ce qu'il fait ça à Chicago ? chuchota Vered.

— Non. Il adore le football. Tous les samedis il va assister à un match universitaire à Urbana.

— Je crois, dit gravement Zodman, qu'avec de saints hommes comme le rabbi Vodzher, Israël est en de bonnes mains.

— Avec de saints hommes comme le rabbin, grommela Vered, Israël est fichu.

Comme les voitures ne pouvaient être utilisées, Cullinane conduisit le groupe à pied à un hôtel dont la cour était plantée d'oliviers

séculaires et là, autour d'un repas froid (puisque l'on n'avait pas le droit d'allumer de feu le jour du sabbat) les archéologues expliquèrent à leur commanditaire ce qu'ils accomplissaient à Makor.

— Montons au sommet de la colline, dit Cullinane. Je pourrai mieux vous montrer là-haut.

— On n'a pas besoin des voitures ? demanda Zodman avec méfiance.

— La marche est autorisée, assura Eliav. Deux mille pas dans n'importe quelle direction.

Ils gravirent tous la colline dominant Zefat, où ils trouvèrent les ruines d'un château fort des croisés. Zodman fut enchanté de voir les énormes pierres et il demanda si le sien serait aussi beau.

— Beaucoup plus beau, promit Cullinane, parce que celui de Makor était plus important. Mais vous devez comprendre, Paul, que lorsque nous aurons découvert le château, nous devrons ôter beaucoup de ses pierres pour creuser plus profondément et voir ce qu'il y a en dessous.

— Et le château, alors ?

— Eh bien, une partie disparaîtra... pierre par pierre.

— Mais j'ai donné l'argent pour trouver un château.

— Vous l'aurez. Mais les découvertes les plus importantes sont celles que nous ferons en dessous, celles qui remonteront encore plus avant dans le cours de l'Histoire.

Zodman fronça les sourcils.

— J'avais rêvé que... qu'une fois les fouilles terminées, nous aurions un château fort, et que lorsque mes amis viendraient de Chicago je pourrais leur faire visiter mon château.

Cullinane expliqua, avec prudence :

— En Israël, nous avons une demi-douzaine de bons châteaux forts. Celui-ci... celui de Starkenberg. Mais il se peut que ce que nous cherchons à Makor ne se trouve nulle part ailleurs. Les ultimes secrets de l'histoire des Juifs.

C'était beaucoup s'avancer, mais ça faisait très bien. Tabari ajouta :

— Le genre de choses que vous avez vues à la synagogue.

Cela ne voulait strictement rien dire mais, comme Tabari l'avait pensé, cela enfiévra l'imagination de Zodman.

— Vous croyez qu'il y a des choses de valeur, là-dessous ? Sous le château ?

— Ici où nous sommes, à Zefat, l'histoire remonte à Flavius Josèphe, à peu près à l'époque du Christ. Mais il est possible qu'à Makor elle remonte à sept ou huit mille ans de plus.

— Comme à Gaza ? A Jéricho ?

— Exactement.

— Peut-être pas aussi loin, intervint Eliav avec sa prudence habituelle.

— Mais c'est possible ?

— Correct, assura Tabari. La chambre aux trésors de l'histoire juive.

— Alors il faut creuser, décida Zodman, même si je dois y perdre mon château.

— Peut-être pourrions-nous reprendre la route maintenant ? suggéra Tabari.

Zodman consulta sa montre et sa conscience, et jugea que l'heure permettait de voyager.

Quand ils passèrent de nouveau le long de la forêt, Tabari demanda s'il voulait que l'on s'arrêtât, pour lui permettre d'admirer encore une fois ses arbres, mais l'Américain de Chicago les surprit tous en répliquant :

— Je crois que nous pouvons rendre les arbres à leur légitime propriétaire. En jouant avec ces petits enfants comédiens, voyez-vous, j'ai vu l'autre pancarte Orde Wingate, qu'on avait oubliée au pied d'un arbre.

Pendant quelques instants, personne ne sut que dire et puis Zodman murmura, sans que l'on pût savoir s'il plaisantait ou non :

— Mais je n'oublierai jamais ma forêt.

Le lendemain matin, une véritable frénésie s'empara des ouvriers, car Tabari avait promis une prime de dix livres à quiconque ferait une découverte intéressante pendant que Paul Zodman était là, et un peu avant midi une jeune fille de la tranchée B se mit à glapir :

— C'est moi qui ai gagné ! J'ai gagné !

Tabari se précipita pour la faire taire, de peur que Zodman ne l'entende, mais quand il vit ce que la jeune fille venait de déterrer — un casque et une pointe de lance babyloniens, évoquant le temps où Nabuchodonosor avait occupé Makor et emmené en captivité le gros de sa population — il se mit à sauter sur place et à crier à son tour :

— Hé ! Venez vite ! Venez tous !

Dans la confusion générale, Zodman arriva au galop pour voir ce casque et cette arme qui avaient dû frapper de terreur les habitants de Makor quand leur propriétaire patrouillait dans les ruelles de la cité. Cullinane fit un croquis, et abandonna la tranchée au photographe.

En retournant au bureau, il vit avec appréhension que l'équipe de la tranchée A fouillait la terre avec une hâte des moins scientifiques et détruisait sans aucun doute de petits objets. Il fit part de ses craintes à Tabari, qui lui répliqua :

— Nous avons dix ans pour intéresser les savants, et une journée seulement pour faire impression sur Zodman. Si j'avais un bulldozer ici, je m'en servirais.

Sa méthode se révéla d'ailleurs judicieuse quand un garçon de la tranchée A découvrit un véritable trésor. Zodman s'approcha et demanda ce que c'était.

— La pièce la plus hébraïque que nous ayons trouvée jusqu'à ce jour, lui dit Cullinane. Ce genre d'autel cornu dont il est fait mention dans la Bible. Celui-ci pourrait bien remonter au temps du roi David. Il se peut même qu'il y ait fait ses dévotions, encore que je doute qu'il soit venu par ici.

Zodman se mit à genoux dans la poussière pour voir le vieil autel de pierre, si mystérieux et barbare, qui rappelait les origines mêmes de la religion juive, ce genre d'autel où se faisaient les premiers sacrifices au Dieu unique. Tendrement, il caressa la pierre séculaire, puis il murmura :

— Je prends l'avion ce soir. Pour Rome.

— Mais vous n'êtes ici que depuis deux jours, protesta Cullinane.

— Je ne peux pas vous accorder davantage de mon temps.

Ils le reconduisirent donc à l'aéroport, et, en chemin, il déclara à Vered et Cullinane :

— Ces deux journées valent deux ans de ma vie. J'ai vu quelque chose que je n'oublierai jamais.

— La synagogue Vodzher ? demanda Vered avec un soupçon de malice.

— Non. Un soldat israélien.

Silence. Un profond silence. Et puis la voix paisible de Zodman :

— Pendant deux mille ans, chaque fois que nous autres Juifs nous voyions un soldat, c'était de mauvais augure. Parce qu'aucun soldat ne pouvait être juif. Il devait fatalement être un ennemi. Ce n'est pas peu de chose que de voir un soldat juif, debout sur sa propre terre, qui protège les Juifs... et ne les persécute pas.

Le silence retomba.

A l'aéroport, Zodman rassembla son équipe.

— Vous faites un travail admirable. Et vous m'avez convaincu. Je vous abandonne mon château. Creusez, creusez jusqu'au fond. Vous êtes une grande équipe, et vous réussirez, dit-il, puis il hésita un instant et, montrant Tabari du doigt : Mais celui-là, John, je pense que vous devriez le saquer.

Vered étouffa un petit cri, mais Zodman, impassible, reprit :

— Pas d'esprit scientifique. Ne prends pas garde aux détails.

— Son oncle Mahmoud..., bredouilla Cullinane.

— Non seulement la forêt Orde Wingate avait deux écriteaux, poursuivit Zodman sans l'écouter, mais ce premier soir, pendant que vous complotiez sous la tente, je me suis promené sur le tell et un garde m'a crié que je ne pouvais pas y aller. Quand j'ai demandé pourquoi, il m'a répondu : « Parce que M. Tabari garde un bout de statue grecque enfoui dans le sable pour que demain il puisse faire plaisir à un vieux schnock de Chicago. »

Sur ces mots, il les quitta.

Comme l'avion décollait dans le fracas assourdissant de ses réacteurs, qui symbolisaient si bien l'homme qui s'envolait, Vered Bar-El soupira :

— En Israël, il y a d'aigres discussions, pour savoir pourquoi les Juifs américains refusent d'émigrer ici. J'ai enfin compris. Nous n'aurions pas de place pour en loger plus de deux de son acabit.

Sur la longue route de Makor, Cullinane lui demanda encore une fois pourquoi elle n'avait pas encore épousé Eliav, et elle répondit énigmatiquement :

— La vie en Israël n'est pas si simple. Ce n'est pas toujours facile d'être juif.

Il était évident qu'elle ne souhaitait pas s'étendre sur ce sujet. Cullinane observa :

— Vous n'avez pas vu le Vodzher et sa clique, mais vous pouvez sans doute les imaginer.

— J'ai connu le rabbi dans le temps. Des papillotes, la toque de fourrure, le long caftan verdi, la frénésie, la frénésie. C'est notre croix, comme vous dites.

— Mais pourquoi les Juifs s'entêtent-ils à rendre la vie si compliquée, si difficile pour eux-mêmes... et pour les autres ? Je veux dire... Nous autres catholiques, nous avons des conciles œcuméniques afin de minimiser la structure archaïque de notre religion, alors que vous autres Israéliens vous semblez tout faire pour que la vôtre devienne de plus en plus archaïque. Pour quelle raison ?

— Vous pensez aux vieux Juifs de la synagogue du rabbi Vodzher. Pourquoi ne regardez-vous pas les jeunes Juifs du kibboutz ? Ils refusent de s'embarrasser de ces rites archaïques, mais ils connaissent mieux la Bible que n'importe quel catholique. Ils ne l'étudient pas pour y découvrir des rites religieux mais les bases organiques du judaïsme. John, je crois que c'est auprès de notre jeunesse que vous trouverez la réponse à vos questions, pas chez les vieux rabbins.

— Je voudrais en être aussi certain que vous...

Septembre arriva, et les archéologues travaillèrent plus sérieusement à la grande tâche qui les attendait. Les distractions du château des croisés étaient dépassées ; les guerres religieuses terminées ; les Grecs et les Romains avaient connu leurs jours de gloire en ces lieux ; les Juifs y avaient dressé leurs autels cornus ; et maintenant les archéologues en venaient à ces siècles d'ombre, à ces temps fertiles où naissait le monde. Enfin, les deux tranchées opéraient au même niveau, se confirmant l'une l'autre, et l'on découvrait des fragments de pots de terre brisés par des femmes qui n'étaient pas encore habituées aux ustensiles de cuisine, ou des silex taillés par des hommes qui ignoraient le fer.

Vered Bar-El devenait le personnage le plus important de l'équipe car elle seule pouvait regarder une poterie et assurer qu'ils étaient passés d'une civilisation à une autre ; c'était stupéfiant de la voir examiner un fragment de terre cuite, parfois à peine plus gros qu'une pièce de monnaie, et l'identifier par son vernis, son dessin, sa couleur, dire comment elle avait été cuite, et si elle avait été tournée et lissée à la main ou

avec un tampon d'herbe ou un peigne. On voyait sa silhouette menue aller et venir dans les tranchées, le matin, et se pencher dans l'après-midi sur ses établis. Tabari et Cullinane confirmaient les estimations de Vered en inspectant les minces couches de débris où l'on avait découvert les fragments ; le tell était formé d'une accumulation de couches successives de plus de vingt mètres déposées au cours de onze mille ans, ce qui faisait moins de quinze centimètres par siècle. Mais les niveaux les plus récents, comme le château fort des croisades, étaient porteurs de la plus grande partie des dépôts si bien que pour les époques préchrétiennes plusieurs siècles pouvaient être représentés par une mince couche de trois ou quatre centimètres d'épaisseur, mais ces quatre centimètres pouvaient contenir des « archives » aussi faciles à lire que des reportages dans un journal. Il était difficile de croire, si l'on ne voyait pas la fine ligne de suie s'étendant régulièrement de la tranchée A à la B, comment l'incendie de la ville — causé soit par des ennemis ou accidentellement — avait pu laisser des indices aussi nets ; et quand on trouvait de bons échantillons de suie, ou des objets calcinés comme une corne de cerf ou un coquillage apporté à Makor par quelque antique marchand d'Acre, on les expédiait par avion à des laboratoires de Chicago ou de Stockholm, où des savants analysaient le carbone et télégraphiaient la date à laquelle l'incendie avait eu lieu.

Par exemple, quand Tabari trouva les deux poteries du Niveau XIII, il découvrit en même temps à côté un petit dépôt de corne de bélier brûlée, provenant d'une monstrueuse conflagration qui devait avoir détruit Makor à cette époque. Cullinane, après avoir écouté les déductions de Vered, fit son croquis et nota la date approximative de 1400 av. E. C. Mais pour plus de sûreté, il expédia par avion des échantillons de carbone aux laboratoires américain et suédois, et attendit une confirmation.

Cependant, la saison des moissons approchait et le comité des travaux du kibboutz se mit à rappeler ses gens ; l'un après l'autre, les solides jeunes gens quittèrent les fouilles, et le tell sombra dans le silence et l'inaction, faute de main-d'œuvre.

Un matin, le Pr Eliav apporta la solution de ce problème en annonçant qu'il s'était entendu avec l'Agence juive qui avait consenti à allouer au kibboutz vingt-quatre Marocains du prochain bateau d'émigrants, pour travailler aux fouilles.

— Ce sont nettement des diamants à l'état brut, avertit Eliav. Ils ne parlent pas anglais, ils sont analphabètes.

— S'ils parlent arabe, je m'arrangerai toujours, déclara Tabari.

Le surlendemain, toute l'équipe alla accueillir le cargo mixte qui faisait laborieusement la navette dans la Méditerranée pour convoyer les émigrants juifs en Israël.

— Avant que nous montions à bord, prévint encore une fois Eliav, il faut que vous sachiez, Cullinane, que ces gens-là n'ont rien à voir avec les jeunes émigrants enthousiastes que vous accueillez en Amérique. Ceux-ci sont le rebut de l'humanité, mais en deux ans nous aurons fait d'eux des citoyens conscients et organisés.

Cullinane lui répondit qu'il le savait bien, mais s'il avait su ce qui l'attendait à bord, il aurait demandé à Tabari de choisir les ouvriers du tell, et il serait resté aux fouilles.

Car le bateau qui accosta en Israël ce soir-là n'amenait pas du tout le genre d'individus qu'un pays reçoit avec joie ou même pitié. Il y avait là une misérable famille tunisienne de quatre personnes, malades et sous-alimentées, trois vieilles Bulgares édentées que les communistes avaient laissé partir car elles ne servaient à rien, deux couples de vieillards français, abandonnés par leurs enfants, qui venaient là sans aucun espoir et enfin les Juifs marocains pathétiques, sales, apeurés, illettrés, certains infirmes.

— Jésus Dieu, s'exclama Cullinane, c'est ça, les nouveaux venus ?

Il avait assez de cœur pour ne pas songer d'abord à lui-même — encore qu'il se demandât de quelle utilité pourraient lui être ces malheureux, aux fouilles — mais il s'inquiétait pour l'Etat d'Israël. Comment, se demandait-il, une nation peut-elle se construire solidement avec semblable matériau ? Et puis il se dit que peut-être bien son arrière-grand-père, en arrivant d'Irlande aux Etats-Unis, n'avait pas plus fière allure. Il songea aux Italiens affamés débarquant à New York, et aux Chinois de San Francisco, et il éprouva pour Israël ce sentiment de camaraderie que les chrétiens ont tant de mal à ressentir. C'était avec ces mêmes matériaux que l'Amérique s'était construite et qu'elle était devenue forte. Mais pourquoi ces gens qui cherchaient un refuge et un nouveau foyer ne le cherchaient-ils pas en Amérique ? Pourquoi venaient-ils en Israël ? A quel moment et comment le rêve américain s'était-il brisé ? Et puis il comprit qu'Israël avait raison. C'était en acceptant tout le monde, comme l'avait fait l'Amérique autrefois, que la nation se construirait. Si bien que dans cinquante ans, peut-être, les idées nouvelles ne viendraient plus d'une Amérique épuisée mais du jeune Etat d'Israël.

Néanmoins, il fut assez surpris de voir que la moitié exactement des vingt-quatre personnes promises était composée de Yousouf Ohana et de sa famille, du Maroc. Yousouf avait l'air d'avoir au moins soixante-dix ans, mais il avait trois femmes, une de son âge, la deuxième d'une quarantaine d'années et la troisième de vingt ans. Cette dernière était enceinte, et les autres avaient huit enfants à elles deux. Quand Yousouf avançait — un grand homme maigre en burnous et turban sales — on eût dit qu'une perpétuelle tempête de sable marchait avec lui, car il était obéi. Ce Juif qui arrivait d'un village de l'Atlas avait toujours vécu comme au temps de l'Ancien Testament, et sa parole avait force de loi. Tabari l'accueillit dans un mélange de français et d'arabe, et lui expliqua que sa famille et lui allaient travailler pour le Pr Cullinane jusqu'à ce que le kibboutz leur trouve une demeure définitive et du travail. Yousouf acquiesça et, embrassant d'un large geste toute sa tribu, assura qu'ils travailleraient bien. Mais Cullinane remarqua que lui et la plus âgée de ses femmes étaient presque aveugles. A quoi pourraient-ils servir ?

Les douze autres nouveaux venus appartenaient à divers pays. Quand ils furent tous installés dans le car qui les conduirait à Makor,

le représentant de l'Agence juive passa parmi eux pour leur distribuer des paniers-repas, des papiers et des cartes de séjours israéliens, l'assurance chômage pour un an, de l'argent pour leur loyer, une assurance santé et des sacs de bonbons pour les enfants.

— Vous êtes désormais citoyens d'Israël, leur cria-t-il en arabe, et vous êtes libres de voter et de critiquer le gouvernement.

Puis il s'inclina et sauta à terre.

Les jours suivants furent historiques, dans le genre affreux. Yousouf et sa famille n'étaient pas seulement illettrés, ils étaient aussi in-sociaux, si ce mot pouvait exister. Ils ignoraient tout de la vie organisée. Ils n'avaient jamais vu de lieux d'aisance ni de douches ni de réfectoire, encore moins une bêche ou une pioche d'archéologue, et la vie serait devenue impossible au kibboutz comme aux fouilles si Jemail Tabari n'avait pas pris les choses en main. Il enterra quelques débris de poterie et montra à Yousouf comment il devait s'y prendre pour les déterrer ; mais c'était là une erreur, car Yousouf n'avait pas du tout l'intention de travailler. Il montra à ses femmes comment s'y prendre, puis il gourmanda ses huit enfants. Patiemment, Tabari lui déclara que s'il ne creusait pas lui-même, et s'il ne creusait pas bien, il n'aurait rien à manger, et le vieux patriarche se résigna à travailler de ses mains.

Par chance, par hasard, ce fut justement lui qui fit à la tranchée A une des plus importantes découvertes, une ravissante petite déesse souriante en terre cuite, une divinité invoquée par les femmes enceintes et les paysans pour avoir des terres fertiles. C'était Astarté, la déesse cananéenne. Cullinane trouva qu'elle ressemblait à Vered Bar-El.

Il félicita chaudement Yousouf et autorisa Tabari à remettre sur-le-champ une prime au vieillard. Ce soir-là, on permit à Yousouf de porter la statuette au réfectoire, où il la montra fièrement aux jeunes gens qui avaient travaillé au tell, et l'un d'eux s'exclama :

— On dirait le Pr Bar-El !

La petite déesse nue aux seins ronds fut apportée à la table de Vered. Elle l'examina et déclara paisiblement :

— Je me demande comment il a pu le savoir.

Le jeune homme déchira alors son mouchoir et improvisa un bikini pour la statuette, et la ressemblance fut plus étonnante encore, sans doute parce que l'antique déesse et l'archéologue représentaient toutes deux la femme dans son essence même, dans sa plénitude.

Quelques jours plus tard, un câble arriva de Stockholm, annonçant que les découvertes du niveau XIII, les deux pots de terre cuite, remontaient à environ 1380 avant l'Ere chrétienne, avec un battement de 105 ans de plus ou de moins. Le surlendemain, le laboratoire de Chicago donnait la date de 1420 av. E. C., avec un battement de 110 ans. Cullinane pensa que si c'était l'âge des deux poteries, son Astarté devait remonter au moins à 2200 av. E. C.

Il laissa le petit bikini pour rire à la statuette et chaque jour, en

la contemplant sur son bureau, impudemment dressée comme si elle lui ordonnait de fertiliser ce pays et d'avoir des enfants, il pensait de plus en plus tendrement à Vered Bar-El. Il était convaincu qu'elle commettait une grave erreur en ne l'épousant pas, car manifestement elle ne pouvait se marier avec Eliav. Il n'y avait visiblement rien entre eux, ni passion ni promesse, et Cullinane avait envie de refaire sa demande. Mais il en fut empêché par l'arrivée d'un câble de Chicago. Zodman lui demandait de venir immédiatement par avion, et d'apporter le Chandelier de la Mort. Il devait y avoir une réunion des commanditaires du Musée biblique, etc. etc.

— Du diable si je vais y aller, pesta-t-il et il réunit ses collègues pour avoir leur appui.

— Moi, dit Eliav, je ne pense pas que vous deviez y aller. Zodman est simplement à la recherche d'une publicité de mauvais goût.

— Je vais lui répondre que je ne peux pas.

— Une seconde, interrompit Tabari. Souvenez-vous de la règle d'or de l'oncle Mahmoud : Celui qui paye les factures doit être satisfait et heureux.

— Si seulement c'était autre chose que ce foutu chandelier ! Non et non !

— John, insista l'Arabe d'une voix persuasive, il est certain que vous ne devez pas vous prostituer. Mais je n'ai jamais vu Chicago. Je pourrais emporter ce menorah, et, dans mon costume de cheik, je ferais une de ces conférences...

Vered se mit à rire en imaginant Jemail Tabari subjuguant les femmes de Chicago. Mais Cullinane s'entêta.

— Je ne peux pas me passer de vous. L'année prochaine, d'accord, parce qu'à Chicago vous pourrez être utile. Mais en ce moment, avec ces Marocains de malheur...

— Vous ne m'avez pas écouté jusqu'au bout, dit Jemail. J'ai une autre proposition. Envoyez Vered.

Cullinane se tourna vers elle.

— Vous iriez ?

— J'aimerais assez voir l'Amérique.

— Elle ne fera pas autant d'effet que moi, dit Tabari. Pensez donc, une Juive à côté d'un Arabe ! Mais elle est...

Il souffla sur le bikini de la petite déesse.

— Mais nous en arrivons justement au stade des poteries, protesta encore Cullinane.

— Gardez Paul Zodman de bonne humeur, conseilla Tabari.

Il rédigea un câble, disant qu'en l'absence de Cullinane qui était à Jérusalem, il prenait la liberté de faire observer que le directeur des fouilles ne pouvait absolument pas faire ce voyage mais que, si tous les frais étaient payés, le Pr Vered Bar-El et le Chandelier de la mort, peut-être...

Le lendemain matin, une des femmes de Yousouf découvrit dans la tranchée B deux petits cailloux ; elle les apporta à Eliav, qui les trouva

d'une forme si intéressante qu'il fit arrêter tous les travaux et convoqua les professionnels dans la tranchée. Ces deux cailloux étaient des silex, longs de deux centimètres à peine avec un côté aiguisé et brillant. Le bord opposé était plus épais, donc les silex n'avaient pu être des pointes de flèches ni de couteaux. Cependant, ces cailloux provoquèrent une exaltation telle que bientôt toute l'équipe des savants était à genoux dans la poussière et fouillait les débris de pierres pour chercher d'autres indices. Soudain, Vered poussa un cri :

— Là ! J'en ai un autre ! Tout pareil !

Les recherches reprirent de plus belle, mais il se passa plus d'une heure avant que le vieux Yousouf en personne découvrît un quatrième silex.

Les archéologues les disposèrent approximativement dans la position où ils devaient être tombés, et des photos furent prises. Après quoi on les emporta pour les laver, ce que Vered fit elle-même, et elle alla les porter à Cullinane qui releva le croquis. Il fixa la date approximative de cette trouvaille, au niveau XV, à 10 000 ans avant l'Ere chrétienne.

Ces éclats de silex avaient jadis formé le tranchant d'une serpe ou d'une faucille, et ils remontaient aux premiers matins de l'histoire de l'humanité, au temps où des hommes et des femmes s'en allaient, tout comme les jeunes Juifs du kibboutz Makor, moissonner leur blé ou leur orge. L'instrument sauvé de la poussière des siècles avait été un des premiers outils aratoires utilisés par l'homme ; il était plus ancien que le bronze, plus ancien que le fer ; il avait existé bien avant les bêtes de la ferme et les chameaux domestiques. C'était, cela avait été, une invention prodigieuse, car elle avait enfin différencié l'homme des animaux qu'il chassait, parce que celui qui avait imaginé cette merveille n'était plus contraint d'errer de lieu en lieu en quête de sa nourriture. De quelque manière mystérieuse, il avait réussi à faire pousser du grain, et avec cette faucille il pouvait le moissonner, ce qui lui avait permis de s'établir en un lieu unique, d'y ériger sa demeure, et puis un village qui était plus tard devenu une cité romaine, et le site d'une belle église byzantine, et celui d'un château fort des croisades. Avec un respect ému, les archéologues contemplèrent les quatre petits silex taillés...

Trois jours plus tard, les Marocains atteignirent le dernier niveau, le sol rocheux, le « plancher » du tell. En dessous, il n'y avait plus rien ; les longues fouilles préliminaires étaient terminées.

Ce soir-là, Vered Bar-El fit ses bagages, pour aller à Chicago, mais quand elle eut bouclé la dernière valise, l'envie lui vint de monter sur le tell, de voir une dernière fois le monticule chargé d'histoire. Elle grattait machinalement la terre du pied, quand elle sentit une présence.

— Eliav ? appela-t-elle.

C'était Cullinane, et, avec un étrange soulagement, elle s'écria :

— Ah, John ! C'est vous...

Ils firent quelques pas en silence, et puis elle soupira :

— C'est presque une déception, d'avoir atteint le fond.

— Oui, dans un certain sens. J'avais espéré que nous trouverions

autre chose, que nous plongerions plus profondément... qu'il y aurait des grottes, comme au Carmel. Des souvenirs vieux de cent mille ans, ou quelque chose comme ça.

— Ce que nous avons trouvé est la perfection, assura-t-elle.

— Nous pourrons le rendre parfait, plutôt. Pendant les neuf années à venir, nous allons faire de ce tell un véritable joyau. Nous creuserons au pied des trois murailles. Nous les laisserons debout, et nous chercherons au fond... Vered... Vous allez rester avec moi, Eliav et vous, durant ces neuf ans ?

— Naturellement.

— Dernièrement, j'ai eu comme un pressentiment que vous ne resteriez pas jusqu'au bout.

— Mais c'est idiot, dit-elle en hébreu.

Le brusque changement de langue prit Cullinane par surprise, comme si elle lui avait soudain cligné de l'œil, ou l'avait embrassé.

— Parce que si vous n'étiez plus là...

Elle leva les mains et prit la figure de l'Irlandais entre ses petites paumes, un geste qui la surprit elle-même.

— John, murmura-t-elle, vous m'êtes devenu très cher. Très cher, ajouta-t-elle en hébreu.

Alors il l'embrassa passionnément, comme s'il savait qu'il était là avec elle pour la dernière fois sous les étoiles de la nuit galiléenne, et pendant un bref instant elle ne résista pas, mais se serra contre lui, comme une petite Astarté faite pour enseigner l'amour aux hommes. Et puis, comme si elle repoussait une partie de sa vie devenue trop précieuse pour être maniée avec négligence, elle appliqua ses mains contre la poitrine de Cullinane ; lentement, le catholique et la Juive se séparèrent, comme des comètes qui se croisent brièvement et s'éloignent pour rejoindre chacune son orbite.

— Je vous ai dit la vérité, quand j'ai dit que je ne pourrai jamais vous épouser, souffla-t-elle.

— Mais plus je vous observe, plus je suis convaincu que jamais vous n'épouserez Eliav... Il y a quelque chose... Qu'est-ce qui ne va pas entre vous ?

— Nous sommes prisonniers de forces qui...

Elle s'interrompit, puis elle reprit, en hébreu :

— Ne vous souciez pas de moi, John. J'ai besoin de visiter l'Amérique... besoin de temps... pour réfléchir.

— Quand vous serez à Chicago, est-ce que vous réfléchirez à ce que serait la vie là-bas... avec moi ?

Elle fut alors tentée de l'embrasser encore, de toutes ses forces, de se mettre entièrement entre ses mains, car elle devinait en lui un homme sensible, franc, honnête et capable d'une profonde affection. Mais elle se raidit, s'interdisant ce geste de soumission.

Lentement, elle se détourna et quitta la source de l'histoire d'Israël pour aller emballer le menorah d'or, et se préparer à voler vers l'Amérique.

CHAPITRE II

UR ET LES PREMIÈRES MOISSONS

NIVEAU XV — 9834-9831 AV. E. C.

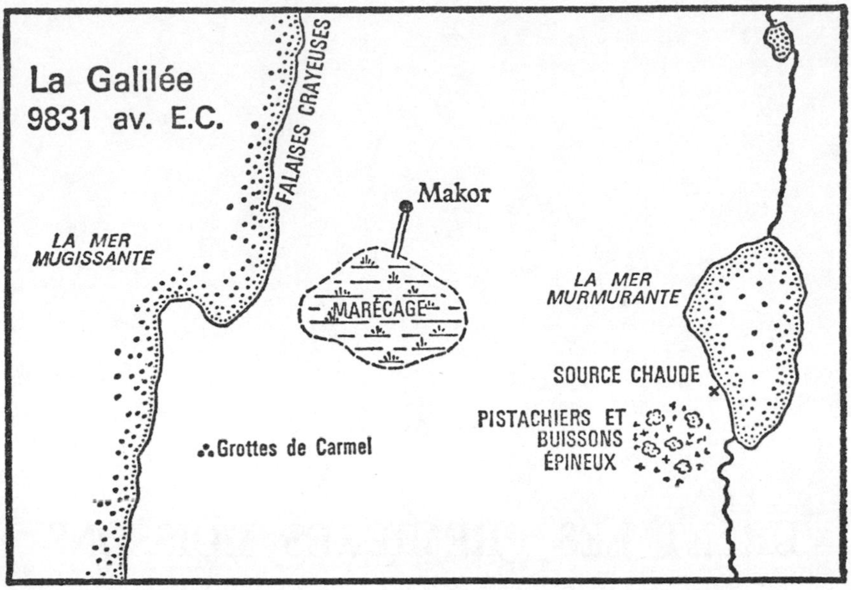

La Galilée
9831 av. E.C.

FALAISES CRAYEUSES

LA MER MUGISSANTE

Makor

MARÉCAGE

LA MER MURMURANTE

SOURCE CHAUDE

PISTACHIERS ET BUISSONS ÉPINEUX

Grottes de Carmel

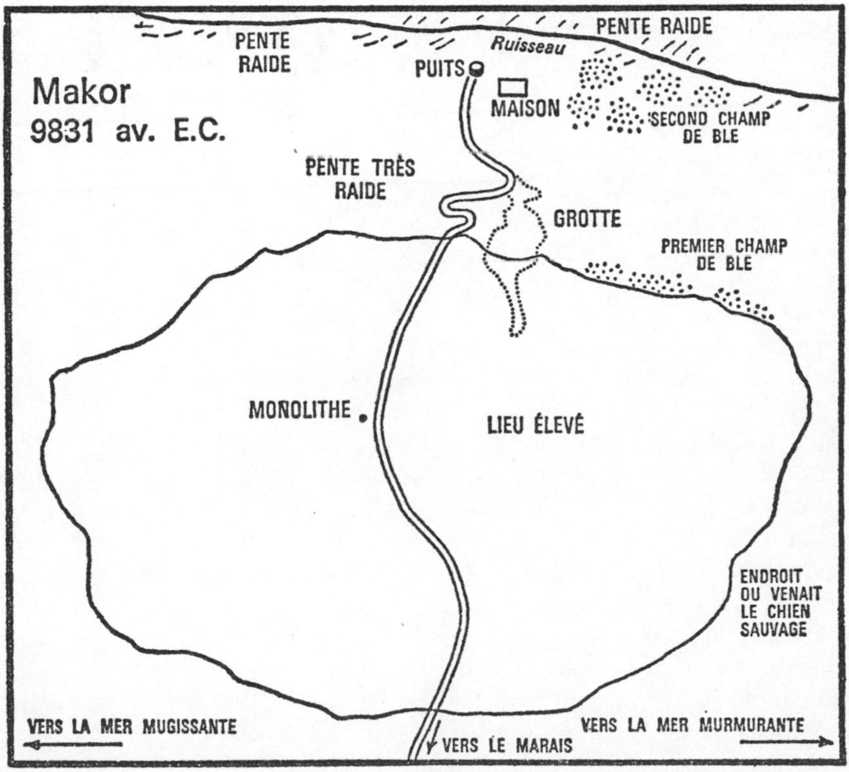

Makor
9831 av. E.C.

PENTE RAIDE

PENTE RAIDE

Ruisseau

PUITS

MAISON

SECOND CHAMP DE BLE

PENTE TRÈS RAIDE

GROTTE

PREMIER CHAMP DE BLE

MONOLITHE

LIEU ÉLEVÉ

ENDROIT OU VENAIT LE CHIEN SAUVAGE

VERS LA MER MUGISSANTE

VERS LE MARAIS

VERS LA MER MURMURANTE

IL y avait un puits, et il y avait un rocher. Depuis ce jour lointain, il y avait un million d'années, où un homme simiesque venant d'Afrique avait échoué là, les hommes buvaient de l'eau douce à ce puits. Le point d'eau avait toujours été connu de mémoire d'homme, sinon de langage, sous le nom de Makor, la source.

Le rocher était une large plaque de granit, immense, avec une éminence au milieu. Le rocher était nu ; il ne comportait rien, pas une sculpture, pas une gravure, même pas un tas de cailloux pour évoquer quelque divinité, car, en ces temps infiniment lointains, les dieux n'avaient pas encore été appelés pour apaiser la soif des hommes. C'était simplement un rocher, assez important pour former dans les siècles à venir les bases d'un village cananéen ou les fondations d'un château fort des croisés.

Le rocher se dressait beaucoup plus haut que le puits, mais à mi-chemin de la pente s'ouvrait une grotte profonde et spacieuse.

Or, il y a de cela près de douze mille ans, par un beau matin de printemps, un vieillard solide aux jambes torses, la figure barbue, vêtu d'une peau d'ours, se tenait devant l'entrée de cette grotte, au crépuscule de sa vie, et riait joyeusement en jouant avec de petits enfants qui se cramponnaient à ses jambes et le tiraient par sa peau de bête :

— Du miel ! Du miel ! Donne-nous du miel...

— Vous partez en courant quand vous voyez les abeilles, reprocha-t-il en riant, mais devant leur insistance, il leur promit : Si je trouve l'endroit où se cachent les abeilles, je vous en apporterai.

D'un pas assuré de vieil homme en paix avec les forces qui gouvernent ce monde, il quitta la grotte et descendit vers le puits. Grâce à un instinct sûr, il connaissait tous les sentiers de la forêt et les endroits où les antilopes venaient paître. Son esprit était actif et il savait encore traquer le sanglier sauvage. Il était aussi heureux qu'un homme pût l'être, un chasseur qui aimait les bêtes et qui s'efforçait consciemment de donner de la joie aux hommes.

Au puits, Ur se pencha pour éclabousser sa figure d'eau fraîche. Puis il prit un bol de bois, un morceau de branche d'arbre laborieusement creusé et tourné avec des silex, et se servit à boire.

Un léger bourdonnement lui fit dresser l'oreille. C'était sûrement une abeille ! Lâchant son bol, il regarda de tous côtés et bientôt son œil exercé de chasseur distingua l'insecte volant au-dessus de l'ouadi où, au temps des pluies, une rivière boueuse se formait pour courir vers la mer Mugissante. Il y avait des arbres morts, dans l'ouadi, où les abeilles avaient leur nid, et Ur s'élança à la poursuite de l'ouvrière qui le guiderait vers son rayon de miel.

Devant l'arbre mort, il s'accroupit et guetta un moment pour observer par quel trou passaient les abeilles rapportant ce qu'elles allaient puiser au cœur des fleurs.

Enfin il se releva, se gifla violemment pour préparer sa figure à la souffrance, prit son élan et escalada le tronc d'arbre si vite qu'il était à mi-hauteur avant que les abeilles se fussent aperçues de la présence de l'intrus. Ses mains puissantes arrachèrent des morceaux du tronc et il plongea le bras vers le miel. Les abeilles l'attaquèrent alors. Cinquante, cent aiguillons s'enfoncèrent dans ses joues, son cou, ses bras, cherchant les endroits les plus vulnérables. Mais les doigts endoloris cherchaient le miel et arrachaient le rayon par plaques. Enfin, lorsque ses paupières piquées et bouffies l'empêchèrent presque de voir clair, il se laissa glisser de l'arbre, ôta sa peau de bête, y jeta les grands morceaux savoureux et les rapporta vers sa grotte, aussi vite que ses jambes torses pouvaient le porter.

Quand il atteignit le puits, sa figure n'était plus qu'une masse informe méconnaissable, mais un des enfants l'aperçut de loin et s'écria :

— Ur a trouvé du miel !

Il fut pris d'assaut par les petits qui l'escortèrent joyeusement jusqu'à la grotte. Ils se battaient pour être les premiers servis, mais Ur les écarta avant de déplier avec précaution sa peau d'ours. Une dizaine d'abeilles étaient restées prisonnières du rayon, et il les prit délicatement, de ses gros doigts malhabiles, pour les rendre à la liberté en leur murmurant :

— Allez, allez nous fabriquer encore du miel. Dans le même arbre.

La grotte d'Ur n'avait qu'une étroite ouverture, mais elle s'élargissait en une vaste salle où pouvaient vivre plusieurs familles. A son extrémité, une galerie s'enfonçait dans la terre, sous le grand rocher, et il y avait au plafond une petite ouverture par laquelle la fumée s'échappait ; des profondeurs du tunnel de l'air frais arrivait, si bien que la grotte était confortable. Au centre, un feu couvait en permanence, veillé par les femmes qui y jetaient du bois sec quand elles voulaient faire cuire le repas. Aux parois noires de suie étaient accrochées les massues et les lances de silex, des peaux de bêtes étendues à sécher et des corbeilles contenant du grain. C'était un asile douillet et sûr, qui abritait depuis plus de deux cent mille ans les créatures humaines venues s'y réfugier de temps à autre.

A l'époque d'Ur, six familles y vivaient, les frères d'un groupe ayant épousé les sœurs de l'autre, des étrangers errants étant venus

prendre femme parmi les autres filles, et tous travaillaient ensemble à récolter la nourriture et à maintenir le feu vivant. Les hommes chassaient, parfois très loin, et tuaient le gibier avec des flèches ou des lances d'une très haute efficacité. Ces hommes n'étaient plus des brutes muettes qui assommaient les bêtes sauvages ou les lapidaient ; ils étaient de véritables chasseurs qui savaient suivre un animal à la piste, et se cacher et le traquer pour l'abattre. Leurs femmes savaient tanner les peaux et faire un excellent cuir, et elles passaient de longues heures à récolter les céréales sauvages croissant au hasard dans la vallée. Elles étendaient une peau sous les épis qu'elles frappaient avec des bâtons, et ramenaient ainsi les grains qu'elles pilaient dans des mortiers de pierre afin d'avoir de la farine pour l'hiver.

La famille d'Ur formait un groupe particulièrement uni. Elle était gouvernée par le vieillard aux jambes torses qui, ayant vécu trente-deux saisons, était bien près de sa mort. Sa femme âgée avait survécu à trente saisons ; elle s'occupait de leurs enfants, un fils dont l'indifférence à la chasse inquiétait Ur, et une fille pleine de vivacité qui, à onze saisons, atteignait l'âge où elle prendrait un homme et aurait des enfants à son tour ; mais aucun des garçons de la grotte ne lui plaisait et il n'était pas encore venu d'étranger pour elle. Sa mère espérait que le jour où il en viendrait un, il voudrait vivre avec la famille, et avec le temps prendre la place d'Ur.

Le vieil Ur était respecté par tous ceux de la grotte. Il mesurait un mètre soixante et pesait quatre-vingt-sept kilos. Il avait un corps trapu, aux très larges épaules caractéristiques de sa race. Des yeux bleus vifs pétillaient au-dessus de sa barbe en broussaille, et ses joues rubicondes se plissaient souvent pour sourire. Il riait beaucoup, et, maintenant que ses propres enfants étaient grands, il aimait jouer avec les petits des autres. Contrairement aux créatures bestiales venues d'Afrique à ce puits, aux temps lointains, Ur se tenait droit, il n'avait pas de corniche osseuse au-dessus des yeux et sa peau lisse n'était qu'à peine velue par endroits. Il était habile de ses mains, encore qu'il ne comprît pas pourquoi la droite était toujours plus vive, plus rapide et experte que l'autre. Sa peau avait une particularité qui l'étonnait : blanche et rose sous la peau de bête, là où le soleil la touchait elle devenait sombre, brun foncé, si bien que de loin Ur et ses camarades avaient l'air d'hommes noirs.

Depuis les derniers quarante mille ans, la gorge de l'homme, sa langue et sa mâchoire inférieure s'étaient assouplies si bien qu'Ur savait articuler des mots et moduler des sons ; il avait un vocabulaire de plus de six cents mots, dont certains comprenaient trois syllabes, et quelques-uns jusqu'à quatre ou cinq. A peu près tous les siècles, de nouveaux incidents, de nouvelles expériences exigeaient l'invention de nouveaux mots ; mais Ur et ses semblables étaient très prudents et méfiants, car l'énonciation d'un son neuf risquait de détruire l'équilibre de la nature et de susciter des forces inconnues que mieux valait ne pas déranger ; aussi les mots avaient-ils tendance à se restreindre aux sons

que l'usage avait rendus familiers. La voix flexible de l'homme pouvait aussi être utilisée autrement ; les hommes chantaient — les femmes surtout — et parfois, à l'aube, Ur entendait sa femme et sa fille émettre des sons agréables, sans paroles, en faisant simplement « traaaaa », ou « sehhhhhhh ».

Ur aurait sans doute passé toute sa vie à chasser le gibier et les abeilles et à raconter ses exploits devant le feu s'il avait épousé une femme ordinaire, mais la sienne n'était pas originaire de la grotte. Des années auparavant, alors qu'Ur commençait seulement à chasser avec les hommes, son père avait mené une expédition vers des terres lointaines, à l'est de la mer Murmurante, et là-bas ils avaient découvert un peuple étrange qu'ils avaient aussitôt combattu. Les hommes de la grotte triomphèrent, mais, après le massacre, ils s'aperçurent qu'une petite fille de douze ans vivait encore, et le père d'Ur l'avait emmenée avec lui.

Elle ignorait tout des grottes ; l'intérieur obscur l'effraya et quand on la traîna à l'intérieur, elle supposa que c'était pour la mettre à mort. Plus tard, quand elle eut appris à parler le langage de la grotte, elle expliqua à Ur que dans son pays on ne vivait pas sous terre ; mais il ne pouvait imaginer comment ces gens avaient vécu, car la description qu'elle lui faisait des amoncellements de pierres et de branches pour former des abris, des grottes personnelles à l'air libre, dépassait son entendement.

— C'est une meilleure façon de vivre, assurait-elle, mais il ne pouvait la comprendre.

Il ne comprit pas davantage, lorsque cette étrange fille devint sa femme, l'acharnement qu'elle mettait à récolter du grain sauvage. Mais elle, elle savait que le grain, à l'encontre de la viande crue, pouvait se conserver durant l'hiver, et elle s'en allait parfois fort loin pour chercher les meilleures céréales. Un jour, dans un espace découvert à l'est du grand rocher, elle découvrit une accumulation naturelle d'herbes à grain et elle y conduisit Ur, pour lui montrer combien il était plus facile de récolter une masse d'épis plutôt que d'aller les quérir au hasard un par un.

— Pourquoi ne ferions-nous pas pousser le grain là où nous pourrons le surveiller ? dit-elle à son mari. Si nous y parvenions, l'automne venu nous n'aurions aucun mal à récolter ce dont nous avons besoin.

Ur, sachant que si le grain sauvage avait voulu croître selon les désirs de l'homme il l'eût fait, se moqua de sa femme et refusa de l'aider à déraciner les herbes pour les replanter près du puits.

— Mon père faisait pousser du grain là où il voulait, insistait-elle. Mais Ur ne faisait que rire de ses propos.

— Oui, et il construisait aussi des grottes à la surface de la terre ! rétorquait-il avec une indulgence amusée.

Elle s'obstina néanmoins et pendant les quinze premières années de leur mariage elle transplanta du blé sauvage, mais à chaque saison, les pluies ou la sécheresse ou les sangliers sauvages venaient détruire ce qu'elle avait planté. Enfin, il y avait maintenant deux ans de cela, la

femme d'Ur avait découvert des pousses d'un certain blé vivace qu'elle eut la chance, par hasard, de transplanter dans une bonne terre, au pied du grand rocher en pente, si bien que pendant la période de sécheresse assez d'humidité ruissela de la pierre pour maintenir le grain en vie. Bien que la récolte eût été décevante, les jeunes pousses reparurent au printemps suivant, là où elle l'avait voulu, et la seconde moisson fut plus abondante.

Quand sa fille atteignit sa onzième année, la femme d'Ur, sûre maintenant que son blé prospérait, jugea le moment venu d'aborder de nouveau un vieux problème qui la tourmentait depuis quelque temps et qu'elle hésitait à discuter avec son mari. Un jour, sans préambule, elle lui déclara :

— Nous devrions quitter la grotte et vivre près du puits afin de veiller sur notre grain.

Le chasseur aux jambes torses la regarda d'un air ahuri.

— Mais les hommes sont faits pour vivre ensemble, autour de leur feu, à l'abri. Pour raconter des histoires le soir après la chasse.

— Pourquoi penses-tu toujours que ta façon de faire est la meilleure ? rétorqua-t-elle.

Pris de court, il la regarda un instant sans rien dire, puis il demanda :

— Où habiterions-nous, si nous quittions la grotte ?

— Dans une maison. Une maison avec des murs et un toit.

— La première tempête la renverserait.

— Aucune tempête n'a jamais renversé la maison de mon père.

— Chez vous, vous n'aviez pas de ces tempêtes comme nous en avons ici, dit le vieil homme buté, et cela mit fin à la discussion.

Il fut donc tout à fait étonné quelques jours plus tard, alors qu'il conduisait ses chasseurs à la poursuite de l'antilope grise, de voir sa femme et son fils travaillant sur le terre-plein près du puits.

— Que faites-vous avec ces rochers ? demanda-t-il.

— Nous construisons une maison, lui répondit sa femme.

Il s'approcha et vit qu'elle avait disposé des pierres en cercle, formant une sorte d'enceinte de trois ou quatre mètres de diamètre. Haussant les épaules devant une telle obstination, il partit pour le marécage avec ses chasseurs, mais quand il revint au crépuscule il aperçut du puits un gros tas de pierres le le commencement d'une solide construction. Quatre jours plus tard, rentrant encore une fois de la chasse, il trouva son fils en train de poser contre le mur de pierre une palissade de troncs de jeunes arbres coupés dans l'ouadi.

— Allons bon, qu'est-ce que tu fais là ? demanda-t-il.

— Si les arbres peuvent nous donner un mur, nous devons les utiliser.

Ur vit alors que sa femme apportait des roseaux et des herbes pour en faire un épais chaume tressé, sous lequel la famille serait protégée du soleil. Et Ur n'aima pas ce qu'il vit.

Il aimait la grotte, si fraîche en été, si chaude en hiver, si confortable et gaie. Il y avait de la vermine, certes, et ça sentait mauvais, mais le feu était bon et l'amitié des hommes aussi. Depuis plus de

soixante-dix mille ans, la grotte avait servi de repaire aux ancêtres d'Ur et les générations y avaient à tour de rôle laissé des souvenirs de leurs brèves existences. Ur se rappelait encore le squelette qu'il avait découvert étant enfant, tout au fond de la galerie souterraine, et de la hache rudimentaire qu'une créature voûtée aux trop longs bras avait façonnée maladroitement avec des silex taillés quelque deux cent mille ans auparavant. Pour Ur, la grotte était une chose vivante, une communauté étroitement fermée qui réchauffait ses membres et en excluait les intrus. La grotte donnait la force à ceux qui y vivaient, et l'invraisemblable idée de sa femme et de son fils, une maison isolée pour une seule famille, lui paraissait aberrante. Les hommes devaient vivre ensemble, pensait-il, partager le produit de leur chasse et mêler leurs odeurs...

Il surveillait l'érection de la maison et quand il vit qu'elle était presque terminée, son cœur se serra à l'idée que sa femme et son fils voudraient lui faire quitter la grotte pour s'y installer, là-bas à l'écart près du puits, exposé aux tempêtes, aux inondations et au grand souffle des vents furieux. Ce n'était pas une maison bien commode que sa femme et son fils avaient construite, et elle n'était pas imperméable aux pluies. Les brèches entre les pierres et les troncs laissaient passer tous les vents mais par là même elle était plus saine que la grotte enfumée. Et une maison pouvait être érigée où l'homme le désirait, près de son champ, près de son puits. Mais le plus grand avantage, ni le vieillard ni aucun homme de cette époque n'aurait pu le prévoir.

Dans la grotte, les ancêtres d'Ur avaient vécu presque comme des bêtes. Ils avaient été obligés de se terrer là où ils trouvaient une grotte et dans l'espace qu'elle leur fournissait ; ils étaient ses prisonniers, par les actes comme par les pensées, et dans leur vieillesse, ils risquaient d'être tués ou chassés parce que des familles plus jeunes voulaient la grotte. Mais avec une maison construite par la volonté de l'homme, l'homme devenait le maître et la demeure sa servante. Ur allait être contraint d'adopter de nouvelles formes de pensée, qu'il le veuille ou non.

Lorsque la maison fut terminée, Ur rassembla à contrecœur sa famille dans la grotte, où les autres étaient enclins à se moquer de sa tentative audacieuse mais n'osaient rire, car ils respectaient trop le grand chasseur qu'il était. Il prit ses quatre lances, ses deux peaux de bêtes, un bol et un marteau de pierre, et se dirigea vers l'étroite ouverture. Sur le seuil il se retourna pour contempler les parois noircies qui l'avaient abrité depuis sa naissance, et les sombres profondeurs du tunnel s'enfonçant dans la terre. Puis il sortit rapidement sous le soleil et suivit le sentier du puits. Il jeta ses lances contre le mur de sa maison et resta un long moment à contempler les troncs pâles. Ils lui semblaient étrangers, hostiles.

La famille n'était pas installée depuis bien longtemps dans la maison quand le fils d'Ur découvrit qu'il n'était pas indispensable de laisser au hasard les semailles du blé au printemps. En conservant quelques grains de la récolte d'automne bien au sec dans un sac en peau d'antilope, les grains pouvaient être plantés intentionnellement au printemps, de manière

que le blé poussât exactement là où on désirait qu'il fût. Avec cette découverte, la famille d'Ur fit un pas immense vers les prémices d'une société se suffisant à elle-même.

Ils ne le savaient pas encore, mais avec la nourriture assurée, la rapidité de l'évolution serait incroyable ; dans quelques milliers d'années, les villes pourraient naître et les civilisations aussi. Les hommes pourraient faire des projets, et imaginer un système de monnaie pour les paiements et les échanges. Toute la structure compliquée d'une société évoluée se dessina dès l'instant où le fils d'Ur devint le maître du blé sauvage.

Avec l'avènement de la culture du blé, l'équilibre de la nature fut troublé, et la femme d'Ur le comprit. Avant la fin de la première saison, il fut évident que les récoltes dépendraient des pluies et du soleil — pas trop de chaleur pour ne pas dessécher les jeunes pousses, juste assez d'eau pour les nourrir — et elle se mit à guetter avec appréhension tout changement d'humeur de l'Esprit de l'eau et de l'Esprit du soleil. Durant les deuxième et troisième saisons, alors que la surface plantée devenait considérable, elle fut prise de terreur quand les pluies tardèrent, et elle se mit à chercher quelle chose concrète elle pourrait imaginer pour se concilier la bienveillance de l'Esprit de l'eau afin qu'il pleuve. Enfin, elle cria vers les cieux immenses :

— Que la pluie vienne !

Elle implora, mais sans s'adresser à quoi que ce soit, car elle concevait la pluie comme un esprit impersonnel, puissant mais inanimé.

Quand elle fit part de ses craintes à Ur, il s'en moqua.

— Si un homme traque le sanglier sauvage comme il convient, il le trouve. S'il le combat comme il convient, il le tue.

— Est-ce la même chose pour le grain ?

— Plante-le comme il convient. Garde-le bien. Il te donnera de quoi manger.

Mais l'inquiétude de sa femme l'avait gagné, et alors même qu'il la rassurait il se demandait si la chasse au sanglier était réellement aussi simple que cela. Une ou deux fois, il lui était arrivé de penser que ses chasseurs et lui-même étaient incapables d'eux-mêmes de venir à bout de la formidable bête, qu'il devait y avoir une mystérieuse force de la nature pour les aider, comme si cette force aussi avait peur et s'alliait à l'homme pour conquérir l'animal sauvage.

Il ne serait pas exact de dire que la découverte de la culture du blé amena avec elle la découverte de la peur, car la famille d'Ur avait toujours connu les terreurs simples. Quand Ur acculait un sanglier blessé ou un lion venu du nord, il connaissait la peur. Et quand dans la grotte une femme s'apprêtait à donner le jour à son enfant, la femme d'Ur connaissait la peur, car elle avait vu mourir d'autres femmes dans ces moments-là. Et quand par une sombre nuit Ur avait perdu un de ses chasseurs dans les marécages, tué par un sanglier, sa fille avait entendu au loin le cri du messager « Il est mort », et elle avait eu peur que ce soit Ur, son père.

La peur que la famille découvrait à présent était d'une autre espèce ; elle était engendrée par l'appréhension et les doutes, par le soupçon que les rapports de l'homme et de son univers ne fussent peut-être pas aussi simples qu'il y paraissait. Et en ce beau jour d'automne trop sec, tandis que les épis gonflaient et qu'au loin dans la forêt on entendait courir les antilopes, la famille avait peur, et cherchait comment faire pleuvoir.

La nature capricieuse s'irrita peut-être de leurs prières, car vers le crépuscule des nuées d'orage se massèrent au-dessus du mont Carmel, et le vent les poussa vers le nord dans un accompagnement de tonnerre et d'éclairs De grosses gouttes de pluie s'écrasèrent dans la poussière et allèrent étoiler la surface du grand rocher plat. D'autres suivirent, plus serrées, et bientôt un véritable rideau de pluie se déversa des cieux, remplissant l'ouadi et faisant bouillonner un torrent jaunâtre entre les arbres.

— Le flot va atteindre notre maison ! hurla Ur, et il comprit que si le déluge persistait, ses champs de blé seraient emportés par l'inondation.

— La tempête nous punit pour avoir volé le blé sauvage, gémit sa femme tandis que le flot turbulent poussait de longs doigts dans ses champs.

Ur n'entendait pas davantage fuir devant l'inondation qu'il n'aurait cédé devant un lion. Il courut à sa maison pour y prendre sa plus forte lance, et, en la brandissant, il courut au bord de l'ouadi pour tenir tête aux éléments :

— Recule ! Va-t'en ! Arrière ! rugit-il à l'adresse de la tempête furieuse, sans trop savoir sur quoi projeter sa lance.

Naguère, quand l'inondation arrivait, il s'était toujours paisiblement retiré dans la caverne pour attendre l'apaisement des éléments, mais aujourd'hui, sa maison se trouvait menacée et il n'avait plus de refuge.

— Arrière ! Arrière ! glapit-il encore.

Mais son fils comprit que si la pluie s'apaisait bientôt, il pourrait, en construisant une digue, retenir l'ouadi et l'empêcher d'emporter son blé. Il se hâta, apporta en courant des pierres, des branches, de la glaise et fit un barrage le long de son champ de blé pour détourner le flot boueux. Il appela ses parents et sa sœur, et leur expliqua ce qu'il fallait faire. Lorsque Ur comprit enfin, il posa sa lance et s'arrêta de hurler des imprécations aux éléments, pour hâter la construction de la digue. La fille appela ses camarades de la grotte, et, tandis que le tonnerre grondait au-dessus de leurs têtes, ils s'affairèrent tous à bâtir un rempart pour contenir l'inondation ; manifestement, pour peu que la rage de la tempête s'apaisât d'ici peu, les champs seraient sauvés.

En ces instants critiques, alors que l'orage était à son comble, et transformait le jour en nuit, Ur vit sa femme debout sous la pluie battante, la figure levée, qui glapissait :

— Tempête, va-t'en ! Arrière, orage, laisse nos champs !

Nul n'aurait su dire si l'Esprit de l'eau l'entendit, mais l'orage se calma et les eaux reculèrent.

Lorsque le soleil fut revenu, Ur s'assit sur une pierre en songeant avec émerveillement au danger conjuré et à l'habileté de son fils à construire la digue. Et puis, du coin de l'œil, il vit sa femme faire quelque chose de surprenant.

— Femme, cria-t-il, que fais-tu là ?

Tout en lançant des poignées de grains de blé dans le tourbillon jaunātre, elle lui expliqua :

— Si l'orage nous a laissé notre blé, le moins que nous puissions faire c'est de le remercier.

C'était là un événement capital, car pour la première fois, au puits de Makor, un être humain venait de parler d'un esprit immanent comme d'une personne à qui l'on pouvait s'adresser, avec qui l'on pouvait avoir des rapports d'homme à divinité. C'était le premier balbutiement du concept d'un dieu à l'image de l'homme qui pourrait être apaisé, et avec lequel on pourrait discuter et transiger personnellement.

Ecartant les bras comme pour embrasser les cieux, elle jeta les derniers grains de blé et cria d'une voix forte :

— Nous te remercions de t'être écarté, ô orage. J'implore ta miséricorde...

Et les vents soupirèrent, comme pour lui chuchoter une réponse favorable. C'était le premier effort maladroit dans ces nouveaux rapports de Moi à Toi, qui allaient désormais guider l'humanité, jusqu'à ce que la multitude de dieux et de déesses devienne plus réelle que les êtres humains conscients.

Quand Ur vit que les champs semés pouvaient être protégés des inondations, et que l'on pouvait compter sur les moissons pour assurer la subsistance de la famille, il se désintéressa un peu de la chasse, comme sa femme l'avait prévu. Il se mit à parler de « ses » champs, à dire « ma maison », et les sentiments qu'il éprouvait à leur égard étaient bien différents de ceux qu'il avait eus pour la caverne, Ce trou rassurant, sous l'immense rocher, ne lui avait pas appartenu, ni à lui ni à personne. Personne ne l'avait construite, cette grotte, personne n'y avait apporté d'améliorations ; Ur se contentait de la partager avec d'autres, tant qu'il avait encore la force d'apporter de quoi manger pour lui et les siens. Avec la nouvelle maison, il en allait tout autrement. C'était sa maison à lui, pas celle de ses frères vivant dans la caverne. Les champs étaient à lui, aussi, car il les avait défrichés. Et quand l'orage avait éclaté, il avait été tout prêt à lutter contre l'ouadi et les cieux pour les protéger.

Ce tumulte de nouveaux sentiments lui causait un malaise indéfinissable. Il était frappé d'avoir à supporter tout seul ce nouveau mode de vie qui lui plaisait tout en l'emplissant de perplexité. Car il était un chasseur et l'on exigeait de lui qu'il fît pousser du grain ; il était un homme des cavernes, et on le faisait vivre dans une maison ; il était un homme de la nature, et voilà qu'il était attiré vers les premiers balbutiements du polythéisme. Mais, plus que tout, il avait été un homme heureux de vivre en groupe dans une grotte, et maintenant on lui demandait d'être Ur, un homme seul, un peu désemparé, qui savait traquer les lions à une époque

où les lions commençaient à disparaître vers l'intérieur des terres...

Assez loin, le long de l'ouadi, vivait une troupe de chiens sauvages — de ces chiens qui par la suite seront appelés pariahs — plus petits que des hyènes mais plus grands que les coyotes, qui se nourrissaient d'antilopes blessées ou affaiblies, ou de ce qu'ils pouvaient trouver en fouillant près des lieux où vivaient des hommes. C'étaient de puissants animaux, de véritables bêtes de la forêt, et parfois un vieillard abandonné pour mourir était attaqué par une bande de ces chiens. En les voyant surgir, l'homme inutile pouvait penser qu'ils étaient des loups descendus du nord, mais s'il était courageux il pouvait les chasser et vivre un peu plus longtemps, car ils n'étaient pas des loups ; ils n'appartenaient même pas à la race des loups. Ils étaient des chiens et s'ils ne le savaient pas encore, tout sauvages qu'ils fussent, ils étaient capables d'une profonde amitié pour les hommes qu'ils attaquaient ; et les hommes, également aveugles en ces temps-là, ne pouvaient deviner qu'ils auraient besoin des chiens pour former, garder et convoyer des troupeaux, car sans les chiens intelligents l'homme ne pouvait espérer dicter sa loi à ses bêtes plus stupides, comme les moutons, les vaches ou les chèvres. Mais ces temps-là étaient encore loin. Des milliers d'années s'écouleraient avant que le chien ne devienne le meilleur ami de l'homme. Pour le moment, les deux créatures — l'homme et le chien — se partageaient le même ouadi sans prévoir les liens merveilleux qui les uniraient plus tard.

Ce fut la fille d'Ur, confusément troublée par une soif de tendresse, le désir des enfants qu'elle n'avait pas encore, qui la première remarqua le grand chien, le plus gros de la bande, qui monta hardiment des profondeurs de l'ouadi et s'approcha des plantations en quête de nourriture. Quand Ur lui jeta une pierre il montra les dents en grondant, et recula comme le faisaient les autres chiens, mais il revint. Un jour que la fille d'Ur était allongée sur le point le plus élevé du rocher, et qu'elle contemplait les nuages, elle aperçut soudain le grand chien qui la regardait, hors de la protection des arbres, simplement debout à l'autre bout du rocher. Ils étaient éloignés d'une centaine de mètres, et se dévisageaient, quand Ur, qui travaillait dans la vallée leva les yeux et crut que la bête sauvage menaçait son enfant. Il jeta adroitement une pierre qui frappa l'animal au flanc droit et l'envoya courir à l'abri des bois en hurlant. Ur se hâta d'escalader le rocher pour aller au secours de son enfant.

— Il t'a fait du mal ? lui cria-t-il du plus loin qu'il le put.

Mais quand il arriva près d'elle, il fut étonné de la voir pleurer doucement.

Quelques jours plus tard, le grand chien retourna quand même au rocher, et cette fois il y trouva un gros morceau de viande de sanglier, qu'il mangea avec méfiance, sans quitter la jeune fille des yeux. Puis il emporta l'os et disparut dans la forêt. Ce soir-là, elle dit à son père qu'il ne devait plus jeter de pierres au chien, parce qu'elle avait l'intention de lui donner à manger régulièrement, au bord du rocher.

Lorsqu'elle l'eut ainsi nourri pendant quelques mois, en s'approchant de plus en plus près tandis qu'il mangeait, il lui permit de s'asseoir à

moins de dix mètres de lui, tandis qu'il prenait la viande, et elle pouvait voir ses puissantes mâchoires. Elle voyait aussi les lueurs dansantes dans ses yeux, et sa façon de dresser la queue quand il semblait sûr qu'elle ne l'attaquerait pas, et elle était tentée de s'approcher encore davantage pour le toucher. Mais chaque fois qu'elle faisait mine d'avancer, il reculait avec méfiance.

Mais l'amitié qui les unissait était indiscutable et comprise par le chien, car il venait même lorsqu'elle ne lui mettait pas de viande ; et cela fut prouvé un jour que la petite fut appelée par sa mère et partit brusquement. Le chien parut déçu de la voir partir, et il la suivit, toujours à dix mètres de distance, jusqu'à la maison. Il s'assit et attendit longtemps qu'elle reparaisse. Et puis comme s'il devinait qu'elle était chez elle et à l'abri, il quitta ce terrain peu familier et regagna ses bois.

La fille d'Ur aurait sans doute pu encore diminuer la distance entre eux et, qui sait ? le toucher, car elle était patiente et le chien curieux, mais un jour qu'elle travaillait dans le champ de blé, sans faire attention au chien sauvage mais sentant sa présence proche, elle entendit un hurlement humain, un cri de victoire, vite couvert par le glapissement de détresse d'un chien. Elle courut follement vers le rocher pour découvrir sa bête — son fier chien sauvage de la forêt — gisant transpercé par une lance. Le chien était inerte, ses yeux dorés encore ouverts et surpris, mais à l'extrémité du rocher un grand jeune homme se frappait la poitrine en exultant :

— J'ai tué le chien sauvage !

Elle courut vers lui, folle de douleur, et le frappa et le chassa du rocher. Il battit en retraite et elle le poursuivit rageusement, en le frappant de ses poings. Elle l'aurait lapidé si elle avait eu des pierres à la main ; mais son père et son frère accoururent pour la maîtriser et la ramener à la maison.

Elle leur échappa, et retourna en courant vers le chien mort ; elle se jeta sur son grand corps musclé et embrassa la tête de la première bête qui avait recherché l'amitié des hommes. Il était mort, ce merveilleux animal sauvage et fier, et elle devinait que plus jamais elle n'en trouverait un autre comme lui. A Makor, quelques millénaires plus tard, d'autres jeunes filles au cœur sensible comme elle trouveraient d'autres chiens prêts à risquer le premier pas immense de la forêt à la maison, mais elle ne serait plus là pour le voir. Etouffée de sanglots, elle frappait la terre de ses poings crispés, car elle sentait confusément que quelque chose d'éminement supérieur lui avait été volé.

La conduite de la jeune fille sidéra le chasseur. Il venait du nord, et se plaisait à parcourir les ouadis profonds et les collines boisées. A la précision de son coup de lance, on devinait en lui un grand chasseur. Il avait dix-sept ans, de fortes épaules et des jambes puissantes pour poursuivre le gibier. En le voyant, Ur songea à sa propre jeunesse et tandis que le jeune homme restait là, figé au bord du rocher, à se demander ce qu'il avait pu faire pour susciter la colère de cette jeune fille, Ur lui dit :

— Reste donc un peu avec nous.

Les hommes descendirent du rocher, et laissèrent la fille à son chagrin.

Un peu plus tard, le jeune homme s'aperçut qu'il avait brisé la pointe de sa lance en abattant le chien, et il demanda à Ur s'il n'avait pas de silex taillé pour la remplacer. Ur montra son fils, et répondit d'un ton un peu condescendant :

— C'est lui qui taille les silex.

Le chasseur montra au garçon ce qu'il voulait et ce dernier se mit au travail sur un nodule de silex qu'il avait trouvé enchâssé dans de la pierre blanche. Rien n'existait alors qui fût assez dur pour tailler le silex, et la plupart des métaux découverts plus tard n'y suffiraient pas ; l'artisan devait imaginer et deviner la configuration interne du noyau de silex sans quoi il ne pouvait rien faire. Le fils d'Ur cassa donc précautionneusement l'enveloppe calcaire du rognon de silex. Il travaillait lentement, avec patience, et quand il eut dégagé le silex il l'examina avec soin pour voir comment il l'attaquerait. Finalement, au bout d'un moment où il eut l'air de pénétrer les secrets de la pierre, il posa le bout pointu sur un morceau de bois, en le tenant bien entre ses doigts gauches pour en sentir les arêtes. Puis il prit une grosse pierre pointue et donna un coup sec juste à l'endroit qu'il voulait. Un large éclat de silex sauta, brillant et aigu. Le fils d'Ur continua à donner de petits coups secs, jusqu'à ce que l'éclat de silex soit taillé en pointe, et acéré comme une lame. Le jeune chasseur était fort impressionné.

— C'est le meilleur tailleur de silex que j'aie jamais vu, s'exclama-t-il avec admiration.

— Il ne vaut pas grand-chose à la chasse, grommela Ur.

— Pourrais-tu me tailler encore deux ou trois pointes ?

Ce fut ainsi que naquit une solide amitié entre le fils d'Ur et l'inconnu. Il lui tailla ses pointes de lance, et il tailla aussi à sa sœur des aiguilles, et elle se consola un peu de la perte de son chien en cousant des vêtements pour la famille. Un jour Ur lui suggéra :

— Tu devrais coudre une nouvelle peau de bête pour le chasseur.

Elle le fit à contrecœur, car elle ne lui pardonnait pas d'avoir tué le chien. Avec le temps, son chagrin s'apaisa quand même ; le chasseur construisit une maison ronde pour elle, et elle fut enceinte de son premier enfant. Mais le chien sauvage, la bête confiante qui était venue s'asseoir près d'elle sur le rocher, ne fut jamais oublié.

Le fils d'Ur travaillait à ses silex, et un jour il demanda au chasseur, qui était maintenant son beau-frère, de lui trouver un os incurvé, d'une certaine dimension et d'une certaine forme. Lorsqu'il l'eut en main, il disparut et alla travailler en grand mystère, à l'écart.

Lorsqu'il reparut, il offrit à sa mère un instrument jusqu'alors inconnu. C'était une faucille dont la lame tranchante était faite de plusieurs silex taillés fixés dans l'os avec de minuscules lanières et collés avec une substance faite de résine et de cire d'abeilles. Ce nouvel ustensile merveilleux séparait avec son extrémité pointue une botte d'épis du reste et les ramenait vers soi en les coupant net. Tous ceux de la caverne accoururent

pour contempler d'un œil envieux la mère du garçon qui balançait son bras d'un geste large en ramenant le blé vers elle pour le couper d'un seul mouvement. C'était miraculeux.

Et puis, comme il arrive souvent quand les saisons ont été trop clémentes et le soleil trop doux, les forces planant autour du puits et de l'ouadi frappèrent à nouveau, pour rappeler aux hommes dans quel univers ils vivaient. Tombant d'un ciel sans nuages, par une belle journée où les bébés nus jouaient dehors au soleil, la foudre tomba et mit le feu au blé. En unissant leurs efforts, les hommes des cavernes réussirent à maîtriser l'incendie mais la moitié de la récolte avait brûlé, et, au lieu de l'abondance et de la sécurité, il y avait maintenant tout juste de quoi passer l'hiver. La famille d'Ur chercha ce qui avait pu lui attirer ce malheur et Ur lui-même eut beau raisonner, sa femme demeura persuadée que l'accroissement de la famille, sa négligence des droits immanents de la nature, avaient provoqué ce reproche.

— Le chasseur a tué le chien, dit-elle, et nous nous sommes réjouis quand son premier-né a été un garçon, et nous n'avons pas offert de blé aux eaux de l'ouadi...

Et elle continua longtemps sur ce ton, en passant en revue tous les péchés d'orgueil de la famille. Elle conclut en disant que les forces qui partageaient l'ouadi avec les hommes étaient en colère, à juste titre, et elle pensait qu'ils devraient ériger quelque signe, pour manifester leur contrition et faire savoir que jamais son mari ni elle n'avaient cherché à usurper leurs droits. Son fils la soutint dans son raisonnement, mais le vieil Ur hésitait.

Ce fut elle qui eut l'idée du monolithe. Elle déclara :

— Si nous dressons au point le plus élevé du rocher une haute pierre, la tempête, le vent et le sanglier sauvage la verront et comprendront que nous ne leur voulons pas de mal.

Ur lui demanda comment ils pourraient bien le comprendre mais son fils lui assura :

— Ils le sauront bien.

Alors tous les hommes de la grotte allèrent avec le fils d'Ur vers l'endroit de l'ouadi où se trouvaient les grandes pierres et, à l'aide de couteaux de silex, de coins, de leviers et de lourds cailloux qu'ils laissaient tomber comme des marteaux, ils réussirent à déloger un monolithe beaucoup plus haut qu'un homme et arrondi au sommet. Ils le poussèrent et le tirèrent et le traînèrent jusqu'au point culminant du rocher où, après deux mois d'efforts, après avoir sué à construire des rampes en terre battue, ils le dressèrent et le plantèrent dans un alvéole que le garçon avait creusé dans le roc. Ils le calèrent avec des pierres et le laissèrent là, tout droit, une chose sans nom mais qui leur apportait néanmoins un grand réconfort. C'était leur interprète pour s'adresser à la tempête.

Trois nuits après l'érection de ce gardien du puits, un sanglier sauvage — le symbole de la haine implacable — survint dans l'ouadi et détruisit les trois quarts de ce qui restait des récoltes. Quand le jour se leva et que ces gens virent les dégâts, et comprirent qu'ils avaient perdu mainte-

nant presque toutes leurs provisions d'hiver, ils voulurent courir au monolithe pour l'abattre, mais la femme d'Ur les en empêcha.

— Si les mauvaises forces sont venues en dépit de notre signe, qui sait ce qu'elles auraient pu nous faire sans lui ?

Ur et son gendre raisonnaient plus simplement. Le sanglier avait ravagé leurs champs. Ils tueraient le sanglier. Ils prirent donc leurs lances et partirent en chasse.

Ils suivirent la piste de la bête dans le marécage où pendant un jour entier ils pataugèrent dans une eau verte et nauséabonde, et ils passèrent la nuit attaqués par une multitude d'insectes. Le sanglier les entraîna très loin, par les forêts, les collines et les vallons désertiques et ils arrivèrent ainsi sur les bords de la mer Murmurante qu'Ur avait vue une fois dans sa jeunesse. Le vieillard était à bout de souffle. Il croyait sentir sa fin prochaine, et soupirait tout bas :

— Je ne dois pas mourir maintenant. Pas avant d'avoir tué le sanglier. Le jeune homme ne saura pas...

Ils réussirent enfin à cerner la bête dans un fourré d'épineux et de pistachiers, près d'un endroit où des eaux chaudes bouillonnaient à la surface du sol, et soudain Ur entendit un cri et vit le jeune chasseur voler en l'air, projeté par les redoutables défenses du sanglier.

Ur se précipita, mais avant qu'il puisse pénétrer dans le fourré, la bête avait labouré les flancs du jeune homme et, triomphante, elle était partie au galop vers le nord, laissant le chasseur mutilé derrière elle.

Ce fut alors que le vieil homme se sentit submergé par l'immensité de la vie, par l'effrayant et redoutable et douloureux mystère de l'homme en conflit avec ce qui l'entourait. Tête basse, devant son gendre mort, il songea à sa fille, à leur petit garçon, et cria :

— C'était moi qui devais mourir. Moi, j'étais prêt. Pourquoi a-t-il été choisi ?

Du nord lui parvenait l'écho du martèlement des sabots de la bête sauvage victorieuse.

— Pourquoi une bête aussi mauvaise a-t-elle triomphé ? protesta Ur, en déchirant son vêtement pour manifester sa douleur.

Il songea au monolithe futile que sa famille avait dressé pour écarter justement ces contradictions, et il se demanda ce qu'il aurait pu et dû faire pour sauver ce plus brave d'entre les chasseurs. Qu'avait-il oublié ?

L'angoisse que connut Ur cette nuit-là — le mystère de la mort, le triomphe du mal, la terrible solitude de l'homme, la découverte que soi-même, en soi, on ne suffit pas — c'était celle même qui tourmente l'homme et le monde d'aujourd'hui.

LA DÉESSE ASTARTÉ

NIVEAU XIV — 2202-2201 AV. E. C.

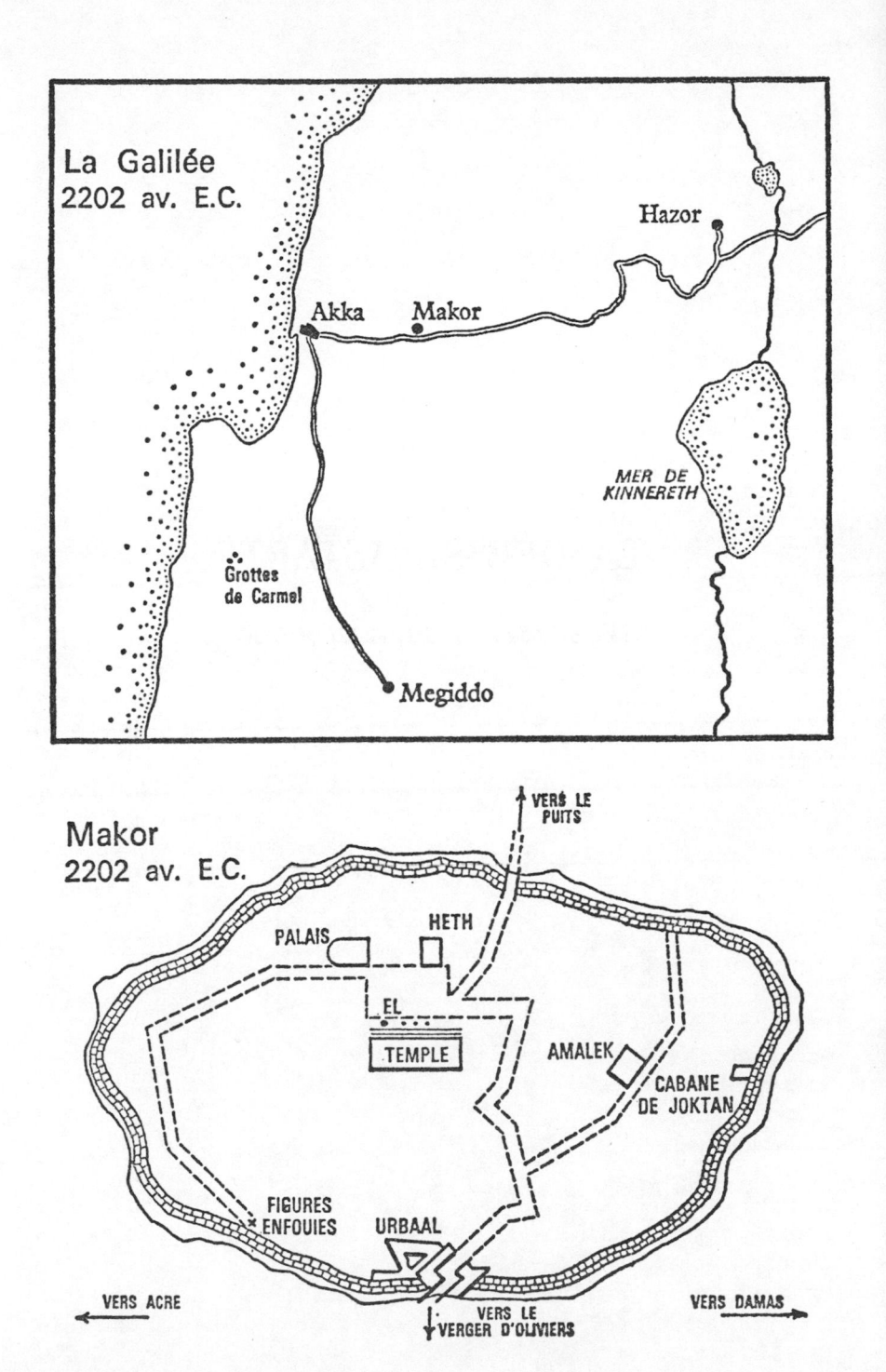

La Galilée
2202 av. E.C.

Hazor

Akka   Makor

MER DE
KINNERETH

Grottes
de Carmel

Megiddo

Makor
2202 av. E.C.

VERS LE
PUITS

PALAIS   HETH

EL

TEMPLE   AMALEK

CABANE
DE JOKTAN

FIGURES
ENFOUIES   URBAAL

VERS ACRE   VERS LE   VERS DAMAS
                  VERGER D'OLIVIERS

ON était au début de l'été de l'an 2202 av. E. C., et pendant les sept millénaires qui s'étaient écoulés depuis que la famille d'Ur avait dressé le monolithe sur le rocher, une suite d'événements avait transformé la contrée. Des civilisations inconnues s'y étaient succédé brièvement — les plus réussies avaient duré mille ans, les moins vivaces deux ou trois siècles — mais chacune avait laissé derrière elle une accumulation de détritus tandis que ses bâtiments étaient rasés et ses habitants emmenés en esclavage. Des ruines s'étaient entassées sur des ruines et quelque six ou sept mètres de gravats et de pierres recouvraient le rocher plat, anéantissaient jusqu'à son souvenir ; il ne restait plus que le sommet arrondi de l'ancien monolithe qui se dressait d'un mètre à peine au-dessus de la terre. C'était l'objet le plus sacré de la contrée et l'on croyait qu'il avait été placé là sur cette éminence par les dieux en personne.

Tout le reste avait disparu. Le plafond de la caverne s'était effondré, l'ouverture avait été comblée et les chèvres ne pouvaient plus aller y chercher la fraîcheur que tant de bêtes et de créatures humaines avaient appréciée aux temps immémoriaux. Au puits, dont la présence expliquait encore l'agglomération en ce lieu, la terre s'était entassée, si bien qu'à présent il fallait des cordes de dix mètres de long pour puiser l'eau dans laquelle Ur avait pu tremper ses mains et se mirer. Les pierres de la margelle étaient usées et creusées de profonds sillons par les cordes que tiraient les jeunes filles en venant au puits.

L'immense rocher plat servait à présent de fondation à une petite ville d'une centaine de maisons de pisé bordant des ruelles sinueuses, avec une population de sept cents âmes qui faisait le commerce, élevait du bétail et cultivait la terre dans les champs au sud de la cité.

Le changement le plus remarquable, cependant, c'était la grande muraille qui entourait l'agglomération et repoussait l'envahisseur. Elle avait été érigée vers 3500 av. E. C., quand une tribu dont le nom même a été oublié jugea qu'elle devait se protéger ou périr. Ces hommes avaient donc construit un mur massif haut de trois mètres et épais de plus d'un mètre en empilant simplement de gros blocs de pierre inégaux, sans mortier. De loin, le mur avait l'air prêt à crouler, mais en approchant les assaillants s'apercevaient que les défenseurs avaient tassé à l'intérieur.

contre la première muraille, un second mur de terre battue, épais de deux mètres cinquante, et enfin une nouvelle épaisseur d'un mètre, de pierres et de rochers, si bien que si l'on voulait investir la ville, il fallait transpercer et franchir une épaisseur de cinq mètres de roc, de terre et encore de roc, ce qui n'était pas commode du tout.

Depuis treize cents ans que la muraille existait, elle avait subi soixante-dix assauts — un tous les quatre-vingt-dix ans en moyenne — lancés par les Hittites et les Amorites du nord, les Sumériens et les Akkadiens du pays des Deux Fleuves, connu plus tard sous le nom de Mésopotamie, et par les Egyptiens du Nil. Même les prédécesseurs du Peuple de la Mer, faisant des incursions sur le port d'Akka, avaient tenté aussi de s'emparer de Makor, mais de tous ces nombreux sièges neuf seulement avaient réussi. Au cours des derniers siècles, la ville avait été entièrement détruite — c'est-à-dire rasée au sol, incendiée — seulement deux fois, et elle était plus fortunée en cela que ses voisines plus importantes comme Hazor ou Megiddo.

Makor était à l'origine un centre agricole dont les champs fertiles produisaient un surplus que l'on échangeait contre des produits manufacturés. Depuis quelques siècles, les caravanes avaient pris l'habitude de passer par Makor, en allant d'Akka à Damas, et l'on y connaissait des objets étrangers, des couteaux d'obsidienne d'Egypte, du poisson séché de Crète et de Chypre, du bois de Tyr et des tissus de Damas et de plus loin encore en Orient. La richesse de Makor était en majeure partie entre les mains du roi, mais ce terme tend à faire illusion. L'importance et la puissance de la ville ne peuvent être mieux évoquées qu'en citant ce qui s'était passé en 2280 av. E. C. quand la ville voisine de Hazor, attaquée, avait lancé un appel au secours. Makor avait aussitôt répondu favorablement et levé une armée de neuf hommes.

Il peut sembler même curieux qu'il y ait eu un roi à Makor pour régner sur une population de sept cents personnes seulement, mais en ce temps-là ce n'était pas une mince assemblée, et si l'on tenait compte des champs cultivés et des quelques petits hameaux sans défense placés sous la protection du roi, on obtenait une superficie assez vaste pour constituer une unité économique. Elle n'avait jamais appartenu définitivement à un pays précis. Au cours des siècles, elle avait été soumise un temps par l'Egypte, puis à divers empires mésopotamiens. Mais en général, elle bénéficiait du même statut que ses voisines, Hazor, Akka ou Damas, celui de ville-sujette allant de-ci, de-là suivant les fluctuations de l'histoire.

En ces temps incertains, une seule chose était sûre ; les confusions religieuses avaient été démêlées et aplanies une fois pour toutes. On savait maintenant que le monde était gouverné par trois dieux bienveillants, le vent, l'eau et le soleil, et chacun d'eux était représenté par un monolithe dressé au point culminant de la ville, au centre de la cité. Il y avait naturellement une quatrième pierre, dans cette rangée solennelle face au temple, la plus sacrée de toutes, arrondie au sommet par l'érosion et presque enfouie dans la terre qui s'était accumulée au cours des siècles. Comme elle évoquait un peu un membre viril, elle était vénérée comme

le père de tous les dieux et on l'appelait El, mais à la voir elle n'avait vraiment rien d'impressionnant à côté de ses gigantesques voisines. C'était comme si le dieu à qui appartenait ce membre de pierre était vieux et fatigué ; mais il était encore vénéré par ses sujets pour sa puissance, la source de toute-puissance, le dieu El.

A côté de ces dieux majeurs, il y avait une multitude de dieux mineurs pour qui on n'avait pas dressé de monolithes mais à qui l'on adressait des prières quotidiennes ; les dieux des arbres, des ruisseaux, de l'ouadi, des oiseaux, des moissons, et de tous les monts et vallons. On les appelait des baals ; il y avait de petits baals et de grands baals, chacun adoré à sa façon, mais il y en avait un plus cher que tous les autres aux habitants de Makor, ou plutôt une car c'était Astarté, la tentatrice, la déesse de la fécondité aux seins pesants. C'était elle qui faisait mûrir le grain et vêler la vache et accoucher la femme et nicher l'oiseau. Dans une société agricole, la souriante petite Astarté était la plus importante de tous les dieux car sans elle rien de ce qui s'attachait au cycle de la vie ne pourrait avoir lieu.

La plupart des habitants de Makor étaient des nouveaux venus, mais dans une grande maison de brique et de terre bien adossée à la muraille d'enceinte, à l'ouest de la porte principale, vivait un homme dont les ancêtres, par on ne sait quel prodige, avaient toujours réussi à survivre aux guerres et aux occupations. Quand on faisait appel au courage, les hommes de cette famille n'hésitaient pas à bondir sur les remparts avec leurs lances, mais quand la défaite était inévitable, ils étaient les premiers à courir se cacher en lieu sûr, pour n'en ressortir qu'après les massacres et les incendies. Et chaque fois que revenait le temps de paix, ils retournaient à leurs vastes oliveraies et à leurs champs de blé.

L'actuel rejeton de ce clan habile était le fermier Urbaal, âgé de trente-six ans, descendant direct de ce grand Ur dont la famille avait imaginé de cultiver la terre à Makor et qui avait érigé le monolithe devenu le dieu El. Urbaal était un homme solide, puissant et fort comme il sied à un paysan, avec de grandes dents qui scintillaient quand il souriait. Contrairement aux hommes de son âge, il n'était ni chauve ni obèse. A la guerre, il avait été bon soldat, et dans la paix il était bon cultivateur. Il était doux avec ses femmes, joyeux avec ses enfants et bon pour ses esclaves ; s'il avait voulu être roi ou grand prêtre, cela lui eût été facile, mais il préférait ses terres par-dessus tout, la terre et les femmes et voir pousser le grain.

Ce jour-là, il était en proie à un grave souci, et tandis qu'il se hâtait de sa maison vers les monolithes dressés en face du temple, son front était sombre et plissé, et il songeait que son bien-être de toute l'année dépendait de ce qu'il était en train de faire.

La ruelle qu'il suivait était tortueuse, étroite, encombrée de passants qui reconnaissaient et saluaient Urbaal, mais il était si préoccupé qu'il répondait à peine. En arrivant enfin sur la haute esplanade du temple, il courut tout droit au monolithe le plus éloigné, celui qui sortait à peine de terre et, s'agenouillant dans la poussière, il baisa la pierre ronde et pria :

— Cette année, grand El, fais que ce soit moi.

Puis il alla se prosterner à tour de rôle devant les trois autres pierres dressées et leur fit la même prière :

— Baal des Eaux... Baal du Soleil... Baal du Vent, faites que cette année ce soit moi. Je ne vous ai jamais demandé beaucoup.

Il traversa ensuite la place et entra dans la petite boutique obscure de Heth, un Hittite qui vendait des marchandises venant de pays lointains, et il s'adressa à l'homme barbu qui repliait des pièces de tissu :

— Cette année, je dois être choisi. Que dois-je faire ?

— Pourquoi ne consultes-tu pas les prêtres ? répondit Heth en éludant la question.

— J'en ai tiré tout ce que je pouvais.

— Le meilleur conseil que je puisse te donner, c'est de t'occuper de tes oliviers, dit Heth, et puis voyant l'angoisse de son visiteur, il ajouta : Et achète-toi donc la meilleure Astarté que tu pourras trouver.

C'était le genre de conseil que cherchait Urbaal. Il abandonna une grande jarre qu'il examinait distraitement, s'approcha du marchand et lui demanda :

— Tu crois que ça y fera quelque chose ?

— C'est comme ça qu'Amalek a gagné l'année dernière, assura le marchand.

— Mais j'ai déjà trois statues, protesta Urbaal.

— Avec tous tes arbres ? Tu crois que trois ça suffit ? Vraiment ? murmura le rusé marchand en se caressant la barbe et en examinant le riche fermier.

— Oui, je me le suis demandé, avoua Urbaal.

Il fit quelques pas dans l'échoppe, puis il revint vers Heth et le prit par le devant de son vêtement.

— Tu crois vraiment que ça m'aidera ? insista-t-il comme un enfant suppliant.

Heth ne répondit pas, mais alla dans un coin sombre et revint avec la petite figurine en terre cuite d'une déesse. Elle était grande comme la main, toute nue, très féminine, avec de larges hanches et les mains soutenant des seins circulaires. Elle avait quelque chose d'érotique et de dodu, de délicieux et de rassurant. Le marchand en était manifestement très fier et en demanderait fatalement un bon prix.

Urbaal examina la statuette. Pour lui, ce n'était pas un ravissant modelage d'argile, ni un symbole théologique abstrait. C'était la déesse en personne. C'était la véritable déesse Astarté qui déterminait la fertilité du sol, la fécondité des femmes, l'abondance des olives. Sans son aide, il ne pouvait rien. Il aurait beau prier Baal des Eaux et Baal du Soleil, et ils auraient beau répondre favorablement à ses prières, si Astarté se taisait; les olives ne donneraient pas d'huile et si elle ne souriait pas, Urbaal ne pourrait gagner cette année.

— La statue que tu m'as vendue l'année dernière a bien marché, murmura le fermier.

— Je te l'ai dit. Pendant trois ans, tu n'arrivais pas à rendre Timna enceinte, et maintenant...

— Allez, je la prends. Combien ?

— Sept gurs d'orge et sept de blé.

Urbaal s'était douté que le prix serait élevé, mais il fit un rapide calcul et s'écria :

— Cela fait plus de quatorze gins d'argent ! L'année dernière, tu ne m'en as demandé que huit.

— Quatorze, oui. Mais cette Astarté est particulière. Elle n'a pas été faite à la main, comme les autres. Ils ont découvert une nouvelle manière, à Akka. Et c'est cher.

— Je la prends, décida Urbaal.

Il porta la statuette à ses lèvres, et retraversa la place pour aller la présenter aux monolithes devant lesquels il se prosterna. Puis il reprit le chemin de sa maison.

Comme il longeait le porche du temple, une grande jeune fille de seize ans passa, vêtue d'une longue robe tissée à la main et chaussée de sandales dorées. Elle était mince et, à chacun de ses pas, ses longues jambes nues apparaissaient entre les pans de son vêtement. Ses cheveux noirs tombant sur ses épaules accrochaient les reflets du soleil. Sa figure était d'une extraordinaire beauté, sombre, les yeux très écartés, le nez droit, les pommettes hautes, la peau satinée. Elle marchait avec une grâce étonnante, consciente de l'effet qu'elle produisait sur les hommes, car tel était son propos.

C'était une esclave, capturée au cours d'une razzia dans le Nord, et depuis son arrivée Urbaal l'admirait. Elle hantait ses rêves. Quand il visitait ses champs d'oliviers, il la voyait et quand les jeunes filles de Makor foulaient aux pieds le raisin de ses vignes, elle était là parmi elles, ses longues jambes rougies par le jus de la treille. Même quand la seconde femme d'Urbaal avait eu son enfant, il ne pouvait penser qu'à la grande esclave, et c'était elle qui l'avait poussé à acheter sa quatrième Astarté. Serrant la déesse contre son cœur, il regarda la jeune esclave disparaître entre les colonnes du temple. Consumé de désir, il porta à ses lèvres la figurine d'argile, l'embrassa et lui chuchota :

— Astarté ! Mes champs doivent être fertiles. Aide-moi, aide-moi !

Il attendit un moment, à l'ombre, dans l'espoir que l'esclave reparaîtrait, mais elle ne revint pas et il retourna tristement vers la porte principale, flanquée de hautes tours d'où les archers dominaient le dédale des ruelles et les chicanes du portail. Depuis des siècles, les habitants de Makor avaient compris que si la porte était large, et s'ouvrait directement au cœur de la cité, l'ennemi qui la forçait se trouvait aussitôt dans la place, libre de tout piller. L'entrée de Makor ne le leur permettait pas. Un envahisseur franchissant la porte principale devait tourner brusquement à gauche, puis à droite, exposé aux flèches des défenseurs postés au-dessus de lui. C'était dans cet enchevêtrement de venelles qu'Urbaal avait sa maison, aussi bien défendue que la ville elle-même.

Elle était composée de nombreuses ailes entourant une cour biscornue.

Dans l'aile la plus près de l'entrée vivaient les deux femmes d'Urbaal et leurs cinq enfants, quatre de sa première femme, et le garçon nouveau-né de la seconde. Dans l'aile opposée se trouvaient les entrepôts à grain, les cuisines et les quartiers des esclaves, parmi lesquelles deux jolies filles qui lui avaient déjà donné plusieurs enfants. Une vingtaine de personnes vivaient dans la demeure d'Urbaal, une maison bruyante et joyeuse. Les paysans préféraient travailler pour cet homme jovial et bon vivant, plutôt qu'aux champs appartenant au temple, car si Urbaal était plus exigeant que les prêtres, il était un paysan comme eux et savait se faire aimer.

Il traversa la cour et se dirigea vers une des pièces richement décorées où étaient exposées ses trois autres déesses, et plaça tendrement sa dernière Astarté sur une étagère, en lui faisant une dernière prière :

— Sois heureuse ici dans ma demeure. Tout ce que je demande, c'est qu'à l'heure de la mesure et de la pesée, je sois le gagnant.

Il fut interrompu par l'arrivée de Timna, sa seconde femme. Jamais elle ne se permettait d'entrer dans la salle des dieux, mais ce jour-là elle était apparemment angoissée. Elle courut à Urbaal, les yeux agrandis de terreur, et il devina ce qui arrivait. Quelques années plus tôt, il avait vu ce même regard terrifié dans les yeux de sa première femme Matred.

— Qu'y a-t-il ? lui demanda-t-il avec douceur.

— Le prêtre de Melak est venu.

Urbaal s'attendait à cela. C'était inévitable, et il se demandait comment il pourrait consoler cette douce jeune femme qui avait attendu pendant trois ans la naissance de cet enfant, en subissant les sarcasmes méprisants de la féconde Matred. Elle se mit à sangloter.

— Allons, lui dit son mari, nous aurons d'autres enfants.

— Nous ne pourrions pas nous enfuir ?

— Timna !

Cette idée était un blasphème ! Urbaal appartenait à cette terre — sa terre — à ces oliviers près du puits. Mais Timna insistait :

— Jamais je ne donnerai mon fils !

— Mais nous le faisons tous...

Il la prit par les épaules, la fit asseoir sur le sofa et lui parla doucement, lui raconta comment Matred avait eu à affronter ce même problème.

— Elle a failli mourir de douleur, assura-t-il. Mais plus tard, elle a eu quatre autres enfants et une nuit elle m'a avoué que nous avions fait ce qu'il fallait. Tu verras, tu auras d'autres enfants accrochés à tes jupes, et tu penseras de même.

Elle l'écouta jusqu'au bout, puis elle baissa la tête et gémit :

— Je ne peux pas.

Urbaal maîtrisa son irritation, car elle était si douce qu'il ne pouvait se fâcher.

— C'est à Melak que nous demandons la protection. Le Grand El est nécessaire, et nous le vénérons, mais, à la guerre, seul Melak est notre protecteur.

— Pourquoi faut-il qu'il soit si cruel ?

— Il fait beaucoup pour nous, et il ne demande qu'une chose en échange... nos fils premiers-nés.

Pour le fermier, c'était une tradition logique, il en avait toujours été ainsi. Il voulut partir pour ses champs d'oliviers, mais Timna se cramponna à lui en sanglotant, si bien qu'il estima que seul un choc brutal la ramènerait à la réalité.

— Depuis que Makor existe, lança-t-il brutalement, nous avons remis à Melak nos premiers-nés. Matred l'a fait, les esclaves aussi. Et tu feras comme les autres !

Il sortit de la salle, mais, en traversant la cour, il vit son dernier-né, le petit garçon de six mois qui gazouillait à l'ombre sur une pièce d'étoffe, et son cœur se serra. Timna, qui l'avait suivi, surprit son regard navré et son geste de douleur involontaire. Elle songea alors qu'il avait déjà dû remettre trois de ses fils, le premier-né de Matred et ceux des esclaves, et que sa douleur devait être bien grande, même s'il ne la montrait pas.

Timna avait raison, mais son mari à l'esprit simple s'efforçait de résoudre le conflit permanent entre la vie et la mort — Melak exigeant la mort et Astarté donnant la vie — en songeant à la belle esclave que les prêtres ne montraient que rarement, qu'ils séquestraient presque en laissant entendre qu'elle était réservée pour une cérémonie solennelle. Les hommes de Makor savaient maintenant qu'elle serait la récompense de celui dont les récoltes surpasseraient celles de tous les autres fermiers ou éleveurs, et ils travaillaient avec une ardeur acharnée, poussés par le désir.

Urbaal pressa le pas, sortit de la ville et se dirigea d'abord vers son pressoir à huile, sans oublier de passer faire ses dévotions au baal des oliviers. Son régisseur vint à sa rencontre et quand Urbaal lui demanda si la récolte était abondante et l'huile bien fruitée, l'homme lui assura :

— Tu es sûr de gagner cette année.

Urbaal lui fit alors part des craintes qui le tenaillaient :

— Et Amalek, avec ses troupeaux ?

— On dit qu'ils sont très beaux.

— Oui, ils le sont toujours, grommela Urbaal.

— Nous pourrions, insinua le régisseur, lâcher quelques chiens parmi ses jeunes veaux ?

— Non ! Nous n'avons pas besoin de ces ruses, mais au cas où ce genre d'idées lui viendrait, j'espère que tu surveilles bien nos fosses à huile ?

Le régisseur montra du doigt une cabane de construction récente, une simple plate-forme posée sur quatre pieux, et coiffée d'un toit de branches.

— Désormais, et jusqu'à la fin de la récolte, c'est là que je passe mes nuits.

En quittant ses champs, Urbaal avait repris confiance, mais quand il rentra chez lui, il apprit que les prêtres de Melak étaient venus confirmer leur décision et marquer l'enfant aux poignets, avec une teinture

rouge. Il ressortit aussitôt, pour ne pas entendre les lamentations de Timna et, dans la rue, il croisa Amalek, son rival. En voyant sa hâte et sa détresse évidente, il comprit que le fils nouveau-né d'Amalek avait été choisi aussi. Les deux hommes ne se parlèrent pas, car si l'un ou l'autre exprimait, ne fût-ce que par un regard, sa révolte contre la décision des prêtres, il attirerait le malheur sur sa tête et sur sa famille.

Le lendemain au jour levant, un groupe de prêtres en capes rouges défila dans les rues de Makor, au son des tambours et des trompettes d'airain ; ils firent ainsi trois fois le tour de la ville, puis les tambours et les trompettes se turent, les prêtres se séparèrent et les malheureuses mères sombrèrent dans des abîmes de terreur et de désespoir. Un coup retentit enfin à la porte d'Urbaal et un prêtre apparut pour réclamer le fils de Timna. Elle se mit à hurler, mais son mari se hâta de lui plaquer une main sur la bouche, et le prêtre hocha la tête d'un air approbateur, en emportant le bébé.

Au bout d'une heure environ, la musique reprit, cette fois avec un accompagnement de cymbales. Un brouhaha s'élevait dans les ruelles, la foule se hâtait vers la place du temple. Urbaal prit la main de Timna.

— Il faut y aller. Viens...

Car si les mères n'étaient pas présentes au sacrifice, l'offrande du fils ne valait rien. Mais Timna n'était pas native de Makor, et elle ne pouvait se résoudre à assister aux rites terribles. Elle supplia son mari, elle se traîna à ses genoux et, pour la faire obéir il fut obligé de la gifler, sous le regard méprisant de Matred, qui avait connu jadis la même souffrance.

Entre le temple et l'alignement des pierres dressées, on avait élevé une plate-forme sous laquelle un brasier faisait déjà rage. Sur la plate-forme se dressait un dieu de pierre étrange ; il étendait deux bras vers les cieux, ce qui formait une sorte de plan incliné, de toboggan aboutissant à la bouche grande ouverte du dieu de manière que ce que l'on posait sur les mains tendues roulât et glissât vers cette bouche pour plonger dans la fournaise.

En marmonnant des incantations, les prêtres prirent le premier enfant, un gros bébé de neuf mois, le soulevèrent pour le montrer à la foule et le posèrent sur les mains du dieu vengeur. Le bébé glissa, roula et tomba dans le feu. On n'entendit qu'un faible cri, et puis un hurlement de femme. Urbaal, du coin de l'œil, vit que c'était la femme d'Amalek et il réprima un sourire de satisfaction. Les prêtres avaient remarqué cette grave entorse à la religion et Urbaal se dit qu'ils s'en souviendraient au moment des récompenses.

Afin d'éviter cette même disgrâce dans sa famille, il serra le bras de Timma et, quand le prêtre prit son enfant, il la saisit par le cou pour étouffer dans sa gorge le cri qu'elle allait pousser. Cela aussi, le prêtre le remarqua, et approuva.

Lorsque tous les enfants, sept en tout, eurent été sacrifiés au dieu, l'atmosphère changea brusquement. On se désintéressa de la terrible sta-

tue de pierre, on laissa mourir le feu et des prêtresses vinrent danser au
son de la musique, après que le grand prêtre, sur les marches du temple, ait élevé les bras au ciel et crié :

— Après la mort vient la vie, après le deuil vient la joie !

Enfin, après une heure de chants et de danses, deux prêtres pénétrèrent
dans le temple et revinrent en tenant par la main la grande et belle
esclave toute vêtue de blanc. C'était l'instant qu'Urbaal avait attendu.
Elle avança au bord de la plus haute marche, les mains croisées sur la
poitrine et les yeux baissés. Un des prêtres fit taire la musique, d'un
geste, et puis tous deux, religieusement, se mirent à la dépouiller de ses
vêtements, lentement, un par un, laissant tomber ses voiles comme des
pétales jusqu'à ce qu'elle se dressât toute nue, offerte à l'admiration de tous.

— Voici Libamah, cria le grand prêtre, servante d'Astarté. Bientôt,
au mois des moissons, elle sera à l'homme dont les terres auront cette
année été les plus productives d'olives, d'orge ou de bétail.

— Que ce soit moi, chuchota Urbaal, la gorge sèche, les poings
crispés, priant son Astarté. Que ce soit moi !

Timna, sa jeune femme raisonnable, en voyant cette chose extraordinaire — un homme qui venait de perdre un fils d'atroce manière
et qui se consumait néanmoins de désir pour une esclave — se dit qu'il
avait perdu l'esprit. Elle vit ses lèvres remuer, elle lut la prière sur sa
bouche : « Que ce soit moi ». Et elle eut pitié de lui parce que son
sens de la vie était si corrompu.

Durant ces jours d'été, alors que la qualité des récoltes de Makor
se déterminait, Timna passait en revue les principes selon lesquels elle
avait vécu. Elle avait à présent vingt-quatre ans, et elle était étrangère
à Makor ; elle ne parvenait pas à comprendre certaines des coutumes,
mais elle ne pensait quand même pas que la vie aurait été plus douce
chez elle à Akka. Il y aurait eu d'autres dieux cruels, d'autres sacrifices.
Cependant, elle entendait de temps en temps des rumeurs, dans les boutiques, des récits de marchands nomades qui racontaient une manière
de vivre bien différente en Egypte et en Mésopotamie. Un jour, un général égyptien était venu conférer avec le roi pendant trois jours et, en
passant devant la maison d'Urbaal, il avait été naturellement curieux,
et par l'intermédiaire de son interprète il avait posé de nombreuses questions intelligentes. Dès lors, Timna avait confusément deviné qu'il existait un autre monde que Makor, et un autre encore, au-delà, et elle se
demandait quelle autorité le cruel Melak avait dans ces mondes-là, et
dans quelle mesure le Grand El à demi enfoui pouvait régner sur
ces localités. Voyant son mari faire ses dévotions aux petits baals de
ses champs — celui des olives et celui de l'orge, celui de l'huile et celui
des jarres, celui des chemins et celui des ruches, celui du blé et celui
du pressoir — elle se disait que ce devaient être là de bien petits dieux
en vérité, et que si l'un disparaissait ou se cassait, ça ne changerait pas
grand-chose.

Timna oubliait un peu son chagrin, car elle était de nouveau enceinte et se réjouissait d'avoir un enfant pour remplacer le fils perdu. Instinctivement, elle alla remercier la déesse Astarté, mais en voyant cette ravissante petite figurine d'argile, ces hanches fécondes et ces seins ronds, elle éprouva des sentiments bizarrement contraires. Sa propre grossesse coïncidait avec la venue de cette nouvelle Astarté, mais était-ce possible d'attribuer ce pouvoir à celle-ci tout en dénigrant les ridicules petits baals des champs ? C'était une question difficile à résoudre. Mais le jour où Timna annonça à son mari qu'elle était de nouveau enceinte, il explosa de joie, la prit dans ses bras et la porta à la salle des dieux, où il la déposa avec précaution sur le sofa, en s'écriant :

— Je savais qu'Astarté nous donnerait des enfants ! C'est grâce à Astarté !

Elle fit taire alors son scepticisme et répéta après lui :

— C'est grâce à Astarté.

Mais en son for intérieur, elle considérait son fou de mari et se disait : Il est heureux que je sois enceinte, mais pas à cause de moi. Et pas parce qu'il espère un nouveau fils. Seulement parce que cela lui apporte la preuve de la puissance d'Astarté. Il croit qu'elle le fera gagner et lui permettra d'avoir Libamah.

Ainsi naquit le mépris qu'elle ne put jamais complètement étouffer par la suite.

Tandis qu'approchait le temps des moissons, il devenait de plus en plus visible qu'Astarté n'avait pas seulement béni Urbaal mais toute la ville. Jamais le bétail n'avait été plus beau, jamais le blé aussi abondant. Urbaal vendait ses surplus d'huile d'olive et de miel aux caravanes d'Akka, d'où les marchandises partaient par bateau pour Tyr ou l'Egypte. La menace d'invasion du nord ne s'était pas précisée, et le dieu Melak, apaisé par les sacrifices, protégeait Makor. C'était le temps de l'abondance.

Les fêtes de la moisson arrivèrent enfin. Pendant trois jours on festoya ; les prêtres firent servir d'immenses banquets où le vin coulait à flots. Il y eut des danses, des acrobates, des jongleurs. Les musiciens jouaient fort avant dans la nuit et les marchands de passage s'attardaient avec leurs caravanes pour assister aux festivités.

Le quatrième jour, enfin, la ville entière et ses environs s'assemblèrent devant le temple. Une des plus jolies parmi les anciennes prêtresses dansa nue devant la foule, et puis elle se retira dans une chambre avec un jeune garçon de seize ans qu'elle devait initier. D'autres filles dansèrent des danses lascives, avec ou sans hommes, et finalement ce fut la présentation de la jeune prêtresse d'Astarté, Libamah, que les prêtres déshabillèrent une fois de plus en public. La foule se taisait, et les hommes qui espéraient avoir été élus tendaient le cou pour la voir exécuter sa dernière danse érotique de l'année. Puis tous les prêtres se mirent en rang en haut des marches, et le grand prêtre annonça d'une voix forte :

— Urbaal est l'élu !

Le fermier gravit les marches d'un bond et s'immobilisa devant Liba-

mah, le cœur battant, tandis que les prêtres le déshabillaient selon le rite. En le voyant se dresser tout nu, viril et puissant, la foule lui fit une ovation. Il souleva Libamah dans ses bras et la porta dans la salle d'Astarté, où il allait passer sept jours et sept nuits avec elle.

Timna, qui pleurait encore son petit enfant sacrifié, observa la scène avec un bizarre détachement, et, pendant que la ville entière se réjouissait, elle reprit silencieusement le chemin de sa maison.

Ses pensées confuses s'étaient ordonnées. Elle devinait soudain, avec une parfaite lucidité d'esprit, qu'avec des dieux différents son mari Urbaal eût été différent. Il n'était pas responsable de sa folle conduite, c'était les dieux.

Résolument, elle pénétra dans la chambre sacrée et contempla avec répugnance les quatre Astarté accompagnées de leurs symboles phalliques. Méthodiquement, elle brisa les trois premières. Elle portait la main sur la dernière, la ravissante petite figurine de glaise quand elle hésita. Son instinct atavique lui souffla que cette Astarté-là, peut-être, avait effectivement provoqué sa grossesse et elle eut peur, si elle la brisait, d'avoir un accident. Par prudence, elle emporta alors la statuette et les fragments des autres vers un terrain vague au pied des remparts et elle les enterra profondément, ridiculisant ainsi par ce geste la déesse Astarté et l'homme qui s'était consacré à elle d'aussi répugnante façon.

Normalement, quand un homme avait partagé pendant sept jours la couche d'une prostituée du temple — car on avait beau l'appeler prêtresse, elle n'était pas autre chose — il regagnait sa maison, retournait auprès de ses femmes légitimes et oubliait la superbe fille qu'il laissait souvent enceinte d'un fils que l'on sacrifierait à sa naissance aux flammes du dieu Melak. Mais cette fois il en alla tout autrement, car lorsqu'Urbaal quitta le temple il s'était pris d'une folle passion pour Libamah.

Elle l'avait envoûté, et il n'y avait de place dans l'esprit du fermier que pour les tendres souvenirs de leurs ébats amoureux. Elle avait été si experte, si passionnée qu'il en avait conclu qu'elle éprouvait pour lui les mêmes sentiments, au point que, lorsqu'il dut lui dire adieu, il lui jura d'une voix frémissante :

— Tu dois être à moi pour toujours.

Et quand elle lui demanda comment il comptait s'y prendre, il ne comprit pas qu'elle se moquait.

— Je ne sais pas, répondit-il gravement. Mais je trouverai un moyen. Tu seras ma femme.

En quittant le temple, il fut assailli par les rires et les plaisanteries grivoises de mise en pareil cas, mais il fendit la foule d'un air hagard, fou de jalousie à la pensée que d'autres allaient peut-être bientôt partager la couche de la belle prêtresse. Son ami Amalek lui parla, mais il ne lui répondit pas.

Il se ressaisit un peu en arrivant chez lui, et s'attarda un moment

dans la cour pour jouer avec ses nombreux enfants, et puis il se dirigea vers la salle des dieux afin de remercier Astarté.

Sur le seuil il s'arrêta, saisi de terreur. Ses déesses avaient disparu ! Il retourna dans la cour, en criant :

— Que s'est-il passé ? Qui est venu ?

— Où cela ? demanda paisiblement Timna, sans que l'on pût supposer qu'elle avait redouté cet instant.

— Les déesses ! Elles sont parties !

— Non ! s'exclama Matred.

Suivie de Timna, elle se précipita vers la salle et en revint bientôt, le visage angoissé. Urbaal était assis sur un banc de la cour, prostré, en proie à une frayeur que Timna elle-même n'avait pas prévue.

— Qu'a-t-il pu se passer ? murmura-t-il en repoussant les fruits que ses esclaves lui apportaient.

— Même les quatre pierres ont disparu, souffla Matred.

— Qui est venu ici ? demanda Urbaal. Qui est mon ennemi ?

— Personne n'est venu, assura Matred.

En voyant la détresse de son mari, Timna songea à tout lui avouer, mais elle ne put s'y résoudre.

— Le jour de la fête, dit-elle, nous avons trouvé la porte ouverte, en rentrant.

C'était vrai, car elle l'avait laissée ouverte quand elle avait couru enfouir les déesses. Matred se le rappelait aussi.

— Oui, c'est vrai, dit-elle. Quand tu as emmené la prêtresse dans la chambre d'amour, Urbaal, nous sommes restées un moment pour écouter la musique. J'ai retrouvé Timna un peu plus tard et nous sommes rentrées ensemble. La porte était ouverte.

Urbaal interrogea ses esclaves, mais personne n'imaginait qui pouvait être le voleur. Urbaal se tassa sur son banc, la tête dans les mains, et passa en revue tous ses ennemis éventuels, jusqu'à ce que sa jalousie morbide lui soufflât un nom.

— Amalek ! cria-t-il. Quand je suis rentré tout à l'heure, il m'a évité !

Ce n'était pas vrai. C'était lui qui avait évité Amalek, mais la jalousie lui faisait perdre la notion des choses. Cependant, l'idée qu'un simple voleur avait emporté ses déesses et qu'elles ne l'avaient pas abandonné de leur plein gré, comme il l'avait cru, l'apaisa quelque peu. Il courut chez Heth le Hittite pour en acheter d'autres. En sortant de la boutique, il alla rôder près du temple, dans l'espoir de voir Libamah. Vers le soir, après avoir fermé son échoppe, Heth le trouva ainsi et le rusé marchand devina la raison de sa présence. Avec compassion, il dit à Urbaal :

— Oublie-la, mon ami. Dans les mois à venir, nous serons nombreux à obtenir ses faveurs.

Le fermier fut ulcéré, d'autant plus navré qu'il savait que le marchand disait vrai. Après avoir servi à sanctifier la fête des moissons, Libamah serait rapidement utilisée pour d'autres cérémonies de moindre importance tandis qu'une nouvelle beauté la remplacerait.

— D'ici un an, insista Heth le Hittite, tu pourras l'avoir chaque fois que tu voudras. Tu n'auras qu'à frapper à la porte du temple.

Le rire salace du marchand exaspéra Urbaal et dans le soir tombant il quitta l'esplanade du temple, mais il ne rentra pas chez lui. Il alla errer autour de la maison d'Amalek, en se demandant comment il pourrait y pénétrer, pour reprendre ses déesses volées. Enfin, le cœur lourd, l'esprit confus, l'âme en peine, tous ses nerfs à vif pleurant Libamah, il regagna sa demeure.

Les jours et les semaines passèrent, et le fermier s'assombrissait. Il négligeait ses champs et ses oliviers, il devenait de plus en plus taciturne. Il restait des heures prostré dans la salle des dieux, à ruminer le tort qu'Amalek lui avait causé, à rêver aux délices vécues entre les bras de la belle esclave. Le jour de la fête du Baal-des-Vents, il alla comme tout le monde au temple, et quand Libamah dansa, il s'imagina qu'elle lui faisait des signes et son corps s'embrasa. A la fin de sa danse suggestive, elle se retira et les prêtres présentèrent à la foule quatre vieilles prostituées. Urbaal fut nommé avec trois autres, pour leur rendre hommage en l'honneur du dieu. Cela lui répugna au point qu'il resta figé sur place, et ce fut Timna qui dut le pousser, en lui chuchotant :

— Si tu n'obéis pas, ils te tueront.

Il feignit la hâte et l'allégresse en gravissant les marches du temple, mais une fois seul avec la prêtresse, il ne put rien faire. Elle ne manqua pas d'en informer les prêtres, naturellement, qui se mirent à considérer Urbaal avec méfiance.

Timna voyait avec détresse son mari sombrer dans la folie. Il rôdait près de la demeure d'Amalek et elle devinait qu'il songeait à tuer celui qui avait été son ami. Il était en proie à une passion telle que parfois il ne reconnaissait pas Timna, et d'autres fois il se cramponnait à elle en sanglotant comme un enfant. Elle ne savait que faire pour le sauver. Et, consciente de sa responsabilité, puisqu'elle avait détruit les déesses en lesquelles son mari avait foi, elle usa de patience et à force de tendresse finit par susciter les confidences du malheureux. Sans se rendre compte de l'énormité de ses propos, il disait alors à sa jeune femme enceinte :

— Elle viendra ici dans cette maison, et elle sera ma femme. Tu lui apprendras à filer la laine et à tisser et à coudre.

— Oui, Urbaal, je te le promets. Mais vraiment, comment veux-tu y parvenir ?

Alors il retombait dans son apathie, et répétait :

— Mais que faire, que faire, que faire ?...

— Tu dois oublier les Astarté, et aller travailler dans tes champs, et t'occuper de tes oliviers. Bientôt tu auras un nouveau fils...

Il semblait l'écouter, se rendre à ses raisons, et elle reprenait espoir, et puis de nouveau il sombrait dans la folie. Elle essaya de le faire prier le grand El, et il la suivit docilement devant les monolithes, mais ce soir-là, une lumière brilla soudain dans une des salles du temple et il s'écria :

— C'est Libamah ! Elle me fait signe.

Une autre fois, il alla faire un scandale chez Amalek et les soldats du guet durent intervenir. Amalek, en bon voisin, assura qu'Urbaal ne lui avait fait aucun tort, et envoya un esclave chercher Timna pour qu'elle ramène son mari à la maison.

Après cet éclat, il y eut une période de répit assez longue. Urbaal reprit le chemin de ses terres, et travailla normalement avec ses contremaîtres et ses esclaves. Il retrouvait son sourire jovial, il jouait de nouveau avec ses enfants, et Timna crut que la crise était définitivement passée le jour où il lui déclara :

— Nous pouvons passer devant le temple, maintenant. Je l'ai oubliée. Je peux la laisser à Amalek, maintenant. Il a six ans de moins que moi...

Ainsi arriva la fin de l'année, la fin de l'hiver, une époque attendue avec appréhension par tous les habitants de Makor qui se demandaient comment les dieux allaient les traiter au cours de la nouvelle année.

On se conformait à tous les rites d'une communauté agricole et dans toutes les maisons, en acte de foi, on brûlait tout le pain et le blé restant de l'année écoulée. Chez Urbaal les enfants couraient dans tous les coins, cherchant les cachettes où Timna avait mis des grains ou de la farine pour qu'ils les trouvent. Ils les apportaient triomphalement à Urbaal qui les brûlait dans la cour en récitant l'antique prière :

— Nous supplions les dieux de nous donner cette année de bonnes récoltes.

Puis il faisait moudre en hâte du blé nouveau des moissons d'hiver et l'on faisait du pain, sans levain pour ne pas perdre de temps, afin que pas un instant la maison ne demeurât sans pain.

Le dernier jour de l'année était un jour de jeûne et le lendemain avant l'aube toute la ville se réunit devant la façade ouest du temple, où les portes qui n'étaient jamais utilisées au cours de l'année étaient ouvertes ce jour-là. Les portes de la façade est étaient ouvertes aussi, ce qui permettait aux habitants de Makor de voir toute la longueur du temple, d'ouest en est.

Quand le soleil se leva sur ce jour de l'année où le jour était égal à la nuit, toutes les têtes se courbèrent et tout le monde pria Baal-du-Soleil de protéger leur ville une année encore. Les connaissances astronomiques des prêtres étaient si exactes que les rayons du soleil levant traversèrent le temple tout droit, sans effleurer aucun des murs. L'année serait bonne.

Tandis que la foule chantait des louanges, les portes rituelles furent refermées pour un an et les fidèles se rendirent devant les monolithes où les prêtres avaient ressorti le dieu de la guerre Melak, sous lequel le brasier des sacrifices humains était allumé.

Après l'immolation des premiers-nés, des trompettes et des cymbales résonnèrent et les grandes portes du temple s'ouvrirent devant Libamah que les prêtres dépouillèrent de ses voiles, lentement, suggestivement.

Timna sentit Urbaal trembler à son bras. Et puis il la lâcha brusque-

ment, se redressa comme un jeune coq, comme si les prêtres allaient le désigner encore une fois pour sacrifier avec elle à Astarté et assurer la fécondation de l'année à venir. Il rentrait son ventre, il souriait, il lançait des œillades qui faisaient pitié à Timna, tandis qu'elle s'efforçait de le suivre dans la foule où il s'insinuait pour s'approcher des marches du temple. Elle voulait être auprès de lui quand les prêtres en désigneraient un autre pour participer aux rites du printemps. Il ne s'apercevait pas de sa présence, cependant, et n'avait d'yeux que pour les hanches lascives de la belle Libamah. Timna vit remuer ses lèvres ; il priait qu'on le choisît !

Les tambours se turent ; Libamah s'immobilisa, les jambes écartées, prête à accueillir son nouvel amant. Le prêtre cria :

— L'élu est Amalek !

D'un bond, le grand éleveur de bétail escalada les marches et se laissa dépouiller de ses vêtements.

— Non ! hurla Urbaal, et il chancela vers le temple.

Au passage, il arracha la lance d'un des gardes et, comme Amalek s'avançait pour prendre la prêtresse, Urbaal lui enfonça la lance entre les deux épaules.

Amalek vacilla et s'écroula. Libamah, en voyant venir à elle le vieux fermier grotesque aux mains tremblantes, eut un mouvement de recul et poussa un grand cri. Urbaal en fut saisi. Avant qu'on puisse l'en empêcher, il fit demi-tour, dévala les marches et se rua vers la porte de la ville.

Comme s'ils avaient prévu le drame, les prêtres s'avancèrent et firent taire les cris horrifiés de la foule. L'un deux se pencha sur Amalek et constata qu'il était mort. Mais Libamah attendait et, comme elle incarnait Astarté, le rite devait se poursuivre, sinon Makor risquait la famine. La mort même ne saurait interrompre les rites de la vie, et un prêtre décida :

— L'élu est Heth.

Le vieux Hittite barbu courut vers le temple, sauta sur les marches, se dévêtit et, enjambant le mort, prit Libamah dans ses bras pour la porter à la chambre d'amour. Les tambours roulèrent, la porte sacrée se ferma et le solennel hommage à Astarté reprit.

Urbaal, franchissant la porte, courut instinctivement vers son verger d'oliviers, où il erra un moment en s'efforçant de comprendre ce qui venait de se passer. Mais ses idées se brouillaient, et il savait simplement, et très confusément, qu'il avait tué quelqu'un, il ignorait qui. Finalement, il sortit du grand verger et prit la route de Damas, qu'il suivit en chancelant. Il n'avait guère fait de chemin quand il vit approcher un homme tel qu'il n'en avait jamais vu. L'inconnu était plus petit que lui, plus maigre, plus sec. Il avait des yeux bleus et une barbe noire, un air compétent et courageux, mais pacifique. Il était suivi d'un troupeau de moutons et de chèvres, d'une bande de nombreux enfants et de jeunes couples dont il semblait être le chef. Il était chaussé de lourdes sandales de cuir lacées autour des chevilles et portait une longue robe de laine

agrafée sur une épaule qui laissait l'autre bras libre ; cette robe était jaune, décorée de croissants rouges. L'homme conduisait une petite caravane d'ânes.

C'était Joktan, un nomade du désert qui avait décidé de chercher fortune à l'intérieur des terres. C'était un Habiru, le premier à venir à Makor, à une époque où les grands empires de Mésopotamie et d'Egypte s'écroulaient déjà. A quelques millénaires de là, des érudits allaient discuter pour savoir s'il n'avait pas représenté l'avant-garde du peuple appelé Hébreux, mais lui-même ne se souciait pas de ces choses.

Son apparition soudaine surprit Urbaal, qui s'arrêta au milieu de la route. Les deux hommes s'observèrent un moment en silence et comprirent qu'ils n'avaient rien à craindre l'un de l'autre. Urbaal avait repris ses sens, bien qu'il ne sût toujours pas qui il avait tué, et il parla le premier ·

— D'où viens-tu, étranger ?

— Du désert.

— Où vas-tu ?

— Dans ce champ près des chênes blancs. Pour y dresser mes tentes.

— Ce champ m'appartient, protesta d'abord Urbaal, et puis, songeant qu'il venait de commettre un crime et qu'il avait besoin d'un refuge, il ajouta : Tu peux dresser tes tentes sous mes chênes.

Lorsque le campement fut installé et que le Habiru s'aperçut qu'Urbaal ne semblait pas vouloir partir, il y eut un moment de gêne. Joktan envoya ses fils s'occuper des ânes, et attendit. Enfin, Urbaal s'approcha de lui, avec hésitation, et lui confia :

— Je n'ai plus de demeure.

— Mais si ce sont tes champs...

— Et cette ville est la mienne, oui.

Urbaal conduisit Joktan au sommet d'une petite éminence et de là l'inconnu vit pour la première fois la ville et les remparts de Makor aux toits ensoleillés. Ce spectacle était si surprenant, après les solitudes désertiques, que Joktan en resta muet. Il fit signe à ses enfants qui vinrent l'entourer, et ils contemplèrent tous leur nouvelle terre. L'ombre des murailles s'étendait sur les prés et les vergers, presque jusqu'à eux, comme pour les protéger.

Cependant, Joktan était un homme astucieux. Il se tourna vers Urbaal et lui demanda :

— Si cette belle ville est la tienne mais que tu n'y as plus de demeure, si tu courais seul sur la route, serait-ce que tu as tué un homme ?

— Oui.

Joktan ne dit rien. En homme habitué à prendre ses décisions seul, il réfléchissait et ce fut sans rien dire qu'il conduisit ses fils vers un grand chêne planté un peu à l'écart des autres où ses gens avaient déjà dressé un petit autel de pierres. Devant cet autel, il pria, seul. Urbaal n'entendit pas les mots qu'il prononçait. Enfin, Joktan acheva sa prière et revint vers lui en disant :

— Tu ne peux pas rester avec nous. Mais je te donnerai un âne et tu pourras fuir vers l'est.

Urbaal repoussa cette offre.

— Ici, c'est ma terre, et je ne veux pas m'enfuir.

Joktan le comprenait. Les deux hommes discutèrent un moment, et finalement le Habiru dit à Urbaal qu'il pouvait bénéficier de la terre d'asile au pied de l'autel. Joktan rassembla ensuite ses femmes, ses fils et les maris de ses filles et leur annonça que bientôt une armée sortirait de Makor, à la recherche de cet assassin. Les hommes tinrent conseil entre eux mais ne communiquèrent pas leur décision à Urbaal, qui s'assit contre l'autel sous les arbres, en essayant de comprendre le drame qui l'accablait.

Ce soir-là, ce ne fut pas une armée qui franchit la porte de Makor, mais une femme éperdue à la recherche de son mari. Après avoir parcouru en vain les champs et les vergers, elle s'engagea sur la route de Damas et ne tarda pas à trouver le campement des nomades dans le champ de son mari.

— Urbaal ! Urbaal ! cria-t-elle en courant sur le chaume piquant.

Quand elle le découvrit tapi au pied de l'autel, elle se jeta sur lui pour l'embrasser tendrement. Elle lui expliqua que les prêtres n'enverraient pas l'armée à ses trousses avant le matin, qu'ils lui laissaient ainsi le temps de fuir très loin vers l'est, vers des pays où son crime ne serait pas connu. Elle tenait à l'accompagner, à partir sur-le-champ — toute enceinte qu'elle fût et avec une unique paire de sandales — mais Urbaal hocha obstinément la tête.

— C'est mon champ, répétait-il, et ni Timna ni Joktan ne purent le raisonner.

Le soleil se coucha et une étrange nuit suivit durant laquelle Urbaal, brusquement vieilli, resta couché au sanctuaire. Timna s'entretint avec les étrangers, leur expliqua que son mari était un honnête fermier travailleur, victime de la société dans laquelle il vivait, qu'il avait été envoûté.

— Dans une autre ville, dit-elle, en d'autres temps, il aurait vécu et serait mort heureux.

Et dans sa grande compassion, elle pleura amèrement sur le sort d'Urbaal l'infidèle.

A l'aube, Joktan alla à l'autel pour prier seul et quand il revint, Timna lui demanda :

— Quels dieux pries-tu ?

— Le Dieu unique, répondit-il.

Elle le regarda sans comprendre.

Au soleil levant l'armée de Makor, dix-huit hommes et un capitaine, sortit de la ville. Ils espéraient que le fermier fou avait réussi à fuir, et qu'ils rentreraient vite chez eux, mais en apercevant les tentes des étrangers ils durent aller investiguer, et là, sous les chênes, ils virent Urbaal tapi à côté de l'autel.

— Nous venons chercher l'assassin, annonça le capitaine.

Joktan s'avança et, sans élever la voix, il répondit :

— Il a demandé asile au pied de mon autel.

— Il n'est pas à l'intérieur d'un temple, objecta le soldat. Il doit venir avec nous.

Mais Joktan tint bon et ses fils vinrent l'entourer. Le capitaine se retira .pour consulter ses hommes ; ils voyaient bien que s'ils avaient recours à la force, de nombreuses vies risquaient d'être perdues. Ils firent venir leurs prêtres et quand ceux-ci arrivèrent en grande pompe, le capitaine leur dit :

— Urbaal est ici, mais les étrangers refusent de nous le livrer.

— Il s'est réfugié auprès de mon autel, intervint Joktan.

Les prêtres étaient enclins à faire traîner Urbaal de force vers la ville, mais l'attitude résolue des étrangers inspirait le respect. Ils finirent par dire qu'ils s'inclinaient devant le droit d'asile. Mais le grand prêtre s'approcha d'Urbaal et lui déclara :

— Amalek est mort, et ta vie touche à sa fin. Tu dois venir avec nous expier ton forfait.

Le fermier dément ne comprenait qu'à peine ce que l'on exigeait de lui, mais il entendit tout de même que c'était Amalek qu'il avait tué, et il se mit à pleurer en songeant à l'amitié qui les avait unis naguère. Les prêtres s'approchèrent alors de Timna :

— Va, et fais-lui quitter cet autel, car nous devons l'emmener avec nous.

Tendrement, elle alla le prendre par la main, le fit lever et le conduisit aux prêtres, qui ordonnèrent aux soldats de lui mettre un licou.

— Je veux mourir avec lui, dit Timna, car je suis responsable aussi.

— Non, tu erreras par les chemins, lui dit le grand prêtre.

Mais elle se cramponna aux bras d'Urbaal jusqu'aux murailles de Makor. Les prêtres durent lui faire lâcher prise de force et la pousser violemment. Elle tomba à genoux dans la poussière du chemin, en sanglotant, et ce fut là que Joktan la trouva quelques heures plus tard.

Il la ramena vers son camp et ce fut ainsi que Timna la veuve vint faire partie de la tribu des Habirus.

Au cours des jours suivants, les nouveaux venus s'accoutumèrent lentement à leur nouvelle terre. Les femmes allaient chercher de l'eau au puits, et les femmes de Makor les examinaient en silence. Les prêtres revinrent pour visiter le campement des nomades et demandèrent à Joktan quels dieux il adorait. Le Habiru ne put ou ne voulut pas expliquer son culte, et les prêtres lui dirent que s'il voulait boire au puits de Makor il devait reconnaître leur dieu El, les grands baals, Melak et Astarté, et bien que Timna tentât de l'en dissuader, il répondit qu'il ne demandait pas mieux, à condition de pouvoir conserver son petit autel sous le chêne. Les prêtres y consentirent.

Ayant été accepté parmi la communauté, Joktan était maintenant libre de franchir les murs de la cité. Le luxe de Makor le médusa. Il n'avait jamais vécu dans une maison, il n'en avait jamais vu autant. Les boutiques regorgeaient de marchandises diverses qui éveillaient son envie. Mais le plus admirable pour lui fut l'esplanade du temple, avec ses grands monolithes qui inspiraient le respect. Quand les prêtres le présentèrent à l'antique statue du grand El, il répondit doucement :

— Le Dieu que j'adore est aussi El.

Les prêtres hochèrent la tête avec satisfaction.

Timna, sous les tentes des Habirus, apprit à connaître cette race robuste, aimant boire, manger et chanter, ces hommes prompts à la querelle quand ils avaient bu, ces gens qui se soutenaient tous devant les étrangers. Les petits garçons étaient circoncis, les filles se mariaient jeunes, souvent avec leurs cousins. Pour les Habirus, l'autel rudimentaire n'était pas aussi important que le temple aux habitants de Makor, mais ils le vénéraient plus tendrement, et y apportaient des fleurs des champs, du miel, des plumes d'un pigeon. Le dieu qui habitait ce sanctuaire n'exigeait pas le sacrifice de garçons premiers-nés, il ne désirait pas voir des filles nues s'accoupler avec des hommes mariés. Timna était singulièrement impressionnée quand Joktan, qui l'avait installée parmi ses femmes et acceptait dans sa tribu le fils qu'elle portait, allait prier seul à son autel, sans tambours, ni trompettes, ni prêtres ni prêtresses.

— Qui est ton dieu ? lui demanda-t-elle un jour.

— Le Dieu unique, répondit-il.

— Alors pourquoi as-tu accepté les baals, comme les prêtres te l'ont demandé ?

— Dans toutes les terres que je traverse, j'adore les dieux locaux.

— Je crois qu'entre tous les nombreux dieux, il y en a un qui compte, et que les autres ne méritent pas d'être adorés. Comment s'appelle ton dieu ?

— El.

— C'est celui qui habite la petite pierre devant notre temple ?

— El n'a pas de demeure, car il est partout.

Cette idée si simple pénétra l'esprit curieux de Timna comme un rayon de soleil après l'orage, comme un arc-en-ciel après la pluie. Elle reconnut, dans le concept de Joktan, ce qu'elle cherchait confusément depuis si longtemps, un dieu unique, solitaire, sans forme ni demeure monolithique, sans voix particulière. Avec la permission de Joktan, elle apporta à son tour des offrandes à l'autel du dieu transcendant, des marguerites des prés, des coquelicots, des tulipes jaunes.

Le temps passa, et le jour où Timna mit au monde un garçon, qu'elle voulut appeler Urbaal, afin que le nom du mari qu'elle avait aimé ne disparût pas. Mais sa joie fut assombrie quand les prêtres arrivèrent et, avisant l'enfant d'une des esclaves de Joktan ils lui dirent :

— C'est ton premier-né, ses poignets seront marqués de rouge.

Avec la jeune esclave, Timna revécut ses angoisses et sa peine, car elle comprenait mieux maintenant à quel point ces sacrifices étaient d'une inutile cruauté. Quittant l'humble demeure entre les murs, où les nomades s'étaient installés, laissant l'esclave en pleurs et son nourrisson aux poignets rouges, elle courut au pied du rempart, là où elle avait enfoui les déesses d'argile et, tapant du pied, elle vitupéra :

— Vous qui dormez là, vous n'êtes pas la vie. Vous n'êtes rien que la corruption ! La vie se trouve dans les entrailles de la jeune esclave !

Et elle pleura sur Urbaal, sur la jeune mère à l'enfant sacrifié, sur elle-même ; dans la profonde humilité de son chagrin, elle tomba à genoux,

appuya sa tête contre le mur et devint la première personne de Makor à prier d'elle-même, sans autel et sans prêtre, ce dieu sans visage que les Habirus avaient apporté avec eux.

Au matin, quand les tambours appelèrent les fidèles au lieu du sacrifice, Joktan fut subjugué par la puissance de ces nouveaux dieux. Le flamboyant Melak l'impressionna et quand le bébé fut élevé dans les airs et lancé le long des bras tendus vers le brasier rageur, il éprouva un sentiment de crainte religieuse tel qu'il n'en avait jamais connu. Puis, quand les chants s'élevèrent et que la musique reprit, il devina qu'il allait se passer quelque chose d'extraordinaire.

Laissant Timna et la jeune esclave en pleurs près de l'autel du dieu vengeur, il suivit la foule et se plaça au premier rang devant le temple. Pour la première fois, il avait sous les yeux l'éblouissante Libamah, déesse vivante aux longues robes mouvantes, plus belle, plus désirable que toutes les femmes du désert, et lorsque le prêtre eut fini de la dépouiller de ses voiles, il poussa un cri de ravissement.

Timna quitta l'esclave en larmes et fendit la foule au moment même où son nouveau mari comprenait qu'un des hommes de la ville allait être nommé pour partager la couche de l'incomparable prêtresse, et elle vit sans en croire ses yeux Joktan qui s'avançait, qui tendait le cou, qui plastronnait. Et, avec horreur, elle vit ses lèvres bouger, et lut sa prière presque muette :

— O El, fais que ce soit moi !

Et quand un portier fut nommé, et bondit sur les marches, Joktan contempla la suite des événements avec une intensité telle que Timna, qui avait déjà vu cette expression, devinait aisément quelles pensées enfiévrées tourbillonnaient dans sa tête.

Et à dater de ce jour, l'autel solitaire sous le chêne vert fut oublié.

UN VIEIL HOMME ET SON DIEU

NIVEAU XIII — 1419 AV. E. C.

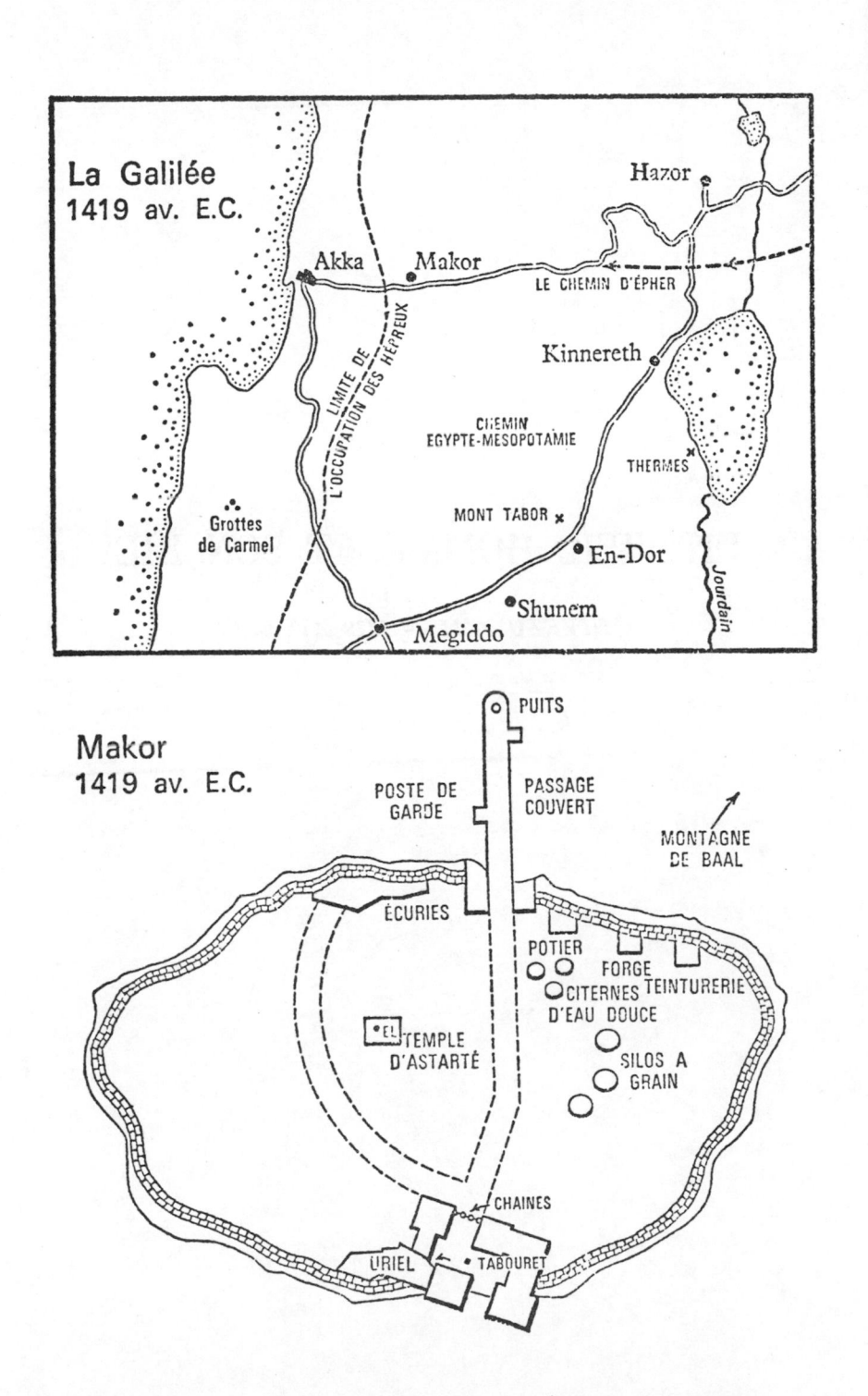

La Galilée
1419 av. E.C.

Hazor

Akka   Makor

LE CHEMIN D'ÉPHER

LIMITE DE
L'OCCUPATION DES HÉBREUX

Kinnereth

CHEMIN
EGYPTE-MESOPOTAMIE

THERMES

MONT TABOR ✕

Grottes
de Carmel

En-Dor

Jourdain

Shunem

Megiddo

Makor
1419 av. E.C.

PUITS

POSTE DE
GARDE

PASSAGE
COUVERT

MONTAGNE
DE BAAL

ÉCURIES

POTIER

FORGE

CITERNES   TEINTURERIE
D'EAU DOUCE

TEMPLE
D'ASTARTÉ

SILOS A
GRAIN

CHAINES

URIEL   TABOURET

SOUS le soleil écrasant, le désert était silencieux comme le ciel les nuits où il n'y a pas d'étoiles filantes. Le seul bruit que l'on entendît était un léger glissement sur le sable tandis qu'un serpent, réagissant à quelque crainte instinctive, quittait le soleil pour se réfugier à l'abri d'un haut rocher. Quelques chèvres paissaient en silence entre les gros blocs de roche dispersés, trouvant des brins d'herbe là où rien ne semblait croître, et deux gros chiens gris les surveillaient. Comme le serpent, ils semblaient avoir peur et se retournaient de tous côtés pour observer non pas les chèvres mais quelque mystérieuse chose se mouvant ils ne savaient où.

Vint ensuite un bruissement sec provenant d'un gros buisson rampant, presque aussi grand qu'un homme, et les deux chiens dressèrent vivement l'oreille, comme si une hyène s'approchait pour attaquer une chèvre, mais ils n'aboyèrent pas, car ils savaient que le tremblement du buisson n'était causé par aucun animal.

Une lueur se mit à monter entre les branches, mais il n'y eut ni flamme ni fumée ; le buisson se secoua comme s'il cherchait à s'arracher au sol. Et tandis que la lumière et les tremblements augmentaient, une voix s'éleva, douce et persuasive :

— Zadok ?

Tout était silencieux.

— Zadok ?

Les chiens allongèrent le cou.

— Zadok ?

Derrière le rocher vers lequel avait fui le serpent, un vieillard se dressa, chauve, maigre, racorni comme du vieux cuir après ses soixante années passées sous le soleil. Sa barbe atteignait sa ceinture. Il était vêtu d'une robe de bure grossière et chaussé de lourdes sandales. Il portait une houlette de berger mais ne s'appuyait pas dessus. Avec précaution, il avança et, comme un enfant craintif, il vint se placer devant le buisson ardent.

— El-Shaddai, je suis là.

— Par trois fois, je t'ai appelé, Zadok, dit la voix.

— J'avais peur. Es-tu venu me punir ?

— Je le devrais, répondit la voix avec douceur. **Car tu m'as désobéi.**

— J'avais peur de quitter le désert.

— Cette fois, tu dois partir.

— Vers l'ouest ?

— Oui. Les champs t'attendent.

— Comment saurai-je où aller ?

— Demain au crépuscule ton fils Epher et son frère Igsha reviendront de leur reconnaissance. Ils te guideront.

— Devrons-nous occuper la terre ?

— Des champs que tu n'as pas cultivés seront à toi et des pressoirs à huile que tu n'as pas bâtis. Les murailles des villes s'ouvriront pour te recevoir et tu respecteras les dieux de ces lieux.

— Ainsi ferai-je.

— Mais souviens-toi que la malédiction pèsera sur toi si tu adores ces autres dieux, ou n'obéis pas à mes ordres. Je suis El-Shaddai.

— Je m'en souviendrai, moi et mes fils, et les fils de mes fils.

Les secousses du buisson se calmèrent et la lumière décrut, sur quoi le vieillard se prosterna et cria :

— El-Shaddai ! El-Shaddai ! Pardonne-moi de ne pas t'avoir obéi !

La lueur s'éteignit et la voix dit encore :

— Dors à l'ombre, Zadok. Tu es un vieil homme las.

— Vivrai-je assez pour voir les champs de la promesse ?

— Tu les verras et tu les occuperas et, à la veille de la victoire, je te parlerai pour la dernière fois.

Le silence retomba, et ce jour-là l'hyène ne vint pas.

En ces années comme de tout temps, El-Shaddai détenait le pouvoir de commander et les hommes étaient libres d'accepter ou de rejeter ses ordres selon leur conscience ; aussi Zadok considéra-t-il l'ordre que son dieu lui avait donné, d'aller dormir, mais il se dit qu'il ferait mieux de consacrer son temps à des tâches qu'il devait accomplir si sa tribu avait à traverser un territoire ennemi. Il alla s'asseoir à l'ombre du grand rocher et se mit à aplanir dans la pierre une petite plate-forme sur laquelle il pourrait fabriquer des lames de silex aiguës qui seraient fixées aux manches de bois que taillaient ses fils. Courbé sur le silex, comme un jeune apprenti appliqué, il résumait toute son histoire. Depuis trois mille ans, les outils de cuivre étaient connus dans ces régions et, depuis deux mille ans, les hommes avaient découvert qu'en mélangeant une part d'étain à neuf parts de cuivre on obtenait du bronze, qui était plus dur que n'importe quel métal. Avec ce bronze, les gens des villes fabriquaient des armes d'une grande puissance et des outils de précision. Mais le vieillard restait fidèle au silex, non seulement parce que cela ne lui coûtait rien — alors que les instruments de bronze coûtaient très cher en peaux de bêtes — mais aussi parce qu'il savait que si son dieu avait voulu que son peuple hébreu utilisât le bronze il le lui aurait mis dans la nature, et ne lui aurait pas demandé de mélanger des métaux, ce qui était une entreprise suspecte et la preuve de l'arrogance humaine.

El-Shaddai, le dieu unique. Bien plus tard, de nouvelles généra-

tions parlant d'autres langues traduiraient ce vieux nom sémite, qui voulait dire textuellement « celui de la montagne », en Dieu Tout-Puissant, car, après de multiples avatars, El-Shaddai deviendrait ce dieu que presque toute la terre adorerait. Mais en ces temps fatidiques où le petit groupe d'Hébreux nomades campait dans le désert en attendant le signal de la marche vers l'ouest, El-Shaddai était le dieu de nul autre qu'eux. Ils ne savaient même pas s'il continuait d'être le dieu de ces autres Hébreux qui s'étaient aventurés au loin jusqu'à la terre d'Egypte. Mais Zadok était certain d'une chose : El-Shaddai présidait en personne aux destinées de son groupe, car de tous les peuples qu'il pouvait choisir dans cette région peuplée, entre l'Euphrate et le Nil, il avait choisi ces Hébreux comme peuple élu, et ils vivaient entre ses bras, jouissant d'une sécurité que les autres ne connaissaient pas.

C'était un dieu bien difficile à comprendre. Il était désincarné, et cependant il parlait. Il était invisible, et pourtant il pouvait se déplacer comme une colonne de feu. Il était tout-puissant, et cependant il tolérait les moindres dieux des Cananéens. Il commandait aux hommes, mais il les poussait à exercer leur propre jugement. Il était bienveillant, et il pouvait aussi ordonner la destruction complète d'une ville entière — comme il l'avait fait pour Timri, alors que Zadok était un enfant de sept ans. Il vivait en tous lieux, cependant il était, singulièrement, le dieu de ce seul petit groupe d'Hébreux. C'était un dieu jaloux, et pourtant il autorisait les non-Hébreux à adorer les dieux qu'ils voulaient.

Levant les yeux de ses silex taillés, Zadok se tourna enfin vers le buisson et annonça, comme s'il faisait son rapport à un vénérable et sage conseiller :

— El-Shaddai, je suis enfin prêt à emmener mon peuple vers l'ouest.

Le buisson ne répondit pas.

Depuis cinquante-sept ans, depuis sa plus tendre enfance, Zadok, fils de Zebul, s'entretenait avec El-Shaddai et, obéissant aux ordres du dieu solitaire, il avait gardé sa tribu dans le désert alors que d'autres s'en allaient au loin vers le sud pour des aventures dont les hommes conserveraient longtemps le souvenir. Plusieurs siècles auparavant le patriarche d'eux tous, Abraham, était parti pour l'Egypte avec son fils Isaac, et maintenant leurs descendants languissaient en esclavage. La tribu de Lot s'était établie au pays de Moab, alors que les fils d'Esau avaient conquis Edom. Dernièrement, la tribu de Nephtali s'en était allée occuper le pays des collines, à l'ouest, mais Zadok avait maintenu son groupe dans le nord du désert, écoutant la parole claire d'El-Shaddai qui lui assurait qu'il le guiderait hors du désert aride vers la Terre promise.

Le désert dans lequel les Hébreux vivaient depuis de nombreuses générations se divisait en trois parties. Il y avait des étendues de sables où rien ne poussait, et les nomades les évitaient car avec les ânes nul ne pouvait les franchir. Plus tard, quand le chameau serait domestiqué, il serait possible de les traverser, mais ce jour n'était pas encore arrivé. Il y avait aussi de vastes territoires rocheux et arides, piqués de rares oasis où l'on trouvait un peu d'eau, où les hommes et les ânes pouvaient

à peine subsister. Et puis il y avait une région semi-désertique, des étendues arides entre des terres cultivées, où il n'y avait pas assez d'eau
pour faire croître le blé et l'olivier, mais qui suffisait pour faire vivre des
moutons et des chèvres, et c'était sur ces terres-là que Zadok et sa tribu
habitaient depuis quarante ans. Les plus sages entre les Hébreux avaient
la certitude qu'un jour El-Shaddai leur ordonnerait de partir, mais ce
qu'ils ne savaient pas, c'était que par trois fois le dieu avait commandé
à Zadok de s'en aller ; mais le patriarche avait eu peur.

El-Shaddai, perdant patience, avait donné son dernier ordre non pas
au vieux Zadok mais à Epher aux cheveux roux. Cela se passait quelques
semaines plus tôt. Epher était venu trouver Zadok et lui avait dit :

— Mon père, nous devons partir vers les bonnes terres à l'ouest.

— El-Shaddai nous donnera ses ordres quand nous devrons partir.

— Mais il a donné ses ordres. Hier soir. Il est venu vers moi et il
m'a dit : « Va vers l'ouest effectuer une reconnaissance de la terre. »

Zadok avait pris Epher aux épaules et s'était écrié :

— El-Shaddai lui-même t'a parlé ?

Epher, un jeune homme de vingt-deux ans à la tête chaude, avait
assuré que le dieu lui avait rendu visite.

— Comment était sa voix ? insista Zadok.

Mais son fils ne put le lui expliquer et cette nuit-là Epher et Ibsha
étaient partis en reconnaissance.

En leur absence, Zadok s'était inquiété et s'était demandé si Epher
lui avait dit la vérité. Pourquoi El-Shaddai aurait-il choisi de donner
son message à un jeune homme ? Cela paraissait bien improbable, et
cependant le dieu venait de confirmer indirectement le récit d'Epher en
annonçant que les jeunes gens reviendraient le lendemain de leur reconnaissance à l'ouest. Et quand Zadok réfléchit, il dut reconnaître que cela
n'avait rien d'étrange, car Zadok lui-même n'avait eu que sept ans quand
le dieu mystérieux s'était adressé à lui pour la première fois en lui ordonnant d'aller prévenir son père du serpent qui s'approchait de l'endroit où il
était assis. De ce jour-là, Zadok avait été un enfant à part.

Son nom, Zadok, signifiait « le Juste », et il avait continué d'être
pour les siens l'interprète des paroles d'El-Shaddai. Ils n'étaient jamais
nombreux, les Hébreux du désert. Quand Lot et Esau étaient partis
vers le sud, ils avaient emmené avec eux moins d'un millier de personnes
chacun. Le clan de Zadok ne comprenait que sept cents individus,
car les grandes tribus des Hébreux n'étaient pas encore formées. Le groupe
de nomades de Zadok n'était pas à proprement parler une famille, car
il y avait de nombreuses ramifications ; ainsi, les quatre femmes de
Zadok et leurs trente enfants dont plusieurs étaient mariés et avaient des
familles, ne formaient pas le quart de l'ensemble du clan. Cependant,
tous étaient plus ou moins alliés au vieillard.

Zadok régnait sur son clan avec justice et fermeté. Il savait être
bon et il aimait les animaux. Mais il était un juge sévère qui avait prononcé plusieurs condamnations à mort à la suite d'infractions à la loi
divine ; l'adultère, l'insubordination filiale, toute profanation d'El-Shad-

dai entraînaient la mort. Mais quand la sentence avait été prononcée sans appel, le patriarche permettait généralement au condamné de s'enfuir, et il était tacitement entendu qu'il pouvait emporter trois outres d'eau et un âne. Mais il lui était formellement interdit de revenir un jour au clan de Zadok.

Les plus intimes détails de la vie étaient réglés par le vieillard. C'est lui qui institua la règle que les hommes non mariés ne devaient pas garder les brebis seuls, « de crainte que cela ne cause une abomination ». Deux jeunes hommes non mariés ne devaient pas occuper ensemble une même tente, quand ils louaient leurs services à des fermiers pour les moissons, « de crainte que cela ne cause une abomination ». Les hommes n'avaient pas le droit de s'habiller en femmes, ni les femmes en hommes, « de crainte que cela ne cause une abomination ». Des siècles d'expérience dans le désert avaient inspiré aux Hébreux une loi pleine de bon sens que Zadok connaissait par cœur et qu'il avait transmise à ses fils aînés, qui seraient des juges après lui : « Un homme ne peut épouser deux sœurs, de crainte que cela ne cause une abomination, pas plus qu'il ne peut épouser une mère et sa fille, de crainte que cela ne cause une abomination. » Mais parce qu'il était indispensable que la famille demeurât, que le clan se perpétuât, si un mari mourait avant que sa femme lui eût donné un fils, un des frères du mort devait immédiatement prendre la veuve et lui faire un enfant au plus vite afin de ne pas interrompre la lignée. Si les frères étaient déjà mariés, aucune importance. Si la belle-sœur veuve leur déplaisait, peu importait. Du moment qu'elle n'avait pas encore d'enfant, leur devoir les contraignait à coucher avec elle — au nom du défunt mari — jusqu'à ce qu'elle eût conçu afin que son nom demeurât.

Si Zadok entendait faire respecter son code de moralité, il ne méprisait pas pour autant les plaisirs de la chair. Deux ans plus tôt, alors qu'il était âgé de soixante-deux ans, que tous ses enfants étaient grands et ses femmes occupées à de nombreuses tâches, il avait vu un jour un groupe d'esclaves capturés par ses fils au cours d'une escarmouche sans importance, parmi lesquels il avait distingué une jeune fille de seize ans d'une singulière beauté. Il l'avait réclamée pour lui et elle lui avait apporté beaucoup de joie, sous sa tente, au cours des longues nuits. Elle était cananéenne et adorait Baal l'omnipotent, mais, allongé auprès d'elle et réchauffant son corps las à sa jeune chair tendre, Zadok lui parla contre le dieu cananéen et se persuada qu'il la détournait de Baal pour l'amener au vrai dieu.

Sa plus grande joie, Zadok la trouvait auprès de ses trente enfants. Ses aînés étaient maintenant des chefs de famille, parfois même déjà grands-pères, si bien que Zadok pouvait se vanter qu' « un chasseur est heureux lorsqu'il a un carquois plein de flèches à décocher dans l'avenir ». Mais c'étaient ses derniers-nés — les enfants de sa quatrième femme — qui l'intéressaient le plus : Epher l'audacieux, qui avait préparé la reconnaissance à l'ouest et qui était toujours prêt à défier un ennemi, Ibsha, plus jeune et plus calme, mais peut-être plus profondément voué

à la compréhension du monde, et au-dessus de tous Léa, une jeune fille de dix-sept ans, encore vierge mais qui examinait gravement les divers jeunes hommes que son père lui présentait comme maris éventuels. Zadok estimait qu'il y avait de quoi être fier avec seulement ces trois-là, et il tirait encore plus de satisfaction de les avoir eus sur le tard.

Le lendemain, comme l'avait annoncé El-Shaddai, Epher et Ibsha revinrent de leur expédition tout bouillonnants d'exaltantes nouvelles.

— C'est une terre d'huile et de miel, rapporta Ibsha.

— C'est une terre couverte d'armées, dit son frère aux cheveux roux, mais aucune n'est trop importante pour être vaincue.

— C'est une terre de champs couverts d'herbe verdoyante, reprit Ibsha.

— Il y a des villes cernées de murailles, déclara Epher, mais aucune n'est trop haute pour être escaladée.

— C'est une terre couverte de plus d'arbres que je n'ai vus de ma vie, dit Ibsha, avec des montagnes et des vallées pour réjouir la vue.

— Il y a des routes le long desquelles nous pourrons marcher, annonça Epher à tous ceux qui l'entouraient, et des rochers derrière lesquels nous pourrons nous abriter.

— C'est une terre que je ne puis décrire à ma satisfaction, soupira Ibsha. Imaginez à la place de ce buisson une douzaine d'oliviers, et les fruits tombent quand on secoue les branches, comme une pluie noire.

— Ils ont des lances en métal, s'écria Epher, alors que nous n'avons que des silex.

Et il montra à ses autres frères des armes en métal qu'il avait acquises en chemin.

Ce soir-là, le dernier que le clan passerait dans le désert, Zadok prit la parole et s'adressa à son peuple.

— El-Shaddai a parlé. Nous devons aller occuper cette terre. Les oliviers seront à nous et les murs de la ville s'ouvriront pour nous.

Les Hébreux voulurent pousser des vivats mais Zadok leur imposa silence, car il comprenait la gravité de ce qu'ils s'apprêtaient à faire et, quand le soir fut tombé, il les réunit tous, petit groupe misérable vêtu de peaux de bêtes, de bure grossière et chaussé de sandales de cuir brut. Entre les tentes, ils s'agenouillèrent gravement, et Zadok pria :

— Puissant El-Shaddai, que nul homme n'a jamais vu face à face, nous nous livrons entre tes mains. Ton désir veut que nous quittions notre ancienne terre pour les vallées et les villes. Protège-nous, protège-nous des dangers que nous ne pouvons prévoir.

Le visage levé vers les cieux, les Hébreux chantèrent les louanges de leur dieu, chaque homme et chaque femme prêtant serment à la divinité qui planait sur le désert. Finalement, ils se séparèrent et chacun, à la lueur des torches vacillantes, s'en alla replier sa tente.

Tandis qu'ils s'affairaient, Zadok le Juste s'éloigna seul vers les entrailles du désert, car lui seul comprenait quelle chose terrible ses

enfants allaient entreprendre, la gravité de ce bond fantastique de l'ancien dans le moderne. Il n'avait jamais été à l'intérieur d'une ville, jamais une seule fois durant ses soixante-quatre ans d'existence. Il avait participé à plusieurs sièges, et il avait envoyé ses fils entre les murs des villes pour y faire du troc, et naturellement la petite esclave cananéenne avait habité une ville du nord et prenait plaisir à en raconter les merveilles, le soir sur sa couche. Mais Zadok ne parvenait pas à comprendre ce qu'était en réalité une ville ; il imaginait simplement un lieu exigu et surpeuplé, où El-Shaddai n'allait pas errer le long des étroites venelles. D'autres dieux florissaient dans les villes, mais pas El-Shaddai.

Cependant, le vieillard devait reconnaître que le moment était venu pour les siens d'essayer de vivre en ville, toute incertaine et menaçante que fût l'entreprise. El-Shaddai lui-même l'avait ordonné, et les yeux des fils aînés de Zadok avaient lui d'espérance quand ils avaient écouté Epher et Ibsha décrire les villes qu'ils avaient vues. Mais Zadok regrettait déjà son désert. Il devinait qu'en le quittant, il s'éloignerait un peu d'El-Shaddai, il ne sentirait plus sa présence constante à ses côtés, il ne verrait plus les étoiles de si près... Un mode de vie allait être perdu sans espoir de retour, mais Zadok demeurait persuadé que partout où les Hébreux iraient, ils emporteraient avec eux des souvenirs de ces années dans le désert où ils avaient vécu tout près de leur dieu.

Après avoir longuement examiné son camp, il s'éloigna encore, et se cacha aux yeux de son peuple, et lorsqu'il fut caché il pleura, car lui seul avait conscience du péché qu'il avait commis.

— Etre tout-puissant, pardonne-moi, dit-il et il s'adressa à El-Shaddai comme un petit garçon avouant à son père ses sottises de la journée. Il y a six ans, quand les derniers des autres clans sont partis vers le sud, tu es venu à moi dans le désert et tu m'as dit : « Zadok, il est temps pour toi de quitter le désert et d'aller occuper la ville cernée de murailles. » Mais j'avais peur de la bataille. J'avais peur de la ville. Je voulais me cramponner à la sécurité du désert, et j'ai tergiversé, et je t'ai donné telle ou telle excuse. Mes fils sont venus à moi, demandant que nous poussions nos troupeaux vers les vallées verdoyantes, mais eux non plus, je n'ai pas voulu les écouter et, depuis six ans, craignant de partir, j'ai résisté à Dieu et à l'homme. Tu as été patient avec moi, El-Shaddai, mais le mois dernier tu t'es adressé à Epher et tu l'as envoyé en reconnaissance. Maintenant, il est de retour avec tes ordres, et nous allons partir, comme tu me l'as commandé il y a six ans. El-Shaddai, El-Shaddai, cria le vieillard en courbant son front dans la poussière, pardon, pardon. J'avais peur.

Il y eut un brusque froissement sur le sable, comme le galop léger du renard, et la voix d'El-Shaddai répondit à Zadok le Juste :

— Tant que tu vivras, vieil homme, tu seras libre de ne pas obéir à mes ordres. Mais avec le temps, je deviendrai impatient, et je m'adresserai à d'autres, comme je l'ai fait avec Epher.

— Mon foyer est le désert, dit Zadok, et j'avais peur de le quitter.

— J'ai attendu, répondit El-Shaddai, parce que je savais que si tu

n'aimais pas autant ton foyer dans le désert, tu ne pourrais pas m'aimer non plus. Je suis heureux que tu sois maintenant prêt.

— El-Shaddai, cria dans son angoisse le patriarche craintif, dans la ville, te connaîtrons-nous, comme nous te connaissions dans le désert ?

— Entre les murailles, il ne me sera pas facile de vous parler, répondit la divinité, mais je serai là.

Sur cette éternelle promesse aux Hébreux, El-Shaddai s'en alla, et, quand l'aube pointa, Zadok fut enfin prêt à donner l'ordre de démonter la petite tente cramoisie.

Durant ces siècles de vie dans le désert, chaque clan hébreu transportait une tente sacrée faite de trois couches de peaux ; sur un châssis de bois si petit que deux hommes n'auraient pu s'y insinuer, des peaux de chèvres étaient tendues et recouvertes de peaux de béliers teintes en rouge avec des poudres onéreuses venant de Damas, et par-dessus le tout on jetait des bandes de douce fourrure de blaireau, si bien que la tente était réellement une chose distincte. Chaque fois que le clan faisait halte, sur l'ordre de Zadok, la petite tente rouge était dressée la première, tout comme elle était la dernière à être démontée le jour du départ, tandis que priaient les aînés.

Lorsque la tente fut abattue, seuls quelques rares élus purent voir ce qu'elle contenait. Il y avait dans le tabernacle de Zadok un morceau de bois d'une forme curieuse avec lequel Zebul, père de Zadok, avait tué un traître. Il y avait un rang de perles dont personne ne connaissait l'histoire et une corne de bélier qui avait servi mille ans auparavant à annoncer une nouvelle année mémorable. Il y avait un morceau d'étoffe de Perse, et puis plus rien. Surtout, El-Shaddai ne se trouvait pas dans la tente, ni rien qui représentât El-Shaddai, car le dieu vivait ailleurs, dans la montagne qui n'existait pas.

— Notre dieu ne se trouve pas dans ces morceaux de cuir, rappela Zadok à ses Hébreux. Il ne vit pas dans ce tabernacle. Ce n'est pas un dieu qui peut être prisonnier de nos tentes, mais nous sommes prisonniers dans la sienne.

Comme ses assistants emballaient le tabernacle en vue de son transport, le vieil homme y ajouta un cinquième objet qui voyagerait dorénavant avec le clan de Zadok, partout où il porterait ses pas, en souvenir de la bienveillance que lui avait montrée El-Shaddai durant ses années dans le désert.

Sur le sol aride, Zadok avait ramassé une pierre, un simple caillou sans qualités ni formes particulières, un morceau de roche du désert, de ce désert qu'ils ne verraient plus jamais mais dont ils se souviendraient en voyant la pierre de Zadok.

Devant les sept cents Hébreux, lorsqu'ils prirent le départ, trottinait un ânon portant la petite tente rouge et derrière la bête marchait Zadok, sandales aux pieds, en robe de bure. La brise renvoyait parfois sa longue barbe grise comme une écharpe par-dessus son épaule gauche. A son côté, la jeune esclave favorite portait une outre d'eau pure et derrière lui venaient en désordre ses femmes, ses dix-huit fils, ses douze filles, leurs

femmes et leurs maris et leurs enfants, et les cousins, les oncles et tantes, les petits-enfants, les grands-parents... et les chèvres, les moutons, le peu de bétail, mais surtout les ânes, qui portaient les tentes, les bagages, les vivres et les bébés. Au sommet de la première colline, de nombreux Hébreux s'arrêtèrent, se retournèrent sur l'emplacement de leur camp, et soupirèrent en contemplant cet immense désert qui les avait abrités pendant des générations. Mais Zadok ne se retourna pas. Il avait fait ses adieux dans son cœur, où le deuil de cette journée ne s'apaiserait jamais.

C'était Epher qui dirigeait la petite troupe, car il connaissait les chemins de l'occident, ce jeune homme ardent aux cheveux roux qui avait souvent fait la guerre aux villes fortifiées. Au matin du dix-neuvième jour de marche, ce guerrier trapu conduisit son clan et ses troupeaux errants au sommet d'une colline — que l'histoire baptisera plus tard montagne — du haut de laquelle les Hébreux purent contempler pour la première fois la terre de Chanaan s'étendant à l'ouest d'un fleuve majestueux qu'en ces temps reculés déjà l'on appelait Jourdain, dont les richesses apparentes les éblouirent. Jamais de leur vie les congénères de Zadok n'avaient vu autant d'arbres.

— Nous traverserons le fleuve en cet endroit, expliqua Epher. Sur la droite s'étend un petit lac et sur la gauche une vaste mer en forme de harpe que l'on appelle Kinnereth.

— Après avoir franchi le fleuve, de quel côté nous tournerons-nous, mon fils ? demanda Zadok.

— Ni vers la droite, ni vers la gauche. Nous franchirons ces collines devant nous, et nous atteindrons enfin la route qui mène vers l'ouest.

Les Hébreux se rassemblaient autour de leur patriarche, et quelques-uns avancèrent que les terres flanquant le fleuve étaient si riches que ce serait folie d'aller en chercher d'autres plus loin, mais pour une fois Epher prêcha la prudence et avertit ses frères en ces termes :

— Pas très loin au nord se dresse la ville de Hazor, une puissante forteresse, et nous serons heureux si ses armées nous permettent de traverser le fleuve, aussi n'est-il pas question qu'elles nous laissent occuper des terres qui leur appartiennent.

Les hommes qui auraient à se battre au cas où les Cananéens attaqueraient les Hébreux tandis qu'ils traverseraient le fleuve à gué se tournèrent avec appréhension vers la ville invisible, mais le vieux Zadok ne songeait pas à l'ennemi éventuel. Il contemplait l'avenir lointain et El-Shaddai lui permettant d'imaginer des hommes tels que Josué et Gédéon, il prophétisa :

— Dans un jour encore lointain, Hazor sera humiliée et les enfants d'El-Shaddai occuperont toute la terre de Chanaan, comme aujourd'hui nous marchons pour occuper notre faible portion.

Et il rendit grâces au ciel que cette terre prospère dût devenir l'héritage des Hébreux. Mais ce fut le jeune Epher qui conduisit silencieusement le clan vers les rives du Jourdain. Les familles traversèrent le fleuve sans avoir été surprises, et poursuivirent leur route vers l'ouest en évitant les armées de Hazor.

Tandis que les Hébreux contournaient les collines qui se dressaient entre le Jourdain et Acre, ils se récriaient d'admiration au spectacle des nombreux cours d'eau arrosant les vignobles, des pentes herbeuses, des vergers d'oliviers et d'arbres fruitiers, des abeilles chargées de pollen et du vol des pigeons innombrables.

Comme ils approchaient de Makor, Epher organisa sa troupe en rangs plus serrés ; l'âne portant la tente rouge resta à l'avant-garde, mais les troupeaux furent rassemblés au centre de la masse mouvante et les mères empêchèrent les enfants de s'égailler au loin. Un frémissement d'espérance mêlée d'inquiétude agitait le clan, car tous sentaient que l'heure de l'épreuve était proche. Enfin, au premier jour du printemps qui marquait alors le début de la nouvelle année, Epher et Ibsha partirent en éclaireurs et, dans l'après-midi, ils revinrent annoncer à leur père que le lendemain matin de bonne heure ils atteindraient les abords de la ville appelée Makor. Ce soir-là, le vieillard soucieux dressa son camp à une ou deux lieues à l'est de la ville, et réunit ses fils ainsi que les chefs des autres familles.

— Nous avons marché vers une bataille, leur dit-il, et demain nous apercevrons les murailles que vous voulez attaquer. Mais il n'y aura pas de bataille.

Ses fils murmurèrent entre eux. Zadok reprit :

— Nous vivrons en paix parmi les Cananéens. Ils auront leurs champs et nous les nôtres ; ils auront leurs dieux et nous le nôtre.

Les plus hardis voulurent s'y opposer, mais Zadok s'obstina.

— El-Shaddai nous a promis cette terre et elle sera à nous. Mais nous ne la devrons pas au sang répandu.

L'idée d'une négociation décevait les Hébreux. Etait-ce pour cela qu'ils avaient taillé leurs armes de silex ? Et fait des échanges avec les marchands itinérants pour se procurer des haches de bronze et des pointes de flèches ? Ils firent des reproches au patriarche, et ils exigèrent de marcher au matin en ordre de bataille sur la ville pour porter l'assaut contre ses murs.

— Nous renverserons les murailles de Makor sans avoir recours à la force, répliqua le vieillard.

— Mais tu ne les a pas vues, protestèrent ses plus jeunes fils.

— El-Shaddai les a vues, et pour lui toutes les murailles sont semblables. Elles ne sont emportées que lorsqu'il le veut.

— Demande-lui alors ce que nous devons faire, lui dirent ses fils, car ils ne pouvaient imaginer comment ils s'empareraient de ces terres fertiles sans coup férir.

Zadok s'en alla à l'écart, seul sur le chemin de Damas, et ses fils ne cherchèrent pas à le suivre car ils savaient qu'il allait s'entretenir avec son dieu. Parvenu au bord d'une vallée de roches rouges, il s'arrêta et s'adressa à la falaise rutilante :

— Que devons-nous faire ? demanda-t-il.

— Comme je te l'ai expliqué dans le désert, répondit la voix patiente, vous devez occuper la terre qui vous est destinée.

— Mais dans le désert, tu ne m'as pas dit si je devais y apporter la guerre ou la paix. Mes fils rêvent de guerre et de morts nombreuses

— As-tu toujours peur de la guerre, Zadok ?

— Oui. Quand j'étais enfant et que nous assiégions Timri...

— Je me souviens de Timri !

— Tu as ordonné à mon père Zebul de détruire la ville pour la châtier de ses abominations, et il m'a obligé à demeurer auprès de lui tandis qu'il massacrait des hommes, des femmes et des enfants. Mes chevilles étaient rouges de sang. J'en fus malade et je ne voulus plus jamais voir une lance. Et je t'ai haï, El-Shaddai, pour ta cruauté.

— Je me rappelle cette nuit, répondit le dieu. Tu avais sept ans, et tu maudissais, et n'est-ce pas alors que je t'ai parlé pour la première fois ? Le lendemain de Timri, quand ton père était assoupi près du serpent qui l'aurait mordu, sans moi ?

Zadok se rappelait ce jour lointain, il y avait cinquante-sept ans, quand il avait entendu pour la première fois la voix de son dieu, et pas une seule fois depuis l'idée ne lui était venue qu'El-Shaddai avait justement choisi de s'adresser à lui à cause de sa révolte devant le massacre. El-Shaddai aurait pu choisir comme interprète des hommes plus âgés et plus sages, mais il avait préféré l'enfant Zadok, parce qu'à l'âge tendre de sept ans celui-ci avait été capable de juger en son âme et conscience des questions de miséricorde et d'humanité.

— Je ne t'ai pas parlé de guerre ni de paix, poursuivit la voix, parce que ce sont des choses que moi seul puis décider. Elles ne te regardent pas. Occupe les terres, et c'est moi seul qui jugerai s'il doit y avoir la guerre ou la paix, selon l'accueil que me réserveront les enfants de Chanaan.

— Je dois donc marcher sur la ville sans rien savoir ?

— Homme de peu de foi ! N'as-tu pas vécu de cette façon dans le désert ? Qui peut être certain que lorsqu'il approchera d'une ville, les murs s'ouvriront à son commandement ? Cependant, je t'ai promis que les murailles de Makor s'ouvriraient devant toi. Souviens-toi de ta grand-mère Rachel qui est allée au puits de Zaber pendant huit cents jours sans incident, et puis elle y alla encore une fois et elle fut tuée par un scorpion. Aurait-elle pu prévenir cela en prenant des précautions ? Rappelle-toi ton fils Zattu, qui traversa la fosse où des centaines d'hommes avaient péri de morsures de serpent, et en ressortit vivant. Aurait-il pu arranger cela en s'y préparant ? Je suis El-Shaddai, et je t'ai promis que les murailles de Makor s'ouvriraient à ton commandement. Peux-tu, en faisant tes propres plans, assurer cette promesse ?

Le vieillard s'humilia devant son dieu, mais quand il revint auprès de ses fils, il interpréta les paroles d'El-Shaddai selon ses propres désirs :

— Demain, il n'y aura pas de bataille.

Les Hébreux, satisfaits que telle était la volonté de leur dieu, dormirent cette nuit-là sans allumer de feux et, le lendemain, ils se vêtirent pour la dernière marche vers la ville emmurée.

A Makor, huit cents ans s'étaient écoulés depuis ce jour fatidique où cinq de ces citoyens avaient été mêlés à une tragédie, et tant de complaintes avaient été composées depuis sur ces événements que les protagonistes du drame avaient à la longue été transformés en dieux qui venaient ajouter des richesses spirituelles à la religion de ce pays.

Le grand dieu El demeurait, ainsi qu'Astarté la féconde, mais le fermier Urbaal était devenu le dieu Ur-Baal, envoyé à Makor pour une mission divine, et à la longue les poètes avaient raccourci son nom et avaient fait de lui le dieu principal de Makor, Baal l'omnipotent. Quant au malheureux fermier Amalek, son destin fut plus étrange encore car bien qu'il eût joué sans doute le rôle le plus honnête dans le drame, il devint l'ennemi que le grand Ur-Baal avait dû abattre, et finit par se confondre avec le terrible dieu Melak, le dieu de la guerre, à qui l'on sacrifiait encore les fils premiers-nés.

La ville avait bien changé. Le tertre s'était haussé de plusieurs coudées et se dressait maintenant à trente-cinq pieds au-dessus de la plaine environnante. Le premier mur était depuis longtemps enfoui, mais, enfoncé dans la terre, il formait une fondation solide pour les nouvelles murailles qui avaient été élevées, aussi larges et fortes que les précédentes. Avec son glacis escarpé, ce rempart rendait la forteresse de Makor pratiquement inexpugnable.

A l'intérieur des murs, d'autres changements s'étaient produits. Les quatre monolithes étaient maintenant enfouis, comme les murailles, et au-dessus d'eux se dressait le petit temple d'Astarté. Le grand temple de Baal n'existait plus, car le dieu habitait la montagne au nord-est de la ville, mais il y avait les demeures de ses prêtres, dont la principale mission était de surveiller les silos souterrains où le grain était entreposé, et les citernes d'eau potable où l'on conservait des réserves en cas de siège. Makor comprenait à présent plus de cent quatre-vingts maisons et sa population était la plus importante que la ville avait jamais eue, et qu'elle aurait jamais. Près de quatorze cents âmes y habitaient, et cinq cents paysans vivaient hors des murs, lesquels étaient percés de deux portes monumentales en chêne importé de Tyr. La première, la porte sud, était plus large qu'autrefois, et flanquée de quatre tours, deux extérieures et deux intérieures, dominant les mêmes chicanes en zigzag que dans les siècles passés. Cette porte n'avait jamais été forcée.

Mais le plus grand changement, c'était la seconde porte, au nord. Au cours de plusieurs sièges, l'ennemi avait pu triompher de Makor en s'emparant du puits hors des murs et en attendant que fussent vidées les citernes de la ville. Poussée par la soif, la ville était alors obligée de se rendre ; aussi, en 1440 av. E. C., les notables, dirigés par un homme jeune et volontaire nommé Uriel, avaient décidé de construire deux solides murailles parallèles allant de la poterne au puits, et l'entourant. Un toit réunissait ces murs, et ainsi le puits vital se trouvait en quelque sorte dans l'enceinte de la ville. En cas de siège, les femmes de Makor pouvaient suivre ce passage sombre et abrité et les citernes ne manquaient jamais d'eau.

La grande famille d'Ur était maintenant représentée par cet Uriel. Il était incontestablement le plus haut personnage de Makor, et possédait les vergers d'oliviers au sud de la ville, ainsi que les forêts de chênes à l'est. Il avait quarante et un ans, il était plus grand que la moyenne des Cananéens et il était aussi plus sage et plus instruit. Les prêtres de Baal recherchaient ses conseils. Il n'y avait plus de roi, à Makor, mais Uriel remplissait tellement de fonctions qu'il en était presque un. Dans les archives officielles conservées en Égypte, sous la domination de laquelle se trouvait cette région, il figurait sous le titre de gouverneur, rôle qu'il jouait beaucoup mieux que les fonctionnaires égyptiens appointés aux villes voisines de Megiddo, Acre ou Hazor.

Uriel portait une barbe noire taillée en carré. Contrairement aux hommes de son époque, il n'avait qu'une femme, Rahab, et un seul fils, Zideon. Les concubines ne l'intéressaient guère. Il en avait eu quelques-unes, comme il convenait à un homme de son rang, mais ne s'était jamais occupé des enfants qu'elles avaient pu avoir de lui, et maintenant qu'il prenait de l'âge, il se contentait de sa femme, qu'il aimait et dont il appréciait les sages conseils.

Sa demeure était une bâtisse fortifiée enfoncée comme un coin dans le mur ouest de la porte du sud, avec deux entrées, une pour sa famille, donnant sur la ville, l'autre, la porte officielle de son bureau, donnant sur les chicanes du passage. L'administration de Makor lui tenait tant à cœur que bien souvent il s'asseyait sur un tabouret à trois pieds à l'intérieur de la porte, pour s'entretenir et deviser avec les passants, et les interroger sur des questions de gouvernement.

Hors des murs, de nombreux paysans produisaient des surplus agricoles qui étaient envoyés par caravanes à Acre, tandis que dans l'enceinte des artisans fabriquaient des poteries avec l'argile de l'ouadi, tissaient la laine et la teignaient, et fondaient des ustensiles de bronze de haute qualité ; le cuivre indispensable arrivait par caravanes d'ânes, des mines du sud de la mer Rouge ; l'étain venait d'Acre où l'apportaient des navires d'Asie Mineure, et les objets manufacturés étaient expédiés vers de nombreuses villes. A Makor, personne n'employait le silex taillé.

En ce jour de printemps de 1419 av. E. C., tandis que Zadok et ses Hébreux approchaient de Makor par l'est, le gouverneur Uriel s'installa sur son tabouret placé de manière qu'il pût examiner quiconque gravissait la rampe extérieure et voir en même temps ce qui se passait du côté des rues de la ville. Dans cette direction, il pouvait contempler un peuple mélangé comprenant des soldats hyksôs qui avaient abandonné la bataille des colons égyptiens, quelques Africains, une poignée d'Hébreux venus du nord et une dizaine d'autres races arrivés là de la mer ou du désert. Même ceux que l'on appelait les vrais Cananéens avaient des origines diverses, mais tous vivaient en paix et formaient un amalgame curieusement homogène.

Soudain, Uriel vit accourir sur la rampe inclinée son fils Zideon en compagnie d'un jeune paysan. Tous deux semblaient surexcités par les nouvelles qu'ils apportaient.

— Une armée marche sur la ville !

Aussitôt, le gouverneur Uriel se dressa et il étendit ses bras, lançant une main vers Acre, l'autre vers Damas, en criant :

— Venant d'où ?

— Par là, répondit Zideon, et Uriel se tourna vers l'est.

Sa première pensée fut pour les citernes, mais il venait de s'assurer qu'elles étaient pleines. Le grain ne manquait pas non plus, et pour la défense de la ville il avait toute confiance en une arme terrifiante et nouvelle que venaient de mettre au point ses soldats hittites. Il songea ensuite aux cinq cents paysans qui vivaient hors des murs et sa première idée fut de faire sonner les trompettes d'airain pour les appeler à l'abri des remparts, mais comme il allait donner l'ordre, il imagina les champs abandonnés à l'heure des semailles, et répugna à intervenir dans le cours normal des cultures. Ce fut en cet instant d'hésitation qu'Uriel décida du sort de Makor.

Il était persuadé qu'une trêve quelconque pourrait être arrangée avec ceux qui arrivaient le long de la route. Il ne fit donc pas sonner les trompettes. Mais il donna quand même l'ordre à sa garde d'occuper les tours et de poster des hommes au passage du puits. Puis il fit clore les portes et monta lui-même au sommet d'une des tours pour observer l'approche de la horde annoncée.

Il ne vit d'abord que la route déserte qui poudroyait au soleil printanier et disparaissait à l'est derrière la montagne sur laquelle se dressait l'autel de Baal. La route n'avait pas changé depuis des siècles — c'était toujours la même voie étroite, rocailleuse, poussiéreuse, serpentant dans la campagne, silencieuse dans l'attente d'un autre pas, d'une nouvelle arrivée, et indifférente à ce que cela présageait.

Soudain, Uriel vit un tourbillon de poussière qui s'élevait vers le ciel, comme si une brise irréelle venait de balayer la route, et il ne put s'empêcher de frissonner en imaginant un désastre imminent. Malgré lui, il recula d'un pas, sur le rempart, mais alors un petit âne apparut sur la route, et deux jeunes enfants qui gambadaient, et couraient pour précéder l'ânon, puis se retournaient. Ils étaient presque nus, et tout bronzés, et semblaient jouer à qui apercevrait le premier la ville inconnue.

Dès qu'il les vit, Uriel poussa un soupir de soulagement et s'écria en riant :

— Voyez donc l'armée, mes amis !

Les deux enfants, confrontés soudain par les puissantes murailles, venaient de s'arrêter au milieu de la route. Ils restèrent un instant bouche bée devant les tours massives, puis ils firent demi-tour et repartirent au galop avertir leurs aînés.

Le gouverneur Uriel riait encore à gorge déployée quand le premier Hébreu apparut. C'était un vieillard de haute taille, couvert de poussière, vêtu d'une robe de bure grossière, qui portait une houlette de berger à la main, et rien de plus. Il avait une barbe blanche et de longs cheveux tombant sur ses épaules. Une corde de chanvre ceignait sa taille ; il était chaussé de lourdes sandales de cuir et marchait du pas résolu d'un

homme que rien n'arrêterait tant qu'il n'aurait pas atteint les portes de la ville.

Si cet homme, à la vue des tours redoutables de Makor, éprouva la même surprise que les enfants, rien dans son comportement ne le trahit. De son côté, le gouverneur Uriel remarqua que ni le vieillard ni les hommes mûrs qui le suivaient ne semblaient se préoccuper des paysans dans les champs bordant la route, et c'était bon signe. Si les nouveaux venus avaient eu l'intention de ravager le pays, ils auraient déjà commencé.

Néanmoins, Uriel ne s'attendait pas à ce grand nombre de nomades qui surgissaient maintenant à l'est. Il ne s'agissait pas cette fois de ces familles d'Hébreux isolées qui étaient venues s'établir par le passé. Makor avait déjà absorbé de telles familles, et les avait rapidement endoctrinées dans le culte de Baal. Certaines de ces familles avaient eu jusqu'à vingt enfants, mais ce groupe-ci était différent. Uriel voyait qu'il y avait là une congrégation de familles, un véritable clan où les hommes en âge de porter les armes étaient plus nombreux que les enfants. Le gouverneur n'avait pas peur, cependant, car il voyait bien que les nouveaux venus possédaient peu d'armes de métal. Mais ils marchaient en rangs, de telle manière qu'il lui était impossible de négliger l'avertissement de son fils. C'était bien une armée qui s'avançait, et Uriel était songeur en descendant de la tour.

Les usages de l'époque exigeaient que le gouverneur d'une ville restât à l'intérieur des murs quand des étrangers arrivaient, pour attendre la visite protocolaire des messagers qui viendraient le mettre au courant des intentions des étrangers massés sous les remparts. Mais ces nomades semblaient ignorer la procédure diplomatique habituelle, car nul messager ne se présenta. Ce fut le solide vieillard marchant en tête du groupe qui avança seul vers les tours, et vint frapper sur la porte avec sa houlette en criant :

— Portes de Makor, ouvrez-vous pour Zadok, le bras droit d'El-Shaddai !

Le commandement insolite était nouveau, car l'inconnu semblait croire que les portes allaient s'ouvrir d'elles-mêmes. Les soldats massés sur les remparts se mirent à rire, mais le gouverneur Uriel alla à la porte, regarda par une fissure, s'assura qu'aucun de ceux qui entouraient le vieillard n'était armé, et se tourna vers un de ses gardes.

— Ouvre la porte, lui dit-il.

Le garde obéit et à peine la porte fut-elle entrouverte que le vieillard le repoussa avec force. Puis il entra hardiment, sa houlette à la main, pour affronter le gouverneur.

Uriel, flanqué par ses gardes en cuirasse de cuir, s'avança pour accueillir l'inconnu.

— Je suis Uriel, gouverneur de Makor, dit le Cananéen.

— Je suis Zadok ben Zebul, le bras droit d'El-Shaddai, qui cherche un lieu de repos pour son peuple.

— Es-tu prêt à payer des impôts ?

— Certes.

— Tous les champs en bordure de route sont attribués, dit le Canaméen, mais au-delà s'étendent de riches pâturages en friche et de la bonne terre à vigne.

Ses paroles étaient plus conciliantes qu'il ne l'aurait voulu, mais le vieillard avait parlé avec une telle simplicité que le gouverneur se sentit attiré vers lui. Il estima tout de suite qu'avec un tel homme, Makor ne pourrait que prospérer.

— De quels champs parles-tu ? demanda l'Hébreu.

— Au-delà des vergers d'oliviers, au-delà de la forêt de chênes. Tout le terrain qui s'étend jusqu'au marécage.

Puis il se retourna, et embrassa d'un geste la montagne et les terres désertes, en ajoutant :

— Mais sur ces terres vous ne pouvez vous établir, car elles appartiennent à Baal.

Le vieillard le comprenait. Partout où il avait conduit sa tribu, depuis quarante ans, certains lieux avaient été sacrés, réservés à certains dieux, et, bien que lui-même n'adorât point ces divinités, il respectait les croyances des autres.

— Nous respectons les dieux des lieux élevés, dit-il.

Zadok était satisfait. Il se disait que l'entrevue débutait sous de favorables auspices, et ne partageait pas les appréhensions de ses fils. Makor était manifestement une ville riche, mais ses champs éloignés restaient en friche, et il était naturel que le gouverneur accueillît avec joie des étrangers. Un point restait malgré tout à éclaircir.

— Nous adorons El-Shaddai, dit-il, l'être de la montagne.

Uriel fronça le sourcil et recula d'un pas, car sur ce point il ne céderait pas.

— La montagne appartient à Baal, dit-il.

— Naturellement ! reconnut Zadok et le Cananéen respira. La montagne demeurera sacrée et vouée à Baal, car la montagne qu'occupe El-Shaddai n'est pas celle-ci ni la suivante, mais une autre montagne que nul homme n'a jamais vue.

— Il n'y a donc pas de conflit ? demanda Uriel, soulagé.

— Aucun, assura Zadok.

Cependant, Uriel remarquait que les yeux du patriarche brillaient d'un feu intense, de la flamme passionnée du fanatique, et le Cananéen fut enclin à s'écarter de l'Hébreu, comme on s'écarte avec crainte d'une menace inconnue, mais aussi rapidement qu'elle s'était allumée la flamme s'éteignit, et le gouverneur ne vit plus devant lui qu'un vieillard raisonnable qui cherchait à s'établir dans la contrée avec les siens.

— Je vais t'accompagner et te montrer les champs, lui dit-il.

Faisant signe à sa garde hittite de l'escorter, Uriel sortit de la ville et se mêla aux Hébreux qui avaient attendu anxieusement le résultat de l'entrevue. Le Cananéen admira leur maintien, la solide musculature de ces jeunes hommes, la beauté de leurs femmes aux yeux clairs, les enfants sages aux regards étonnés. Ce groupe était nettement plus intéres-

sant que la racaille qui arrivait généralement par cette même route, et Uriel les traita avec le respect qu'ils méritaient.

— Le verger d'oliviers est à moi, expliqua-t-il, mais, selon nos coutumes, vous avez le droit de ramasser les olives à terre et de prendre toutes celles qui restent aux arbres après la cueillette.

Les Hébreux approuvèrent, car telle était la loi dans tous les pays.

— Nul ne doit toucher aux pressoirs à huile, dit encore Uriel.

En mille ans de guerre personne, même pas les sauvages hyksôs, n'avait détruit les trois fosses de pierre. Les énormes vis de bois des presses avaient été changées plus de deux cents fois, mais jamais aucun envahisseur n'avait endommagé un pressoir ni abattu un olivier, car quiconque occupait Makor avait besoin des arbres et des pressoirs. En fait, sans les olives et sans le puits...

— Et l'eau ? demanda Zadok.

C'était le problème fondamental que devaient résoudre aussi bien le Cananéen que l'Hébreu. Dans le marécage, l'eau était saumâtre, comme l'avaient déjà découvert les femmes qui avaient couru en avant, et l'on ne pouvait l'utiliser ; d'autre part, le mur construit par Uriel autour du puits interdisait à ceux de l'extérieur d'y venir puiser de l'eau.

Si les Hébreux voulaient de cette eau, leurs femmes auraient à gravir la rampe inclinée, franchir la porte sud et ses chicanes, traverser toute la ville, sortir par la poterne nord et longer le sombre passage, jusqu'au puits. Ainsi, chaque jour, elles iraient et reviendraient, et l'Hébreu se mêlerait aux Cananéens, et chacun en viendrait à se mieux connaître, à savoir de quelle façon les uns ou les autres priaient ; avec le temps il y aurait peut-être des mariages — cela serait inévitable, car les filles des Hébreux étaient belles et les Cananéens avaient le sang chaud — et finalement la rude vitalité du peuple du désert serait assouplie par la culture de la ville. L'Hébreu serait conquis, mais non humilié ni vaincu, et se fondrait dans une civilisation supérieure. Telle était du moins la pensée des Cananéens, qui ignoraient que pendant des siècles, des millénaires, ce même problème se poserait de par le monde sans jamais être résolu.

— Mais alors, nos femmes devront traverser la ville ? demanda Zadok.

— Il n'y a pas d'autre moyen, répondit Uriel.

— Ne pourrions-nous percer une porte, au puits ?

— Jamais.

Sous aucun prétexte, Uriel ne consentirait à percer une brèche dans cette muraille de sécurité qu'il avait si judicieusement imaginée et construite.

Les deux hommes s'examinèrent un moment, chacun comprenant ce qui irritait l'autre, mais comme ils étaient tous deux des hommes de bon sens, désireux de trouver un terrain d'entente, un système de coopération mutuelle, ils envisagèrent sagement la situation et finalement Zadok déclara :

— Nous acceptons ces champs avec reconnaissance, et nous paierons les impôts.

Sur quoi Uriel retourna vers sa ville, certain d'avoir eu raison et d'avoir agi sagement en n'utilisant pas sa force armée pour repousser les étrangers.

— Dans le passé, dit-il à son lieutenant hittite, Makor a assimilé bien des peuples, et toujours à son avantage. Aujourd'hui, le seul problème c'est que ces Hébreux sont plus nombreux.

— Nous veillerons à garder nos armes en état, répondit le soldat.

Et quand le jeune homme eut l'occasion de voir le fils d'Uriel, il lui dit :

— Aujourd'hui, ton père a commis une faute grave. Nous aurions dû refouler les étrangers.

Zideon se rendit alors en toute hâte inspecter le camp des Hébreux et fut du même avis que le Hittite. Il alla parler de la chose avec sa mère, Rahab, et ensemble ils allèrent trouver Uriel.

— Tu as agi sans discernement, dit paisiblement Rahab à son mari.

Uriel avait appris à écouter les avis de sa femme intuitive, et ils se disputaient rarement.

— Peut-être, reconnut-il, mais ici à Makor nous semblons toujours manquer de main-d'œuvre.

— Mais tu accueilles de mauvais ouvriers, répliqua-t-elle.

— Tu ne les as pas vus !

— Zideon les a vus. Le Hittite aussi. Ils ont vu des gens du désert. Ceux-là ne respectent pas les murailles, ils n'aiment pas les villes, ni les maisons.

— Ils respectent la terre et le bétail, rétorqua Uriel. Ils respectent les lieux élevés, ils respectent les dieux. Nous avons besoin de gens comme eux.

Ce soir-là, il s'avoua en son cœur que Rahab avait peut-être raison, et que les étrangers pourraient provoquer des troubles, mais il leur avait déjà loué les terrains en friche et il ne regrettait tout de même pas sa décision.

De son côté, Zadok était satisfait aussi. Au soleil couchant, il rassembla son peuple devant la petite tente rouge que ses fils avaient dressée sous un chêne, et il s'adressa en ces termes aux Hébreux couverts de la poussière de la route :

— El-Shaddai nous a conduits en ce lieu, comme il nous l'avait promis. Ces champs et ces collines seront notre terre d'habitation, mais ce n'est pas nous qui avons conquis cet asile. C'est El-Shaddai qui nous l'a donné, et c'est à lui que nous devons à présent adresser nos remerciements.

Il fit signe à ses fils d'amener le bélier blanc, l'animal le plus parfait du troupeau, et la malheureuse bête récalcitrante fut traînée devant le tabernacle. Le vieillard, avec un couteau de silex affûté, le sacrifia à la gloire du Dieu unique. Les cornes, recourbées et solides, feraient des trompettes qui désormais appelleraient les Hébreux à la prière en cet endroit. La laine du bélier serait filée et tissée pour faire un châle de prière noir et blanc, qui serait finalement déposé dans le tabernacle en souvenir de ce jour : du sang qui s'écoulait maintenant de l'autel surgi-

rait le lien qui unirait ce groupe d'Hébreux au dieu qui les avait élus pour habiter ce pays fertile. Ce fut un instant sacré, et la ferveur religieuse fut portée à son comble quand Zadok s'écria :

— El-Shaddai, toi de la montagne, toi de la tempête, nous nous plaçons entre tes mains. Conseille-nous, et guide nos pas sur le chemin que nous devons suivre.

Il se prosterna devant le tabernacle, face contre terre, et attendit les ordres. Mais aucun ne vint.

Les ennuis commencèrent dans un secteur que ni Uriel ni Zadok n'avaient prévu.

Depuis de nombreuses générations, les sages du clan de Zadok avaient adoré El-Shaddai et il était bien entendu que si les Cananéens ou les Egyptiens pouvaient voir leurs dieux en face, El-Shaddai était invisible et n'habitait pas de lieu précis. Les patriarches hébreux avaient prêché sans équivoque ce concept, et les sages l'avaient accepté. Mais pour l'Hébreu moyen, qui n'avait rien d'un philosophe, l'hypothèse d'un dieu qui n'habitait nulle part, qui n'existait même pas sous une forme corporelle, n'était pas facile à assimiler. Ceux-là voulaient bien convenir avec Zadok que leur dieu n'habitait peut-être pas cette montagne-ci ni la suivante, mais ils pensaient qu'il avait son domicile sur une véritable montagne, plus éloignée, et ils imaginaient un vieil homme à barbe blanche vivant sous une belle tente, qu'ils pourraient un jour voir et toucher. Si on les avait interrogés, ils auraient sans doute répondu qu'El-Shaddai devait probablement ressembler à leur père Zadok, mais avec la barbe plus longue, la voix plus forte et les yeux plus pénétrants.

Or, tandis que ces Hébreux à l'esprit simple s'installaient hors des murs de Makor, ils virent les processions des Cananéens sortant de la ville pour se diriger vers la montagne de Baal, et ils virent sur les visages se peindre la joie des hommes et des femmes allant voir leur dieu. Les Hébreux se mirent alors à réfléchir et finirent par concevoir l'idée subtile que Baal, qui habitait manifestement au sommet d'une montagne, et El-Shaddai dont la demeure était aussi une montagne, devaient avoir beaucoup en commun. Furtivement d'abord, puis plus ouvertement, ils se mirent à emprunter le sentier qui gravissait la colline, pour aller voir la maison de Baal. Au sommet, ils trouvèrent un monolithe dressé. Cela, c'était une chose tangible, concrète, qu'ils pouvaient comprendre.

Après avoir bien cherché, un groupe d'Hébreux trouva une longue pierre étroite, à peu près de la même taille que celle attribuée à Baal, et, au prix d'efforts presque surhumains, ils la roulèrent jusqu'au sommet de la colline, par une nuit sans lune, et ils la dressèrent non loin de la demeure de Baal.

Mais avant qu'Uriel ou Zadok eussent connaissance de ces agissements clandestins — qui allaient les inquiéter tous deux également — un problème plus immédiat se posa.

Trois jeunes filles du clan de Zadok, traversant Makor avec leur amphore d'eau sur la tête, entendirent un grand brouhaha et furent attirées vers un petit temple à l'écart de la rue principale qu'elles devaient suivre, construit à l'endroit où jadis se dressaient les quatre monolithes.

C'était le temple d'Astarté, et devant ses portes un jeune homme entièrement nu exécutait une danse lascive comme les jeunes filles hébraïques n'en avaient jamais vu. A la fin de ce spectacle érotique, une femme surgit de la foule des badauds, escalada les marches tout en se dévêtant et embrassa passionnément le jeune homme, qui la conduisit aussitôt dans le petit temple, aux applaudissements de la foule. Les jeunes filles ne rapportèrent pas ces surprenants événements à Zadok, mais il y eut beaucoup de conciliabules secrets dans le camp hébreu, si bien que le lendemain les deux jeunes fils de Zadok, Epher et Ibsha allèrent en ville pour voir. Mais cette fois, c'était une femme qui dansait sans voiles, qu'un homme rejoignit bientôt. Epher interrogea un badaud cananéen qui lui répondit :

— C'est un rite sacré pour assurer la fertilité du sol et l'abondance de nos récoltes.

— Et... n'importe qui... ?

— Si vous êtes paysan, oui.

Le Cananéen conduisit les deux Hébreux à la porte du temple, y frappa et dit à la jolie jeune femme qui lui ouvrit :

— Ces deux hommes sont des paysans. Ils désirent faire leurs dévotions.

Et grâce à elle, Epher connut des plaisirs inconnus, qui devaient influer sur les événements de cet été-là.

Ce soir-là, il y eut de nouveaux conciliabules chuchotés dans le camp ; les jours suivants, plusieurs Hébreux quittèrent leur travail pour se glisser dans l'enceinte des murailles. Le scandale finit tout de même par attirer l'attention de Zadok lorsqu'une jeune femme mariée, nommée Jael, alla quérir de l'eau au puits alors que ce n'était pas son tour, et se glissa par les venelles jusqu'au petit temple où elle attendit que le jeune homme nu exécutât sa danse érotique. Puis lorsqu'il eut fini, elle courut vers lui, en laissant son amphore près de la porte.

Quand Zadok apprit son péché, il se frappa le front. Il fit sonner la trompette de corne de bélier, et quand ses échos lugubres se répercutèrent dans la vallée tous les Hébreux comprirent qu'un malheur les frappait et ils se rassemblèrent en hâte pour faire pénitence. Nombreux furent les hommes et les femmes qui devinèrent la cause de la colère d'El-Shaddai.

Ils étaient tous prêts à souffrir un châtiment, à offrir des sacrifices, mais quand Zadok tonna que la femme Jael avait manqué à tous ses devoirs et devait être lapidée à mort comme l'exigeaient les anciennes lois, trois hommes aussi coupables qu'elle l'enlevèrent et lui trouvèrent un refuge à l'abri des murs de la ville.

Ce même soir, Zadok apprit l'existence de la pierre dressée pour représenter El-Shaddai, et il entra dans une violente colère. Dès l'aube

suivante, il prit sa houlette et gravit la montagne par les sentiers tortueux, jusqu'au sommet où il vit pour la première fois le monolithe de Baal, devant lequel il s'inclina avec tout le respect qui était dû au dieu de ceux qui avaient accueilli sa tribu.

Mais tout près de l'antique pierre levée, il en vit une récemment plantée — un monolithe dédié au dieu invisible des Hébreux — avec une couronne de fleurs à son sommet, et une tête de brebis sacrifiée devant.

— Abomination ! tonna-t-il.

Du bout de sa houlette, il fit rouler la tête de brebis au bas de la colline. Puis il s'appuya contre la pierre, chercha à la déséquilibrer pour la faire rouler au bas de la pente. Mais il n'avait pas assez de forces et la pierre semblait le moquer.

Contrit, penaud, bouleversé, le vieillard redescendit de la montagne et, pour la première fois depuis le jour de l'accord, il pénétra dans la ville de Makor, où il arpenta les ruelles à la recherche du temple, pour voir par lui-même.

Ce jour-là, il n'y avait pas de danses, mais il imaginait les abominables rites, et il se détourna écœuré pour aller à la recherche du gouverneur Uriel, qu'il accabla de questions :

— Avez-vous donné asile à Jael, la femme de mauvaise vie ?

— Une femme s'est jointe à nous.

— Dans votre temple, n'y a-t-il pas des prostitués mâles et femelles ?

— Depuis des temps immémoriaux, nous vénérons Astarté.

— As-tu donné ton approbation pour l'érection d'une pierre à El-Shaddai ? Au lieu élevé de votre propre dieu ?

A cela, Uriel fronça les sourcils. Personne ne lui avait parlé du nouveau monolithe, et si l'on en avait érigé un, cela risquait de provoquer des troubles. Quant aux visites des hommes et des femmes hébreux au temple d'Astarté, il en avait eu connaissance et les avait approuvées, car ce genre d'intimité lui paraissait parfaitement sain, et souhaitable. Makor avait tout intérêt à ce que le peuple hébreu produisît de riches récoltes, et ce n'était qu'en sacrifiant à Astarté que l'on pouvait se les assurer. Il avait également connu l'arrivée de Jael, et c'était même lui qui lui avait trouvé un refuge dans la demeure d'un riche Cananéen veuf, car des mariages mixtes contribueraient à fondre plus rapidement les deux groupes en un seul peuple. Il espérait que d'autres jeunes femmes viendraient du camp des Hébreux pour se marier en ville, et que de nombreux jeunes Cananéens iraient chercher femme au camp des nouveaux venus. Elles étaient belles, les hommes hébreux étaient solides et travailleurs et ces mélanges ne pourraient qu'être bénéfiques.

Mais l'érection d'un monument à un dieu étranger, au sommet même de la montagne de Baal, c'était une infraction qu'il ne pouvait tolérer. Convoquant sa garde, il partit avec Zadok examiner l'hérétique monolithe, et quand les deux chefs eurent gravi la longue pente, ils contemplèrent avec un mépris égal la pierre dressée d'El-Shaddai.

Uriel était atterré, car c'était une insulte à la suprématie de Baal, qu'il

savait être un dieu jaloux. Zadok était scandalisé parce que cela laissait supposer qu'El-Shaddai n'était rien de plus qu'un autre petit dieu cananéen que l'on pouvait représenter par une pierre dressée : c'était un outrage au dieu des Hébreux. A la grande surprise d'Uriel, le vieillard était aussi avide que lui d'abattre le rocher intrus, et quand les gardes eurent dégagé la terre autour du monolithe avec leurs lances, les deux chefs unirent leurs efforts et se joignirent aux soldats pour jeter au bas de la montagne la pierre sacrilège.

La garde se retira, laissant Uriel et Zadok seuls pour discuter de l'affaire. Mais tandis que le sage vieil Hébreu causait avec le jeune gouverneur à l'âme bien trempée, tout ce qui les séparait fut révélé pour la première fois au grand jour.

— Tu ne dois plus jamais autoriser mes Hébreux à rendre visite à tes prostituées sacrées, dit Zadok.

— Un jour, répondit paisiblement Uriel, nous ne serons plus qu'un peuple vivant en harmonie tous ensemble, et adorant les mêmes dieux.

— Je m'opposerai toujours à une telle intégration !

— Crois-tu donc que nos deux peuples peuvent vivre côte à côte, sans qu'il y ait d'échanges, sans que l'on donne et que l'on reçoive ?

— Je crois que vous devez obéir à vos dieux, et que nous devons suivre El-Shaddai.

— Mais tu viens à peine de m'aider à abattre le monument dressé à ton dieu ! s'étonna Uriel.

— Pourquoi penses-tu que je l'ai fait ?

— Par respect pour Baal, qui règne sur cette ville.

— Je suis stupéfait ! Ne comprends-tu pas que j'ai voulu abattre ce roc sans vie parce qu'il était une insulte au Dieu unique qui n'a pas besoin de demeure ?

— Voudrais-tu me dire que ton dieu est plus grand que Baal ? s'insurgea Uriel.

— Je respecte Baal, assura Zadok, parce que j'ai du respect pour toi. Je le respecte comme on s'incline devant une vieille femme qui a dix-neuf petits-fils. Mais pas davantage. Baal devra périr un jour, car il n'est que matière. El-Shaddai vivra à jamais car il est esprit.

— Tu crois donc que ton dieu doit triompher ?

— Naturellement !

— Et tu espères vivre dans ces champs, là-bas, pendant une infinité de générations ? Avec ton dieu ennemi du mien ?

— Ils ne resteront pas ennemis. Ton peuple reconnaîtra bientôt la suprématie du Dieu unique et Baal n'aura plus de raison d'être. Nous vivrons tous en paix, unis par une même foi.

— En attendant, tu refuses d'autoriser les tiens à vénérer Baal et Astarté ? Tu refuses de leur permettre de se mêler à nous de façon normale et habituelle ?

— Je refuse d'autoriser des abominations.

— Le mot est dur.

— Abomination ! tonna Zadok derechef.

Les deux hommes s'affrontaient sur le lieu élevé, à l'ombre de Baal, chacun s'efforçant désespérément de comprendre l'autre et de le convaincre par la logique ; ils étaient saisis d'une crainte nouvelle, car ils s'étaient reconnus des différences fondamentales et absolues. Mais à leurs pieds s'étendaient des champs parmi les plus riches de Chanaan et une de ses villes les mieux gouvernées. Avec de la bonne volonté, ces deux hommes parfaitement intègres pourraient certainement faire de cette enclave un petit paradis, et chacun le reconnaissait volontiers. Ce fut Zadok qui rompit le premier le silence :

— La terre est très fertile, murmura-t-il. Dans les vergers que nous avons traversés, jamais nous n'avons vu d'olives aussi grasses que les tiennes.

— Ton peuple est travailleur, répondit Uriel, avide d'échapper à la querelle dangereuse.

— De toutes les terres que nous avons vues, reprit Zodak, celle-ci est la meilleure. Nous espérons y rester pendant de nombreuses générations.

C'était un geste de réelle conciliation, et Uriel y répondit par les paroles classiques du compromis :

— Je suis certain qu'entre nous, nous parviendrons à une entente.

A première vue, c'était lui qui avait raison. Cananéens et Hébreux avaient commencé jadis par adorer le même dieu, El, qui représentait une puissance invisible, mais, même en ces premiers âges, chacun avait traité El à sa façon propre, car les Cananéens avaient considérablement réduit ses vertus universelles. Etant citadins, ils avaient capturé El et l'avaient emprisonné entre leurs murailles ; ils l'avaient fragmenté, en avaient tiré Baal et Astarté et une infinité de petits dieux. Ils semblaient s'appliquer à le rabaisser à leur niveau, pour l'avoir à portée d'eux, et lui donner des ordres et lui distribuer des tâches spécifiques, dissipant ainsi ses forces.

Les Hébreux, eux, partant du même dieu possédant les mêmes attributs, l'avaient libéré de toutes caractéristiques définies, ce qui aboutirait finalement à la création d'un dieu aux pouvoirs infinis. Chaque modification que les Hébreux apportèrent durant les années dans le désert intensifia la puissance abstraite d'El. Ils l'appelèrent d'abord Elohim, tous les dieux ; et encore Elyon, le plus haut ; ou bien El-Shaddai, le dieu tout-puissant. Bientôt, ils abandonneraient le préfixe El, et ensuite cesseraient de lui donner un nom pour le représenter simplement par les lettres mystérieuses, le mot imprononçable YHWH, et alors la transformation serait achevée. Mais plus tard encore, de nouvelles générations seraient rebutées par l'austère apothéose de l'abstraction hébraïque, et lui donneraient de nouveau un nom : Dieu.

Et ce fut là le malheur de la terre de Chanaan, qu'elle rencontrât les Hébreux alors que les deux peuples se trouvaient à un formidable carrefour : les Cananéens abaissaient le concept de dieu alors que les Hébreux l'élevaient. Le conflit entre les deux philosophies allait se poursuivre pendant plus de mille ans, et bien souvent le Baal des Cananéens semblerait triompher.

Zadok accepta les paroles de conciliation d'Uriel et répondit :

— Nous respecterons votre Baal, mais tu dois donner l'ordre à tes prostituées du temple de ne pas accueillir notre peuple.

— Je le leur dirai, promit Uriel, mais tu ne dois pas oublier qu'il s'agit là d'un usage auquel nous devons notre prospérité et la fertilité de nos terres. Lorsque les tiens connaîtront mieux le travail de la terre et des saisons, ils apprécieront les prêtresses et tiendront à faire leurs dévotions avec elles.

Là se lovait le serpent ! Là s'ouvrait la blessure qui ne guérirait jamais, cet empiètement perpétuel de la ville sur les coutumes du désert. Comme Uriel le Cananéen était un homme de la ville, quand il contemplait Makor il voyait nettement que les progrès humains avaient pris naissance dans les villes, alors que l'homme adorait des dieux habitant les villes. C'était uniquement dans une enceinte que l'homme osait bâtir des sanctuaires permanents, uniquement dans un lieu protégé par des murailles qu'il pouvait emplir des bibliothèques de textes tracés dans l'argile. En mille ans, les nomades du désert n'avaient rien accompli ; ils n'avaient pas construit de routes, ils n'avaient pas imaginé de nouvelles façons d'ériger des demeures ; ils n'avaient découvert ni l'art du potier, ni le tour, ni le silo pour entreposer le grain. C'était seulement dans une ville comme Makor que l'homme pouvait prospérer, et progresser et inventer, et parvenir à ce qu'il est convenu d'appeler la civilisation.

Zadok l'Hébreu voyait la ville d'un tout autre œil. L'homme libre du désert — qu'il était — ne pouvait manquer d'imaginer Makor comme le creuset de tous les vices. La ville était pleine d'hommes qui n'avaient jamais travaillé au grand air sous les cieux immenses, à garder les moutons et à découvrir d'eux-mêmes la réalité de leur dieu ; ces hommes restaient assis tout le jour devant leurs tours à faire des poteries. Ils écrivaient sur de l'argile qu'ils n'avaient pas préparée, ils vendaient du vin qu'ils n'avaient pas récolté ni pressé. Leur sens des valeurs était déformé, leurs dieux de mesquine dimension. Zadok se demandait si les siens pourraient vivre dans l'atmosphère contagieuse d'une ville comme Makor, et connaître malgré tout leur dieu, comme ils l'avaient connu dans le désert.

Mais alors même qu'il soupirait d'appréhension en songeant aux temps à venir, le patriarche se rappela les paroles rassurantes d'El-Shaddai :

— A l'intérieur des murailles, cela ne me sera pas facile de te parler, mais je serai là.

Ainsi, les deux chefs descendirent du lieu élevé, animés des mêmes intentions intègres et du même esprit de compréhension mutuelle. Chacun irait vers les siens, qui dans la plaine, qui vers la ville, et chacun ferait de son mieux pour conserver les peuples en paix. L'un et l'autre avaient la certitude d'y parvenir, car chacun était tolérant.

Mais ce même soir, ils eurent à subir la première épreuve.

Le mari de Jael s'attarda en ville, et se cacha dans les ruelles lorsque l'on ferma les portes, et, à la nuit close, il courut vers la maison

où l'on avait donné asile à sa femme. Il l'assassina, mais, avant qu'il puisse s'enfuir en sautant par-dessus le mur, l'alerte avait été donnée à la garde, qui le tua.

Il était près de minuit quand le gouverneur Uriel et Zadok se retrouvèrent. Ils n'eurent guère de peine à démontrer à leurs deux peuples que les deux morts s'annulaient : la femme adultère avait été châtiée et cela devait satisfaire les Hébreux ; un assassin avait été abattu par la garde des remparts, ce qui devait apaiser les Cananéens. Le peuple reconnut la sagesse de ce jugement et un incident qui risquait de provoquer des troubles fut réglé. Les deux chefs espéraient que c'était un bon présage pour l'avenir.

Mais alors commencèrent sur Uriel et Zadok des pressions qui ne feraient que croître. Quand le gouverneur rentra chez lui après la conférence, sa femme Rahab lui demanda pourquoi il avait autorisé les Hébreux à insulter la ville.

— Un inconnu se cache dans nos murs et tue une femme à qui tu as toi-même donné le droit d'asile. Les promesses ne signifient-elles donc plus rien ?

Et elle insista, en rappelant à Uriel comment son père avait réagi à de semblables insultes alors qu'il était gouverneur. Uriel lui demanda ce qu'il devait faire. A quoi sa femme lui répondit :

— Ce que mon père a fait lorsque les Hittites ont attaqué les paysans hors des murs. Il les a tous faits prisonniers, ils sont devenus des esclaves et aujourd'hui leurs fils sont nos meilleurs soldats.

Uriel lui demanda s'il devait sortir à la tête de son armée et anéantir les Hébreux, et elle lui dit :

— Tu aurais déjà dû faire cela hier. Tu ne veux pas voir la menace qu'ils représentent. Va, maintenant, et tue la moitié d'entre eux, et règle cette affaire alors qu'il en est encore temps. Sinon, tu auras à subir de terribles conséquences.

Cette nuit-là, le gouverneur Uriel erra pendant de longues heures par les rues de sa ville, examinant les richesses qu'il avait apportées à Makor, les industries, les silos emplis de grain, les quartiers neufs. C'était une ville prospère et paisible, que ses propres hésitations ne devaient pas mettre en péril. Il envisagea de sortir et d'anéantir les Hébreux, et puis il se rappela son accord avec Zadok et se dit qu'un tel geste serait criminel. Dans le lieu secret adossé au mur du nord, il demanda aux Hittites :

— Pouvons-nous vaincre les Hébreux, demain ?

— Facilement, lui assurèrent-ils.

Rentré chez lui, il demanda à son fils Zideon s'il pensait que l'on pût vaincre les Hébreux, et le jeune homme répondit :

— Facilement, mais tous les jours ils nous observent et deviennent plus forts.

Le jour venu, Uriel chercha à gagner du temps. Il se rendit au bâtiment secret et donna l'ordre à ses Hittites de prendre les chevaux et de se déployer le long de la route de Damas pour faire une démonstration

de force devant les Hébreux qui ne connaissaient pas ces bêtes puissantes. Peu après le lever du soleil, les portes s'ouvrirent et les cavaliers surgirent au galop en brandissant leurs lances de bronze. Puis ils revinrent en ville après avoir patrouillé ainsi sur plusieurs lieues.

La leçon porta sur les fils de Zadok, Epher et Ibsha. D'un poste d'observation sous les oliviers, ils virent passer le détachement de cavalerie. Les chevaux les impressionnèrent, ainsi que l'aisance des cavaliers aux armes redoutables. Dès que les chevaux eurent disparu, les jeunes gens coururent dire à Zadok :

— Les Cananéens projettent de nous détruire. Comme la guerre est inévitable, nous pensons que tu devrais donner le signal immédiatement.

Ils restèrent un long moment en conférence avec le vieillard, et tracèrent des plans sur le sable, montrant comment ils avaient effectué des reconnaissances aux abords de la ville, et dans les murs, en employant les femmes qui allaient au puits ; ils lui expliquèrent qu'ils avaient mis au point une stratégie complexe en vue de percer une brèche dans le mur du puits afin de s'emparer du point d'eau.

— Nous les vaincrons par la soif, dirent-ils.

— Ils ont sûrement des réservoirs, objecta Zadok.

— Nous pourrons attendre.

Mais le patriarche interdit à ses fils de discuter de ces choses, et ils ne lui dirent plus rien.

Cependant, ils empruntèrent des robes à leur sœur Léa et, accompagnant les femmes au puits, ils accumulèrent tous les renseignements dont ils auraient besoin en cas de guerre. Et ils parlèrent à tous les jeunes Hébreux, pour les avertir des intentions des Cananéens.

En ces jours d'incertitude, Léa allait souvent en ville chercher de l'eau, et suivait cette rue principale aux boutiques attirantes. Comme les autres jeunes filles bien élevées, elle se gardait de s'aventurer du côté du temple des prostituées, et marchait les yeux pudiquement baissés dans le sombre passage de la poterne nord. Léa était une très belle jeune fille de dix-sept ans, à la démarche gracieuse, avec ce port altier des femmes qui ont l'habitude de porter une jarre d'eau sur la tête. Bien des Cananéens l'admiraient, et s'arrêtaient de travailler pour lui sourire et la suivre des yeux.

Zadok avait l'intention de marier Léa à un jeune homme qui promettait déjà de devenir un chef, peut-être même un juge, mais tandis qu'elle traversait chaque jour la ville elle ne pouvait manquer de remarquer près de la porte, ou assis sur le tabouret à trois pieds du gouverneur, le beau Zideon. Elle se gardait de lui sourire, mais elle devinait bien que leurs rencontres nombreuses ne pouvaient être dues au seul hasard. Zideon était partout, à la poterne, à la grande porte, ou même dans les vergers d'oliviers où il se promenait à cheval. Il avait un sourire engageant et un maintien aimable qui changeaient Léa des manières rudes du désert.

Un matin, alors que Léa entrait en ville avec l'espoir de voir Zideon, elle fut déçue, et ce fut à regret qu'elle s'engagea dans le passage

sombre du puits, mais comme elle passait devant le premier poste de garde, vide en été car les hommes travaillaient aux champs, elle fut empoignée si subitement que sa jarre tomba de sa tête et s'écrasa au sol en miettes. Elle se sentit enlevée, emportée dans le poste de garde et embrassée plusieurs fois. Elle fut d'abord terrifiée, car jamais aucun homme ne l'avait touchée de cette façon. Mais quand elle reconnut Zideon ses craintes s'évanouirent, car il se montrait doux et tendre ; ce jour-là, ils ne firent rien d'autre que s'embrasser passionnément et elle répugnait à se séparer de lui. Il lui murmura qu'elle avait besoin d'une nouvelle jarre, et il la laissa dans le poste de garde pour courir lui en acheter une autre. A son retour, il lui conseilla de répondre, au cas où quelqu'un remarquerait l'amphore neuve, qu'elle avait dû se tromper au puits.

Ce jour-là, personne ne remarqua la substitution. Durant les chaudes journées de l'été, Léa se rendit fort souvent au puits, espérant toujours que Zideon l'entraînerait dans le poste de garde. Et ils ne se contentèrent plus de simples baisers...

Un jour, Epher remarqua que sa sœur avait une jarre différente de celles de ses compagnes, et il lui demanda d'où elle venait. Léa rougit et répondit qu'elle avait dû se tromper et en prendre une autre au puits, mais il ne la crut pas. Il demanda à une femme plus âgée, qui allait quérir de l'eau au puits, de surveiller sa sœur et, quelque temps plus tard, l'espionne vint rapporter que Léa avait des rendez-vous dans le poste de garde avec le fils du gouverneur.

— Dans le poste de garde ! s'écria Epher, le cœur battant, car ces deux saillants du mur du puits avaient une grande importance stratégique dans son plan d'attaque de Makor.

Il était à la fois enchanté d'apprendre que les postes de gardes étaient abandonnés par les soldats, et scandalisé à la pensée que sa sœur y avait des rendez-vous galants avec un Cananéen. Il songea d'abord à en avertir son père, mais le vieillard était trop occupé à instaurer chez son peuple nomade un nouveau mode de vie sédentaire. Epher prit conseil de son frère Ibsha et tous deux se mirent à surveiller leur sœur.

Sa conduite leur parut bientôt insolite. Un après-midi, ils s'attardèrent près de la porte principale pour la surprendre tandis qu'elle disait au revoir à son amant, et dès qu'elle fut sortie de l'enceinte ils la saisirent et coururent avec elle vers la tente de Zadok.

Mais Zideon était monté au sommet de la tour pour la regarder traverser les champs et il assista à l'enlèvement. Sans demander de renforts, il partit à la poursuite des Hébreux et les rattrapa dans le camp.

— Léa se prostitue aux Cananéens ! cria Epher à son père.

Zideon, arrivant sur ces entrefaites, frappa le frère de Léa en pleine figure. Des couteaux de silex jaillirent et les Hébreux auraient tué le jeune homme sans l'intervention de Zadok.

— Qu'as-tu fait ? demanda-t-il à sa fille.

— Elle se cache dans le noir avec un Cananéen ! répondit Epher à sa place.

Une fois encore, Zideon se rua sur le jeune Hébreu, mais Zadok

s'interposa et attendit la réponse de Léa. Elle lui dit qu'elle aimait le fils du gouverneur et que, si leurs pères y consentaient   ils voudraient se marier.

— Ils sont déjà pratiquement mariés, gronda Epher.

Léa rougit tandis que les hommes de sa famille tâtaient son corps et s'assuraient qu'elle était enceinte. Epher s'insurgea :

— Lapidons-les tout de suite ! cria-t-il.

Mais Zadok renvoya son fils impétueux et interrogea longuement Zideon. Comme beaucoup de Cananéens, le jeune homme était circoncis. Il était prêt à reconnaître qu'El-Shaddai était le seul dieu. Il n'entendait pas obliger Léa à adorer Baal et Astarté. Il donnait l'impression d'être un garçon honnête et droit, il était beau et manifestement Léa l'aimait tendrement.

Satisfait de ce côté-là, Zadok confia Zideon à ses fils aînés et se retira auprès du tabernacle devant lequel il avait prié pendant tant d'années.

— El-Shaddai, quelles sont tes intentions dans cette affaire ? Devons-nous accepter un Cananéen dans notre famille ?

Aucune réponse ne vint, mais le grand dieu de la tribu de Zadok ne s'était pas opposé à cette union, en somme ; aussi le patriarche alla-t-il retrouver ses fils.

— Si le gouverneur Uriel donne son consentement, leur dit-il, votre sœur épousera son fils.

Il coupa court à de nouvelles discussions et, en silence, il conduisit une petite délégation vers la porte en chicane où une foule curieuse s'était amassée, et où Zadok trouva Uriel et Rahab.

— Nos enfants désirent se marier, annonça le patriarche.

La bonne volonté des deux chefs était mise à l'épreuve. Uriel donna tout de suite son consentement au mariage, car c'était ce qu'il avait espéré. Il était surpris que son propre fils se fût ainsi engagé, mais dans son idée les alliances entre les deux groupes devaient être encouragées.

Sa femme n'était pas de cet avis.

— Zideon devrait se marier dans nos murs. Un jour, il sera gouverneur...

— C'est un bon mariage, protesta le mari conciliant.

— Baal ne l'approuvera pas, prévint Rahab. Astarté ne bénira pas nos champs.

— Ton fils ne se mariera pas selon la loi de Baal et d'Astarté, fit observer Zadok.

— As-tu consenti à adorer leur dieu ? demanda-t-elle à son fils.

Lorsque Zideon répondit par l'affirmative, Uriel fut suffoqué, mais il espérait encore que la paix pourrait être maintenue.

— Il est possible de vénérer à la fois Baal et El-Shaddai, dit-il.

L'instant était délicat, et risquait de détruire l'harmonie entre Hébreux et Cananéens. Zadok fit sagement une concession généreuse :

— Le gouverneur Uriel a raison. Son fils peut adorer son dieu et le nôtre.

Uriel soupira. Il comprenait bien que Zadok désirait éviter des troubles, et il savait que les deux groupes avaient été sur le point de rompre ouvertement. Il se mit à discuter des cérémonies du mariage, en pensant que les problèmes étaient résolus, mais sa femme prévoyante déclara nettement :

— Il est impossible d'adorer ces deux dieux à la fois. Ce mariage ne doit pas être.

Epher le roux s'avança alors, la mine sombre :

— Léa est grosse, annonça-t-il.

Rahab s'efforça de lui parler calmement.

— Je le déplore, mais mon fils doit un jour régner sur cette ville, et il doit avoir une femme selon son rang.

— Ton fils a souillé ma sœur, glapit Epher.

Il y aurait eu bataille si Uriel et Zadok ne s'étaient hâtés d'apaiser les antagonistes. Le gouverneur demanda à Léa s'il était vrai qu'elle fût enceinte, et, sur sa réponse affirmative, il déclara :

— Ces enfants s'épouseront.

Mais Rahab et Epher, comprenant les dangers d'une telle union, restèrent sur leurs positions.

Avec une grande force de caractère, Uriel et Zadok s'activèrent à former un plan selon lequel le mariage pourrait avoir lieu et, grâce à leur résolution, Cananéens et Hébreux commencèrent à montrer qu'ils étaient capables de vivre ensemble en harmonie. La seule exigence de Zadok fut que le couple serait marié sous les auspices d'El-Shaddai, et cela lui fut accordé. Uriel exigea de son côté que Léa devînt cananéenne, vécût dans l'enceinte des murailles et jurât d'élever ses enfants en cananéens. Zadok y consentit, à la surprise de tous, en rappelant à ses fils rebelles le texte de la loi : « La femme doit suivre son mari. » Il étonna plus encore les Cananéens comme les Hébreux, en promettant de donner en dot à sa fille six grasses brebis.

Le mariage fut donc célébré devant la petite tente rouge des Hébreux, et une sorte de paix, engendrée par la bonne volonté des deux chefs, s'établit à Makor.

Mais Léa n'habitait la ville que depuis deux semaines quand une des femmes des Hébreux rapporta qu'on avait vu Léa et son mari prier en public au temple d'Astarté. Il y eut de vives protestations dans le camp des Hébreux, que Zadok apaisa en rappelant à son peuple qu'il avait autorisé lui-même le jeune homme à continuer de vénérer ses dieux du moment qu'il reconnaissait la supériorité d'El-Shaddai. Cependant, deux jours plus tard, d'autres porteuses d'eau virent Zideon accomplir les rites lascifs avec les prostituées du temple, et Zadok en fut encore une fois averti. Il expliqua de nouveau que le jeune homme avait le droit de vénérer ses dieux selon les coutumes de son peuple, mais il appréhendait l'avenir.

Et puis son attention fut détournée de sa fille quand Epher et Ibsha lui demandèrent de les accompagner au sommet de la montagne, où il vit que des Hébreux entêtés avaient relevé leur monolithe à El-Shaddai,

l'avaient charrié au sommet et l'avaient de nouveau dressé à côté de Baal.
Le père et les fils tentèrent d'abattre le monument offensant, mais en vain,
et Epher cracha à plusieurs reprises sur la pierre en criant au patriarche :

— Père, ton indulgence est cause de ceci !

Un sentiment de vive amertume s'éleva entre eux. Maintenant, Zadok
était seul. Sa fille s'entourait de dieux de la pire espèce. Ses Hébreux
adoraient des idoles de pierre. Son fils bien-aimé, Epher, s'éloignait de lui.
Il sentait s'étendre sur les siens la contagion de la ville, mais il ne savait
que faire. Il marcha longtemps au pied de la montagne, en implorant
El-Shaddai de le guider.

Il pria ainsi pendant plusieurs jours, mais le dieu ne lui répondit
pas. Et puis un jour, vers le début des moissons, trois de ses porteuses
d'eau arrivèrent dans le camp en courant, les yeux agrandis d'horreur,
et lui parlèrent d'un autre dieu que l'on adorait à Makor.

— C'est un dieu de feu, dirent-elles, et il a une grande bouche de
flammes dans lesquelles on jette de petits enfants tandis que les hommes
et les femmes dansent nus autour de l'idole.

— De petits enfants ? gémit Zadok, tout tremblant.

— Oui, et à la fin de la danse rituelle les femmes courent s'accoupler
avec les prêtres du temple tandis que les hommes s'enferment avec les
prostituées sacrées dans les chambres obscures.

Frappé d'horreur, Zadok chancela, et les porteuses d'eau lui
assenèrent le dernier coup.

— De nombreux Hébreux sont là-bas en ce moment, qui sacrifient
aux dieux nouveaux.

— Abomination ! tonna Zadok, lançant une fois encore le mot
redoutable qui condamnait sans appel, l'ultime accusation qui une fois
portée ne pourrait jamais être retirée.

Il quitta sa tente et marcha au hasard jusqu'à la nuit close. Des
murailles de la ville montaient les bruits des réjouissances et le roulement des tambours. Il aperçut la lueur des flammes et la fumée.

Mais après minuit, alors qu'il se traînait, épuisé, sous les oliviers,
il sentit une présence, et une voix douce s'adressa à lui, pleine de
reproches :

— C'est toi qui as prononcé le mot, Zadok. Cette ville est une
abomination.

— Que dois-je faire ?

— Tu as prononcé le mot. Tu es responsable.

— Mais que puis-je faire ?

— Les abominations doivent être écrasées.

— La ville, les murailles ?

— Les abominations doivent être détruites.

Zadok tomba à genoux, se prosterna devant l'olivier qui dissimulait
le dieu redoutable et dans sa grande pitié il trembla pour les condamnés
de la ville.

— Si je fais cesser les abominations, supplia-t-il, la ville ne pour-
rait-elle être sauvée ?

— Elle sera sauvée, répondit le dieu compatissant, et aucune pierre ne tombera.

— Loué soit El-Shaddai, soupira le vieillard, et la présence disparut.

Sans consulter personne, le patriarche prit sa houlette et marcha dans la nuit, le cœur enflammé d'amour pour le peuple qu'il avait la permission de sauver. A la porte de la ville, il frappa le battant avec sa houlette et cria :

— Eveillez-vous et soyez sauvés !

Mais les gardes refusèrent de lui ouvrir. Il frappa encore, et hurla :

— Je dois voir le gouverneur tout de suite !

Uriel fut tiré de son sommeil et quand il vit par une meurtrière que le messager était son ami Zadok, il ordonna aux gardes de le laisser entrer.

Comme un jeune époux se précipitant vers sa femme, le vieillard se précipita vers le gouverneur.

— Uriel, Makor peut être sauvée !

Mal réveillé, le Cananéen se gratta la barbe et demanda :

— Vieil homme, que me dis-tu là ?

— Tu n'as qu'à faire cesser les abominations.

— Mais que veux-tu ?

Joyeusement, le vieillard expliqua :

— Tu dois détruire le temple d'Astarté et le dieu de feu.

Puis il concéda généreusement :

— Le culte de Baal peut continuer, mais vous devez reconnaître El-Shaddai comme le dieu suprême.

Dans ses yeux brillait la lueur de fanatisme qu'Uriel avait remarquée le premier jour. Le gouverneur s'assit.

— Tu n'as encore jamais exigé cela.

L'Hébreu, sourd à la voix raisonnable d'Uriel, poursuivit sur un ton prophétique :

— Ramène cette ville pécheresse sur les chemins du vrai dieu !

Rahab, réveillée par le bruit, entra alors dans la chambre, en vêtements de nuit.

— Que dit le vieux nomade ? demanda-t-elle.

Zadok courut vers elle comme vers une fille bien-aimée.

— Dis à ton mari de s'incliner devant la volonté d'El-Shaddai !

— Mais quelle est cette nouvelle folie ? demanda-t-elle à son mari stupéfait.

— Makor peut être sauvée, psalmodia Zadok, si tu mets un terme à la prostitution sacrée et si tu cesses de sacrifier des enfants au dieu de feu.

Rahab éclata de rire.

— Ce n'est pas de la prostitution. Ces filles sont des prêtresses. Et ta propre fille Léa a envoyé Zideon partager leur couche, tout comme je leur ai envoyé Uriel quand j'étais enceinte. Pour assurer un accouchement facile. Vieil homme, ces rites sont nécessaires, et ta fille est plus sensée que toi.

Zadok n'entendit pas ce que lui disait Rahab. Il était plongé dans une telle extase, à cause de la promesse d'El-Shaddai de sauver la ville qu'il attendait des autres une réaction semblable à la sienne, et quand ils restèrent de glace, il se troubla. Mais avant qu'il puisse comprendre ce qu'on lui disait sur sa fille, Zideon arriva, avec Léa. En voyant son père, échevelé et passionné, la jeune femme courut vers lui et voulut l'embrasser. Mais quand il la vit les paroles de Rahab pénétrèrent enfin son entendement et il la repoussa avec sa houlette en lui criant :

— Est-il vrai que tu as envoyé ton mari chez les prostituées ?

Ce fut Zideon qui répondit :

— Je suis allé au temple pour protéger ta fille lors de sa délivrance.

Le patriarche, pris de pitié, soupira en se tournant vers son gendre :

— Tu as commis une abomination !

— Mais tu m'as dit que j'avais le droit de continuer à vénérer Astarté, protesta le jeune homme.

— Je lui ai demandé d'y aller, pour moi, intervint Léa.

La voix de Léa, prononçant de telles paroles, frappa le vieil homme et il vacilla. Puis il se pencha pour mieux dévisager Léa, et une crainte horrible s'empara de son cœur.

— Léa, demanda-t-il, es-tu allée toi-même auprès des prostitués mâles, pour te comporter de la même manière ?

— Oui, répondit sa fille sans la moindre honte. C'est ainsi que les femmes de Makor accomplissent leurs dévotions.

— Et si tu as un fils, le sacrifieras-tu au dieu de feu ?

— Oui. C'est la coutume de la ville.

Zadok recula, se détourna des quatre Cananéens, car, après ces aveux, sa fille ne pouvait plus appartenir au peuple hébreu. Un vertige le prit et il faillit tomber ; mais il se maîtrisa et fixa son regard las sur ces quatre visages de condamnés, et quand il les vit clairement devant lui, incompréhensifs et obstinés dans leur péché, il comprit qu'El-Shaddai avait voulu cela pour lui montrer la véritable abomination de la ville. Cependant, en cet instant dramatique, il se rappela la promesse que son dieu lui avait faite de sauver les Cananéens s'ils se repentaient. Levant son bras droit et pointant vers Uriel un index noueux, il demanda :

— Pour la dernière fois, Uriel, veux-tu donner l'ordre de faire cesser ces abominations ?

Personne ne lui répondit. Il tourna alors son doigt vengeur vers Léa.

— Toi, ma fille, veux-tu abandonner à l'instant même cette ville maudite ?

Dans le silence qui suivit, il tomba à genoux et frappa par trois fois les dalles de son front, puis il leva des yeux suppliants vers le gouverneur.

— Moi, le plus humble de tes esclaves, puis-je te conjurer de te sauver toi-même ?

Le Cananéen ne répondit rien.

Le vieillard se releva péniblement. A la porte, il se retourna et son doigt désigna à tour de rôle les quatre personnes, puis se tendit vers la ville.

— Tout cela sera détruit, prophétisa-t-il, et il sortit.

Il était trop tard pour se recoucher, aussi Rahab fit-elle apporter un repas.

— Ton père m'a tout l'air d'un vieux fou, dit-elle à Léa.

— Dans le désert, je l'ai souvent entendu parler seul.

— Dès le premier jour, j'ai conseillé au gouverneur de le détruire, lui et les siens, soupira Rahab. Et maintenant, c'est lui qui parle de nous détruire.

— Nous devrons peut-être lancer les Hittites contre lui, soupira Uriel.

Léa rentra chez elle, et Rahab conseilla à son fils de ne pas la laisser sortir des murs.

— Car elle est de la race des Hébreux et l'on ne peut avoir confiance en elle.

— Vous pensez que nous aurons la guerre ? demanda le jeune homme à ses parents.

— Il a parlé comme un fou, répondit **Uriel**, et les fous provoquent les guerres.

Dès les premières lueurs de l'aube, il se rendit au mur du nord pour consulter les Hittites.

Zadok, en arrivant à sa tente, fit appeler ses fils pour leur demander quels plans ils avaient conçus pour la prise de Makor, et ils lui demandèrent :

— Est-ce la guerre ?

— Cette nuit, répondit-il, El-Shaddai nous a ordonné de détruire la ville.

A la grande surprise de Zadok, Epher et Ibsha présentèrent à leur père un plan détaillé pour investir la puissante forteresse et la contraindre à capituler.

— Cela nous coûtera de nombreuses vies, prévinrent-ils.

Mais dans sa rage, le patriarche ne voulut pas prendre les pertes en considération. Avec ses fils, il se rendit au tabernacle où il les consacra au service d'El-Shaddai. Le père et les deux fils prièrent en silence.

Ce matin-là, dès que les portes de Makor s'ouvrirent, quatre femmes hébraïques se rendirent au puits pendant qu'un détachement d'Hébreux se glissait dans les ouadis jusqu'aux abords du mur protégeant le puits. Deux des quatre femmes avaient une démarche gauche qui aurait dû donner l'éveil, mais on les laissa franchir l'étroite poterne nord et suivre le passage obscur, où elles se hâtèrent vers les postes de garde inoccupés. Là, les deux lourdes matrones se glissèrent à l'intérieur, se débarrassèrent vivement de leur défroque féminine et dégainèrent de longs couteaux de bronze. Les deux véritables femmes continuèrent de marcher paisiblement et arrivèrent au puits, où elles trouvèrent deux Cananéennes qu'elles tuèrent aussitôt. Avec des pierres, elles tambourinèrent sur le mur un signal pour leurs frères hébreux de l'extérieur, et ce peloton entreprit de percer une brèche dans la muraille protectrice.

Du centre de la ville, des soldats cananéens alertés trop tard se

ruèrent par la poterne et dans le passage, ou ils furent arrêtés par Epher et Ibsha qui, à l'aide de bancs et de jarres, avaient élevé une espèce de barricade. Le chemin était étroit, et les deux Hébreux courageux, si bien que les Cananéens furent repoussés. Au bout d'un quart d'heure, les Hébreux de l'extérieur eurent percé leur brèche et s'emparèrent du puits. Ils coururent alors apporter leur renfort aux fils de Zadok, mais en arrivant ils trouvèrent Ibsha mort et Epher grièvement blessé.

Les Hébreux avaient remporté la première escarmouche. Ils avaient pris possession du puits et tentaient maintenant de prendre la ville par la soif. Le gouverneur Uriel comprenait la signification de cette manœuvre, mais, bien que cinq de ses soldats eussent été tués dans le passage, il espérait encore que les griefs des Hébreux pourraient être apaisés, et dans cet esprit il envoya des messagers à Zadok pour lui demander conseil. Mais le patriarche refusa de recevoir les Cananéens, et ils retournèrent sur leurs pas, certains que c'était la guerre totale.

Lorsque le gouverneur Uriel entendit leur rapport il décida de reprendre immédiatement le puits, et il fit mander des écuries son capitaine de Hittites. Ensemble, ils montèrent au sommet d'une tour, d'où ils purent voir avec satisfaction le rassemblement très peu militaire des Hébreux sous les murs de la ville.

— Nous pouvons les massacrer, s'écria le Hittite en se frottant les mains.

— Vous galoperez de long en large et vous en tuerez le plus possible, ordonna Uriel. Nous mettrons rapidement fin à cette guerre.

Le Hittite courut aux écuries et donna à ses hommes l'ordre de harnacher leurs chevaux, par deux, aux chars d'assaut que le gouverneur avait tenus cachés jusqu'alors. Très peu de citoyens de la ville savaient que cette arme absolue avait été amenée de nuit dans le plus grand secret du port d'Acre et aucun des Hébreux de Zadok n'avait jamais vu de telles machines de guerre.

Sur chaque chariot, un Hittite s'installa, les rênes dans la main gauche, la main droite libre tenant une chaîne à laquelle était fixée une énorme boule d'airain hérissée de piques. Un moulinet de cette arme pouvait briser les reins d'un homme. Derrière chaque conducteur se tenaient deux soldats attachés au char de manière à avoir les mains libres pour frapper avec de longues épées et des masses d'armes. Et aux roues des chariots étaient fixées des faux horizontales qui tournaient avec les roues, fauchant sur leur passage quiconque s'en approchait. C'était une machine de guerre terrible, faite pour terrifier et pour massacrer, que le gouverneur Uriel envoyait maintenant vers la porte principale.

Quand les chars furent en position, et quand la foule des Hébreux fut à son comble au pied des murs, il fit sonner les trompettes. Les soldats à pied opérèrent alors une sortie. Surpris par l'audace des Cananéens, les Hébreux se massèrent aux points précis qu'avait prévus Uriel et au moment où ils furent le plus vulnérables, il fit ouvrir les portes. Les chars dévalèrent la rampe et s'enfoncèrent parmi les Hébreux affolés. Les

fantassins de Makor, avertis de ce qui allait arriver, se jetèrent adroitement de côté, laissant le chemin libre aux terribles chars dont les conducteurs fouettaient les chevaux pour les lancer au milieu de la foule, tandis que des cavaliers frappaient et tailladaient avec leurs masses et leurs épées.

C'était du massacre, car si les Hébreux tenaient bon pour se battre, ils se faisaient piétiner par les chevaux ; s'ils battaient en retraite, les cavaliers armés les prenaient en chasse et balançaient les masses de bronze qui leur rompaient le cou, et s'ils restaient simplement sur place, les faux tourbillonnantes des chariots les fauchaient.

Voyant le carnage, Zadok déchira ses vêtements et cria vers le ciel :

— El-Shaddai, dieu des armées ! Que nous as-tu fait ?

Cependant, Epher échappa aux femmes qui pansaient ses blessures, sauta sur le cou d'un des chevaux d'un char et l'égorgea. Le chariot se renversa sur les rochers. Le guerrier aux cheveux roux avait ainsi démontré que le char n'était pas invincible ni les chevaux immortels. Ses Hébreux se rallièrent, et repoussèrent les Hittites à coups de pierres et de flèches de silex.

Les Hébreux avaient capturé le puits, mais quand Zadok rassembla ses forces devant le tabernacle, il put compter trente-quatre morts, parmi lesquels cinq de ses fils. Une rage frénétique le prit, et il jura devant la petite tente rouge :

— Cette ville sera détruite. Il n'en restera pas pierre sur pierre et aucun homme ne vivra qui se soit compromis avec les prostituées.

Ainsi, le vieillard pacifique cédait enfin à la volonté d'El-Shaddai, mais sur le moment il ne pouvait pas savoir que sa soumission venait trop tard.

Dans sa détermination d'écraser Makor, il redevint tel un jeune guerrier : dans son ardeur morale, il redevenait l'homme primitif du désert affrontant la corruption de la ville. Mais peu à peu, il fut contraint de voir que c'était maintenant Epher qui prenait les décisions guerrières. Malgré ses blessures, celui-ci conduisit son père et ses frères au sommet de la montagne où, unissant leurs efforts, ils parvinrent cette fois à jeter bas le monolithe scandaleux que leurs Hébreux avaient érigé à El-Shaddai. Comme le groupe allait quitter ce point élevé, Epher s'exclama :

— Jetons Baal à bas aussi !

Le vieillard voulut retenir ses fils qui se ruaient vers l'autre pierre dressée, en les avertissant en ces termes :

— Non ! Ce sont seulement les abominations que nous combattons. Baal règne ici et El-Shaddai l'approuve !

Mais Epher était opiniâtre et il glapit :

— Nous faisons aussi la guerre à Baal !

Il repoussa son père, appela ses frères, et à eux tous ils firent rouler le monolithe au bas de la montagne.

L'instant était révolutionnaire. Car plus de cent cinquante ans s'écouleraient avant qu'El-Shaddai, en tant que Yahveh, donne aux

Hébreux sur le mont Sinaï le commandement de n'adorer qu'un seul dieu et de renoncer à tous les autres. C'était cette évolution que préfigurait Epher quand il se fondait sur le principe qu'El-Shaddai n'était pas seulement le dieu suprême du clan de Zadok mais le dieu de tous les peuples.

Le vieillard était atterré, persuadé qu'Epher avait mal agi. Tourmenté, il s'éloigna de ses fils et descendit tout seul de la montagne. Il erra sous les oliviers, tandis que ses fils préparaient la bataille du lendemain, pour chercher à s'entretenir avec son dieu, dont il avait besoin dans sa détresse. Il se sentait terriblement seul, et devinait qu'il n'était plus le chef. Son fils Epher prenait les décisions, et les Hébreux lui obéissaient...

Enfin, la voix familière se fit entendre, sans s'abriter dans un buisson ardent ou des roches flamboyantes.

— Les abominations seront détruites, promit El-Shaddai.

— Et les murailles ? Les pénétrerons-nous ?

— Ne t'ai-je pas promis dans le désert que les murailles s'ouvriraient pour t'accueillir ?

— Selon les plans d'Epher ?

— Ne t'ai-je pas dit : « Les fils sont plus sages que les pères » ? Oui, selon les plans d'Epher.

— Alors mon fils impétueux a eu raison de détruire Baal ?

— Il est allé trop vite, car les temps ne sont pas venus où je commanderai aux peuples de n'avoir d'autres dieux que moi.

— Lui pardonneras-tu son arrogance ?

— Il doit conduire mon peuple à la bataille, et pour cela il faut de l'arrogance.

— Et moi ? Toujours, j'ai cherché la paix, El-Shaddai. Quand la ville se sera rendue, que devrai-je faire ?

— Détruire les abominations.

— Et les Cananéens ?

— Les hommes, tu les tueras, tous ceux de la ville jusqu'au dernier. Tu prendras les enfants parmi les tiens. Et vous vous partagerez les femmes, chacun selon les pertes qu'il aura subies.

Ce jugement terrible, rendu non pas sous forme de parabole que l'on pouvait interpréter à son gré mais comme un verdict, un ordre impitoyable donné par le dieu lui-même, accabla Zadok. On lui commandait de répéter le massacre de Timri, et cela il ne pouvait s'y résoudre. Il s'en sentait incapable, malgré la volonté d'El-Shaddai.

— Je ne puis tuer tous les hommes de la ville, dit-il.

Une fois encore, il s'opposait à la parole de son dieu, et il consentait à assumer les conséquences.

El-Shaddai était en mesure de procéder lui-même aux exécutions ; mais il avait toujours préféré raisonner avec ses Hébreux. Aussi dit-il à Zadok :

— Crois-tu que c'est par cruauté que je t'ordonne de tuer tous les Cananéens ? N'est-ce pas parce que vous autres Hébreux vous êtes un

peuple au cou raide, fol et entêté, apte à succomber aux attraits d'autres dieux et d'autres lois ? Je n'ordonne pas cela par haine des Cananéens, mais par amour pour vous.

— Mais parmi les Cananéens il en est sûrement qui voudront t'adorer. Si ceux-là acceptent d'être circoncis, pourrai-je les épargner ?

Sous les oliviers, nulle voix ne répondit à Zadok. Le vieillard avait posé une question difficile, même pour El-Shaddai l'omniscient. Il avait soulevé la question du salut, et même un dieu avait besoin de temps pour y réfléchir. La proposition du patriarche comportait des risques graves ; indiscutablement, certains Cananéens prêteraient de faux serments, et se feraient circoncire tout en prenant dans leur cœur la résolution de continuer d'adorer Astarté. Mais les rapports entre El-Shaddai et les Hébreux n'avaient rien d'absolu ; un dieu même ne pouvait ordonner à Zadok d'obéir aveuglément à un ordre qui lui répugnait ou s'opposait à sa conscience. El-Shaddai comprenait en quoi le vieil homme se trompait dans son estimation des Cananéens, et il savait que cette erreur provoquerait de nouvelles difficultés, mais apparemment il était incapable de faire comprendre cela à Zadok. Et, pour le moment tout au moins, ce fut le dieu qui céda.

— Si parmi les Cananéens tu trouves des hommes justes, dit-il, tu pourras les épargner.

— Par quel signe saurai-je qu'ils sont justes ?

— Dans l'instant de la victoire, tu devras te fier à tes propres signes.

Le vieillard répugnait à poser sa dernière question, mais il ne pouvait la taire.

— El-Shaddai, aujourd'hui, j'ai perdu cinq fils. J'ai besoin de l'aide d'hommes sages. Quand nous nous serons emparés de la ville, pourrai-je épargner le gouverneur Uriel, qui est un homme juste et sage, et aussi ma fille et son mari ?

A cette question, El-Shaddai ne répondit pas, car il savait qu'après la bataille, Zadok ne serait plus le chef de son clan et que les décisions qui le tourmentaient ce soir, il ne serait plus celui qui devrait les prendre. Plus important encore, il y avait certaines décisions qu'un homme devait prendre seul, sans aucun conseil fût-ce de son dieu, et l'exécution d'une fille et d'un gendre était de celles-là. Dans le silence sacré, El-Shaddai s'éloigna, pour ne plus jamais revenir parler à son fidèle serviteur timoré et obstiné, Zadok ben Zebul.

Le plan de bataille d'Epher exigeait de la part des Hébreux beaucoup d'audace, et de la part de quelques-uns d'entre eux un courage fait d'abnégation. Hommes et femmes furent divisés en quatre groupes — foule, porte, puits, écuries — et le succès de l'entreprise exigeait qu'un vent violent soufflât du nord. Pour cela ils devaient attendre, et l'on était en pleine canicule. Il n'y avait pas un souffle d'air, la chaleur était accablante et une sorte de trêve s'était établie, car si la foule des

Hébreux se massait toujours sous les murs, le gouverneur Uriel n'envoyait plus ses terribles chariots, sachant très bien que les chevaux ne pourraient galoper dans cette fournaise.

Enfin, le huitième jour au crépuscule, un guetteur hébreu arriva tout ruisselant de sueur au camp pour annoncer à Zadok :

— Une brise légère balaye l'ouadi.

Zadok fit appeler Epher et les deux hommes allèrent contourner les murs de la ville. Le guetteur avait dit vrai. Une brise légère soufflait du nord, pas encore assez forte pour agiter les branches mais suffisamment pour faire frémir les feuilles des oliviers. Le père et le fils retournèrent au camp et prièrent leur dieu.

Le lendemain, dès l'aube, on devina le changement de temps prochain. Les oiseaux qui ne chantaient plus depuis les grandes chaleurs se remettaient à voler d'arbre en arbre en chassant les insectes, et les ânes secouaient leur torpeur. Sur la route de Damas, un tourbillon de poussière courait comme une vieille femme pressée, et de la ville montaient les bruits d'une vive activité.

— Demain matin, prédit Epher, les Cananéens lanceront de nouveaux leurs chariots dans la foule.

Au coucher du soleil, Zadok prophétisa :

— Demain, un vent violent.

Cette nuit-là, les quatre groupes d'Hébreux se réunirent devant le tabernacle afin que le patriarche leur donnât sa bénédiction.

— Notre sort repose entre les mains d'El-Shaddai, dieu des armées, qui depuis la nuit des temps nous conduit à la bataille. Vous, hommes au courage indomptable qui prendrez d'assaut la porte, El-Shaddai sera à vos côtés. Quand vous courrez vers le combat, il volera devant vous pour vous ouvrir le chemin.

Le dieu des Hébreux n'était pas une divinité indifférente planant au-dessus de la bataille ; il y prenait part, il se dépensait avec ses guerriers, bien déterminé à leur donner la victoire.

— En vous endormant ce soir, ajouta Zadok, souvenez-vous que nous avons connu de pires malheurs par le passé. Quand nous nous traînions dans le désert à l'est de Damas, mourant de soif, El-Shaddai nous a sauvés. Ce soir, rappelons-nous l'adversité de ces jours-là, et prenons courage.

Et un peu plus tard, sur l'ordre d'El-Shaddai, le vent du nord se leva, et dans l'enceinte de Makor, les Cananéens respirèrent l'air frais et furent impatients de lancer de nouveau leurs chars de mort contre ces Hébreux stupides qui semblaient ne pas comprendre le péril qu'ils couraient en s'agglutinant en masses devant la grande porte.

Au cours de leur longue histoire, les Hébreux auraient à traverser bien des crises où seul un miracle pouvait les sauver, des temps où le simple courage humain ne peut suffire, et l'observateur impartial, en étudiant certains de ces événements pris au hasard le long de trois douzaines de siècles, aurait sans doute du mal à expliquer ces miracles indiscutables. Etait-ce le destin, le hasard, l'intervention d'un dieu comme El-Shaddai ?

Et, parmi tous ceux-là, aucun événement ne saurait être plus difficile à expliquer rationnellement que celui qui eut lieu par ce matin venteux de l'été de 1419 av. E. C.

Dans une ville qui avait soutenu des sièges terribles, une ville-forteresse protégée par un rempart et un glacis contre lesquels s'étaient heurtés en vain les Egyptiens et les Amorites eux-mêmes, quatorze cents Cananéens bien nourris et bien armés attendaient en compagnie de cinq cents paysans appelés en renfort des campagnes avoisinantes. Ils avaient à leur disposition des armes de guerre en métal, des chevaux et ces fameux chars contre lesquels les Hébreux étaient pratiquement impuissants.

Et leurs adversaires n'étaient qu'une poignée de pauvres Hébreux, sept cents en comptant les femmes et les enfants, presque désarmés, conduits par un vieillard à la longue barbe blanche qui avait peur de la guerre et qui, à son arrivée, avait exprimé sa volonté d'accepter pour ainsi dire n'importe quelles conditions afin de maintenir la paix...

Lorsque le vent fut assez fort, les quatre groupes d'Hébreux se mirent en mouvement. La grosse masse du peuple se rassembla au pied des murailles de la ville, et chercha vainement à escalader le glacis, mais parmi ceux-là se dissimulait le deuxième groupe, quarante jeunes hommes résolus qui avaient fait le sacrifice de leur vie, en sachant que si cinq d'entre eux seulement parvenaient à pénétrer dans la ville ce sacrifice ne serait pas vain. Le troisième groupe attendait dans la partie du mur de protection du puits contrôlée par les Hébreux, vingt hommes qui n'ignoraient pas les forces qu'ils auraient à affronter quand ils tenteraient de forcer la poterne. Le quatrième groupe était tapi dans l'ouadi abrupt, au nord de la ville. Il y avait là Epher et trente jeunes fanatiques prêts à prendre d'assaut le glacis, à escalader le rempart en portant à la main des brûlots allumés. Ce plan était insensé, et seul un miracle pouvait en permettre la réussite.

Le gouverneur Uriel, contemplant du haut des murs ce que les Hébreux voulaient qu'il vît, constata qu'ils faisaient exactement ce qu'il désirait.

— Ils persistent à se masser devant la grande porte, s'étonna-t-il à mi-voix. Qu'on fasse donner les Hittites !

Les chars furent mis en position, et les soldats y montèrent, armés de lances et de masses d'armes. Les portes s'ouvrirent et les abominables chariots dévalèrent la rampe avec leurs hommes frappant un ennemi en déroute. Mais comme le dernier char quittait la porte, le deuxième groupe d'Hébreux bondit sur la rampe et se rua dans la chicane de la porte où ils furent arrêtés par des chaînes et arrosés de flèches du haut des tours.

— A la porte principale ! hurlèrent par les rues les capitaines cananéens en voyant les Hébreux pris au piège lancer dans la ville des torches enflammées.

Le combat était désespéré. Le jeune Zideon surgit sur le seuil de la maison du gouverneur en brandissant une épée et tua un frère de sa femme. Du haut des tours, les Cananéens ne cessaient de décocher des volées de flèches meurtrières. Il semblait que cette deuxième phase de l'opération dût échouer, car aucun Hébreu n'avait réussi à pénétrer dans la ville, et nombreux étaient ceux qui tombaient devant la porte, pour être consumés par leurs propres torches.

Cependant, leur diversion avait eu l'effet escompté, car des gardes furent attirés des autres parties de la ville, si bien que lorsque le troisième groupe d'Hébreux s'élança dans le passage du puits, il se heurta à une opposition plus faible qu'il ne l'avait pensé. Ils avancèrent, à deux de front, et les suivants leur passaient sur le corps quand ils tombaient. Neuf d'entre eux seulement finirent par atteindre la poterne qu'ils arrachèrent à ses gonds. Quatre hommes porteurs de cordes s'élancèrent à l'intérieur de la ville avant que la garde surprise ait eu le temps d'appeler du renfort. Et puis trois autres Hébreux se précipitèrent vers les écuries, où les chevaux trop vieux pour tirer les chars se mirent à hennir.

De la poterne, les envahisseurs firent un signal à Epher qui attendait dans l'ouadi, et le guerrier aux cheveux roux fut le premier à se hisser aux cordes lancées, un brûlot à la main. D'autres le suivirent et à ce moment, trois héroïques Hébreux qui avaient échappé aux combats de la porte principale se dispersèrent dans la ville, portant aussi le feu, qu'ils lancèrent sur les toits de chaume des maisons. Epher s'introduisit dans les écuries bourrées de fourrage sec, tua un garde hittite unijambiste et mit le feu aux litières des chevaux. D'autres Hébreux jetèrent leurs brûlots le long des murs des écuries et bientôt le vent violent attisa les flammes en un gigantesque brasier qui se répandit sur la ville. Les citoyens affolés coururent aux citernes pour sacrifier l'eau potable afin de tenter d'éteindre l'incendie.

En quelques instants, le vent d'El-Shaddai fit sauter les flammes des divers brasiers vers d'autres quartiers de la ville condamnée, provoquant une conflagration si terrible que les murs de terre rougirent comme si Melak lui-même cherchait à dévorer Makor. Les linteaux en pierre à chaux tombèrent en poudre et les poteries inachevées furent tordues et cuites pour former ces objets informes et calcinés qui, vingt-six siècles plus tard, témoigneraient de l'holocauste. Les flammes courant sur les toits de chaume secs provoquèrent un appel d'air géant qui aspira tout l'oxygène, et des femmes périrent sans aucune blessure tandis qu'elles couraient chercher leurs bébés dans leurs berceaux. Elles moururent sans angoisse, et non sans beauté, comme si un dieu compatissant les avait figées pour l'éternité, mais bientôt le feu attaqua et le vide jaillit en flammes, et les belles jeunes femmes disparurent. Il ne restait plus rien, tout était consumé.

Quelques Cananéens parvinrent à fuir la ville par la poterne abattue, la figure noire et enflée, et certains se frayèrent un passage par la chicane de la porte principale en passant sur les morts hébreux, mais en

fuyant les flammes ils tombèrent sous les coups des lances de l'ennemi et furent massacrés avant d'avoir pu aspirer une goulée d'air frais.

Quand vint midi, et que le soleil perça l'épais nuage de fumée, il brilla sur des ruines calcinées. La ville de Makor ni son peuple n'existaient plus. Les murailles se dressaient encore, ainsi que les quatre tours de la grande porte. Au puits, le toit du passage avait brûlé, et les murs à demi écroulés tenaient encore, pitoyablement, tandis que le puits donnait son eau douce aux conquérants. Mais tout le reste de la ville, tout le sommet de l'éminence n'était qu'un épais tapis de cendres noires qui, tant que la terre durerait, raconteraient aux hommes la mort de Makor la Cananéenne.

Un groupe survécut cependant, parfaitement intact. Les chariots des Hittites avaient été assez loin des murs quand les premières flammes avaient jailli, et maintenant ils faisaient demi-tour pour regagner la ville en triomphateurs. Mais la ville n'existait plus. Ils arrêtèrent leurs chars, contemplèrent un moment les ruines fumantes, puis, en mercenaires qu'ils étaient, ils fouettèrent les chevaux et prirent au galop la route de l'est, le chemin de Damas, les faux sanglantes rutilant et tournoyant au soleil. On ne les revit plus jamais dans ces parages.

Pour Zadok le Juste, celui qui avait désiré la paix, les heures de triomphe furent amères et douloureuses. Son âge de raison avait débuté avec le sac de Timri, cinquante-sept ans auparavant, et voilà que l'affreuse histoire se répétait, et que les mains de son peuple trempaient dans le sang. Ces quelques Cananéens qui avaient échappé à l'incendie en escaladant les murs furent traînés devant lui, et ce fut en vain qu'il tenta de leur sauver la vie.

— Celui-ci promet d'adorer El-Shaddai, suppliait-il.

Mais Epher avait vu tomber autour de lui trop de frères et d'amis, et c'était maintenant lui qui commandait. En ce jour de feu, sa soif de vengeance était violente. Sa lance étincelait devant les yeux de son père et le prisonnier déjà à demi mort de ses brûlures tombait égorgé.

— Arrêtez le massacre ! tonna Zadok. El-Shaddai vous l'ordonne !

Epher considéra son père avec mépris, car il savait qu'El-Shaddai lui avait ordonné de détruire tous les Cananéens, aussi les tua-t-il tous, tous les hommes valides qui auraient pu aider à rebâtir la ville.

Enfin, ses frères traînèrent devant lui le gouverneur Uriel et son fils Zideon, que l'on força à s'agenouiller devant Zadok.

— Ceux-là doivent avoir la vie sauve, déclara le patriarche.

Epher s'apprêtait à les tuer, et son père se jeta devant les corps prostrés en hurlant :

— Ceux-là, El-Shaddai me les a donnés !

Un instant, Epher crut que son père désirait se réserver les prisonniers afin de leur faire subir des tortures particulières, et il relâcha les Cananéens, sur quoi le vieillard, dans un geste d'humilité, baisa les mains du gouverneur Uriel en lui disant :

— Je t'en conjure, reconnais la suprématie d'El-Shaddai.

Uriel, dont l'indécision avait amené sur sa ville ce châtiment abomi-

nable, contempla Zadok et comprit enfin la signification de la lueur qu'il avait vue dans ses yeux.

— Ma vie est avec Baal et Astarté, répondit-il.

Et Epher le tua. Zadok, atterré par l'insolence de son fils, lui reprocha amèrement :

— El-Shaddai voulait la vie de ce juste.

Dans la fièvre du massacre, Epher laissa retomber son épée sanglante, regarda son père, et prononça les terribles paroles interdites :

— Tu es un menteur.

Le vieil homme sursauta, et son fils reprit :

— Hier soir, tandis que tu dormais, El-Shaddai est venu à moi. Je connais la vérité.

Et, selon la volonté d'El-Shaddai, il se prépara à égorger son beau-frère. Mais une fois encore, Zadok s'avança et fit au jeune homme un rempart de son corps.

— Reconnais-tu El-Shaddai ? lui demanda le patriarche.

— Je reconnais le dieu unique, déclara Zideon.

— Où est Léa ?

— Morte.

La douleur du vieillard fut si pitoyable, qu'Epher lui accorda la grâce de Zideon, par qui la grande Famille d'Ur se perpétuerait dans les siècles.

Des quelque dix-neuf cents Cananéens, neuf hommes seulement survécurent, et cinquante femmes avec une vingtaine d'enfants. Zadok alla s'adresser à chacun, comme s'il était encore le chef de la tribu, pour leur faire promettre d'adorer El-Shaddai et quand les femmes eurent été distribuées en partage aux Hébreux, il réunit les hommes de Makor et il circoncit lui-même tous ceux qui ne l'étaient pas encore. Cela fait, il alla s'asseoir devant le tabernacle et pleura. Il n'était plus qu'un vieil homme fatigué dans les yeux de qui toute flamme d'ardeur religieuse s'était éteinte. Mais personne ne vint le chercher, car c'était Epher qui donnait les ordres, à présent.

Sans que personne fît attention à lui, Zadok prit sa houlette et gravit la montagne de Baal où s'étaient naguère dressés les monolithes. De ce sommet, il contempla la ville calcinée, et pleura sur elle et cria vers son dieu :

— El-Shaddai, pourquoi m'as-tu choisi pour être l'auteur de cette destruction ?

Le patriarche pleurait les siens, mais plus encore les Cananéens inutilement massacrés, et comme il ne pouvait accepter ce que son peuple avait fait, il défia ouvertement son dieu.

— Tu es sans merci, d'en avoir tant fait massacrer !

El-Shaddai fut irrité par son patriarche, et après avoir enveloppé la montagne d'une nuée lumineuse il lui apparut face à face. Et le vieillard tomba mort.

Cette nuit-là, El-Shaddai s'adressa à Epher :

— J'ai pris aujourd'hui Zadok le Juste parce qu'il m'a désobéi, mais il

était un grand homme sur qui je me suis appuyé pendant de longues années. J'ai marché avec lui, et désormais je marcherai avec toi et tu me serviras comme il m'a servi, car voici la Terre promise que je te donne en apanage.

Cependant, des années s'étant écoulées depuis que le vieux Zadok reposait sous les oliviers, Epher entendit courir des rumeurs qui le troublèrent et il grimpa un jour au sommet de la montagne. Là, il découvrit que son peuple, avec l'aide des survivants cananéens, avait redressé le monolithe de Baal et l'autre pierre dédiée à El-Shaddai. Il se jeta sur les pierres dressées, il pesa de tout son poids pour les abattre, mais il était seul, et ses forces le trahirent.

CHAPITRE V

L'ARCHITECTE ET LE PSALMISTE

NIVEAU XII — 966-963 AV. E. C.

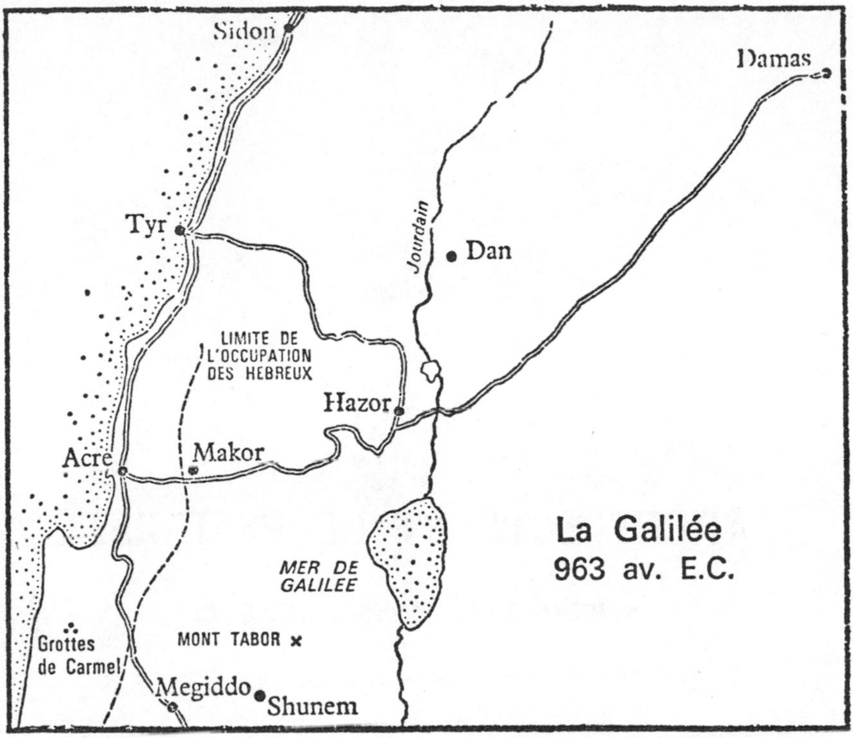

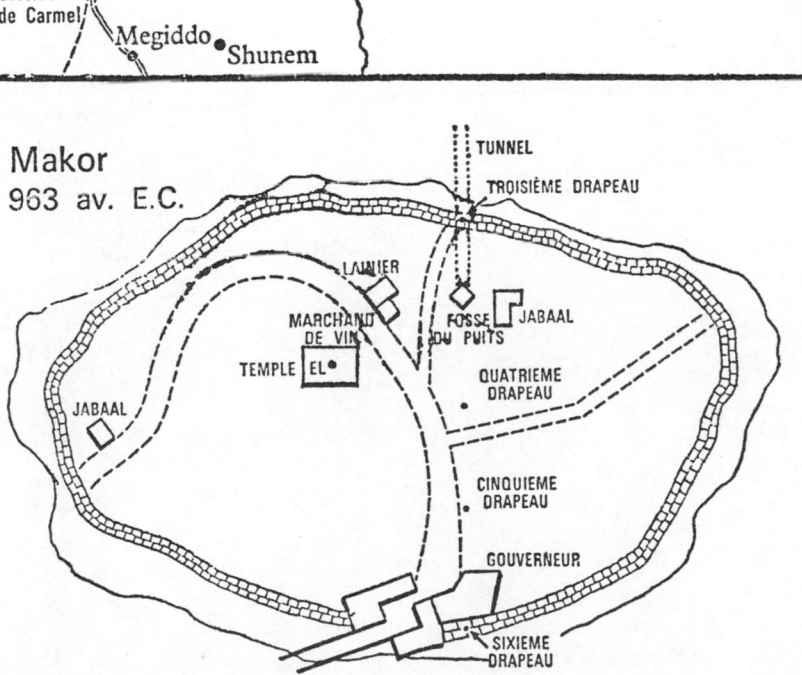

La Galilée
963 av. E.C.

Sidon

Damas

Tyr

Dan

Jourdain

LIMITE DE
L'OCCUPATION
DES HEBREUX

Hazor

Acre

Makor

MER DE
GALILEE

Grottes
de Carmel

MONT TABOR ✖

Megiddo
Shunem

Makor
963 av. E.C.

TUNNEL

TROISIÈME DRAPEAU

LAURIER

MARCHAND
DE VIN

FOSSE
DU PUITS

JABAAL

TEMPLE EL

JABAAL

QUATRIEME
DRAPEAU

CINQUIEME
DRAPEAU

GOUVERNEUR

SIXIEME
DRAPEAU

C'ETAIT le matin à Makor. Des oiseaux chantaient sur les toits, et les enfants se poursuivaient joyeusement dans les rues. Dans la petite ville bien protégée par l'enceinte de ses hautes murailles de pierre neuve, la porte des quartiers du gouverneur s'ouvrit devant un petit homme rondouillet au visage soucieux. Manifestement déçu par une décision du gouverneur qui l'affligeait, il se dirigea vers sa demeure, mais il n'avait fait que quelques pas dans la rue principale sinueuse qu'une nuée d'enfants l'entoura en chantant :

— Houpoeh, Houpoeh !

L'homme s'arrêta et sa figure ronde mangée de barbe noire s'illumina. Attrapant au vol une petite fille il la fit sauter dans ses bras en riant aux éclats. Elle poussa des cris de joie. Il la reposa par terre et tous les enfants l'entourèrent pour lui réclamer des bonbons. Gravement, il feignit de chercher dans ses poches comme s'il ne savait pas où les friandises se cachaient. D'autres enfants arrivèrent au galop et le tiraillèrent par les pans de sa robe. Enfin, il sortit de dessous ses vêtements un sac d'étoffe plein de douceurs et les distribua à la ronde. Puis il reprit le chemin de sa maison, escorté par la bande joyeuse aux cris de « Houpoeh ».

Depuis les temps immémoriaux, les hommes d'Israël avaient vu sur leurs terres un oiseau bizarre appelé Houpoeh, qui les amusait plus que toute autre créature. C'était une sorte de volatile trapu, au corps noir et blanc et à la tête rose ornée d'une sorte de crête de plumes multicolores. Sa particularité était de marcher plus qu'il ne volait. On le voyait courir de droite et de gauche, toujours très affairé, comme un messager qui aurait oublié sa mission. Il avait un long bec avec lequel il creusait des trous dans la terre pour chercher des vers.

Or, dans les dernières années du règne du roi David à Jérusalem, il y avait à Makor un ingénieur civil que tout le monde appelait Houpoeh, parce que lui aussi il était tout rond avec un crâne rose, et il se hâtait sans cesse et creusait des fondations. Comme l'oiseau dont il portait le nom, ce bâtisseur était l'objet de l'affection de tous, en partie parce que son allure amusait jeunes et vieux, en partie parce qu'il avait la réputation d'être incapable d'une pensée malveillante. Il était si aimable et si géné-

reux que le gouverneur, dans un de ses rares moments de lucidité clair-
voyant, avait dit de lui : « Houpoeh est l'homme le plus heureux de cette
ville, car il aime son travail, sa femme et ses dieux, dans cet ordre. »

Houpoeh achevait de construire le nouveau rempart de Makor, travail qui l'occupait depuis plusieurs années. Sa femme, Kerith, était la
fille d'un prêtre hébreu qui l'avait emmenée une fois à Jérusalem, où elle
avait pu voir le roi David dans toute sa gloire, et depuis elle rêvait de
vivre à Jérusalem. Les dieux de Houpoeh étaient les divinités traditionnelles de Makor. Il y avait Baal, le vieux gardien familier des Cananéens,
qui vivait encore dans le même monolithe sur la même montagne, d'où
il veillait sur les activités de ce monde, et puis il y avait Yahveh, le dieu
de Moïse, une nouvelle divinité des Hébreux transposée petit à petit
d'El-Shaddaï pour devenir un dieu si puissant qu'il régnait à la fois sur les
cieux infinis et sur le cœur de l'homme. A Makor, quelques Cananéens
adoraient encore uniquement Baal, des Hébreux, comme le père de Kerith,
ne vénéraient que Yahveh, et la grande majorité du peuple, comme Houpoeh, considérait Yahveh comme le grand dieu redoutable des cieux éloignés tout en continuant d'adorer Baal et à se fier à lui pour les petits
problèmes de la vie quotidienne.

Houpoeh avait trente-neuf ans. Sa femme lui avait donné deux
charmants enfants, et ses belles esclaves quelques autres. Malgré son
aspect comique, c'était un homme qui s'était distingué par son courage
au temps de sa jeunesse quand il faisait la guerre pour le roi David, et
ses loyaux services lui avaient valu d'être choisi pour reconstruire les
murs de Makor.

Avec son crâne chauve et sa barbe noire taillée en carré, il ressemblait
assez à une version bedonnante de son ancêtre le gouverneur Uriel, qui
avait péri quatre cent cinquante ans plus tôt alors qu'il tentait de préserver sa ville de Makor des torches des Hébreux, comme le racontait
l'histoire gravée sur des tablettes d'argiles conservées à la bibliothèque
d'Akhetaton en Egypte.

Durant les décennies qui avaient suivi ce désastre, la grande famille
d'Ur s'était pliée comme beaucoup de Cananéens à la loi hébraïque, jusqu'à
faire corps avec les Hébreux. Les parents de Houpoeh, dans l'espoir que
leur fils aurait la confiance du peuple régnant, lui avaient donné le nom
hébreu de Jabaal, qui signifiait « Yahveh est Baal », dans l'idée que cela
impliquerait qu'il était plus hébreu que les Hébreux, et cette ruse naïve
avait réussi, car Jabaal était non seulement reconnu comme un honnête
Hébreu, mais il était entré de surcroît dans la famille d'un prêtre.

C'était alors le temps exaltant où les Hébreux régnèrent pour
quelques brèves décennies sur un empire homogène que le roi David
avait constitué avec des parcelles des vastes territoires abandonnés par
l'Egypte et la Mésopotamie. Le royaume de David s'étendait de la mer
Rouge au sud jusqu'à Damas au nord et le rapide développement de cet
empire faisait maintenant de Makor la clef et le bastion de la longue
frontière fluide. Les juges et les rois d'Israël avaient intérêt à maintenir
cette place forte qui protégeait la route de Jérusalem. Le roi David

et ses généraux avaient donc été heureux d'apprendre que dans cette petite ville vivait un ingénieur dévoué à sa tâche, qui travaillait dix et douze heures par jour et se comportait comme s'il était responsable du salut du royaume. Il traitait ses esclaves avec mansuétude, prêchait la parole de Yahveh dans leur misérable camp hors les murs et faisait libérer tous ceux qui reconnaissaient la suprématie du dieu d'Israël. Ce fut un de ces esclaves affranchis qui porta jusqu'à Jérusalem la renommée de Houpoeh et le général Amram, responsable des fortifications de l'empire, entendit parler du grand constructeur du nord.

— Un jour, il faudra que j'aille voir de mes yeux ce que cet homme a accompli, dit-il en gardant en mémoire le nom de Makor.

Le nouveau rempart que Houpoeh et ses esclaves avaient construit avait été rendu nécessaire par suite du lent enfouissement des vieilles murailles cananéennes. Des incendies et des reconstructions avaient entassé une nouvelle épaisseur de six pieds de gravats sur l'antique monticule, amenant le sol au niveau du sommet des murs, aussi fallait-il y remédier. Mais comme l'éminence prenait de la hauteur, l'étendue de terrain utilisable s'était rétrécie. Par conséquent les nouveaux murs durent être bâtis à l'intérieur de l'ancienne enceinte, et lorsque Houpoeh eut achevé ces travaux, la surface de la ville avait considérablement diminué. Au temps du gouverneur Uriel, quatorze cents Cananéens avaient vécu à l'intérieur des remparts, mais à présent il n'y avait de place que pour huit cents habitants. Cependant, la paix que connaissait la région grâce au sage gouvernement du roi David permettait à neuf cents paysans de vivre en dehors des murs. C'était l'âge d'or de Makor, l'époque où les Hébreux faisaient la preuve de leurs capacités pour gouverner un royaume. Et à en juger par la petite ville, ils gouvernaient bien.

En ces temps-là, les religions se confondaient un peu. On adorait encore à Makor Baal et Yahveh, car si Jérusalem le roi David et ses prêtres s'efforçaient d'imposer aux peuples un dieu unique, ces réformes étaient lentes à se répandre dans les provinces éloignées et le petit temple élevé à Yahveh par le petit-fils d'Epher le guerrier était l'objet d'un culte familier plutôt qu'un sanctuaire de la grande religion nationale.

La maison de Houpoeh était en pierre solide, aux murs intérieurs recouverts de chaux blanche et fraîche. Deux des pièces étaient décorées de fresques évoquant par des signes conventionnels le désert d'où les Hébreux étaient venus et les collines des Cananéens. Mais le plus bel ornement de la demeure était Kerith, la ravissante femme de Houpoeh, fille de Samuel ben Zadok ben Epher, le prêtre hébreu. Elle avait vingt-sept ans, de grands yeux bleus, un teint de lis et des cheveux d'ébène. Plus grande et beaucoup plus mince que son mari, elle était admirablement proportionnée. Son mari l'aimait à la folie et comme il savait qu'elle adorait les bijoux, non par goût du lucre mais pour leur beauté artistique, il lui apportait souvent des émaux de Chypre, des pierres gravées d'Egypte qu'elle conservait dans un coffret de bois de rose. Le seul bijou qu'elle

portât continuellement était un pendentif d'argent de Perse orné d'un
ovale d'ambre qui ressortait admirablement sur les longues robes de fine
laine grise si adroitement tissées qu'elles flottaient comme des voiles autour
de ses chevilles.

C'était une femme intuitive, intelligente, excellente mère et bonne
épouse. Ils s'entendaient à la perfection, son mari et elle, car s'il y avait
sans doute à Makor des hommes plus beaux et plus aimables, il n'en
existait aucun qui pût l'adorer comme le faisait Houpoeh, et elle le savait.
Il n'existait entre eux qu'un seul petit différend : Kerith était la fille d'un
austère prêtre appartenant à une famille qui avait parlé à Yahveh, qui
avait vu le dieu face à face, et de qui elle avait hérité sa dévotion pour
cette divinité. Houpoeh était un bâtisseur qui reconnaissait volontiers la
puissance de Yahveh, mais il savait en son cœur que Baal régnait sur
la terre et que ce serait folie pour un ingénieur et un constructeur d'ignorer
ou de nier la divinité de cette terre avec laquelle il devait travailler. Ce
dualisme existait dans de nombreuses familles de Makor mais en général,
c'était l'homme qui penchait pour le dieu des Hébreux alors que la
femme restait fidèle aux anciennes divinités locales, par superstition.

En ce jour printanier du mois d'Abib de l'an de grâce 966 av. E. C.,
alors que la reconstruction des remparts venait de s'achever, Houpoeh
rentrait chez lui le cœur lourd, et quand sa femme l'accueillit sur le
seuil de leur demeure, il se laissa tomber sur le banc de céramique et
soupira :

— Kerith, dit-il, je suis inquiet.

— J'ai vu tes murailles et elles me semblent très solides, assura sa
femme.

Elle lui apporta des pains d'orge et du vin chaud au miel, et il lui
sourit.

— En les examinant aujourd'hui, j'ai contemplé du haut des remparts les richesses de notre ville. Derrière notre maison, les meilleures
teintureries du nord. Hors des murs, les refuges pour les caravanes de
chameaux. Et toutes ces bonnes et belles maisons ! Kerith, notre ville
est une tentation constante pour tous nos ennemis de l'ouest. C'est la
porte de Jérusalem.

— Mais n'est-ce pas pour ces raisons que tu as construit le mur ?

— Le mur les repoussera. De cela, j'en suis sûr. Mais sais-tu par où
nous perdrons la ville ?

Elle le savait. Comme toutes les jeunes femmes de Makor, elle avait
bien souvent juché son amphore sur sa tête pour aller quérir de l'eau
au puits en passant par la poterne nord. Un jour, quatre ans plus tôt,
pendant un siège, elle avait entendu les guerriers phéniciens battre les
murs de protection pour tenter de percer une brèche, et le peuple de
Makor n'ignorait pas que si les Phéniciens avaient amené leurs machines
de guerre contre ce mur relativement fragile au lieu de s'entêter à réduire
la porte principale, ils auraient envahi Makor. Il était logique de supposer
qu'à la prochaine guerre, en voyant les formidables remparts neufs, les
ennemis se rabattraient sur le mur du puits et auraient tôt fait de l'abattre.

Mais si Kerith savait tout cela, elle n'en dit rien à son mari, car elle savait aussi que s'il se lançait dans de nouveaux travaux, elle resterait encore longtemps prisonnière de Makor et son rêve d'avenir serait anéanti.

Aussi fut-ce avec appréhension qu'elle l'entendit déclarer :

— J'ai pris une décision. Le Moabite et moi avons mis au point un plan qui sauvera la ville. Aujourd'hui, le gouverneur n'a rien voulu entendre, mais demain il devra m'écouter.

— Jabaal, murmura Kerith en posant sa main sur le bras de son mari, ne fais pas de sottise. Ne te ridiculise pas aux yeux du gouverneur. S'il n'est pas d'accord avec toi, ne discute pas. Tu trouveras du travail ailleurs.

Persuadée d'agir pour le mieux, elle lui parlait avec douceur, d'une voix basse et rassurante qui fit presque peur à Houpoeh, car il comprenait très bien ce que ses paroles signifiaient, et pendant un instant fugace, il eut envie de la faire asseoir auprès de lui et de discuter franchement des problèmes qu'ils avaient à résoudre. Mais tant de facteurs entraient en jeu qu'il y renonça. Il aimait trop Kerith pour la troubler avant que ses projets fussent formulés, aussi l'embrassa-t-il et se retira-t-il dans une autre pièce, en emportant un rouleau de cuir gratté.

Il passa une grande partie de la nuit à tracer des plans et des croquis de son projet pour le salut de Makor et, au matin, après avoir mis ses esclaves au travail, il retourna chez le gouverneur, à qui il déclara :

— A présent que le rempart est achevé, j'éprouve de plus grandes craintes pour notre eau potable.

— Je t'avais donné l'ordre de réparer le mur du puits, répondit le gouverneur. Je suis allé l'examiner l'autre jour et j'ai vu que ton Moabite et toi aviez fait de l'excellent travail.

— Ce mur ne saurait faire illusion, cependant. Cinquante Phéniciens peuvent l'abattre.

— La dernière fois, ils l'ont négligé.

— La prochaine fois, ils l'attaqueront.

— Que veux-tu faire, alors ? Faire construire un nouveau rempart par tes esclaves ?

— J'ai un tout autre plan, répliqua Houpoeh.

Le gouverneur éclata de rire. Laissant tomber une main condescendante sur l'épaule de l'ingénieur, il lui dit avec commisération :

— Je comprends ton problème, Houpoeh. Tu as terminé les murailles de la ville et tu crains que si tu ne commences pas immédiatement de nouveaux travaux, Jérusalem t'enlève tes esclaves. C'est ça ?

— Je ne songe pas à mes esclaves mais à la sécurité de ma ville. De votre ville.

Le petit homme rondelet et comique avait parlé si gravement que le gouverneur se vit contraint de l'écouter.

— Allons, quel est ce plan ?

Houpoeh, bredouillant de nervosité au début, exposa pour la première fois son audacieux projet. Gesticulant avec ses mains comme si

elles étaient des pelles, pour mieux illustrer son propos, il expliqua :

— Là, dans le centre de la ville, à l'intérieur des murs, nous devons creuser une fosse presque aussi large que cette salle qui plongerait tout droit dans les déblais et la roche jusqu'à quatre-vingt-dix coudées.

A ce chiffre, le gouverneur ne put maîtriser une exclamation. Houpoeh poursuivit :

— Au fond de cette fosse, nous commencerons à creuser un tunnel qui nous conduira très loin sous les remparts et jusqu'au puits.

— De quelle longueur, ce tunnel ?

— Près de deux cents coudées. Il faudra qu'il soit assez haut pour que les femmes y puissent marcher. Ensuite, nous enterrerons le puits sous des monceaux et des monceaux de pierres, et nous serons à l'abri de n'importe quel assiégeant.

De la main droite il faisait un geste de va-et-vient, indiquant les femmes qui allaient et venaient de la ville au puits, en toute sécurité, dans le passage souterrain.

Le gouverneur trouva ce projet si fantastique qu'il se mit à rire aux éclats. Il ne pouvait concevoir une fosse aussi large que sa salle d'audience plongeant si profondément dans les entrailles de la terre. Quant à l'idée de ce tunnel s'enfonçant dans de la roche massive et aboutissant comme par miracle justement au puits c'était de la folie pure. Il le dit tout net à son ingénieur. Mais Houpoeh dissimula son ressentiment.

— Sur un point, gouverneur, tu as raison. Il faut commencer les travaux avant que Jérusalem ne m'enlève mes esclaves.

— Ah, tu vois bien ! Je savais que c'était cela, ton souci !

— Oui, d'un côté. Nous avons maintenant une bonne équipe qui connaît son travail. Le Moabite est le meilleur contremaître que nous ayons jamais eu à Makor, et les autres s'entendent bien.

— Oui, mais je suis certain que Jérusalem les reprendra tous. Un trou dans la terre !

Le gouverneur hocha la tête en riant, puis il poussa doucement Houpoeh vers la porte.

Houpoeh rentra tout droit chez lui, où il exposa à sa femme son projet audacieux en lui montrant ses plans compliqués, la fosse, le tunnel, le puits enfoui. Elle l'irrita en lui répliquant que son plan n'avait aucune chance de réussir.

— Comment veux-tu qu'en partant du fond d'une fosse on creuse dans l'obscurité un tunnel en pente et que l'on puisse espérer aboutir à une chose aussi petite qu'un puits ?

— J'ai mon idée.

Elle se mit à rire.

— Et comment y verras-tu, sous terre ? Comme les taupes ?

Houpoeh soupira, embrassa sa femme et monta sur les remparts d'où il contempla l'avancée du passage du puits et, au-delà, la montagne de Baal. Ses yeux découvrirent au flanc de la côte un point accessible à l'homme et de là son regard redescendit, plongea dans l'ouadi et longea

le passage couvert. Il imaginait son système de repères, il voyait déjà ses travaux achevés... Tournant la tête vers l'ouest, vers Acre des Phéniciens, il songea que lorsque l'ennemi reviendrait, il ne trouverait pas de puits à prendre d'assaut...

Mais pendant quelques semaines, il sembla bien que le tunnel ne se ferait jamais, car Houpoeh avait beau assiéger le gouverneur, celui-là ne voulait rien entendre. Le gouverneur s'était attiré les bonnes grâces du gouvernement de Jérusalem en envoyant des revenus à la capitale plutôt que de lui demander des subventions, comme la majorité des autres villes, et il n'entendait pas engager des frais qui pussent changer cet ordre de choses. Il n'avait pas du tout l'intention de dilapider les derniers publics en creusant de grands trous au hasard pour faire plaisir à un ingénieur ridicule.

— Si j'emportais ce plan à Jérusalem, lui dit-il un jour, on me rirait au nez et on me chasserait de la capitale sous les huées.

Cette fois, Houpoeh perdit patience.

— Comment pourrais-tu porter le plan à Jérusalem? Tu ne le connais pas, tu ne l'as jamais vu !

— Je sais reconnaître le gaspillage sans voir de plans, rétorqua le gouverneur et un esclave raccompagna Houpoeh à la porte.

Afin de ne pas perdre son excellente équipe d'esclaves, Houpoeh leur fit aplanir le parvis du temple. Quand cela fut fait, il les mit au travail pour construire deux silos supplémentaires pour entreposer le blé, et tandis que les ouvriers creusaient profondément dans le sol de Makor, et enduisaient les parois à la chaux pour garantir le grain des insectes et de l'humidité, il allait souvent au fond, pour inspecter les travaux en songeant à son tunnel.

Le soir, quand les esclaves regagnaient leur camp misérable hors des murs, il montait au sommet du mur du nord et poursuivait les calculs qui seraient à la base de son système, si jamais son projet finissait par être agréé. A en juger par la nature du sol, il pensait qu'ils auraient à creuser leur fosse principale dans une quarantaine de pieds de déblais, qui formaient l'éminence sur laquelle se dressait la ville, et qu'ensuite ils devraient percer le roc jusqu'à la profondeur de quatre-vingt-dix coudées où ils entameraient les travaux du tunnel vers le puits.

Puis il rentrait chez lui et travaillait à ses plans, fort avant dans la nuit, traçant soigneusement ses lignes sur la peau grattée avec une plume de roseau trempée dans une encre faite d'un mélange de suie, de vinaigre et d'huile d'olive. Enfin, vers la fin du mois d'Abib, son plan fut achevé sur le cuir et il commença à graver des détails des travaux sur de petites tablettes d'argile.

Mais c'était déprimant de travailler dans l'enthousiasme sans avoir personne auprès de soi qui partageât cet enthousiasme, car le gouverneur ne comprenait rien et sa femme était aveuglée par son désir de fuir Makor. Aussi, une nuit, n'y tenant plus, Houpoeh roula sa longue peau de veau

et sortit de la ville. Il se dirigea vers le camp des esclaves. C'était un lieu maudit, la dernière étape du désespoir, où des prisonniers de nombreuses nations étaient entassés comme des bêtes dans des enclos immondes et nourris d'horribles déchets. Des gardes hébreux patrouillaient tout autour du camp, prêts à abattre ceux qui cherchaient à fuir, et les esclaves traînaient leur pauvre existence en effectuant des travaux jusqu'à leur mort, qui ne tardait guère. Cependant, quand l'un d'eux faisait preuve de valeur et se convertissait à Yahveh, il pouvait être sauvé, affranchi et même accéder à un certain rang.

Ce soir-là, Houpoeh passa sans s'arrêter le long des enclos infestés de rats et se dirigea vers l'endroit le plus sombre de l'enceinte, la prison dans une prison où l'on reléguait les plus dangereux de ces malheureux, les assassins et les proscrits. Là, couché sur une litière grouillante de vermine, il trouva un homme de haute taille, au visage glabre, un peu plus âgé que lui. C'était Meshab le Moabite, un homme d'une remarquable force d'âme, fait prisonnier par le roi David lors d'une de ses guerres contre le pays de Moab ; c'était le plus intelligent et le plus habile des esclaves. Il avait été le contremaître de Houpoeh pour la construction des remparts et là, sur sa couche de paille pourrie, il se souleva sur un coude et contempla son supérieur avec une aisance insolente. La lampe à huile que portait Houpoeh révélait les traits virils de l'esclave.

— Meshab, dit l'ingénieur, le temps est venu de bâtir le système de l'eau.

— Cela peut être fait, si tu résous un problème, répondit Meshab qui était déjà au courant des projets de son maître.

— Il s'en pose beaucoup. Duquel veux-tu parler ?

— La fosse, nous pouvons la creuser. Le tunnel aussi.

— Alors, tu n'as pas peur du rocher ?

— Tu n'auras qu'à nous procurer des outils de fer, en les achetant aux Phéniciens. Nous taillerons dans le roc. Mais quand nous serons au fond de la fosse, comment saurons-nous de quel côté creuser pour aboutir au puits ?

Houpoeh se mit à rire, un peu nerveusement.

— Ma femme a posé la même question, dit-il.

— Et que lui as-tu répondu ?

— Que j'avais mon idée.

— Tu as une idée ? s'écria l'esclave en se redressant sur sa couche.

— Un jour, il y a bien des années, mon père m'a emmené jusqu'à Acre, et nous nous sommes promenés au bord de la mer. Un petit bateau y voguait... Meshab, ce bateau était si petit que l'on craignait pour lui ! Il y avait beaucoup d'écueils, d'îlots, de récifs et de hauts-fonds, mais ce tout petit bateau venu de Chypre est entré tout droit dans le port sans la moindre hésitation. Comment crois-tu qu'il a fait ?

— De la magie ?

— Je l'ai cru, mais quand j'ai interrogé le capitaine il a ri, et il m'a montré trois drapeaux flottant au sommet de trois grandes maisons,

loin dans l'intérieur des terres. « Qu'est-ce ? », ai-je demandé. « La ligne de direction », m'a-t-il dit, et il m'a expliqué que le marin perdu en mer n'avait qu'à observer ces trois drapeaux, et quand ils se confondaient à l'œil dans un alignement parfait, il savait qu'il n'avait qu'à suivre tout droit en les gardant bien dans le même alignement pour trouver le port.

Les deux hommes s'abîmèrent dans leurs réflexions pendant quelques instants, tandis que des papillons de nuit, attirés par la lampe à huile, voletaient autour d'eux. Des misérables enclos voisins montaient les ronflements des esclaves épuisés. Enfin Houpoeh reprit la parole :

— L'autre jour... L'autre jour, je suis monté au sommet du mur du nord, près de la poterne. De là, je pouvais voir le puits. Et en faisant remonter mes yeux vers la cime de la montagne, j'ai vu un endroit où nous pourrions hisser un drapeau... Non, naturellement, deux. Il nous faudra deux drapeaux.

A peine avait-il prononcé le mot *deux* que Meshab lui saisit le bras :

— Nous aurions une ligne de direction ! De l'enceinte des remparts, nous verrions les drapeaux et nous pourrions nous guider dessus !

Frémissant d'enthousiasme, Houpoeh posa sa lampe de terre cuite sur le sol fangeux que Meshab, d'un geste large, venait de déblayer de la paille pourrie, et il étala sa grande peau pour montrer son plan. A la lueur vacillante de la mèche trempée dans l'huile, Houpoeh désigna à son esclave la montagne, le puits, les remparts et le passage, et les endroits où il conviendrait de planter les drapeaux pour obtenir une ligne de direction. Les deux hommes furent tellement pris de passion pour le projet qu'ils ne purent attendre le jour pour gravir la montagne et reconnaître le terrain.

A la porte du camp, les gardes voulurent s'interposer, mais Houpoeh s'avança et leur dit :

— Cet esclave est mon contremaître, et j'ai besoin de lui.

— Il a tué beaucoup d'hommes, répondit le garde, mais Houpoeh se porta garant de Meshab et le soldat les laissa passer.

Ils traversèrent un champ pour atteindre le pied des murs de Makor, mais ils ne pénétrèrent pas par la porte en chicane. Ils longèrent les remparts jusqu'à la muraille de protection du puits. Là, à l'extrémité circulaire, Meshab monta sur le toit de chaume et y planta un bâton avec une étoffe blanche qui serait visible de loin.

Ensuite, tournant le dos au puits, ils entreprirent de gravir la montagne de Baal, en s'arrêtant de temps en temps pour regarder derrière eux. Quand ils furent parvenus à un point plus élevé que les toits de la ville, ils s'orientèrent soigneusement et le Moabite déclara :

— Ici, nous planterons notre premier drapeau. Attendons un peu, la lune va se lever.

Les deux hommes s'assirent et contemplèrent le peu qu'ils voyaient de la ville plongée dans les ténèbres percées de faibles lueurs clignotantes. L'esclave était beaucoup plus grand et plus fort que l'ingénieur, et il lui eût été facile d'assassiner son maître pour s'enfuir et se réfugier

au pays des Phéniciens tout proche. Mais il resta paisiblement aux côtés de son ami, et observa :

— Maintenant que j'ai vu la ville d'ici en haut, je suis certain que nous réussirons.

Lorsque la lune à son dernier quartier se leva sur les collines de Galilée, le passage du puits se détacha en noir sur les sables clairs, une ligne parfaitement droite allant de la poterne au puits, et Houpoeh, tendant le bras, fit remarquer à Meshab :

— Vois, si tu poursuis au-dessus de la ville la ligne tracée par le passage, tu aboutis à la maison du gouverneur.

— Ce sera donc là que nous planterons le sixième drapeau.

L'esclave imaginait déjà la ligne de direction infaillible qui permettrait aux constructeurs de maintenir la justesse de leur orientation en creusant la première fosse inclinée, mais il imaginait également le travail de sape dans les entrailles de la terre, et il grommela :

— Tout cela n'est rien. Mais du fond de la fosse, comment pourrons-nous voir la ligne des drapeaux ?

— J'ai mon idée, dit Houpoeh.

Ils se levèrent et ils s'apprêtaient à descendre de la montagne quand ils virent, descendant du sommet, un groupe d'hommes et de femmes porteurs de torches. Ils avaient passé la nuit là-haut, à adorer Baal comme jadis, et comme ce dieu avait été si propice ce soir-là aux deux constructeurs, Meshab suggéra :

— Peut-être devrais-je monter au sommet pour faire mes dévotions à Baal...

— Je t'accompagne, lui dit Jabaal.

Ils peinèrent sur la pente jusqu'au sentier par lequel les pèlerins étaient descendus, et montèrent jusqu'au sanctuaire où l'on venait se prosterner depuis plus de mille ans.

Au sommet, ils trouvèrent la pierre dressée, le monolithe sacré de Baal, au pied duquel étaient déposés d'humbles présents pacifiques, un pigeon égorgé, des fruits, des fleurs. Makor n'adorait plus le dieu de feu à qui l'on sacrifiait les premiers-nés ; il n'y avait plus de prostituées sacrées au temple d'Astarté, car les Hébreux avaient supprimé ces pratiques. Mais le paisible culte de Baal n'avait pu être interdit car le paysan hébreu tout comme le commerçant cananéen éprouvaient le besoin d'avoir un dieu simple, terre à terre comme celui-là. Le roi Saul lui-même rendit un hommage à Baal en nommant ses fils du nom de ce dieu bienveillant. De temps en temps, les gouverneurs hébreux de Makor envisageaient de mettre hors-la-loi le dieu cananéen, mais ils cédaient aux pressions du peuple qui tenait à lui.

Meshab le Moabite s'agenouilla devant le monolithe, récita des prières qu'il avait apprises dans le désert méridional, puis il se leva, pour retourner au camp abominable et puant, mais comme il s'engageait dans le sentier, Houpoeh le retint un instant :

— Pourquoi refuses-tu d'être raisonnable ? Pourquoi ne reconnais-tu pas Yahveh, pour devenir un homme libre ?

Meshab exprima alors toute la différence qu'il y avait entre Houpoeh et lui :

— Je vis et je meurs en Baal.

C'était cette même réponse intransigeante qu'il avait faite au roi David après sa capture au pays de Moab, qui l'avait empêché de devenir un général des Hébreux.

— Attends un instant, insista Houpoeh. Ma famille était comme toi, dans le temps, et méprisait le dieu des Hébreux. Pendant des siècles, nous avons adoré Baal. Mais graduellement, nous avons fini par comprendre que les Hébreux...

— N'es-tu donc pas hébreu ?

— Maintenant, oui. Mais il n'y a pas si longtemps encore, ma famille était cananéenne.

— Comment est-ce possible ? s'étonna Meshab, dont la propre famille eût préféré périr plutôt que de renier son dieu.

— Nous vivions à Makor, côte à côte avec les Hébreux, en bonne intelligence, expliqua Houpoeh. Un de mes ancêtres appelé Zideon se fit passer pour un Hébreu, et une ou deux fois il eut des ennuis. Mais finalement, les Hébreux comprirent qu'ils avaient besoin de Baal, et nous nous sommes rendu compte que nous avions besoin de Yahveh. Et depuis, nous avons prospéré.

— Comment avez-vous pu trahir votre dieu ? demanda le Moabite avec méfiance.

Houpoeh contempla longuement la ville de ses ancêtres ceinte de remparts, qui avait vu la lutte entre les deux puissantes divinités, et il lui était bien difficile d'expliquer l'emprise que Yahveh avait fini par exercer sur les Cananéens avides de vérité.

— Tout ce que je peux te raconter, Meshab, c'est la légende que l'on m'a racontée à moi, quand j'étais enfant. Notre peuple habitait la ville, avec Baal, et un jour des Hébreux vinrent du désert avec des ânes, porteurs de leur dieu El-Shaddai. Ils vinrent camper devant les murs et il y eut une grande bataille entre les deux dieux pour la suprématie et la possession de la montagne. Baal a triomphé, naturellement ; alors, pour se venger, El-Shaddai a brûlé la ville et donné les ruines aux Hébreux. Pendant de longues années, El-Shaddai a régné dans les vallées et Baal ici au sommet. Mais après quelques siècles, un accord fut conclu, et les Cananéens reconnurent ce nouveau dieu Yahveh, tandis que les Hébreux acceptaient l'ancien dieu Baal, et depuis lors nous vivons en bonne communion.

— Tu dis que Yahveh est un nouveau dieu ?

— Oui. Un autre groupe d'Hébreux est descendu en Egypte où ils furent assez mal traités, et le dieu qu'ils avaient emmené avec eux y devint une très puissante divinité, capable de frapper de terreur les ennemis des Hébreux. Ce nouveau dieu, Yahveh, suscita un homme nommé Moïse qui fit sortir les Hébreux d'Egypte et les conduisit pendant quarante ans dans le désert, où Yahveh devint de plus en plus puissant... plus qu'aucun dieu ne l'avait jamais été. Avec Yahveh et Moïse, les Hébreux devinrent un peuple fort et...

— Nous connaissons Moïse, interrompit Meshab. Il a tenté d'envahir nos terres mais nous l'avons repoussé.

— Nous autres Cananéens n'avons pas eu cette chance, aussi maintenant c'est Yahveh qui règne sur nous tous.

Houpoeh soupira, puis il dit à Meshab :

— Attends-moi un moment ici, sur ce rocher, pendant que je monte prier Baal.

Il se rendit seul devant le monolithe et se prosterna devant Baal, pour lui faire part de ses soucis domestiques :

— Cher Baal, ma femme Kerith rêve de vivre à Jérusalem où réside le dieu de son père. Ma demeure est ici à Makor, auprès de toi. Mais fais que lorsque j'aurai construit mon tunnel, le roi David vienne le voir et me fasse venir à Jérusalem pour lui construire les édifices dont il a besoin pour la gloire de Yahveh... Baal, ce n'est pas pour moi que je te demande cela, car moi je suis heureux auprès de toi. C'est pour ma femme Kerith qui doit aller à Jérusalem. Son dieu est là-bas, son cœur est là-bas. Grand Baal, envoie-nous à Jérusalem.

Durant les deux semaines suivantes, Houpoeh n'accomplit rien qui pût faire avancer son projet de tunnel, et s'inquiétait de trouver de nouveaux travaux pour ses esclaves. Les remparts étaient achevés, le parvis du temple était repavé, les nouveaux silos à grain ne tarderaient pas à être finis. S'il ne trouvait pas bientôt de nouveaux travaux, son excellente équipe d'esclaves serait dispersée par tout le royaume, aussi s'efforça-t-il de nouveau d'intéresser le gouverneur à sa fosse et à son tunnel, mais ce fonctionnaire refusait d'en comprendre les possibilités et Houpoeh vivait dans la tristesse.

Mais au milieu du mois de Ziv, alors que les épis sont lourds, Kerith rendait visite à la femme du gouverneur quand elle apprit une nouvelle qui fit battre son cœur.

— Le général Amram voyage vers le nord pour inspecter Megiddo, dit le gouverneur, et il a promis de visiter Makor. Il désire voir nos nouvelles fortifications.

— Qui est le général Amram ? demanda Kerith.

— C'est lui qui est chargé des fortifications par le roi David.

Kerith serra les dents pour ne pas crier sa joie, mais un martèlement dans ses tempes lui répétait « Jérusalem, Jérusalem ». Enfin, quand elle se fut maîtrisée, elle prit congé du gouverneur.

— Ah, tu es pressée d'aller annoncer cette visite à Houpoeh, hein ? lui lança-t-il en riant.

Kerith salua et se hâta de sortir. A la porte elle demanda à un garde s'il avait vu Jabaal.

— Qui ça ?

— Celui que vous appelez le Houpoeh, répondit-elle en dissimulant l'irritation causée par ce nom d'oiseau ridicule.

— Ah, lui. Il est au camp des esclaves.

Elle sortit de la ville et traversa le verger d'oliviers sans voir les fleurs des prés, et avant même d'arriver tout près de l'enclos des esclaves. elle fut saisie par l'horrible odeur qui s'en dégageait.

— Où est Jabaal ? demanda-t-elle aux gardes.

Et là aussi, elle dut expliquer avec gêne qu'elle voulait parler de Houpoeh.

— Suis-moi.

Sans réfléchir un instant à l'enfer dans lequel il guidait une femme d'un rang élevé, tant il était habitué à cette pourriture, le garde conduisit Kerith le long des appentis sordides ; des rats couraient devant eux, le soleil faisait monter des tas de paille grouillants de vermine un relent nauséabond. Dans les jarres, l'eau était verdâtre et puante.

— Yahveh tout-puissant ! murmura Kerith. Tu laisses des hommes vivre dans ces immondices ?

Mais alors le garde poussa une lourde porte et la fit entrer dans cette partie cernée de murs réservée aux prisonniers dangereux, où le soleil ne pénétrait jamais. Kerith dut tenir son voile à son nez pour ne pas être suffoquée par les relents pestilentiels. Un esclave trop vieux pour travailler se traînait sur les genoux, car il ne pouvait plus se tenir droit et des hommes jeunes, qui dans leurs vergers natals au nord de Tyr avaient été grands et beaux, se mouvaient péniblement, le regard fixe et vitreux, en attendant la mort.

— Yahveh ! Yahveh ! gémissait-elle.

L'idée que cet enfer pût exister sur la même terre où s'épanouissait Jérusalem était plus qu'elle ne pouvait supporter, et elle manqua défaillir. Puis on la fit entrer dans le plus sombre cachot, dans un trou abominable, et là elle vit son mari en grande conversation avec un homme, l'esclave Meshab. Quelque chose d'indéfinissable dans l'aisance du prisonnier, dans sa posture presque élégante tandis qu'il se penchait sur la grande peau couverte de graphiques, conférait à ce lieu une dignité qu'elle n'eût jamais pu imaginer.

Après avoir salué l'esclave d'un signe de tête, elle dit à son mari :

— Jabaal, le général Amram doit venir examiner tes murailles.

Cette nouvelle produisit sur les deux hommes un effet foudroyant. Houpoeh se leva d'un bond, en manifestant sa joie sans crainte :

— Enfin, nous allons avoir quelqu'un qui comprend !

Cependant Meshab se retira dans un coin sombre de sa cellule, non par peur de Kerith, mais par réaction, pour obéir à une prudence instinctive, pensa-t-elle, car on devinait qu'il avait connu ce général Amram autrefois, peut-être à la guerre, car les Moabites avaient eu à souffrir grandement des armées et des généraux hébreux, et Kerith voyait bien que ce Meshab n'envisageait pas avec plaisir la visite de ce général.

Mais quand Houpoeh, dans son enthousiasme, se tourna vers l'esclave en achevant sa phrase, Meshab lui répondit en hochant la tête :

— Amram est un homme qui comprendra.

Kerith dit alors à son mari qu'il devrait rentrer à la maison avec elle

pour parler des autres conséquences de cette visite. Comme à regret, il roula son dessin, et suivit sa femme.

Après avoir traversé le verger d'oliviers, alors qu'ils gravissaient la rampe vers la porte en chicane, Kerith se retourna vers le camp des esclaves et soupira :

— Comment peux-tu permettre à des hommes, des êtres humains comme toi, de vivre dans un endroit pareil ?

— Ils prolongent leur existence grâce à tout ce que je fais pour eux.

Une fois dans l'enceinte des murs, Kerith soupira joyeusement :

— Oh, Jabaal ! Le général Amram va nous apporter notre liberté !

— J'espère que mes murailles lui plairont.

— S'il les approuve, n'aie pas peur de lui faire savoir que c'est toi qui as fait tous les projets et qui as pris les décisions... Et surtout, ajouta-t-elle timidement, tu dois lui parler de Jérusalem.

Le petit ingénieur ne répondit pas et sa femme insista :

— Tu dois lui demander de t'emmener avec lui à Jérusalem. Tout de suite.

Dans le doux soir d'été, Houpoeh se détourna de sa femme, soupira et finit par lui répondre :

— Non, Kerith. Ce que je dois lui expliquer, c'est mon projet de protection du puits.

Kerith poussa un petit cri de bête blessée, puis elle regarda autour d'elle pour voir si des passants ne les entendaient pas.

— Cher Jabaal, souffla-t-elle tout bas, as-tu perdu la raison ?

Puis, dans un effort pour être juste, elle demanda :

— S'il approuve le tunnel, combien de temps faudra-t-il pour le construire ?

— Environ trois ans.

Elle se mordit le poing. Trois ans ! Trois ans de plus à passer loin de Jérusalem, en exil ! Enfin, elle se ressaisit et, posant sur son mari un regard de tendre compassion, elle lui dit :

— Bon. Si c'est là ton rêve, j'attendrai encore trois ans. Mais... Si ton projet échoue ?

— C'est à moi de ne pas le faire échouer.

Alors, elle prononça une parole lourde de signification, qui ne lui était pas dictée par son esprit ni par son cœur, mais par sa déception :

— Tu n'es qu'un imbécile.

Jamais elle n'avait prononcé ce mot, car elle aimait réellement son mari, et appréciait la tendresse dont il l'entourait. Mais elle finissait tout de même par se laisser influencer quand des hommes importants, comme le gouverneur, le toisaient avec condescendance et se moquaient de lui sans méchanceté, simplement parce qu'ils le considéraient comme un personnage amusant, et rien de plus.

Houpoeh aussi rêvait d'aller à Jérusalem, mais uniquement parce que c'était une grande ville et que là il aurait de nombreuses occasions de construire des édifices. Comme il adorait sa femme, il désirait lui faire

plaisir, la rendre heureuse, mais il ne comprenait qu'à moitié sa dévotion fanatique à Yahveh.

Le lendemain matin, par une belle journée de la fin de Ziv, alors que les arbres en fleurs faisaient chanter leurs couleurs sur la terre de Galilée, que les pistachiers éclosaient en boutons écarlates et que les feuilles des grenadiers luisaient plus vertes au soleil, le général Amram et ses cavaliers arrivèrent de Megiddo à cheval. On avait rarement l'occasion de voir des chevaux à Makor, et les enfants leur firent une escorte bruyante jusqu'à la demeure du gouverneur, qui accueillit son visiteur sur le seuil, selon la coutume, avec des urnes de vin frais et des aiguières d'eau douce pour que les voyageurs se purifient des souillures du voyage. Des femmes de la ville, parmi lesquelles Kerith, s'étaient proposées pour servir le général.

Amram était le type même du capitaine de l'empire hébreu. Il frisait la cinquantaine et portait la barbe courte coupée en carré. Il avait des cheveux roux, des yeux bleus, un corps solide et musclé, et une cicatrice à la joue gauche. Son regard perçant ne laissait pas échapper grand-chose et il eut tôt fait de remarquer la beauté de Kerith parmi les femmes. Aussi, quand elle lui tendit le carré de lin, le prit-il lentement, en souriant de toutes ses dents très blanches.

— Quel est ton nom ? demanda-t-il.

— Kerith, répondit-elle et elle se hâta d'ajouter : Epouse de Jabaal, celui qui a construit ces fortifications.

— Elles ont l'air solides.

Il se disait que cette femme ne semblait pas faite pour Makor, qu'elle cherchait à l'impressionner avec la réussite de son mari, et que sans doute pourrait-il tirer parti de ces faits et passer quelques moments plaisants dans cette ville de province.

Le gouverneur fit entrer son hôte pour les discours de bienvenue, mais Amram n'en écouta que deux puis il s'impatienta :

— Je suis venu inspecter les nouvelles murailles, non entendre des discours.

Il quitta brusquement la cérémonie et monta sur les remparts. Le gouverneur le suivit, naturellement, et le général fut heureux de voir que Kerith les accompagnait aussi.

— Ce sont de solides murailles que nous avons construites là, déclara le gouverneur avec emphase.

Houpoeh, qui suivait le groupe, songea : « Pendant plus d'un an, j'ai dû batailler avec lui pour les construire, et maintenant ce sont ses murailles ! » Avec condescendance, le gouverneur ajouta :

— Elles ont été construites par cet homme-ci, que nous appelons Houpoeh.

Et il hocha la tête plusieurs fois, pour imiter l'oiseau. La suite du général éclata de rire ; Amram se dit que ce surnom enrageait la jolie femme de l'ingénieur, sans doute, mais aussi, l'homme avait l'air assez stupide.

Au cours de ses nombreuses tournées d'inspection, le général Amram

s'était bien souvent trouvé dans des situations semblables. La procédure était simple : flatter le mari, l'approuver devant ses supérieurs, s'en débarrasser et puis voir ce que la charmante épouse désirait. Aussi, suivant ses préceptes, dit-il à Houpoeh :

— Jabaal, puisque c'est toi qui as construit ces fortifications, monte avec moi sur cette montagne là-bas, et nous verrons si elles font bon effet.

Durant plus d'une heure, les deux hommes firent le tour de la ville, en examinant plusieurs points importants des remparts, puis ils montèrent sur la colline.

— Ces pentes de terre, qui montent le long des murs, dit enfin Amram, as-tu envisagé de les protéger d'une façon ou d'une autre ?

— Nous avons envisagé deux possibilités. Nous pourrions daller la pente actuelle, mais pour cela il nous faudrait beaucoup de pierre. Ou bien nous pourrions dégager une épaisseur d'une ou deux coudées de terre pour mettre à nu l'ancien glacis des Hyksôs, qui est dallé et en bon état. Que conseillerait mon général ?

— Ni l'un ni l'autre, déclara Amram. Il faudrait trop d'esclaves. Et à la fin, il n'y aurait pas tellement de progrès. Mais je vais te dire ce que tu peux faire tout de suite.

Il montrait du doigt une partie des remparts où des maisons s'adossaient et montaient plus haut que le chemin de ronde. Des fenêtres s'ouvraient sur la campagne.

— A ta place, je me débarrasserais tout de suite de ces fenêtres. Rappelle-toi comment Rahab a jeté des cordes d'une fenêtre semblable, pour faire entrer nos espions à Jéricho. Fais-les murer avec des briques, dès aujourd'hui. Alors que tu as encore les esclaves.

Par deux fois, le général Amram venait de faire allusion aux esclaves de Houpoeh.

— Vas-tu disperser mes esclaves tout de suite ?

— Les travaux sont finis, ici, et nous avons besoin de bons maçons à Jérusalem.

C'était un homme bourru, un vieux soldat, et bien qu'il eût tout d'abord éprouvé du mépris pour le petit ingénieur rondelet, après avoir examiné ses murs il se sentait pris de respect pour lui. Il lui posa une main presque amicale sur le bras et lui promit :

— Je dirai au roi que les travaux ont été bien exécutés.

Houpoeh remercia, puis il fit une petite prière silencieuse à Baal avant de se lancer à l'assaut du gros problème :

— Général, les nouvelles fortifications ne servent à rien tant que notre alimentation en eau potable est vulnérable.

— D'ici, ce mur de protection a l'air solide.

— Il a été réparé. Il est plus solide qu'il ne l'était. Mais tu sais aussi bien que moi que le premier de tes pelotons le renverserait sans peine.

Le général se voyait contraint d'admirer Houpoeh. Dès son arrivée sur le flanc de la montagne, son œil exercé de grand capitaine avait

décelé la faiblesse de Makor, mais il n'avait rien dit, car la ville n'était qu'un établissement de frontière qui devrait être sacrifié. Si jamais les Phéniciens décidaient de l'assaillir ils n'auraient aucune peine, pensait-il, à renverser le mur du passage, à s'emparer du puits et à réduire la ville par la soif. La perte ne serait pas bien grave pour l'empire. Néanmoins, il était impressionné par la lucidité et l'intelligence militaire de Houpoeh.

D'une voix qu'il cherchait à rendre persuasive, Houpoeh poursuivait :

— Mais il existe un moyen de rendre Makor si forte que nul ennemi ne pourra jamais s'en emparer.

— Lequel ?

En quelques phrases brèves, Houpoeh expliqua comment l'on pouvait creuser une fosse au cœur de la ville, puis une sape, un long tunnel conduisant au puits. Il fut heureux de voir que le général l'écoutait avec intérêt, et semblait comprendre.

— Ensuite, nous abattrons le passage protégé, nous effacerons toutes les traces que les murs auront laissées, nous recouvrirons le puits avec de larges dalles et nous l'enfouirons sous dix coudées de terre. Personne ne verra plus notre puits, sauf de l'intérieur du tunnel.

Son projet l'inspirait tant qu'il devint lyrique. Il était poète, il était général, et sa logique irréfutable, ses connaissances, entraînaient la conviction. Il parla sur le ton qu'il fallait de la sécurité dont jouirait Makor, de la sécurité de l'empire durant les siècles à venir.

— Contre cette ville, s'écria-t-il, les Phéniciens pourront frapper et lancer des machines de guerre pendant quinze mois à la suite, tandis que l'armée sera bien à l'abri entre ses murs. Jérusalem ne risquerait rien.

Malgré soi, car il n'était pas enclin aux enthousiasmes rapides, Amram se sentit emporté par le lyrisme de Houpoeh, et il imagina avec plaisir ce bastion fortifié aux marches de l'empire. Il n'écoutait plus l'ingénieur que d'une oreille. La ville semblait soudain transformée devant ses yeux ; les remparts devenaient plus hauts, plus solides, le passage vulnérable disparaissait et il croyait voir les Phéniciens et leurs mercenaires battre en vain ses murailles...

— Que te faudrait-il ? demanda-t-il quand Houpoeh se tut.

— Les esclaves que j'ai déjà. Et cinquante de plus.

— As-tu des plans ? demanda Amram, certain que le petit homme enthousiaste en avait déjà tracé.

— Viens chez moi, dit Houpoeh sur un ton plus calme, de crainte de paraître trop pressé.

Comme ils atteignaient la porte principale, il demanda à l'un des gardes :

— Va me chercher Meshab le Moabite.

— Qui ? s'écria Amram.

— Mon contremaître. C'est lui qui a les tablettes d'argile.

Or, Kerith attendait son mari à la maison du gouverneur. Quand elle apprit par des serviteurs que les deux hommes s'étaient rendus directement chez elle, elle y courut, dans l'espoir d'arriver assez tôt pour

accueillir l'hôte de marque. Mais quand elle entra, haletante, elle vit les deux hommes allongés à plat ventre par terre dans la grande salle, en train d'examiner la grande feuille de cuir de Jabaal.

— Oh non ! gémit-elle à part soi. Mon pauvre sot de mari va ennuyer ce grand homme avec ses folies !

Elle leur apporta des boissons fraîches, mais ni l'un ni l'autre ne sembla s'apercevoir de sa présence. Elle finit par s'asseoir sur un siège d'où elle pouvait observer le général, et au bout d'un moment, il trouva le temps de la regarder pendant que Houpoeh continuait d'expliquer ses dessins.

Soudain, le général se dressa d'un bond. Il venait de voir arriver le grand esclave, Meshab le Moabite, les tablettes à la main.

— Que fait ici cet homme ? tonna le général.

— C'est Meshab, mon contremaître. Montre au général Amram...

— Qu'il sorte d'ici ! Chassez-le ! hurla le général en lui tournant le dos.

— Mais, protesta Houpoeh, c'est notre meilleur contremaître.

— Je sais qui il est, rétorqua Amram. Il a tué mon frère.

— Il nous a été envoyé il y a de longues années.

— Je sais. C'est moi qui vous l'ai envoyé.

Meshab gardait le silence, tandis que le général rappelait les combats du roi David contre les Moabites. A vrai dire, les Hébreux n'avaient jamais vaincu le peuple du désert, car quelques valeureux soldats comme Meshab avaient poursuivi une guerre d'escarmouches et de résistance, mais à la fin Moab était devenu une espèce de province vassale.

— Alors que l'on discutait de la paix, celui-ci a attaqué le camp et tué mon frère !

Dans le silence gêné qui suivit, Kerith fit preuve de présence d'esprit :

— Mets les tablettes là, esclave, et retourne à ton camp, dit-elle sèchement.

Son ordre rappela à tous que Meshab n'était effectivement qu'un esclave, et l'atmosphère se détendit. Le général Amram se dit que cette femme était astucieuse.

Au festin du gouverneur, Amram eut plus ample occasion d'observer la supériorité de cette jeune femme, et elle, devinant les idées qui traversaient l'esprit du général, fit tout pour lui plaire, en lui souriant, en l'écoutant, en lui apportant des dattes et du miel.

A la fin du deuxième jour de sa visite, Amram fut certain que Kerith ne demandait qu'à se trouver seule avec lui. Houpoeh, de son côté, préoccupé par son tunnel et l'autorisation dont il rêvait, ne faisait aucune attention à sa femme, mais continuait d'accabler Amram de ses arguments en faveur de son système de défense, si bien qu'à la fin le général lui dit :

— Houpoeh, pourquoi n'emmènes-tu pas ton esclave moabite sur la montagne pour voir si à vous deux vous pourrez disposer l'alignement de drapeaux dont tu me parles ?

Le visage barbu de l'entrepreneur rondelet en rougit de joie.

— Est-ce que cela signifie que tu autorises le tunnel ?

— Ma foi...

Le général était presque résolu à ne pas gaspiller les deniers publics en faveur de Makor ; mais maintenant, derrière l'ingénieur, il voyait sa ravissante jeune femme qui attendait, et il se dit qu'il fallait bien trouver un moyen de se débarrasser du mari encombrant.

— C'est d'accord, dit-il impulsivement. Creuse le tunnel.

— Je vais chercher le gouverneur ! s'écria Houpoeh.

Avant que Kerith et Amram fussent revenus de leur surprise il reparaissait avec le gouverneur, et l'autorisation fut aussitôt rendue officielle.

— Maintenant, je vais sur la montagne placer les drapeaux, annonça-t-il joyeusement, et il partit en courant comme un enfant.

Lorsqu'il eut disparu, lorsque le gouverneur fut rentré dans sa demeure, plongé dans un abîme de perplexité, en se demandant comment le ridicule petit Houpoeh avait réussi à circonvenir le général, Amram se carrait confortablement dans le fauteuil de l'ingénieur et attendait la suite des événements.

Le général était un homme d'expérience qui connaissait bien les femmes, du moins en était-il persuadé. Il en avait trois, dont deux qu'il avait séduites et arrachées à d'autres maris, et cette ravissante jeune provinciale lui plaisait fort. Elle avait manifestement tout fait pour provoquer ce tête-à-tête, et dans l'idée du général, la raison était simple : elle était lasse de ce petit mari grotesque dont on se moquait, et qui ne savait rien faire que construire des murs ou creuser des trous. Un voyageur venant de Jérusalem, chef de guerre de surcroît, devait pour elle être paré d'une auréole de prestige. Amram imaginait encore d'autres raisons, mais aucune ne touchait de près à la vérité, celle que Kerith ne tarda pas à lui révéler :

— J'avais tellement le désir de causer avec toi, dit-elle en soupirant.

— Vraiment ? Et de quoi donc ? répondit le général avec un sourire condescendant.

— Il faut que j'aille à Jérusalem, s'écria-t-elle dans un brusque élan de passion. Mon mari peut y construire tant de beaux édifices ! Tu as vu ce dont il est capable. Et... moi...

— Et toi ? murmura insidieusement le général en souriant de toutes ses belles dents blanches.

— Je veux être là où l'on adore Yahveh, répondit-elle avec simplicité.

— Tu... quoi ?

— Mon père était un prêtre, ici à Makor, et son père avant lui, et ainsi pendant des générations mes aïeux ont tous été prêtres de Yahveh.

— Mais pourquoi particulièrement Jérusalem ?

Elle le lui dit. Pour la première fois de sa vie, le général Amram entendait la plainte qui allait se répercuter comme un écho dans tout Israël, pendant bien des siècles :

— A Makor, nous sommes loin des sources de Yahveh, mais à Jérusalem son culte est pur. A Jérusalem, nous pourrions vivre à l'ombre des sanctuaires de sa sainteté. A Makor, nous devons partager le monde avec Baal, mais à Jérusalem Yahveh règne seul. Dans notre petite ville il n'y a pas de grands rois ; mais à Jérusalem, il y a le roi David, et d'être auprès de lui ce doit être comme de se trouver auprès du soleil.

Amram se leva, et s'approcha d'elle en souriant toujours.

— Tu as bien des moyens d'aller à Jérusalem, murmura-t-il.

Mais dans sa candeur, Kerith se méprit sur son geste et se leva à son tour pour le traiter comme un parent las des fatigues du voyage.

— Il fait très chaud, tu dois être bien las, dit-elle en le conduisant dans une salle où se trouvaient des bassins pleins d'eau fraîche. Permets-moi de te rafraîchir, et ensuite tu iras t'allonger sur une couche pour te reposer.

Elle lui fit ôter sa première tunique, puis elle lui lava la tête comme elle l'eût fait pour son propre père. Ensuite, elle l'essuya avec une pièce de lin et lui donna une ample tunique d'intérieur pour se couvrir. Elle le conduisit dans une chambre, et lui promit de le réveiller s'il dormait trop longtemps. Comme elle tirait les rideaux, elle aperçut son mari sur la montagne, et elle haussa les épaules.

— Il est toujours là-haut, dit-elle, à faire de grands gestes stupides.

— J'ai bien l'intention qu'il y reste... un moment.

Kerith baissa les yeux sur le général déjà à demi assoupi et lui demanda :

— Comment irons-nous à Jérusalem, général Amram ?

Le guerrier contempla la séduisante jeune femme et lui sourit.

— Aide-le à construire son tunnel. Quand les travaux seront finis, le roi en entendra sûrement parler...

Et avant de sombrer dans le sommeil, il imagina Houpoeh sur la montagne, en train de faire de grands gestes.

Le plan de Houpoeh était simple. Au flanc de la montagne, il avait planté un premier drapeau rouge, bien en face et dans le prolongement du passage du puits. Cela fait, il était monté plus haut pour planter un deuxième drapeau, dans l'exact alignement du premier, établissant ainsi le début d'une ligne de direction qui passait par les deux drapeaux, le puits et le centre précis du passage couvert. Ensuite, il s'était mis à faire ses grands « gestes stupides », qui étaient des signaux pour l'installation des autres repères.

Sur quatre différents toits de Makor, Houpoeh avait placé des esclaves avec de longues perches au bout desquelles des drapeaux rouges étaient fixés, et au moyen de signaux convenus il manœuvrait ses esclaves pour les mettre dans l'alignement exact des repères déjà placés sur la montagne. Lorsque chacun fut dans la position désirée, il agita une étoffe blanche, et les esclaves se mirent alors à planter solidement les perches qui pendant trois ans, serviraient de guide aux ouvriers.

Cependant, Meshab, travaillant à planter un drapeau sur le rempart

près de la porte principale, derrière la demeure du gouverneur et celle de Houpoeh, remarquait les assiduités du général Amram auprès de Kerith, et il en était ulcéré. Il voyait aussi que le général ne manquait jamais une occasion d'envoyer Houpoeh accomplir telle ou telle tâche. Mais les soupçons du Moabite n'étaient pas justifiés.

Le général Amram était amèrement déçu, car Kerith le traitait avec tout le respect dû à un vénérable patriarche, et repoussait ses avances avec toute l'innocence de sa vertu. Eût-il été plus jeune, sans doute se fût-il efforcé de la prendre d'assaut comme une forteresse ; mais la cinquantaine passée, il s'amusait de cette petite épouse fidèle comme d'un jouet neuf, et il cherchait à pénétrer son raisonnement ; elle semblait croire sincèrement que si elle avait toutes les prévenances pour lui, le général emmènerait Houpoeh à Jérusalem.

— Mais que reproches-tu à cette charmante ville ? demanda-t-il un après-midi.

— Je me sens corrompue de vivre dans un lieu comme Makor, où l'on adore à la fois Yahveh et Baal.

— Makor me plaît beaucoup, à moi. Je ne m'attendais pas à y trouver tant de charmes.

Elle ne répondit pas à ce propos mais lui demanda :

— Lorsque tu t'éveilles à Jérusalem, le matin, ton cœur ne bat-il pas plus vite à la pensée que tu es au centre de la terre ? Là où demeure Yahveh ?

Le général toussota. Kerith était par trop naïve, ou bien elle le taquinait, et dans un cas comme dans l'autre elle commençait à l'agacer. Aussi répondit-il très franchement, sans se soucier de lui plaire ou de lui déplaire :

— Pour tout te dire, mon dieu c'est Dagon.

— Dagon ! Le dieu des Philistins ! s'écria-t-elle en reculant d'horreur.

— Oui. J'ai servi aux côtés du roi David quand il était mercenaire chez les Philistins, et j'ai appris à les aimer. Ce sont de bons guerriers ; et Dagon est un dieu puissant. Oh ! j'imagine que Yahveh a de bons côtés aussi. Je sais que le roi l'adore, mais moi je suis un soldat et j'ai des goûts simples.

Kerith recula encore : cet homme, ce général célèbre, affirmait sans crainte qu'il adorait un dieu en pierre comme Dagon !

— Je suis surprise que Yahveh ne...

— Ne me foudroie pas ? dit Amram en riant. Mais je rends mes hommages à Yahveh aussi. Quand on est un soldat, on ne doit rien négliger qui puisse vous venir en aide. Mais mon dieu personnel...

— C'est Dagon.

— Oui.

Il se leva du fauteuil de Houpoeh, s'avança vers Kerith et la saisit par la taille. Puis il l'embrassa affectueusement, presque jovialement. Elle fut trop suffoquée pour se débattre.

— Tu es une bonne épouse, Kerith, dit-il. Et un jour, je te le promets, tu verras Jérusalem. Yahveh t'attendra.

Il l'embrassa encore une fois, puis il sortit de la maison, en riant tout seul. Kerith resta debout, pétrifiée, au milieu de la pièce, souillée, non par les baisers d'Amram — qu'elle comprenait — mais par son blasphème. Lentement, elle se laissa tomber à genoux et pria :

— Yahveh, permets-moi de monter vers ta ville. Jérusalem, ouvre-moi tes portes que je franchirai en chantant !

Ce soir-là, au dernier dîner donné en l'honneur de l'hôte de marque, le général Amram fut stupéfait quand Houpoeh annonça :

— Gouverneur, je vais quitter ma demeure du mur de l'ouest.

Kerith poussa un cri de joie.

— Jérusalem ?

— Non, ma chérie. Mais demain nous commençons à creuser la fosse, et je vais me construire une nouvelle maison à côté du chantier.

Lorsqu'ils prirent congé du gouverneur, tard dans la nuit, le général Amram se pencha vers Kerith et lui murmura d'un ton railleur :

— Allons, aide ton petit mari à creuser son petit tunnel, et peut-être un jour viendra où vous irez tous les deux à Jérusalem, qui sait ?

Elle se sentit profondément humiliée, et déçue par cet homme qu'elle avait admiré ; mais en même temps elle avait pitié de lui, parce qu'il avait la chance de vivre à Jérusalem, à l'ombre de Yahveh, et dans l'entourage du glorieux roi David, et n'avait jamais découvert la profonde signification de la ville, du dieu et du roi.

Cependant, le lendemain matin, elle se mêla à la foule massée sur les remparts pour assister au départ du général et de sa suite. Quand il eut disparu dans un nuage de poussière, elle se dit qu'il était bien étrange que cet homme qui appréciait si peu Jérusalem habitât dans cette ville sainte, alors qu'elle, gémissant et languissant loin des tabernacles de Yahveh, se voyait refuser cette joie. Elle souffrit de l'injustice de l'existence, et des larmes lui montèrent aux yeux. Or, en descendant des murailles, elle surprit le regard de Meshab qui la considérait avec un terrible mépris, et elle se demanda ce qui avait pu provoquer ce sentiment.

Quelques mois plus tard, alors que Houpoeh et Kerith étaient installés dans la nouvelle maison, on apprit à Makor que Amram avait été tué lors d'une expédition contre les Moabites en révolte. Elle fut frappée, et retourna à l'ancienne maison, pour rêver un moment dans la salle où ils avaient conversé. Elle ne songeait plus au robuste général souriant, mais à l'homme arrogant qui avait parlé en termes négligents de Yahveh et du roi David, et elle se demandait comment un tel impie avait pu vivre et faire son chemin dans une ville sainte comme Jérusalem.

Ce soir-là, au dîner, lorsque Houpoeh fit l'éloge funèbre d'Amram, elle garda le silence.

— Nous lui devons notre bonne fortune, déclara le petit ingénieur. Et s'il m'a promis cinquante esclaves, il me les a envoyés !

Houpoeh était profondément ému par la mort du général, car il

s'était imaginé que lorsque le tunnel serait achevé et qu'il irait vivre à Jérusalem, Amram le prendrait sous sa protection, mais voilà que le premier homme qui eût défendu l'idée du tunnel était mort ! Houpoeh se sentait comme abandonné.

Les travaux devaient durer, comme l'avait estimé Houpoeh, trois ans entiers. Il fallut dix-sept mois pour creuser la fosse principale, carrée, large de quinze coudées et en diagonale, suivant l'alignement des drapeaux. Les ouvriers traversèrent en creusant l'amas de déblais qui formaient la colline, et ils découvrirent d'abord des reliques de l'âge de bronze, quand les Hébreux avaient amené El-Shaddai à Makor, puis de l'âge de cuivre quand les Cananéens érigeaient les monolithes à Baal, et enfin de l'âge de pierre, quand la grande famille d'Ur dressait un menhir à El.

Houpoeh pensait — et en cela il était le seul — que tout au long des parois du trou l'on pouvait distinguer les vestiges de nombreuses villes disparues. Il fut particulièrement impressionné par une large bande de terre noircie, comme de la suie, qui recouvrait tout le secteur à quelque huit pieds de la surface.

— Je crois qu'à ce point-là, Makor a dû être détruite par le feu, dit-il à Meshab.

Il parla des cantiques et des légendes que l'on s'était passés de bouche à oreille dans sa famille, relatant le combat entre Baal et El-Shaddai qui s'était terminé par un gigantesque incendie. Mais personne ne voulut le croire. On lui objecta que les cendres auraient été dispersées par le vent et les pluies, et puis les discussions s'apaisèrent car les ouvriers en étaient à présent au rocher.

Meshab se révélait inestimable. Il était partout à la fois, infatigable, plein d'astuce. Ce fut lui qui imagina les deux rampes circulaires, en double spirale, par lesquelles les femmes descendraient vers le tunnel et en remonteraient, à sens unique, sans se gêner. Meshab n'était plus un contremaître mais l'adjoint de Houpoeh et ce fut l'ingénieur qui proposa enfin que l'esclave quittât le camp pour s'installer dans une petite pièce du fond, dans la maison neuve, afin d'être sur place même la nuit s'il survenait un incident. Kerith protesta d'abord, puis, se souvenant de l'enfer du camp des esclaves, elle céda. Le gouverneur éleva des objections, mais Houpoeh insista en déclarant que le projet était trop important pour qu'on laissât le chantier la nuit à l'abandon, et qu'il fallait un gardien qui connût bien les travaux. Le grand Moabite vint donc s'installer dans la petite chambre du fond.

Un soir, alors que les deux entrepreneurs contemplaient l'abîme béant qu'ils avaient creusé dans la terre, Houpoeh annonça :

— La semaine prochaine, nous commençons le tunnel. Toi, tu commenceras de ce côté-ci, et moi au puits. Et nous nous rencontrerons quelque part, là-dessous, vers le milieu. Ce jour-là, Meshab, je te donnerai l'accolade de la liberté. Tu seras un homme libre.

L'esclave ne répondit pas, car il se demandait comment il pourrait creuser sa portion du tunnel tout droit, dans les ténèbres, dans des couches de roches massives. Comment deux hommes, partant de

deux points éloignés, pourraient-ils se retrouver dans les entrailles de
la terre ?

Lorsque la fosse fut tout à fait achevée, Houpoeh et Meshab y
descendirent, et ils levèrent les yeux vers le petit carré de ciel bleu parfaitement vide, et Meshab observa :

— D'ici, on ne peut voir la ligne de direction. Le puits pourrait
aussi bien se trouver n'importe où.

— T'aurais-je fait accomplir tout ce travail si je n'avais pas mon
secret ? rétorqua Houpoeh.

Sans vouloir dire un mot de plus, Houpoeh remonta et il conduisit
son esclave sur la montagne, très haut, là où se dressaient les grandes
futaies. Il posa sa main à plat sur un tronc et demanda à Meshab :

— Quelle est la hauteur de celui-là, à ton idée ?

— Dans les trente coudées, je pense.

— Il fera l'affaire, assura Houpoeh.

L'ingénieur s'assit à l'ombre pendant que Meshab allait chercher une
équipe d'esclaves pour abattre l'arbre. Mais en l'absence du Moabite,
Houpoeh perdit un peu de sa belle assurance. Il s'agenouilla devant
l'arbre, et le pria humblement:

— Baal-de-cet-Arbre, je compte sur toi pour nous aider '. nous
diriger dans les ténèbres.

Il pria ainsi pendant près d'une heure, cherchant l'appui du matériau
qu'il allait employer !

Quand l'arbre eut été dépouillé de ses branches, les esclaves le portèrent à Makor. Sur les ordres de Houpoeh, ils le déposèrent au-dessus
de la fosse, en diagonale, selon la ligne de direction donnée par les six
drapeaux. Ainsi, un tunnel suivant exactement la direction indiquée par
l'arbre ne pouvait manquer d'aboutir au puits.

— Tu vois, dit Houpoeh au Moabite, tu n'auras qu'à suivre l'arbre.

— Le premier jour, sans doute, mais ensuite, quand je me serai
enfoncé dans les entrailles de la terre et que je ne verrai plus l'arbre
au-dessus de moi ?

Ce fut alors que le génie de Houpoeh se manifesta, car il révéla le
secret qu'il mettait au point depuis près de deux ans. Il réclama une
balle de solide corde de chanvre, au bout de laquelle il attacha une lourde
pierre. Puis, allant à l'endroit où l'arbre formait la pointe sud de la
diagonale, il entoura la corde autour du tronc, la fixa solidement et
laissa tomber la pierre librement, à ras du sol. Puis il alla à l'extrémité
nord de la diagonale et fit la même chose avec une autre pierre. Il y avait
maintenant au fond de la fosse deux blocs de rochers maintenant deux
cordes verticales placées de telle façon qu'en les alignant exactement, on
obtenait l'alignement de l'arbre, et par conséquent des six drapeaux. Si
Meshab conservait ces deux cordes en ligne tout en creusant, il trouverait
le puits.

Le Moabite, poussant un cri de joie comme doivent en pousser le
chasseur qui aperçoit son gibier ou le marin perdu retrouvant le port,
exulta :

— Maintenant, je sais que c'est possible !

Il courut au fond de la fosse, et quand il vit les deux traits parfaitement verticaux et rigides des cordes bien maintenues, il déclara :

— La nuit, nous mettrons des lampes au pied des cordes, ainsi pourrons-nous creuser et ne jamais perdre notre direction de vue !

Par un beau matin d'Ethanim ensoleillé de la deuxième année, alors que l'été finissait et que seuls les grands fleuves avaient encore assez d'eau et que les hommes attendaient la pluie afin de pouvoir labourer leurs champs et les ensemencer, Meshab le Moabite donna les premiers coups de masse de fer dans la barrière de pierre à chaux séparant la fosse du puits. Pendant douze mois, il ferait creuser ses hommes sans relâche, pour forer un tunnel en pente douce. Au premier coup de masse, Houpoeh pria :

— Baal, guide-nous dans les ténèbres.

Et là-haut au soleil, au bord de la fosse, Kerith pria :

— Yahveh, fais qu'il réussisse et qu'il m'emmène à Jérusalem.

Du côté du puits, Houpoeh avait des problèmes plus difficiles à résoudre. A l'origine, Makor avait tiré son eau d'une source vive qui sortait en bouillonnant de la terre, mais en mille ans il se produisit deux changements : la terre, autour de la source, s'éleva d'année en année, par suite de l'accumulation de détritus et de déblais, et d'autre part, la coupe des arbres — peu importante au début mais allant croissant — avait provoqué un abaissement du niveau de l'eau. La source était ainsi devenue un puits profond qu'il fallait sans cesse recreuser et daller.

Comme ses ouvriers devaient absolument voir les drapeaux, Houpoeh fit arracher le toit de chaume du passage. Il fit également démolir le mur circulaire qui entourait le puits et quand le terrain fut dégagé, il commença par creuser une fosse étroite jusqu'au niveau de l'eau. Mais quand il approcha de ce niveau, il découvrit une vieille grotte, où des hommes avaient vécu plus de deux cent mille ans auparavant. Au temps où son aïeul Ur s'inquiétait de la culture du blé, cette grotte avait déjà près de deux mille siècles et elle était enfouie et oubliée. Houpoeh la mura de nouveau et poursuivit son lent travail de sape jusqu'au niveau de la source, et quand il eut atteint le point désiré, il donna l'ordre à ses esclaves de creuser une vaste salle, dans laquelle les ouvriers auraient de la place pour se mouvoir et travailler, et où dans les années à venir les femmes venant puiser de l'eau poseraient leurs urnes et bavarderaient.

Puis, en travers de l'ouverture de la fosse, il plaça un tronc d'arbre aligné selon les drapeaux, et de nouveau il y attacha des cordes le plus séparées possible, lestées de lourdes pierres indiquant la direction. Mais comme le diamètre de cette fosse provisoire était beaucoup plus étroit que la large fosse carrée du centre de la ville, les cordes ne pouvaient être suffisamment éloignées l'une de l'autre pour garantir la précision de la ligne de direction. C'était pour cela que Houpoeh avait choisi de creuser le tunnel à partir du puits, car la responsabilité et la marge d'erreur y étaient plus considérables.

Huit, dix fois par jour, il se couchait à plat ventre pour vérifier son

orientation, s'assurait qu'il allait dans la bonne direction, et puis il étudiait ses tablettes d'argile pour calculer l'inclinaison que devaient suivre ses esclaves pour monter à la rencontre de Meshab, qui creusait en descendant légèrement.

Quand ces problèmes de direction et d'inclinaison furent résolus, il en demeurait un autre, plus difficile encore. Houpoeh avait toujours en l'intention de construire un passage suffisamment large et haut pour que de nombreuses femmes pussent aller à l'eau, leur jarre sur la tête. Il fallait donc que le tunnel eût au moins dix pieds de haut sur six ou sept de large. Mais quelle que fût l'adresse de Meshab descendant de la fosse, ou de Houpoeh montant du puits, s'ils creusaient dès le début de larges tunnels, chacun de son côté, il faudrait vraiment un miracle pour qu'ils parvinssent à coïncider exactement.

— Je ne te retrouverai jamais, avoua Houpoeh. Tu risques de creuser à ce niveau-ci, moi à celui-là, nous nous croiserons et nous perdrons des années.

Meshab en convint.

— Si jamais nous nous rencontrons, ce sera par chance pure.

— Oui, mais ce que nous pouvons faire, répondit Houpoeh, c'est de nous contenter d'abord d'un tunnel très étroit, une simple galerie. Nous creuserons jusqu'à ce que nous nous entendions. Ensuite, nous joindrons les petites galeries. La tienne sera peut-être au-dessus ou au-dessous de la mienne, ou sur un côté, mais ça n'aura pas d'importance. Parce que nous pourrons revenir en arrière et agrandir nos tunnels en faisant les corrections nécessaires.

Meshab approuva et le lent travail de sape commença. Les deux hommes allaient à la rencontre l'un de l'autre, tassés dans des galeries étroites où l'on pouvait à peine se retourner, de petits tunnels larges de deux pieds à peine et hauts de trois coudées.

Pendant de longues heures, un esclave adroit travaillait dans une position recroquevillée, avec tout juste la place de lever son marteau. Puis il s'interrompait, d'autres esclaves rampaient pour dégager les déblais et un nouveau tailleur de pierre le remplaçait. Les travaux se poursuivaient jour et nuit, sans interruption, puisque sous terre il n'y avait ni jour ni nuit.

Ce travail acharné se poursuivit ainsi jusqu'au mois d'Abib, au début de la troisième année, où, dans les champs, loin au-dessus des taupes, les pluies de printemps arrosaient la terre et les brasseurs récoltaient l'orge pour la bière. Maintenant, chaque soir, quand le soleil couchant teignait la ville de rose et d'or, c'était l'instant le plus passionnant des travaux. Les esclaves se retiraient des galeries, Meshab le Moabite rampait avec une massue jusqu'à l'extrémité de son petit tunnel, tandis que Houpoeh en faisait autant du côté du puits.

Sur le rempart, entre les deux entrées des travaux se tenait un esclave avec un drapeau blanc à l'extrémité d'une très longue perche. Quand d'autres esclaves postés aux ouvertures lui faisaient signe que les deux chefs de travaux étaient en place, l'esclave du rempart agitait

solennellement son drapeau blanc, puis il le pointait, par exemple, vers la ville. Alors les esclaves postés à la grande fosse criaient :

— Meshab ! Meshab ! C'est à toi !

Alors Meshab le Moabite donnait des coups de marteaux réguliers dans le fond de son petit tunnel, neuf coups espacés, dans l'espoir que Houpoeh les entendrait. Après le neuvième coup, Meshab criait à ses esclaves qu'il avait fini, le signal se transmettait de bouche en bouche jusqu'au sommet de la fosse d'où l'on faisait signe au porteur de drapeau qui faisait un nouveau moulinet et pointait son drapeau vers le puits. Là, d'autres esclaves criaient dans les profondeurs :

— Houpoeh ! Houpoeh ! C'est ton tour !

Et dans les sombres entrailles de la terre, le petit ingénieur frappait ses neufs coups espacés tandis que de son côté Meshab écoutait de toutes ses oreilles. Mais chaque soir, c'était comme si la masse rocheuse absorbât le son. Ils n'entendaient rien.

Chaque soir, c'était la déception, mais chaque matin ils reprenaient espoir. Aujourd'hui, peut-être ? Mais le mois d'Abib passa et Ziv revint avec toutes les fleurs du printemps, et Houpoeh commença d'avoir des doutes. Se pouvait-il qu'il eût mal calculé ? Peut-être étaient-ils fort éloignés, trop haut, trop bas, trop écartés ? Peut-être s'étaient-ils déjà croisés sans le savoir, et s'éloignaient-ils l'un de l'autre ? Ils mesuraient bien, avec des cordes, la longueur des galeries, et ils reportaient ces longueurs sur le sol, pour savoir approximativement où ils se trouvaient, mais les cordes ne disaient pas s'ils n'étaient pas l'un trop haut, l'autre trop bas...

Cependant, l'idée ne vint jamais au bon Houpoeh d'accuser Meshab d'une erreur d'orientation. Il voulait assumer toute la responsabilité. Mais il avait beau refaire ses calculs, il ne découvrait pas d'erreur.

En désespoir de cause, il gravit un jour la montagne de Baal et là, face contre terre devant ce dieu de la matière, ce dieu des rochers et des cavernes et des profondeurs de la terre, il pria :

— Baal, montre-moi le chemin. Je suis perdu dans la terre profonde comme une pitoyable taupe et mes yeux sont aveugles. Grand Baal, guide-moi dans les ténèbres.

Il resta longtemps prosterné et quand il redescendit enfin le matin éclatait dans toute sa gloire, le soleil inondait les vallées, une brise légère faisait miroiter les oliviers d'argent, au point qu'il s'arrêta, subjugué par tant de beauté, pour tomber à genoux et prier Yahveh.

Ce jour-là, dans un regain d'enthousiasme, Houpoeh mena durement ses esclaves, sans leur laisser un instant de répit, prenant lui-même le marteau à pierre dans son impatience. Ce soir-là, quand l'esclave du rempart eut donné le signal et que les esclaves au puits lui crièrent que c'était son tour, Houpoeh frappa neuf fois de toutes ses forces.

Il n'avait pas fini sa série qu'il entendit soudain une réponse, d'autres coups de marteau frappant le roc. Les deux capitaines tapaient, tapaient sans se soucier des signaux convenus. Les esclaves se mirent à pousser des cris d'allégresse, d'abord au fond des galeries, puis dans la fosse et au puits, et enfin le bruit se répandit dans toute la ville. On

agita les drapeaux, et les curieux se massèrent au bord des trous. Quand ils remontèrent à la surface, Meshab et Houpoeh tombèrent dans les bras l'un de l'autre.

— Nous ne sommes plus loin, maintenant, dit le Moabite. Dans quelques semaines, nous nous rencontrerons.

En se guidant au son, Houpoeh et Meshab purent effectuer quelques corrections indispensables, et ils mirent leurs équipes au travail pour cet effort final qui s'achèverait en victoire. Mais malheureusement, leur impatience était mise à rude épreuve, car les outils de fer dont ils s'étaient tant servis depuis plus de deux ans étaient usés et n'entamaient plus la pierre.

Il fallait des outils neufs et pour cela, il était indispensable que l'un d'eux allât en acheter aux Phéniciens d'Acre. Comme il était nécessaire de marchander pour payer un prix honnête, Houpoeh estima qu'il devait y aller lui-même. Il avait eu d'abord l'intention de récompenser Meshab en l'emmenant avec lui, mais le gouverneur s'y opposa en lui faisant observer que maintenant, plus que jamais, il était indispensable d'avoir un bon chef de chantier qui sût empêcher les esclaves de commettre des erreurs en ce stade le plus critique des travaux, à son avis. Houpoeh aurait bien aimé lui répondre que le stade critique était passé depuis le jour où ils avaient étudié leurs cordes de direction et orienté les tunnels comme il convenait. Mais comme sa femme était de l'avis du gouverneur, force lui fut de partir seul pour Acre.

Quiconque aurait assisté au départ de Houpoeh aurait pu croire qu'il partait pour un lointain voyage dans des pays inconnus. Malgré la saison chaude, il portait une longue robe, il était armé d'une dague et il montait un âne. La petite caravane de deux marchands de gruau l'accompagnait. Il fit ses adieux à Kerith comme s'il devait rester plusieurs années sans la voir, il répéta d'innombrables instructions au Moabite, debout sur le rempart, et salua le gouverneur. Enfin il talonna son âne, releva ses robes autour de ses courtes jambes et prit le départ.

Acre n'était qu'à trois lieues à l'ouest de Makor et l'on y accédait par une bonne route que les caravanes empruntaient depuis des milliers d'années, mais c'était justement une caractéristique de cette région qu'Acre et Makor eussent rarement appartenu à la même nation. Makor représentait généralement le terminus occidental pour les gens de l'intérieur et de tout temps, ou presque, des peuples étrangers avaient occupé le port de mer.

Cette année, après de longues négociations, il se trouvait que les Hébreux régnaient à Makor et les Phéniciens à Acre. Mais cet état de choses ne durerait pas, car les peuples se disputaient cette ouverture sur la mer, et nations et tribus ne craignaient pas de lutter pour Acre, alors qu'elles se désintéressaient de Makor après quelques semaines de siège. Depuis plusieurs centaines de siècles, c'était donc une véritable expédition, un voyage en pays étranger, que de se rendre de Makor en Acre.

A une lieue de Makor, la petite caravane se heurta aux gardes de la frontière ; des soldats phéniciens en cuirasse, portant des boucliers de fer, fouillèrent les voyageurs, confisquèrent la dague de Houpoeh et lui donnèrent comme reçu une tablette d'argile, et finirent par laisser passer tout le monde. Une centaine de toises plus loin, des fonctionnaires des douanes examinèrent leurs bagages. Houpoeh reçut une nouvelle tablette qui lui permettrait de quitter le pays sans autres formalités. Les Phéniciens étaient courtois, mais ils faisaient bien comprendre qu'ils étaient puissants et ne toléreraient aucune entorse au règlement. Houpoeh se montra très respectueux.

Bientôt, les murailles d'Acre se dressèrent à l'horizon, à l'embouchure de la rivière Belus. Déjà, en ces temps reculés, bien avant que la ville n'avançât à l'ouest pour s'établir sur le promontoire incurvé où elle deviendrait célèbre dans l'histoire, Acre était un port important, animé, pittoresque, avec de nombreuses boutiques où l'on vendait des marchandises venues de très loin, et des souks rivalisant avec ceux de Tyr et de Sidon. C'était par ce port que le fer, forgé dans de lointaines forges et fonderies, arrivait entre les mains des Hébreux. Aussi, dans les échoppes d'Acre, Houpoeh espérait-il trouver les outils dont il avait besoin.

Mais avant de s'occuper de ces achats indispensables, il alla se promener au bord de la mer, qu'il n'avait pas revue depuis son enfance, et s'émerveilla devant les nombreuses galères, les trirèmes, les chébecs aux équipages demi-nus, bronzés sous le soleil, qui déchargeaient des étoffes, des tapis, des parfums ou des épices. Quittant le port, il se promena ensuite par les rues, au hasard, frappé d'admiration par les riches échoppes. Les joailliers exposaient des turquoises d'Arabie, de l'albâtre de Crète, de l'améthyste et de la cornaline de Grèce, de la calcédoine du Pont. Il y avait des faïences et des émaux égyptiens, de la soie d'Orient, de la pourpre et des tissus d'or, mais ce qui séduisit Houpoeh au point qu'il entra immédiatement dans la boutique pour marchander, ce fut un collier fait d'une tresse de fils de verre de toutes les couleurs, une épaisse torsade étincelante dont l'éclat conviendrait à la beauté de Kerith.

Enfin, il se rendit chez le marchand de fer, et il entra dans son échoppe tout pénétré de respect, car c'était avec le fer que les Phéniciens et leurs voisins du sud avaient conquis la terre d'Israël. Le roi David, alors qu'il était mercenaire chez les Philistins, avait appris à s'en servir et avait accumulé assez de ce métal dans ses arsenaux pour reconquérir une partie du territoire, mais le fer restait le monopole des cités comme Acre et assurait aux Phéniciens la suprématie tout au long du front de mer.

Houpoeh marchanda longuement, puis il porta ses achats au caravansérail. Un homme raisonnable eût facilement pu quitter Makor dès l'aube, mener à bien ses transactions et repartir le jour même, mais l'ingénieur avait peu d'occasions de se distraire, aussi voulut-il passer la nuit à Acre pour en épuiser toutes les joies. Et une semaine s'écoula ainsi.

Cependant, à Makor, Meshab faisait avancer les travaux. Avant son

départ, Houpoeh avait dit au Moabite qu'il désirait le voir prendre ses repas avec Kerith, mais l'esclave n'osait pas, de peur que cela ne fît jaser. Il fallut que Kerith elle-même lui envoie une de ses jeunes esclaves pour l'inviter avec insistance.

Dans son pays, Meshab avait été un homme influent, propriétaire de champs, de vignobles et de pressoirs à vin. Ce soir-là, au dîner, il confia à Kerith :

— Dans peu de mois, je retournerai parmi mon peuple.

— Les travaux sont donc bientôt finis ?

— Les petits tunnels devraient se rejoindre d'ici la fin du mois. Nous nous occuperons ensuite de les agrandir pour construire un vaste tunnel, répondit-il ; et il lui expliqua comment leur méthode leur permettrait de faire toutes les corrections nécessaires.

— C'est très astucieux, observa Kerith.

— C'est ton mari qui est le plus astucieux. Maintenant, je pourrais aller n'importe où et creuser un tunnel comme celui-ci, mais c'est lui qui a résolu tous les problèmes. Mais tu le sais bien...

— Quand tu rentreras dans ton pays, ta famille ?...

— Ma femme et mes enfants ont été tués par les Hébreux. C'est pourquoi j'ai lutté si désespérément. Je suis même surpris que ton peuple m'ait accordé la vie sauve. Te souviens-tu du général Amram, quand il m'a vu ?

Il remarqua qu'elle rougissait au nom du général hébreu et il se rappela le mépris qu'il avait éprouvé en la voyant recevoir l'étranger en l'absence de son mari, mais il ne fit aucune réflexion. Il avait quarante-huit ans, et une grande expérience des hommes. Il savait que les Hébreux étaient un peuple au sang chaud, et que rares étaient les familles où quelque drame passionnel n'eût pas causé des ravages ; bien des récits circulaient sur les incartades du roi Saül ou de David. Les Hébreux se laissaient gouverner par leurs passions, et si la jolie femme de Houpoeh avait eu une aventure avec Amram, cela ne regardait qu'elle. Houpoeh et Kerith étaient maintenant heureux ensemble, et Meshab les aimait tous les deux.

— Crois-tu que lorsque le tunnel sera achevé, murmura rêveusement Kerith, Houpoeh sera appelé à Jérusalem ?

Ce fut pour Meshab une révélation. C'était donc cela ? Elle rêvait de vivre à Jérusalem ! Mais pourquoi ? Etait-elle attirée par la vie brillante d'une grande ville ? Ainsi, elle s'était efforcée de se mettre dans les bonnes grâces du général Amram dans l'espoir de quitter Makor, et voilà qu'il avait été tué à la guerre !

Tous les soirs, en l'absence de Houpoeh, Meshab vint partager le repas de Kerith, et ils apprirent à se mieux connaître. Ils parlèrent de beaucoup de choses, et le Moabite s'aperçut qu'elle était extrêmement intelligente. Certaines réflexions qu'elle fit sur le général Amram — son arrogance, sa vanité — l'induisirent à penser qu'elle jugeait ses actes passés, quels qu'ils eussent été, avec franchise. Mais il comprit aussi que si maintenant un nouvel étranger arrivait à Makor, un homme moins

matérialiste qu'Amram, il n'aurait aucun mal à séduire cette femme, car elle était manifestement lasse de Makor, et peut-être aussi de son mari trop débonnaire.

— Si Bethsabée réussit à imposer Salomon et à l'asseoir sur le trône, lui dit-il le quatrième soir, il paraît qu'il s'efforcera de faire de Jérusalem la rivale de Tyr et de Ninive. Si c'est vrai, je suis bien sûr qu'un bâtisseur comme Houpoeh sera le bienvenu.

— Tu le crois?

Puis elle changea de conversation et posa des questions à Meshab sur son pays du Moab, elle lui demanda si la vie y était semblable à celle de Makor, et il lui décrivit les hauts plateaux et les belles vallées qui s'étendaient à l'est de la mer Morte.

— Nous avons toujours combattu les Hébreux, dit-il, et je suis certain que nous les combattrons toujours.

Il lui raconta l'histoire de sa compatriote, Ruth la Moabite, qui avait quitté son pays pour devenir l'épouse de l'Hébreu Booz.

— Ainsi, conclut-il, elle est l'arrière-grand-mère de ton roi David.

— Je ne savais pas cela! murmura-t-elle avec stupéfaction.

— David est donc un Moabite, vois-tu, et il est en même temps notre plus cruel ennemi.

— David? Cruel?

Meshab lui raconta les massacres des prisonniers moabites, et comment lui-même n'avait échappé au glaive que par miracle, pour devenir un esclave.

Dans la journée, Meshab travaillait inlassablement, accomplissant à la fois sa tâche et celle de Houpoeh. Ce fut ainsi qu'il eut l'occasion de rectifier une légère erreur d'orientation de son maître. Les esclaves aussi creusaient avec une ardeur renouvelée, car chaque équipe entendait de plus en plus nettement les coups de masse de l'autre et il était évident que la réunion des deux galeries était proche.

Enfin, Houpoeh revint, épuisé, hilare après six jours de beuverie, couvert de poussière et les pieds en sang, car il avait fait la route à pied tant son âne était chargé d'outils et d'instruments en fer. A peine eut-il embrassé sa femme et fait un peu de toilette qu'il courut au chantier avec Meshab. Les deux hommes descendirent au fond de la fosse principale, rampèrent jusqu'à l'extrémité de la galerie et l'ingénieur put entendre avec une netteté étonnante les coups frappés par l'autre équipe d'esclaves partie du puits. Puis il remonta et courut à l'autre sape pour juger du progrès des travaux. Il remarqua aussitôt l'erreur d'orientation qu'il avait faite, et les rectifications apportées par Meshab. De retour à l'air libre, il embrassa le Moabite et le remercia.

— En élargissant le tunnel, nous pourrons faire en sorte que la déviation ne se voie pas, dit-il, et il ajouta: Dès l'instant où ton outil fera tomber le dernier fragment de rocher qui sépare les deux galeries, tu seras un homme libre. Maintenant viens, allons chercher les outils neufs et distribuons-les aux ouvriers!

Et les travaux se poursuivirent, jusqu'à la fin de la saison chaude de

la troisième année. Quand les pluies d'automne détrempèrent la terre et
que les labours durent être interrompus, il devint manifeste que dans
quelques jours à peine les deux équipes se rejoindraient. Toute la ville
se prit de passion pour les travaux et le gouverneur lui-même chaussa de
vieilles sandales et mit de vieux vêtements pour ramper dans la petite
galerie et s'émerveiller de ce qui avait été fait.

Enfin se leva le jour qui, selon toutes les prévisions, devait être celui
de la réunion. Houpoeh s'efforça de maîtriser sa surexcitation, et il ne
voulut pas être celui qui donnerait le dernier coup de pioche. Il choisit
un simple esclave qui avait bien travaillé, et l'envoya au fond de la
galerie tandis que lui-même attendait impatiemment au bord de la source
où l'eau douce allait bouillonner doucement à la surface pendant
deux mille ans. Son génie avait assuré l'avenir paisible de Makor. Et
comme il se trouvait dans les entrailles de la terre, il pria le dieu qui
régnait sur cette terre :

— Grand Baal, tu m'as guidé à la rencontre de mon ami Meshab.
Cachés aux yeux de tous, nous allons nous réunir, et c'est à toi que
nous le devons.

Un grand cri se répercuta alors dans les sombres profondeurs.

— Houpoeh ! Houpoeh !

Les voix se mêlaient, confuses, et les esclaves refluèrent vers la
source, les larmes aux yeux tant leur joie était grande.

— Houpoeh, tu dois y aller !

Ils poussèrent leur maître dans la galerie. A genoux, il rampa dans
les ténèbres, il passa le coude où Meshab avait rectifié son erreur de
direction, et il aperçut enfin la lueur d'une lampe. Les hommes de
l'autre équipe l'attendaient au trou, et il entendit un des esclaves crier :

— Quand il passera la tête, acclamez-le !

Enfin, il atteignit l'étroite ouverture et il vit la figure ruisselante de
Meshab le Moabite.

— Tu es mon frère, lui dit-il. Dès cet instant, tu es libre de rentrer
dans ton pays.

— J'achèverai le tunnel avec toi, répondit le Moabite.

A l'instant même où les deux hommes se tendaient les mains dans
les profondeurs de la terre, un homme épuisé, amaigri, au visage mangé
de barbe, gravissait la rampe de la porte principale. Aux gardes qui
l'interrogèrent, il répondit qu'il s'appelait Gershom et qu'il réclamait le
droit d'asile. Il portait en bandoulière un petit instrument de musique à
cordes, appelé lyre.

Gershom était un chanteur des montagnes, un homme qui avait
gardé les moutons de son beau-père dans les hautes vallées où il avait
tué un homme et il avait pris la fuite, abandonnant sa femme et ses
enfants. Il arrivait à Makor, vêtu d'une simple peau de mouton, sans
métier, sans bagages, sans outils et sans argent. Il n'avait avec lui qu'une
petite lyre à sept cordes faite de bois de sapin et ornée de bronze, qui

résonnait sourdement sur son dos à chacun de ses pas. Il était poursuivi par les frères de celui qu'il avait tué, et il avait espéré atteindre le port d'Acre, où il serait en sécurité. Mais devant Makor ses forces l'avaient trahi et il était talonné par ses poursuivants, qui étaient à âne, alors qu'il fuyait à pied.

Il franchit la porte en chancelant, et murmura aux gardes le simple mot de « Sanctuaire ». Les soldats lui indiquèrent le chemin du temple, puis ils coururent prévenir le gouverneur. Au moment où le fugitif disparaissait dans la rue du temple, trois hommes couverts de poussière arrivèrent à dos d'âne et réclamèrent la permission d'entrer. Le gouverneur leur répliqua :

— Si c'est l'autre que vous cherchez, il est déjà au temple.

Les nouveaux venus, las et déçus, mirent pied à terre, laissèrent leurs ânes chercher un peu d'ombre et suivirent le gouverneur jusqu'au temple. C'était un petit édifice de pierre rougeâtre, très simple, sans colonnes ni parvis imposant. Sa double porte était en bois d'olivier, et quand le gouverneur la poussa, elle grinça sur ses gonds. L'intérieur était obscur, simplement éclairé par quelques lampes à huile qui permettaient de distinguer les marches de l'autel de basalte noir sculpté, orné d'une tête de taureau rappelant les sacrifices de jadis. A chaque coin de l'autel il y avait une sorte de corne, et l'assassin, agenouillé sur la plus haute marche, sa lyre posée à côté de lui, se cramponnait à deux de ces cornes.

— Il a droit d'asile, dit le gouverneur en montrant l'autel.

— Nous attendrons, répondirent les frères de la victime.

— Nous sommes tenus de le nourrir tant qu'il restera auprès de l'autel.

— Nous attendrons, répétèrent les trois frères.

— Mais pas ici.

— Nous irons dehors.

— Pas à moins de cinquante coudées. C'est le roi David qui a promulgué cette loi, pas moi.

Les trois frères répondirent qu'ils comprenaient, et ils sortirent du temple sans adresser la parole au fugitif. Quand ils furent partis, le gouverneur lui demanda quel crime il avait commis et l'homme à la lyre répliqua sans se troubler :

— Des paroles de colère... à propos de rien.

— Et pour cela tu as tué un homme ?

Le berger à genoux lâcha une des cornes et montra une longue cicatrice en travers de son cou.

— Pour cela, j'ai tué un homme.

— Que vas-tu faire ? demanda le gouverneur en se tournant vers la porte ouverte par laquelle on voyait les trois frères, éloignés de cinquante coudées, qui demandaient de l'eau aux curieux.

— Ils sont coléreux, dit l'assassin. S'ils me prennent maintenant, ils me tueront. Dans trois jours, ils auront compris leur folie et ils retourneront chez eux.

— Comment peux-tu en être sûr ?

— Ils ont vu leur frère me frapper. Je crois même qu'ils sont heureux que j'aie réussi à trouver asile. Cela leur donne l'excuse qu'ils désirent.

Le réalisme cynique de l'homme épuisé surprit le gouverneur et, peu convaincu, il posta quatre gardes à la porte du temple, responsables de la vie du fugitif tant qu'il pourrait toucher ne fût-ce qu'une de ces cornes de l'autel. C'était un usage que les Hébreux du désert avaient été contraints d'adopter quand ils s'établissaient en territoire habité, car de sanglantes querelles avaient ravagé les tribus et se poursuivaient de génération en génération, causant la perte de bien des hommes dont on avait grand besoin pour travailler la terre ou perpétuer la race. Moïse lui-même avait proposé un système de villes-refuges où les meurtriers d'occasion pouvaient demander asile, mais jusque-là ce n'était encore qu'un projet. En attendant, le droit d'asile était assuré à quiconque se réfugiait dans un temple et parvenait à saisir les cornes de l'autel, comme l'avait fait Gershom.

— Qu'on lui donne à manger, dit le gouverneur à ses gardes.

Il allait interroger les trois frères pour se faire confirmer le récit du fugitif quand de grands cris s'élevèrent du côté du mur du nord, et des groupes surexcités passèrent en courant.

— Qu'est-ce ? Que se passe-t-il ? cria le gouverneur.

Un homme s'arrêta.

— Les tunnels se sont rejoints !

Le gouverneur se hâta vers la fosse principale et y arriva au moment où Meshab remontait du fond. Le gouverneur salua le Moabite comme un égal.

— Houpoeh m'a dit que lorsque les tunnels se rejoindraient, tu serais un homme libre, lui dit-il.

— Je le suis.

— Vas-tu retourner dans ton pays ?

— J'ai promis à Houpoeh de l'aider à achever le tunnel.

— Cela va lui faire plaisir. Comment les galeries se sont-elles rejointes ?

Meshab plia les bras, écarta ses coudes autant qu'il le put, et amena lentement ses deux index raidis à la rencontre l'un de l'autre. Point n'était besoin de paroles tant son geste était expressif, et le gouverneur croyait voir les tâtonnements et le travail à l'aveuglette.

— A cet endroit, dit Meshab en interrompant son geste, nous nous entendions. Le tunnel de Houpoeh était légèrement dévié, mais à la bonne hauteur. Le mien était un peu trop haut.

Il réunit ses index lentement, sans les faire coïncider parfaitement. Un quart à peine du bout des doigts se touchait.

— Nous avons eu de la chance, observa le gouverneur.

— C'est Houpoeh qui a tout fait, répondit Meshab.

— Qu'allons-nous faire maintenant ?

Durant les longs mois où personne ne croyait à la réussite, il s'était

complètement désintéressé des travaux, mais à présent que le succès était assuré, il était assez malin pour comprendre que ce tunnel pouvait lui servir à se faire bien voir de Jérusalem. Aussi était-il devenu « notre » tunnel.

— Le reste est facile, déclara Meshab.

Mais avant qu'il puisse donner des explications, Houpoeh apparut venant de la poterne, couvert de terre, radieux, et le Moabite abandonna le gouverneur pour courir embrasser le petit ingénieur comme un frère.

Le gouverneur se tourna vers les fenêtres de la maison que Houpoeh avait construite, et appela :

— Kerith, Kerith, viens accueillir le vainqueur !

Elle apparut bientôt, en longue robe bleue, portant au cou la tresse de fils de verre multicolores. Elle comprenait la joie des deux hommes, et ce fut avec beaucoup de tendresse qu'elle alla embrasser son mari.

— Tu dois aussi embrasser mon frère Meshab, lui dit-il, car aujourd'hui il est un homme libre.

Kerith baisa gravement la joue de l'ancien esclave qui dut se mordre la lèvre pour ne pas pleurer d'émotion. La gorge serrée, il serra les mains de ses deux amis et murmura :

— Vous êtes ma vraie famille.

Le gouverneur dit à Houpoeh que dès le lendemain le Moabite devrait toucher un salaire, mais à Meshab, il demanda :

— Pourquoi n'accepterais-tu pas d'être circoncis pour devenir l'un d'entre nous ?

Ce disant, le gouverneur levait le bras pour désigner le temple et son geste avait quelque chose de symbolique car il embrassait la foule de curieux, composée d'hommes de toutes races venus former la population hébraïque de Makor : les Cypriotes qui avaient accepté la circoncision afin d'épouser des jeunes filles de la ville, les Hittites, qui s'étaient établis en paix après des années d'esclavage, les réfugiés de Babylone, les astucieux Egyptiens qui étaient restés quand l'empire s'était démantelé, les Africains à la peau sombre et les Edomites aux cheveux roux... Ils étaient tous hébreux désormais, et le gouverneur ne voyait pas pourquoi un Moabite ne les imiterait pas.

Emu, Meshab prit la main du gouverneur et la baisa, mais il répondit :

— J'ai vu la grandeur de Yahveh ; mais je suis un fidèle de Baal.

— Tu pourrais être aux deux, lui rappela le gouverneur. Les épouses étrangères des princes et des rois ont non seulement le droit d'adorer leurs anciens dieux, mais encore les encourage-t-on à les garder. A Jérusalem, il existe beaucoup de sanctuaires privés dédiés aux dieux des Egyptiens et des Philistins, et tu pourrais faire de même ici. Baal est là-haut, sur la montagne.

Mais Meshab baissa la tête et murmura :

— J'appartiens à Baal des Moabites.

Le gouverneur n'insista plus. Il félicita Meshab de sa liberté et s'en alla. En passant, il considéra les trois hommes aux figures sombres mon-

tant la garde devant le temple, attendant que le meurtrier cherchât à fuir. Au fond, pensa-t-il, il n'était pas nécessaire de poster des soldats pour protéger l'asile du fugitif, car ce privilège sacré n'avait pas été violé depuis des siècles. Les trois frères ne tenteraient vraisemblablement pas de créer un fâcheux précédent et le gouverneur fut enclin à penser que, comme l'avait prédit l'assassin, ils remonteraient bientôt sur leurs ânes pour reprendre le chemin de leurs montagnes.

Dans les jours qui suivirent, toute la population s'intéressa vivement au fugitif du temple, car il y avait plus d'une génération qu'aucun assassin n'était venu demander asile. Les enfants supplièrent leurs mères de leur permettre de lui porter de quoi manger. Naturellement, les lévites, c'est-à-dire les sacristains, étaient tenus de lui fournir de l'eau et la possibilité de satisfaire ses besoins naturels, ce qu'ils faisaient au moyen de pots d'argile, mais c'était la population qui devait lui apporter la nourriture. Il y avait donc un défilé incessant d'enfants porteurs de pains, de fromages et de fruits. Quand le prisonnier du temple avait mangé, ils s'attardaient pour l'écouter chanter en s'accompagnant sur sa lyre de vieux airs de ses montagnes et aussi des chants nouveaux qu'il composait.

Le troisième jour, ce fut au tour de la maison de Houpoeh de nourrir le meurtrier et comme l'ingénieur était retenu par ses travaux, Kerith réunit quelques provisions et les porta elle-même au temple. Là, elle entendit pour la première fois le doux chanteur des montagnes. Il était assis sur la plus haute marche de l'autel, à portée des cornes qu'ils saisissait chaque fois que la porte s'ouvrait, et accordait sa lyre devant un cercle d'enfants silencieux. Distinguant à peine dans la pénombre une femme portant un repas, il fut quand même rassuré de voir que ce n'était pas ses poursuivants. Sans s'occuper d'elle il entonna à voix basse un cantique inconnu. Kerith s'immobilisa près de la porte, sous le charme de cette voix, et ne voulut point l'interrompre même pour lui annoncer la bonne nouvelle qui le libérerait.

> Yahveh est mon éternel refuge
> Sa demeure est au firmament
> Ses chemins dans les cieux.
> Il est la joie du matin
> Et la consolation de la lune qui se lève
> Je veux chanter ses louanges
> Sur la lyre à sept cordes
> Car il est mon salut et le cantique de mon cœur.

Lorsqu'il eut fini, il laissa courir ses doigts distraitement sur les cordes, et sourit aux enfants qui l'entouraient, mais soudain il aperçut Kerith immobile, debout près de la porte, et leurs regards se croisèrent dans la pénombre. Lentement, elle s'avança, sans qu'il puisse détacher les yeux de son beau visage. Quand elle fut près de lui, elle lui annonça :

— Ils sont partis.

— Tous les trois ?

— Oui, assura-t-elle. Ils s'en sont allés.

Gershom joua alors un cantique joyeux.

On était au mois de Bul — où l'on engrange le blé et où l'on commence les vendanges — et Houpoeh passait de longues heures avec Meshab dans les profondeurs de la terre, encourageant ses esclaves, et travaillant avec eux à élargir les galeries pour former un tunnel de dix pieds de haut sur six de large. Pendant qu'ils travaillaient ainsi, Kerith avait bien souvent l'occasion d'entendre chanter l'étranger, et d'écouter avec ravissement ses vieux chants des montagnes et ses cantiques à la gloire de Yahveh. Lorsqu'il n'avait plus eu besoin de demeurer au pied de l'autel cornu, il avait trouvé un emploi chez un marchand de laine dont la boutique était située en face du temple, et il devint bientôt l'ami de toute la jeunesse de Makor. Souvent, le soir venu, il s'asseyait devant le temple et chantait.

Or, à côté de la boutique du marchand de laine, il y avait une échoppe où l'on vendait du vin et de l'huile. Souvent, alors que Gershom jouait de la lyre devant la porte, Kerith venait acheter du vin ou de l'huile — alors qu'auparavant elle envoyait une de ses esclaves — et elle s'attardait à écouter le doux chant du proscrit. Elle avait appris que son nom signifiait « un étranger parmi nous », et que les frères de sa victime avaient raconté aux habitants de Makor comment le crime avait eu lieu. L'histoire n'était pas aussi simple que l'avait dite Gershom. Les trois frères avaient expliqué qu'il était arrivé un jour dans leur village, on ne savait d'où, et qu'il avait réussi à épouser la fille d'un homme dont, par la suite, il avait volé les moutons. La cicatrice qu'il portait au cou n'avait pas été causée par leur frère assassiné, mais par le beau-père de Gershom qui l'avait frappé lorsqu'il avait réclamé ses moutons. Quant au crime, ils ne pouvaient dire pourquoi Gershom avait guetté leur frère au crépuscule. Et aux questions des gens de Makor, ils avaient répondu :

— De son passé, nous ne savons rien.

— Il nous a dit qu'il était de la tribu de Lévi, leur avait répliqué un enfant.

Mais les frères avaient haussé les épaules.

Kerith se demanda d'abord où était la vérité, mais quand la population de Makor se mit à accepter l'étranger, elle oublia ce passé inconnu et douteux et ne s'intéressa plus qu'aux chansons et aux cantiques de Gershom. Les paroles de ses cantiques à Yahveh l'émouvaient profondément, car elles résumaient l'idéal que son père lui avait inculqué lorsqu'elle était enfant. Ses visites chez le marchand de vin devinrent de plus en plus fréquentes, au point que l'on finit par en jaser. Elle s'attardait à la porte de la boutique, contemplait longuement l'homme à la lyre, et bien des gens se demandèrent si elle n'était pas amoureuse de l'étranger. Enfin, la rumeur parvint aux oreilles de Meshab le Moabite.

Il alla aussitôt trouver Houpoeh et lui dit :

— Houpoeh, ta femme court comme une brebis vers un abîme.

— Que veux-tu dire ?

— Elle est tombée amoureuse de Gershom.

— Veux-tu parler de l'homme qui joue de la lyre à sept cordes ?

Meshab considéra son ami avec pitié.

— Tu dois certainement être le seul homme de Makor qui ne sait qui il est. Et Kerith l'aime.

Houpoeh soupira et voulut parler, mais le bruit des marteaux au fond du tunnel interdisait toute conversation. Meshab entraîna alors Houpoeh vers la fosse principale et là, dans l'ombre fraîche, il lui expliqua :

— Lorsque tu es allé à Acre acheter le fer, j'ai eu l'occasion de mieux connaître Kerith. C'est une bonne épouse, comme l'était la mienne avant d'être tuée. Mais elle a faim... soif... elle désire...

— Je sais de quoi tu veux parler, s'écria Houpoeh d'une voix rassurante, comme si c'eût été Meshab qui avait des sujets d'inquiétude. Kerith a toujours rêvé d'aller vivre à Jérusalem. Elle prétend qu'elle y sera plus heureuse. Et j'ai une grande nouvelle à lui annoncer !

Frémissant de joie, il baissa la voix et confia à son ami :

— Ne le dis à personne. Je n'en ai pas encore parlé à Kerith parce que je ne veux pas que ses espoirs risquent d'être déçus, mais le roi David va venir visiter le tunnel ! Il en a entendu parler, même là-bas à Jérusalem ! Naturellement, il va me demander de l'accompagner dans sa capitale.

Le Moabite hocha tristement la tête.

— Tu le crois ?

— Oh oui ! Alors Kerith sera heureuse. A Jérusalem.

— Mon ami, c'est en ce moment même qu'elle est en danger. Maintenant.

— Je suis certain que tu exagères.

Mais au même instant, Kerith sortait une fois de plus de la boutique du marchand d'huile et de vin, et elle s'enhardissait à s'approcher de Gershom, à lui adresser la parole. Cependant, Meshab se trompait en imaginant qu'elle était amoureuse de cet étranger. Elle n'était pas attirée vers lui physiquement, mais elle était captivée par un homme capable d'exprimer en musique les aspirations religieuses de tous les hommes, et elle écoutait sa musique comme s'il la composait pour elle seule.

— Voudrais-tu venir chanter chez moi ? lui dit-elle. Mon mari ne va pas tarder à rentrer.

— Je veux bien.

Il se leva, et elle refréna le désir de le prendre par la main pour le guider. Il la suivit d'un pas nonchalant. Quand ils passèrent près de la fosse, elle appela un des esclaves et lui demanda :

— Vois si Jabaal veut bien nous rejoindre.

— Il est là au fond, en train de causer avec Meshab.

Kerith se pencha alors au bord du trou profond et sa voix se répercuta dans la pénombre :

— Houpoeh ! Houpoeh !

C'était la première fois qu'elle l'appelait par ce nom ridicule.

Durant les semaines qui suivirent, Gershom fut très souvent l'hôte

de Kerith. Généralement, Houpoeh était là aussi, mais d'autres fois elle était seule pour écouter ses cantiques dans un silence religieux. Puis il parlait, et elle était émerveillée par sa foi.

Il habitait une petite chambre obscure derrière la boutique du marchand de laine et travaillait le moins possible. Il mangeait et se gavait chaque fois que les repas étaient offerts, et buvait le vin qu'il mendiait ou volait. Parmi les esclaves de la ville, il y eut plusieurs filles qui voulurent le distraire, et il devint habile à escalader les murs. Chaque fois qu'il avait quelque argent il allait glisser deux ou trois pièces aux gardes à la porte principale, afin qu'ils le préviennent si jamais les frères de sa victime reparaissaient, pour qu'il ait le temps de courir se réfugier à l'autel cornu.

Au mois de Ziv de la quatrième année, le tunnel fut achevé. Houpoeh et Meshab allèrent à la carrière, de l'autre côté de la montagne de Baal, et y choisirent six grandes dalles de pierre taillées en rectangles longs de neuf coudées. Ils envoyèrent des esclaves en grand nombre pour traîner ces six gigantesques monolithes au puits et durant les jours que dura ce transport, ils firent déblayer le tunnel par d'autres esclaves. Les travaux étaient maintenant presque terminés. Il ne restait plus qu'à dissimuler le puits lui-même sous une telle épaisseur de rocher que nul envahisseur ne pourrait ni le découvrir ni le dégager.

Quand les immenses dalles arrivèrent au puits, traînées sur des rouleaux de troncs d'arbre, Houpoeh fit creuser trois paires de profondes encoches sur les parois sud et nord, au-dessus du puits. Ensuite, trois des larges dalles furent abaissées au moyen de cordes et mises en place en glissant les extrémités dans ces encoches. Puis de grosses pierres provenant de la démolition de l'ancien mur de protection du passage furent jetées sur cette plate-forme et les trous furent comblés par des cailloux et de la terre. Cela fait, les esclaves ménagèrent de nouveau trois profondes paires d'encoches, dans les parois est et ouest, et les trois autres dalles furent placées, en travers des premières. Et l'on combla le trou avec des pierres, des cailloux et de la terre, jusqu'au niveau du sol.

— Maintenant, achevez de démolir le mur du passage, commanda Houpoeh.

Les esclaves s'attaquèrent joyeusement à l'ancien mur cananéen et mirent les plus grosses pierres de côté, dans l'enceinte de la ville, en vue de la construction de maisons nouvelles.

Enfin, par un beau jour de printemps où les fleurs des champs couvraient les collines et la montagne de Baal, Houpoeh et Meshab montèrent à leur poste d'observation, là où ils avaient planté le premier drapeau rouge de la ligne de direction, pour voir si rien ne demeurait qui pût trahir l'existence du puits.

— On voit encore trop la trace de l'ancien passage, soupira Houpoeh d'un air soucieux.

— Les herbes folles et les buissons auront tôt fait de recouvrir tout cela, assura Meshab. Mais il y a une autre chose qui risque de nous trahir. La vois-tu ?

Houpoeh contempla la ville et vit les drapeaux.

— Les drapeaux ? Oui, nous les ôterons ce soir même.

— Je ne veux pas parler des drapeaux. Regarde cette ligne de mortier sur le rempart. Elle dit d'une voix claire qu'une construction s'est appuyée là.

— Mais oui !

C'était visible comme un signal, cette large bande de pierres sombres qui avaient été protégées du soleil par le passage, ressortant à côté du rempart plus clair, délavé et doré par les intempéries et la chaleur. Les deux hommes envisagèrent ce qu'il convenait de faire pour effacer cette trace révélatrice, et ce fut le Moabite qui trouva la solution.

— Nous pourrions construire une petite tour. Comme si elle protégeait la poterne.

— Excellente idée, approuva Houpoeh.

Il demanda à Meshab de rester encore un peu, le temps nécessaire à construire la tour.

— Non, je dois retourner dans mon pays, répondit l'ancien esclave.

Mais lorsque Kerith apprit que Meshab était décidé à repartir, elle pleura et l'embrassa, devant Gershom, et le supplia :

— Reste encore un peu de temps avec nous !

A Houpoeh et à Gershom, elle expliqua :

— Pendant une sombre période de mon existence, cet homme a été un frère pour moi.

A contrecœur, sachant qu'il avait tort, Meshab consentit alors à construire la tour de la poterne.

Un matin, alors que les travaux progressaient bien, Houpoeh revint de chez le gouverneur avec la grande nouvelle que sa femme attendait depuis trois ans. Le roi David venait enfin de Shunem pour inspecter le tunnel, et l'inaugurer en lui donnant son propre nom. Dès qu'elle l'apprit, Kerith se retira dans sa chambre pour prier.

— Yahveh, toi seul le conduis en ces murs. Toi seul me conduiras vers ta ville de Jérusalem !

A la fin du mois de Ziv, des cavaliers apparurent à la porte principale pour informer le gouverneur que le roi David approchait, sur la route de Damas. Des trompettes sonnèrent, toute la population se porta en masse sur les remparts et se tourna vers l'est, et après une longue attente, on aperçut des hommes à dos d'âne, suivis de quelques cavaliers, puis d'un palanquin porté par des esclaves.

Le cortège atteignit la porte aux chicanes, devant laquelle les hommes à dos d'ânes sonnèrent de la trompette. Celles de la garde leur répondirent et le palanquin du roi fut porté dans l'enceinte de la ville et déposé avec mille précautions devant la demeure du gouverneur.

Les rideaux de cuir s'ouvrirent, mais ce ne fut pas le roi David que vit alors la foule impatiente. Un murmure d'étonnement et d'admiration échappa aux lèvres de tous en voyant descendre du palanquin la plus belle jeune femme d'Israël.

— C'est Abisag, se chuchotèrent les femmes entre elles.

Abisag illuminait de sa jeunesse et de sa beauté les dernières années du roi David. C'était une fille de paysans, découverte dans le lointain village de Sunam, après de longues recherches pour trouver une douce enfant qui consentirait à vivre avec le vieux roi « pour partager sa couche et le réchauffer par les nuits froides », expliquaient les conseillers qui dirigeaient les recherches. A leur propre surprise, ils découvrirent la perle rare, une jeune vierge d'une incomparable beauté, qui servit le roi avec compassion. Nul ne devinait que dans quelques années, à la mort du roi, ses fils se disputeraient davantage cette radieuse concubine que son royaume, et qu'Adonija, fuyant la colère de son demi-frère Salomon, serait assassiné à cause de la belle Sunamite, la femme la plus désirable d'Israël.

Elle se retourna vers le palanquin et tendit la main à un frêle vieillard de bientôt soixante-dix ans, à la barbe toute blanche, et en la voyant le tenir par la main et le conduire comme un enfant, Kerith murmura :

— Est-ce donc là David ?

Mais dès que le vieux roi entendit les cris d'adoration de la multitude, « David ! David ! », il se redressa. Le soleil tomba sur sa barbe et fit étinceler les quelques fils roux qui demeuraient de ses jeunes années. Il écarta Abisag la Sunamite et tourna lentement la tête vers son peuple qu'il salua d'un geste royal. Ses yeux lumineux, profondément enfoncés, brillèrent de joie, et ses épaules semblèrent rejeter le fardeau des ans. Il s'avança d'un pas majestueux, et quand deux fois vingt trompettes sonnèrent et que les tambours résonnèrent, il fut une fois encore le grand roi, le vainqueur de Goliath, le bâtisseur. d'empire, le doux chantre d'Israël, le sage, le juge, le généreux, David des Hébreux, le roi nonpareil.

Kerith, qui le contemplait comme s'il était plus qu'un roi, vit que sa barbe était soigneusement taillée et ses vêtements soignés, car il était coquet. Il était chaussé de lourdes sandales aux courroies dorées, et revêtu d'un vêtement tissé d'or et d'émeraude ; une calotte de brocart protégeait sa tête blanche.

. Il s'avançait avec tant de noble grâce que nul n'aurait pu imaginer en le voyant les orages passionnels qui avaient troublé son existence, ses amours avec Mical, fille de Saül, et avec Bethsabée, épouse d'Urie, et son amitié trop passionnée pour Jonathan, fils de Saül. Tout cela n'était plus que douloureux souvenirs, et il apparaissait comme un homme qui a su enfin dominer les violentes impulsions de sa jeunesse.

Et puis soudain, il reprit la main d'Abisag et ses épaules se voûtèrent tandis que les trompettes sonnaient une dernière fois. Il se laissa guider par la jeune Sunamite, sans rien voir de la foule, comme absent.

— Il remet tout le royaume entre les mains de Salomon, chuchota un Phénicien. Il paraît qu'il n'a plus de goût pour les biens de ce monde.

Kerith fut frappée au cœur. Sans réfléchir, elle se jeta aux pieds du roi, lui saisit le pan du manteau et s'écria :

— A Jérusalem tu as dansé dans les rues pour nous, quand tu as sauvé l'arche d'alliance !

Il s'arrêta, laissa tomber sur elle son regard qu'une brève flamme illumina, puis il sourit et lui répondit :

— Il y a bien longtemps de cela.

Kerith, le visage levé vers la figure parcheminée, fut tentée de croire que le grand homme avait perdu toutes ses forces vives. Mais un peu plus tard, dans la grande salle du palais du gouverneur, quand le roi se dépouilla de son grand manteau et s'assit sur un trône préparé pour lui, Abisag à son côté, Kerith comprit son erreur. Elle vit que son corps était solide et musclé, et elle entendit des paroles qui lui firent bondir le cœur de joie :

— Les murailles de cette ville sont excellentes. Qu'on m'amène celui qui les a construites.

— Le voici, dit le gouverneur en poussant Houpoeh en avant.

Mais le petit ingénieur se dégagea et s'arrêta pour prendre la main de Kerith. Ensemble, ils se prosternèrent devant le roi.

— Es-tu aussi celui qui a construit le tunnel du puits ? demanda le roi David.

— Oui, je suis celui-là.

— J'aimerais voir ton travail.

— Quand tu seras reposé, intervint le gouverneur.

Mais le roi déclara qu'il entendait aller voir le tunnel immédiatement. Toute frémissante de bonheur, Kerith se joignit au cortège. Devant la fosse principale, le gouverneur surprit tout le monde en faisant un petit discours impromptu (qu'il avait soigneusement répété et préparé) qu'il conclut avec emphase en ces termes :

— Nous, gens de Makor, qui avons tant travaillé à creuser ce tunnel, nous te le consacrons aujourd'hui et le nommons Tunnel de David !

La foule poussa des vivats, mais Kerith vit que le roi ne semblait pas y prêter attention. Quant à Houpoeh, il remarquait que le seul homme qui aurait dû partager les honneurs avec lui n'était pas là. Meshab n'avait nulle intention de rendre hommage au roi David.

En haut de la pente inclinée descendant au fond de la fosse, on avait tendu une corde enguirlandée de fleurs, que le roi devait couper. Mais David s'avança et refusa de descendre, se contentant de regarder au fond du trou béant.

— De quel côté se dirige le tunnel ? demanda le roi.

Houpoeh lui répondit qu'il le verrait en descendant, mais David déclara qu'il ne désirait pas descendre. Il demanda encore une fois de quel côté allait le tunnel. Houpoeh fut trop stupéfait pour répondre. Il lui semblait inconcevable qu'un roi pût venir de si loin pour voir un tunnel, et refuser de l'explorer. Le gouverneur donna un coup de coude à Houpoeh, qui resta muet, aussi répondit-il à sa place :

— Il s'en va par là, Majesté.

Puis il conduisit David au sommet du rempart du nord pour lui montrer où se trouvait le puits. Mais les travaux le dissimulaient si bien qu'il hésita, et il y eut un instant de confusion, après quoi le gouverneur appela Meshab. Mais le grand Moabite s'était caché.

— Où est le puits ? demanda-t-il impatiemment à Houpoeh.

Kerith poussa son mari en avant. Il s'avança près du parapet et tendit le bras en un geste vague pour montrer une pente que rien ne distinguait des autres. Il lui eût été facile de répondre que le puits avait été si adroitement dissimulé que même ceux de Makor ne pouvaient dire où il se trouvait et que par conséquent l'ennemi ne pourrait le trouver, mais dans son trouble il ne put que bredouiller :

— Il est par là.

— Je vois, grogna David qui ne voyait rien.

D'assez mauvaise humeur, il descendit du rempart et demanda :

— Les esclaves ? Que vont-ils faire maintenant ?

Le gouverneur se tourna vers Houpoeh, qui n'avait rien à dire. Ce fut Kerith qui répondit :

— Ils peuvent retourner à Jérusalem.

— Bien. Nous en aurons besoin, grommela le roi.

Abisag murmura alors à David qu'il devrait prendre un peu de repos, mais il était d'humeur capricieuse et il refusa d'obéir.

— On m'a dit que vous aviez à Makor un chanteur qui joue de la lyre.

Le gouverneur parut perplexe et ce fut encore une fois Kerith qui répondit :

— Il y a ici un excellent chanteur. Dois-je aller le chercher ?

Mais Abisag répéta que le roi devait se reposer et il fut convenu que Gershom viendrait chanter ce soir-là au dîner du gouverneur.

C'était la première fois que Gershom pénétrait dans l'auguste demeure. Son art séduisit le roi, au point qu'en l'écoutant il avait les larmes aux yeux. Lorsqu'il eut chanté plusieurs cantiques, David voulut prendre la lyre à son tour, et il chanta pour les convives quelques-uns des merveilleux psaumes qu'il avait composés au temps où il était considéré comme le doux chantre d'Israël. Gershom chanta ensuite avec lui et les deux psalmistes tinrent l'assistance sous le charme de leur musique.

Trois jours se passèrent ainsi. Il n'avait plus été question du tunnel, que le roi n'avait toujours pas visité. Enfin, le quatrième jour, après avoir chanté de nouveaux psaumes avec l'étranger, le roi David déclara :

— Quand je retournerai à Jérusalem, ce jeune homme m'accompagnera.

Et il mit son auguste bras sur les épaules de Gershom, comme s'il enlaçait un fils tendrement aimé.

Lorsque le roi David prononça ces paroles, Kerith se trouvait à côté de lui et ces mots la frappèrent en plein cœur. La visite du roi, venant après six ans d'angoisse métaphysique et d'attente anxieuse, n'avait été pour elle qu'une suite de déceptions. Elle avait été témoin de l'humiliation de son mari, elle avait vu le peu de considération qu'un homme comme David pouvait avoir pour un simple constructeur de tunnels, et elle constatait à présent qu'il choisissait Gershom comme le seul être de talent, digne de l'accompagner à Jérusalem. Dès lors sa décision fut prise. Elle

était prête à prendre la résolution fatidique qui lui permettrait enfin de pénétrer dans la cité de David.

Lorsque la soirée se termina, elle suivit hardiment Gershom jusqu'à sa pauvre chambre, et sur le seuil du taudis elle lui annonça calmement :

— Quand tu partiras pour Jérusalem avec le roi, j'irai avec toi.

Il s'était tourné pour jeter sa lyre sur sa couche, et ne se retourna pas pour lui murmurer sans la regarder :

— C'est ce que je désire.

— Ce soir, dit-elle, je vais rester ici avec toi.

Même alors, malgré ces paroles décisives, ils craignirent de s'enlacer.

Kerith rentra chez elle pour faire part de sa décision à son mari. En chemin, elle cherchait à composer une phrase, elle se demandait comment ménager les sentiments du petit ingénieur, mais quand elle entra dans la nouvelle maison près de la fosse qui avait englouti ses espoirs, elle annonça simplement :

— Je pars pour Jérusalem. Avec Gershom. Je vivrai avec lui jusqu'à la fin de mes jours.

Atterré, plus ridicule encore dans sa douleur, le malheureux Houpoeh la suivit de pièce en pièce tandis qu'elle rassemblait quelques effets à emporter.

— Non, suppliait-il. Tu ne le dois pas !

Quand ils furent tous deux dans la chambre où ils avaient passé tant de nuits de passion, il lui tendit lui-même la tresse de verre multicolore rapportée d'Acre. Mais elle refusa de l'emporter, sans oser cependant dire que ce n'était que de la bimbeloterie phénicienne. Le seul bijou qu'elle emporta fut le pendentif de Perse, le cabochon d'ambre serti d'argent.

Sur le seuil de sa maison, près de la grande fosse béante qui semblait la railler, elle dit adieu au petit ingénieur pathétique, et quand il essaya de lui demander d'une voix tremblante pourquoi elle agissait ainsi, elle ne put que lui répondre :

— Reste à Makor avec les anciens dieux. Moi, je ne le puis plus.

Sur ces mots, elle le quitta.

Dans sa détresse, resté seul avec deux enfants que sa femme avait abandonnés et un tunnel qui n'intéressait pas le roi, Houpoeh s'en alla à la recherche du seul être qui pût le conseiller. Dans le crépuscule gris, il se rendit à la poterne où Meshab mettait la dernière main à la tour de garde qui devait dissimuler complètement les marques révélatrices sur le rempart, et dans sa perplexité il supplia le Moabite d'aller raisonner Kerith, mais à sa surprise peinée, Meshab refusa de quitter son travail.

— Je veux rester caché jusqu'au départ du roi David, expliqua-t-il.

— Mais pourquoi ? gémit Houpoeh que tous ces événements troublaient.

— Le roi David nourrit pour mon peuple une haine profonde.

— Mais il est lui aussi de sang moabite, protesta Houpoeh.

Il était si malheureux, son besoin d'aide était tellement évident, que Meshab, en dépit de ses appréhensions, posa sa truelle et consentit à aller

parler à Kerith. Mais comme les deux hommes rentraient dans la ville, un des capitaines du roi David aperçut le Moabite et s'enfuit en criant par les rues :

— L'assassin du Moab est parmi nous !

Meshab voulut se précipiter hors des remparts mais des lances étincelantes lui coupèrent toute retraite. Il fit alors ce qu'il avait projeté de tout temps, au cas où il serait pris au piège comme à présent. Il contourna la fosse en courant et plongea dans la rue sinueuse qui montait au temple dans lequel il se précipita pour se jeter au pied de l'autel, cramponné des deux mains aux cornes de pierre.

Houpoeh l'avait à peine rejoint dans ce sanctuaire que des soldats apparurent à la porte. En voyant le Moabite à l'autel, ils reculèrent, mais ils furent bousculés par le roi David en personne, qui, le visage assombri par la colère, marcha sur l'autel.

— Es-tu ce même Meshab à qui j'ai donné la vie sauve au Moab ?

— Le même. Je viens chercher refuge dans ton sanctuaire.

— N'as-tu pas tué Jerebash, le frère d'Amram ?

— En combat loyal, oui.

— N'as-tu pas jeté bas le temple de Yahveh ?

— Au cours d'un siège, oui.

— Tu n'as pas droit au sanctuaire.

— Je plaide le droit d'asile que tu as toi-même accordé à tous.

— Je te le refuse, tonna David. Je t'ai sauvé une fois et tu as retourné tes armes contre moi. Gardes ! Emparez-vous de lui !

Un combat scandaleux souilla alors la pureté du temple, car Meshab entendait vendre chèrement sa peau, et la lutte devint plus violente encore lorsque Houpoeh prit la défense de son ami et cria au roi :

— C'est un homme libre qui réclame le droit d'asile !

— Il a lancé un défi à Yahveh ! glapit le roi, hors de lui.

Les gardes se jetèrent sur le Moabite avec tant de force qu'ils le firent tomber, entraînant avec lui l'autel qui se brisa en deux au bas des marches. Cela ne fit qu'accroître la rage de David. Perdant toute raison il hurla :

— Qu'on le tue ! Qu'on le tue !

A sept contre un, armés de lances, les gardes se ruèrent sur l'ancien esclave. Percé de toutes parts, il alla s'écrouler aux pieds du roi, tandis que son sang ruisselait sur les marches sacrées. Un prêtre, se délectant de ces horreurs, entonna alors :

— Yahveh est vengé ! Yahveh a frappé son ennemi !

Enfin, la jeune Abisag qui cherchait son roi le trouva dans le temple souillé de sang. Elle le prit par la main et le conduisit à sa couche. Il avait eu le temps de réfléchir au forfait qu'il venait de commettre et dans sa chambre il se frappa la tête contre les murs, et il se repentit de ce dernier péché, le dernier de tous ceux qui avaient assombri sa longue vie de passion. Il ne pouvait chasser de son esprit la vision du Moabite cramponné aux cornes de l'autel, il entendait encore ses supplications. Il savait qu'il avait cédé à une horrible impulsion et, déjà, David était hanté par les remords et les regrets.

Dans un esprit de pénitence, il réclama la présence du jeune joueur de lyre, dont la musique le consolait, et des messagers allèrent le chercher dans sa petite chambre de la boutique du marchand de laine. Ils y trouvèrent non seulement Gershom mais aussi Kerith, tous deux occupés à défaire les quelques bagages qu'elle avait apportés de chez elle. Quand le messager dit à Gershom qu'il devait venir avec sa lyre pour consoler le roi, le chanteur répondit :

— Je dois amener Kerith. Je ne puis la laisser seule ici.

Et quand il partit pour répondre à l'ordre du roi, Kerith le suivit, en longue robe couleur d'or, portant au cou une amulette d'ambre.

Lorsque Gershom eut chanté au roi divers psaumes que David connaissait, il eut une inspiration, qu'il ne put jamais s'expliquer, et il entama un chant qu'il avait composé quelques années plus tôt dans la montagne, un jour qu'il se demandait ce que devrait faire un roi idéal. Ses paroles résonnèrent entre les murs de la chambre blanche, comme une conversation entre le peuple d'Israël et son roi :

> Justes, réjouissez-vous en Yahveh !
> La louange convient aux hommes droits.
> Célébrez Yahveh avec la harpe ;
> Louez-le sur la lyre à dix cordes !
> Chantez en son honneur un cantique nouveau ;
> Faites retentir avec joie vos instruments et vos voix !
>
> Car la parole de Yahveh est juste
> Et sa fidélité se montre dans toutes ses œuvres.
> Il aime la justice et l'équité.

Les trois dernières lignes du poème n'étaient que la préface d'un nouvel ordre des choses, mais elles frappèrent le roi coupable avec une force telle que, sans ouvrir les yeux, il fit un signe pour faire taire la musique. Il se leva, les yeux toujours fermés, fit quelques pas hésitants et tomba à genoux sur le sol. Il se prosterna, et courba le front et se tapa la tête par terre à plusieurs reprises en gémissant :

— J'ai trahi Yahveh ! Durant toute ma vie, j'ai commis ces choses que Yahveh condamne ! Quelle main a tué le Moabite sinon la mienne ? A quel autel a-t-il péri sinon au mien ?

Abisag alla alors relever le vieillard en pleurs, et elle l'obligea à se rasseoir dans son fauteuil. Il tremblait au souvenir de la profanation du temple. D'une voix suppliante, il murmura :

— Qu'on me parle du Moabite.

Kerith lui répondit :

— C'était un homme juste. Dans les ténèbres, il a construit le tunnel de David pour protéger ta ville. Quand mon mari était absent, c'est le

Moabite qui m'a protégée. Quand il a été libéré de l'esclavage, il a tenu à demeurer parmi nous afin d'achever le tunnel du roi. Meshab est un homme dont je me souviendrai avec les larmes jusqu'à mon dernier jour.

Ces paroles simples étaient exactement celles que David désirait entendre, l'éloge d'un guerrier brave et d'un homme bon.

— Assieds-toi à ma droite, dit-il à Kerith, et elle alla occuper cette place qui allait souvent être la sienne dans les premières années du roi. Le Moabite était valeureux au combat, et je l'ai tué. C'était un fervent défenseur de ses dieux, et je l'ai tué. Qu'ai-je fait en ce jour maudit ?

Le vieillard à la barbe blanche donnait libre cours à sa douleur, entre les deux femmes qui veillaient sur lui, et enfin, au bout d'un long moment, il se tourna vers Abisag :

— Apporte-moi ma lyre.

Quand il eut l'instrument sur ses genoux, il laissa ses doigts pincer distraitement les cordes, et puis il entonna un psaume qu'il avait composé bien des années auparavant, et qui dans sa vieillesse lui revenait bien souvent en mémoire :

> O Yahveh, ne me punis pas dans ta colère
> Et ne me châtie pas, dans l'ardeur de ton courroux !
> Aie pitié de moi, ô Yahveh, car je suis défaillant.
> Guéris-moi, car mes os sont tout tremblants ;
> Mon âme aussi est troublée ;
> Et toi, ô Yahveh, jusques à quand ?...
>
> Reviens, ô Yahveh, délivre mon âme ;
> Sauve-moi, dans ta bonté !
> Car dans la mort il n'est plus fait mention de toi.
> Qui te glorifiera dans le séjour des morts ?...
> Je m'épuise à gémir.
> Chaque nuit je baigne ma couche de pleurs.
> Je trempe mon lit de mes larmes.
> Mon œil se consume de chagrin...
> Eloignez-vous de moi, vous tous, ouvriers d'iniquité :
> Car Yahveh a entendu mes cris et mes pleurs.

Ainsi se lamentait David, et dans la nuit ceux qui l'écoutaient partageaient la douleur du vieux roi vengeur. Tout autant que ses lois rigoureuses, sa plainte appartiendrait éternellement au judaïsme.

Kerith ne vit plus jamais Houpoeh. Cette nuit-là, elle la passa dans la chambre chez le marchand de laine, et au matin, quand le cortège royal sortit de la ville et prit la route de Megiddo, pour aller ensuite

de là à Jérusalem, elle était perdue dans cette foule, marchant vers la ville dont elle rêvait.

L'existence de Gershom le proscrit allait être radicalement transformée, car à Jérusalem il fut nommé gardien de la musique du roi ; sous sa direction les scribes rassemblaient les nombreux psaumes écrits par le roi et les recopiaient sur des tablettes d'argile. Ils en conservèrent aussi beaucoup dus à l'inspiration de Gershom lui-même. Avec le temps, ces psaumes passèrent dans la liturgie juive ; ils furent chantés en plain-chant dans les offices catholiques et aussi dans les églises presbytériennes d'Écosse ; ils devinrent l'hymne national d'Australie et la musique religieuse d'Afrique du Sud. Ils furent chantés sur bien des airs différents, dans de nombreux pays aux religions diverses, car partout où ces paroles étaient récitées, on reconnaissait le cri du cœur de l'homme à la recherche de son dieu, car Gershom était un chantre, un artiste capable de se faire l'interprète des âmes, et ses paroles vivraient éternellement.

La vie de Houpoeh fut transformée aussi, mais de façon différente. Lorsque le roi David repartit pour Jérusalem, sans s'être intéressé au tunnel, le petit constructeur au cœur brisé monta sur les remparts comme un vulgaire paysan. Il chercha en vain à distinguer son épouse dans la foule, mais Kerith se dissimulait. Houpoeh ne vit pas davantage le roi David, ni Abisag ni Gershom. Tous les quatre, ils avaient disparu de sa vie comme les spectres venus répandre l'horreur par les nuits de tempête et que l'aurore fait fuir.

Pendant quelques semaines, il fut comme absent, incapable de croire qu'ils étaient venus ou qu'ils étaient repartis. Le gouverneur, se rappelant que Houpoeh avait affronté le roi pour prendre la défense du Moabite, ne lui adressait plus la parole. Ses esclaves étaient repartis pour Jérusalem, et on ne lui confiait plus de travaux. Les habitants de Makor composèrent des ballades sur l'aventure de sa femme avec Gershom, à laquelle ils ajoutèrent sa précédente amitié pour le général Amram, si bien que cette femme vertueuse fut chantée comme une vulgaire prostituée. Bien souvent, en passant devant les échoppes des marchands de vin, Houpoeh pouvait entendre les buveurs chanter ces ballades.

— Ils ne comprennent pas, murmurait-il tout seul.

Dans la maison près de la fosse, il élevait ses deux enfants, dont le destin serait de perpétuer la race de la grande famille d'Ur, mais ils ne s'intéressaient pas au tunnel que les femmes suivaient maintenant, jour après jour, pour rapporter en ville l'eau douce du puits secret. Durant l'existence de Houpoeh, les fortifications de Makor — entièrement dues à son génie — ne furent jamais mises à l'épreuve, si bien que les habitants n'eurent pas l'occasion d'apprécier ce qu'il avait fait pour eux. Les remparts et le tunnel leur semblaient naturels, et Houpoeh n'était pour eux qu'un petit homme ridicule que sa femme avait abandonné.

Vers la fin de sa vie, il disparut pendant plusieurs jours, et ses enfants ingrats supposèrent, espérèrent même, qu'il était mort. Mais il était dans les profondeurs de son tunnel ; il avait apporté avec lui un marteau et un burin, et il s'était construit un petit échafaudage sur lequel

il travaillait près du plafond. Les jeunes porteuses d'eau lui apportaient de quoi manger, en se demandant ce qu'il faisait là.

— Le toit va-t-il tomber sur nos têtes ? demandaient-elles en riant.

— Les rats des champs ont-ils creusé des trous ?

Elles ne savaient même pas que c'était à lui qu'elles devaient le tunnel.

Houpoeh ne répondit pas. Il taillait la pierre, patiemment, avec une couverture étalée de crainte que des gravats ne tombassent sur les femmes qui allaient et venaient. Enfin, son travail accompli, il suivit son beau tunnel jusqu'au bout, sans savoir que c'était pour la dernière fois. Au puits, les grandes dalles de pierre protégeaient la salle enfouie, et demeureraient en place durant trois mille ans. Les profondes grottes des temps préhistoriques étaient murées et cachées. L'eau du puits coulait, douce et fraîche, bien à l'abri, et le tunnel s'enfonçait dans les ténèbres, jusqu'à la vaste fosse où s'élevaient les deux élégantes rampes en spirale, vers le soleil.

Remontant à l'air libre pour la dernière fois, il franchit la poterne et se rendit au cimetière où, bien des années plus tôt, il avait enseveli Meshab le Moabite alors que personne ne voulait le toucher, et il s'assit sur la tombe pour songer aux jours heureux de leur amitié et de leurs travaux partagés. C'était un beau jour de printemps, et le désir lui vint de gravir la montagne de Baal. Mais la pente était abrupte, et soudain un vertige le saisit. Il s'assit au bord du chemin, en comprenant que la mort était proche.

— Yahveh tout-puissant, pria-t-il, accueille-moi à la fin de mes jours. Il se prosterna, puis il mourut.

Trois mille ans plus tard, au mois de Bul, en l'an de grâce 1964, un descendant de la grande famille d'Ur découvrirait le tunnel oublié, et bientôt le monde entier aurait la révélation de ce chef-d'œuvre d'architecture. Un philosophe français parlerait du tunnel de Houpoeh comme d'un psaume, « le chant de ceux qui ont accompli l'œuvre de Dieu ».

Et puis un jour, un archéologue américain nommé John Cullinane découvrirait le véritable psaume de Makor. En s'éclairant d'une vulgaire torche électrique, Cullinane suivrait ce tunnel et son œil distinguerait comme une plaque d'ombre au plafond. Il ferait alors apporter une échelle, il appellerait ses aides et il examinerait les parois humides. A l'aide de photos à l'infrarouge, de poudre de talc et de fines brosses en poil de chameau, les archéologues mettraient à jour une sorte de dédicace dont les effets allaient être d'une importance capitale pour les érudits, et cela pour plusieurs raisons : elle fournissait un des plus anciens spécimens d'écriture hébraïque, elle établissait une base chronologique certaine et elle évoquait la personnalité d'un homme ayant des problèmes à résoudre. Le même philosophe français baptiserait cette inscription le

« Psaume du Constructeur de Tunnel », et sous ce titre elle résumerait une ère :

> Jabaal de Makor a construit ce Tunnel David. Employant six drapeaux il a découvert le secret. Employant des cordes blanches, il a sondé la terre. Employant le fer venu d'Acre il a percé le roc. Mais sans Meshab le Moabite, rien. Jabaal a creusé à partir du puits et a erré. Meshab à partir de la fosse et sans se tromper. Car Meshab était son frère et maintenant il est mort, tué par le glaive du roi David. Du haut des cieux, Yahveh a dirigé. Du fond de la terre, Baal. Gloire aux dieux qui nous ont aidés.

GOMER ET SES VOIX

NIVEAU XI — 606-605 AV. E. C.

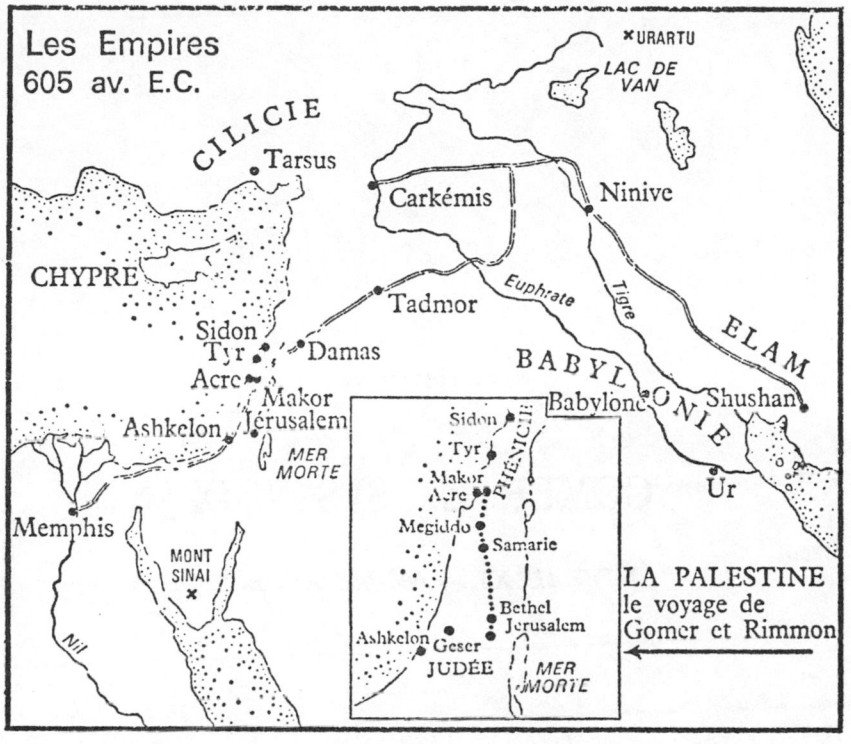

Les Empires
605 av. E.C.

URARTU
LAC DE VAN
CILICIE
Tarsus
Carkémis
Ninive
CHYPRE
Tadmor
Euphrate
Tigre
ELAM
Sidon
Tyr
Damas
BABYLONIE
Shushan
Acre
Makor
Jérusalem
Ashkelon
Babylone
MER MORTE
Ur
Memphis
MONT SINAI
Nil

LA PALESTINE
le voyage de
Gomer et Rimmon

Sidon
Tyr
PHÉNICIE
Makor
Acre
Megiddo
Samarie
Bethel
Jérusalem
Ashkelon
Geser
JUDÉE
MER MORTE

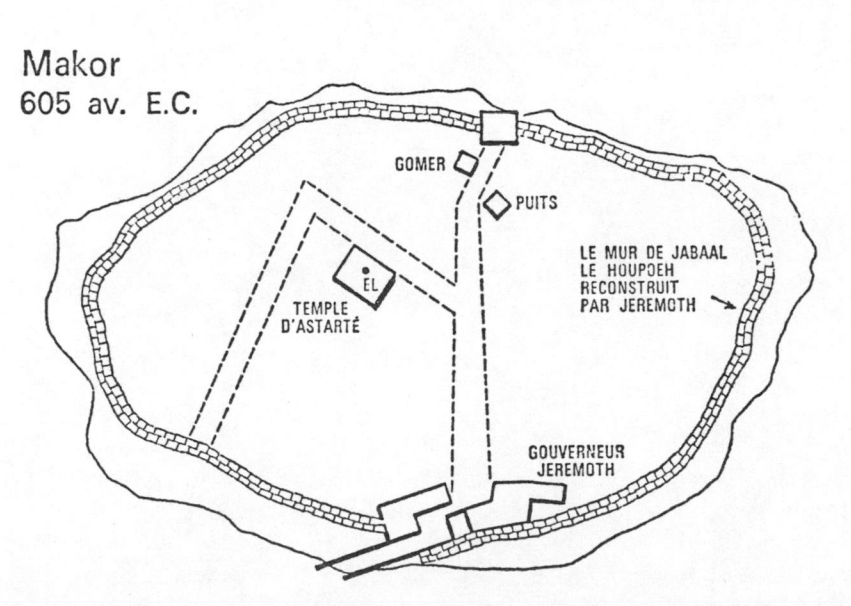

Makor
605 av. E.C.

GOMER
PUITS
LE MUR DE JABAAL LE HOUPOEH RECONSTRUIT PAR JEREMOTH
EL
TEMPLE D'ASTARTÉ
GOUVERNEUR JEREMOTH

EN ces temps-là, Yahveh frappait durement les Hébreux, car il les trouvait infidèles et obstinés.

Pour les châtier, il se servit des Assyriens. En 733 av. E. C., il leur envoya Téglathphalasar III, roi de Ninive, et, de ses déprédations, la Bible écrit : « Du temps de Pekah, roi d'Israël, Téglathphalasar, roi d'Assyrie, fit une invasion et s'empara... d'Hatsor, de Galad, de la Galilée et de tout le territoire de Nephtali. » Au cours de cette guerre, 184 000 personnes furent tuées et 591 villes détruites, mais pas Makor, car les fortifications élevées par Jabaal le Houpoeh arrêtèrent l'envahisseur et soutinrent un terrible siège, jusqu'à ce qu'un accord de suzeraineté fût conclu. Mais en 701 av. E. C., Sanchérib descendit du nord, et, à son sujet, la Bible rapporte : « La quatorzième année du règne. d'Ezéchias, Sanchérib, roi d'Assyrie, vint attaquer toutes les villes fortes de Juda et il s'en empara. » Mais, protégée par son tunnel de David, Makor résista à ce fléau, jusqu'à ce qu'enfin les Assyriens demandent à négocier, sur quoi la ville ouvrit volontairement sa porte en chicane. A l'aube, Sanchérib pénétra dans la ville ; à midi, il avait réuni le tribut exigé, et au crépuscule il ne restait plus une maison debout. Makor, pillée et brûlée, ses murs jetés bas en maint endroit, avait cessé d'exister et ses habitants hébreux étaient conduits en esclavage pour aller rejoindre ceux des Dix Tribus du nord qui seraient désormais perdues pour l'histoire sinon pour la légende. Des auteurs fantaisistes tenteraient de démontrer que ces Juifs perdus se feraient une existence nouvelle en tant que Bretons, Etrusques, Hindous, Japonais ou Eskimaux.

Pour punir les Hébreux, Yahveh se servit aussi des Babyloniens. En l'an de grâce 612 av. E. C., cette nouvelle puissance humilia Ninive, repoussa les Assyriens des deux fleuves (le Tigre et l'Euphrate) et en 605, le puissant Nabuchodonosor conduisit ses armées et les engagea dans une des batailles les plus lourdes de conséquences de l'histoire, à Car-kémis, au bord de l'Euphrate. De lui, la Bible nous dit : « Car ainsi parle le Seigneur, l'Eternel : Je vais amener du septentrion contre Tyr, Nabu-chodonosor, roi de Babylone, le roi des rois, avec des chevaux, des chars, des cavaliers et une armée innombrable. Il passera au fil de l'épée les villes de ton territoire ; il construira contre toi des retranche-

ments ; il dressera contre toi des terrasses et lèvera le bouclier contre toi. Il disposera ses machines de guerre contre tes murailles et démolira tes tours à coups de hache. » Et toutes ces choses, Nabuchodonosor les accomplit.

Yahveh utilisa encore les Egyptiens pour atteindre son but, en les lançant parfois contre l'Assyrie, parfois contre Babylone, et toujours contre les Hébreux, si bien que durant ces années de combats, les armées d'Egypte se firent beaucoup remarquer en Galilée ; quel que fût l'ennemi, c'était là que se déroulaient les batailles. En 609 av. E.C., le roi Josias, un des plus sages qu'eurent jamais les Hébreux, dut souffrir quelque dérangement mental temporaire, car il signa un traité d'alliance avec Babylone la parvenue contre les royaumes bien établis d'Egypte et d'Assyrie. De la pitoyable bataille qui en résulta, la Bible écrit : « Neco, roi d'Egypte, se dirigea vers Carkémis, sur l'Euphrate, pour y faire la guerre ; et Josias sortit à sa rencontre. » La confrontation entre Egyptiens et Hébreux se fit à Mégiddo, et le bon roi Josias y fut tué. Les Egyptiens représentaient une menace perpétuelle.

Durant ces années turbulentes, l'opiniâtre famille d'Ur réussit vaille que vaille à maintenir Makor comme un petit avant-poste mineur, qui ne pouvait se comparer à ce qu'elle avait été. Il ne restait plus que des vestiges de ses formidables murailles construites par Houpoeh au temps du roi David, et sa rue principale, si l'on pouvait appeler cette venelle une rue, passait entre de bien misérables demeures. Là où jadis avaient prospéré d'innombrables boutiques où l'on vendait des marchandises venues de tous les coins de la Méditerranée, il n'en subsistait que deux, qui n'avaient pas grand-chose à offrir. Les habitants menaient une existence frugale, car le luxe des règnes de David et de Salomon appartenait au passé.

A chacune des extrémités de la rue de l'Eau se dressaient deux maisons qui représentaient la synthèse de la nouvelle Makor. Près de la porte principale, dans une longue bâtisse basse, pauvrement construite et sans étage car Makor n'avait plus de bois pour les charpentes, vivait Jeremoth, rejeton de la famille d'Ur, qui consentait à servir de gouverneur pour le compte de l'empire, quel qu'il fût, qui régnait sur le pays. Il avait cinquante-deux ans. C'était un homme rusé, résolu, dont les ancêtres avaient réussi à maintenir la ville intacte durant la guerre civile qui avait détruit l'empire de Salomon et durant les deux siècles d'invasions phéniciennes, araméennes, assyriennes ou égyptiennes. Jeremoth était bien décidé à imiter ses aïeux, à se plier à tous les caprices de l'occupant, à ne pas résister ouvertement, à tout accepter plutôt qu'une guerre qui sonnerait le glas de la petite ville.

Il avait cinq filles, dont quatre étaient mariées à des marchands influents ou à de gros fermiers, et il avait aussi plusieurs frères aussi durs que lui. Comme beaucoup de familles de Makor, ils étaient redevenus des Cananéens adorant le Baal de la montagne, et ils espéraient qu'envers et contre tout ils parviendraient à conserver leurs vergers d'oliviers et leurs champs, tout diminués qu'ils fussent.

A l'autre bout de la rue, serrée dans un coin près des ruines de l'ancienne poterne, se trouvait une petite masure d'une seule pièce. Le sol était en terre battue, il n'y avait pas de meubles, et une seule fenêtre par laquelle filtrait un jour pauvre. Cela sentait la misère, le besoin. C'était la demeure de Gomer la veuve, une grande femme émaciée de cinquante-huit ans, qui avait eu une vie difficile. Fille sans grâce, elle s'était mariée sur le tard, pour être la troisième femme d'un misérable qui la raillait en public parce qu'elle était sans enfants et qui la traitait comme une esclave. Au bout de longues années de mariage, à la suite d'une scène qu'elle voulait effacer de sa mémoire (des soldats égyptiens ivres lâchés dans les rues) elle était devenue enceinte et son abominable mari avait soupçonné que l'enfant n'était pas de lui. En public, il craignait de mettre la vertu de sa femme en doute, de peur de se ridiculiser lui-même, mais dans le secret de leur triste masure, il la battait. Cependant, quand il mourut, ce fut elle et non ses premières femmes qui l'ensevelirent.

Elle n'avait que cet enfant, un fils qu'elle avait appelé Rimmon. Il était devenu un beau jeune homme de vingt-deux ans, que les jeunes filles admiraient, et qui avait été embauché comme régisseur des vergers d'oliviers du gouverneur Jeremoth. Sa mère et lui étaient de fervents adorateurs de Yahveh, le dieu des Hébreux, mais comme il était au service d'un Cananéen, Rimmon jugeait prudent de faire également des dévotions à Baal, mais il n'en parlait pas à sa mère.

Gomer était une femme laide, rébarbative. Ses cheveux n'étaient même pas d'un beau blanc, ni même franchement gris, ce qui lui eût valu le respect de tous. Ils étaient d'une teinte sale, indéfinissable. Elle n'avait pas les yeux clairs, ni la peau attirante. Elle avait tant travaillé dans sa vie que ses épaules voûtées la faisaient paraître plus vieille que ses ans. La seule chose en elle qui pût séduire, c'était sa voix, une voix basse, très douce, humble, qu'elle n'avait jamais élevée ni devant son père, ni devant son méchant mari, et elle ne l'élevait pas non plus devant son beau garçon.

Ce jour du mois d'Ethanim, le mois des fêtes de l'été, en 606 av. E. C., Gomer sortit de sa pauvre demeure près de la poterne, une urne sur la tête, pour descendre dans la grande fosse qui plongeait dans la terre non loin de chez elle. Elle était certainement la plus âgée de toutes les porteuses d'eau, et sa haute silhouette massive vêtue de toile grossière paraissait déplacée parmi les jeunes épouses et les esclaves rieuses. Mais comme elle n'avait ni belle-fille ni esclave, elle devait bien aller chercher son eau elle-même.

Elle était descendue jusqu'au puits, elle y avait empli son urne et elle remontait quand, sur le chemin du retour, elle parvint à une partie du tunnel que la lampe à huile du puits n'éclairait plus et où ne pénétrait pas le jour de la fosse principale. Ce fut dans ce passage obscur qu'elle entendit une voix lui disant :

— Gomer, veuve d'Israël ! Prends ton fils et va à Jérusalem, qu'il puisse jeter les yeux sur ma ville !

Elle regarda autour d'elle, elle chercha qui pouvait lui parler ainsi,

mais elle ne vit que ténèbres, et elle pensa qu'une des jeunes femmes s'était cachée pour la taquiner, car il leur arrivait bien souvent de se moquer d'elle ; mais la voix reprit, et sembla venir de partout, et cette fois elle fut certaine que ce n'était pas celle d'une femme. La voix lui disait :

— Gomer, permets à ton fils de voir Jérusalem.

Sans crainte, mais dans le plus profond étonnement, Gomer sortit du tunnel et, marchant comme en transes, elle chercha son fils, mais il était déjà parti pour les pressoirs à huile. Elle déposa donc son urne, sortit de la ville, traversa la route de Damas et s'engagea dans le verger d'oliviers du gouverneur Jetemoth. Au bout d'un moment, elle aperçut son fils travaillant au pressoir, un antique système de fosses carrées taillées à même le roc, reliées entre elles par des conduits en plomb. En le voyant, elle s'arrêta, car il était à genoux et elle comprit qu'il faisait ses dévotions matinales à Baal pour que l'huile soit fine et abondante. Elle attendit qu'il ait fini, fâchée qu'il fût justement ce matin-là en train de commercer avec Baal, puis elle alla vers lui.

Comme toujours lorsqu'elle le revoyait après une brève séparation, elle était frappée par sa radieuse beauté. Il était grand, blond, avec des taches de rousseur, comme beaucoup d'Hébreux, et doué d'une vive intelligence. Fils d'une pauvre veuve, il avait travaillé aux champs toute sa vie, et ne savait ni lire ni écrire, mais il avait appris de sa mère l'histoire de son peuple, en particulier les différentes manières adoptées par Yahveh pour se révéler aux Hébreux. Aussi priait-il Yahveh pour être guidé spirituellement, mais Baal pour la réussite de ses travaux quotidiens.

A l'ombre des oliviers gris, Gomer lui demanda :

— Rimmon, as-tu formé des projets pour aller à Jérusalem ?

— Non, mère.

— As-tu jamais désiré y aller ?

— Non.

Elle n'insista pas. Rentrée chez elle, elle chercha d'abord à emprunter à une voisine un peu de viande pour faire une soupe aux lentilles à son fils généralement affamé, mais ses voisins étaient aussi pauvres qu'elle, aussi s'en alla-t-elle au palais du gouverneur pour supplier les femmes des gardes ou les servantes de lui confier quelques travaux de ravaudage ou de couture. Il n'y avait rien pour elle, mais la femme du gouverneur, apprenant sa venue, la prit en pitié et lui dit :

— Ma fille Mical me réclame une robe blanche neuve, au cas où elle accompagnerait son père à Jérusalem pour la fête des Tabernacles.

Mical était une jolie jeune fille de dix-huit ans, brune aux yeux vifs, toute menue, et l'on s'interrogeait sur elle, en ville, car elle n'était pas encore mariée. Son rire clair, les sourires qu'elle adressait à tous, la faisaient aimer des femmes comme des hommes.

Sa mère la fit appeler, et Mical se réjouit d'apprendre que Gomer allait lui faire sa robe. La jeune fille appréciait beaucoup la veuve et la qualité de son travail ainsi que sa conversation paisible et sa voix douce, et en cet après-midi fatidique Mical et Gomer nouèrent des liens d'amitié.

Le lendemain matin, comme la veuve revenait du puits par le tunnel de David, voilà qu'elle fut arrêtée comme si une main puissante barrait le passage obscur et une voix s'éleva lui disant :

— Pour le salut des hommes, il est essentiel que Rimmon voie Jérusalem.

Gomer tenta d'avancer mais ne le put ; ses pieds étaient cloués au sol.

— Es-tu Yahveh ? demanda-t-elle.

— Je suis celui qui suis, répondit la voix en se répercutant de tous côtés. Et je te l'ordonne, prends ton fils et va avec lui à Jérusalem.

La barrière invisible fut levée et après quelques pas hésitants, Gomer aperçut le jour tombant dans la fosse. Elle courut chez elle et s'efforça de chasser de son esprit toute idée du tunnel. Elle travailla à la robe blanche de Mical comme si cela seul importait au monde, et s'absorba si bien dans sa tâche qu'elle parvint à oublier Yahveh, Rimmon et Jérusalem. Mais le soir venu, quand les rues s'emplirent du piétinement et des bêlements des moutons rentrant au bercail, quand elle ne parvint plus à voir dans le crépuscule son fil ni son aiguille, elle demanda encore une fois à son fils rentré des champs s'il désirait visiter Jérusalem.

— Non, répondit-il. C'est bon pour les prêtres.

— Tu n'as nul désir de voir la fille de David ?

— Tu ne l'as jamais vue, toi. Pourquoi la verrais-je ?

— J'ai toujours désiré la voir, soupira-t-elle dans la pénombre.

— Pourquoi n'y es-tu pas allée ?

— Une veuve peut-elle aller à Jérusalem ? A la fête des Tabernacles ? Qui lui dresserait une tente ?

Rimmon ne pouvait voir le visage de sa mère, que la nostalgie adoucissait. Comme beaucoup d'Hébreux de sa génération elle aspirait à Jérusalem comme l'abeille attend le printemps et les fleurs. C'était la ville sainte, la ville du temple, le sanctuaire, le lieu de prières par excellenc. Jusqu'à l'avènement de Rome, aucune ville au monde n'aurait sur ses fidèles l'attrait qu'avait Jérusalem, et cela malgré les jours sombres qui s'étaient abattus sur le pays. A la mort de Salomon, le vaste empire du roi David avait été ravagé par la guerre civile et s'était partagé en deux nations, Israël au nord, avec Samarie comme capitale, et le royaume de Juda au sud, dont la capitale était Jérusalem. Mais le royaume d'Israël avait été pratiquement exterminé par les conquêtes assyriennes, comme le rapporte la Bible : « Puis le roi d'Assyrie envahit tout le pays. Il arriva devant Samarie et l'assiégea pendant trois ans. La neuvième année du règne d'Osée, le roi d'Assyrie s'empara de Samarie ; il transporta les Israélites en Assyrie et les établit à Chalah et sur le Chabor, le fleuve de Gozan, et dans les villes de la Médie. »

Cependant, quelques Hébreux survivaient, dans des villes comme Makor, sous la domination de puissances étrangères, et il leur était interdit de se rendre en pèlerinage à Jérusalem. Néanmoins, les fidèles du nord continuaient d'espérer en Jérusalem.

Gomer répondit à son fils :

— Depuis plus de cinquante ans, Jérusalem est constamment devant mes yeux.

— Je crois bien que maintenant, tu n'as plus guère de chances d'y aller, répondit Rimmon.

— Et si je te disais ce soir : « Demain, nous partons pour Jérusalem » ?

Rimmon se mit à rire.

— Nous n'avons pas d'argent. Je dois surveiller le pressoir, et tu as le vêtement à finir pour Mical.

C'était aussi ce que se disait Gomer, et elle soupira, et renonça à ses projets. Mais le lendemain matin, dans le tunnel de David, elle fut arrêtée pour la troisième fois, et la voix fut comme le rugissement d'un lion, lui disant :

— Gomer, veuve d'Israël, pour la troisième fois je te l'ordonne, prends ton fils et va à Jérusalem, sinon les conséquences retomberont sur la tête des enfants de tes enfants jusqu'à la consommation des siècles.

Dans les ténèbres, elle répondit docilement :

— Je conduirai mon fils à Jérusalem, mais ne puis-je attendre d'avoir terminé la robe blanche ?

Il y eut un silence, comme si la présence consacrait du temps à considérer cette humble requête, et enfin la voix reprit :

— Tu es une femme qui gagne son pain en cousant. Pour toi, il est bien que tu achèves d'abord ton travail, et que tu ailles ensuite à Jérusalem.

Et Yahveh consentit à patienter.

Gomer mit deux jours à terminer la robe et quand Mical l'essaya elle parut encore plus belle.

— Je la porterai pour danser, s'écria-t-elle joyeusement.

— Tu vas donc à Jérusalem ? lui demanda Gomer.

— Mon père a pris la décision. Il y a quatre ans maintenant et en sa qualité de gouverneur...

La jeune fille s'interrompit, une ombre passa sur son visage soudain plus sérieux.

— Crois-tu que les Egyptiens nous entraîneront encore une fois dans la guerre ?

— Les Egyptiens, les Assyriens, les Babyloniens, les Phéniciens, les Araméens, récita Gomer. Ils nous entraînent perpétuellement dans la guerre. Ton père nous a toujours bien protégés et je suis heureuse qu'il aille à Jérusalem s'entretenir avec les dirigeants de Juda.

Elle hésita, puis elle demanda :

— Pourrais-tu lui demander de me payer aujourd'hui ?

— Mais bien sûr !

La jeune fille courut chercher son père mais quand il apprit la requête insolite de la veuve il vint lui-même dans la lingerie, sans dissimuler son déplaisir.

— Ceux de la maison de Jeremoth ont-ils jamais oublié de te payer ? demanda-t-il sur un ton courroucé.

En temps ordinaire, une pauvre veuve comme Gomer n'eût jamais osé tenir tête au gouverneur, car il savait être redoutable. Mais ce n'était pas un jour ordinaire, et Gomer n'était plus une femme ordinaire. Yahveh lui avait donné l'ordre d'accomplir quelque chose dont le salut du monde dépendait, et le gouverneur Jeremoth ne pouvait l'intimider. De sa voix douce, elle répondit :

— Tu m'as toujours payée, gouverneur. Mais demain à la première heure, mon fils et moi devons partir pour Jérusalem...

— Quoi !

— Cette année, nous dresserons nos tentes dans la ville sainte.

— Toi ? Vous ? s'étrangla le gouverneur. Rimmon sait-il cela ?

— Pas encore, mais...

Avec un amusement mêlé de dédain, le gouverneur se détourna de Gomer et donna l'ordre à un de ses serviteurs d'aller chercher Rimmon au pressoir, et quand le jeune régisseur se trouva devant lui, il lui dit :

— Rimmon, ta mère me dit que vous partez tous les deux pour Jérusalem demain à la première heure. Tu quittes donc mes vergers sans ma permission ?

— Jérusalem ? s'étonna le jeune homme. Je n'ai aucun projet...

Vint alors l'instant de la décision, cette seconde fugace qui devait déterminer le sort de Makor dans les mois à venir. Gomer, voyant le mépris du gouverneur et le désir de son fils de ne pas désobéir à son maître, fut presque tentée d'abandonner son projet, de démentir ce qu'elle venait de dire, mais les paroles refusèrent de sortir de sa bouche. Malgré elle, elle regarda le gouverneur en face, plongeant ses yeux dans le regard d'acier et sa voix vibra d'une intensité inusitée.

— Il m'a été commandé de conduire mon fils à Jérusalem demain.

Bien qu'elle n'eût pas prononcé le nom de Yahveh, le gouverneur, tout Cananéen qu'il fût, et fidèle à Baal plus qu'au dieu des Hébreux, était trop fin diplomate pour vouloir s'attirer les mauvaises grâces de quelque dieu que ce fût en un temps où les ombres de l'Egypte et de Babylone s'étendaient sur la Galilée. Ce fut ce qui l'empêcha de s'emporter contre Gomer. A la grande surprise de sa fille et de Rimmon, il déclara :

— Très bien, Gomer. Voilà ton argent. Dressez la plus belle tente de Jérusalem.

Rimmon voulut s'excuser, répéter qu'il n'y était pour rien mais le gouverneur avait déjà quitté la pièce.

La marche vers Jérusalem en ces chaudes journées du mois d'Ethanim fut pour Rimmon, comme Yahveh en avait l'intention, un voyage inoubliable. Trente-six lieues séparaient Makor de la ville sainte, et le chemin était tortueux, difficile, traversant des sables, des marais, franchissant des montagnes...

La mère et le fils sortirent à l'aube de la porte en chicane, pauvrement vêtus, avec quelques maigres provisions sur le dos, quelques pièces d'argent dans la ceinture et de lourdes sandales aux pieds. Rimmon emportait en

outre de longues cordes, pour dresser leur tente, ou plutôt la cahute qui les abriterait sur les pentes au pied des murs de Jérusalem.

Guidant sa mère qui ne savait pas du tout de quel côté se trouvait la cité de David, Rimmon se dirigea vers le sud en traversant le verger d'oliviers, et là l'idée lui vint de demander à Baal de veiller sur les arbres en son absence. Mais quand il voulut s'agenouiller près du pressoir, sa mère le prit par le bras, si fortement que ses doigts maigres furent comme un étau serrant la chair du jeune homme, et elle l'entraîna en disant :

— Il n'y a plus de Baal, plus jamais.

Il la suivit, et ils traversèrent le marécage, où les insectes les tourmentèrent, puis ils prirent le chemin de la ville forte de Mégiddo où ils firent halte, et versèrent des pleurs sur le bon roi Josias qui venait d'y être tué dans sa lutte inégale contre les Egyptiens.

De Mégiddo, il marchèrent jusqu'à Samarie, capitale de l'ancien royaume d'Israël, et ils montèrent ensuite vers Bethel qu'ils traversèrent pour aller faire halte à Anathoth, où vivaient des prophètes. Ce fut là que Gomer et son fils entamèrent leur longue ascension vers Jérusalem.

Durant les premières heures, ils gravirent la montagne sans voir la noble cité, mais les centaines d'autres pèlerins venus de toutes les régions pour célébrer à Jérusalem les fêtes sacrées marquant la nouvelle année leur apportaient la preuve qu'ils étaient sur le bon chemin. Quelques paysans allaient à dos d'âne mais l'immense majorité se traînait à pied par les sentiers rocailleux, un bâton à la main.

Soudain, sous la chaleur écrasante de midi, il y eut comme une bousculade confuse, un grand silence tomba sur la multitude qui s'arrêta. Au-delà des collines se dressaient de hautes murailles, un énorme rempart de pierres roses et grises et mauves sous le soleil éclatant. Derrière ces majestueuses fortifications on distinguait la haute silhouette d'un temple, du Temple. De nombreux pèlerins tombèrent à genoux pour rendre grâces à Yahveh qui leur permettait de voir cette ville sacrée avant de mourir, mais Gomer remarqua que Rimmon restait à l'écart, debout, le regard fixe, comme écrasé par ces murailles extraordinaires et la grâce ineffable qui se dégageait de ces lieux saints. En regardant son fils absorber la merveille de Jérusalem, elle tenta de deviner quel besoin divin l'avait amené là, mais elle était dans l'ignorance. Soudain, elle se sentit comme poussée, tirée vers son fils, et sa voix douce se mit à murmurer des paroles, à formuler des idées qu'elle n'eût jamais pu concevoir d'elle-même :

— Ne regarde point ces murs, Rimmon, fils de la veuve, mais tourne ton regard vers l'ouest, vers ces pentes au-delà du champ du foulonnier. Il y a cent ans, après avoir écrasé Makor, Sanchérib n'a-t-il point dressé son camp sur ces pentes, son armée aussi nombreuse que les sauterelles de la septième année ? Et ne s'est-il pas préparé à détruire Jérusalem ? (Or, Gomer ignorait tout de ces choses.) Car la cité de David était sans défense devant lui. Le terrible Assyrien n'avait qu'à pousser ces murailles gris-rose, et Jérusalem était sienne pour qu'il allât abattre le temple, et anéantir à jamais les fils de Juda. Mais dans le milieu de la nuit j'ai marché entre les tentes des Assyriens. Plus puissant que des

chars, étais-je cette nuit-là, plus mortel que les flèches aux pointes de fer, et au matin la mort était sur l'armée, et elle s'éloigna et se fondit dans le lointain.

Rimmon remarqua l'étrange emploi du pronom « je » ; il comprit que ce ne pouvait être sa mère qui s'adressait ainsi à lui. Et Gomer, reprenant conscience, éprouva pour la première fois la sensation mystérieuse de savoir que des paroles étaient sorties de sa bouche qu'elle-même n'avait pas prononcées. Ils comprenaient tous deux qu'un événement d'une importance considérable venait de se produire, mais l'un et l'autre craignaient de trop s'interroger. Rimmon refusait de croire que Yahveh s'adressait à lui, car il ne pouvait se juger digne d'un aussi insigne honneur, et Gomer savait qu'elle n'était qu'une pauvre femme ignorante ne sachant ni lire ni écrire. Elle n'avait jamais été aimée d'un homme, et son fils n'avait même pas de père. Ce n'était pas à de telles gens que Yahveh parlait. Il ne choisissait pas des miséreux de la poterne nord, pour le représenter ! Gomer et son fils repoussaient toute prétention à la prophétie.

D'un ton qu'il voulait négligent, Rimmon demanda :

— Sanchérib n'a-t-il pas détruit Jérusalem ? Et Makor ?

Gomer plissa le front et répondit de sa voix normale :

— Je ne crois pas. Les cohortes étaient prêtes à donner l'assaut, mais elles ont disparu. Du moins, c'est ce qu'on racontait dans le temps...

Et ce fut comme deux pèlerins ordinaires qu'ils pénétrèrent dans la ville. Jérusalem ne ressemblait à nulle autre ville de cette époque. La Grèce, naturellement, était hautement civilisée et possédait des temples admirables, en Egypte les cérémonies et les fêtes religieuses étaient somptueuses, Babylone était grande et la Perse déjà puissante, mais il n'y avait qu'à Jérusalem que l'on pût assister à cette fervente communion de tout un peuple se concentrant sur un unique temple construit quelques siècles plus tôt par Salomon. C'était à ce point culminant de la foi hébraïque que Gomer amenait son fils, dans un but qu'elle était incapable de comprendre. Ils allèrent avant tout se prosterner devant le temple.

Puis Rimmon conduisit sa mère hors des murs, vers le mont des Oliviers au pied duquel coulait le Kidron, couvert de jardins, de potagers, de vergers aux fruits gonflés. Le jeune homme tailla des branches d'arbres et, avec ses cordes, construisit une cabane où Gomer et lui passeraient huit nuits. Aussi loin que portait le regard, on pouvait voir sur le mont des centaines de ces cabanes, aux branches entrelacées de telle sorte que si l'on se réveillait la nuit, on pouvait voir le ciel et ses étoiles. Ainsi les Hébreux se souvenaient-ils des longues années passées dans le désert quand ils commençaient à connaître Yahveh et qu'ils vivaient sous la tente : chaque année, les hommes d'Israël et de Juda se retiraient dans les huttes, comme le faisaient à présent Gomer et Rimmon.

Le lendemain, ils se levèrent de bonne heure et quittèrent le mont des Oliviers pour retourner dans la cité faire leurs dévotions au temple. Gomer resta dehors avec les femmes, tandis que son fils pénétrait dans l'enceinte pour contempler le saint des saints dans lequel seuls quelques

prêtres étaient admis. Puis il alla rejoindre sa mère et ensemble ils assistèrent aux sacrifices. Des bœufs mugissants étaient conduits vers les autels, et les fumées d'encens montaient vers les cieux. Rimmon fut alors pénétré d'une compréhension nouvelle, et sa foi en Yahveh se trouva affermie. Il se disait que jamais il n'oublierait cette ville, et le sixième jour, Gomer l'entendit murmurer :

— O Jérusalem, si je t'oublie, que mes yeux soient aveuglés, que ma droite perde son adresse.

Mais ce n'était pas seulement pour ces instants solennels que les pèlerins accomplissaient le long et pénible voyage à la ville sainte. Car après les cérémonies religieuses venaient les fêtes joyeuses des vendanges, vestiges des anciens rites païens de la terre de Chanaan. La plus attendue était la nuit où les jeunes vierges, vêtues de robes blanches neuves, allaient dans les vignobles, sur la route de Bethléem, où les plus belles grappes attendaient dans le pressoir d'être foulées par leurs pieds délicats. Chacune à son tour, les jeunes filles sautaient sur les raisins juteux, la robe remontée au-dessus des genoux, et dansaient tandis que leurs compagnes chantaient. Tous les jeunes gens à marier venaient naturellement les admirer, et peut-être choisir leur épouse future. Or, Rimmon était là lorsque les jeunes filles choisirent par hasard, pour fouler les grappes, une ravissante étrangère venue du nord, que les garçons aidèrent à sauter dans le pressoir. C'était Mical, fille du gouverneur de Makor.

Il fut étrangement ému de la voir parée de cette robe blanche que sa mère avait cousue, sur laquelle elle avait peiné pendant des jours, pour payer leur voyage, et il serra la main de Gomer comme pour la remercier. Et puis son cœur se dilata, s'ouvrit à un amour qui ne devait plus jamais le quitter. Comme en transes, il regardait danser la fille du gouverneur, et quand ce fut au tour d'une autre de fouler les grains symboliques, il s'avança pour soulever Mical dans ses bras et l'aider à descendre.

— Rimmon ! s'exclama-t-elle, surprise.

Il la déposa doucement par terre, et elle le laissa essuyer du bout des doigts sur ses joues le jus violet de la treille. Elle ne recula pas lorsqu'il se pencha sur elle, et tendit même la bouche à son baiser.

Sur le chemin du retour, Rimmon annonça à Gomer qu'il entendait épouser Mical, et la veuve protesta en disant qu'un Hébreu ne devait pas épouser une fille dont la famille était cananéenne. Rimmon ne se soumit pas à cet argument, et sa mère découvrit alors chez lui cette dureté que les vicissitudes de sa pauvre existence lui avaient imposée à elle-même. Cela lui plut car c'était chez son fils une preuve de caractère, mais cela l'effrayait quand cette obstination s'appliquait au choix d'une épouse. Elle se demanda ce qu'elle pourrait faire pour prévenir une décision trop hâtive. Gomer avait grande envie de révéler à son fils que Yahveh l'avait choisi pour quelque austère dessein, mais elle ne le pouvait, car elle ignorait tout de la mission pour laquelle il avait été désigné.

Et, contre le gré de sa mère, Rimmon épousa Mical. Bientôt, et un

peu à contrecœur. Gomer dut reconnaître que la fille du gouverneur était parfaite. Non seulement elle était pour Rimmon une épouse rêvée, jolie, docile et gaie, mais encore lui avait-elle apporté une dot plus considérable qu'on ne pouvait l'espérer, et elle avait de surcroît tant cajolé son père que le gouverneur avait pris Rimmon comme associé et non plus comme régisseur.

Vinrent alors des jours de terreur. Là-haut au sud, à l'est de Mégiddo, apparut la puissante armée de Pharaon Neco, avec des soldats par milliers, et des chars dont la poussière obscurcissait le soleil, des généraux en tunique plissée et des fantassins chargés de glaives et de lances. Rapidement déployée dans toutes les directions, l'armée occupa les croisées des chemins, les villages et même des villes fortes.

— Nous marchons vers le nord pour écraser Babylone à jamais, annoncèrent au gouverneur Jeremoth les émissaires égyptiens armés. Et à Makor, nous réclamons deux cents hommes avec leur équipement complet. Il nous les faut ce soir au coucher du soleil.

Un cri de protestation s'éleva dans la ville, et quand le gouverneur refusa de désigner quels hommes devaient partir, les Egyptiens s'en chargèrent rapidement. Ils commencèrent par enrôler tous les hommes jeunes vivant hors des murs. Jeremoth protesta vivement, disant que c'étaient là les paysans qui travaillaient aux champs pour nourrir la ville, mais le général égyptien lui lança :

— Quand la ville commencera de mourir de faim, les femmes iront travailler aux champs. Tu as cinq filles, tu mangeras, toi !

Puis ils fouillèrent les maisons et recrutèrent tout homme apparemment capable de faire cinquante lieues à pied. Ils s'emparèrent naturellement de Rimmon, et le trouvèrent si solide et de si bonne mine, qu'ils lui déclarèrent sur-le-champ qu'il serait le capitaine du contingent des Hébreux. Avant qu'il puisse embrasser sa femme et sa mère, il fut poussé hors des murs où l'on se mit aussitôt à lui donner des ordres. Il protesta, et cria qu'il ne conduirait pas ses Hébreux contre les Babyloniens mais un soldat égyptien — même pas un officier — le frappa à la nuque avec une masse d'armes et il tomba évanoui sur le sol.

Du haut des remparts, Gomer vit s'écrouler son fils, et elle le crut mort. Elle voulait gémir, pleurer comme n'importe quelle mère, mais une force extérieure prit possession de sa gorge. Elle se redressa de toute sa haute taille, tendit le bras droit, l'index rigide, et s'avança au bord du parapet. Le vent du soir agitait ses longs cheveux gris et, pour la première fois de sa vie, elle parla d'une voix tonnante, une voix d'airain qui se répercuta par toute la ville et frappa au cœur les Egyptiens pétrifiés :

— O hommes d'Egypte ! Depuis trop longtemps vous tourmentez les enfants de Yahveh, depuis trop longtemps ! Vous marchez vers le nord pour une bataille que les hyènes et les vautours célébreront longtemps en se partageant vos ossements. Vous, fiers généraux en tuniques plissées, à la grande bataille vos yeux seront crevés et vous passerez le reste de votre âge dans les ténèbres, esclaves de Babylone ! Vous,

insolents conducteurs de chars aux armures étincelantes, vos chevaux vous traîneront dans la cendre, et les pierres des champs déchireront vos chairs. Vous, prêtres qui accompagnez la puissante armée pour lui donner votre bénédiction, vous verserez des larmes amères en rêvant de Thèbes et de Memphis (or, si Gomer avait entendu ce qu'elle proférait, elle eût été perplexe car elle ne savait rien de ces villes d'Egypte), en rêvant de votre terre d'Egypte quand vous travaillerez durement dans les fosses aux esclaves de Babylone. Et toi, Pharaon-Neco, chevauche vers le nord avec tes étendards flottant au vent et les roues de tes chars soulevant la poussière ! Va, mais tu marches en vain, car l'Egypte est perdue !

Ses paroles déchiraient le silence comme des flèches frappant le roc, et un capitaine égyptien, voyant quel effet elles produisaient sur ses troupes, s'écria :

— Faites taire cette folle !

Le gouverneur Jeremoth en personne se précipita et secoua Gomer. Elle se tourna lentement vers lui, sans comprendre. En reprenant conscience, cependant, elle vit que Rimmon n'était pas mort et qu'il obéissait aux Egyptiens.

Ainsi, l'armée se mit en marche vers le nord, enrôlant au passage des villes et des nations entières, en se préparant pour le jour où elle affronterait la puissance des Babyloniens.

Redevenue une simple femme, Gomer regarda disparaître son fils à l'horizon, puis elle chercha une consolation auprès de Mical sa belle-fille. Les deux femmes allèrent rejoindre les autres mères, filles ou épouses en pleurs qui s'attardaient sur les remparts, leurs yeux noyés tournés vers le nord où l'armée n'était plus qu'un nuage de poussière, témoignant du dernier fléau qui venait de s'abattre sur Makor.

Durant les longs mois de la saison sèche, durant que les Egyptiens manœuvraient afin d'écraser définitivement Babylone pour que la terre entre les deux fleuves connût enfin la paix, Gomer et Mical sa belle-fille avaient organisé leur vie pour la rendre sinon plaisante du moins supportable. Comme l'avait prédit le général égyptien, les femmes de Makor n'avaient pas tardé à prendre le chemin des champs pour y remplacer les hommes enrôlés dans la guerre. Mical, en sa qualité de fille du gouverneur, aurait pu se soustraire à cette corvée, comme ses quatre sœurs, mais malgré sa grossesse, elle estimait que son devoir était de travailler aux côtés de Gomer.

Depuis son mariage, Mical proposait chaque matin à sa belle-mère d'aller puiser de l'eau à sa place, et chaque matin Gomer plaçait son urne sur sa propre tête et refusait en souriant. Car la veuve savait que si son destin était d'entendre de nouveau la voix, ce serait dans les ténèbres du tunnel de David que celle-ci se manifesterait. Tous les jours, donc, elle descendait le long de la rampe en spirale vertigineuse, elle suivait le passage humide jusqu'au puits où la petite lampe à huile se reflétait sur

la surface sombre de l'eau, et puis elle remontait lentement, en guettant la voix.

Ainsi passaient les jours, et Gomer se félicitait des perfections de sa belle-fille. Une seule chose la troublait : c'était que Mical demeurât fidèle au rite de Baal et gravît souvent la montagne pour se prosterner devant le monolithe. Et lorsque le temps de sa délivrance approcha, elle cessa de travailler aux champs et s'en alla consulter les prêtresses d'Astarté. Dans le petit temple érigé au-dessus de l'antique monolithe d'El, trois prostituées sacrées maintenaient les anciennes traditions mais en ces tristes temps où les hommes étaient partis pour la guerre, on faisait rarement appel à leurs services. C'étaient des filles aimables et elles connaissaient les rites sacrés pour les délivrances. Aussi lorsque vint le temps de Mical, elle se confia non pas à Gomer et aux femmes des Hébreux, mais aux prêtresses, qui l'accouchèrent d'un solide garçon auquel elle donna le nom d'Ishbaal, signifiant qu'il était un fils de Baal.

Quand Mical revint du temple avec son enfant, Gomer ne put cacher son déplaisir, et quand elle apprit le nom du bébé elle cracha par terre avec mépris. Mais quand elle vit avec quelle tendresse Mical soignait son enfant, quand elle s'aperçut que le bébé ressemblait trait pour trait à Rimmon, elle sentit mollir son cœur, et elle alla travailler aux champs seize à dix-huit heures par jour pour subvenir aux besoins de la famille.

Dès que Mical fut assez forte, elle confia son fils pendant la journée à une vieille Cananéenne, et elle alla travailler à son tour comme une esclave, aux côtés de Gomer. Entre les deux courageuses femmes, des liens d'amour se nouèrent et se resserrèrent.

Tous les matins et tous les soirs, elles priaient Yahveh qu'il préservât Rimmon au jour de la bataille, et si parfois Mical gravissait la montagne de Baal pour se prosterner devant cet autre dieu, Gomer préférait fermer les yeux, car en ces temps d'affliction et de calamités, Mical était libre de faire tout ce qu'elle voulait pour assurer le retour de son mari sain et sauf. Dans le tunnel, nulle voix ne s'élevait. Le peuple de Makor avait oublié les étranges prophéties de Gomer aux Egyptiens, et elle-même ne se souvenait plus que naguère elle avait hurlé avec la voix de Yahveh.

Et puis un jour, des messagers commencèrent d'arriver, venant de Carkémis, très loin au nord sur l'Euphrate. Ils gravirent la rampe de la grande porte en chicane, et s'écroulèrent, hors d'haleine, la gorge desséchée par la poussière du chemin, les yeux emplis de terreur.

— La grande Egypte est détruite ! Les chars de Babylone étaient comme les graines du cyprès que le vent d'hiver chasse à travers champs ! Malheur ! Malheur ! L'Egypte n'est plus !

Ils se reposèrent, le front couvert de honte, puis ils reprirent leur course vers le Nil, où la cour de Pharaon les ferait pendre parce qu'ils étaient porteurs de mauvaises nouvelles.

D'autres fugitifs les suivirent.

— Les Babyloniens ont capturé nos généraux, ils les ont aveuglés sur le champ de bataille, ils les ont emmenés avec des jougs au cou. Nos

conducteurs de chars ont eu la langue coupée et ils ont été emmenés en esclavage.

— Et les hommes de Makor ? demanda le gouverneur Jeremoth. Qu'en est-il advenu ?

— Ceux qui ont survécu ont eu les yeux crevés, et puis ils ont été emmenés pour faire tourner les pompes à eau jusqu'à la fin de leurs jours.

— Combien sont-ils ? demanda le gouverneur, les genoux tremblant d'angoisse pour sa ville.

— Bien peu, répondirent les messagers et eux aussi reprirent leur chemin.

Enfin il arriva aux portes de Makor un homme que les Egyptiens avaient recruté à Acre. Il avait perdu un bras dans la bataille et les Babyloniens l'avaient libéré afin qu'il fasse un récit véridique de leur victoire.

— Nous avons marché vers le nord avec toutes nos forces, dit-il, mais Nabuchodonosor de Babylone nous attendait avec une armée dix fois plus puissante que la nôtre. A Carkémis, il nous a adroitement fait tomber dans une embuscade où ses chars nous fauchèrent comme des épis de blé à la moisson. Il était si puissant que l'Egypte ne pouvait lui résister. Tremblez et préparez-vous ! Car bientôt, Nabuchodonosor marchera le long des ouadis. Makor et Acre ne seront plus. Babylone écrasera tout.

Les femmes, et Gomer parmi elles, interrogèrent l'homme pour savoir s'il se souvenait des leurs.

— Ils sont tous morts, répondit-il avec indifférence.

Puis il contempla les murailles pitoyables que Sanchérib avait abattues et il se mit à rire.

— Qu'as-tu ? lui demanda le gouverneur.

— Ces lamentables murailles ! Défendues par de pauvres femmes ! Sanchérib était redoutable. Mais peux-tu imaginer quel homme est Nabuchodonosor ?

Les mois qui suivirent furent les plus sombres de l'histoire de Makor. Quand Sanchérib avait détruit la ville, sa terrible vengeance avait passé plus de deux mille personnes au fil de l'épée, mais après son départ la ville avait pu se reconstruire comme avant-poste d'une province assyrienne. Les mois qui suivirent Carkémis furent plus atroces à cause de la famine, de la captivité des hommes et de l'incertitude où l'on était de la vengeance de Nabuchodonosor.

— Mais nous avons été enrôlés malgré nous, dit Mical à son père.

Jeremoth lui répondit que les Babyloniens ne s'embarrasseraient pas de ces subtilités.

— Nous devons nous tenir prêts à soutenir leur premier assaut, déclara-t-il.

Rarement, au cours de la longue histoire de la famille d'Ur, un de ses membres avait fait preuve d'autant de courage et de volonté que le gouverneur Jeremoth. Rassemblant son peuple, il annonça :

— Nous sommes une pauvre population, et nous manquons d'hom-

mes. Mais notre passé nous apprend que nous pouvons tenir entre nos murs pendant trois ou quatre mois, jusqu'à ce que les assiégeants se lassent et lèvent le siège.

— Mais nous n'avons plus de murs, observa un vieillard.

— Quand Nabuchodonosor arrivera, nous en aurons, assura Jeremoth, et vous tous, vous aurez des ampoules aux mains parce que vous les aurez construits.

Impitoyablement, sans relâche, il demanda à son peuple un effort dont il ne se croyait pas capable. Jeremoth devint l'architecte, le hortator, le prêtre, le général. Partout où il allait, il fouettait l'énergie des siens, et quand un groupe de pleutres vint le trouver pour lui dire qu'il vaudrait peut-être mieux que la ville capitulât devant Nabuchodonosor et se confiât à sa bienveillance, il répliqua avec mépris :

— Nos pères ont capitulé. Ils ont eu confiance en la parole de Sanchérib. Et quatre heures après avoir accepté le tribut, il a fait raser la ville. Cette fois, si nous devons périr, nous périrons sur nos remparts et en défendant nos portes.

Un matin, alors que les fortifications commençaient à retrouver leur force première, il descendit dans le tunnel pour l'inspecter, et en revenant du puits il s'arrêta dans les ténèbres pour murmurer une prière à Baal et le remercier du miracle qu'il avait permis à ses ancêtres d'accomplir afin que jamais la ville ne manquât d'eau.

— Avec cette eau à notre disposition, grand Baal, nous pouvons repousser les Babyloniens.

Comme il se relevait, il vit Gomer s'approcher, son urne sur la tête, et elle s'arrêta pour le saluer.

— Tu es un homme brave, Jeremoth, lui dit-elle. Que Yahveh te bénisse.

Le gouverneur la remercia, et elle ajouta :

— Tous les hommes valeureux que nous avons perdus, tous nos fils seront vengés.

Prenant la main de Jeremoth, elle la baisa.

— Merci, Gomer, lui dit-il. Quand le jour de la bataille se lèvera, tu seras auprès de moi sur le rempart.

— Au nom de mon fils mort, je tuerai cinquante Babyloniens, promit-elle.

Ils se séparèrent, le gouverneur pour remonter par la fosse, Gomer pour aller emplir son urne au puits. Mais comme elle revenait et se trouvait seule dans le passage obscur, il se produisit un événement extraordinaire. Elle fut soudain jetée à terre, et son urne se brisa sur le sol, répandant toute son eau, tandis qu'une lumière éblouissante, plus vive que le soleil, descendait par la fosse. Une voix tonna :

— Gomer, veuve de Jathan, dans les jours qui vont suivre, je parlerai par ta bouche.

— Mon fils est-il vivant ? demanda-t-elle aussitôt.

— Par ta bouche, je sauverai Israël !

— Mon fils Rimmon est-il en vie ?

— Les murs ne doivent pas être achevés, Gomer, veuve d'Israël.

— Mais nous devons détruire les Babyloniens, s'écria-t-elle, toujours prostrée sur le sol mouillé.

— Sous le joug, chargés de chaînes, vous marcherez vers Babylone. Le destin d'Israël est de disparaître de la terre qu'il a connue, afin qu'il renouvelle l'alliance avec son dieu.

— Je ne puis comprendre tes paroles, gémit Gomer.

— Gomer, veuve d'Israël, les murs ne doivent pas être achevés.

Puis la lueur décrut et la voix s'éloigna.

Gomer se releva, et contempla son urne brisée. La vue des fragments la ramena à la réalité et elle se mit à pleurer, car elle n'avait pas assez d'argent pour en acheter une autre, et ne savait que faire.

Lentement, elle remonta à l'air libre. La seule pensée qui l'habitait était que la voix avait refusé de lui parler de son fils : aussi, en rentrant chez elle, et en voyant son petit-fils Ishbaal jouer au soleil et sa belle-fille bien-aimée vaquer aux soins du repas, elle se reprit à pleurer en gémissant :

— Maintenant, je suis sûre que Rimmon est mort, et j'ai brisé notre urne !

Pour les deux malheureuses, c'était une double tragédie et elles pleurèrent ensemble, car la perte de l'urne était grave et elles ne comprenaient pas ce qui leur arrivait. Et ces lamentations firent oublier le mur à Gomer, si bien que les fortifications furent achevées.

Puis vint le jour où ces longs mois d'angoisse reçurent leur récompense. Un enfant jouait sur le rempart reconstruit, et il aperçut à l'est un nuage de poussière se déplaçant sur la route de Damas. Il cria :

— Des hommes reviennent chez nous !

Mais personne ne fit attention à ces paroles insensées. Cependant, au bout d'un moment, il vit des hommes et non plus seulement un nuage de poussière, et il cria de nouveau :

— Nos hommes reviennent !

Encore une fois, personne ne voulut l'écouter, jusqu'à ce qu'il distingue enfin un homme qu'il reconnaissait, et alors il cria :

— Gomer, Gomer ! Rimmon revient chez nous !

Son cri fut répété de bouche en bouche, et Gomer courut au rempart avec Mical. Elles virent alors le capitaine Rimmon, très amaigri, accompagné de trente ou quarante hommes de Makor, ni aveuglés ni mutilés. Personne ne parla, ni les hommes sur la route ni les femmes sur les remparts dont les yeux étaient obscurcis de larmes et la gorge nouée d'émotion, mais l'enfant annonçait :

— Voilà Rimmon et Shobal et Azareel, et Hadad l'Edomite, et Mattan le Phénicien...

Un par un, il les rappelait d'entre les morts, et ils gravirent la rampe pour pénétrer dans leur malheureuse ville.

Après les effusions, les manifestations de joie délirante, chacun rentra chez soi, mais le jour se levait quand Rimmon et ses compagnons eurent enfin tout dit de la bataille de Carkémis et des merveilles de Babylone.

De la bataille, ils annoncèrent simplement que l'Egypte ne se relèverait jamais. Plus jamais Makor ne tremblerait en entendant le pas des armées égyptiennes ; les fonctionnaires pouvaient jeter leurs scarabées, car ils n'en auraient plus besoin pour sceller les documents officiels. Nul ne se lamenta à cette nouvelle, car l'Egypte avait été un occupant négligent et cruel, et le premier de ces défauts était peut-être le plus grave, car sous sa domination les terres s'étaient détériorées, les forêts avaient souffert et la sécurité s'était transformée en anarchie. L'Egypte était morte, et les Hébreux qui avaient souffert sous le joug des Pharaons ne portaient pas le deuil.

— Mais Babylone ! s'exclama Rimmon. Une ville dont la magnificence dépasse l'imagination. A la porte d'Ishtar...

Il se demanda comment il pourrait expliquer ses merveilles, et il finit par dire à Mical d'aller chercher son bijou. La jeune femme heureuse courut dans sa chambre et revint avec une broche grecque émaillée, en forme d'oiseau.

— Ceci est précieux, dit Rimmon en faisant scintiller les vives couleurs de l'émail à la lumière du feu. Mais à la porte d'Ishtar il y a des murailles trois fois plus hautes que celles de Makor recouvertes d'un émail plus fin que celui de ce bijou... Ils ont des canaux qui amènent la rivière d'une grande distance, des temples plus vastes que toute la ville de Makor, des jardins suspendus qui semblent flotter dans les airs, et à l'entrée de la ville une tour si large et si haute que les mots ne peuvent la décrire.

— Pourquoi vous ont-ils donné la liberté ? demanda un vieillard.

— Pour que nous puissions raconter à Israël la grandeur de Babylone.

A ces mots, le gouverneur Jeremoth s'avança dans le cercle de lumière du foyer.

— Ils vous ont renvoyés pour nous effrayer. Mais nous allons défendre cette ville avec tout notre courage et tout notre sang. Rimmon, ne nous parle plus de la puissance de Babylone. Laisse-moi te dire qu'ici, nous entendons nous défendre.

A la surprise de tous, les dures paroles du gouverneur ne parurent pas offenser Rimmon, car avec un large sourire il prit la main de Jeremoth en disant :

— Azareel, raconte au gouverneur de quoi nous avons parlé.

Son compagnon, un solide guerrier à la tête bandée expliqua :

— Sur le chemin du retour, nous avons décidé ce que nous voulions faire. Nous allons défendre notre ville. Parce que nous avons appris que lorsqu'une ville résiste, elle peut obtenir un traité plus favorable. Nous nous étions juré de relever les murailles, dès notre retour...

Il se retourna et contempla dans la nuit les remparts reconstruits et demanda :

— Qui a eu le courage d'accomplir cela ?

Un vieil homme édenté montra du doigt le gouverneur Jeremoth.

— C'est lui, dit-il.

Les soldats embrassèrent le gouverneur et lui dirent qu'il avait bien agi. Alors Jeremoth se redressa de toute sa taille et déclara :

— Des femmes et des vieillards ont reconstruit nos murailles. De jeunes hommes les défendront.

La plupart des soldats, comme Rimmon, rentrèrent chez eux auprès de leur femme, et d'autres, comme Azareel, allèrent au temple d'Astarté se distraire avec les prêtresses tandis que d'autres encore, comme Mattan le Phénicien, qui n'avaient jamais espéré revoir Makor, gravirent la montagne pour offrir un sacrifice à Baal, et quelques-uns, partagés entre la joie et la tristesse, allèrent de maison en maison pour consoler les veuves dont les hommes ne reviendraient pas et leur assurer que leurs maris étaient morts courageusement.

Au matin, Gomer prit son urne neuve et descendit au puits. Mais comme elle s'apprêtait à puiser de l'eau avec le baquet, le niveau baissa soudain de plusieurs coudées, jusqu'à ce que le puits fût à sec ; un feu s'alluma alors dans le fond et un parfum d'encens s'éleva tandis qu'une voix montait des profondeurs, si terrifiante que Gomer lâcha son urne neuve qui se brisa comme l'autre.

— Gomer, veuve d'Israël, tonna la voix, pour la dernière fois je te l'ordonne. Prononce les paroles que je t'inspire. Israël s'est prostituée aux faux dieux et doit être détruite. Makor a construit des murailles de vanité sur des fondations de sable et elles seront abattues. Ton peuple adore Baal et convoite des déesses nues, et il devra souffrir en captivité. Dis à ton fils de se souvenir non pas de Babylone mais de Jérusalem. Gomer, va et prononce les paroles que je t'ai dictées.

— Merci, Yahveh, pour le retour de mon fils.

— Il ne restera qu'un peu de temps, dit la voix, et tandis que le feu s'éteignait le niveau de l'eau remonta.

Et puis ce fut le silence.

Cette fois, Gomer ne pleura pas son vase brisé car elle comprenait enfin que c'était Israël qui était brisé et que seuls les terribles feux de la défaite et de l'exil pourraient recoller les morceaux. Comme une femme démente, elle courut dans le tunnel et sortit dans la rue, tout échevelée. En la voyant courir devant leur maison, Mical s'écria :

— Mère ! Mère ! As-tu donc brisé la nouvelle urne ?

D'une voix qui n'était pas la sienne, Gomer répondit :

— C'est Israël qui est brisé ! Israël n'est plus !

Elle courut ainsi jusqu'au rempart où le gouverneur Jeremoth faisait parachever les fortifications, et en les montrant du doigt comme elle avait montré les Egyptiens condamnés, elle fit monter au ciel une longue plainte :

— O hommes de vanité, jetez bas ces murailles inutiles ! Car il est écrit que Babylone vaincra Israël. Et vous ne verrez plus les collines et les vallées de Galilée.

Sa lamentation était nettement diabolique, pour le gouverneur, et il ne jugea pas nécessaire de répondre. Mais les ouvriers s'arrêtèrent de de travailler, et s'écartèrent quand elle marcha vers le gouverneur. Elle osa l'affronter, elle, cette pauvre veuve sans importance, ignorante et âgée, que Yahveh avait cependant distinguée entre tous pour porter sa parole.

— Jetez bas ces murailles et ouvrez les portes, cria-t-elle, car c'est le destin d'Israël d'être emmené en captivité !

Ses paroles tombèrent dans le silence. Cette femme parlait de trahison, mais le gouverneur répugnait à l'arrêter car elle était la mère du capitaine de qui dépendait la défense de la ville.

— Ne t'avais-je pas dit que les Egyptiens seraient écrasés ? gémit-elle. Et leurs généraux conduits en esclavage ? N'est-ce pas la vérité que j'exprime telle que tu la connais dans ton cœur ?

Le gouverneur ne répondait toujours pas. Gomer poursuivit d'une voix prophétique :

— Sur cette montagne la statue de Baal doit être abattue. Les prêtres et les prêtresses doivent être chassés du temple. Dans toute cette ville, les abominations doivent cesser !

Dans le silence, elle ajouta d'une voix puissante.

— Toutes ces choses doivent être faites aujourd'hui.

Poussée par une force surnaturelle, elle fit alors trois gestes symboliques. Elle alla au parapet et jeta une pierre au bas des murs. Elle s'approcha du gouverneur, lui arracha son bâton et le cassa en deux. Puis elle courut au temple d'Astarté et chassa une des prostituées de sa chambre.

Ensuite, elle rentra chez elle, où son fils et sa belle-fille l'attendaient, ignorant ce qu'elle avait fait, car ils étaient descendus dans le tunnel pour s'assurer qu'elle avait bien cassé l'urne encore une fois. « Elle est trop âgée pour porter un tel fardeau », pensèrent-ils.

Lorsque Gomer se trouva devant Mical, Yahveh lui donna un nouvel ordre, un quatrième symbole de sa nouvelle identité. Mais quand elle contempla sa belle-fille, cette radieuse jeune femme au grand cœur qui l'avait soignée pendant la famine, qui avait travaillé comme une esclave dans les champs, avec elle, ce que Yahveh lui ordonnait lui parut trop horrible, et elle s'enfuit de sa maison en sanglotant de sa voix normale :

— Yahveh tout-puissant, je ne le peux pas !

Ce jour-là, ses enfants ne purent la retrouver. Elle était allée se réfugier dans une écurie, près du rempart, et là, cachée sous la paille, fuyant l'intolérable devoir qu'on lui imposait, elle pria, mais en vain. Elle demeura toute la nuit prostrée dans l'écurie, cachée sous la paille, comme si elle pouvait ainsi échapper à son dieu. Au matin, sa résolution prise, elle sortit et alla chez une voisine emprunter une urne en disant :

— Je vais aller te chercher ton eau.

Elle descendit dans le tunnel et en revenant du puits, elle pria :

— Yahveh miséricordieux, ne brise pas cette urne car elle est à Rachel, qui est pauvre. Mais laisse-moi te parler.

Elle ne fut pas jetée à terre, mais la lumière jaillit et pour la dernière fois la voix s'adressa à elle sur un ton de pitié infinie.

— Gomer, fidèle veuve de Jathan, j'ai entendu tes supplications, mais il n'y a point de rémission.

Gomer se mit à pleurer.

— Le monolithe, le temple, les murailles, tout cela je puis l'abattre. Mais cette dernière chose, Yahveh, ne me la demande pas.

— Je travaille au salut de mon peuple, dit la voix. Crois-tu que c'est avec joie que j'ordonne tout ceci ?

Elle lui parla alors, non d'une voix de prophète mais comme une femme priant son dieu :

— Quand j'agonisais, Mical m'a sauvée. Comme une esclave, elle a travaillé aux champs. Elle est mon sang, les yeux de ma figure, la langue de mon cœur, et je refuse de lui faire du mal.

— Il le faut.

— Non !

Prise de colère, Gomer saisit l'urne et la projeta violemment sur le sol, où elle se brisa en mille morceaux, en présence de Yahveh.

— Non, répéta-t-elle. Je ne le ferai pas.

Il y eut un instant de silence, puis la voix reprit, douce et patiente :

— Gomer, c'est le vase d'une pauvre femme que tu as brisé. Elle en a besoin.

Aussitôt, aux pieds de la veuve, le vase redevint entier, et plein d'eau fraîche.

— Si je considère assez le vase d'une pauvre femme pour le rendre entier à nouveau, que ne considérerai-je le peuple d'Israël, pour le sauver ? Tu feras les choses que je t'ai ordonnées et tu parleras de Jérusalem à ton fils, afin qu'il puisse se souvenir. Car pour toute génération, nous cherchons ces survivants qui connaissent Jérusalem, et à Makor, c'est à toi et à ton fils que le souvenir a été confié.

La lumière décrut, et jamais plus la voix ne s'adressa à Gomer, mais par elle seraient accomplies les tâches terrifiantes qui devaient être accomplies afin que fût sauvée cette génération d'Israël.

Comme en transes, Gomer ramassa l'urne et la porta à Rachel, chez qui elle la déposa sans rien dire. Puis elle traversa la rue et se présenta devant Rimmon et Mical. Elle avait de la paille dans les cheveux, révélant dans quel lieu elle avait passé la nuit, et ses traits étaient profondément marqués. Quand elle vit que Mical portait la robe blanche, elle voulut fuir sa demeure, mais elle ne le put ; son bras se leva, son index pointa, sa voix se durcit et, à Mical, sa fille, qui berçait entre ses bras l'enfant Ishbaal, elle tonna :

— Toutes les filles de Chanaan seront jetées au-dehors ! Oui, tous les fils d'Israël qui ont forniqué avec les prostituées de Chanaan les jetteront dehors !

Mical recula d'un pas en poussant un cri étouffé, et elle murmura :

— Gomer ! Qu'as-tu fait ?

— Dehors, glapit la vieille femme. Tu n'existes plus ! Dehors, toi et l'enfant ! Dehors !

Comme une furie, elle se rua sur la jeune femme pétrifiée en hurlant :

— Fille de peu ! Prostituée ! Corrompue ! Fille de Baal, dehors !

Et elle poussa la douce jeune femme dans la rue.

Rimmon voulut intervenir, mais Gomer se jeta entre le mari et la femme et finalement Mical partit en courant vers la maison de son père, emportant son fils avec elle.

Lorsqu'elle fut partie, Gomer enferma son fils dans leur petite demeure et lui dit, en paroles qu'elle-même n'eût jamais pu imaginer :

— Souviens-toi de Jérusalem, vois comme elle sommeille dans ses brumes, avec le temple de Yahveh entre ses bras, souviens-toi comment tu as gravi la montagne sous les rayons penchés du soleil levant, en murmurant des louanges à la noble cité. Que Jérusalem vive en ton cœur, qu'elle soit le souffle de ta vie, le baiser de ta bien-aimée !

Rimmon était atterré. Sa mère était devenue folle, c'était évident, et il ne pouvait rien pour l'aider. Elle avait humilié sa jeune femme, chassé leur enfant, et il avait honte d'être resté dans la maison pour tenter de raisonner sa mère. Il voulut partir, mais ce qu'elle dit alors le cloua sur place, et quand il eut écouté, il put, pour la première fois de sa vie, imaginer les années qui l'attendaient.

— Tu souffriras sous le joug de Babylone, ô Israël. A Babylone, tu gémiras dans les sueurs de l'esclavage. Tu seras tentée, oui tu seras tentée et tes forces te manqueront. Tu me maudiras, et d'autres dieux te feront des promesses qui te sembleront douces. Mais parmi vous, il y aura ceux qui se souviennent de Jérusalem, qui ont entendu le bruit de mes pas sur les voies sacrées, qui connaissent le temple, qui ont vu les belles jeunes filles danser au clair de lune, qui ont vu les piliers Joachim et Booz, qui ont chanté les doux psaumes de David et de Gershom. Souviens-toi de Jérusalem, toi qui as tant oublié, et la rédemption sera tienne !

Gomer recula. Ni elle ni son fils ne se parlèrent et au bout d'un moment elle le quitta, pour aller sur la place du marché où elle cria d'une voix forte :

— Enfants d'Israël qui désirez vous préparer à la longue captivité, venez avec moi sur la montagne, que nous détruisions le dieu Baal à jamais.

Un petit groupe d'hommes et de femmes fidèles à Yahveh la suivirent, mais le gouverneur Jeremoth, sachant qu'il ne pouvait défendre Makor si Baal était détruit, envoya des gardes pour arrêter les fanatiques, et il y eut bataille. Seuls, Gomer et un vieillard nommé Zadok parvinrent au sommet de la montagne. Ils étaient tous deux courbés sous le poids des ans, et frêles, mais quand ils poussèrent de l'épaule le gigantesque monolithe, la pierre bascula et roula au bas de la montagne où elle se brisa en plusieurs morceaux contre des rochers.

La perte du dieu local provoqua des lamentations et certains habitants de Makor se mirent à murmurer contre Gomer. Jeremoth donna libre cours à sa colère et fit jeter la veuve en prison. Mais la population, partout où elle allait dans l'enceinte de la ville, pouvait entendre ses cris prophétiques :

— Israël sera détruite, car vous avez abandonné Yahveh. Vous tous qui m'entendez aujourd'hui, vous mourrez à Babylone, où le sel de vos larmes donnera de la saveur à votre nourriture. Vous êtes condamnés, vous êtes maudits. Soumettez-vous à Nabuchodonosor avant qu'il prenne d'assaut vos portes. Sortez et courbez l'échine devant lui, parce qu'il est

l'arme de la colère de Yahveh, qui ordonne cette servitude contre vous.
Misérables, misérables hommes de Makor, vous avez forniqué avec Astarté,
vous êtes perdus à jamais. Fils d'Israël ! Ne retournez pas dans les bras
des filles impies de Chanaan ! N'emmenez nulle femme étrangère à Babylone avec vous ! N'emmenez que les filles d'Israël. Si vous n'écoutez pas
ma voix, Yahveh vous frappera, avec des furoncles, avec la peste, avec
la lèpre. Mon fils, Rimmon ! Ne retourne pas auprès de la prostituée de
Chanaan !

Les paroles s'enflaient dans la nuit et la malédiction frappait au
cœur presque tous les Hébreux, mais plus particulièrement Rimmon, qui
avait épousé la plus belle, la plus douce, la plus parfaite des filles de
Chanaan qui avait été pour lui une épouse fidèle, plus docile aux préceptes de Yahveh que bien des filles d'Israël. Et voilà qu'on lui ordonnait
de l'abandonner, de partir pour l'exil sans elle ! Il ne comprenait pas.

Il n'eut guère le temps de s'interroger, car d'autres clameurs s'élevèrent bientôt. Le temple d'Astarté flambait.

Avec une force digne de Samson lui-même, Gomer s'était évadée
de sa prison et elle avait conduit un groupe de fanatiques au temple où,
après avoir chassé les prostituées, ils avaient mis le feu. Un léger vent du
nord attisait les flammes, et bientôt le petit temple ne fut plus que cendres.

C'était plus que n'en pouvait tolérer le gouverneur. Il fit de nouveau
arrêter la veuve, et la fit conduire au fond de la fosse du tunnel, où on
l'enchaîna à des anneaux rivés dans le mur. Elle devait y demeurer
prisonnière pendant que l'on achevait les fortifications. Mais du fond du
puits, elle criait son message à tous ceux qui passaient et s'arrêtaient
au bord du trou.

— Préparez vos cœurs aux calamités qui vous attendent ! Dites adieu
à vos vergers d'oliviers, à vos pressoirs à vin, aux enfants de vos voisins, au puits où vous puisiez l'eau douce ! Tout est désolation. Israël
est condamné à errer sur la surface de la terre. Vous avez été infidèles. Vous avez été mauvais. Vous avez été obstinés et infidèles à notre
alliance. O Israël, qui aura pitié de ton affliction ? Les scènes que tes
yeux aveugles ne verront pas te feront trembler de terreur. La nourriture
qu'on te refusera t'étouffera. Désolation, désolation. Tu erreras sur la
surface de la terre car tu m'as trahi.

Dans son pauvre palais près de la porte principale, le gouverneur
Jeremoth achevait son plan de défense quand un messager arriva pour
lui annoncer que Nabuchodonosor en personne marchait sur tous les
anciens territoires que l'Egypte avait dominés.

— Ribla est tombée et Damas la puissante. Sidon est saccagée et
Tyr assiégée. Il sera sous vos murs dans trois jours.

Puis l'homme hagard repartit en chancelant vers Megiddo et Ashque-
lon, qui étaient également condamnées.

Jeremoth ne se découragea pas. Il posta des sentinelles sur les remparts, puis il alla trouver en personne tous les hommes de Makor et leur
fit prêter serment à chacun. Ils jurèrent tous de défendre la ville jusqu'à
la mort. Puis il réunit les femmes et leur dit :

— Vos maris ont connu les fosses aux esclaves de Babylone. Ils savent. Dans cette ville, nous lutterons tous ensemble, et nous mourrons s'il le faut. C'est la conduite honorable qui convient. Que Baal nous protège.

Toute la journée, il arpentait ses remparts, vêtu d'une courte tunique de guerre et protégé par un bouclier de cuir, et il exhortait ses hommes en leur répétant que la ville ne risquait rien. Il tendait le bras vers la fosse du tunnel, et leur rappelait :

— Pendant trois siècles et demi, nul ennemi n'a pu forcer ces murailles. Nabuchodonosor ne le pourra pas davantage, et quand il en aura fait l'expérience, nous signerons un traité de paix avec lui et il nous prendra sous sa protection.

Il réunit toute sa famille — les oncles, les frères, ses cinq filles et leurs maris — et leur assigna à chacun une tâche. Puis il dit à sa fille Mical :

— Oublie les cris de cette pauvre folle. Rimmon est un bon mari. Quand tout cela sera passé, tu auras de nombreux enfants.

— Je vais en avoir un bientôt, révéla-t-elle.

— Rimmon le sait-il ?

— Oui.

Cependant, les cris de Gomer continuaient sans répit, et ses malédictions risquant d'ôter le courage des défenseurs de la ville, Jeremoth finit par donner l'ordre de la bâillonner, bien qu'il lui déplût de traiter ainsi une pauvre vieille femme. Mais quand les gardes voulurent descendre dans la fosse, Rimmon leur prit le bâillon des mains et leur dit :

— C'est moi qui vais aller la réduire au silence.

Quand il se trouva devant elle dans la pénombre, elle le regarda, et il retrouva sa mère, telle qu'il la connaissait, âgée, voûtée par le temps et les durs travaux, et ce fut de sa voix douce qu'elle lui dit :

— Dans quelques heures, l'épreuve commencera. Mais la bataille n'a pas d'importance. Yahveh demande seulement que tu te souviennes de Jérusalem. C'est ici, dans ce tunnel, qu'il m'a demandé de te conduire à Jérusalem. Il voulait que tu voies, et que tu te souviennes.

— Mais pourquoi ?

— Afin que lorsque vous serez en esclavage et que d'autres oublieront, il s'en trouve un qui se souvienne de Jérusalem. Tu as été l'élu des élus.

— Et Mical ?

— Elle ne peut t'accompagner.

— Mais elle attend encore un enfant !

La vieille femme baissa la tête et des larmes ruisselèrent sur ses joues fanées, mais elle ne put parler. Elle se rappelait le temps où Mical l'avait soignée, s'était dévouée pour elle pendant la famine, avait travaillé aux champs comme une esclave, elle se rappelait leurs longues conversations, leur attente anxieuse quand Rimmon était parti pour la guerre, le rire du petit Ishbaal. Elle eût préféré mourir que de dire alors les paroles qu'elle devait dire, et qu'elle prononça :

— Quand tu partiras pour la captivité à Babylone, tu devras, pour obéir à la volonté de Yahveh, emmener avec toi une nouvelle femme, Geula, fille d'Israël.

Les épaules de Rimmon se voûtèrent comme s'il fléchissait sous le poids des pierres de son pressoir. Sans regarder sa mère, il leva les mains pour la bâillonner, mais elle lui murmura :

— Je suis réduite au silence.

— Tu nous laisseras nous battre ?

— Je suis réduite au silence, répéta-t-elle.

Il roula en boule le bâillon offensant et remonta.

— Ma mère est bâillonnée, annonça-t-il aux gardes. A présent, nous pourrons nous battre.

Nabuchodonosor, dont les armées étaient innombrables, avait une tactique personnelle. Selon lui, la meilleure manière d'attaquer une ville forte comme Makor était de faire porter l'assaut de tous côtés à la fois, dans un élan irrésistible. Et quand l'aube se leva sur le jour de la bataille, il n'y eut pas de charge en bon ordre sur la route de Damas, mais un fourmillement de guerriers armés de lances et de boucliers qui se ruaient vers la ville en hurlant, de toutes parts, sauf du côté nord où passait l'ouadi aux berges abruptes.

Mais cette tactique, tout audacieuse qu'elle fût, ne déconcerta pas le gouverneur Jeremoth. Il attendit que les Babyloniens se fussent déjà élancés sur les glacis protégeant les murailles, puis il déclencha une averse de pierres coupantes qui causèrent de nombreuses morts. Les Babyloniens furent contraints de se replier sans avoir opéré de percée, mais avant que les hommes de Jeremoth aient eu le temps de se réarmer, une nouvelle vague babylonienne revenait à la charge, puis une autre et encore une autre. Cependant, Jeremoth ne cessait d'exhorter ses troupes, en courant çà et là le long du rempart, et chaque assaut fut repoussé.

Quand vint le soir, il fut évident que Makor ne pourrait être emportée par un assaut de front. Nabuchodonosor ordonna donc à ses hommes de préparer le siège, même du côté de l'ouadi, et il voulut savoir d'où la petite ville tirait son eau.

— D'un puits profond à l'intérieur des murs, répondirent des prisonniers d'Acre.

— Que l'on amène les béliers, gronda Nabuchodonosor.

Durant la nuit, les lourdes machines de guerre furent mises en position mais au matin, alors qu'elles étaient prêtes à frapper, le gouverneur Jeremoth les vit et il envoya des détachements qui y mirent le feu, et Makor fut sauvée.

— Qui donc commande sur ces murs ? demanda Nabuchodonosor, et quand on lui dit que c'était un Cananéen, il répondit : Celui-là, je veux le prendre vivant, car c'est un puissant général et nous pourrions l'envoyer contre les Ciliciens.

En ces jours-là, Jeremoth ajoutait à la renommée de la grande famille d'Ur, car il tenait en échec les puissantes armées de Babylone par la seule force de sa détermination et de son courage, mais le huitième jour

un miracle se produisit contre lui, dont il n'eut pas connaissance sur l'instant. Au fond de la fosse du tunnel, une vive lueur tomba sur les chaînes de Gomer et les brisa. La tête auréolée de lumière, la pauvre veuve sortit et une fois qu'elle se fut hissée hors de la fosse, elle vit la lueur qui se déplaçait vers la poterne nord. D'un seul coup rapide comme la foudre, Yahveh détruisit une partie des fortifications et neuf soldats babyloniens qui se trouvaient là pénétrèrent aussitôt par la brèche, suivis de centaines d'autres.

Makor était perdue, mais Jeremoth continuait de se défendre sur le rempart du sud, ignorant que Yahveh avait déjà consommé sa défaite au nord. Enfin, le valeureux Cananéen se retourna pour faire face aux Babyloniens qui le prenaient à revers, et il tenta de les écarter avec son bâton, mais il fut jeté à terre et sentit que l'on clouait ses bras au sol. Quand il vit qui l'avait vaincu, et qu'il remarqua la lumière au-dessus de la tête de Gomer, il se lamenta :

— Femme, que nous as-tu donc fait aujourd'hui ?

Et d'une voix terrible, elle répliqua :

— Femme non, mais Yahveh !

En ces temps historiques où Yahveh luttait pour conquérir et garder l'âme de ses Hébreux, qu'il se servait des prophètes pour les détourner de Baal et les ramener dans le droit chemin, il s'exprimait souvent durement, et agissait avec une violence qui peut sembler incroyable. Parce que ses Hébreux étaient un peuple obstiné adorant Astarté, fréquentant les prostituées sacrées et jetant ses enfants tout vifs dans les flammes du dieu Melak, il devait leur infliger de terribles châtiments. Pourquoi ne les détruisait-il pas tout simplement ? Parce qu'ils étaient vraiment son peuple élu, et qu'il les aimait. Et pour mieux le prouver, quand ils courbaient le front sous le poids du châtiment, il leur donnait les plus tendres assurances, pour les soutenir durant les années de misère et d'esclavage. Car bien qu'il fût cruel il devait aussi être miséricordieux.

Pour ces raisons, la voix de Gomer s'éleva de nouveau dans la ville blessée à mort, mais ce fut avec une douceur jusque-là inconnue qu'elle prononça les paroles de consolation que se répéteraient bien souvent les esclaves dans les geôles de Babylone :

— O mon peuple d'Israël bien-aimé, je t'apporte l'espoir. Quelle que soit la profondeur des fosses où vous ferez tourner les roues à eau, je serai auprès de vous. Mon amour vous protégera éternellement, et après les fosses aux esclaves, vous reverrez vos champs verdoyants. Le monde vous appartiendra et la douceur de ses fruits, car en acceptant mon châtiment, vous acceptez aussi ma divine compassion. Je suis Yahveh, et je marche à vos côtés à jamais.

Les Babyloniens se mirent alors à rassembler les Hébreux pour la longue marche vers l'esclavage. Gomer alla de groupe en groupe, réconfortant les prisonniers :

— Dans votre détresse, souvenez-vous de Yahveh, car je suis un puits d'eau fraîche. Vous oublierai-je maintenant alors que votre besoin est plus grand que jamais ?

Et quand les Hébreux s'étonnèrent de ce message de tendresse contradictoire arrivant dans l'instant même du châtiment, Gomer leur dit d'une voix aussi douce que celle d'une mère berçant son enfant :

— Les Cananéens et les Babyloniens périront, mais vous demeurerez, car dans l'amertume de mon châtiment vous vous fortifierez.

Elle parvint ainsi au groupe où se trouvait son fils chargé de chaînes, et elle s'adressa à lui :

— Rappelle-toi Jérusalem, souviens-toi de la ville sainte sur la montagne ! Parle d'elle sous les tentes et chante ses louanges dans les ténèbres ! Souviens-toi de Jérusalem car tu es d'un peuple qui a reçu l'ordre de se souvenir. Quand ton souffle s'affaiblira, quand le cœur te manquera et que la mort s'approchera de toi dans une contrée lointaine, souviens-toi de Jérusalem, la ville de ton héritage.

Mical vit son mari parmi les prisonniers, et elle courut vers lui avec le petit Ishbaal, pour le suivre en captivité, et d'autres jeunes épouses cananéennes l'imitèrent et s'accrochèrent au bras de leur mari. Mais Gomer les chassa en glapissant :

— Les prostituées de Chanaan n'ont que faire à Babylone ! Arrière ! Les fausses épouses doivent être abandonnées !

Mais quand elle arriva devant Mical, qui avait revêtu la robe blanche que Gomer avait cousue de ses mains, la veuve se sentit défaillir et sa langue se colla à son palais. Les yeux débordant de larmes de tendresse, elle contempla la douce jeune femme et voulut se détourner. Mais malgré elle, elle tonna :

— La femme écarlate de Chanaan qui donne naissance à son fils dans le temple d'Astarté, et qui l'appelle Ishbaal, doit être répudiée ! Va ! Ne reste pas avec lui car il n'est plus ton époux ! Arrière ! Arrière !

La veuve poussa si violemment la jeune femme en pleurs que celle-ci tomba, et son oncle dut l'aider à se relever.

Au moment où le triste cortège s'ébranlait, Gomer courut vers Rimmon, et lui cria encore d'une autre voix que la sienne :

— Ces choses, je ne les accomplis pas en haine mais par amour. D'autres nations disparaîtront de la surface de la terre, mais Israël survivra. Car en captivité vous vous serrerez les uns contre les autres et chacun sera loyal à son prochain, et tous se souviendront de Jérusalem. Vous êtes mon peuple bien-aimé, le seul que j'aie élu.

Ces paroles suscitèrent des sourires sur les lèvres des Babyloniens. Ces esclaves enchaînés, ces misérables restes d'une ville autrefois fière et puissante ! Les élus ! Un soldat éclata de rire, puis un autre et l'hilarité des Babyloniens gagna vite les Cananéens.

Alors Gomer, dans sa rage, tourna sa tête échevelée vers le roi Nabuchodonosor en cette heure de son triomphe, et pointant vers lui son long doigt osseux, elle se lamenta :

— Combien ton triomphe sera bref, ô roi, et bref ton arrêt au pinacle ! Déjà les Perses se rassemblent le long de tes frontières ! Ils sont impatients d'envahir ta ville éblouissante aux mille canaux ! Déjà, déjà, j'ai

rédigé l'édit que rendra le roi de Perse Cyrus, qui renverra mon peuple élu chez lui. O roi, combien sera brève l'heure de ton triomphe !

Puis elle se tourna vers les Hébreux et leur murmura ces mots de consolation éternelle :

— Je suis Yahveh qui marche avec vous dans les ténèbres et je vous ramènerai vers la lumière si vous vous souvenez de Jérusalem.

Nabuchodonosor ne voulut pas en entendre davantage. Levant la main droite d'un geste impatient, autoritaire, il ordonna :

— Qu'on fasse taire cette femme.

Un soldat babylonien s'avança alors et lui passa son épée au travers du corps. Puis, voyant la fosse profonde qui s'ouvrait derrière la veuve, il siffla deux de ses camarades et sans grande difficulté ils précipitèrent Gomer la tête la première dans le trou, et elle rebondit contre les parois pour aller s'écraser à l'entrée de ce tunnel où Yahveh lui avait parlé.

DANS LE GYMNASE

NIVEAU X — 167 AV. E. C.

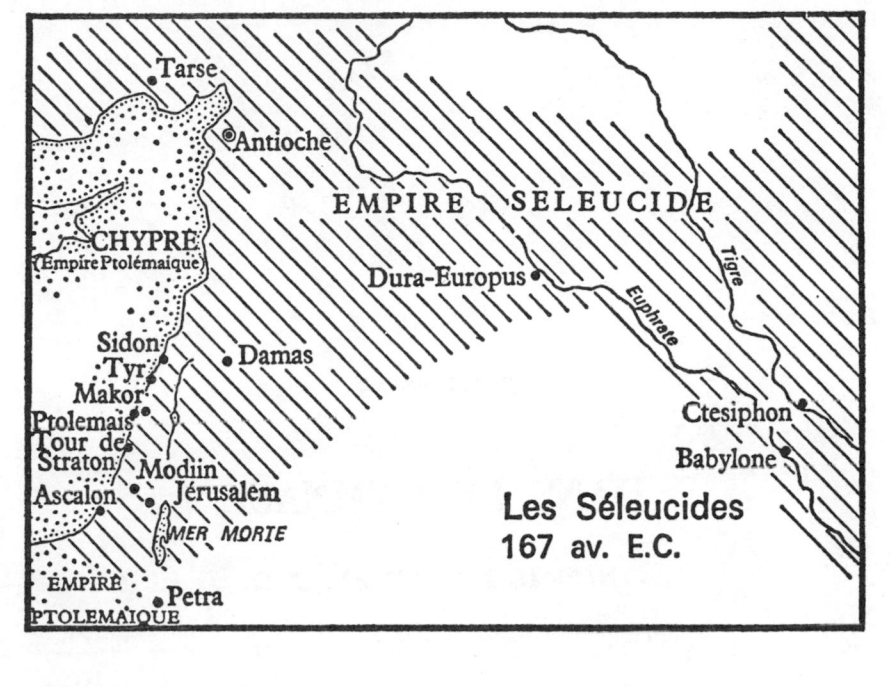

Les Séleucides
167 av. E.C.

Tarse

Antioche

EMPIRE SELEUCIDE

CHYPRE
(Empire Ptolémaïque)

Dura-Europus

Euphrate

Tigre

Sidon
Tyr
Makor
Ptolemaïs
Tour de
Straton
Modiin
Ascalon
Jérusalem

Damas

Ctesiphon

Babylone

MER MORTE

EMPIRE
PTOLEMAÏQUE

Petra

Makor
167 av. E.C.

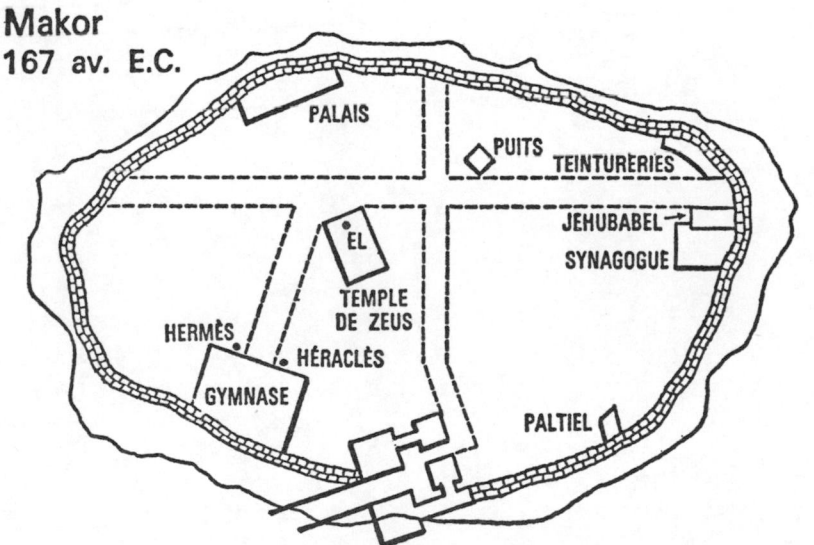

PALAIS

PUITS
TEINTURERIES

EL

JEHUBABEL
SYNAGOGUE

TEMPLE
DE ZEUS

HERMÈS
HÉRACLÈS

GYMNASE

PALTIEL

BIEN souvent, au cours de leur longue histoire, les Juifs allaient être menacés d'extermination à la suite de persécutions religieuses, mais aucun des grands holocaustes de l'avenir ne débuterait avec autant de douceur persuasive que le premier, déclenché en 171 av. E. C. par Antiochos IV Epiphane, tyran de l'empire séleucide.

En 605 av. E. C., les Hébreux de Makor avaient été emmenés en captivité à Babylone mais cinquante ans plus tard, comme l'avait prophétisé Gomer, Cyrus de Perse avait écrasé Babylone au cours d'une guerre qui ne dura pas huit jours, et les Juifs de Makor eurent le droit de regagner leur ville, à condition d'obéir aux lois de la Perse.

En 336, Alexandre le Grand monta sur le trône à l'âge de vingt ans et se lança dans ses conquêtes, si bien que durant les sept siècles su vants tout le monde, de Sparte aux Indes, subit l'influence de la civilisation grecque et s'exprima en koinê, un idiome dérivé du grec et commun à tous les pays. Mais le nouvel empire était si vaste, les distances si longues, que très peu de citoyens pouvaient avoir un contact direct avec la Grèce aussi se développa-t-il une espèce de sous-culture grecque, un hellénisme conçu par des hommes qui aimaient les canons de la beauté grecque mais qui les interprétaient à leur manière et traduisaient la pensée grecque en termes égyptiens, perses ou syriens. Ce fut cet hellénisme qui devait régner sur le monde durant plusieurs siècles, mais l'empire n'était pas destiné à demeurer unifié, car dans le chaos qui suivit la mort d'Alexandre, les provinces d'Asie et d'Afrique furent partagées entre deux de ses généraux macédoniens. Ptolémée prit l'Egypte, jusques et y compris Makor sur sa frontière septentrionale, tandis que Séleucos s'emparait des immenses territoires s'étendant de la Thrace aux Indes. Cela devait être connu par la suite sous le nom d'Empire Séleucide, dont Antioche était la rayonnante capitale, à quelque quatre-vingt-dix lieues de Makor.

En 198, après un siècle de guerres et d'engagements de frontière entre les deux empires hellénistiques, les Séleucides, sous Antioche III Mégas, finirent par vaincre les Egyptiens et leur prirent Israël. Makor ne fut plus alors l'avant-poste nord de l'Egypte, mais un bastion méridional des Séleucides. Le premier geste du nouveau tyran fut de promulguer un décret qui réjouit les Juifs de Makor : « Il est fait savoir que notre empereur

majestueux avertit ses nouveaux sujets juifs qu'ils sont désormais libres d'adorer leurs dieux à leur guise. Ils peuvent construire des synagogues. Leurs prêtres ont le droit d'offrir des sacrifices, la seule restriction étant qu'ils ne doivent en aucune manière offenser Zeus, la divinité suprême des Séleucides, reconnue par tous. »

Sur l'ancien site où le monolithe d'El gisait profondément enfoui sous les déblais des siècles, se dressait un ravissant petit temple, avec six colonnes doriques et des bas reliefs représentant des déesses au repos. Le temple contenait une tête de Zeus en marbre de Paros. Les Juifs se construisirent une synagogue dans un autre quartier de la ville, petite et discrète comme le temple de Zeus mais beaucoup moins gracieuse. En fait, l'édifice était franchement laid, grossièrement bâti en brique d'argile séchée. Pendant les vingt-sept premières années de la domination séleucide, les Juifs, qui demeuraient fidèles à leur synagogue, vécurent sans heurts avec le gros de la population qui adorait Zeus. L'un et l'autre groupe observait les coutumes grecques, employait la monnaie grecque et s'exprimait en public en dialecte grec, en koinê. Ils n'avaient jamais vu la Grèce, mais ils se considéraient comme des Grecs, si bien qu'à tous égards Makor était le type même de la ville hellénistique.

En 171, Antiochos IV annonça un léger changement dans la vie religieuse de son empire, et si les Juifs de Makor avaient eu des chefs sagaces, nul doute qu'ils eussent alors prévu dès ce moment quelle calamité les menaçait ; mais ils étaient assez mal dirigés et la gravité des faits leur échappa. La nouvelle loi était nette : « Désormais, tous les citoyens devront reconnaître que Zeus est descendu sur la terre en la personne de notre divin empereur Antiochos Epiphane. » Les Juifs furent vaguement inquiets mais les occupants leur assurèrent que la nouvelle loi n'affecterait en rien leurs pratiques. Quelques semaines plus tard, une gigantesque tête de l'empereur fut placée dans le temple, et celle de Zeus déplacée sur le côté. On rassembla tous les habitants devant le temple et un notable leur lut le texte de la loi : « Ceux qui pénètrent dans le temple de Zeus devront rendre hommage à notre empereur Antiochos Epiphane, et le reconnaître comme Zeus Olympien apparaissant parmi nous sous une forme humaine. »

Les citoyens, tendant le cou pour voir la tête massive, s'accordèrent à penser qu'Antiochos ressemblait bien à Zeus, avec ses cheveux bouclés et son expression bienveillante. Le notable poursuivit sa lecture : « Les Juifs qui préfèrent prier dans leur synagogue ne sont pas touchés par cette loi, car notre grand empereur ne désire offenser personne, du moment que sa divinité est reconnue. » En fait, quand les Juifs apprirent qu'ils n'avaient pas à adorer Antiochos, bon nombre d'entre eux allèrent au temple par pure curiosité, et restèrent bouche bée devant la tête géante. Pour eux, ce n'était que la statue d'un simple mortel, et ils n'imaginaient pas comment les Grecs pouvaient être assez fous pour le croire dieu. Ils se mordirent les lèvres pour cacher leur mépris, et retournèrent joyeusement à leur synagogue où ils étaient libres d'adorer sans crainte leur dieu Yahveh, qui n'était maintenant désigné que sous le sigle imprononçable de YHWH.

En 169, les Juifs furent convoqués pour écouter la lecture d'un nouvel édit : « Afin de supprimer les différences existant entre les peuples de son vaste empire, Antiochos Epiphane décide que les Juifs ne doivent plus circoncire leurs rejetons mâles. » Cela provoqua aussitôt de vives protestations de la part de certains Juifs, mais d'autres virent là au contraire une preuve de la sagesse de l'empereur.

— Les Grecs, dirent ceux-là, pensent que le corps humain est un temple qui ne doit jamais être ni profané ni mutilé, aussi cette requête de notre empereur est bien naturelle.

— Antiochos a raison, soutinrent d'autres gens. La circoncision est un rite démodé et barbare dont le seul but est de nous rendre différents des Grecs.

Mais il en était qui savaient que l'alliance qu'Abraham avait conclue avec YHWH concernant la circoncision les liait jusqu'à la consommation des siècles, et ils continuèrent de circoncire leurs fils. Mais leur protestation se perdit dans l'indifférence et l'indécision de la majorité des Juifs. Cependant, le bruit de leur entêtement parvint aux oreilles d'Antiochos, le nouveau dieu, et il ne l'oublia pas.

En 168, un édit plus sévère encore fut promulgué, et en prévision des troubles possibles, un détachement de troupes supplémentaires fut cantonné dans la ville. Cette fois, le culte d'Antiochos Epiphane devenait la seule religion officielle de toutes les provinces des Séleucides. Un murmure s'éleva des rangs des Juifs, qui ne s'attendaient pas au coup plus grave encore qu'on allait leur porter. Tout en répétant que les Juifs étaient libres d'adorer leur « dieu singulier », le notable qui lisait l'édit ajouta que quatre fois l'an un sacrifice devait être offert à Antiochos Epiphane, dans tous les sanctuaires de la ville, et que la victime offerte serait un pourceau !

Cela les Juifs ne pouvaient le supporter. Ils s'entêtèrent à circoncire leurs fils, ils refusèrent de laisser entrer un pourceau dans leur synagogue, ils ne voulurent pas s'incliner devant la statue d'Antiochos Epiphane. Aussi, en 167, une nouvelle loi plus rigoureuse vint s'ajouter aux premières. « Tout Juif qui désobéit aux édits concernant le culte qui doit être rendu à notre divin empereur Antiochos Epiphane sera arrêté et traîné devant le temple de Zeus. Là il sera frappé de cinquante coups de verges, après quoi il sera étendu sur le sol pour être écorché vif. Ensuite, il sera tué, son corps sera coupé en morceaux et jeté aux chiens. »

Les Juifs stupéfaits entendirent cela sans rien dire tant était grande leur angoisse, puis ils furent reconduits en troupeau à leur synagogue où les soldats amenèrent un porc pour le sacrifice. Tous les Juifs durent défiler devant l'animal qui se débattait, et on les obligea à placer une main sur la bête impure.

Cependant, il y avait un vieux Juif lassé de l'apathie de son peuple qui refusa de rendre hommage au porc de l'empereur. Le soldat grec le poussa rudement, mais le capitaine des gardes intervint avec pitié :

— Vieillard, tu n'as pas obéi à notre dieu Antiochos.

Le vieux Juif, dont la longue barbe blanche témoignait des années passées à étudier la loi mosaïque, recula avec dégoût, mais encore une fois le capitaine l'avertit, d'une voix compatissante :

— Ami, cela ira bien mal pour toi si tu n'obéis pas à la loi.

Le vieillard refusa encore, sur quoi le capitaine fit avancer un de ses soldats, pour qu'on lui montre les verges, un bâton avec plusieurs dizaines de lanières de cuir.

— Vois, dit le capitaine, chaque lanière porte du plomb à son extrémité. Crois-tu que tu pourras supporter une telle souffrance ?

Le vieillard cracha sur le cochon du sacrifice, et les soldats s'emparèrent de lui aussitôt. Ils le dépouillèrent de tous ses vêtements puis ils l'attachèrent à un pilier et commencèrent à le fouetter. Les petites plaques de plomb mordaient dans les chairs, déchiraient la peau, dénudaient les muscles, lui arrachaient un œil. Au dixième coup, le capitaine interrompit la punition.

— Maintenant, veux-tu reconnaître le pourceau ?

Le vieillard hocha la tête et le capitaine fit alors porter les coups plus bas, sur les parties tendres et vulnérables du malheureux. Au quarantième coup, son intention humanitaire se devina ; il espérait que la flagellation suffirait à faire mourir le vieil homme, et qu'il n'aurait pas à le faire écorcher vif. Mais le vieux Juif résista par miracle, et quand il eut survécu à la grêle de coups, il fallut l'allonger sur le sol. Quatre soldats résolus lui entaillèrent la peau et l'écorchèrent. Mais alors que tous les assistants le croyaient mort, il leva la tête et clama l'éternelle prière de tous les Juifs :

— Entends, ô Israël, la voix de l'Eternel notre Dieu. Le Seigneur est un seul dieu !

Et sur ce cri, il mourut.

Parmi ceux qui assistaient avec colère à cette première persécution se trouvaient deux hommes bien différents qui tous deux étaient en partie responsables du drame. Ils étaient nés à Makor, de très anciennes familles, et leur amitié expliquait pourquoi les Juifs avaient accepté les premiers édits sans trop se plaindre et sans comprendre comment cela finirait. Le plus important de ces deux hommes était le gouverneur Tarphon, un gymnasiarque de trente-cinq ans au beau visage glabre, un athlète aux cheveux roux qui portait la courte tunique des officiers grecs.

C'était un homme aimable, généreux, dont la très jolie femme était née en Grèce. Tarphon était le fils d'une famille cananéenne de classe moyenne, mais l'arrivée des Séleucides avait décidé de son destin. Reconnaissant en lui un jeune homme exceptionnellement doué, les nouveaux occupants l'avaient envoyé à Athènes pour y faire ses études. A son retour, il avait été nommé gouverneur adjoint de Ptolémaïs, comme s'appelait alors le port d'Acre, mais il avait continué d'habiter Makor. C'était lui qui avait fait construire le palais d'été, le long du rempart nord, où montaient des brises fraîches de l'ouadi et d'où la vue était magnifique au coucher du soleil. Seuls, quelques rares fonctionnaires séleucides connaissaient Athènes, et peu d'entre eux parlaient le grec classique, que

Tarphon avait appris. Sa haute culture grecque, son épouse intelligente et ses prouesses athlétiques l'avaient fait distinguer par Antiochos Epiphane quand il était venu à Makor pour la dédicace du temple de Zeus. Encouragé par la bienveillance de l'empereur, il avait alors entrepris de réaliser un projet qui lui valut de nouvelles louanges. Il mit à contribution la plupart des notabilités de la petite ville et grâce à leurs fonds, il fit construire un magnifique gymnase accoté au rempart méridional, avec des bains chauds, une petite arène et des gradins de pierre pour les spectateurs. Cette initiative plut, et personne ne fut surpris quand Antiochos Epiphane choisit le jeune Tarphon pour être le nouveau gouverneur de Makor.

Tous les après-midi, il allait s'entraîner au gymnase, prenait un bain chaud et devisait avec des amis, qui aimaient comme lui voir les jeunes gens se préparer aux jeux régionaux qui se déroulaient dans de plus grandes villes, à Damas ou Antioche.

C'était en partie à cause des erreurs de jugement de cet excellent homme que les Juifs de Makor étaient tombés dans le piège qu'on leur tendait, car il avait pour eux une véritable amitié. Depuis des siècles, sa famille commerçait avec eux, et certains de ses ancêtres avaient même été des Hébreux ; aussi, lorsque les premiers édits arrivèrent à Makor, ce fut Tarphon qui persuada les Juifs de faire des concessions. Il émoussa ainsi le premier choc des restrictions et les empêcha d'avoir l'effet qu'elles auraient dû avoir. Sans le vouloir, il avait arraché les dents et les griffes du judaïsme, le laissant sans défense pour le moment où les persécutions commenceraient vraiment. A ce moment, les choses étaient déjà allées trop loin et Tarphon se voyait incapable de protéger ses amis. Atterré, refusant de croire ce qu'il advenait de son univers paisible, Tarphon avait assisté à la première flagellation, caché derrière un pilier.

Chez les Juifs, il aurait dû y avoir un homme pour lancer un cri de ralliement, mais hélas ils étaient sans chef véritable. Il n'y avait que Jehubabel, un petit homme barbu et bedonnant de quarante-cinq ans, qui possédait plusieurs cuves à teinture et s'inquiétait surtout d'obtenir suffisamment de pourpre des villes du nord ou de teinture cramoisie de Damas.

C'était par défaut que Jehubabel était devenu le chef de la communauté juive, car il n'était pas un homme autoritaire ni particulièrement dévot. En fait, il n'avait que deux qualités pour sa fonction : il habitait à côté de la synagogue et il passait pour un sage. C'est-à-dire qu'il avait lu les grands livres des Juifs. Il en avait oublié les enseignements, mais il allait répétant à tout propos et hors de propos tous les proverbes et les dictons que les Juifs se transmettaient de génération en génération.

Son nom de Jehubabel, signifiant « YHWH est à Babylone », résumait son histoire, car les hommes de sa famille le portaient depuis le temps de la captivité. Il était le descendant du prophète Rimmon, qui, lorsque les Juifs étaient retournés en Israël et qu'il était âgé de quatre-vingt-dix ans, avait conduit un petit groupe de fidèles jusqu'à Jérusalem avant de retourner s'établir à Makor. Si Jehubabel n'avait pas hérité

la vaillance de ses aïeux, il en avait conservé la foi et il répugnait à se prosterner devant la statue d'Antiochos Epiphane. Mais quand le gouverneur Tarphon lui avait dit que ce n'était qu'un geste qui n'engageait personne, Jehubabel avait déclaré à ses Juifs :

— Les rivières font monter des brumes afin que le soleil accepte cette offrande et ne les assèche pas.

Et il avait conseillé d'obéir à l'occupant. Pour lui, caresser un porc était une abomination, mais il accepta, parce que Tarphon lui avait assuré qu'ainsi il épargnerait des vies humaines. Il avait confiance en Tarphon, car il aimait et appréciait l'athlète grec aux cheveux roux et qu'il ne l'avait jamais vu abuser de leur amitié. Cependant, les différences considérables entre les Juifs et les Grecs, entre le paganisme et le judaïsme, semblaient lui échapper. Il voyait bien que Tarphon aimait les jeux athlétiques et le théâtre, alors que les Juifs préféraient une vie plus simple. Il savait qu'au palais on discutait de livres et de pièces profanes, alors qu'il n'était jamais question de ces choses-là chez les Juifs. Il voyait surtout que la vie grecque se concentrait autour du temple de Zeus, que personne ne prenait au sérieux, et du gymnase, dont l'importance était capitale, alors que les Juifs se réunissaient dans leur vieille synagogue. Mais à ses yeux, ces différences n'étaient pas essentielles.

Aussi, à la suite de Jehubabel, qui ne comprenait pas la gravité de la situation, tous les Juifs sauf un s'étaient inclinés devant les nouveaux édits. Mais le vieillard obstiné avait refusé et, en mourant, ce martyr avait regardé Jehubabel du seul œil qui lui restât, et pendant des années le teinturier allait être hanté par ce visage accusateur ruisselant de sang.

Le gouverneur Tarphon, après avoir assisté à la hideuse exécution — si contraire aux coutumes de la vraie Grèce — quitta le temple et suivit lentement l'avenue menant au gymnase. Il franchit le portail flanqué de deux belles statues, celle d'Héraclès en lutteur et celle d'Hermès en coureur à pied, mais il eut l'impression que les dieux l'accusaient et il baissa les yeux en songeant : « Je dois avertir Antiochos de l'iniquité de ses édits. »

Honteux de ce que ses yeux avaient vu, Tarphon pénétra dans le gymnase où il retrouva la rassurante odeur des jeunes corps en sueur massés aux huiles parfumées et il fut sur le point de se déshabiller pour aller aussitôt prendre part aux jeux, mais il repoussa cette idée et se dirigea vers une petite pièce qui lui servait de bureau. « Cette fois, se disait-il, Antiochos doit battre en retraite. »

Il passa un moment à rédiger un rapport en grec classique, dans lequel il racontait à l'empereur comment un vieux Juif avait préféré mourir plutôt que d'obéir à la loi, et l'avertissait des répercussions possibles sur l'ensemble de la communauté. Puis, considérant l'avenir avec une lucidité inhabituelle, il ajouta un bref paragraphe prédisant que si les lois contre les Juifs étaient maintenues, elles risquaient de provoquer une révolte armée. Mais lorsqu'il eut fini, il jugea cette analyse présomptueuse, et la supprima. Il relut son rapport, hésita, et ne sut s'il convenait de l'expédier. Peu sûr de son propre jugement, il désira prendre conseil et envoya un de

ses esclaves chercher Jehubabel, puis, en l'attendant, il se rendit dans la grande salle pour s'entraîner à la lutte avec quelques jeunes gens qu'il préparait aux prochains jeux régionaux, afin d'oublier dans l'effort physique l'incident atroce qui avait assombri sa journée.

Il venait de lutter amicalement avec le jeune Ménélas et grattait ses cuisses en sueur avec un strigile, cette espèce de racloir dont on se servait pour gratter et nettoyer la peau, quand un esclave vint lui annoncer l'arrivée de Jehubabel. La porte s'ouvrit et dans la buée des bains chauds se dressa la silhouette incongrue du Juif revêtu de ses longues robes, dans une assemblée d'hommes nus.

Les deux hommes se regardèrent, Tarphon le Grec, dont les ancêtres avaient construit les murailles de Makor, un athlète nu qui considérait son corps musclé comme un temple, et Jehubabel le Juif, pour qui la grandeur de la Grèce était un livre fermé et un corps nu une insulte à YHWH. Contemplant le gymnasiarque dénudé, Jehubabel se rappela ce qu'avaient coutume de dire les siens : « Seul un fou peut admirer la rapidité d'un cheval ou la force d'une cuisse d'homme. » Peu de Juifs, à Makor, s'intéressaient au gymnase et à ses rites païens.

Tarphon, connaissant la répugnance des Juifs pour la nudité, se hâta de revêtir un vêtement et conduisit Jehubabel vers la petite pièce où son rapport attendait sur la table, maintenu par un objet que le Juif considéra avec curiosité. C'était une main en marbre, grandeur nature, cassée au poignet et tenant un instrument de bronze comme Jehubabel n'en avait jamais vu.

— Comment la statue a-t-elle été brisée ? demanda-t-il en koinê.

Tarphon eut un sourire indulgent. C'était bien la question que l'on pouvait attendre d'un Juif, car si Tarphon trouvait les Juifs de Makor travailleurs et courtois, il les savait aussi parfaitement insensibles à la beauté pure. Les Grecs n'étaient pas depuis dix ans à Makor, et ils avaient construit la petite merveille qu'était le temple de Zeus, mais les Juifs se contentaient de leur affreuse synagogue grise et massive. Les Grecs aimaient la soie, la fraîcheur du marbre, les parfums des épices et la poésie lyrique, alors que les Juifs demeuraient un peuple paysan pour qui le luxe et la beauté étaient honteux. D'une voix condescendante, Tarphon expliqua qu'aucune statue n'avait été brisée.

— L'artiste a simplement sculpté cette main ainsi.

— Mais pourquoi ?

— De peu de chose, beaucoup, dit Tarphon, et voyant que Jehubabel ne comprenait pas, il ajouta : En contemplant ce fragment, on peut imaginer toute la statue.

— Mais s'il avait voulu que tu voies toute la statue, pourquoi ne l'a-t-il pas sculptée ?

Tarphon était irrité, mais également amusé.

— Au printemps, n'as-tu jamais goûté une seule bouchée d'une prune de Damas ? N'était-elle pas si bonne que tu pouvais imaginer toutes les prunes de l'année ?

— Je ne mange pas de prunes, dit Jehubabel.

— Mais cette sculpture ? N'évoque-t-elle pas pour toi tout le corps humain ?

Le Juif plissa le front et réfléchit avec méfiance à cette inconcevable théorie, mais pour lui la main au poignet cassé ne disait rien de tout cela. Ce n'était qu'une main, bien imitée certes, tenant un objet inconnu, et pas autre chose.

— Qu'est-ce qu'il tient là ? demanda-t-il.

Tarphon fut stupéfait. Il ne lui serait jamais venu à l'idée qu'un homme pût ne pas reconnaître un strigile, aussi envoya-t-il un esclave chercher le sien qu'il avait laissé dans le gymnase.

— Peux-tu deviner à quoi cela sert ? dit-il en le tendant au Juif.

Jehubabel examina longuement le racloir de bronze en croissant, mais il ne put en pénétrer le mystère.

— Il y a une pointe émoussée, cela peut donc servir à creuser. Mais la lame est aiguë, et cela peut couper. Non je ne vois pas...

— Cela sert à gratter la peau, expliqua Tarphon.

Jehubabel considéra le gouverneur, bouche bée, sans comprendre. Tarphon voulut alors faire une démonstration et tendit la main vers le Juif, mais il s'aperçut alors qu'aucune partie de son anatomie n'était visible, à part les mains et la figure. Il y eut un instant de gêne et puis, voyant que Jehubabel n'avait nulle intention de dénuder une partie de son corps, Tarphon écarta son vêtement et passa le strigile sur sa cuisse en disant :

— C'est très agréable et rafraîchissant.

Mais le Juif aux yeux ronds le regarda comme s'il était devenu fou.

Agacé, Tarphon s'allongea sur un banc et appela son esclave pour qu'il vienne le masser avec des huiles parfumées et tiédies.

— C'est le seul luxe que je me permette, dit-il à son ami. C'est une huile de Macédoine dont je me servais quand je luttais à Athènes.

— La senteur de la rose et le goût du raisin persistent jusqu'au lendemain, déclara sentencieusement Jehubabel.

Tarphon réprima un soupir. Il aimait bien le chef des Hébreux, mais il ne pouvait supporter sa conversation émaillée de lieux communs. Il passait pour un érudit, mais jamais il ne faisait allusion aux grands livres du judaïsme ; pour réfuter Platon ou Aristote, il ne citait jamais des Juifs d'égale intelligence. A tout, il répondait par un dicton populaire. Pour un Grec cultivé comme Tarphon, la fréquentation de Jehubabel était parfois d'un ennui accablant.

Pourquoi le fréquentait-il, alors ? Parce que dans l'univers fluctuant de la domination grecque, le Juif était sans doute le seul homme parfaitement intègre que Tarphon connût. Il ne voulait rien du gouverneur, il ne pratiquait pas la flatterie, il tenait parole et il travaillait avec autant d'acharnement que de sincérité à l'amélioration de la ville. Et comme Tarphon appréciait les vertus de cet homme, il était prêt à supporter l'ennui de sa conversation.

— Dis-moi franchement, Jehubabel, cette exécution, tout à l'heure... Est-ce la fin d'une période difficile ou le commencement de troubles graves ?

Jehubabel se détourna du corps dont l'esclave pétrissait les chairs, car sa nudité l'offensait. Et puis il ne cessait de voir devant ses yeux la figure ensanglantée du martyr, ce qui le poussa à répondre plus durement qu'il ne l'aurait voulu :

— Quand la rivière a quitté son lit, elle n'y retourne pas avant que la pluie cesse.

— Que veux-tu dire par là ? demanda Tarphon avec irritation.

— Si ces lois demeurent, il pourrait y avoir des troubles.

— Il pourrait, oui. Mais y en aura-t-il ?

Jehubabel voulait croire ce que Tarphon lui avait dit à son arrivée, que lorsque Antiochos saurait à quel point les Juifs étaient affectés, il annulerait ses édits. Il voulait se cramponner à cet espoir.

— Si Antiochos revient un peu sur ses décisions, je suis sûr que nous pourrons éviter le pire.

L'esclave frotta son maître avec un tissu humide, puis il lui tendit ses vêtements. Revêtu de sa courte tunique, le gouverneur s'assit à la table et demanda :

— Si les troubles deviennent inévitables, ils seront provoqués par quoi ?

— Le pourceau, nous pouvons l'oublier, assura Jehubabel. Et nous reconnaissons Antiochos comme notre souverain, au besoin comme dieu de son propre peuple. Mais il y a une chose...

— Dont tu as peur ?

— Les Juifs continueront de circoncire leurs fils.

— Non, non ! protesta Tarphon. Sur ce point, je suis d'accord avec Antiochos. Le corps humain est trop précieux pour être mutilé au hasard par la première religion venue. Pourquoi penses-tu que nous avons interdit de marquer les esclaves ? Que le tatouage est défendu ? Dis-moi donc ! Si ton dieu juif, qui est aussi parfait que tu le prétends, a créé l'homme, pourquoi voudrait-il que l'on modifie sa création ?

Pour une fois, Jehubabel n'eut pas recours à un aphorisme.

— Lorsque le créateur eut achevé son œuvre parfaite, il prit Abraham à part et lui dit : « J'ai créé un homme parfait. Maintenant, j'ai besoin d'un peuple parfait. Pour prouver au monde que vous êtes mon peuple élu, vous ferez circoncire vos fils. » En faisant cela, nous accomplissons la volonté divine.

Tarphon soupira, peu convaincu.

— La loi est précise, Jehubabel. Plus de circoncisions. Allons... Je t'en prie.

Le petit teinturier considéra cette prière, la dernière d'une longue suite de supplications, et une fois de plus il céda.

— Je ne pense pas que les Juifs feraient circoncire leur fils sans discuter d'abord du problème avec moi, dit-il.

A cela, Tarphon ne put réprimer un sourire, car il savait que Jehubabel était le seul à effectuer les circoncisions. Le Juif ajouta :

— Donc, si les Juifs me demandent conseil, je leur dirai que pendant un peu de temps encore...

Tarphon fut soulagé. Il n'en demandait pas plus. Un peu de temps. Car il était persuadé qu'avec le temps tout s'arrangerait. Prenant la deuxième feuille de son rapport sous la main de marbre, il la déchira et la jeta dans une corbeille.

— J'allais écrire à Antiochos des choses qu'il n'a pas besoin de savoir, murmura-t-il. Je suis heureux que tu aies compris, Jehubabel. Contre la puissance d'Antiochos, vous autres faibles Juifs ne pouvez rien. C'est avec la raison que l'on adoucit les lois. Je connais Antiochos. Il aime être aimé. Quand il saura que ses lois ont rendu ses Juifs malheureux... Aie confiance, ami. Quand l'empereur aura lu ma lettre, la loi sera changée.

Il accompagna Jehubabel vers la sortie mais comme ils traversaient le gymnase ils virent un groupe de sept beaux jeunes gens, les athlètes avec qui Tarphon avait lutté. Ils portaient un uniforme que les anciens de Makor leur avaient fourni pour se rendre aux jeux régionaux, un chapeau plat à larges bords, une élégante cape courte en léger tissu clair, retenue au cou par une agrafe d'argent, et des bottes blanches souples lacées jusqu'aux genoux. Ainsi vêtus, les sept athlètes avaient l'air de sept statues d'Hermès. Jehubabel vit que le plus grand des sept n'était autre que son fils Benjamin aux boucles brunes. Il n'en tira nulle fierté.

Lorsque les jeunes gens furent passés, Tarphon accompagna son ami jusque dans la rue, et lui dit :

— Jehubabel, ton fils Ménélas sera le meilleur et le plus bel athlète que Makor ait jamais eu.

— Un fils sage rend son père heureux, répondit le Juif en citant Salomon, mais un fils fou est le deuil de sa mère. La lutte est une folie. Le lancer du disque... folies, folies.

— Non, protesta Tarphon. Les temps ont changé. De nos jours, un garçon doit avoir la sagesse, certes. Mais il doit aussi connaître les jeux, les amabilités de la société. Rien d'excessif. Il faut vivre avec son temps, mon ami.

Mais Jehubabel, songeant au vieux martyr, ne fut pas convaincu.

Il s'engagea dans la large avenue conduisant au temple de Zeus, où malgré lui il leva les yeux vers la gigantesque tête d'Antiochos Epiphane, perpétuellement éclairée par une lampe à huile.

— Vanité des vanités, marmonna-t-il.

A côté, l'endroit où le vieillard avait été flagellé et mis à mort était encore humide. Il baissa la tête et pria un moment, puis il tourna à l'est pour s'engager dans l'artère principale, bordée de nombreuses boutiques où l'on vendait des marchandises venues de tous les pays du monde connu, des ornements étincelants en airain de Cornouailles, des perles d'argent d'Espagne, des cuivres de Chypre, de l'or de Nubie, du marbre de Paros et de l'ébène des Indes. Certains magasins vendaient des mets dont nul n'avait entendu parler un siècle plus tôt, des confiseries d'Egypte, des fromages fermentés d'Athènes, des figues confites dans du miel de Crète, de la cannelle d'Afrique...

— Tout est vanité, répéta Jehubabel en approchant de la synagogue près du rempart est.

Il n'avait jamais été séduit par les boutiques luxueuses ; elles étaient presque toutes dirigées par des étrangers car les Juifs orgueilleux d'un Israël rural ignoraient encore le commerce et les échanges d'argent, préférant les occupations plus fondamentales, comme l'agriculture et la teinture, bien que pendant la captivité à Babylone certains eussent appris quelques arts appliqués, comme l'orfèvrerie, que les descendants des captifs pratiquaient encore parfois.

Mais ce n'était pas les riches boutiques qui inspiraient à Jehubabel ses réflexions sur la vanité ; c'était son fils Ménélas. Le garçon s'appelait en réalité Benjamin, mais comme beaucoup de jeunes Juifs de l'époque, il avait pris un nom grec par lequel il était généralement connu. Grand alors que son père était petit et trapu, robuste alors que sa mère était fluette, il avait vite attiré l'attention des Grecs qui l'avaient invité dans leurs écoles et leurs jeux, où il avait fait merveille. Maintenant, éloigné de ses parents juifs, il passait ses journées au gymnase et ses soirées au palais, où il s'initiait à la haute culture grecque. Comme Tarphon le gymnasiarque, il commençait à trouver assommants les éternels proverbes de son père et comme Melissa, la jolie femme de Tarphon, il avait du mal à prendre au sérieux les coutumes désuètes des Juifs. A trente ans, Ménélas-Benjamin ne serait plus un Juif, car l'empire d'Antiochos Epiphane avait besoin de jeunes gens intelligents et solides, et selon toute probabilité il serait appelé à servir dans des régions où les Juifs étaient inconnus ; et tandis que le jeune homme s'entraînait avec Tarphon ou étudiait avec Melissa, il découvrait les richesses de la vie intellectuelle des Grecs et se sentait de plus en plus tenté de renoncer au judaïsme pour imiter tous ceux qui avaient abandonné la synagogue pour devenir en fait des Hellènes.

« L'imbécile méprise les enseignements de son père », soupirait Jehubabel en passant devant la synagogue pour rentrer chez lui, juste à côté.

Soudain, il sentit qu'on le tirait par la manche, et il se retourna.

— Jehubabel, il faut que je te parle, lui dit un petit homme malingre aux gros yeux ronds.

C'était Paltiel, un paysan possédant quelques moutons, et chez qui l'on n'aurait guère supposé le moindre courage, mais là, dans l'ombre, il tira la manche de Jehubabel et prononça les paroles terribles qui rendaient la révolte des Juifs inévitable :

— Mon fils est né il y a huit jours.

Jehubabel trembla. Dans le gymnase, il avait promis à Tarphon qu'il n'y aurait pas de troubles, mais voilà que les paroles fatidiques lui étaient adressées ! Le gros teinturier se mit à ruisseler de sueur d'angoisse, et il demanda :

— Paltiel, as-tu assisté à l'exécution aujourd'hui ?

— J'étais à deux coudées du vieillard, et avant de mourir il m'a regardé avec son œil unique. Il a plongé son regard au fond de mon cœur, et je suis résolu.

« Combien d'autres le vieil homme a-t-il regardés », se demanda Jehubabel et il répondit à Paltiel :

— Tu es donc engagé ?

— Pas toi ? s'étonna le fermier. Le vieillard t'a regardé aussi. Je l'ai vu.

— Tu l'as vu ?

— Jehubabel, il nous a tous regardés.

De toute son âme, le malheureux Jehubabel voulait dire à Paltiel de s'en aller, de le laisser en paix, mais il ne le pouvait, aussi gagna-t-il du temps :

— Attends-moi ici.

Il entra dans sa maison sans rien dire. Le souper l'attendait sur la table, mais il traversa la salle et passa en silence devant sa femme pour entrer dans sa chambre. Là, il prit dans un coffre le couteau effilé enveloppé d'un chiffon. Il le déballa et le posa sur le sol, en se demandant ce qu'il devait faire. Au bout d'un moment, sa femme inquiète vint le chercher pour souper, et elle le trouva immobile, assis devant le couteau posé par terre. Elle comprit, et en eut aussitôt l'appétit coupé.

— C'est une chose terrible que tu envisages, dit-elle.

Ils restèrent un long moment immobiles, silencieux, les yeux fixés sur le couteau, cherchant une solution au problème crucial. Puis Jehubabel marmonna quelques proverbes sans rapport précis avec leur souci, et sa femme approuva. Ils parurent rassurés, et ils s'apprêtaient à ranger le petit couteau quand la voix de Paltiel s'éleva, en même temps qu'il frappait à la porte.

— Jehubabel ! Nous attendons !

Au désespoir, le chef spirituel des Juifs regarda sa femme, puis il se jeta de tout son long par terre et gémit : Adonaï, Adonaï, que dois-je faire ?

Il n'avait pas le droit de prononcer le nom de YHWH ; il n'aurait d'ailleurs pas su comment prononcer le nom sacré car depuis des siècles on ne nommait pas Dieu à Makor. Mais comme il faut bien appeler une divinité d'un nom quelconque, la coutume s'était établie d'appeler YHWH du nom hébreu d'*Adonaï*, qui devait être traduit par la suite, dans les autres langues, par *Seigneur*.

Aucune instruction ne lui vint de YHWH et il confia à sa femme :

— Je ne sais que faire. Tarphon me soupçonne de complicité. J'ai vu son sourire. Si ses soldats me surprennent en flagrant délit, je serai flagellé à mort.

Il frémit en imaginant les lanières lestées de plomb mordant dans ses chairs. Et puis il eut une lueur d'espoir. Saisissant la main de sa femme, il s'écria :

— Tarphon m'a assuré qu'Antiochos était un homme raisonnable. Il veut être aimé. Il ne faut pas penser...

— Jehubabel ! cria Paltiel à la porte.

Et là, dans cette chambre intérieure, Jehubabel fut le premier homme à s'interroger sur le mystère juif :

— Pourquoi recherche-t-il le martyre ? Un homme insignifiant comme Paltiel ? Pourquoi veut-il entrer en lutte contre l'empire ?

Jehubabel trouva mauvais que des décisions capitales lui fussent

imposées par l'œil d'un martyr mort et la voix d'un homme qui aspirait à en devenir un.

— Jehubabel ! reprit la voix insistante. Devrai-je sanctifier mon fils tout seul ? Dis-moi donc que tu as peur !

Pour le couple anxieux, la voix devenait celle d'Adonaï. Lentement, poussé par des forces qu'il ne comprenait pas mais qui dirigeraient le judaïsme pendant les siècles à venir, Jehubabel prit le petit couteau, l'enveloppa dans son chiffon et le glissa à sa ceinture.

— Je dois y aller, dit-il à sa femme. Le vieil homme me regarde.

Elle l'accompagna jusqu'à la porte, et elle lui donna sa bénédiction, car dans son agonie, le vieillard l'avait regardée aussi.

Le gros homme ruisselant de sueur et le maigre petit paysan se hâtèrent dans les ténèbres, passèrent devant la synagogue et s'engagèrent dans une sombre ruelle menant à la porte principale. Au milieu de ce passage, ils s'arrêtèrent, regardèrent autour d'eux, et pénétrèrent rapidement dans une petite maison. Quatre Juifs entouraient un bébé de huit jours que l'on avait préparé pour la circoncision. Jehubabel les regarda tour à tour, puis il leur demanda d'une voix tremblante :

— Voisins, avons-nous conscience de ce que cela signifie ?

Et en les interrogeant, il apprit que le vieil homme les avait tous regardés, et les avait engagés jusqu'à la mort. Chaque homme savait ce qu'il risquait, et il était prêt à en subir les conséquences.

Jehubabel, frémissant à la pensée de ce qu'il allait faire, se retira à l'écart pour une courte prière, puis il avança le couteau et pratiqua la circoncision. La vive douleur arracha des cris au bébé, mais Paltiel lui posa sur la bouche un chiffon imbibé de vin et l'enfant se tut.

— Son nom est Isaac, dit Paltiel, car Isaac était le fils d'Abraham, offert en sacrifice au Seigneur. Mais Isaac a vécu. Ce soir, nous offrons tous notre vie en sacrifice à Adonaï, et nous aussi nous vivrons.

Un par un, sans bruit, les conspirateurs, sachant qu'ils risquaient la mort si les soldats grecs examinaient l'enfant Isaac, sortirent de la maison, mais comme Jehubabel retournait vers la synagogue, il entendit des voix joyeuses dans la rue principale et il se cacha, pensant que c'était un groupe de soldats. Mais les jeunes gens bruyants étaient les sept athlètes en cape bleue, revenant d'une soirée passée au palais de Tarphon, et ils raccompagnaient chez lui leur ami Benjamin. Un père normal, voyant l'affection que l'on portait à son garçon, en eût été fier, mais Jehubabel, guettant dans l'ombre son fils grec souhaitant le bonsoir à des amis grecs, rougit de honte que son fils se fût tant éloigné de l'esprit qui avait poussé Paltiel à faire circoncire son enfant.

Ses appréhensions au sujet de Benjamin-Ménélas s'accrurent lorsque le gouverneur Tarphon fut appelé à Ptolémaïs où de grands travaux étaient en cours au port, laissant Melissa au palais près du rempart nord, car Benjamin s'y rendit avec assiduité en l'absence du gouverneur. Jehubabel ne tarda pas à être convaincu que des rapports mauvais s'étaient

établis entre son fils et la belle Grecque. Pendant plusieurs jours, Jehubabel erra par les étroites venelles entre le temple de Zeus et le palais
du gouverneur, pour guetter son fils. Ce qu'il vit le fortifia dans sa certitude relative à la conduite dissolue de Ménélas qui trahissait son bienfaiteur.

Après trois nuits de guet, Jehubabel attendit à la porte du palais
la sortie de son fils et en le voyant se diriger vers le gymnase, sa cape
bleue sur le bras, il se précipita vers lui et lui dit en araméen :

— Tu n'iras pas au gymnase. Tu vas venir à la maison avec moi !

— Mes camarades m'attendent, répondit son fils, en koinê.

— Ta mère t'attend, gronda Jehubabel et il prit son fils par le bras
d'une poigne solide.

Rentré chez lui, Jehubabel fit asseoir le jeune homme sidéré sur un
tabouret et il appela sa femme. Les deux parents accusèrent leur fils
d'avoir trahi la confiance du gouverneur Tarphon, le bienfaiteur, l'ami
de la famille.

— Il y a le chien qui mord la main de son maître, et il y a le jeune
homme qui séduit l'épouse de son tuteur, déclara sentencieusement Jehubabel.

Son fils le regarda d'un air perplexe.

— Un homme peut-il nourrir en son sein le feu de l'adultère sans
que ses vêtements soient brûlés ? poursuivit le gros teinturier sur le même
ton. Sa demeure est le chemin de l'enfer, qui te conduit vers les chambres
de la mort.

Mais le jeune Ménélas, habitué aux subtilités de la pensée grecque,
ne comprenait pas ce que son père essayait de lui dire. Le moraliste pompeux persista, et Ménélas s'agita sur son tabouret, ce qui exaspéra son
père.

— Bois les eaux de ta propre citerne et l'eau courante de ta propre
source. Qu'elles soient à toi seul, et ne les partage point avec l'étranger. Les lèvres d'une femme étrangère laissent couler la douceur du miel
et sa bouche est plus lisse que l'huile.

— Père, protesta Ménélas en koinê, tes paroles n'ont pas de sens !

Jehubabel fut frappé de stupeur. Il faisait bénéficier son fils de la
sagesse la plus profonde qu'il connût, et le garçon se moquait de lui. Il
sentait qu'il devrait formuler des paroles fortes, qui éclairciraient les idées
du jeune homme et le forceraient à comprendre l'horreur de l'adultère,
mais il ne trouva rien d'autre à dire qu'un proverbe juif passe-partout :

— Le fils qui maudit son père, sa lampe sera éteinte dans les ténèbres.

Pour Jehubabel, habitué aux manières et à la pensée du judaïsme,
cette phrase impliquait toutes sortes de choses terrifiantes, mais pour
Ménélas ce n'était que des mots.

— Je ne t'ai pas maudit, père, soupira-t-il. J'ai dit que tes paroles
n'avaient pas de sens. Voyons, qu'essayes-tu de me dire ? Parle clairement.

Jehubabel se détourna de l'insolent.

— Je te préviens que l'adultère avec la femme du gouverneur Tarphon...

A ces mots, Ménélas partit d'un grand éclat de rire, franc et naturel.

— C'est ça qui te fait peur ? s'écria-t-il entre deux hoquets d'hilarité. Tu crois... chez Melissa... pendant que Tarphon est à Ptolémaïs ?... Allons, c'est Tarphon qui me l'a demandé lui-même. Nous sommes nombreux à passer nos soirées chez Melissa. Nous l'écoutons tandis qu'elle nous fait la lecture.

De saisissement, Jehubabel tomba assis sur une chaise.

— Vous faites quoi ?

— Ou bien nous bavardons.

— De quoi donc ?

Ménélas fut pris de court. Ce jour-là, Melissa leur avait parlé d'une pièce de théâtre jouée à Athènes, d'un philosophe d'Antioche et d'une aventure qui lui était arrivée à Rhodes, où un ours apprivoisé l'avait poursuivie dans la rue. Comment pouvait-il expliquer cela à son père ?

— Nous parlons de choses et d'autres, dit-il avec un geste vague.

L'hésitation et la réponse évasive de Ménélas convainquirent Jehubabel qu'il avait bien deviné ; il imaginait le palais de Tarphon comme un antre d'orgie où l'on attirait son fils pour le débaucher.

— Les eaux dérobées sont douces, Benjamin, tonna-t-il d'une voix de prophète dodu, et le pain mangé en secret est agréable, mais ils sont la mort.

Pour Jehubabel, ce propos équivalait presque à une malédiction solennelle, mais le jeune Ménélas le trouva dénué de sens. Il s'efforça d'expliquer la vérité :

— Tous les sept, nous sommes des fils pour Tarphon, et Melissa s'occupe de nous. Elle nous instruit, elle nous dit ce que nous devons faire.

— Tu es entré dans la maison du mal, et les serviteurs ont fermé les portes sur toi, dit Jehubabel.

Ménélas contempla son père un moment, puis il soupira. Comprenant qu'il ne pourrait jamais rien faire entendre à son père, le jeune athlète se leva sans un mot et réunit quelques effets, puis il partit. Quand Jehubabel lui demanda où il allait, Ménélas répondit :

— Chez le gouverneur. Il n'y a guère, il m'a demandé de venir habiter chez lui, et c'est ce que je vais faire.

Et on ne le revit plus dans la maison près de la synagogue.

Lorsque Tarphon revint de Ptolémaïs, il eut à accomplir deux tâches qui lui déplaisaient également.

Sur l'ordre d'Antiochos Epiphane, il annonça que les maisons des Juifs seraient fouillées, les enfants mâles examinés, et si l'on en trouvait de moins de six mois qui fussent circoncis, les parents de cet enfant seraient écorchés vifs en place publique. Lorsque les ordres eurent été donnés, il convoqua Jehubabel au gymnase, et il lui dit :

— J'espère que tu n'as pas désobéi à la loi.

Le teinturier barbu contempla Tarphon en silence. Il priait en son

cœur que le fermier Paltiel pût cacher son dernier-né, mais Tarphon interpréta ce refus de répondre comme une manifestation d'animosité provoquée par le fait que Ménélas avait quitté ses parents pour s'installer au palais.

— Allons, Jehubabel, lui dit-il en souriant. Un jour, quand ton fils sera champion de tout l'empire, tu me remercieras de m'être si bien occupé de lui !

Mais Jehubabel continuait de prier, et ce jour-là Paltiel réussit à dissimuler son fils parmi ses moutons, et les Juifs furent épargnés.

Quand les soldats revinrent au gymnase annoncer qu'aucune circoncision n'avait eu lieu, Jehubabel reprit de l'assurance. Ce fut Tarphon qui se laissa tomber dans un fauteuil avec tant de soulagement que le Juif comprit qu'il avait souhaité que l'on ne trouvât point de coupables.

— Nous ne voulons plus d'exécutions dans cette ville, dit le gouverneur en serrant affectueusement les mains de Jehubabel. Merci, mon ami, de nous avoir tous épargnés.

Après le départ du gros Juif en robes flottantes et malpropres — qui détonnait singulièrement dans un gymnase grec — Tarphon se déshabilla et se rendit à la salle de lutte, pour y affronter en combat amical le jeune Ménélas. Il avait une nouvelle pénible à lui annoncer, aussi commença-t-il par lui faire des compliments et l'encourager :

— A Ptolémaïs, j'ai rencontré un groupe de lutteurs de Tyr. Les champions du nord.

— Ah ? Et... Et tu as lutté avec eux ?

— Oui.

Ménélas hésita, prit le temps de se dégager d'une prise, puis il demanda d'un air détaché :

— Tu les a vaincus ?

— Bien facilement.

Tarphon guettait l'expression du jeune homme et il fut heureux de surprendre sur ses lèvres un léger frémissement. Il devinait les pensées de Ménélas : si Tarphon a pu les battre, et si je peux battre Tarphon, alors je puis vaincre les champions, être champion moi-même.

Cependant, Ménélas était méfiant, et craignait d'offenser son mécène, mais il posa tout de même la question :

— C'était vraiment des champions ?

— Il paraît. On dit qu'ils ont vaincu à Antioche.

Ménélas sourit alors, à la grande satisfaction du gymnasiarque. C'était le sourire plein d'aisance d'un jeune homme sûr de la victoire, un sourire dépourvu d'arrogance ou de vanité, un sourire joyeux de jeune athlète anticipant avec plaisir une confrontation loyale où le meilleur gagnerait. En cet instant, Ménélas était vraiment et complètement grec, aussi fut-ce avec chagrin que Tarphon lui révéla :

— Je t'emmènerai à Antioche, mais j'ai aussi une mauvaise nouvelle pour accompagner la bonne.

Lentement, en cherchant ses mots, Tarphon expliqua au jeune homme la déplaisante affaire :

— Ce serait extrêmement souhaitable qu'un Juif remportât la palme à Antioche. Je sais que l'empereur aimerait voir un des tiens gagner un des principaux trophées. Ce serait... Je veux dire, cela prouverait qu'il n'y a pas de discrimination entre les hommes, dans l'empire... que nous pouvons tous devenir des Grecs à part entière si nous voulons bien nous en donner la peine. Je t'accorde qu'il y a eu de menues querelles entre Antiochos et les Juifs... ton père, par exemple...

— Où veux-tu en venir ? interrompit impatiemment le jeune homme. Que me dis-tu ?

— Je dis que nous voulons tous que tu ailles à Antioche... et que tu gagnes.

— Moi aussi, répondit Ménélas.

— Mais Antiochos a décrété que nul concurrent ne pourra se présenter nu devant lui, s'il est circoncis. Cela serait une offense à l'esprit des jeux.

Un silence tomba dans la salle de vapeur, et les deux hommes baissèrent machinalement les yeux sur la preuve de l'alliance de Ménélas avec YHWH. Dans les premiers jours qu'il fréquentait le gymnase, cette particularité lui avait valu des quolibets, car il était le seul Juif athlète, mais avec le temps, et Ménélas se révélant un loyal compagnon et un lutteur de grande classe, sa circoncision avait cessé de surprendre et les autres n'y faisaient plus du tout attention. Mais dans la capitale séleucide d'Antioche, on n'avait jamais vu de Juifs athlètes, et là-bas une circoncision serait scandaleuse en tant que profanation du temple humain. Ménélas le comprenait mieux que quiconque, et ce fut lui qui suggéra une solution :

— N'existe-t-il pas à Ptolémaïs un médecin qui sait recouvrir ce signe ?

— Oui, mais l'opération est extrêmement douloureuse.

— Et si je suis capable de supporter la douleur ?

— Alors, cela peut se faire.

Tarphon n'en dit pas plus. Ménélas soupesait dans son esprit les paroles du gouverneur qui comprenait son dilemme, car qui peut rejeter en un instant l'essence même de sa religion ? Il ne le pressa pas de donner une réponse et fit appeler des esclaves qui les massèrent, les oignirent d'huiles parfumées et les plongèrent ensuite dans un bain très chaud d'où ils sortirent agréablement fatigués. C'était le moment le plus doux de la journée, où les muscles se détendent après l'effort, où l'on oublie les soucis, où l'esprit est plus lucide, et comme délivré. Ils s'allongèrent sur des banquettes et avant de s'endormir, Ménélas demanda au gouverneur :

— Parle-moi franchement, Tarphon. Ai-je une chance d'être vainqueur à Antioche ?

— J'ai éprouvé tous les étrangers de Tyr, et je puis t'assurer que tu es meilleur qu'eux.

— Et si je vais à Antioche, irai-je ensuite à Athènes ?

— C'est certain. Mais laisse-moi te dire encore une chose, Ménélas.

Quand un jeune homme lutte, il n'aspire pas seulement aux lauriers immédiats. Quand j'avais ton âge, je combattais comme un guerrier, mais j'étudiais aussi, et quand le moment vint pour l'empereur de choisir un nouveau gouverneur, ce fut sur moi que tomba son choix. Or, un jour je serai nommé à un poste plus important, et celui que j'occupe ici sera vacant. Je sais qu'Antiochos rêve de nommer un Juif à quelque poste important. Pour réconcilier ton peuple avec sa loi. Ce Juif pourrait être toi.

Ménélas avait sommeil. La fatigue, le bain chaud, les essences parfumées concouraient à provoquer une douce somnolence, mais avant de fermer les yeux, il dit encore :

— La semaine prochaine, quand tu feras la course à Ptolémaïs, je veux courir contre toi.

— Je te le promets, dit Tarphon.

Le jour de la course annuelle, les trompettes rassemblèrent les spectateurs à la porte principale de Makor, où se tenait le gouverneur Tarphon, en grand uniforme militaire, armé et casqué, entouré des sept athlètes en tenue, beaux comme des dieux. Avec eux il y avait quatre ou cinq concurrents plus jeunes qui n'avaient pas encore fait leurs preuves et n'avaient pas droit au costume à la cape bleue. La foule se pressait autour d'eux, tous les habitants de la ville, Juifs et Cananéens, Phéniciens et Egyptiens, avec leurs femmes et leurs filles.

Les coureurs se chaussèrent de sandales spéciales, puis ils nouèrent un petit bandeau blanc autour de leur front. Les trompettes sonnèrent encore. Alors les coureurs se déshabillèrent et se dressèrent parfaitement nus sous le soleil. Ils se pavanèrent quelques instants, pour faire admirer au public la perfection de leurs corps musclés, et chacun put alors voir que l'un des concurrents était un Juif.

Puis le gouverneur Tarphon prit un pagne étroit pour en ceindre ses reins, et les autres l'imitèrent. Le gymnasiarque donna un signal aux trompettes. Melissa s'avança, embrassa son mari, puis Ménélas et un autre jeune homme qui habitait le palais. A tous, elle déclara :

— Si vous ne battez pas Tarphon, il sera insupportable à la maison. Je vous en prie, par pitié, ne le laissez pas gagner !

Tous les coureurs se mirent à rire, et ce fut elle qui donna le signal du départ. Les athlètes s'élancèrent sur la rampe, vers la route de Damas, et prirent la direction du couchant, vers Ptolémaïs.

Jehubabel se trouvait parmi les spectateurs qui avaient assisté au départ de la course annuelle. Il avait été obligé d'être là, le front rouge de honte parmi ses Juifs réprobateurs, tandis que son fils, un enfant d'Israël, pavanait sa nudité scandaleuse devant les jeunes filles de la ville aux yeux brillants d'admiration. Tous les Juifs partageaient le chagrin et la honte de leur malheureux chef.

En l'absence des coureurs, les soldats de la ville, obéissant à des ordres donnés par Tarphon avant son départ, organisèrent de nouvelles fouilles

chez les Juifs, pour voir s'il en était qui eussent désobéi aux décrets d'Antiochos Epiphane. Ils perquisitionnèrent ainsi chez Paltiel le fermier, et cette fois ils découvrirent le bébé circoncis. Ils s'emparèrent de l'enfant et des parents et les jetèrent en prison, puis ils envoyèrent un coureur à Ptolémaïs, pour avertir le gouverneur et lui demander s'il désirait faire surseoir aux exécutions afin d'y assister. Le messager revint le soir même avec la réponse que l'on attendait. « Il m'est impossible de m'absenter de Ptolémaïs. Procédez aux exécutions. » Les soldats avaient déjà deviné que leur gouverneur, qui avait donné l'ordre de perquisition, tenait à être absent au moment des exécutions, et c'était justement pour cela que les recherches avaient été effectuées en son absence.

Le lendemain matin, par une douce journée d'automne ensoleillée, les Juifs terrifiés furent réunis devant le temple de Zeus. Les soldats avaient planté deux poteaux, et préparé les fouets aux nombreuses lanières lestées de plomb. Dans le silence de cette exquise matinée, la famille de Paltiel s'avança, humble, insignifiante, la femme portant son bébé dans ses bras.

Les soldats arrachèrent l'enfant au sein de sa mère et le dépouillèrent de ses langes. L'un d'eux prit le petit corps par les pieds et le souleva afin que tous pussent voir qu'il avait été circoncis contrairement à la loi.

Et puis une épée scintilla au soleil, s'abattit en un geste hideux, et l'enfant fut coupé en deux.

Avant que la malheureuse mère ait pu hurler sa douleur, elle se trouva saisie, déshabillée et attachée à un des poteaux, son mari à l'autre. Ils reçurent chacun cinquante coups de fouet. L'effet produit par ces lanières cinglantes sur un corps d'homme était horrible à voir, mais sur un corps de femme c'était insoutenable. Tous les assistants se détournèrent avec horreur.

Puis les corps en sang furent jetés par terre, écorchés vifs, dépecés, et les morceaux jetés sur les tas d'ordures, en dehors des murs, où les chiens et les chacals se les disputeraient.

Cette nuit-là, les malheureux Juifs de Makor la passèrent en prières dans la synagogue. Jehubabel, qui aurait dû se dresser à ce moment comme le chef spirituel de la communauté, gardait le silence et s'abîmait dans ses remords. Il avait autorisé Paltiel à circoncire son fils, il avait lui-même tenu le petit couteau qui scellait l'alliance ! C'était lui qui aurait dû être lié au poteau infâme, et non Paltiel. Il avait laissé son propre fils aller chez les Grecs, et changer de nom, et se pavaner tout nu au grand soleil comme un jeune païen qui n'a jamais entendu parler de YHWH. Jehubabel se rappelait que c'était sur son conseil que l'on avait fait entrer les pourceaux dans la synagogue, la souillant à jamais. Mais malgré tout cela, en cette heure d'humiliation, il était incapable de formuler une vigoureuse déclaration qui eût uni ses Juifs dans une même révolte contre leurs oppresseurs. Quand à la fin les plus jeunes hommes de la communauté juive demandèrent ce qu'ils devaient faire, Jehubabel leur répondit sentencieusement :

— Nous devons être prudents, car celui qui est lent à la colère est plus fort que le puissant, et celui qui maîtrise son humeur est plus puissant que celui qui gouverne la ville.

Mais ses lieux communs reçurent un cinglant démenti quand, vers minuit, de nouveaux martyrs volontaires s'avancèrent. Le boulanger Zattu et sa femme survinrent avec leur bébé, pour répéter les terribles paroles :

— Notre fils a huit jours.

— Vous étiez à l'exécution, bredouilla Jehubabel.

— Nous y étions.

— Et vous êtes prêts à courir ce risque ?

— Si nous ne sommes pas fidèles à l'Eternel, nous ne sommes rien, répondit en chœur le couple.

Jehubabel regarda autour de lui.

— Y a-t-il un espion parmi nous ? demanda-t-il en tremblant.

Chacun de ces hommes savait que l'existence de la communauté reposait entre ses mains ; le boulanger Zattu alla de l'un à l'autre et demanda :

— Ai-je ta permission de circoncire mon fils ?

Chacun devait ainsi reconnaître sa complicité dans la cérémonie interdite. Bien à contrecœur, Jehubabel alla chez lui chercher le petit couteau rituel ; sa femme l'interrogea, et il la ramena à la synagogue avec lui, afin qu'elle ait aussi sa part dans l'acte d'alliance solennel.

Pour une fois, oubliant ses dictons et ses banalités, il dit à ses Juifs, avec simplicité :

— Ce que nous allons faire ce soir nous met en guerre avec les royaumes des Gentils. Il ne peut y avoir de retour en arrière. Nous devrons fuir Makor, vivre dans les marécages comme des bêtes sauvages. Voulez-vous vraiment que j'accomplisse l'acte ?

Il y eut un murmure d'assentiment, mais après ce beau début, Jehubabel sembla perdre courage. Il se tourna vers Zattu et sa femme Anat, et leur demanda, pitoyablement :

— Savez-vous seulement ce que vous faites ?

Et, d'une même voix, ils répondirent :

— Si nous ne sommes pas fidèles à l'Eternel, nous ne sommes rien.

Une transformation se produisit alors en Jehubabel. Il avait l'impression de se trouver soudain seul devant YHWH, sans la protection des aphorismes et des compromis. Le chef des Juifs devait désormais être un véritable chef et, face à la congrégation, ne sachant que dire, il se rappela les paroles sacrées que YHWH en personne avait dites à Abraham, et il se mit à réciter le serment qui liait les Juifs à leur destin singulier :

« Pour toi garde mon alliance, toi et ta postérité après toi, d'âge en âge...

« Voici l'alliance que vous avez à garder... *tout mâle parmi vous devra être circoncis...*

« A l'âge de huit jours, tout mâle parmi vous sera circoncis, de génération en génération...

« L'incirconcis, le mâle qui n'aura pas reçu la circoncision dans sa chair, sera retranché du milieu de son peuple, pour avoir violé mon alliance...

« Abraham était âgé de quatre-vingt-dix-neuf ans quand il fut circoncis... et tous les hommes de la maison d'Abraham, nés chez lui, ou acquis à des étrangers à prix d'argent, furent circoncis en même temps que lui-même. »

Avec l'audace d'un martyr, ennobli par une force qu'il ne comprenait pas, Jehubabel rejeta sa peur et pratiqua la circoncision. Les Juifs avaient fait ce premier pas sur la route sans retour.

La Ptolémaïs vers laquelle le gymnasiarque Tarphon menait ses coureurs en ce bel automne de 167 av. E. C. ne ressemblait en rien à l'ancienne Acre des Egyptiens ou des Phéniciens. Ces établissements s'étaient massés sur une éminence dominant la rivière Belus, mais Ptolémaïs se dressait hardiment sur une péninsule avançant dans la mer tout en s'étendant à l'intérieur des terres pour englober les anciennes cités. Dans l'enceinte de ses murs, c'était une ville grecque libre, avec son propre gouverneur élu qui n'était soumis à Antioche et à l'empereur Antiochos que pour les questions de politique étrangère et les plus hautes sphères de la religion.

Près du port, il y avait un beau théâtre de marbre, où l'on jouait des tragédies d'Eschyle et d'Euripide, et des comédies d'Aristophane pour amuser la populace. Des temples exquis avaient été construits un peu partout dans la ville, consacrés aussi bien à Antiochos Epiphane qu'à des dieux comme Baal, et il y avait des thermes dédiés à Aphrodite. Des fabriques produisaient de la verrerie dont la beauté enchanterait des générations à venir. L'argent d'Asie et l'or d'Afrique y étaient travaillés par des joailliers dont la renommée s'étendait jusqu'en Espagne.

En ce temps-là, Ptolémaïs comptait quelque soixante mille habitants, parmi lesquels quelques marchands de Rome qui envoyaient à leur sénat des rapports secrets, et en voyant aller et venir ces riches personnages, les jeunes athlètes de Makor comprenaient combien la citoyenneté grecque pouvait être précieuse, et quel trésor serait le leur si eux aussi devenaient des citoyens. Sur les soixante mille habitants, cinq mille seulement étaient citoyens, une trentaine de mille des esclaves et le reste de simples résidents ne possédant pas le droit de vote. Les Juifs appartenaient à cette dernière catégorie, mais Tarphon expliqua à Ménélas :

— C'est bien pourquoi il serait sage que tu ailles voir le médecin. Car si tu gagnes à Antioche, tu seras fait citoyen de Ptolémaïs. Seuls les citoyens peuvent participer aux jeux olympiques de Grèce.

— Es-tu citoyen ? demanda Ménélas.

— J'ai gagné ma citoyenneté dans l'arène de lutte, répondit fièrement Tarphon.

— Je serai citoyen de cette ville, jura le jeune homme, et il demanda au gymnasiarque de le conduire chez le médecin.

Dans une ruelle proche du théâtre, un docteur égyptien reçut les deux étrangers, il écouta les explications de Tarphon, puis il lui dit :

— Gymnasiarque, maintenant tu dois partir. Car ceci est une affaire entre ce jeune homme et moi.

Tarphon s'inclina, puis il prit Ménélas par les épaules et lui chuchota, pour l'encourager :

— Ceci t'ouvrira la porte de la citoyenneté.

Dès que Tarphon eut refermé la porte sur lui, l'Egyptien surprit Ménélas en tirant un rideau pour révéler la statue de marbre d'un athlète, nu et musclé. Prenant un couteau, le chirurgien saisit l'organe de la statue dans la main gauche et fit mine de donner quatre coups de couteau rapides, en criant :

— Voilà ce que nous allons faire !

Il ne regardait pas la statue mais le patient, et il remarqua avec satisfaction que si Ménélas avait pâli il ne s'était pas détourné et contemplait l'organe de marbre comme s'il jugeait s'il pourrait supporter la douleur.

— La souffrance est infinie, avertit le médecin. Un Juif de Jaffa, plus âgé que toi, n'a pas pu la supporter et s'est suicidé.

— Il n'aspirait pas au prix auquel j'aspire, répondit simplement le jeune homme, sur quoi l'Egyptien se précipita vers lui avec son couteau levé, pour l'effrayer, mais le jeune Juif ne broncha pas.

— Je crois que tu es prêt, dit le docteur. Tu pourras crier à ton aise, car cela apaise la douleur.

Il prépara alors une table sur laquelle le jeune homme s'allongea, et il appela trois esclaves pour le maintenir.

Quand Tarphon reçut de Makor des rapports satisfaisants lui annonçant que la famille juive désobéissante avait été exécutée et que cela n'avait pas provoqué de troubles, et quand le médecin égyptien lui affirma que Ménélas avait subi l'opération avec un grand courage et serait bientôt guéri, le gouverneur rassembla son équipe de coureurs et les ramena à Makor qui les reçut triomphalement. On remarqua cependant que Ménélas le Juif n'était pas parmi eux, et cette absence, venant ainsi tout de suite après les exécutions, causa des rumeurs, que le gouverneur fit taire en annonçant qu'un grand honneur était échu à Makor.

— Notre jeune champion Ménélas a été invité à participer aux jeux impériaux d'Antioche, dit-il. Il s'entraîne à Ptolémaïs, mais il reviendra bientôt.

Tarphon répondit aux acclamations de la foule enthousiaste, puis il se rendit au gymnase et convoqua Jehubabel. La rencontre fut déplaisante. Tarphon commença par expliquer au chef des Juifs que dans le cas de la famille Paltiel, il avait eu les mains liées. Pendant qu'il se trouvait à Ptolémaïs, dit-il, des ordres étaient venus d'Antiochos Epiphane, et comme lui-même n'avait pu revenir à temps... Jehubabel lui jeta un regard de mépris qui irrita Tarphon.

— Si j'avais été là, lui rappela-t-il, je t'aurais sans doute fait arrêter, car tu es mêlé à cette affaire.

Mais Jehubabel, l'homme timoré, n'avait plus peur. Tarphon, sentant ce changement, tenta de regagner son amitié par d'autres moyens, car le gouverneur savait qu'une inimitié déclarée entre eux rendrait Makor bien difficile à gouverner.

— Oublions Paltiel, dit-il. Ce qui importe aujourd'hui, c'est ton fils. Il a été brillant. Il a lutté avec les meilleurs, et les a tous vaincus. Un jour, ce garçon se présentera dans le cercle des vainqueurs, à Olympie !

Jehubabel considéra Tarphon comme si le gouverneur était un crétin, et il voulut crier que c'était vraiment une folie que le gouverneur d'un peuple tirât fierté de se tenir debout tout nu devant ses administrés, comme si les prouesses athlétiques apportaient la preuve de son intégrité. Mais au lieu de cela, il se lança dans une violente attaque contre Melissa.

— Comment peux-tu prétendre gouverner alors que tu es incapable d'avoir de l'autorité sur ta propre femme ?

Tarphon recula d'un pas, stupéfait.

— Que veux-tu dire ?

— Mon fils. Ta femme.

Le langage du Juif bedonnant était presque inintelligible, mais Tarphon devina que Jehubabel avait dû échafauder des suppositions malveillantes sur un sujet qu'il ne connaissait pas.

— Que s'est-il passé entre ton fils et Melissa ? demanda-t-il.

— Il est dans ta maison. A la porte de la ville, elle l'a embrassé sous tes yeux. N'as-tu donc point de honte ?

Le gouverneur baissa les yeux sur ses mains croisées, en soupirant. Comment pouvait-on expliquer à un Juif les usages de la civilisation ? Pendant son séjour à Athènes, il avait fréquenté les maisons des notables, où de belles femmes accueillaient de beaux jeunes gens sans être compromises pour autant. Les femmes grecques savaient se conduire, et Tarphon lui-même aimait la grande pièce où sa femme recevait des jeunes gens aux talents divers pour des échanges de vues sur la politique, la philosophie, les arts, tout ce qui donnait du prix à la vie. Tarphon avait pitié de ce Juif à l'esprit étroit qui interprétait si mal une chose aussi naturelle.

— Tu devras surveiller ta femme, reprit Jehubabel. Comme un bijou d'or au nez d'un porc, telle est une belle femme sans discrétion.

— Mais enfin, que veux-tu me dire ? cria Tarphon, exaspéré.

— Un homme dont la femme est une prostituée ne peut connaître la paix.

— Hors d'ici ! rugit Tarphon en se dressant d'un bond.

Il poussa le Juif par la porte, en songeant qu'il avait tout fait pour se concilier Jehubabel mais qu'il était manifestement impossible de parler raisonnablement avec cet imbécile. Sur le seuil, il lui lança un avertissement :

— La loi sera respectée. Et dès que nous trouverons un autre enfant circoncis, tu périras aussi. Car tu partages la culpabilité de Paltiel !

Ce soir-là, Tarphon répéta cette conversation à Melissa et elle fut

navrée que le Juif se fût ridiculisé de la sorte. Elle lui pardonnait d'avoir eu d'elle une triste opinion, car elle savait que les coutumes grecques devaient sembler étranges aux Juifs austères, mais elle ne comprenait pas comment il avait pu mésestimer son propre fils à ce point.

— Il a en Ménélas le plus remarquable garçon de Makor, mais il semble vouloir à toute force l'écraser. Pourquoi ne peut-il accepter avec simplicité le merveilleux présent que lui ont fait les dieux ?

Elle fut si troublée qu'elle finit par déclarer qu'elle irait parler à Jehubabel, sur-le-champ. Tarphon refusa de l'accompagner ; il en avait assez des discussions oiseuses avec le Juif. Usant de sa liberté de femme grecque, elle appela deux de ses esclaves pour porter des lanternes et partit dans la nuit. Elle frappa chez Jehubabel, et le surprit en entrant familièrement pour s'asseoir sur un tabouret de cuisine, comme une simple voisine.

— Jehubabel, lui dit-elle en koinê, je suis désolée de l'inimitié qui te sépare de ton fils Ménélas.

Le Juif pensa aussitôt : « Elle a envoûté mon fils, et maintenant elle cherche à m'enjôler. Dans quel dessein ? »

— Je suis encore plus navrée que tu te sois fâché avec mon mari. Vraiment, Tarphon est le meilleur ami que vous, les Juifs, puissiez avoir. Il a tenté d'adoucir toutes les lois.

Le Juif se dit qu'il devait y avoir un nouvel édit dont Tarphon avait eu peur de lui parler en face, et qu'il envoyait maintenant sa femme pour le berner.

— Mon mari et Ménélas m'ont dit tous deux ce que tu penses de moi. Crois-moi, Jehubabel, tu te trompes. J'ai tout fait pour aider Tarphon à gouverner la ville avec bienveillance et intégrité, et j'ai tenté de montrer à ton fils la grandeur de notre empire. Mais moi je ne compte pas. C'est Ménélas qui est important. Ne vois-tu donc pas que tu as un fils admirable ? Qu'un jour il sera peut-être gouverneur de cette région ?

Jehubabel recula devant la tentatrice. Il comprenait maintenant comment Benjamin avait été victime de ses séductions ; elle était gracieuse, et désirable, et c'était scandaleux qu'une telle femme se permît de parler de l'empire ou de l'éducation des garçons.

— Si tu ne nous aides pas, poursuivait-elle, si tu ne travailles pas avec nous, Makor connaîtra des temps difficiles. La semaine prochaine, il doit y avoir de nouvelles perquisitions, pour chercher les enfants circoncis.

Jehubabel n'entendit plus ce qu'elle lui dit ensuite. Il pensait uniquement au boulanger Zattu et à sa femme Anat. Il avait conspiré avec eux pour violer la loi et s'ils étaient appréhendés, il était certain que lui aussi serait exécuté.

Cependant Melissa parlait de la stricte morale des Grecs s'alliant à leur merveilleux sens artistique et à leur philosophie.

— Ne crois-tu pas que nous avons honte des flagellations ?

Mais ces paroles tombaient dans les oreilles d'un sourd. Elle lui parlait d'une Grèce qui s'efforçait de conquérir le monde, et il ne pensait qu'à un judaïsme qui se repliait sur lui-même, cherchant à se purifier

pour les épreuves à venir. Les temps du dialogue entre l'hellénisme et le judaïsme étaient révolus ; il y avait eu une petite chance brève, qu'entre les Grecs intellectuels et les Juifs moralistes fleurît une sorte d'alliance féconde, mais les premiers s'étaient conduits avec tant de stupidité et les seconds avec tant d'opiniâtreté que la rupture était définitivement consommée. Melissa finit par le comprendre, et elle rentra tristement dans son palais.

Dès qu'elle fut partie, Jehubabel n'eut pas un instant d'hésitation. Il envoya sa femme chercher les notables de la communauté juive, ainsi que le boulanger Zattu, et lorsqu'ils furent tous réunis dans sa cuisine, il leur déclara :

— La semaine prochaine, il doit y avoir une inspection des nouveaunés mâles.

Zattu pâlit, mais il n'ignorait pas que ce moment arriverait tôt ou tard, et il s'y était préparé. Il se tourna vers ses aînés, pour quêter des conseils. Jehubabel se redressa :

— Nous devons quitter Makor, dit-il.

— Pour aller où ? demanda Zattu.

— Dans les marais, dans les montagnes.

— Pourrons-nous vivre là-bas ? s'inquiéta le boulanger.

— Pourrons-nous vivre ici ? rétorqua Jehubabel.

La discussion devint générale. Les Juifs se demandaient comment ils pourraient vivre en dehors d'une ville, et tous avaient peur. Finalement Jehubabel leur rappela :

— Pendant des siècles, notre peuple a vécu dans le désert, nous pouvons recommencer.

— Mais nous serons si peu nombreux, protesta Zattu, qui était le plus appréhensif bien que ce fût lui qui risquât la mort.

Alors, pour la première fois de sa vie, Jehubabel devint prophétique :

— Je crois que d'autres Juifs, dans d'autres villes, vont comprendre qu'il ne peut y avoir d'espoir de vie commune avec les Grecs. Je crois que d'autres Juifs tiennent conseil et discutent comme nous... en ce moment même... cette nuit.

Il se tut, et dans le silence ses auditeurs purent imaginer la perplexité et les angoisses de leurs coreligionnaires devant la grande persécution.

Bien après minuit, ils convinrent qu'au premier signe de perquisition nouvelle, tous ceux qui étaient présents dans la pièce, avec leurs familles, fuiraient Makor pour aller vivre tant bien que mal dans les marais et les montagnes. Jehubabel salua chacun d'eux à leur départ et leur demanda :

— En fais-tu le serment ?

Et tous, à tour de rôle, prirent un engagement solennel.

A la fin de la semaine, alors que la tension montait et que nul ne savait de quel côté le prochain coup serait frappé, l'arrivée de Ménélas, venant de Ptolémaïs avec une équipe de lutteurs cypriotes fit une heureuse diversion. Tarphon annonça joyeusement qu'il organisait une compétition publique entre les hommes de Chypre et ceux de Makor.

Lui-même affronterait le deuxième lutteur, mais le jeune Ménélas dispu-
terait son titre au champion.

Cet après-midi-là, les portes du gymnase furent ouvertes au public,
et les gradins de pierre se remplirent vite d'une foule nombreuse. Les
Juifs étaient contraints d'assister aux jeux, car par leur absence ils
auraient eu l'air de manifester ouvertement leur réprobation pour ce
qu'ils considéraient comme des rites païens ; aussi Jehubabel était-il assis
au premier rang, en face de la loge de Melissa, les bras croisés sur la
poitrine, la mine sombre. Voir son propre fils se pavaner nu était déjà
assez humiliant, mais assister à ces jeux ce jour-là alors que le sort de
toute la communauté juive était en péril lui faisait horreur.

Les trompettes sonnèrent, la porte des vestiaires s'ouvrit et les
six jeunes gens de Chypre entrèrent, complètement nus, bronzés par leur
vie au grand air, l'air assuré. Ils venaient d'une des grandes îles de
l'empire ptolémaïque pour montrer à ces petits provinciaux de Makor de
quoi ils étaient capables, et ils paradaient avec arrogance.

Une autre sonnerie de trompettes annonça l'arrivée dans l'arène des
six athlètes locaux, sous la conduite de leur gymnasiarque aux cheveux
roux, aussi viril et musclé qu'il l'avait été jadis au temps où il partici-
pait aux jeux d'Athènes. Il fut applaudi par le peuple, mais quand les
jeunes gens s'alignèrent au centre de l'arène, un murmure s'éleva au premier rang, et gagna tous les gradins, quand les spectateurs s'aperçurent
de la transformation de Ménélas. Toute trace de sa circoncision avait
disparu, et comme les hommes savaient à quel point l'opération avait été
douloureuse, ils lui firent une véritable ovation.

— Ménélas ! Tu es maintenant l'un de nous ! criait-on de toutes parts.

Un vieillard, qui avait été autrefois champion à Tyr hurla :

— C'est un Grec ! C'est un Grec !

— Ménélas ! Ménélas ! criaient les jeunes femmes.

Jehubabel, qui avait gardé les yeux obstinément baissés, leva la
tête en entendant le nom de son fils. Il ne comprit pas tout d'abord
pourquoi les gens l'applaudissaient ainsi en criant son nom. Ce fut le
boulanger Zattu, qui risquait la mort parce qu'il avait tenu à faire circoncire son fils pour le consacrer à YHWH, qui donna un coup de
coude à Jehubabel et lui montra le résultat de l'opération. Les yeux du
père se posèrent avec stupéfaction sur la preuve de la disgrâce de son
fils, et il fut tellement atterré par ce que Ménélas avait fait qu'il se
cacha la figure dans ses mains.

Tandis que la foule répétait joyeusement le nom de Ménélas, Jehubabel croyait entendre la voix de YHWH lui répéter son commandement : « L'incirconcis, le mâle qui n'aura pas reçu la circoncision dans
sa chair, sera retranché du milieu de son peuple, pour avoir violé mon
alliance... » Il lui sembla que c'était un ordre et il bondit de son siège, en
s'emparant du bâton noueux d'un vieux Juif impotent assis à côté de lui.
Sautant dans l'arène, il courut à son fils et le frappa avec une violence telle
que le jeune homme s'écroula. Jehubabel s'acharna sur lui et de quatre
coups effroyables, il lui fracassa le crâne. Puis il poussa un grand cri (« Le

serment ! Le serment ! ») et sortit du gymnase en courant. Il se rua ainsi jusqu'à la porte en chicane et la franchit, en criant encore :

— Le serment ! Le serment !

Il se dirigea vers le marais, comme il avait été prévu, et à la nuit tombée quelques Juifs l'avaient rejoint. Quelques notables avaient pu fuir le gymnase. D'autres Juifs, moins importants, avaient entendu le cri de guerre et ils avaient couru au sommet des remparts pour s'évader à l'aide de cordes. Il y en avait sans doute d'autres qui avaient pu s'échapper, mais qui n'avaient pas encore rejoint les fugitifs. La femme de Jehubabel n'avait pu être prévenue à temps, et elle serait flagellée et mise à mort, mais Zattu, avec sa femme Anat et leur enfant, s'étaient enfuis.

C'était un bien triste lot, cette poignée de Juifs sans armes, réfugiés dans un marais, sans vivres, sous la conduite d'un homme qui venait d'assassiner son propre fils. Ils entendaient patauger dans la boue les soldats grecs lancés à leurs trousses, mais à la nuit ces bruits cessèrent et il se retrouvèrent seuls.

Quand il furent rassurés et certains que leurs persécuteurs étaient partis, Jehubabel les rassembla pour la prière, et sans avoir recours à ses proverbes exaspérants, il psalmodia :

— Adonaï, en ce jour nous plaçons nos vies entre tes mains. Nous ne sommes rien. Nous sommes un misérable groupe de Juifs perdus, sans vivres et sans armes. Mais nous sommes convaincus que nous prévaudrons contre le dément qui ose se parer du titre de dieu, Antiochos Epiphane. Adonaï, montre-nous le chemin et dis-nous ce que nous devons faire.

Cette prière pénétra les Juifs de l'immensité de leur malheur, et personne ne parla. Prostrés, ils se serraient les uns contre les autres, et dans le silence du marais ils entendirent de nouveau des bruits d'eau, de pas confus, et des chuchotements.

— Les soldats reviennent, soupirèrent-ils.

Jehubabel pria de plus belle :

— Adonaï, Adonaï, si les Grecs nous capturent cette nuit, fais-nous mourir entre tes bras !

Les poursuivants se rapprochaient, et peut-être seraient-ils passés à côté du pitoyable groupe si le bébé de Zattu ne s'était mis à pleurer. Ils étaient trahis et les pas qui déjà s'éloignaient revinrent, et puis une voix inconnue chuchota en hébreu :

— Jehubabel ! Nous savons que tu es là. Présente-toi, car nous sommes dans le marais depuis six jours. Dans tout Israël, les Juifs se sont levés contre l'oppresseur. A Jérusalem. A Mod'im. A Hebron...

Tous se taisaient. Cela pouvait être une ruse des Grecs astucieux. Mais Jehubabel, en proie à un désespoir qu'il n'avait encore jamais connu, voulait croire. De toutes ses forces, il voulait croire que ces pitoyables survivants n'étaient pas seuls dans le marais.

Et la voix reprit, plus insistante :

— Jehubabel, nous savons que tu es là avec les tiens. Si tu respectes la loi, si tu es fidèle à l'alliance, viens avec nous, car nous ne sommes pas une horde confuse. Nous sommes une armée, et notre chef est Judas Macchabée.

LE ROI DES JUIFS

NIVEAU IX — 4 AV. E. C.

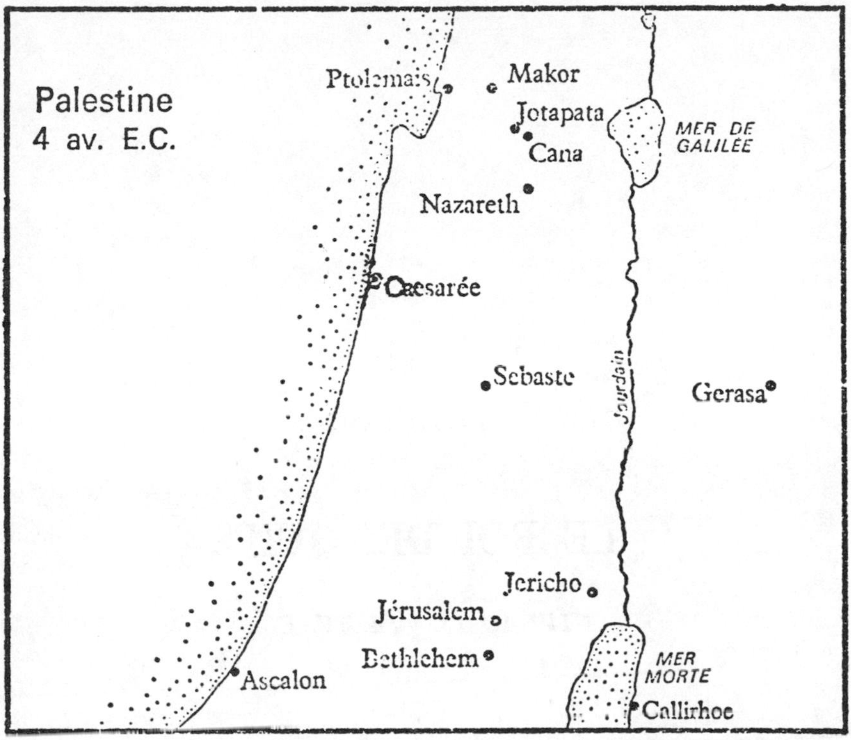

Palestine
4 av. E.C.

Ptolémaïs

Makor

Jotapata

Cana

MER DE GALILÉE

Nazareth

Caesarée

Sebaste

Jourdain

Gerasa

Jericho

Jérusalem

Bethlehem

Ascalon

MER MORTE

Callirhoe

Makor
4 av. E.C.

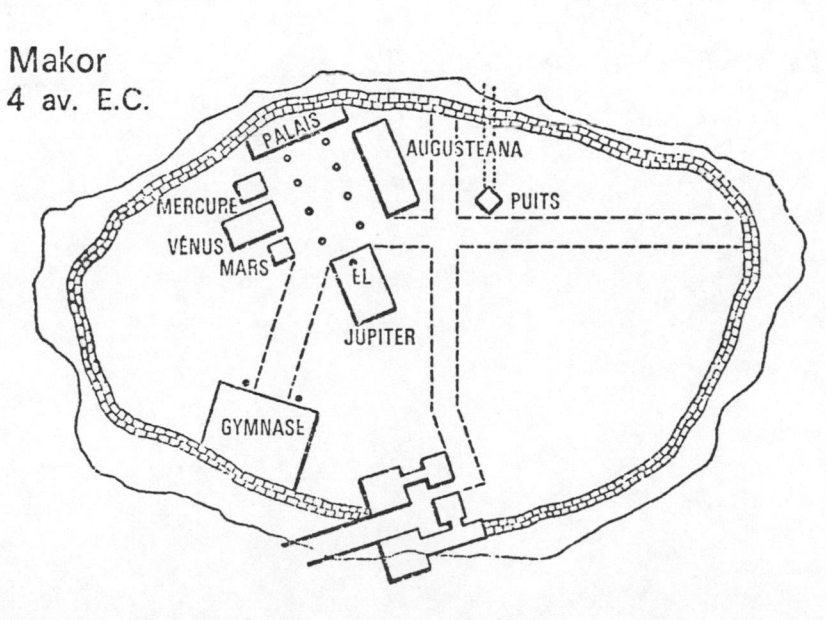

PALAIS

AUGUSTEANA

MERCURE

PUITS

VÉNUS

MARS

EL

JUPITER

GYMNASE

J'AI toujours considéré Makor comme une des plus charmantes colonies romaines de notre royaume de Judée, et je ne m'exprime pas ainsi par étroitesse d'esprit provincial, car j'ai travaillé dans toutes les grandes villes d'Orient. J'ai eu le bonheur de diriger les travaux d'embellissement de Jéricho, et j'ai passé trois ans à Antioche pour rebâtir cette belle avenue tracée par Antiochos Epiphane. Je l'ai pavée de marbre et ornée d'arcades reposant sur des colonnades si longues que l'œil n'en voit pas la fin. Ma période la plus heureuse a naturellement été le temps où j'ai construit Césarée, cette ville admirable, et c'est également moi qui ai rebâti le temple juif à Jérusalem, mais j'avoue que je n'ai pas tiré grand plaisir de cette mission, car je ne suis pas plus juif que le roi lui-même, et je cite le temple uniquement pour prouver ma participation à de grandes œuvres.

Donc, en disant qu'à mon avis notre petite ville frontière de Makor présente les plus beaux exemples d'architecture romaine dans un paysage exquis d'où la vue s'étend à la fois sur la mer et la montagne, je compare ma petite cité à tout ce que Jéricho et Antioche offrent de beau. Je vais même jusqu'à la comparer à Césarée elle-même, ce qui n'est pas peu dire. Quand je me suis levé, il y a un moment, dans les heures fraîches précédant l'aube, pour ce qui sera sans doute mon dernier jour sur cette terre, j'ai contemplé la beauté que j'ai contribué à créer, ici à Makor, et bien que je ne sois pas un homme sentimental, je me suis écrié spontanément :

— Si seulement nous pouvions préserver tout cela intact, nous aurions un souvenir de ce que Rome a accompli de meilleur.

De ma prison dans le temple de Vénus, je distingue dans les ténèbres les façades blanches du forum, aux proportions parfaites. A ma droite se dresse le petit temple grec érigé, m'a-t-on dit, en l'honneur d'Antiochos, le bienfaiteur de cette région. Il n'est pas très élevé et son porche s'orne de six colonnes doriques sans défaut qui nous rappellent tout ce que nous devons aux Grecs. Dans le plan romain de Makor, j'ai conservé cet édifice et je l'ai mis en valeur, mais je l'ai consacré à notre dieu Jupiter. Les gens du cru disent que ce temple se trouve en un lieu considéré comme sacré depuis trois mille ans, et je veux bien le croire, car le

charmant sanctuaire possède une poésie qui ne peut être due aux seules mains d'un architecte.

En face de cet édifice grec, auquel je n'ai rien changé, se dresse le vaste palais des gouverneurs, que j'ai complètement reconstruit, ajoutant une nouvelle façade creusée de six niches dans lesquelles le roi a placé les statues des grands hommes de Rome. Quand les beaux bustes de marbre ont été posés sur leurs socles, les Juifs de Makor ont déclenché une émeute, car les statues sont une offense à leur religion, et ma femme Shelomith, qui est de leur foi, pleura beaucoup. Mais le roi arriva et, contre mes conseils et en dépit des larmes de ma femme, il rassembla tous les dignitaires juifs dans le vieux gymnase, puis, lorsqu'ils y furent tous prisonniers, il envoya parmi eux des soldats au glaive dénudé qui massacrèrent tous les Juifs, au point que le sol du gymnase fut rouge et poisseux de sang.

Je fis des reproches au roi, lui disant que ce carnage n'était pas nécessaire, mais il me répondit :

— J'ai appris à maîtriser les Juifs, et toi tu ne sais rien.

Il avait raison, d'ailleurs, car après cette première tuerie, nos Juifs de Makor se tinrent tranquilles, quand bien même ceux des autres régions du royaume continuaient de s'agiter.

Quand j'eus achevé le palais des gouverneurs personne n'aurait pu dire qu'il avait été jadis une construction hellénistique, et de là les grands commis nommés par le roi ont bien gouverné notre région. Dans un sens, ce serait folie de nous considérer comme une ville juive, car le royaume des Juifs s'étend à l'est et au midi. Nous sommes tout à fait à son extrémité, sur l'ancienne frontière de Phénicie, et nous sommes en tous points semblables à cette partie de l'empire romain. Nous parlons le grec, nous adorons les dieux de Rome, nous allons au théâtre romain et aux arènes de Ptolémaïs, où j'ai construit un magnifique cirque pour les combats de gladiateurs. Mais malgré cela, nous faisons partie du royaume juif, et des familles comme celle de ma femme jouent un rôle important dans la ville, bien que les postes les plus élevés soient confiés à des Romains comme moi.

Le forum est donc bordé au sud par le temple de Jupiter et au nord par le palais. Du côté oriental du rectangle, j'ai construit trois petits temples, dont le roi m'a fait compliment, et nous avons consacré celui du milieu à Vénus. Il a toujours été mon préféré. C'est un tout petit édifice de marbre avec six colonnes ioniques si légères qu'elles semblent flotter en l'air. C'est une ironie du sort que je sois justement emprisonné dans ce temple, mais s'il est vrai que dans la vie chaque homme se construit sa propre prison et l'habite à la façon des crabes habitant leur coquille sur les plages de Césarée, alors je me suis construit une exquise prison, convenant à merveille à l'homme que j'ai toujours voulu être.

Dans les sombres heures précédant l'aurore aux doigts de rose, je suis satisfait d'être emmuré dans le temple de Vénus, car c'est une œuvre sans défaut. Ses pierres tiennent sans mortier. Ses colonnes sont de proportions parfaites. De quelque point de la prison, la vue est exactement

telle que je l'ai toujours souhaitée, et si je dois mourir aujourd'hui, je préfère périr ici plutôt que dans tout autre lieu du royaume. Je ne connais pas non plus dans tout l'empire de villes où les prisons me conviendraient davantage. Le palais d'Antioche est trop vaste, le gracieux forum de Jéricho trop impersonnel. Et la pure beauté de Césarée a toujours appartenu plus au roi qu'à moi. Mais ce coin paisible, aux marches de l'empire, semble avoir de tout temps été destiné à me voir mourir en beauté.

Je regarde à présent dehors, au-delà des gardes à demi assoupis, et je vois en face du temple de Vénus, de l'autre côté du forum, l'édifice dont je suis le plus fier. Il couvre presque toute la distance de l'ancien temple grec au palais du gouverneur. C'est une construction sévère, sans statues ni colonnes, une masse de pierre aux proportions parfaites, aux lignes droites et simples, lourde, sans doute, mais empreinte de cette dignité que j'avais remarquée jadis quand les légions de Jules César ont marché de Damas en Egypte. Elles n'avançaient pas comme des soldats ordinaires mais comme un groupe massif mû par une volonté propre, indépendante des hommes qui le composaient. Depuis ce jour-là où j'avais à peine plus de vingt ans, je me suis efforcé de conférer à mes édifices ce même sens de poids et de dignité. A Jéricho, je n'ai pas réussi ; le roi intervenait sans cesse dans mes projets et je dus consentir à des modifications compromettant la noblesse de l'ensemble. Mais quand je décidai de construire ce noble temple massif à Makor, le roi n'était pas à côté de moi. Il m'avait dit simplement de construire quelque chose « pour nous rappeler ces jours où nous combattions ensemble à Makor ». Je suis persuadé au fond de mon cœur que le roi voulait que l'on donnât son nom à cet excellent édifice, mais une fois les travaux terminés, il s'inquiéta sans doute de ses rapports avec Rome — puisqu'il n'est pas juif, son règne sur les Juifs ne dépend que du bon plaisir de Rome — et il fit venir une pleine galère de dignitaires de la ville impériale pour qui il donna trois jours de fêtes au cours desquels il annonça le nom de ma dernière création.

Je vois mon œuvre maintenant, alors que le ciel pâlit, basse, formidable, marchant sur moi comme les légions cuirassées de Jules César, mais elle ne porte pas le nom du roi. Le temple porte encore le nom obséquieux que le roi lui a conféré ce jour-là — l'Augusteana — et nous y vénérons César Auguste comme un dieu. Cela, ma femme Shelomith s'y est refusée, comme tous les autres Juifs, mais ce refus n'a pas causé de troubles ; dans notre ville, le Romain et le Juif vivent comme dans le reste du royaume, en quelque sorte en état de paix armée, chacun restant fidèle à ses dieux et à ses croyances, comme nous le faisons ma femme et moi. Elle aime Jérusalem et le dieu juif, et rien ne la rend aussi heureuse que lorsqu'on me commande un embellissement du temple à Jérusalem. Quant à moi, citoyen de Rome, je suis fidèle à Césarée et à César Auguste. Il me semble que nous autres Romains sommes les plus favorisés, car nulle cité de l'empire, même pas Rome, n'est plus radieuse que Césarée, cette ville remarquable construite avec le marbre blanc et la sueur des esclaves.

Entre ma prison et l'Augusteana se dresse la seule œuvre architec-

turale de Makor que j'ai créée de toutes pièces, une double rangée de colonnes de marbre, très hautes, avec de lourdes bases et des chapiteaux corinthiens sur lesquels rien ne repose, car j'ai disposé ces colonnes uniquement pour ajouter à la grâce de l'ensemble et relier les divers édifices entre eux.

En les contemplant aujourd'hui, je songe que ma vie a été une suite de colonnes, marchant au fil des jours, et que je n'ai jamais eu assez de colonnes ni de jours. Combien de colonnes de marbre avons-nous dressées à Césarée ? Cinq mille ? Dix mille ? Elles font toute la beauté de cette ville, et de nombreux navires nous les ont apportées d'Italie. Un soir que le roi et moi nous promenions à Césarée, il me dit en grec :

— Timon, tu as créé une véritable forêt de marbre. Je vais en faire venir encore mille, et nous construirons une esplanade devant le théâtre.

A Antioche, à Ptolémaïs, à Jéricho... combien de colonnes ai-je dressées ? Combien de silencieux soldats de marbre en marche, apportant de la grâce aux chemins qu'ils suivent ?

Notre forum n'en a que huit,. une double rangée de quatre allant du temple grec au palais, mais elles symbolisent les milliers que nous avons employées ailleurs, car à l'insu du roi, j'ai examiné toutes les cargaisons de tous les navires venant d'Italie, et sur plus de trois mille colonnes, j'ai choisi ces huit-là pour leur perfection, et si l'on m'apportait trois mille colonnes de plus, je ne saurais faire un choix plus parfait. Dressez-vous, mes pures colonnes radieuses, sans fardeau sur vos têtes ! Si je dois mourir aujourd'hui...

Quelle importance, si les messagers de Jéricho arrivent aujourd'hui, ou dans six jours ?

J'ai soixante-quatre ans, je suis encore aussi mince qu'au temps où je combattais auprès du roi, j'ai les cheveux blancs mais toutes mes dents. J'ai vu les légions de Jules César. J'ai accompagné Cléopâtre pendant neuf jours. J'ai connu la gloire d'Antioche et j'ai durement travaillé. Plus heureux que beaucoup, et infiniment plus favorisé que le roi, j'ai découvert de bonne heure la seule femme que j'étais destiné à aimer, et bien qu'en mon temps j'aie goûté les plaisirs des belles esclaves de Jéricho ou des charmants gitons de Césarée, toujours je revenais à Shelomith. Quelle chance a été la mienne, vraiment ! Elle est là sur sa couche, en ce moment, elle partage ma prison, et malgré ses cheveux blancs elle est aussi belle que le jour où je l'ai vue pour la première fois au bras du roi. Lui, pauvre âme, avait connu dix femmes et avait fini par les haïr toutes, tandis que moi j'ai descendu paisiblement le cours des ans avec Shelomith comme on descend une rivière dans un frêle esquif, vers l'océan de l'oubli, mais trouvant toujours de nouveaux plaisirs dans le paysage qui se déroule sous ses yeux, et de nouvelles délices dans son compagnon de voyage. Shelomith est comme une colonne de marbre vivante, et si nous mourons aujourd'hui, mes huit parfaites colonnes dans le forum de cette petite ville seront un monument à sa gloire, car l'esprit de ma femme les habite déjà.

Elle s'éveille. Je vais à sa couche et je chatouille le bout de son petit

nez avec mon ongle. Que je sois la première chose qu'elle contemple en ce dernier jour ! Elle se retourne sur son oreiller et me sourit, et je me souviens qu'un philosophe m'a dit une fois, à Jéricho : « Un homme n'est jamais vieux s'il peut encore être ému par une femme de son âge. » S'il a raison, je mourrai jeune homme. Ce matin, je sens que je pourrais disputer une course ou poser la première pierre d'un temple nouveau, et j'aime Shelomith. Elle me sourit et me dit avec une certaine gaieté :

— Je ne veux pas manquer un seul instant.

Elle se lève et pose ses petits pieds sur le sol de marbre.

« Ils se lèvent », disent les gardes, au-dehors, et la nouvelle est portée aux notables de la ville.

— Est-ce le jour ? me demande Shelomith.

Je lui réponds, tandis qu'elle fait ses ablutions dans la vasque d'albâtre que j'ai fait sculpter à Antioche, qu'à mon avis le roi doit sûrement être mort à présent — il ne peut guère avoir vécu plus long-temps, c'est impossible — et qu'avant la fin du jour les messagers arrive-ront avec la nouvelle qui jettera les soldats sur nous l'épée haute.

Plus de dix fois dans ma vie, j'ai vu les mercenaires du roi lâchés sur des prisonniers. C'était un des plaisirs préférés du roi, que d'enfermer ses ennemis dans un espace étroit, sans armes, et d'envoyer ses légion-naires hurlants par la porte, en tenue de guerre, avec des boucliers et des glaives courts. Je n'ai jamais compris pourquoi les soldats lui obéis-saient, car le massacre était hideux à contempler, et devait être tout aussi répugnant à ceux qui l'exécutaient. Mais les soldats étaient toujours dociles, et leurs épées scintillantes frappaient jusqu'à ce que leurs tuniques fussent rouges de sang. Jamais un prisonnier n'était abattu d'un seul coup, mais toujours taillé en pièces, les oreilles et les jarrets coupés, au point que je devais me détourner, la nausée au cœur. Mais le roi regardait, les poings crispés de rage, et criait jusqu'au bout :

— Qu'ils meurent ! Qu'ils meurent tous, car ils m'ont offensé !

J'ai fait la connaissance d'Hérode il y a quarante-cinq ans, à la porte en chicane de Makor. Il avait alors vingt-cinq ans, et moi dix-neuf. Il était le fils audacieux du conspirateur iduméen qui essayait d'arracher le royaume des Juifs aux héritiers légitimes de Judas Macchabée. Il nous semblait impossible qu'un non-Juif pût monter sur le trône, et nous, qui étions jeunes, ne nous joignîmes pas à Hérode dans l'espoir d'être ses favoris s'il devenait roi, mais plutôt, je crois, parce qu'il était beau et qu'il avait de l'autorité. En ce temps-là, il y avait en Galilée des bandits qui se disaient patriotes, et nous désirions les exterminer.

Dans les environs de Makor, nous pûmes cerner un grand nombre de ces bandits, que même Rome n'avait pu soumettre, mais qu'Hérode terrifiait. J'ai été présent à deux massacres ; j'ai porté mon glaive court dans la masse des prisonniers désarmés et j'ai frappé comme mes compa-gnons. Combien en avons-nous tué au cours de ces premières campagnes ?

Mille ?... quatre mille ? Nous en avons massacré, nous en avons fait périr sur le bûcher et nous en avons crucifié. Hérode, conspirant pour s'attribuer le trône des Juifs, commença par tuer des milliers et des milliers de Juifs.

Hérode me choisit comme confident parce que par quatre fois je l'avais soutenu alors que d'autres craignaient de le faire. La première fois, ce fut après les massacres de Galilée, quand les Juifs de Jérusalem se soulevèrent et l'arrêtèrent. La veille du jugement, alors qu'il allait être sans aucun doute condamné à mort, il me demanda si j'étais aussi courageux dans le tribunal que je l'étais sur le champ de bataille, et je lui répondis oui. Aussi, quand les anciens se réunirent pour le condamner, je suis entré dans le tribunal à la tête de mes soldats et j'ai menacé de tuer tout Juif qui voterait la mort de mon général. Les juges prirent peur et libérèrent Hérode.

La deuxième fois, ce fut lorsque les Juifs, espérant toujours l'écarter du trône, cherchèrent à empoisonner l'esprit d'Antoine, qui avait succédé à César dans le lit de Cléopâtre. J'allai voir Antoine, qui gouvernait nos régions, et lui parlai d'Hérode. Et, en grande partie grâce à mon plaidoyer, Antoine se montra favorable à Hérode et le nomma régent des Juifs, et ce fut ainsi que mon jeune général conquit le plus haut pouvoir. Je dois reconnaître qu'il n'oublia pas les services que je lui avais rendus à ces deux occasions.

Il m'appelait Timon Myrmex, car entre nous nous parlions le grec, et quand il comprit mon amour de l'architecture, il m'envoya d'une ville à l'autre. Mais notre plus grande joie vint lorsqu'il m'appela à Césarée et que, là où il n'y avait qu'une colline de sable derrière la tour de Straton, nous avons conçu ensemble le plan d'une des plus grandioses villes du monde.

Jamais il ne me refusa son soutien. Quand je l'avertis que la construction de Césarée absorberait tous les revenus de son royaume pendant dix ans, il m'encouragea à aller de l'avant. Plus tard, lorsque je calculai que la reconstruction du temple de Jérusalem coûterait tout autant, il m'aiguillonna encore. Si, en mourant ce soir, je laisse derrière moi une Judée plus belle qu'elle n'a jamais été, ce n'est pas parce que je suis un grand architecte, car à Antioche et à Jéricho il en est qui me valent bien ; la Judée est une perle sans défaut principalement parce que le roi Hérode avait un sens inné de la beauté.

Beaucoup — je les ai entendus à Rome ou à Athènes — se moquent des Juifs et les accusent de ne pas avoir le sens de la beauté. Ceux-là montrent les affreuses synagogues des Juifs et les comparent au pur joyau qu'est un temple comme celui où je suis prisonnier en ce moment. Ou bien ils comparent la laideur des cérémonies juives aux mélodieuses incantations des prêtres de Jupiter. Ou bien ils demandent où sont les statues, les sculptures, les trésors d'architecture des Juifs, ou encore les beaux chants que l'on entend même dans un petit port comme Ptolémaïs, quand les galères grecques font escale. Il est bien connu que les Juifs ignorent la beauté. Mais pour un temps, ils ont eu un roi qui savait ce qu'était la grandeur.

Ma femme le condamne, refuse de le considérer comme un Juif et réfute mes louanges. Mais ce demi-Juif a poussé son peuple à embellir sa terre comme jamais contrée n'a été embellie, à ma connaissance.

Il ne m'aimait pas seulement parce que je l'avais soutenu au cours des quatre grandes crises de sa vie, mais aussi parce que j'étais son fidèle compagnon durant les années qu'il connut Mariamne. Elle était une princesse de la lignée des Macchabées, et s'il l'épousait, ce mariage l'assoirait plus solidement sur le trône de Judée. Mais il ne l'aimait pas seulement pour des raisons dynastiques. Elle était belle, sensuelle, spirituelle, merveilleusement adroite aux jeux de l'amour. Je la revois un jour, avec son amie Shelomith, dans les rues de Makor ; elles riaient, tenant chacune un bras du jeune roi, et ils formaient un bien séduisant trio. Nous passions presque toutes nos journées ensemble, tous les quatre, à cette époque, et un jour j'ai demandé à Hérode ce qu'il penserait si j'épousais une Juive. Il me répondit qu'il avait l'intention de le faire lui-même.

Ces dernières années, on a beaucoup parlé de cette union, en se demandant si Hérode avait aimé sa ravissante princesse juive, ou s'il l'avait épousée pour qu'avec son sang royal elle renforçât ses droits sur le royaume de Judée. Mais Shelomith et moi n'avons pas besoin de nous interroger. Nous avons vécu avec eux en ces jours lointains, et nous savons que l'amour d'Hérode pour Mariamne dépassait celui que j'éprouvais pour Shelomith, au point que je me demandais si j'étais normal. Il l'adorait, il n'avait d'yeux que pour elle, et il fut transporté de joie quand elle lui donna deux solides garçons, Alexandre et Aristobule.

Il était facile de comprendre pourquoi Hérode avait tant d'amour pour cette fine princesse. Elle était véritablement radieuse, et quand elle voyageait par le royaume elle suscitait, pour elle et son mari, l'amour de tout le peuple juif. Shelomith elle-même oublia, pendant ces années heureuses, que son roi n'était pas un Juif et qu'il avait usurpé son trône, car ceux qu'il avait dépossédés reprenaient leur héritage en la personne de Mariamne. Et pendant ces années excellentes, les exécutions cessèrent, les soldats aux glaives courts ne furent pas lâchés contre les Juifs, ni à Jérusalem ni ailleurs dans le royaume.

Je ne me rappelle pas exactement l'année, mais nous nous retrouvâmes tous les quatre, ici à Makor, à la veille de la plus grave épreuve, alors que le monde d'Hérode était dans la balance. Dans la terrible lutte entre Antoine et Octave, nous avions pris parti pour le premier, principalement parce que nous étions voisins de l'Egypte et que nous connaissions Cléopâtre et sa puissance. Mais à Actium, Antoine avait été battu, et le bruit courait, venant de sources sûres, qu'Octave allait envoyer une armée romaine contre Hérode, pour le déposséder du royaume et le ramener à Rome afin d'y être exécuté.

— Je pars pour Rhodes demain matin, nous dit Hérode. Timon Myrmex m'accompagnera et je me jetterai aux pieds d'Octave. J'implorerai sa miséricorde comme jamais personne ne l'a implorée.

Ce soir-là, nous avons prié dans le vieux temple grec, là-bas au bout du forum, puis nous sommes allés à pied à Ptolémaïs, où un petit navire

nous a conduits jusqu'à Rhodes. Là, avec la poignée de fidèles que nous
étions, Hérode a rencontré Octave face à face, le seul héritier de Jules
César, l'homme qui avait poussé au suicide Antoine et Cléopâtre, et en
quelques phrases fatidiques qui devaient décider du sort de la Judée
durant des générations, Hérode déclara hardiment :

— C'est Antoine qui m'a placé sur le trône, et je reconnais volontiers que je lui ai rendu tous les services possibles. Je ne l'ai pas abandonné, même après sa défaite à Actium, car il était mon bienfaiteur. Je
lui ai donné le meilleur conseil, et je lui ai dit qu'il n'avait qu'un moyen
de réparer son désastre : tuer Cléopâtre. S'il tuait cette femme, j'étais
prêt à lui donner de l'argent, la protection de mes murs, une armée, et
mon soutien efficace dans une guerre contre toi. Mais voilà ! Ses oreilles
sont restées sourdes, à cause de sa folle passion pour Cléopâtre. Comme
Antoine, je suis aujourd'hui vaincu. Il est tombé, et je dépose ma couronne, car elle est à toi, Octave, et non à moi. Je suis venu à toi en fondant
tous mes espoirs sur mes vertus, car je sais que tu ne demanderas pas
de qui j'ai été l'ami, mais quelle sorte d'ami je suis.

Octave, que nous adorons à présent sous le nom de César Auguste,
regarda avec fascination Hérode se prosterner, sans couronne et sans
aucune insigne de sa dignité sur lui, et cédant à une impulsion, l'empereur de tout le monde connu, le victorieux, le fit relever et lui répondit :

— C'est une excellente chose pour moi qu'Antoine ait écouté les
conseils de Cléopâtre et non les tiens. Car par sa folie, j'ai gagné ton
amitié. Désormais, tu seras mon roi des Juifs.

Ainsi Hérode, avec une bravoure inégalée, regagna son trône d'un
ennemi qui, normalement, l'aurait tué.

Comme dans presque tout ce qu'il a fait, César Auguste avait agi
sagement, car Hérode se révéla un des plus grands rois des provinces
romaines. J'ai travaillé pour les proconsuls d'Antioche et d'Espagne, et
ils n'arrivaient pas à la cheville de notre roi Hérode. Il a maintenu la
paix dans sa région de l'empire tout en repoussant nos frontières jusqu'à leurs limites naturelles. Au royaume de Judée, qui avait connu la
guerre et la désolation au temps des Macchabées, il a apporté la tranquillité sinon l'union totale.

Comment, alors, avec tous ces succès, Hérode a-t-il pu déchoir si
misérablement ? A-t-il été hanté par un mauvais génie résolu à détruire sa
grandeur ? Ou sa haine et sa méfiance des Juifs lui ont-elles dérangé
l'esprit ? Certains prétendent qu'un serpent s'est introduit dans ses entrailles, et lui ronge les tripes, mais Shelomith et ses Juifs assurent que leur
dieu a maudit le roi parce qu'il a usurpé le trône de David. Moi, j'ai
mon idée.

J'aurais dû prévoir ce qui allait se passer car, il y a trente ans de
cela, il est venu chez moi à Jéricho, où je lui construisais alors un
temple, et s'est jeté sur ma couche en chuchotant d'une voix imprégnée
d'horreur :

— Myrmex ! Tu dois tuer un homme ! J'ai la preuve qu'Aristobole
a conspiré contre moi.

Je reculai, frappé de stupeur, car le frère de Mariamne n'avait que dix-sept ans et il était l'enfant chéri des Juifs qui voyaient en lui l'espoir de rétablir le règne des Macchabées.

— Le jeune scélérat complote de me voler et il doit mourir, souffla Hérode, et quand je l'avertis de ne pas tuer le frère de la reine, il hurla frénétiquement : Ne prononce pas leurs deux noms ensemble ! Mariamne est une déesse et son frère une vipère !

Puis il ajouta d'un ton lourd de sens :

— Cet après-midi, il va se baigner.

Il appela alors le capitaine de sa garde cilicienne qui m'expliqua le projet :

— Myrmex, le jeune homme a confiance en toi. Quand il plongera dans la piscine, tu avanceras pour l'embrasser, et ce faisant tu lui maintiendras les bras. Mes hommes nageront sous l'eau et le saisiront par les pieds.

C'était une ravissante piscine, que j'avais bordée de marbre, et je feignis de nager quand Aristobole arriva, marchant dans le soleil comme un dieu romain.

— Salut, Timon, me cria-t-il.

Il descendit les marches de marbre et j'avançai pour l'embrasser et lui maintenir les bras, si bien que lorsque les Ciliciens lui saisirent les pieds, je sentis le jeune homme frémir. Il me jeta un regard éperdu, mais je serrai les dents et remontai mes mains vers son cou, et de cette façon nous l'entraînâmes sous l'eau.

J'avais presque oublié le meurtre d'Aristobole — car les dynasties doivent se protéger, et le jeune Macchabée se révélait un peu trop populaire aux yeux de la populace — quand Hérode gravit le sentier abrupt de Massada, où je transformais des ruines en un palais fortifié sans pareil en Orient, et là, nous nous assîmes comme des aigles, dominant la mer Morte et les collines de Moab, et il chuchota une fois encore :

— Myrmex, comment pourrai-je m'y résoudre ?

Il s'agitait, il gesticulait comme un dément, et quand il se mit à pousser d'horribles gémissements, je renvoyai mes ouvriers. Quand ils se furent éloignés comme des fourmis, je demandai à Hérode ce qui le troublait ainsi.

— Je dois tuer Mariamne, me dit-il en me regardant d'un air égaré.

— Non ! Non ! protestai-je.

Je lui parlai comme à un frère, mais là sur sa montagne il se mit à vociférer comme un dément en accumulant des preuves fallacieuses contre son irréprochable épouse. Il avait réellement l'intention de la tuer, car elle avait conspiré contre lui, de quelque manière. Je me couvris les oreilles et lui criai :

— Va, descends d'ici et cesse de me raconter ces folies !

Alors il recula, la main sur la garde de son épée, en me considérant d'un air effrayé et soupçonneux et il s'exclama :

— Tu es leur complice, toi aussi ! Qu'Auguste me protège ! Myrmex veut m'assassiner !

Je souffletai violemment le roi fou, et le conduisis au bas de la montagne comme un petit enfant, en lui disant :

— Si tu n'as plus confiance en moi, Hérode, alors ton univers est véritablement croulant !

Et lorsque nous fûmes au pied de la montagne et qu'il se fut un peu calmé, je lui demandai :

— Maintenant, raconte-moi tes visions.

Je le ramenai à Jéricho, et durant tout le trajet, il ne cessa de parler de la culpabilité de sa femme. Il assurait détenir des preuves irréfutables, et pendant trois jours il délira ainsi, incapable de se résoudre à la tuer. Mais il finit par donner le signal, et ses mercenaires implacables pénétrèrent dans les appartements de Mariamne et l'égorgèrent.

Quand sa femme sans péché fut morte, Hérode l'aima plus passionnément encore que lorsqu'elle était en vie. Il errait par le vaste palais, en poussant des cris, implorant la miséricorde des spectres qui le hantaient. Il faisait irruption dans nos appartements, et contemplait longuement Shelomith, puis il éclatait en sanglots et criait :

— J'ai tué la plus belle princesse juive que le monde ait connue. Je suis maudit.

Avec une frénésie grotesque, il épousa après cela toute une suite de femmes. Il eut beaucoup d'enfants qui ont peut-être déjà hérité son royaume. Il allait et venait parmi ses belles esclaves, en désignait une au hasard et l'accusait :

— Tu n'es pas Mariamne !

Mais il la prenait malgré cela avec lui.

J'étais allé en Espagne, et sur le bateau qui me ramenait il y avait une fille qui se vendait aux marins, une très jolie fille qui me plut, mais le capitaine du navire m'avait prévenu qu'elle avait la maladie des ports, aussi m'étais-je contenté de l'admirer de loin. Or, à quelque temps de là, Hérode longeait les quais de Césarée lorsqu'il la vit et il s'écria :

— Tu es Mariamne !

Il était vrai que cette fille ressemblait assez à la défunte reine, dont elle avait le port altier. J'avertis Hérode, je le suppliai de ne point avoir de commerce avec cette fille-là, mais il passa outre. Et plus tard, lorsque la maladie des ports le frappa, il gémit :

— Je savais que c'était Mariamne ! Elle est venue pour me maudire !

Quand son angoisse devenait trop insupportable, quand une chose ou une autre lui rappelait plus particulièrement Mariamne, il accourait vers moi, tout agité, et me disait :

— Nous allons bâtir un temple à Antioche, plus grandiose que tous les autres.

Pendant un temps, sa violence se canalisait ainsi dans la fièvre de la construction. Mais bientôt, de vilains soupçons lui venaient, il voyait des complots partout. Un jour il s'approcha de moi, et retrouva son chuchotement dément pour m'annoncer :

— Ils conspirent contre moi.

Cette fois, il parlait de ses propres enfants, les fils de Mariamne, les enfants de l'amour et de la joie. Nous avions été présents, Shelomith et moi, à la cérémonie de leur circoncision. Et maintenant leur père les accusait de vouloir l'empoisonner ! Mais, les dieux soient loués, César Auguste intervint pour avertir Hérode de ne pas tuer ses fils, et il y eut une scène de réconciliation pathétique au cours de laquelle Alexandre et Aristobole — ce dernier avait été nommé comme son oncle que j'avais aidé à assassiner — jurèrent à leur père dément qu'ils l'aimaient et protestèrent de leur loyauté et de leur piété filiale.

Mais très peu de temps après, il revint vers moi.

— Les scélérats méditent de m'assassiner, me confia-t-il.

Cette fois, il m'apportait des preuves irréfutables de leur culpabilité. J'accompagnai donc Hérode à Berytus, la ville que César Auguste avait choisie pour le procès, et au nom de mon roi je fis une plaidoirie enflammée devant les juges. Hérode en personne parla après moi, et donna une horrible liste d'accusations, sur quoi les juges, à regret, l'autorisèrent à tuer ses fils. Serrant contre son cœur l'autorisation écrite, Hérode retourna en Judée avec une liste de trois cents notabilités soupçonnées d'avoir participé au complot. Quand je vis certains noms, je compris qu'il était impossible que ces personnes aient pu conspirer, et je voulus discuter avec le roi, mais il glapit :

— Ils ont conspiré contre moi et ils mourront !

Pendant quelques jours, il erra en grelottant dans son palais de Césarée, ne sachant s'il devait ou non assassiner les fils de Mariamne. Shelomith et moi, nous tentions de l'en dissuader, mais chaque fois qu'il contemplait ma femme, des vagues de regrets le submergeaient et il s'écroulait en sanglots, pleurant sa princesse perdue, sa reine bien-aimée. Mais ces crises de chagrin ne faisaient que le renforcer dans sa décision de tuer aussi les fils de Mariamne, aussi pris-je le parti d'interdire à ma femme de voir le roi, pensant qu'à moi seul je saurais apaiser sa soif de vengeance.

— Libère tes fils, suppliais-je. Libère les trois cents Juifs !

Sans doute eussé-je pu réussir sans un vieux soldat qui fréquentait le palais. Hérode lui confiait de menus travaux, par reconnaissance pour la fidélité du vieillard au cours des premières guerres, et ce vétéran s'enhardit un jour jusqu'à affronter Hérode face à face pour l'avertir de ne point tuer ses fils.

— Prends garde ! dit-il. L'armée déteste ta cruauté. Il n'est pas un simple soldat qui ne soit du parti de tes fils. Et de nombreux officiers te maudissent.

— Qui oserait ? Lesquels ? hurla le roi, et le vieillard imbécile donna des noms.

Après cela, je n'eus plus la moindre chance de maîtriser le roi. Il expédia ses gardes du corps pour arrêter tous ceux qui avaient été nommés, puis il fit clouer le vieux soldat au pilori, le fit torturer au-delà de toute endurance et le vétéran fit toutes les confessions que l'on voulut, disant n'importe quoi, mais Hérode choisit de tout croire. Réunissant une grande

foule de peuple, il fit amener les officiers accusés devant lui et dans un discours dément, il échafauda une histoire de complot et de crimes qui terrifia la populace.

— Votre royaume est menacé, criait-il. Voici les coupables ! Tuez-les !

La foule s'élança alors, armée de bâtons. Ce jour-là, des dizaines d'hommes qui n'avaient jamais eu une pensée coupable furent déchirés, mis en pièces par une meute hurlante qui ne savait ce qu'elle faisait, tandis que le roi glapissait : « Tuez ! Tuez ! Tuez ! »

Combien de Juifs Hérode fit-il massacrer durant ses années de démence ? Combien de colonnes fit-il dresser durant ses années de grandeur ? L'un et l'autre chiffre sont impossibles à déterminer. Moi, qui n'ai assisté qu'à certaines des exécutions massives, j'ai dû être témoin du massacre de quelque six à huit mille personnes parmi l'élite de la population. Un exemple insensé : une femme, se faisant coiffer par ses esclaves, parla des massacres avec réprobation. Une servante la dénonça et elle fut mise à la torture. Elle dévida les noms de soixante complices, complices de quoi, nul ne le savait. Ceux-ci furent torturés à leur tour, par des soldats africains et germains qui serraient les écrous, et ils en dénoncèrent des centaines d'autres. Et tous furent exécutés sans procès pour un crime qui non seulement n'avait jamais été envisagé, mais n'était même pas désigné. Leurs richesses allèrent remplir les coffres du roi, car leurs familles furent assassinées aussi, jusqu'aux nouveau-nés.

Que d'horreurs, que .`` drames ! Parmi mes amis, un sur trois tombèrent sous les coups du tyran : Antigonus arrêté sur l'accusation d'un marchand de poisson, Barnabas égorgé parce que le roi convoitait une de ses terres, Samuel, l'oncle de mon épouse, un Juif respecté, décapité à la suite de la dénonciation d'un marin grec ivre, Leonidas, Marc et Abraham, morts pour une raison que je ne puis imaginer, le poète Lycide et le chanteur Marcellus, exécutés pour avoir fait partie d'un complot qui ne fut jamais déterminé... Des milliers, des dizaines de milliers de victimes ! Je ne suis pas surpris que notre tour soit venu, que Shelomith et moi ayons fini par être pris dans le filet d'Hérode. Qui nous a dénoncés ? Je ne puis le deviner. Quel est notre crime ? Nul ne le sait...

Pourquoi les Romains ont-ils laissé ce fou persécuter son peuple de cette façon ? La Judée est loin de Rome, et n'a guère d'importance, au fond. Jadis, avec mon appui, Hérode a séduit Octave Auguste et, depuis, l'empereur romain consent à soutenir Hérode tant que le roi de Judée maintient l'ordre et la discipline aux marches de l'empire. Des rapports parviennent à Rome, naturellement, mais c'est un roi que l'on accuse, devant un empereur, aussi l'empereur prend-il fait et cause pour le roi. Un jour, même, un préfet envoyé par Rome à Césarée me confia, car j'étais romain comme lui :

— Quelle importance, au fond, si la majorité de l'élite des Juifs est tuée ? Ne sera-ce pas plus facile pour nous de gouverner une fois qu'ils auront tous été éliminés ?

Ainsi laissa-t-on Hérode détruire la nation juive, et l'y encouragea-t-on.

Il y a quelques semaines, cependant, les événements ont pris un tour

nouveau qui forcera sans doute Rome à prendre en considération la terreur qui règne sur la Judée. Jadis, pour insulter les Juifs, Hérode avait fait placer au fronton du temple de Jérusalem un aigle en bois sculpté, symbole de Rome, la première image à souiller le temple depuis le temps d'Antiochos Epiphane, et pendant de longues années, les fidèles juifs durent supporter le symbole infamant. A cette époque, je ne connaissais pas les Juifs comme je les connais maintenant, et je ne m'attendais pas à leur longue patience, ni au ressentiment qui s'y dissimulait.

Quoi qu'il en soit, il y a quelques jours, deux prêtres loyaux ont harangué leurs disciples si bien qu'un groupe de jeunes gens se sont suspendus par des cordes à la coupole du temple et ils ont démoli l'aigle de Rome. Dans tout Jérusalem, les dévots se mirent à pousser des cris de joie, mais les mercenaires africains et germains d'Hérode fondirent sur la foule, arrêtèrent les deux prêtres et une quarantaine d'étudiants et les traînèrent devant le roi. Sa rage dépassa tout sens commun, car il comprenait que le geste des Juifs le faisait entrer en conflit avec Rome, ce qui mettait sa couronne en péril. En tombant, cet aigle de bois risquait de le faire lui-même tomber de son trône. Avec une fureur démente, il riposta. Les deux prêtres et les trois jeunes gens qui avaient fait tomber l'aigle furent brûlés vifs devant le temple, et les autres massacrés dans un étroit enclos. Hérode fit savoir à Auguste que l'aigle serait vite remplacé par une sculpture plus grande et plus belle, et que Rome n'avait rien à craindre. Hérode tuerait un million de Juifs, s'il le fallait, pour apaiser César Auguste.

Cependant, dans le secret de son cœur il était aigri par l'antagonisme de ces Juifs, et la maladie qui devait l'emporter commençait à faire des ravages. Il déclinait rapidement. Sentant sa mort proche, il me supplia de l'accompagner aux bains chauds, sur l'autre rive du Jourdain, en un lieu où les eaux douces jaillissent du roc et se jettent dans la mer Morte, ce lac de bronze. Le lieu s'appelle Callirrhoé, et tandis que notre cortège traversait les terres désertiques à l'est de Jérusalem, j'avais l'impression que nous étions des morts en marche dans les landes de l'enfer, et Hérode dut avoir la même pensée, car il fit baisser les rideaux de cuir de sa litière afin de ne point voir la désolation qui s'accordait si bien avec le deuil de son cœur.

Le soir venu, lorsque les serviteurs eurent dressé le camp, il me parla longuement, en grec, des philosophes qu'il avait connus, de la beauté grecque qui l'avait si fort impressionné durant toute sa vie, et il me dit avec un petite rire sec :

— Toi et moi, Myrmex, nous sommes les meilleurs Grecs d'eux tous. César Auguste lui-même ne peut acheter mon âme, car elle est grecque.

Je fus surpris de son usage du mot âme, qui était d'origine hellénistique et peu familier aux Juifs — ni le mot comme le concept qu'il représentait — mais il résumait l'attitude d'Hérode devant la vie. Inspiré par notre conversation, il retrouva des forces pendant le voyage.

A Callirrhoé, cette délicieuse oasis au nom musical, que les malades

découvraient après des jours de marche en plein désert, les médecins ordonnèrent un bain dans une baignoire pleine d'une huile presque bouillante.

Je tâtai le liquide frémissant du bout du doigt et protestai que la chaleur tuerait le roi, mais les médecins insistèrent, et Hérode me dit :

— Puisque nous sommes venus si loin, mon ami, goûtons de cette chaleur.

Il fut plongé dans cette huile bouillante et tout parut me donner raison. La chaleur était telle qu'il perdit connaissance. Un râle s'échappa de ses lèvres et ses yeux se révulsèrent. Je criai aux docteurs qu'ils avaient tué le roi. Mais ils m'apaisèrent :

— Les yeux blancs sont un bon signe, assurèrent-ils.

Au bout de quelques minutes, le corps ravagé par la maladie fut retiré de l'huile chaude et, comme l'avaient annoncé les médecins, Hérode se ranima. Le traitement lui avait fait du bien, mais cette amélioration ne fut que provisoire, et au bout de quelques jours passés sous les palmiers de Callirrhoé, l'état du roi empira.

— Ramène-moi à Jéricho, me dit-il. J'ai une affaire urgente concernant mon fils Antipas.

Et nous avons retraversé le paysage de la mort.

J'ai vu le roi Hérode pour la dernière fois il y a sept jours. Je l'ai décrit à ma femme, et quand elle apprit l'état hideux dans lequel il était tombé, elle versa des pleurs sur notre vieil ami. Alors qu'il avait été mince et beau, il était maintenant bouffi, enflé, à moitié chauve, édenté. La maladie s'était étendue à son corps tout entier et lui rongeait les entrailles et les organes. Ses jambes monstrueuses étaient larges de plus d'une demi-coudée, aux chevilles. Un ulcère à l'estomac l'empêchait de manger et répandait par sa bouche des odeurs si pestilentielles que la garde personnelle du roi devait être changée plusieurs fois par jour, tant la puanteur incommodait les soldats. Chez cet homme de soixante-dix ans, on eût dit que tous ses anciens crimes venaient visiter son corps agonisant. L'horrible maladie vengeait Mariamne, et ses fils, et les amis du roi, et ses sujets par dizaines de mille.

Hérode était affreux au-delà de toute expression mais il avait été mon ami, mon bienfaiteur, et quand les autres l'eurent fui, je restai seul auprès de lui, pour tenter de mettre un peu de baume sur ses derniers instants.

— Hérode, lui dis-je hardiment, je suis ton plus vieil ami, et je n'ai plus peur. Tu ne peux me faire aucun mal, pas plus que je ne m'en suis fait moi-même en travaillant à ton service.

— Que veux-tu dire ? s'écria-t-il en se soulevant sur un coude, et son haleine plus nauséabonde que douze latrines m'enveloppa.

— Je t'ai aidé à noyer le jeune Aristobole...

— Non, il a été étranglé, glapit le roi fou.

Il ne se souvenait plus qu'il y avait eu deux Aristobole, l'oncle et le neveu. Il avait oublié son premier grand forfait. Je poursuivis :

— Je t'ai soutenu quand Mariamne a été tuée...

— Non ! protesta-t-il en levant une main. Son spectre m'a visité et

je suis pardonné ! Elle m'a pardonné, Myrmex, cria-t-il en riant comme un imbécile. Son spectre ne me visite plus. Ah, Mariamne, Mariamne !

Il pleura, et son corps se contracta, ce qui fit monter de cet être en putréfaction des émanations telles que je dus m'éloigner de son chevet.

— Ne m'abandonne pas ! supplia-t-il. Tu es le seul ami en qui j'aie confiance !

Puis il parla avec une nostalgie puérile des jours heureux de notre jeunesse et me demanda si je consentirais à l'accompagner encore une fois dans les provinces du Nord.

— La Galilée est la seule région de mon royaume où le peuple m'aime vraiment, gémit-il. J'aimerais revoir Makor avec toi.

Il n'avait pas oublié que sa marche vers le trône avait commencé dans ma petite ville, et il me demanda si elle était toujours aussi belle, avec les brises fraîches montant de l'ouadi par les lourds après-midi d'été.

— En Galilée, je suis encore aimé, murmura-t-il comme pour lui-même.

En voyant cet agonisant se cramponner à son éternel désir d'être aimé, je décidai de me servir de cette fantasmagorie de l'esprit pour mener à bien la cause qui m'avait amené en sa présence et je lui assurai :

— Tu ne seras pas aimé, Hérode, si tu persistes dans ton projet de te défaire d'Antipas.

Mes paroles semblèrent lui rendre la vie, comme si seule la haine avait le pouvoir d'animer ce corps en désintégration.

— Mon fils conspire contre moi, rugit-il en se redressant sur sa couche. Ce sont ses mensonges qui m'ont abusé au point de mettre à mort mes autres fils. O Alexandre et Aristobole, mes beaux fils loyaux, pourquoi vous ai-je assassinés si cruellement ?

Le roi retomba sur ses coussins et pleura un moment ses fils disparus, puis son ressentiment envers son autre fils vivant lui revint et il maudit le jeune homme avec beaucoup de cruauté, en l'accusant de crimes tout à fait invraisemblables.

Je tentai de raisonner le malheureux dément.

— Hérode, tu sais bien qu'il n'a pu faire toutes ces choses ! Libère-le et toute la Judée t'acclamera.

— Tu le crois vraiment ?

Il voulait que je le rassure, que je lui affirme qu'en épargnant son fils il gagnerait l'amour de ses sujets, et j'allais me lancer à la défense d'Antipas dans un exorde inspiré, semblable à celui que j'avais prononcé jadis au nom d'Hérode lui-même, quand un soldat de la prison nous interrompit en venant annoncer la nouvelle qu'Antipas, averti prématurément de la mort d'Hérode, tentait de soudoyer les gardes afin qu'ils le libèrent et qu'il puisse venir prétendre au trône.

— Tuez-le ! rugit le roi de son lit de mort.

Un détachement de sa garde sortit pour lui obéir, les glaives courts dégainés pour abattre le cinquième membre de la famille royale, et je me rappelai l'amère raillerie d'Auguste : « Je préférerais être le pourceau

d'Hérode plutôt qu'un membre de sa famille, car le porc, lui, a au moins une chance de vivre. »

— Fou, cent fois fou ! hurlai-je. Le royaume a besoin d'Antipas !

— Pas moi ! rétorqua le vieillard.

Ses débordements le firent tousser, ce qui l'abattit. Il se laissa retomber sur sa couche et versa des larmes amères sur son fils que l'on était en cet instant même en train de tuer, et à plusieurs reprises il murmura le nom de Mariamne.

— M'attendra-t-elle au moment de ma mort ? demanda-t-il avec un soupir déchirant, puis avant que je réponde il ajouta : Tu as été le plus heureux, Myrmex, et Shelomith avec toi !

Il me sourit comme à un frère, et il fut satisfait de voir monter à mes yeux des larmes incoercibles.

— Est-il au monde femmes plus belles que les jeunes Juives que nous avons connues ? Cléopâtre, Sébaste, je les ai toutes vues, mais jamais il n'y en eut une comme Mariamne. Pourquoi m'a-t-elle été enlevée ?

Il parlait d'elle comme si elle avait été emportée par quelque mal subit, comme s'il n'avait aucune responsabilité dans sa mort. Puis, se sentant soudain menacé d'un nouveau côté, il me chuchota :

— As-tu entendu les rumeurs, Timon ? On dit qu'un véritable roi des Juifs est né.

Comme je ne pouvais répondre, ni réfuter des rumeurs qui ne m'étaient point parvenues, il me tira par la manche, plus près de sa couche, et me souffla, encore plus bas :

— Ils disent que ça s'est passé à Bethléem. J'ai envoyé des soldats pour se renseigner.

Je ne pouvais rien dire pour apaiser cette dernière de ses craintes, aussi gardai-je le silence, mais tout à coup le roi se leva, quitta son lit et se mit à marcher lourdement dans la chambre, en levant les bras au ciel et en se lamentant :

— Pourquoi les Juifs me haïssent-ils ? Timon Myrmex, tu as épousé une Juive. Explique-le-moi. Pourquoi les Juifs me haïssent-ils ? J'ai été un bon roi pour les Juifs. Je leur ai apporté la justice et la paix. Songe au temple que nous leur avons construit ! Et ils me traitent avec froideur. Ils m'appellent l'Iduméen et ils disent que je ne suis pas un Juif. Myrmex, tu sais, toi, que mon unique désir a toujours été de servir les Juifs ! Dis... Shelomith m'aime, n'est-ce pas ?

Je le rassurai sur ce point, et il se mit à pleurnicher comme un enfant peureux :

— Elle est la seule, elle est la seule. Tu sais que Mariamne ne m'a jamais aimé. Elle me méprisait... elle disait que je n'étais pas un vrai roi. Je crois, ajouta-t-il en baissant la voix et en regardant autour de nous d'un air méfiant, je crois qu'elle avait un amant. Oui, oui, un barbier du palais...

Pour mettre fin à ce blasphème je lui dis, comme on parle à un enfant pour le faire aller au lit :

— Il n'y a pas trois jours, Shelomith me disait encore combien elle

t'aimait. Cependant, si tu continues à tuer des Juifs, elle ne t'aimera plus. Elle te détestera.

Il recula d'un pas, horrifié, une main à la gorge.

— Shelomith ? Me détester ? Ne sait-elle donc pas que tout ce que j'ai fait, je l'ai fait pour aider ces Juifs ? Myrmex, parle-moi avec franchise, à ma mort, les Juifs me pleureront, n'est-ce pas ?

Pourquoi ai-je répondu ainsi ? Pourquoi n'ai-je pas supporté encore un peu de temps les divagations de ce vieillard dément, comme je le faisais depuis des années ? Que m'importait que les Juifs le pleurassent ou non ? Quelque esprit malin m'a poussé à lui répondre :

— Hérode, si tu continues de tuer, personne ne te pleurera.

Il recula encore, comme si je l'avais souffleté, et poussa une exclamation étouffée qui fit monter de son corps putride une funeste bouffée d'odeurs pestilentielles. Je ne pus réprimer un haut-le-cœur et un mouvement de dégoût, et cela exaspéra le roi qui se mit à tonner :

— Tu te trompes, Myrmex ! Par les dieux, tu te trompes ! Les Juifs me pleureront, ils pleureront comme ils n'ont jamais pleuré !

Il appela alors ses mercenaires — des Africains, des Ciliciens, des Egyptiens, des Germains, des Perses — des hommes qui avaient froidement assassiné toute l'élite de Judée, et leur cria en phrases hachées, d'une voix frénétique :

— Allez dans toutes les villes de Judée. Arrêtez les notables. Jetez-les en prison et gardez-les soigneusement. Nourrissez-les en abondance. Offrez-leur tous les plaisirs de la richesse. Et au jour de ma mort, tuez-les !

Devant les soldats médusés, Hérode poursuivit :

— Partez maintenant, allez dans toutes les villes. Aucune n'est trop petite. Allez même à Makor. Et commencez par arrêter cet homme ! Sa femme et lui mourront ! Tuez-les comme je vous l'ai ordonné par le passé. Taillez-les en pièces, glapissait-il en me montrant du doigt et en gesticulant comme s'il donnait des coups de glaive en tous sens. En pièces ! Massacrez, tuez tous les grands hommes du royaume !

Il s'empara de la courte épée d'un des soldats, fit des moulinets avec sous mon nez, puis il se laissa tomber sur sa couche fétide, épuisé, un mauvais sourire dévoilant ses dents cassées.

— Myrmex, haleta-t-il, tu vas mourir. Pourquoi es-tu grand et mince tandis que je suis gros et puant ? Pourquoi as-tu tous tes cheveux, et toutes tes dents alors que ton roi n'a plus qu'un corps en putréfaction ? Pourquoi as-tu Shelomith alors que la seule femme que j'aie jamais aimée m'a été ôtée ? Tu vas mourir ! Vous allez tous mourir !

Et tandis que les gardes m'entraînaient, de sa couche il me lança les derniers mots que je devais entendre de la bouche de cet ami de ma jeunesse :

— Quand je mourrai, les Juifs ne me pleureront peut-être pas, mais par les dieux, ils pleureront et ils se lamenteront !

Et je fus emmené. Sous bonne escorte on me conduisit à Makor. Je traversai à pied, moi, prisonnier, la belle ville de Sébaste, que j'avais

reconstruite pour en faire une cité de magnificence en la renommant en honneur à l'épouse d'Auguste. Les chaînes aux mains, je traversai Naza- reth, et Cana et Jotapata. Les gardes sur mes talons, je m'engageai dans le marais et traversai mon propre verger d'oliviers, et marchai jus- qu'aux portes de la ville que j'avais rebâtie à l'image de Rome. De tout mon être, je voulais lancer un avertissement à Shelomith, lui crier de fuir, mais déjà les soldats m'avaient poussé dans la ville et l'avaient arrêtée.

On nous réunit, les chaînes aux mains et aux pieds, dans le forum que j'avais construit. Elle était belle comme au jour où Hérode me l'avait présentée. Elle ne gémissait pas, elle ne m'accablait pas de reproches pour mes erreurs qui nous avaient conduits là. Quand le capi- taine du détachement lut la proclamation selon laquelle Timon Myrmex et son épouse Shelomith devaient être arrêtés, mis dans une prison publique où chacun pourrait les voir, elle sourit, et elle sourit encore lorsqu'elle apprit qu'à la mort d'Hérode des soldats armés seraient lâchés sur tous les prisonniers et les massacreraient. Elle s'adressa aux soldats, et leur parla ainsi :

— Dites au roi Hérode que je suis désolée qu'il ait assassiné Mariamne.

En ces quelques mots, elle résumait la misère morale du fou.

Cela se passait il y a trois jours. Entre-temps, les citoyens de notre petite ville ont réagi suivant les prévisions d'Hérode. Les non-Juifs viennent aux marches du temple, et pleurent sur mon sort, et je leur réponds qu'en bon Romain je suis prêt à mourir. Les Juifs viennent voir Shelomith, car son père était un dignitaire dont la mémoire est conservée en Galilée, et avec la même résignation elle leur affirme qu'elle a vécu une bonne existence heureuse, et que l'ignominie de l'exécution ne l'humilie pas. Mon peuple propose des arguments, le sien des prières, et cela en vient au point que c'est Shelomith et moi qui devons consoler les vivants plutôt que d'accepter leurs lamentations pour nous.

Mais je ne voudrais pas que l'on s'imagine que nous sommes des stoïques. Hier, j'ai surpris ma femme en train de masser son visage las avec une huile douce contenu dans un petit flacon ; elle avait devant elle un plateau, avec tout un assortiment de ces flacons, dont Hérode lui avait fait cadeau autrefois, à Césarée, et elle était si exquise, prenant d'abord cette huile, puis ce parfum, et ce fard, créant avec ses onguents de la beauté pure, comme si nous devions assister à un festin, que mon cœur se serra et je sanglotai, la tête dans mes mains. Alors elle posa son plateau, et me prit les doigts pour les écarter de ma figure.

— Nous ne devons pas nous maudire d'avoir servi Hérode, mur- mura-t-elle.

— Tu ne m'accuses donc pas... d'avoir étroitement lié nos vies à la sienne ?

— Mais non, voyons ! A part ces dernières années de démence, il a fait beaucoup plus de bien que de mal. Il nous a gouvernés durement, mais il nous a apporté la paix.

— Pourquoi vous autres Juifs persistez-vous à vous choisir des rois comme Hérode ?

— Nous ? Rome nous a donné Hérode. Nous n'avions aucune voix pour le choisir.

— Ce que je voulais dire, c'est que si ton peuple s'était uni et rallié autour des Macchabées, Hérode n'aurait pas eu l'occasion de s'emparer du trône.

Elle réfléchit à cela, puis elle me répondit posément :

— Nous, les Juifs, nous avons toujours du mal à nous supporter nous-mêmes. Je crois que nous préférons être gouvernés par des étrangers... C'est une chose que tu ne comprendras pas. Mais nous ne pouvons croire en aucun royaume, qu'il soit le nôtre ou celui de Rome. Nous pensons que le seul vrai royaume est le royaume de Dieu, et son règne n'arrivera qu'avec le Messie ; alors, même si Hérode avait été un Juif, nous ne l'aurions pas accepté. Il n'y aura plus jamais d'Etat juif en Israël, car nous sommes destinés à vivre sous le joug des autres, soumis non pas aux principautés mais à Dieu seul.

J'étais incapable de la suivre dans ces discussions philosophiques, aussi changeai-je de conversation pour parler des jours heureux.

— J'ai de nouveau dix-neuf ans, et tu es une enfant vivant à côté de la synagogue de Makor. Un petit navire entre dans le port de Ptolémaïs, portant un jeune homme puissant nommé Hérode, qui descend à terre en annonçant : « Je suis venu pacifier la Galilée. » Si nous devions revivre ces années, me conseillerais-tu de le soutenir ? De le défendre devant Octave ?

Encore une fois, elle examina la question, car Shelomith avait ce trait de caractère bien juif qui lui faisait considérer tous les aspects d'un propos, en toute objectivité, et puis elle me répondit avec douceur :

— Ne serions-nous pas lâches en reniant maintenant notre passé ? Nous avons suivi Hérode, et je suppose que si c'était à refaire, nous le referions. Mais nous aurions dû accorder quelque pensée, Timon, au plus grand roi que nous aurions dû servir avec plus de dévotion.

Secouant son humeur grave, elle eut un rire léger et me demanda :

— De toutes les années que nous avons vécues ensemble, quelles ont été les meilleures ? Le temps où nous construisions cette belle rue à arcades, à Antioche ?

— Non. A côté de Césarée, tout est insignifiant. Tant que la terre durera, cette ville sera la capitale de l'Asie, et il y a de quoi être fier d'avoir contribué à la bâtir.

Assis dans notre prison, la main dans la main, nous nous sommes rappelé ces majestueuses colonnades, les palais et le pur joyau qu'est le théâtre posé au bord de la mer bleue. C'est un chef-d'œuvre que nous avons érigé, Hérode et moi, et il demeurera tant qu'il y aura au monde des hommes pour chérir la beauté.

Hier, Shelomith a souri en m'entendant parler ainsi de Césarée ; et quand je lui ai demandé pourquoi, elle m'a répondu :

— Tu es si obstinément romain ! J'aurais plutôt cru que le temple

de Jérusalem t'apportait la plus grande satisfaction ! Même nous, les Juifs, nous devons reconnaître que là, Hérode a fait un miracle.

Je n'avais jamais parlé de ces choses avec ma femme, mais la mort était sur nous, et il n'y avait pas de raison sensée pour que je lui dissimule mes pensées, aussi lui révélai-je :

— Le temple que j'ai construit, je l'ai effacé de mon esprit. Pour moi, il ne compte pas.

— Pourquoi ? s'écria Shelomith, car comme tous les Juifs elle vénérait cet édifice.

— Depuis bien longtemps, je pense que tôt ou tard, Rome devra détruire le temple.

— Mais pourquoi ?

— Parce que la Rome impériale et le temple de Jérusalem ne peuvent exister ensemble dans un même empire.

— Timon ! Tu parles follement, comme le roi ! Rome est une chose. Elle est là-bas, de l'autre côté des mers, et elle très puissante, mais le temple existe dans un univers différent. Sa durée sera éternelle.

— Je le pensais jadis.

— Qu'est-ce qui t'a fait changer d'idée ?

— Tu n'étais pas à Jérusalem quand les prêtres ont fait abattre

— Tu me l'as raconté, dit ma femme et ses yeux brillèrent en songeant à ce geste audacieux.

— Tu songes à l'aigle abattu, mais moi je me souviens des hommes que l'on a brûlés vifs. Nous avons dressé cinq poteaux devant le temple, et entassé de grands bûchers d'herbes sèches et de bois mort sur les dalles, formant des plates-formes sur lesquelles se tenaient les condamnés. Les soldats d'Hérode — ils sont toujours prêts à faire n'importe quoi — ont allumé les feux et nous nous attendions à des hurlements d'angoisse et de douleur.

— Les feux ne brûlaient pas également, mais chaque fois que les flammes d'un bûcher montaient lécher la figure du martyr, chacun à son tour, l'homme qui brûlait vif criait dans son dernier souffle : « Entends, ô Israël, la parole du Seigneur ton Dieu. Le Seigneur est un. »

— Demain ou le jour suivant, quand le messager arrivera, et que les soldats seront lâchés pour nous massacrer, tu penseras à Rome et à Auguste et aux lointains édifices que tu as construits. Tu te tourneras peut-être même vers l'Augusteana, et une merveilleuse lumière s'éteindra, l'aigle de bois sculpté.

— Qu'est-il arrivé ?

Je regardai Shelomith, et je compris soudain qu'après une vie entière d'étroite intimité, je la connaissais à peine. Elle dut deviner mes pensées, car elle me sourit en m'expliquant :

— En un tel moment, que peut-on dire d'autre ? Timon, je t'ai tant aimé ! Tu as été si courageux, si patient !

Elle ne put retenir des larmes. Cette fois elle ne pleurait pas discrètement ; mais à grands sanglots qui faisaient monter à ses yeux des torrents de pleurs et tandis que les larmes ruisselaient sur ses joues, elle prit un

des gracieux petits flacons de parfum sur son plateau et avec le rebord du goulot elle chassa les larmes offensantes, si bien qu'il en coula dans le flacon. Alors elle rit, nerveusement, et soupira :

— A nous deux, nous avons fabriqué le parfum de la vie, des larmes et des roses et l'odeur des olives mûres sur les oliviers, en été. Ce parfum est dans mes narines depuis le jour où je t'ai connu.

Elle reposa le flacon délicat sur le plateau, et reprit le cours des pensées que ses larmes avaient interrompu.

— En mourant, tu contempleras tes édifices, mais moi je murmurerai : « Entends, ô Israël, le Seigneur notre Dieu. Le Seigneur est un. » Hérode avec tous ses soldats, avec tous ses bûchers, ne parviendra jamais à faire taire ce cri !

— C'est bien pour cela que je dis que le temple devra être détruit. Rome vous avait offert d'appartenir au monde entier. Mais avec votre orgueil inflexible, vous avez rejeté le monde pour vous cramponner à votre temple.

— Doit-il périr ? s'écria-t-elle avec angoisse.

Nous étions si bouleversés l'un et l'autre que je la quittai, la laissant à sa toilette, et allai jusqu'à l'entrée du temple où les gardes attendaient l'ordre de nous massacrer.

Il y avait deux Egyptiens et deux Germains, et je leur ai demandé pourquoi ils étaient entrés au service d'Hérode. Les Egyptiens lui avaient été donnés par César Auguste quand il avait dispersé les forces de Cléopâtre, et les Germains avaient été amenés en Judée comme esclaves, et s'étaient élevés par chance ou mérite dans la hiérarchie militaire.

— Combien de Juifs avez-vous tués ? demandai-je à ces hommes.

— Nous faisons ce qu'on nous dit, grommelèrent-ils en haussant les épaules.

— Oui, mais combien ? insistai-je. Nous n'avons pas eu de guerres étrangères, donc toute votre activité a été dirigée contre les Juifs. Combien en avez-vous tué, selon vos estimations ?

Ils se regardèrent, et se mirent à se remémorer leurs diverses expéditions contre Jérusalem, quand il y avait des troubles dans la capitale, et contre Samarie avant qu'elle s'appelle Sébaste, et puis les émeutes de Gaza. Lentement, les chiffres s'additionnèrent, et finalement j'appris que ces quatre soldats, opérant en des secteurs différents, et pris au hasard, avaient tué plus d'un millier de Juifs d'élite.

— Quand l'ordre arrivera de me tuer avec ma femme... Vous ne vous demanderez pas de quoi il s'agit ?

— Les ordres arrivent et nous obéissons, me répondit un des Germains, dont la courte épée redoutable était dégainée et battait sa cuisse en scintillant au soleil.

— Mais vous savez bien qu'Hérode est fou.

— Ne dis pas de mal du roi, menaça le soldat.

— Mais il est mort. Nous attendons simplement la confirmation.

— Il me semble que tu devrais souhaiter qu'il vive, observa le Germain, en s'exprimant en grec populaire.

— Tu n'as pas répondu à ma question. Pourquoi allez-vous obéir aux ordres d'un mort ?

— Parce que si nous n'avons pas ce roi, nous en aurons un autre, expliqua le Germain. Si Hérode est mort, comme tu le dis, il y a un autre roi à Antioche pour donner des ordres, et au-dessus de lui il y a l'empereur à Rome, et ça n'a guère d'importance, celui qui nous dit de faire ci ou ça. Il y a toujours un roi quelque part.

Des Juifs vinrent prier avec Shelomith, et dans leurs visages barbus, butés, durs comme du fer, je trouvai l'explication de la conduite des soldats d'Hérode. Sur terre, il y a toujours un roi pour donner des ordres, et ces ordres sont souvent contradictoires, ou inhumains, comme dans le cas d'Hérode le fou, mais au-dessus de tous, il y a un vrai roi qui juge les choses en toute honnêteté et qui, le moment venu, corrige les erreurs des souverains de la terre. S'il n'existait pas un tel système, la conduite d'un homme comme Hérode serait incompréhensible.

Je regardais les Juifs, que je n'avais jamais compris, car c'était une race repliée sur elle-même qui n'avait ni amour ni indulgence pour les Romains, et je compris que ce ne serait pas grâce aux amis d'Hérode mais par ces hommes intransigeants que la Judée, et peut-être l'empire tout entier, trouverait sa stabilité morale. Entre Juifs et Romains, il y aurait une guerre — de cela j'étais de plus en plus convaincu — et sans aucun doute le temple, symbole du judaïsme, devrait disparaître ; mais les principes que représentaient ces hommes, la droiture que je voyais sur leurs visages, finiraient par triompher.

Pour la première fois, je regrettais de mourir, car j'aurais voulu assister à cette grande confrontation. Pour moi, Hérode mettait fin à toute foi en la domination perpétuelle de Rome. Il y aurait autre chose, il le fallait, une nouvelle force capable de maîtriser les hommes insensés, les fous, comme Hérode qui était allé jusqu'à déclarer que si les rumeurs disaient vrai, si un véritable roi des Juifs était né à Bethléem, tous les enfants juifs de cette province, au-dessous de deux ans, devraient être massacrés, mais il avait reculé devant l'horreur d'un tel acte. Il était indispensable qu'une puissance supérieure fût créée pour forcer de tels hommes à reculer devant d'autres insanités, et je regrettais de ne pouvoir être là pour accueillir les messagers de cette nouvelle puissance, lorsqu'ils se présenteraient.

Avec Shelomith, j'ai longuement parlé de ces choses, hier, et je me suis couché tout imprégné d'un nouveau respect pour sa religion, que je n'avais encore jamais approfondie.

C'était hier. Et voilà que nous ne nous coucherons sans doute plus jamais. Jamais plus je ne verrai Shelomith s'éveiller, s'épanouir comme une fleur au soleil du printemps, et dans le néant de la mort, si la mémoire y est permise, elle me manquera plus que je ne saurais dire. Mes trois fils, l'un à Antioche, l'autre à Athènes et le troisième à Rhodes, lui ressembleront jusqu'à leur mort, dans quelques années, et puis sa ravissante image sera oubliée. En bonne Juive, elle a toujours refusé de se faire représenter, car toute image est un blasphème pour les Juifs.

Mais je souris, car tant que Makor restera debout, les huit colonnes parfaites honoreront sa mémoire. Comme elle, elles sont la perfection même,
fines, élégantes, élancées. Comme les colonnes, elle se tient droite et
comme elles, elle ne porte pas de fardeau sur sa tête, car elle est une
femme libre.

Des messagers arrivent à la porte ! Shelomith s'approche de moi,
glisse sa main dans la mienne. Nous regardons les hommes en courtes
tuniques traverser le forum d'un pas assuré, entre mes colonnes. Ils se
rendent au palais du gouverneur. Nous les regardons disparaître avec
leurs nouvelles fatidiques, et nous voyons, presque à notre insu, que nos
gardes se raidissent et se préparent à l'accomplissement de leurs ordres.

Shelomith tombe à genoux pour prier, et quelques vieux Juifs qui
ont connu son père, se mettent à se balancer d'avant en arrière en psal-
modiant des prières auxquelles je ne comprends rien.

Je ne puis prier. Je me suis joint à Hérode à l'âge de dix-neuf ans,
et avec lui j'ai chevauché vers le pouvoir et le triomphe. Sa démence
m'enveloppe aujourd'hui dans le manteau de la mort, mais je ne puis me
plaindre. Mes ancêtres ont vécu à Makor depuis des générations innombrables, et ils ont toujours cherché à s'adapter aux nouveaux occupants,
en général avec raison. Ils ont été des Hébreux, des Grecs ou des Babyloniens selon les occasions, et il y a des années, j'ai décidé d'être romain.
J'ai été un bon Romain, et je quitte un coin de terre — Makor, mais
aussi la Judée, et la Syrie — plus beau qu'il ne l'était avant moi.
Ayant offert cette grâce, comme un sacrifice, je suis prêt à mourir.

Le gouverneur sort du palais, celui que j'ai construit, et il traverse
le forum que j'ai dessiné. Il se dirige vers la prison que je me suis
construite, et les gardes germains dégainent leur glaive, cette courte épée
redoutable qui accomplit l'œuvre du roi. Le gouverneur et les messagers
se tiennent très droits devant les colonnes du temple, et Shelomith lève
courageusement la tête, à mon côté, tandis qu'une voix s'écrie :

— Le roi Hérode est mort. Les prisonniers sont libres !

La main de Shelomith lâche la mienne, et la seule idée qui me
vienne à l'esprit c'est que je dois me hâter d'aller trouver le nouveau roi
pour voir s'il envisage la construction de nouveaux édifices. Mais Shelomith est tombée à genoux, et je l'entends murmurer :

— Entends, ô Israël, le Seigneur notre Dieu. Le Seigneur est UN.

YIGAL LE COURAGEUX

NIVEAU VIII — 40-67 E. C.

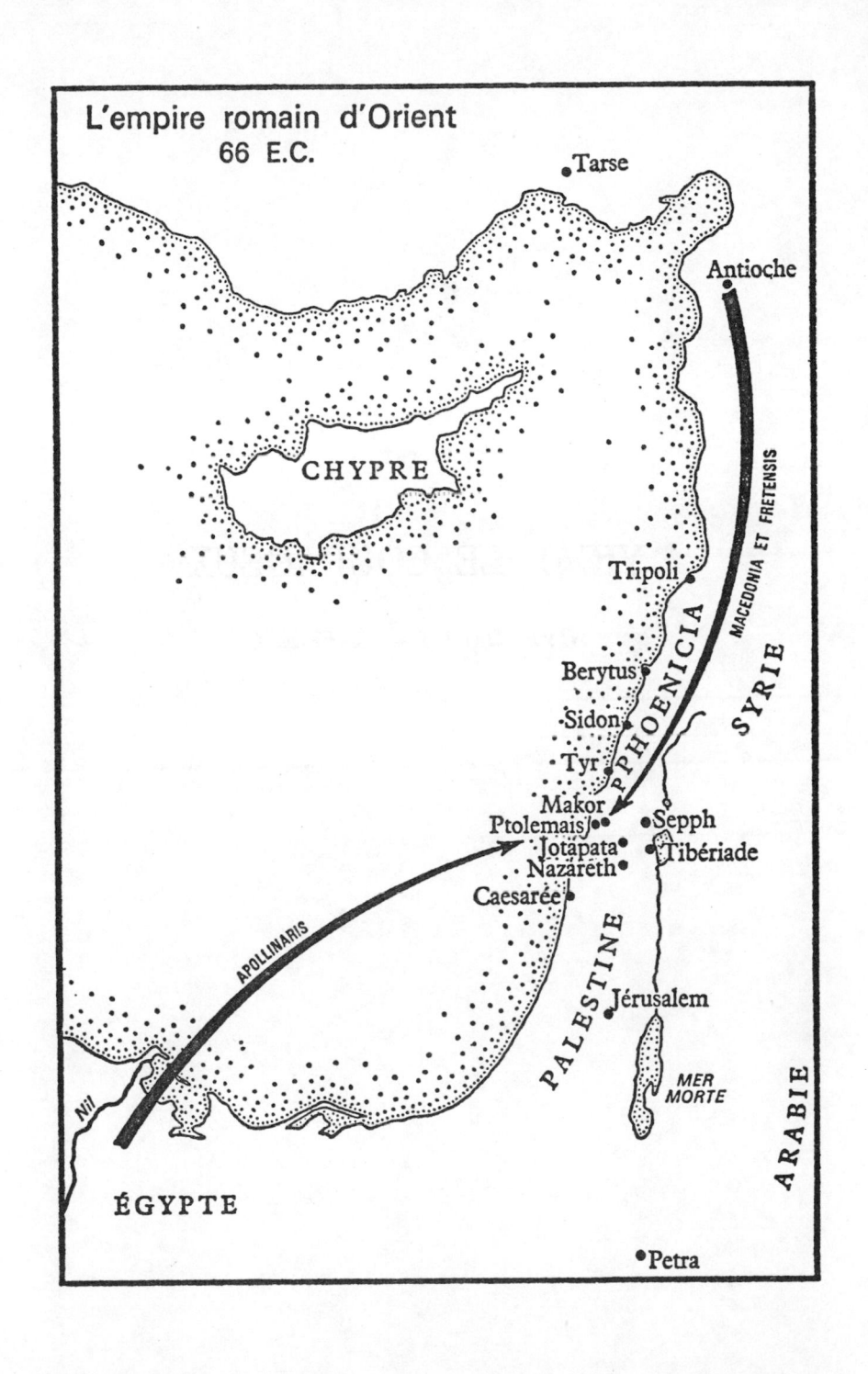

L'empire romain d'Orient
66 E.C.

Tarse

Antioche

CHYPRE

Tripoli

Berytus

Sidon

Tyr

PHOENICIA

MACEDONIA ET FRETENSIS

SYRIE

Makor
Ptolemais
Jotapata
Nazareth

Sepph
Tibériade

Caesarée

APOLLINARIS

PALESTINE

Jérusalem

MER
MORTE

ARABIE

Nil

ÉGYPTE

Petra

TOUT au long de l'histoire de Makor, son sort fut généralement déterminé par des événements se déroulant dans de lointaines capitales comme Memphis, Babylone, Antioche ou Rome. Et les habitants de la ville tendaient l'oreille aux nouvelles qui pouvaient les affecter.

Ainsi, en l'an 14 de l'ère chrétienne, ils apprirent que le grand César Auguste était mort et que son trône avait été pris par le tyran Tibère, un homme si débauché et si lâche qu'il abandonna Rome et se réfugia dans de petites îles jusqu'en 37. A Tibère succéda un despote encore pire que lui, Caligula, qui, comme tant d'autres avant lui, tenait à être adoré comme un vrai dieu. Fou de luxure et d'orgueil, il ordonna que sa statue soit placée dans tous les temples, quel qu'en soit le culte, et à ce décret de vanité, toutes les nations obéirent, sauf une.

Les Juifs de Judée refusèrent de reconnaître Caligula comme leur dieu, et ils refusèrent de même de laisser pénétrer ses statues sur leur territoire. Quand l'empereur apprit leur insubordination, il interrompit ses orgies le temps d'annoncer que si les Juifs, seuls de tous ses sujets, s'entêtaient à ne pas vouloir le reconnaître comme leur dieu, il les y contraindrait avec des armées, après quoi ils seraient tous vendus comme esclaves. Ce décret menaçant fut promulgué l'année même où Caligula fit élire son cheval Incitatus consul de Rome.

Caligula expédia son édit concernant les Juifs à un fidèle vétéran des guerres romaines, le général Pétrone, qui était cantonné à Antioche avec deux légions au complet. Ce soldat respectueux de la discipline militaire prit aussitôt des mesures pour soumettre la Judée, et imposer la volonté de l'empereur. Il fit venir une troisième légion d'Italie et trois groupes auxiliaires de Syrie, puis il attendit le vaisseau romain qui devait apporter quarante statues monumentales de Caligula, à Ptolémaïs d'où il se proposait de déployer ses troupes en Judée pour dompter les Juifs.

A trois lieues à l'est du port, dans la petite ville frontière de Makor qui avait si souvent supporté par le passé le premier assaut de l'envahisseur, vivait un jeune Juif nommé Yigal. Il n'était ni prêtre ni marchand, et les simples préceptes de sa religion lui étaient plus doux que des

rires d'enfant. Il travaillait aux pressoirs à huile, dans le quartier sud de
la ville, et ne possédait rien au monde, pas même la maison dans
laquelle il habitait avec sa femme et ses fils. C'était une famille économe,
et les enfants ne gaspillaient jamais les quelques drachmes que gagnait
leur père. Pour la fête des Tabernacles, ils mendiaient quelques pièces,
pour construire la hutte dans laquelle ils vivraient avec leurs parents
pendant les journées saintes. A Pâque ils assiégeaient leur père pour
qu'il achète un cabri, et à la fête commémorant le triomphe de la
reine Esther sur Haman le Perse, ils exigeaient encore quelque menue
monnaie pour acheter les bonbons et les babioles traditionnels.

L'année où Pétrone fondit sur la Judée avec ses légions, Yigal avait
seulement vingt-six ans, et il était un des hommes les plus insignifiants de
Makor, mais par quelque intuition, ce fut lui qui prévit, avec une éblouissante clarté, ce qui arriverait aux Juifs si les Romains réussissaient à
ériger leurs statues de Caligula dans les synagogues et à profaner ainsi
le temple de Jérusalem. Plus étonnant encore, ce fut ce Yigal — ce
simple ouvrier rural — qui imagina la seule tactique par laquelle les
Juifs pouvaient tenir les Romains en échec. Un matin donc, et il en
était le premier surpris, il rassembla autant de Juifs qu'il le put dans
le forum romain de Makor, et, debout sur les marches du temple de
Vénus, il les harangua ainsi :

— Juifs de Makor, nos pères nous ont parlé de ce jour lointain où
le tyran Antiochos Epiphane a cherché à violer nos lieux saints avec sa
propre image considérée comme celle d'un vrai dieu. Nos ancêtres se sont
alors soulevés contre lui et l'ont chassé du pays. Je sais que nous ne pouvons répéter leur exploit. Les Romains sont beaucoup plus forts que les
Syriens ne l'ont jamais été. Ils ont de redoutables légions qui n'ont
jamais connu la défaite et nous, pauvres Juifs, sommes impuissants à les
affronter. Nos chefs Siméon et Amram ont raison quand ils nous conseil-
lent de ne pas prendre les armes contre les Romains, de ne les
harceler ni les molester d'aucune façon, car si nous faisions cela, les
Romains détruiraient cette ville et aussi Jotapata et toutes les autres,
peut-être même Jérusalem. Non seulement nos synagogues seraient profanées, mais elles seraient rasées, et nous serions vendus comme esclaves,
comme aux jours de la déportation à Babylone. Nous sommes sans
défense, et l'ennemi est à nos portes.

Yigal n'était pas un homme que ses concitoyens écoutaient, d'ordinaire. Il n'était pas grand comme le plus âgé des prêtres, ni corpulent
comme le gouverneur, pas plus qu'il n'était particulièrement brillant. Il
était de taille moyenne, plutôt fluet, avec des cheveux ternes et des
yeux sans couleur bien définie. Sa voix n'était pas autoritaire, mais elle
était bien timbrée, et son élocution bonne. Ce n'était certes pas un homme
que l'on peut se choisir pour chef, et s'il n'avait pas progressé dans son
emploi, c'était qu'à part sa conscience professionnelle et son honnêteté,
les contremaîtres n'avaient pas d'autres louanges à lui faire. Même son
amour du judaïsme ne le différenciait en rien de ses coreligionnaires,
car il n'avait jamais été un fanatique. C'était un simple, qui tirait plus de

joies de la loi mosaïque que, dans son idée, un Romain n'en pourrait tirer de son Caligula-Jupiter ou un Grec de son Zeus-Baal.

— Nous sommes sans défense, reprit-il, mais nous ne sommes pas sans force. Cette nuit, je vais partir pour Ptolémaïs, avec ma femme Beruriah et mes trois fils, et nous nous coucherons en travers de la route devant les légions du général Pétrone, et nous lui dirons que nous préférons mourir que de voir ses hommes placer des statues de son empereur dans nos synagogues. Si tous nous faisons cela, si nous consentons à offrir nos gorges et les gorges de nos enfants aux glaives de Rome, Pétrone sera obligé de nous écouter. Il ordonnera peut-être à ses hommes de nous égorger. Demain, je serai peut-être mort, moi et ma femme et mes fils que je chéris. Mais nous aurons prouvé aux Romains qu'ils ne peuvent pas commettre ce sacrilège sans exterminer tous les Juifs de Judée jusqu'au dernier.

Siméon, le chef reconnu des Juifs de cette région de Galilée, ridiculisa le plan de Yigal, en disant que même neuf cents gorges de Juifs n'impressionneraient pas un homme comme le général Pétrone. Mais Yigal s'entêta. Il reprit ses arguments et à sa surprise un fermier nommé Naaman, plus vieux que Yigal mais aussi insignifiant que lui, vint le soutenir et joindre sa voix à la sienne.

— Notre passé nous a appris, dit-il, que si nous ne protestons pas avec toute notre énergie, nous serons étouffés par les Romains. Voici l'épreuve finale. Si nous ouvrons nos synagogues aux statues de Caligula, nous sommes perdus. Il n'y a véritablement pas d'autre solution, et je suis d'accord avec Yigal pour que nous marchions sur Ptolémaïs pour nous jeter devant les légions romaines, en leur disant de nous tuer sur place. J'accompagnerai Yigal.

— Insensés ! tonna Siméon. Les semailles approchent et on aura besoin de vous aux champs.

Car c'était la communauté juive qui s'occupait des travaux des champs, les Grecs seuls étant marchands dans la ville.

A cela, Yigal répliqua :

— Ces champs peuvent être notre arme principale. Si nous refusons de semer, les Romains seront obligés de nous écouter.

— Non, déclara Siméon. Contre les Romains, personne ne peut rien.

La ville se sépara alors en deux camps, la majorité convenant avec Siméon que la soumission était la seule façon de préserver les Juifs, et la minorité prenant parti pour Yigal et Naaman en déclarant qu'il fallait s'opposer aux Romains tout de suite, quand bien même les légions de Pétrone étaient armées et que les Juifs n'avaient rien.

Pendant toute cette journée, tandis qu'à Ptolémaïs le navire romain déchargeait les statues de Caligula, les Juifs de Makor discutèrent, et, vers le moment où le général Pétrone se mettait en marche pour Jérusalem, pour déposer ses statues dans chaque village conquis, en gardant les deux plus grandes pour le temple, Yigal finit par persuader à peu près la moitié des Juifs de Makor. Debout au milieu du forum, il leur dit simplement :

— Nous allons faire confiance à Dieu tout-puissant pour qu'il illumine le cœur du général Pétrone et lui démontre qu'il n'osera jamais tuer tous les Juifs de Judée. Si nous réussissons, même au prix de notre vie, quelle grande œuvre nous aurons accomplie pour le Seigneur !

— Vous n'arrêterez jamais les Romains, se lamenta Siméon.

— Nous n'avons pas d'autre choix, rétorqua Yigal.

Il baissa la tête et pria un moment, puis il réunit sa femme et ses trois fils et se mit lentement en marche vers la porte principale. Le fermier Naaman et sa famille le suivirent, et ils furent rejoints par d'autres qui comprenaient les intentions de Yigal. Mais la plupart des Juifs plus âgés et tous les Grecs se moquèrent de la petite troupe de quatre cents pèlerins qui partaient sans armes et sans général pour les conduire.

Yigal sortit de la ville et s'engagea sur la route pavée menant à Ptolémaïs. A pas lents, afin que les femmes et les petits enfants pussent suivre, il entama la marche historique vers le port de mer où les légions romaines attendaient. Son armée en guenilles passa l'ancienne frontière des Phéniciens et, au coucher du soleil, elle arriva sur la colline dénudée le long de la rivière Belus, d'où pendant trois mille ans le premier port d'Acre avait contemplé la Méditerranée. Au crépuscule, les Juifs atteignirent la plaine devant la ville neuve perchée sur la péninsule, que le roi Hérode avait dotée de magnifiques édifices, et là, sous les murailles de Ptolémaïs aux portes massives, Yigal et sa troupe s'assirent sur le sol et attendirent.

La nuit tomba. On distinguait les ombres des soldats romains sur les remparts, éclairés par les feux qui brûlaient dans la ville. Les Juifs n'avaient pas de feux, et la nuit était froide, mais ils se serrèrent les uns contre les autres sur la terre nue, en se demandant tous ce que les Romains feraient le lendemain.

Quand le soleil se leva, le général Pétrone contempla cette foule du haut d'une tour de guet et, ne comprenant pas ce que cela signifiait, il dépêcha quelques légionnaires pour appréhender les chefs de cette populace. Quand les soldats arrivèrent, Yigal et Naaman se proposèrent comme otages.

Ils furent conduits en ville, dans un forum où le général Pétrone les reçut, entouré des seize centurions en chef de ses légions. Les Romains portaient la tenue de guerre, une tunique courte, des sandales cloutées de métal, des jambières, des capes et les insignes de leur rang. Ils étaient tous des guerriers résolus, prêts à obéir à leur général et à tuer cent mille Juifs s'il le fallait pour assurer le succès de leur mission. Il n'y avait certainement pas un soldat, à Ptolémaïs, qui crût que Caligula était un dieu, mais tous pensaient que si l'empereur désirait raconter à ses lointaines provinces qu'il en était un, les provinces n'avaient qu'à s'incliner. Les militaires toisèrent avec mépris les deux Juifs en longues robes qui s'avançaient.

— Qui sont ces gens, là devant les murs ? demanda Pétrone en grec.

C'était un homme de haute taille, de belle mine, fils d'une bonne

famille de Rome et un érudit porté à méditer sur les leçons de l'histoire. Il s'exprimait toujours en grec, langue qu'il avait apprise de ses esclaves athéniens.

Yigal lui répondit dans la même langue :

— Nous sommes des Juifs. Nous venons vous supplier de ne pas apporter vos statues dans notre pays.

Quelques soldats se mirent à rire, et Pétrone répondit :

— Des statues de Caligula doivent être érigées dans toutes les provinces. Tels sont les ordres.

— Nous préférons mourir que de les laisser placer chez nous, riposta paisiblement Yigal.

Les capitaines éclatèrent de rire, non pour se moquer du petit paysan malingre, mais parce que la situation leur paraissait comique.

— A sept heures, ce matin, déclara Pétrone, nous entamerons notre marche sur Jérusalem, et toi et tes Juifs vous ferez bien de vous écarter, car nous devons livrer nos statues.

Derrière le groupe d'officiers, Yigal voyait la première des grandes sculptures blanches que des esclaves devaient charrier par monts et vallées pendant plusieurs mois. De tous ses quarante visages de marbre, le dieu Caligula souriait à cette scène.

— Respecté général, reprit Yigal, si tu tiens à imposer ces statues sur nos terres, tu devras d'abord nous tuer tous, là dans la plaine.

La forte simplicité de ces paroles provoqua deux réactions. Le général Pétrone fut d'abord stupéfait de ce que cet homme lui disait, mais il reprit vite son assurance et il empoigna à la gorge le petit Juif insolent.

— Portes-tu un défi à la puissance de Rome ? gronda-t-il.

Naaman intervint :

— Nous n'avons pas de querelle avec Rome, général. Deux fois l'an, nous faisons des sacrifices à Rome. Nous servons dans ses armées et nous payons ses impôts. Mais nous ne pouvons admettre chez nous des images sculptées ou peintes, qu'elles soient de dieux ou d'hommes.

— C'est ce que nous allons voir, tonna Pétrone en repoussant Yigal.

Il donna l'ordre à ses légions d'avancer. Les portes de la ville furent ouvertes. Les centurions lancèrent des ordres que les décurions transmirent aux hommes et la marche commença. Mais comme les premiers soldats franchissaient la porte, Pétrone ordonna subitement une halte.

— Amenez la plus petite des statues, cria-t-il.

Les esclaves coururent chercher le beau buste de Caligula en marbre noir, couronné de feuilles de vigne. C'était une œuvre dont tous les musées eussent été fiers et qui serait encore admirée dans mille ans.

— Le dieu Caligula avancera devant nous pour entrer en Judée, proclama Pétrone.

L'armée se remit alors en marche, avec les esclaves devant elle.

Mais les soldats n'avaient pas fait beaucoup de chemin qu'ils se heurtèrent aux quatre cents Juifs de Makor — cette petite ville sans intérêt dont aucun Romain n'avait jamais entendu parler — qui s'étaient résolument couchés en travers de la route et barraient le passage. Les

esclaves, portant la statue sacrilège, s'arrêtèrent, ne sachant que faire. Des centurions se précipitèrent, l'épée haute. Il y eut un moment pénible, et les Romains hésitèrent à tuer ces gens sans ordres précis de leur général. Aucun des Juifs n'était armé.

Pétrone accourut alors de l'arrière, avec Yigal et Naaman qui étaient ses prisonniers, et vit par lui-même que les Juifs de Makor étaient effectivement bien décidés à mourir plutôt que de laisser passer la statue. Il estima qu'ils étaient moins de cinq cents, dont plus de la moitié de femmes et de petits enfants, alors qu'il avait sous son commandement quelque dix-huit mille soldats en armes. S'il donnait le signal du carnage, l'affaire pouvait être terminée en un quart d'heure, mais il avait de la sensibilité, il avait remporté de nombreuses victoires sans massacrer de femmes ni d'enfants, et il hésita. Se tournant vers Yigal, un homme qui n'avait que la moitié de son âge, un homme sans culture ni distinction, Pétrone lui dit :

— Ordonne à ton peuple de se disperser.

— Nous allons mourir... là sur la route.

— Centurions ! Dégagez la route !

Les soldats obéirent vivement et se ruèrent sur les Juifs le glaive à la main, mais en voyant que le peuple de Makor ne faisait rien pour se protéger, et attendait les coups avec résignation, Pétrone arrêta ses hommes. Le front en sueur, le général romain s'adressa de nouveau à Yigal :

— Jeune homme, s'ils ne m'obéissent pas, nous allons être obligés de tous les exterminer. Dis-leur de se lever et de s'écarter.

— Je te l'ai dit... nous allons mourir.

— Mais pourquoi ? gémit Pétrone, en montrant avec désarroi la statue noire du nouveau dieu. Pour un morceau de pierre, vous consentiriez à mourir ?

— Un faux dieu ne doit pas pénétrer dans notre pays.

Pétrone soupira. Il savait que César Caligula n'était pas dieu. Il savait aussi que Caligula était devenu un faux dieu parce qu'il avait fait assassiner son prédécesseur Tibère. Et il se doutait qu'avant peu Caligula serait assassiné à son tour. Les excès de l'empereur, qui faisait égorger de respectables citoyens afin de pouvoir coucher une nuit avec leur femme, qu'il envoyait ensuite à la prostitution ou en esclavage — ces abominations devaient cesser. Mais en attendant, Caligula était empereur, et il était également dieu. Le défier en quelque façon que ce soit, permettre aux Juifs de le défier, c'était la mort certaine pour tous.

— Je vais lever le bras, avertit le général exaspéré. Quand je l'abaisserai, nous avancerons et si des Juifs se trouvent sur notre chemin... Centurions ! Mettez-les en pièces !

Le général romain, soutenu par toute une armée, affrontait sous le soleil deux Juifs insignifiants, le premier simple manœuvre aux pressoirs à huile, l'autre petit cultivateur travaillant la terre chez les autres. Il leva son bras droit ; il avait un bâton d'ébène à la main. Il portait au bras les galons d'or, insignes de son rang, et avec son bâton levé, sa noble posture, il était vraiment impressionnant. Il avait l'air de

compter, mais on ne pouvait l'entendre, car un murmure de prières s'élevait de la foule des Juifs, dominé par la voix claire d'un vieillard :

— Entends, ô Israël, le Seigneur notre Dieu, le Seigneur est un.

Il était évident, et aucun n'en pouvait douter, que pour défendre cette doctrine — qu'il n'y avait et ne pouvait y avoir qu'un seul Dieu, un et indivisible — les Juifs étaient prêts à mourir.

Les centurions levèrent leurs épées. Les esclaves s'écartèrent, avec Caligula, et pendant un long, très long moment, le général Pétrone hésita. Le bras toujours levé, il considéra Yigal et Naaman, qui seraient les premiers à mourir, et il vit qu'ils n'avaient nulle intention de donner à leur peuple l'ordre de dégager la route. Comme leurs compagnons, ils priaient avec ferveur.

— Ramenez-moi ces deux-là dans la ville, commanda-t-il.

Tenant toujours son bras levé, il tourna le dos aux Juifs prostrés, et donna l'ordre à ses hommes de le suivre. Puis il abaissa lentement son bras et se frappa sept fois la jambe droite de son bâton. Derrière lui, dans la plaine, il entendit les Juifs entonner un psaume non de victoire mais de louanges.

Une fois revenus en ville, Pétrone dit à Yigal :

— Nous allons affamer tes Juifs pour faire entrer la raison dans leur esprit. Ils mourront par leur propre faute.

Il fit cerner les Juifs, interdisant à quiconque de quitter la plaine, et durant toute la journée torride les Juifs restèrent sous le soleil écrasant. Les esclaves charrièrent de la ville une gigantesque statue de César Caligula et la déposèrent debout en face de la foule assoiffée. Durant la nuit froide qui suivit, les soldats du cordon de troupe purent entendre des enfants pleurer tandis que le visage bienveillant de Caligula leur souriait au clair de lune. Et le soleil du lendemain se leva, plus implacable encore que la veille. Le vieillard qui avait récité la prière mourut avec le nom du Seigneur sur ses lèvres. Des enfants s'évanouirent.

Cet après-midi-là, à quatre heures, alors que la chaleur était le plus atroce, le général Pétrone conduisit Yigal et Naaman dans la plaine et leur demanda encore une fois de donner l'ordre aux Juifs de se disperser.

— Nous sommes venus ici pour mourir, répondit simplement Yigal.

Pétrone donna alors l'ordre à un esclave de donner à Yigal une gourde d'eau fraîche, et tandis que le Juif buvait sous la menace, à l'ombre de la grande statue, Pétrone cria aux Juifs prostrés :

— Voyez, il ne souffre pas. Il a toute l'eau qu'il désire !

Puis, de ses mains, il versa le restant de l'eau aux pieds du dieu, où la terre craquelée l'absorba en un instant.

— N'écoutez pas ce fou, cria Pétrone. Rentrez chez vous. Retournez chez vous !

Personne ne bougea, et la troisième nuit glacée passa, sans eau ni vivres. Au matin, un petit enfant mourut. Alors Pétrone sentit son propre gosier se dessécher, comme s'il avait le feu dans la gorge. Il lutta un moment contre cette sensation d'étouffement, puis il prit une décision.

— Que les esclaves rapportent la statue, ordonna-t-il.

Quand cela fut fait, il emmena Yigal et Naaman aux portes de la ville.

— Ramenez vos Juifs chez vous, leur dit-il avec douceur. Dans trois jours, réunissez tous les chefs juifs de Galilée et venez me retrouver à Tibériade. Nous déciderons ensemble de ce qu'il convient de faire.

Yigal s'éloigna alors des murailles de Ptolémaïs, en marchant comme un somnambule dans la plaine où les Juifs de Makor attendaient la mort. Son cœur se serra en contemplant ces visages blêmes. Il aurait voulu s'agenouiller devant chacun, car ces gens simples, par la force de leur foi, avaient détourné les puissantes légions de Rome. Soudain, il entendit un sourd grondement et des cris d'enfants. Le général Pétrone avait envoyé ses esclaves avec de grandes bassines de nourriture et des urnes pleines d'eau. Aucun adulte n'avait le droit de toucher aux rations, mais les enfants devaient être maintenus en vie, sur l'ordre du général romain.

Trois jours plus tard, les notables juifs de Galilée se réunirent à Tibériade — cette éblouissante ville neuve bâtie sur les rives de la mer de Galilée par Hérode Antipas, le fils d'Hérode le Grand — et là le général Pétrone leur exposa son problème. Naturellement, Yigal et Naaman ne participaient pas à cette conférence, car à Makor ils n'étaient pas considérés comme des notables. Le prudent Siméon, Amram et quelques autres dignitaires les remplaçaient, mais de villages environnants vinrent de solides jeunes hommes comme Yigal, et tous écoutèrent le général romain plaider sa cause et leur demander de se mettre à sa place :

— Je suis un soldat, je suis tenu d'obéir à mon empereur. Si je désobéis, si je n'érige pas les statues, je serai exécuté. Alors César Caligula viendra en personne vous faire la guerre, et il n'enverra pas d'eau à vos enfants à l'agonie. Il massacrera tous les Juifs de Judée.

— Il le faudra bien, répondit un des jeunes Juifs, et tous les autres approuvèrent.

— Etes-vous donc prêts à résister à César lui-même ?

— Nous le sommes. Nous mourrons tous, plutôt que de permettre à ses statues d'entrer chez nous.

Les discussions se poursuivaient jour après jour et en dépit de toutes les menaces, les Juifs demeuraient inébranlables. Pétrone fit appel à leur intérêt, il leur parla théologie en arguant que dans les autres pays, les gens avaient accepté les statues mais continuaient d'adorer leurs dieux, et comme il était un homme d'honneur, connaissant aussi bien les idées philosophiques de Grèce que la stratégie sur le champ de bataille, il trahit parfois sa pensée en leur parlant en humaniste :

— Voulez-vous me forcer à massacrer des femmes et des enfants ? J'y serai contraint si vous continuez de refuser.

Et quand il leur dit cela, les Juifs comprirent qu'il était déjà décidé à ne pas massacrer la multitude, même s'il ne le savait pas encore lui-même.

Pétrone, pour se reposer des âpres discussions avec des Juifs obsti-

nés, passait ses après-midi aux bains chauds qui faisaient la renommée de Tibériade, et dans ces eaux minérales gazeuses il essayait d'oublier son dilemme. Il priait qu'un miracle vînt résoudre son problème. Le stylet d'un assassin pouvait trouver le chemin du cœur du tyran... Mais rien ne se produisait.

Enfin, un jour, il s'emporta :

— Vous êtes là avec moi depuis des semaines, et vous n'avez même pas eu la courtoisie de m'amener l'homme qui a déclenché tout ceci !

Il envoya des messagers romains à Makor pour en ramener Yigal et quand le jeune Juif arriva à Tibériade, Pétrone le conduisit aux bains chauds. Il éclata de rire quand le jeune homme refusa tout d'abord de se déshabiller.

— Allons, j'ai déjà vu des circoncis, plaisanta le général.

Il persuada Yigal d'entrer dans le bain, et là les deux hommes parlèrent en toute simplicité, dépouillés de la panoplie de la gloire et de l'orgueil de l'honneur individuel.

— Jeune homme, plaida Pétrone, si vous ne me cédez pas maintenant, vous aurez à affronter César Caligula. Il sera un adversaire abominable. Il vous brûlera tout vifs, ou il vous mettra en croix par centaines.

— Alors nous mourrons.

Les deux hommes sortirent du bain et quand des esclaves les eurent massés et rhabillés, Pétrone insista :

— Je t'en prie, réfléchis à ce que tu fais.

— Nous ne pouvons faire autre chose.

— Maudits Juifs ! cria Pétrone.

D'un coup de poing violent, il jeta le petit Juif malingre à terre. Mais il se baissa aussitôt, tout honteux, et l'aida à se relever, puis il serra le jeune homme ahuri entre ses bras.

— Pardonne-moi, murmura-t-il. Ces réunions me rendent fou. N'y a-t-il aucun espoir d'accommodement ?

— Il te faudra tuer tous les Juifs de Galilée, et ensuite ceux de Sébaste, et ceux de Jérusalem.

Ce soir-là, Pétrone rassembla tous les négociateurs dans une auberge au bord du lac et il leur dit :

— Juifs de Galilée, il faut ensemencer vos champs. Aucune terre de l'empire ne peut être abandonnée pendant les semailles. Je vous renvoie donc chez vous, vous occuper de vos champs.

Les Juifs accueillirent ces propos avec méfiance, car jusque-là il n'avait pas proposé de retirer les statues, et ce pouvait être une ruse. Et puis le grand général baissa la tête et murmura dans un souffle :

— Je vais remporter les statues. Avec l'aide de votre dieu, je vais essayer de persuader César Caligula qu'il ne peut aller contre les désirs des Juifs de Galilée. Les Romains ne peuvent assassiner un peuple tout entier.

Il se redressa, tira sur sa tunique militaire et demanda son bâton de commandement. Enfin, avec une grande dignité, il déclara d'une voix forte :

— Si j'échoue, je périrai. Mais je mourrai heureux si par mon geste j'ai sauvé de nombreux hommes d'honneur.

Et il donna l'accolade à Yigal.

Ce fut ainsi que Makor, grâce à sa foi et à sa confiance en son Dieu unique, vainquit la puissance de l'empire romain.

On peut lire dix mille pages d'histoire et n'y découvrir que la corcuption du pouvoir et la défaite de l'espoir, mais de temps en temps on tombe sur une aventure semblable à celle du général Pétrone qui, parce qu'il avait le cœur noble et qu'il connaissait la philosophie grecque, refusa de détruire Makor et retourna au port de Ptolémaïs, où il fit rembarquer ses statues et ses troupes, et regagna Antioche. Là, il rédigea un rapport à Caligula, en lui expliquant que Rome ne saurait être grandie par un massacre général des Juifs, et qu'afin d'éviter des troubles graves mieux valait renoncer à l'érection des statues en Judée.

Caligula reçut la dépêche dans un mauvais moment. L'insolent mépris des Juifs et la pusillanimité de son général l'enragèrent. Par messager rapide, il fit porter à Antioche l'ordre de l'extermination totale des Juifs, en commandant à Pétrone de se suicider. Mais le jour même où ses envoyés s'embarquaient à Podi, les patriotes romains se soulevaient et assassinaient leur exécrable empereur. Un autre messager fut dépêché en Syrie, pour féliciter Pétrone et annuler l'ordre d'extermination, mais nul n'osait espérer qu'il pût arriver avant la mort du général.

Faisant voile vers l'Orient, sur les mêmes eaux, les vaisseaux concurrents — l'un portant la mort, l'autre la vie — traversaient la même mer. Et voilà que des tempêtes retardèrent la galère de la mort et la retinrent prisonnière tandis que la nef de la vie atteignait paisiblement le port et informait le général Pétrone de la mort de Caligula et de son propre salut.

Ainsi, Pétrone et Makor furent sauvés, mais Rome ne l'était pas, car elle continua de tomber entre les mains d'empereurs dégénérés, et l'assassinat devint le moyen courant d'accéder au trône. En 37, le tyran Tibère avait été étouffé mais son successeur Caligula s'était révélé pire despote encore. Maintenant, en 41, Caligula était poignardé et Claude lui succédait, l'époux de la terrible Messaline. Ceux-là aussi furent assassinés. Et en 54, ce fut l'avènement du plus effroyable des tyrans, Néron, qui un jour, après avoir fait mourir à coups de pied sa femme enceinte, tourna son attention vers les lointains Juifs, aux marches de son empire.

— Une révolte des Juifs ? Qu'est-ce à dire ? demanda-t-il à ses généraux.

Ils lui expliquèrent que, sous l'administration de Ponce Pilate, il y avait eu des échauffourées, à cause des étendards des légions cantonnées à Jérusalem ; les aigles dorés ornant la hampe étaient adorés par les soldats et les Juifs exigeaient que ces idoles fussent supprimées avant que les drapeaux entrent dans la ville sainte. De nouveaux troubles avaient été provoqués un peu plus tard par une histoire de crucifixion

au sujet de laquelle Pilate semblait avoir gaffé. Il y avait enfin Paul de Tarse, un dangereux agitateur qui prétendait que son dieu lui avait parlé sur la route de Damas et qui fomentait des troubles tant chez les Juifs que chez les païens. Mais avant tout, rapportèrent les généraux, les Juifs de Jérusalem parlaient de l'établissement de leur royaume de Dieu et devenaient de plus en plus dédaigneux de la domination romaine.

— Ils nous défient ouvertement, assurèrent les militaires, et la source de leur force est dans leur temple, d'où part toute l'agitation.

— Y a-t-il eu des combats ? demanda Néron.

On lui répondit qu'au mois de novembre 66, des fanatiques juifs avaient repoussé de Jérusalem toutes les forces romaines et avaient ce faisant tué plus de six mille soldats romains. Le jeune empereur au cou de taureau laissa tomber deux ordres laconiques :

— Détruisez Jérusalem. Rasez le temple.

Ce n'était pas à n'importe quel général que Néron donnait ces ordres pour résoudre définitivement le problème juif. Il ne choisissait pas un Pétrone, alourdi par le fardeau moral de la philosophie grecque et ouvert à la tolérance. Néron porta son choix sur Vespasien, un lourd et consciencieux plébéien de cinquante-sept ans, qui serait assisté par son fils Titus. Ils auraient sous leurs ordres la Ve légion macédonienne et la Xe légion Fretensis, les deux plus magnifiques corps d'armée du monde, composés non pas de mercenaires mais de libres citoyens de Rome. Et, en prenant le commandement, le premier geste de Vespasien fut d'envoyer Titus en Egypte chercher la XVe légion Apollinaris, une unité mercenaire entraînée à la guerre du désert et commandée par un fin stratège nommé Trajan.

A Antioche, cette armée écrasante se rassembla — les Ve et Xe, plus vingt-trois cohortes, six ailes de cavalerie et des troupes auxiliaires fournies par les provinces occupées, et des unités du génie, des ouvriers, des esclaves et des serviteurs — au total près de cinquante mille hommes. Vespasien marcha rapidement sur Ptolémaïs, où il fut rejoint par Titus et Trajan, qui ramenaient la XVe légion de son repos en Egypte.

Vespasien était un des plus habiles généraux de Rome, implacable quand il le fallait — il l'avait prouvé en Germanie — ou conciliant à l'occasion, comme il l'avait été en Bretagne, ou tacticien audacieux, comme il l'avait démontré en Afrique. Il était têtu, lourd de corps et de cœur généreux. Adoré de ses soldats, il était destiné à devenir le premier bon empereur que Rome ait connu depuis un demi-siècle. C'était un homme qui savait respecter à la fois ses alliés et ses adversaires, et les traiter tous deux avec les mêmes honneurs.

Il n'était pas non plus un intrigant, mais il comprenait tout de même que, bien qu'il eût près de soixante ans et Néron trente à peine, l'empereur avait déjà donné tant de signes d'un dérangement mental qu'il serait sans doute nécessaire de l'étrangler bientôt, et alors, s'il réussissait lui-même à étouffer dans l'œuf la révolte de Judée, sans doute pourrait-il se mettre sur les rangs et accéder au trône à la disparition de Néron. Il donna en conséquence l'ordre à ses centurions de

marcher directement sur Jérusalem, fondant tout son avenir sur une victoire rapide. Mais, en étudiant ses cartes, il constata ce même état de choses dangereux qui avait inquiété tant d'autres conquérants éventuels de la Judée : pour atteindre Jérusalem, il lui faudrait traverser la Galilée, cette antique patrie des guerriers et des hommes résolus, et pour pénétrer en Galilée, il fallait d'abord conquérir la petite ville forte de Makor. Réunissant son état-major, il demanda :

— Quels rapports a-t-on reçus sur la Galilée ?

— Terrain difficile. Des collines. Des grottes occupées par des fanatiques. De petites villes fortifiées au sommet de pitons rocheux. Le tout commandé par le meilleur général que les Juifs aient jamais produit.

— Qui ?

— Josèphe. Un jeune homme élevé à Rome. Une trentaine d'années. Brillant en terrain découvert. Plus brillant encore quand sa situation est désespérée. Les Romains ne l'ont encore jamais vaincu. Arrogant dans la victoire, il l'est plus encore dans la défaite. Par quelque miracle, même quand il paraît écrasé, il réussit à ranimer ses troupes et à les relancer au combat le lendemain.

— Où est-il en ce moment ?

— Heureusement pour nous, il est à Tibériade, où il perd son temps.

— Vous êtes sûrs qu'il n'est pas à Makor ?

— Non. Il semble avoir négligé son importance.

— Vous êtes bien certains qu'il n'est pas à Makor ? insista Vespasien.

— Nos espions l'ont vu à Tibériade hier soir, sur le lac. Nos espions à Makor disent qu'il n'y est jamais venu, et qu'il ne s'y trouve point.

— Alors nous allons opérer rapidement, avec toutes nos forces, et nous emparer de cette place forte.

Ainsi, le 4 avril 67, le général Vespasien, les généraux Titus et Trajan quittèrent Ptolémaïs à la tête de près de soixante mille hommes et de cent soixante machines de guerre. La vengeance de Néron était en marche contre les Juifs.

Cette année-là, l'ouvrier agricole Yigal avait cinquante-trois ans. Il était toujours employé aux pressoirs à huile, et il était toujours un homme insignifiant dans sa communauté. Ses trois fils étaient mariés, et sa plus grande joie était de jouer avec ses onze petits-enfants entre les colonnes du forum.

Makor avait vite oublié comment Yigal avait réussi à préserver la Judée des statues de Caligula, et si en cette année 67, plus d'un quart de siècle après la résistance contre les Romains, l'on demandait aux habitants de la ville qui en avait été le héros, tout le monde répondait « Naaman ». C'était compréhensible, car après avoir quitté Pétrone, Yigal avait repris son humble travail et n'avait plus pensé à son exploit, tandis que Naaman était rentré chez lui transformé par le miracle que Dieu avait accompli. Sans hésiter, sans même prendre conseil de sa

femme, il avait abandonné sa vie paysanne et, à l'âge de trente-huit ans, il s'était confié au grand-prêtre Siméon en lui demandant de l'instruire. Durant de nombreuses années, ce paysan illettré avait travaillé, appris par cœur les livres saints, discuté leurs préceptes dans la synagogue et avait fini par devenir un érudit et un sage. A soixante-cinq ans, il était maintenant un vénérable vieillard à barbe blanche, dont on venait quêter les conseils de tous les villages de Galilée, et que les Juifs appelaient Rabbi.

Grâce à ses murailles protectrices, la violence et les périls de cette époque troublée furent épargnés à Makor, et Rabbi Naaman espérait que ce répit durerait jusqu'au jour où les troupes de l'empereur Néron viendraient pacifier la Judée. Makor se soumettrait alors à Rome, les gouverneurs stupides seraient chassés et les conditions de vie se stabiliseraient. En somme, on pouvait dire que Rabbi Naaman avait hâte de voir arriver les légions.

Mais il avait compté sans Yigal, qui depuis des années était resté l'humble travailleur des champs et n'avait jamais une fois élevé la voix aux réunions de la synagogue. Voilà qu'à la surprise générale, Yigal se redressait et déclarait :

— Une fois encore, nous devons résister à la puissance de Rome.

Tous se récrièrent et lui demandèrent pourquoi il prononçait des paroles insensées. Mais il s'entêta :

— Nous devons protéger notre Dieu.

Rabbi Naaman intervint alors :

— Nous ne devons pas résister à Rome, car son devoir est d'étouffer la révolte à Jérusalem. Je puis vous assurer que lorsqu'elle aura pacifié la Judée, les Juifs auront la liberté religieuse sous le règne de rois nommés par Rome.

— Il n'y aura pas de liberté, rétorqua Yigal.

— Que peux-tu savoir de la chose publique ? s'écria Naaman. As-tu conféré avec les Romains à Césarée ? Sais-tu le mal qu'ont fait les nôtres à Jérusalem ?

— Je sais seulement que le destin de notre terre est en jeu, répondit le petit homme obstiné. Je sais que si nous ne résistons pas maintenant, nous serons tous envoyés en esclavage et Makor ne sera plus. Nous devons résister à Rome.

Le débat se poursuivit pendant de longs jours, à la fin du mois de mars, et Yigal évita de parler du succès qu'ils avaient remporté un quart de siècle plus tôt car les conditions n'étaient plus les mêmes. Rome cherchait alors simplement à faire entrer dans le pays des statues d'un empereur dément qui se prenait pour un dieu, et les soldats pouvaient sans déshonneur refuser d'obéir à des ordres aussi insensés. Mais cette fois les légions venaient en expédition punitive pour réprimer une révolte armée, et lorsque Vespasien aurait quitté Ptolémaïs pour sa marche à travers la Judée, il ne serait pas facile de lui faire faire demi-tour. Reconnaissant la gravité de la situation, Yigal ne se laissa pas entraîner à la démagogie en criant : « Ce que nous avons fait jadis, nous pouvons le refaire »,

mais en bon paysan qu'il était, il parla avec simplicité à ses coreligionnaires.

— Si nous résistons à Vespasien, ici à Makor, nous pourrons peut-
être le contraindre à réfléchir.

Naaman haussa les épaules.

— Un marchand de Ptolémaïs me dit que Vespasien y a déjà rassemblé trois légions, la Ve, la Xe et la XVe.

— Trois légions romaines sont une puissante armée, reconnut Yigal,
mais il y a deux siècles des Juifs comme nous se sont opposés à Antiochos
Epiphane et, commandés par Judas Macchabée, ils ont remporté la
victoire.

— Qui nous commandera, cette fois ?

— On trouve toujours un chef de guerre.

— Sais-tu seulement ce que sont trois légions romaines ? Elles nous
écraseront comme une amande. Notre seul espoir est de capituler et de
nous confier à la miséricorde des vainqueurs.

Mais Yigal s'entêtait.

— Quand les foudres du mal tombent sur une ville, il n'y a qu'une
chose à faire. Résister. Nous avons des vivres. Nous avons des remparts
et nous avons de l'eau. Je dis que nous devons résister.

Dans toute la petite ville, Yigal alla prêcher la résistance, tandis
que Naaman, de son côté, allait de maison en maison pour rallier les
petits ouvriers des pressoirs et semer le désarroi dans les cœurs en parlant
des trois légions de Rome, trois légions invaincues qui avaient conquis
l'Europe, l'Asie et l'Egypte.

Naaman eût sans doute fait prévaloir ses avis, et le conflit avec
Rome eût été évité si l'un des Juifs les plus extraordinaires de tous les
siècles n'était venu s'abattre sur Makor comme un tourbillon, encore en
sueur et couvert de poussière après une longue marche, accompagné de
quelques lieutenants prêts à tout. Ce nouveau venu s'appelait Flavius
Josèphe et avait été nommé gouverneur de Galilée par Jérusalem. Agé de
vingt-neuf ans à peine, descendant de ces patriotes macchabéens qui
avaient arraché la liberté des Juifs à Antiochos Epiphane, élevé en Grèce
et à Rome, érudit, un des meilleurs écrivains juifs, il était aussi un prêtre
de haut rang. Surgissant dans le forum comme un jeune dieu, il s'écria :

— Des murs de cette ville, nous repousserons l'envahisseur romain !
Hommes de Makor ! Vous avez été élus !

En quelques heures, il retourna la situation et persuada la population
que Yigal avait raison.

— Moi, général commandant les régions du Nord, je vous dis que
si nous nous opposons à Vespasien avec toute notre force, les légions
romaines ne pourront jamais nous déloger.

La foule l'acclama et les ovations couvrirent les protestations et les
appels à la prudence du vieux Naaman. Josèphe divisa rapidement la
ville en unités militaires, nomma des capitaines parmi les citoyens, envoya
Yigal comme un valet chercher toute l'huile d'olive des pressoirs pour
l'entreposer à l'intérieur de la ville, et inspecta les remparts.

Tout cela ne prit qu'un après-midi. Le soir de ce jour agité, il se tourna enfin vers Yigal et consentit à lui expliquer :

— Nous avons choisi Makor comme pivot de la résistance parce que nous savons que vous avez un puits d'eau douce bien caché. Je voudrais le voir.

Yigal conduisit alors le bouillant capitaine dans la fosse, le long du tunnel en pente, jusqu'au puits, où à son profond étonnement Josèphe ne regarda pas la source mais le plafond.

— C'est solide ? demanda-t-il en frappant du poing les voûtes de pierre.

— C'est très épais.

— Bien, déclara Josèphe en revenant par le tunnel d'un pas rapide.

Durant les jours qui suivirent, Flavius Josèphe ne parut pas souffler une seconde. Il était partout à la fois, exhortant les uns, conseillant les autres, préparant les défenses, veillant à tout, payant de sa personne quand il le fallait. Il visita toutes les citernes et les fit remplir à ras bord, et il ordonna aussi aux femmes de faire chez elles des provisions d'eau, au cas où les Romains parviendraient à s'emparer du puits. Il alla même à la synagogue pour convaincre les anciens et les prêtres qu'il avait raison de résister, et il les retourna tous avec de belles paroles, à l'exception de Naaman qui appréhendait l'avenir. A la veille de la bataille, Makor renaissait à l'espoir, et dans la nuit du 4 avril chacun s'endormit sans inquiétude.

Cependant, malgré le soutien que lui avait apporté Josèphe, Yigal considérait avec méfiance la réussite fulgurante de l'aventurier, car il voyait chez lui différents aspects qui ne lui plaisaient guère. Son enthousiasme était toujours égal quelle qu'en soit la raison, son énergie était vulgaire, il se comportait comme s'il était sûr d'amener n'importe qui à ses avis, il jonglait avec les mots et les chiffres, comme un Grec astucieux, et faisait dire aux faits ce qu'il voulait ; et son inspection de la voûte du puits avait éveillé la méfiance de Yigal. Appréhendant le désastre, alors que naguère il était plein d'espoir, le petit ouvrier du pressoir rentra chez lui, où il passa toute la nuit en prière.

Sur la route de la mer avançaient deux colonnes d'archers aux cuirasses légères et aux jambes musclées, prêts à s'élancer dans n'importe quelle direction pour parer à toute attaque surprise susceptible de mettre en péril le gros de l'armée. Ces troupes de choc étaient composées de Gaulois, de Germains, d'Africains, de Syriens, d'Egyptiens, de Carthaginois, de Grecs et d'hommes venus du Danube. C'était l'unité la mieux disciplinée du monde. Après s'être assurés que la route était dégagée, et qu'il n'y avait pas d'embuscades, les soldats de cette avant-garde se mirent aussitôt à dégager un vaste quadrilatère devant les murs de Makor, pour y dresser le camp.

Vinrent ensuite les détachements de Romains, à l'armement plus lourd, montés sur de solides chevaux. Derrière eux marchait le génie, avec

tout son matériel, pour construire des routes à mesure de l'avance, si l'armée en avait besoin. Puis venaient les fantassins et l'intendance protégée par des détachements de cavalerie.

Derrière cette concentration de troupes serrées apparurent quelque deux cents cavaliers entourant les généraux, Vespasien, son jeune fils Titus et son lieutenant Trajan. Ils étaient suivis par le gros de la cavalerie, dont les mules tiraient les énormes machines de guerre, les catapultes, les tours, les balistes, chaque précieux engin protégé par une compagnie à pied. Venaient ensuite les commandants de divisions, les officiers et sous-officiers, et une dizaine d'hommes de haute taille, montant des chevaux particulièrement beaux, qui tenaient les trois aigles de la V° Macédonienne, de la X° Fretensis et de la XV° Appolinaris. Des trompettes, des tambours, des porteurs d'eau et des cuisiniers suivaient en formation compacte, encadrés de soldats, et c'était seulement après cette stupéfiante avant-garde qu'avançait l'armée proprement dite, les combattants, les milliers de soldats au pas, épaule contre épaule en colonne par six.

L'arrière-garde, de l'infanterie légère, un détachement d'infanterie lourde et quatre unités de cavalerie rapide, protégeait en outre les serviteurs, les esclaves, des mercenaires de Syrie et de Macédoine, des mules, des ânes, des chameaux, des chariots. Depuis plus de deux cents ans, les Romains marchaient ainsi, et rien n'avait encore pu les arrêter définitivement.

En ce jour d'avril ensoleillé, le premier obstacle sur la route des légions était la ville forte de Makor, avec quelque onze cents combattants juifs. Mais ils n'étaient pas aussi insignifiants qu'on pouvait le croire, car les Juifs avaient aussi Yigal, et le général Josèphe, le soldat le plus habile de ce temps.

Sur le rempart, Flavius Josèphe était fasciné par l'arrivée des Romains.

— Lequel est Vespasien ? demanda-t-il plusieurs fois à Yigal.

Mais quand le vieux soldat romain au visage buriné apparut sur un étalon alezan, il ne pouvait y avoir de doute que l'on voyait là le grand général, le conquérant de la Germanie, de l'Angleterre et de l'Afrique.

— Ainsi, le voici, murmura Josèphe et il suivit des yeux le Romain comme si ce n'était pas une guerre mais un combat singulier entre Vespasien et lui-même.

Dès que l'armée romaine fut en position, Vespasien poussa son cheval au pied des murailles, selon l'usage, et, agitant l'étendard de la trêve, il cria :

— Qui est votre chef ?

A la stupéfaction de Yigal, le général Josèphe recula du parapet et le poussa en avant. Dérouté, intimidé, le petit ouvrier des pressoirs se pencha du haut du rempart et regarda le général romain qui lui criait :

— Makor, je te demande de te rendre !

Yigal ne savait comment répondre à cette salutation traditionnelle d'un ennemi, aussi garda-t-il le silence, jusqu'à ce que Josèphe le pousse dans le dos et lui chuchote :

— Réponds-lui que nous ne nous rendrons jamais.

Yigal hésita, puis répéta ces paroles. Alors Vespasien fit faire demi-tour à son cheval et donna l'ordre à ses hommes de dresser le camp. Le siège de Makor était commencé.

Durant sa longue veille avec son Dieu, Yigal avait imaginé la bataille et il voyait maintenant qu'il avait bien prévu. Les Romains préparaient chaque manœuvre avec un soin méticuleux ; ils choisissaient les soldats pour le premier assaut, les plus grands pour hisser des guerriers plus petits et plus agiles sur les remparts au cas où une brèche se produirait. Ces hommes de la première vague étaient couverts du cou aux pieds d'une cuirasse de cuir, et protégés d'en haut par des boucliers de fer et de cuir qui détournaient les pierres jetées par les défenseurs.

Les Romains avancèrent en rangs serrés, mais ils se heurtèrent aux glacis abrupts. A la fin du premier jour de combat, les Romains n'avaient rien accompli ; ils avaient perdu près de cent hommes, sans avoir seulement blessé un Juif.

Ce soir-là, le général Josèphe fit tenir à ses troupes improvisées des paroles rassurantes :

— Les Romains ont appris aujourd'hui que Makor ne peut être prise. Si nous restons fermes sur nos positions, nous les découragerons. Demain sera la journée décisive. Dormez bien.

Au petit jour, Vespasien lança ses plus puissantes unités contre la porte, et d'autres compagnies contre les murailles, mais Josèphe avait si bien disposé ses forces et les avait armées de tant de pierres, de débris de poteries coupantes et de lances à pointes de fer qu'il réussit à repousser quatorze attaques. Vers la fin du jour, une trêve fut conclue pour permettre aux Romains de ramasser leurs morts et leurs blessés, et Vespasien s'avança comme la veille au pied des remparts pour parlementer. Une fois encore, Josèphe refusa de se montrer et délégua Yigal. Le jeune Titus, parlant au nom de son père, lui cria :

— Toutes les vies seront épargnées si vous vous rendez, et vos meilleurs éléments seront invités à s'enrôler dans nos légions.

Mais Josèphe chuchota à Yigal de refuser.

La journée du lendemain se passa de la même façon et les Romains comprirent qu'ils ne prendraient pas Makor par une attaque de front. Le troisième jour, ils firent donc avancer leurs machines de guerre et se préparèrent à un siège en règle. Ce fut alors que Josèphe démontra son habileté, car il devinait à l'avance les moindres manœuvres de l'ennemi. Il changeait de tactique à chaque nouvel assaut et quand Vespasien réussit à pousser une tour contre le rempart sud, Josèphe donna l'ordre à ses troupes de feindre la panique et le désordre. Il attendit qu'un nombre considérable de Romains fussent massés sur la tour, puis il déchaîna sur eux une grêle de pierres, de lances et de torches enflammées qui mirent le feu à la tour mobile. Elle s'écroula, et tua dans sa chute de nombreux Romains.

Ce soir-là, Vespasien s'impatienta. Debout au pied du mur, avec sa bannière blanche, il leva la tête vers le petit Yigal.

— Qui es-tu ? lui cria le général romain.

— Je suis Yigal.

— Quelle autorité as-tu dans cette ville ?

Yigal ne sut que répondre. Il n'avait aucune autorité. Il n'était qu'un honnête petit Juif, respecté par ses voisins. Il n'était ni général, ni sage, ni prêtre, ni gouverneur. Vespasien insista :

— Yigal, qui es-tu ?

— Je travaille aux pressoirs à huile.

Ces mots déclenchèrent le rire des Romains. Titus sourit, à l'idée qu'un simple ouvrier des pressoirs pût négocier avec un puissant général romain, mais Vespasien fut le seul à ne pas rire. Plébéien lui-même, il savait quelle pouvait être la résolution d'un tel homme.

— Yigal, cria-t-il respectueusement. Yigal, ouvrier des pressoirs à huile, l'empereur Néron, de Rome, te demande d'ouvrir les portes de ta ville.

— Cela nous est impossible, répliqua Yigal. Nous ne pouvons reconnaître la divinité de Néron.

— Tu as pu constater notre puissance ! Tu sais qu'avec le temps, nous pouvons vous écraser. Je t'offre une dernière chance de capituler honorablement.

— Non. Nous n'adorerons jamais vos aigles !

— Je te reverrai dans la mort, Yigal ! cria Vespasien.

Sur le rempart, invisible aux Romains, Josèphe tira Yigal en arrière et lui chuchota :

— Tu leur as bien répondu.

De retour sous sa tente, dans le verger d'oliviers, Vespasien demanda à ses généraux :

— D'où ces Juifs tirents-ils leur arrogance ?

— Ils ont toujours été entêtés, lui dit Trajan. Ils ne demandent que peu de choses, mais pour ces quelques choses, ils sont inébranlables.

— Les as-tu déjà combattus ?

— Non, mais j'en ai connu à Alexandrie. Ils étaient assez malléables, dans l'ensemble, sauf pour ce qu'ils considéraient comme des choses importantes.

— Quelles choses ? Cette histoire de dieux ?

— En ce qui concerne leur religion, ils se montrent extrêmement obstinés.

— Quelle est donc leur religion ?

Titus expliqua :

— Je me suis renseigné, avant de quitter Rome. Il paraît que les Juifs adorent la statue en or d'un âne, qu'ils conservent dans leur temple de Jérusalem. Une fois par an, chaque fidèle va baiser la croupe de cet âne. Leur principal dieu est Baal, que nos ancêtres ont affronté à Carthage. Avec leur rite de la circoncision, ils mutilent leurs organes, mais cela ne semble pas diminuer leur fécondité, car on en compte près de trois millions et demi.

Ce chiffre fit faire la grimace à Vespasien, mais Titus ajouta vivement :

-— Ce nombre semble plus impressionnant qu'il ne l'est. Ils ne sont pas organisés, ils n'ont aucune formation militaire. Quelques-uns sont courageux, mais la majorité n'est que de la racaille facile à disperser.

— Je ne vois guère de signes de panique chez ce Yigal, observa Vespasien d'une voix songeuse.

Sortant de sa tente, il alla se promener dans ce verger d'oliviers que son adversaire soignait depuis de longues années, et son œil de cultivateur remarqua que les arbres étaient parfaitement taillés. Il reconnut que c'était là le travail d'un maître et, frappant le tronc de son poing, il murmura :

— Yigal a dit la vérité. Il est ouvrier agricole. Il est impossible qu'il connaisse les ruses que les Juifs ont employées aujourd'hui.

Perplexe, il leva les yeux vers le bel olivier, et soudain une lumière jaillit dans son esprit et il s'écria :

— Par les mânes de mes ancêtres, l'autre est arrivé ici avant nous !

Il courut à sa tente, s'y précipita et arracha Titus à sa couche.

— A Ptolémaïs, tu t'es trompé !

— A quel sujet ?

— Flavius Josèphe est dans ces murs ! rugit Vespasien en arpentant la tente d'un pas rageur, soulevant du sable malgré les tapis d'Orient qui couvraient le sol. Je ne sais comment, il a réussi à se glisser dans la ville avant notre arrivée. Parce que je suis bien certain qu'un simple ouvrier agricole n'aurait jamais eu la science de repousser nos tours comme ces Juifs l'ont fait aujourd'hui !

— Que vas-tu faire ?

— Je vais m'emparer du général Josèphe des Juifs et le traîner à Rome pour mon triomphe. Et quand les tambours s'arrêteront de battre, je le ferai étrangler.

Le lendemain matin, Vespasien fut le premier officier à ouvrir l'œil. Il alla lui-même réveiller son fils et ses lieutenants et leur cria :

— Nous ne lèverons pas le camp avant d'avoir écrasé Makor. Je veux qu'aujourd'hui tous nos hommes sans exception participent à l'assaut.

Dans l'enceinte des remparts, au même instant, le général Josèphe avertissait ses troupes :

— Voici notre seconde épreuve. Il va tenter de nous terrifier, mais si nous tenons toute la journée, nous serons sauvés.

Ce furent douze heures d'horreur, une pluie de lances, de flèches et de rochers énormes projetés sur la ville par les catapultes tandis que les machines de guerre étaient poussées au pied des murs — de gigantesques tours desquelles des lances pouvaient être décochées sur les défenseurs, et de puissantes balistes qui lançaient des pierres sur les maisons ; toute la journée la bataille fit rage dans tous les secteurs. Il semblait souvent que la puissance des Romains dût écraser Makor mais en ces moments critiques, Josèphe était superbe. Il courait d'un point exposé à un autre, exhortant ses hommes comme s'ils étaient cent mille, évitant des flèches et défiant la mort. Personne ne pouvait douter de la bravoure de cet homme, car il combattait comme si lui seul avait reçu mission de

repousser les Romains de Galilée, et sans ses efforts valeureux, Makor aurait certainement succombé ce jour-là.

La ville tint bon. Par miracle, une poignée de Juifs retranchés derrière les murailles construites au temps de David repoussèrent tous les assauts de Vespasien. Des pierres vinrent s'écraser sur l'Augusteana et emportèrent le toit, mais la porte principale ne fut pas détruite. Les charmantes colonnes du temple grec s'écroulèrent sous la grêle de rochers, mais la poterne résista et quand la nuit tomba, il fut évident que les Romains s'étaient épuisés en vain.

Cette nuit-là, Yigal réunit sa famille dans la salle commune de sa petite maison et rendit grâces à Dieu. Cependant, la journée n'était pas finie pour lui, car comme il allait se mettre à table pour un frugal repas un messager vint le chercher pour le conduire sur le rempart. Craignant quelque nouvelle catastrophe, Yigal sortit en hâte, sans prendre la peine d'ôter de ses épaules son châle de prière.

Au pied des murailles, dans la lueur vacillante des torches brandies par des lieutenants, Vespasien se dressait.

— Yigal, ouvrier des pressoirs, cria-t-il, je viens à toi sans orgueil pour te demander une dernière fois d'ouvrir les portes de la ville.

— Jamais, répondit Yigal.

— Pour la dernière fois, acceptes-tu une paix honorable ?

— C'est ici la ville de Dieu, clama Yigal, et il ne peut y avoir de paix honorable avec les faux dieux que tu nous amènes de Rome.

— Veux-tu donc sacrifier ton peuple ?

— Nous sommes le peuple de Dieu, et Dieu nous sauvera.

Le Juif obstiné et le général romain s'affrontaient pour la dernière fois. Ils étaient tous deux du même âge, ils étaient tous deux hommes d'honneur, et dévoués à leur cause, mais il ne pouvait y avoir de conciliation entre eux.

— Quand je te reverrai, Yigal des pressoirs, cria Vespasien, la rencontre sera terrible !

Et le général romain retourna dans son camp.

Le dix-neuvième jour du siège, il se produisit un événement effroyable, et dans la nuit qui suivrait, un incident surviendrait qui déciderait du sort de Makor. Au matin de ce jour fatidique, le général Josèphe donna l'ordre à ses soldats de métier de charrier dans le forum toutes les barriques d'huile d'olive que Yigal avait fait entrer dans la ville. Un grand brasier fut allumé entre l'Augusteana sans toit et les ruines du temple grec. En voyant le feu, Yigal comprit l'intention de Josèphe et il protesta vivement.

— La guerre a été honorable, jusqu'ici !

— Tu as voulu cette guerre, lui répliqua Josèphe. Comment peux-tu me reprocher de prendre des mesures pour remporter la victoire ?

— Mais crois-tu qu'un acte aussi cruel puisse nous aider ?

— Cela peut fort bien chasser Vespasien de nos murs.

— Cela peut aussi...

Josèphe s'emporta, et se détourna du grand feu où l'huile chauffait déjà.

— Yigal, soupira-t-il non sans amertume, tu sais que si jamais les Romains s'emparent de cette ville, tu mourras. Tu le sais depuis le premier jour, alors pourquoi trembles-tu maintenant ?

— Pour moi-même, j'ai cessé de trembler il y a vingt-cinq ans passés, répondit Yigal, le jour où j'ai défié sans armes le général Pétrone. Toi et moi, nous sommes des morts en sursis, Flavius Josèphe, mais si nous combattons honorablement, les Romains épargneront peut-être **nos** femmes et nos enfants. Si nous exécutons ton projet ils auront une juste raison de nous tuer, non seulement toi et moi, mais aussi tous les enfants.

En entendant Yigal suggérer qu'il pouvait être mis à mort à la suite de ce qu'il s'apprêtait à faire, Josèphe pâlit, mais il s'obstina. Yigal courut alors à la synagogue, pour supplier Rabbi Naaman d'intervenir. Mais le vieillard ne leva pas le nez de ses livres saints. Il répondit qu'il ne se souciait pas du sort de Makor mais de celui de la nation juive tout entière. Yigal voulut discuter, mais les deux hommes entendirent alors de grands cris, des acclamations sur les remparts, comme si les Juifs de Makor étaient déjà victorieux. Yigal se précipita hors de la synagogue, car il savait qu'en ce moment même, par leurs actes, les Juifs ne s'assuraient pas la victoire mais la défaite.

Les hommes de Josèphe avaient porté au sommet des remparts d'énormes bassines d'huile bouillante, et des louches. Chaque fois que les Romains poussaient une tour, ils attendaient que les soldats cuirassés soient assez près, puis ils les arrosaient d'huile et poussaient des cris de joie en voyant les malheureux se tordre de douleur et se rouler sur le sol. L'horrible produit s'insinuait sous les cuirasses et brûlait les chairs tandis que les Romains s'acharnaient en vain à se libérer de leur armure trop bien sanglée. Ils glissaient au bas des glacis, en poussant des hurlements affreux et ne tardaient pas à mourir dans d'atroces souffrances, sous les yeux de leurs camarades impuissants à les secourir. Un Gaulois, voyant son compagnon de tente agoniser à ses pieds, le prit en pitié et l'acheva d'un coup de lance.

Voyant ces désordres, Vespasien accourut au rempart, en un endroit où six de ses soldats gisaient mourants en suppliant à grands cris la mort de les délivrer de leurs tourments, et il s'agenouilla près de l'un d'eux. Passant ses doigts sur le front brûlé de ce vaillant serviteur de Rome il les retira tout luisants d'huile et les porta à son nez. « De l'huile d'olive des pressoirs », songea-t-il. Se tournant vers Trajan, il lui dit :

— Quand nous occuperons cette ville, je veux que l'on fasse le plus grand nombre de prisonniers, et qu'on les prenne vivants !

Cette nuit-là, Josèphe convoqua ses lieutenants, ainsi que Naaman et Yigal, et leur annonça froidement :

— Il est essentiel que les Romains ne me prennent pas. On a besoin de moi à Jotapata et à Jérusalem. Je regrette de quitter Makor

en cette heure critique, mais le salut des Juifs dépend de ma fuite... D'autres tâches plus importantes m'attendent.

Yigal ne protesta pas, car il savait que Flavius Josèphe était un
homme important, mais quand le général des forces galiléennes expliqua
comment il se proposait de fuir, il fut atterré.

— Nous allons creuser un petit tunnel du puits vers l'extérieur, dit
Josèphe, et nous sortirons dans l'ouadi où les Romains n'ont pas posté
de sentinelles.

— Tu es prêt à sacrifier la ville entière afin de te sauver ? s'écria
Yigal, incrédule.

— Il n'y aura aucun danger, assura Josèphe. Nous déboucherons
dans l'ouadi de nuit, et nous recouvrirons l'orifice de façon que personne
ne puisse rien voir.

— Mais si une sentinelle romaine s'aperçoit...

— Nous avons étudié le secteur...

Mais Yigal n'écoutait plus. Il comprenait qu'alors même qu'il préparait les bassines d'huile bouillante, Josèphe projetait déjà son évasion.
Pour se sauver il était prêt à compromettre toute la frontière de Judée,
et Yigal ne pouvait comprendre une telle conduite. Atterré, il laissa parler
le jeune général et ne sortit de son abattement qu'en entendant les derniers mots :

— J'ai décidé de n'emmener que deux hommes avec moi, dit Josèphe.
Mon fidèle adjoint Marcus, et Naaman.

Comme Josèphe l'avait prévu, le salut du vénérable vieillard lui
assura le secours de tous ceux dont il aurait besoin pour son projet.

— Les Juifs auront toujours besoin de sages pour les guider, argua
Josèphe.

Yigal se dit alors que ce jeune homme orgueilleux aimait très réellement la nation juive, et qu'il se proposait de sauver Rabbi Naaman,
parce qu'il savait qu'il était indispensable à l'avenir du judaïsme. Mais
Yigal se demanda si le vieillard avait eu connaissance de ce plan, quand
il était venu lui demander de protester avec lui contre l'emploi de
l'huile bouillante.

Cette même nuit, des terrassiers commencèrent à creuser le tunnel.
Ils se heurtèrent bientôt à l'entrelacs de monolithes que Houpoeh avait si
adroitement disposés plus de mille ans auparavant, et ils firent dévier leur
galerie. Enfin, après plusieurs jours d'un lent travail de sape, durant lesquels Vespasien et son armée ne cessèrent pas un instant leurs assauts,
la nuit sans lune vint où l'on put sans trop de danger déboucher à l'air
libre.

Josèphe avait donné des ordres pour qu'il n'y ait pas d'activité
insolite sur les remparts cette nuit-là, mais Yigal voulait être certain que
l'évasion avait réussi. Aussi, après avoir fait ses prières et couché ses
petits-enfants, il monta vers minuit sur les remparts, tandis que Josèphe
et Naaman descendaient dans le tunnel du puits.

Josèphe était alors à l'aurore d'une éblouissante carrière qui allait
stupéfier Rome. Il était destiné à trahir les Juifs de Galilée et à se rendre

à Vespasien, puis, au moment où le général romain le condamnerait à mort, il le surprendrait en lui prédisant qu'il allait être empereur de Rome, et son fils Titus après lui. Alors Vespasien l'adopterait et lui donnerait son nom, et Flavius Josèphe aiderait les Romains à écraser les Juifs et à détruire Jérusalem. Puis il s'installerait à Rome où il serait le confident de trois empereurs — Vespasien, Titus et Domitien — et sous leurs règnes il écrirait des livres d'histoire exaltant la puissance de Rome, mais aussi les *Antiquités judaïques,* un livre qui, aujourd'hui encore, fait autorité et retrace la vie des Juifs pendant quatre cents ans.

C'était ce même homme qui avait assuré à Yigal, avant son départ :

— Je soulèverai les campagnes. Mes diversions attireront Vespasien ailleurs et Makor sera sauvée !

Du haut des murs, dissimulé dans un coin d'ombre, Yigal guettait les ténèbres de l'ouadi et au bout d'un long moment il vit trois silhouettes surgir de terre. L'une d'elles sembla s'attarder un instant, comme pour reboucher le trou, mais une autre l'entraîna et les trois ombres se fondirent dans la nuit.

— Ils n'ont pas rebouché le trou, murmura Yigal malgré lui, le cœur serré d'angoisse.

Et il attendit l'aube, et aux premières lueurs du jour il put distinctement voir le trou.

— Les Romains vont le découvrir, gémit-il.

Il savait que si les soldats voyaient cet orifice révélateur, ils suivraient le tunnel jusqu'au puits, et que la ville serait privée d'eau.

En hâte, Yigal réunit toutes les femmes et les envoya au puits, afin de remplir toutes les citernes, et tous les récipients possibles. Mais les Romains ne découvrirent pas le chemin de l'évasion. Tous les matins, Yigal montait sur le rempart, et remerciait Dieu que les Romains n'eussent pas encore découvert le trou.

Vinrent alors les derniers jours du siège. Quand Vespasien comprit que les défenseurs avaient épuisé leurs réserves d'huile, il fit de nouveau avancer ses tours, et ses balistes commencèrent un bombardement méthodique de la ville, tuant de nombreux habitants et endommageant les demeures et les édifices publics. Il n'y avait plus de conférences entre Juifs et Romains. Il n'y avait que la guerre, acharnée, et l'inévitable fin qui se rapprochait de plus en plus.

Yigal était maintenant seul à assumer le commandement. Certains esprits inquiets le suppliaient de capituler, mais il répondait qu'ils devaient mourir, pour rester fidèles à l'alliance conclue avec Dieu.

Et tous les jours, les monstrueuses machines de guerre emportaient des pierres des remparts.

Un soir enfin, quand il fut évident que la ville ne pourrait tenir un jour de plus, Yigal réunit sa famille entière et après avoir récité les prières, il déclara paisiblement :

— Partout où vous serez en esclavage, souvenez-vous de cet instant. Vous êtes entourés de l'amour de Dieu. Vous ne serez jamais seuls, car vous vivez dans le cercle de l'affection de Dieu.

Il coucha les petits enfants, puis il parcourut les rues de sa ville,
pour rassurer ceux qui veillaient et les encourager à se conduire dignement
le lendemain. Sur le merveilleux forum, à présent en ruine, il ranima
le courage des défenseurs affamés, et du haut des remparts il contempla
le trou de l'évasion, que les Romains n'avaient pas découvert. Dans le
gymnase à la façade de marbre, où gisaient les blessés, il pria, et dans la
synagogue où quelques très vieux Juifs passaient la nuit en prière, il
participa à une longue discussion sur certains versets du Lévitique et du
Deutéronome, comme si le lendemain devait être un jour comme les
autres.

A l'aube, il disposa ses hommes en position, et de nouveau les
Romains avancèrent avec leurs machines grinçantes. Yigal allait de groupe
en groupe, comme il l'avait vu faire à Josèphe, pour exhorter les défenseurs, mais dès la deuxième heure, les murs commencèrent à s'effondrer.
Les Juifs ne pouvaient plus rien pour empêcher ou seulement retarder
le triomphe de Rome, et à midi les légions occupaient le forum.

Au début de l'après-midi, Vespasien donna un ordre qu'il regretterait
bien souvent par la suite, quand il comprendrait, une fois empereur, les
conséquences qui peuvent résulter d'un commandement inconsidéré. Il
ordonna la crucifixion de Yigal et de sa femme Beruriah, et quand les
croix furent dressées, avec leurs deux martyrs cloués, mais avant qu'on
leur donne le coup de lance traditionnel au flanc pour les achever, il
réunit au pied des croix les neuf cents Juifs survivants et les fit tous
massacrer, en finissant par les petits-enfants de Yigal, jusqu'au dernier.
Les soldats avaient reçu l'ordre de n'épargner que les plus solides des
hommes et les plus avenantes des filles, pour en faire des esclaves et des
prostituées.

Lorsque le forum ne fut plus qu'un charnier, le général Vespasien,
les poings sur les hanches, leva les yeux vers son adversaire et lui cria :

— Contemple, ouvrier des pressoirs, le sort des Juifs qui résistent à
la puissance de Rome !

Le corps brisé, Yigal trouva la force de répliquer :

— Mais ils résisteront quand même.

Avec une admiration mêlée de mépris, le vieux soldat à la nuque de
taureau toisa une dernière fois sa victime, puis lui tourna le dos pour
aller veiller à la destruction systématique de la petite ville.

Alors seulement les soldats percèrent les flancs de Yigal et de Beruriah. Avant de mourir, les deux époux se sourirent une dernière fois,
échangèrent des regards chargés de tendresse et Yigal murmura deux versets du livre des Proverbes :

— Bien des filles ont été vertueuses, mais tu les as toutes surpassées.

Il détourna ensuite les yeux du carnage et contempla une dernière
fois la petite ville où il avait vécu heureux. Les murailles s'écroulaient
et de toutes parts les flammes des incendies s'élevaient vers le ciel bleu.

LA LOI

NIVEAU VII — 326-351

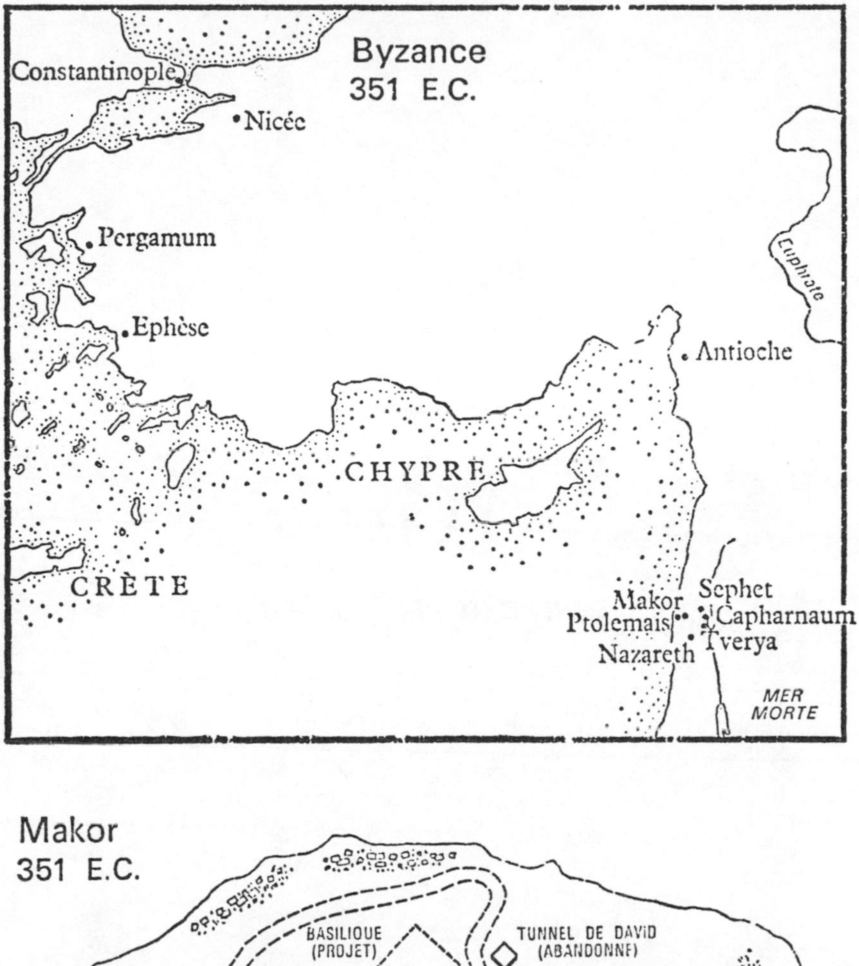

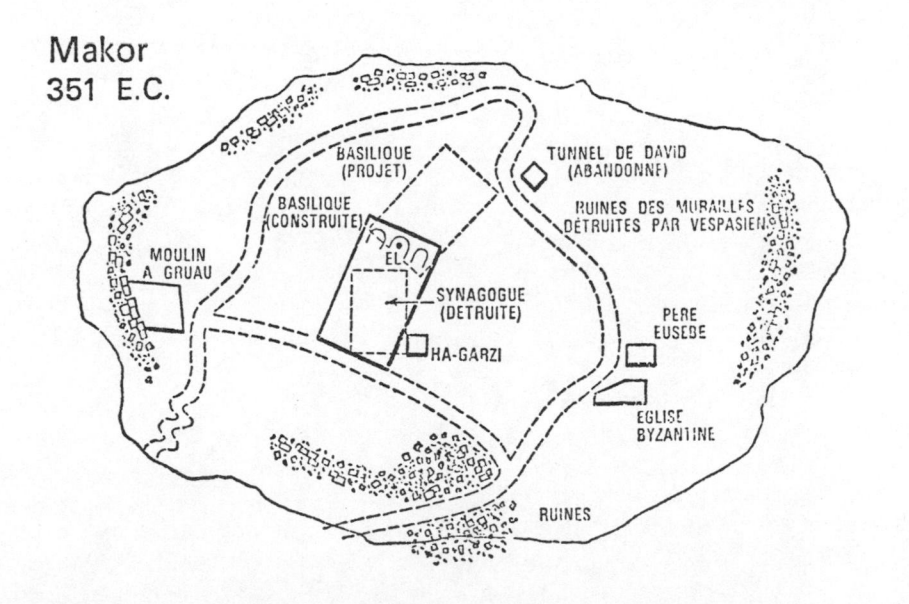

Byzance
351 E.C.

Constantinople
• Nicée

• Pergamum

• Ephèse

• Antioche

Euphrate

CHYPRE

CRÈTE

Makor
Ptolemais
Nazareth

Sephet
Capharnaum
Tverya

MER
MORTE

Makor
351 E.C.

TUNNEL DE DAVID
(ABANDONNÉ)

BASILIQUE
(PROJET)

RUINES DES MURAILLES
DÉTRUITES PAR VESPASIEN

BASILIQUE
(CONSTRUITE)

EL

MOULIN
A GRUAU

SYNAGOGUE
(DÉTRUITE)

PÈRE
EUSÈBE

HA-GARZI

EGLISE
BYZANTINE

RUINES

JESUS est né, autant que nous puissions le savoir, en 6 avant notre ère, peu de temps avant la mort d'Hérode le Grand. Jésus passa sa jeunesse à Nazareth, qui n'était qu'à cinq lieues au sud de Makor, et prêcha sur les rives de la mer de Galilée pendant un an et neuf mois, mais il ne vint jamais à Makor.

Il n'est donc pas surprenant qu'en ces temps troublés, où de nombreux prophètes parcouraient le pays et où les Juifs étaient préoccupés par leur rébellion contre Rome, Makor n'ait pas eu connaissance de la mission du Christ sur la terre et ignorât sa crucifixion. Les crucifixions étaient un supplice courant et les populations étaient habituées à voir se dresser des croix au sommet des collines. De plus, Makor avait peu de rapports avec Jérusalem, étant située beaucoup plus près de Ptolémaïs, qui avait toujours été une ville étrangère.

Mais si Makor fut lente à reconnaître la réalité de Jésus-Christ, l'heure vint où sa présence s'imposa et la petite ville fut touchée par la grâce.

En 313, l'empereur Constantin le Grand avait vu à la veille d'une bataille capitale, près de Rome, une grande croix de feu portant cette promesse : *In hoc signo vinces*. La prophétie s'étant révélée juste, il promulgua un édit, l'édit de Milan, reconnaissant le christianisme comme religion officielle de Rome et de son empire. Ce fut indiscutablement un des actes les plus essentiels jamais accomplis par un homme seul. Il se convertit lui-même, sur les instances de sa mère, la reine Hélène, et en 325 il engagea cette femme remarquable à se rendre en pèlerinage en Terre sainte pour y chercher les lieux où Jésus avait vécu trois siècles auparavant.

En 326, elle débarqua à Ptolémaïs pour se rendre d'abord directement à Jérusalem, et là elle eut une vision ; elle vit l'emplacement exact de la vraie croix, ainsi que le sépulcre où Jésus avait reposé trois jours, avant de ressusciter. D'autres visions lui permirent d'identifier d'autres lieux saints et sur chacun, son fils Constantin fit élever une basilique. Ce fut pendant le voyage de retour que la reine Hélène s'arrêta une nuit à Makor, et là elle eut une dernière vision. Elle vit que Marie de Magdala, après la résurrection de son Seigneur, s'était réfugiée un temps à Makor.

Au matin, guidée par sa vision, elle conduisit les notables de la petite ville à l'endroit précis où Marie-Madeleine avait vécu, et par ces insondables mystères qui gouvernent ces choses, elle choisit le lieu le plus saint de la région, ce lieu sacré où les hommes des cavernes avaient dressé leur monolithe El, où les Cananéens avaient adoré Baal et les premiers Hébreux leur dieu El-Shaddaï, où les prêtres du roi David avaient sacrifié à Yahveh et où les Juifs revenus de la déportation à Babylone avaient prié YHWH. Zeus, Antiochos Epiphane et Auguste-Jupiter avaient tous été vénérés sur cette faible éminence, et maintenant, suivant l'ordre normal des choses, la grande basilique byzantine prendrait la relève des temples. La reine Hélène s'agenouilla sur la terre sacrée, et quand elle se leva, elle indiqua comment elle désirait que l'on orientât l'édifice en forme de croix grecque et, sans le savoir, elle plaça l'autel exactement au-dessus de l'ancien monolithe enfoui.

Or, en ce printemps de l'an 326, alors que la reine Hélène s'agenouillait sur la terre de Makor et la préparait à la gigantesque poussée du christianisme, les Juifs étaient dirigés par un petit homme remarquable nommé Rabbi Asher ha-Garsi, que tout le monde appelait l'Homme de Dieu. Dès l'âge de trois ans il avait été voué à YHWH et à neuf ans il connaissait la Torah par cœur ; à quinze ans, il n'ignorait pas un verset des livres saints et à seize, s'inclinant devant la volonté de ses parents, il avait épousé une jeune fille de la campagne qui lui avait donné cinq filles. Il travaillait durement, pour subvenir aux besoins des siens. Comme l'indiquait son nom, ha-Garsi, il gagnait sa vie en achetant du blé qu'il faisait bouillir, puis sécher et concasser afin de produire la céréale tant appréciée des habitants de Ptolémaïs. Rabbi Asher le fabricant de gruau avait longtemps rêvé d'avoir un fils pour l'aider et lui succéder, mais il ne lui en vint pas, et ses deux filles aînées avaient épousé des hommes qui n'étaient bons qu'à se reposer. Et les autres ne paraissaient pas vouloir faire beaucoup mieux.

Le petit Rabbi se démenait donc, travaillait de l'aube à la nuit close à sa fabrique de gruau, s'inquiétait pour les siens et s'efforçait de calmer les exigences des percepteurs d'impôts de Byzance. Il était également le rabbin bénévole de Makor, récitait les prières chez lui et y donnait des conseils, car les Juifs de Makor n'étaient pas riches et n'avaient pas de synagogue. Sa bonté, sa douceur et sa piété avaient contribué à amener des fidèles plus nombreux à respecter la loi de Moïse, et chacun s'accordait à reconnaître que si Rabbi Asher le fabricant de gruau était amené à participer à une discussion divisant la ville, Dieu serait représenté car même chez les chrétiens, il était considéré comme un homme de Dieu.

Ce jour-là, alors que la reine Hélène s'apprêtait à reprendre la route, Rabbi Asher vit arriver dans son moulin un colosse au front bas, aux larges épaules un peu voûtées, qui venait le consulter sur un sujet délicat. Le rabbin fut d'abord irrité d'être dérangé dans son travail, mais il refoula ses sentiments, s'essuya les mains et dit à l'intrus :

— Viens, Yohanan, nous causerons mieux dans ma maison.

Ils se rendirent dans la petite demeure où résonnaient des rires de petites filles. En voyant leur père, les enfants se retirèrent et les deux hommes entrèrent dans une pièce exiguë encombrée de nombreux parchemins en rouleaux, à l'ancienne mode, et d'autres qui avaient été mis à plat, coupés et reliés selon le style nouveau. Asher s'assit derrière sa petite table, tandis que son visiteur, sa mâchoire prognathe avançant d'un air belliqueux, attendait impatiemment.

— Yohanan, dit avec douceur le fabricant de gruau, nous devons d'abord nous efforcer de découvrir quelle est la volonté de Dieu dans cette affaire.

— Je veux me marier, gronda le colosse.

— Je te répondrai comme je l'ai fait la semaine dernière. Tirza est mariée. Nul ne peut la demander en mariage s'il n'a pas la preuve... la preuve !

Yohanan le tailleur de pierres fronça les sourcils.

— Il y a trois ans que son mari s'est enfui chez les Grecs. Il est mort. Quelle autre preuve veux-tu ?

— La loi est formelle. Dans les cas où la mort du mari ne peut être ni prouvée ni démentie, la femme doit attendre quinze ans avant de prendre époux.

— Il la battait ! Et elle doit attendre son retour pendant quinze ans ?

— Tant que les quinze ans ne seront pas écoulés, Tirza ne sera pas reconnue veuve. La loi...

— La loi ! La loi ! Quinze ans de solitude pour une femme qui n'a jamais fait le mal ?

— Jusqu'à présent, elle n'a point fait le mal. Mais si elle vit dans le péché...

— Eh bien, nous nous en moquons, tonna le tailleur de pierres. Je vais épouser Tirza aujourd'hui !

— Yohanan, calme-toi. Allons, assieds-toi. Souviens-toi d'Annaniel et de Léa. Il est parti en mer et son bateau a fait naufrage et six témoins ont juré qu'il s'était noyé. Contre mes avis, Léa a eu la permission de se remarier. Et cinq ans plus tard, Annaniel est revenu. Il était toujours son mari, et parce que nous avions violé la loi, deux familles ont été plongées dans la honte et l'affliction, et les beaux enfants de Léa ont été déclarés bâtards. Tu sais ce que cela veut dire !

Le silence tomba entre le petit rabbin barbu et le solide ouvrier têtu. Rabbi Asher, pensant avoir convaincu Yohanan, chercha à le consoler :

— Dieu n'est pas égoïste, Yohanan. Il t'interdit Tirza mais il a fait naître à Makor bien des femmes juives, vertueuses et belles, qui ne demanderaient pas mieux que d'épouser un homme comme toi. Shoshana, Rebecca...

— Non, bougonna le colosse tourmenté.

— Voyons, réfléchis !

— Non, cria le tailleur de pierres. Aujourd'hui, je vais épouser Tirza !

Puis il sortit en courant de la maison de la Loi, se rendit tout droit chez la femme abandonnée, et souleva Tirza dans ses bras puissants en tonnant :

— Nous sommes mariés !

Du seuil de la maison, il cria dans la rue :

— Trois hommes d'Israël, venez m'écouter !

Une petite foule s'assembla et Yohanan montra un anneau d'or qu'il avait acheté à un marchand grec et il annonça d'une voix fière :

— Voyez, Tirza la veuve m'est consacrée par la vertu de cet anneau, selon la loi de Moïse et d'Israël.

Ils furent ainsi mariés ; mais Rabbi Asher le fabricant de gruau, qui observait la scène de loin, savait que ce n'était pas un vrai mariage.

En retournant chez lui, après le mariage improvisé, le petit rabbin se désolait de l'entêtement du grand tailleur de pierres, et il allait regagner son étude quand il fut pris du désir soudain de se promener hors de la ville sous les oliviers, pour échapper aux passions humaines. Il était presque arrivé à la route de Damas quand il vit passer à ses pieds le cortège de la reine Hélène qui retournait à Ptolémaïs, en grande pompe, avec les cavaliers, les petits ânes, les palanquins, les soldats de l'escorte et les prêtres barbus.

Asher se promena sous les oliviers centenaires, et son attention fut attirée par un arbre si vieux que le tronc était complètement creux. Mais les racines tenaient encore fortement à la terre et des rejets portaient des feuilles et des olives. En contemplant ce patriarche du verger, le rabbin pensa qu'il symbolisait à merveille le peuple juif : une antique société dont l'intérieur était vide, mais qui était encore capable de porter des fruits et dont les racines se cramponnaient à Dieu. Il soupira en songeant au tailleur de pierres, qui avait violé la loi, car il était intimement persuadé que cela ne pouvait que provoquer un désastre.

Soudain, alors qu'il réfléchissait ainsi, il eut une vision. Dans la clairière, à côté du pressoir, il vit flotter en l'air un rouleau de parchemin de la Torah entouré d'une sorte de barrière d'or qui scintillait au soleil ; des centaines de Juifs, hommes et femmes, se pressaient autour de la barrière, les mains tendues pour s'emparer de la Torah ou l'endommager, mais retenus par la barrière incandescente. Et comme le rabbin contemplait cela, fasciné, il vit encore une femme, qui ne pouvait être que la reine Hélène, à genoux et faisant surgir de terre une nouvelle église. Au-dessus de sa tête, un halo lumineux éclairait tout le verger. Puis elle disparut, et son église aussi, mais la Torah demeura, toujours protégée par sa barrière dorée. Enfin, la vision se dissipa et Rabbi Asher se retrouva tout seul.

Il n'eut pas grand mal à interpréter cette vision. Une force nouvelle, représentée par Hélène et son fils Constantin, venait de se lever sur la terre, et la Galilée serait transformée. Asher prévit que pendant des siècles la position des Juifs à l'égard de cette nouvelle religion resterait indécise, mais que ce serait folie de refuser de reconnaître la puissance de cette domination. Les basiliques de la reine Hélène se dresseraient

partout, sur la terre de Judée, mais dans la vision, la Torah demeurait.

Asher médita longtemps, sous les oliviers puis il se leva et regagna la ville, heureux comme un jeune époux, car il pensait avoir compris les désirs de Dieu. Dans la vision, la reine Hélène fondait une église nouvelle, et manifestement Dieu l'approuvait car elle apparaissait nimbée de lumière éblouissante. Mais en lui montrant la Torah protégée, et qui demeurait, Dieu voulait lui signifier de faire construire un sanctuaire, lui aussi.

Il se dirigea vers un quartier au sud de l'endroit qu'Hélène avait délimité pour la construction de son église chrétienne, et là il trouva un emplacement où une petite synagogue devrait être érigée. Puis il rassembla ses Juifs et leur parla en ces termes :

— Pendant des années, nous avons fait nos dévotions dans ma maison, mais les temps sont venus où cela ne convient plus. Nous allons donc construire une synagogue, comme celles de Capharnaüm et de Biri.

Les Juifs approuvèrent avec enthousiasme cette suggestion, mais un vieillard prudent demanda :

— Et avec quoi la paierons-nous ?

Cette question décontenança Rabbi Asher, car les Juifs de Makor étaient pauvres. Sur les mille habitants de la ville et des environs — la population la plus restreinte depuis des siècles — il y avait plus de huit cents Juifs, mais aucun n'était notable ou commerçant ou cultivateur aisé.

— Avec quel argent la construirons-nous ? demanda de nouveau le même vieillard, et seul le silence lui répondit.

Soudain, un homme s'avança, un colosse, le tailleur de pierres Yohanan.

— Le rabbin a raison, dit-il. Nous devons avoir une synagogue. Nourrissez-nous, ma femme et moi, et je vous en construirai une plus belle encore que celle de Capharnaüm.

Les Juifs savaient tous que le matin même ce grand ouvrier aux sourcils broussailleux et aux mains velues avait défié le rabbin, et ils s'attendaient à voir l'homme de Dieu repousser cette proposition, mais à la surprise générale Rabbi Asher s'écria :

— De Ptolémaïs à Tibériade, Yohanan est le meilleur tailleur de pierres de Galilée, et j'alimenterai sa famille en gruau.

En quelques instants, il eut arraché d'autres promesses qui permettraient l'érection de la synagogue, et ainsi débuta une alliance étrange mais féconde entre le rabbin et le tailleur de pierres, qui allait rendre à Makor un peu de sa beauté de jadis.

Jusqu'alors, les synagogues de Galilée avaient toujours été ternes, tristes, franchement laides, suivantt la tradition juive qui préférait un extérieur froid et un intérieur chaud, mais le tailleur de pierres, ce rustre, fit preuve d'un goût et d'une adresse surprenants pour tailler les grands blocs de pierre blanche qu'il allait chercher avec son âne aux carrières, et bientôt les murs de la synagogue s'ornèrent d'oiseaux, de tortues, de poissons sculptés ou gravés dans la pierre. Dès la deuxième année des tra-

vaux, les Juifs de Makor comprirent que Yohanan construisait un chef-d'œuvre. On eût dit que plus sa vie privée demeurait inharmonieuse, plus sa main maniait le burin ou le ciseau avec délicatesse ; s'il n'avait pas encore découvert le moyen de vivre en harmonie avec le judaïsme, du moins savait-il créer une demeure dans laquelle le judaïsme pourrait s'épanouir.

Car Yohanan n'était pas un homme heureux. Les travaux de la synagogue étaient déjà bien avancés quand Tirza donna naissance à un fils, ce qui la troubla car force lui était de reconnaître que l'enfant était un bâtard et qu'il ne pourrait jamais devenir un vrai Juif. Son esprit se dérangea, et elle se mit à imaginer qu'on la montrait du doigt, qu'on se détournait d'elle avec dégoût. Cela tourna à l'obsession et il ne passait pas de jour qu'elle ne suppliât Yohanan de partir avec elle, au loin, n'importe où, en Egypte ou à Antioche ou même en Grèce. Quand il voulut la raisonner et lui demander en quoi cela l'apaiserait, elle ne put donner aucune explication cohérente, à part celle, tout à fait incongrue, que dans ces pays lointains ils pourraient peut-être retrouver son premier mari. En désespoir de cause, le tailleur de pierres finit par aller demander conseil à Rabbi Asher.

L'angoisse du brave homme toucha le petit rabbin qui répondit :

— Je suis certain que Dieu considère Tirza comme ta femme, quand bien même votre mariage est illégal. Moi aussi, je dois l'accepter ; et si elle s'imagine que je l'ai offensée, je dois aller l'assurer du contraire.

Et il se rendit aussitôt chez Yohanan pour apaiser Tirza. Mais quand il y arriva. Tirza était partie. Il la suivit jusqu'à Ptolémaïs, où on lui dit qu'elle s'était déjà embarquée pour Alexandrie. Le rabbin écrivit aux rabbins d'Alexandrie à son sujet, et ils lui répondirent que Tirza était passée et qu'elle était repartie pour l'Espagne.

Ce fut alors qu'Asher se révéla un véritable homme de Dieu, car il appela Yohanan et lui dit :

— Même si ton bâtard ne peut jamais espérer devenir un vrai bon Juif, nous allons faire tout ce que nous pouvons pour lui.

Il prépara alors la circoncision du petit, durant laquelle le tailleur de pierres tint gauchement son fils, comme si c'était une apparition d'un autre monde.

— Que son nom soit Menahem le Consolateur, dit Rabbi Asher quand le pacte d'alliance eut été scellé entre le bébé et Dieu.

Ce fut encore Rabbi Asher qui, comprenant que Yohanan était incapable de s'occuper tout seul de l'enfant, le confia à des femmes de la ville qui allaient veiller sur lui et s'efforcer de donner à ce bébé aux grands yeux noirs et au petit front têtu une existence aussi normale que possible.

Un soir que Rabbi Asher venait inspecter le travail de la journée, il eut l'impression que sa synagogue surgissait de terre comme une merveilleuse fleur de pierre, et il fut heureux d'avoir participé à la création d'un lieu de beauté, tout en obéissant aux vœux de Dieu révélés par la vision.

Il aperçut Yohanan qui travaillait seul dans un coin, avec un ciseau et un marteau sur une pierre brute, et, après l'avoir regardé un moment faire naître de beaux dessins ordonnés du désordre de la roche, il murmura :

— Comprends-tu maintenant, Yohanan, comment le marteau et le ciseau de la loi mettent de l'ordre dans le chaos ?

Le colosse leva des yeux perplexes et pendant le temps d'un éclair il parut saisir une vague lueur de ce que le rabbin essayait de lui faire comprendre, mais l'étincelle s'éteignit. En ce même lieu, pendant près de dix mille ans, quatre-vingt-dix-neuf pour cent des étincelles causées par le silex ou l'intelligence avaient lui un instant pour s'éteindre aussitôt. Il en était de même aujourd'hui.

Rabbi Asher s'intéressa alors à ce que gravait le tailleur de pierres. C'était une sorte de frise, une suite de simples croix égales dont les branches étaient cassées à angle droit et qui évoquaient vaguement une espèce de roue carrée. Ce motif l'intrigua.

— Qu'est donc cela ? demanda-t-il.

— J'en ai vu en Perse. C'est une roue qui court.

— Comment l'appelle-t-on ?

— Le svastika.

Ainsi, ce motif de croix gammée, bien connu et très répandu en Asie, devint pratiquement le symbole des synagogues de Galilée, car tous les rabbins en visite qui voyaient cette frise voulurent l'imiter chez eux.

Cependant, la synagogue progressait et le petit rabbin était de plus en plus heureux. Il lui arrivait même de descendre lui-même aux carrières pour choisir des pierres. Un jour qu'il revenait seul par la route de Damas, il fut soudain surpris par le silence inusité de la campagne. Pas un oiseau ne chantait, le vent s'était brusquement calmé, pas une feuille ne bougeait. Il se sentit comme pris à la gorge, et puis une force invisible le jeta à genoux dans la poussière du chemin. Une vive lumière l'éblouit et il revit la même vision qu'il avait eue le jour du départ de la reine Hélène. Mais cette fois il n'y avait pas simplement une basilique chrétienne mais des clochers innombrables, des tours et des minarets, et sa synagogue était en ruine. Puis les églises et les ruines s'évanouirent et la Torah demeura, entourée de sa barrière d'or. Asher se prosterna la face contre terre, et gémit :

— Seigneur, mon Dieu, qu'ai-je fait de mal ? En quoi t'ai-je déplu ?

Il se frappa le front sur le sol, puis il se redressa. La Torah était toujours là, flottant en l'air, mais Asher vit alors que la barrière d'or avait une brèche. La loi divine n'était pas bien protégée, et maintenant le petit rabbin comprenait le sens profond de la vision. Dieu lui ordonnait de consacrer le restant de sa vie à l'érection non pas d'une synagogue mortelle mais d'une synagogue spirituelle sous forme de lois.

— Dieu, souffla l'humble petit rabbin de village, suis-je digne d'aller à Tverya ?

Il n'eut pas plus tôt prononcé ces mots que la barrière d'or se referma solidement autour de la Torah pour bien manifester la volonté de Dieu. et la vision se dissipa.

— Seigneur, demain je placerai mes pieds sur la route de Tverya.

Vers le milieu du quatrième siècle, il y avait à Tibériade, que les Juifs appelaient Tverya, trente synagogues, une grande bibliothèque et une assemblée de vieux rabbins réunis en concile permanent pour discuter la Torah et mettre au point la loi de Dieu qui devait gouverner le judaïsme jusqu'à la consommation des siècles. Pendant des jours, des mois, parfois des années, ils se penchaient sur un verset, en disséquaient chaque mot, chaque signe de ponctuation, jusqu'à ce que la signification fût claire et ne pût donner lieu à aucune autre interprétation. C'était vers cette docte assemblée que Rabbi Asher dirigeait les pas de son petit âne blanc, en ce printemps de 329. Il n'avait pas besoin de se hâter, car l'assemblée était en conférence depuis plus d'un siècle, et le resterait encore un siècle et demi, pas toujours à Tverya mais à Babylone, au-delà du désert.

Vue de loin, Tverya était une ville enchanteresse car les vastes palais construits par Hérode Antipas en avaient fait la rivale de Césarée ; des marches de marbre blanc descendaient vers le lac, et il y avait toujours les bains chauds qui avaient fait sa célébrité au temps des Romains impériaux. Mais quand Asher poussa son âne blanc dans les larges avenues, il sentit comme une odeur de mort, comme si la ville avait renoncé à tout avenir. Durant les trois derniers siècles, peu de constructions neuves y avaient été ajoutées, et les plus anciennes commençaient à s'écrouler derrière leurs belles façades de marbre. Rome agonisait ainsi dans ses plus lointaines provinces.

Asher demanda son chemin à des passants, pour savoir en quel lieu se réunissaient les érudits, mais les quatre premières personnes qu'il interrogea ne savaient même pas que ce groupe était en conférence dans leur ville depuis plus d'un siècle. Chacun, cependant, s'empressa de donner au petit rabbin le chemin des bains chauds. Enfin, il rencontra un vieux Juif qui l'accompagna jusqu'à la petite maison modeste où s'élaboraient de si grandes choses. Asher attacha son âne à un palmier et alla frapper discrètement à la porte.

Il dut attendre longtemps et enfin une vieille femme revêche lui ouvrit et lui fit traverser la maison pour le mener dans une vaste cour ombragée par deux grenadiers et une treille luxuriante à l'ombre de laquelle un groupe de vieillards étaient assis en rond. Pas un ne leva le nez à son approche. A leurs pieds, littéralement, des étudiants étaient couchés et buvaient leurs paroles. Sous un des grenadiers, à une petite table, deux scribes prenaient des notes. Quand les sages seraient arrivés à une décision unanime, les scribes résumeraient en quelques phrases brèves un débat qui durait depuis des mois, et ce serait le texte de la loi.

Ce jour-là, les rabbins discutaient pour savoir si un homme avait le droit de porter une dent en or le jour du sabbat. Certains prétendaient que la dent lui était indispensable pour manger, d'autres protestaient que l'or était symbole de vanité.

Pendant quatre jours, Rabbi Asher resta discrètement accroupi dans un coin de la cour, tandis que se poursuivait l'âpre dispute dentaire. Le problème étant examiné sous tous les angles, spirituel, philosophique et

matériel et Asher apprit par un des jeunes disciples que cette histoire de
dents durait depuis déjà deux mois. Les sages s'efforçaient d'établir un
principe déterminant l'emploi, le jour du sabbat, d'objets à la fois d'utilité
et d'ornement. A plusieurs reprises, il lui sembla qu'il aurait des arguments
à avancer, mais personne ne faisait attention à sa présence et il était
trop modeste pour oser se mettre en avant.

Le cinquième jour se passa de même Asher reprit sa place contre
le mur, et il écouta les grands hommes poursuivre leur interminable
discussion, et durant les deux semaines qu'Asher attendit ainsi cette
dent en or demeura le seul sujet d'intérêt. La façon de procéder des
rabbins eut cependant sur lui un effet salutaire. Il comprit que l'établissement de la loi était une chose grave, exigeant non seulement de la
subtilité d'esprit mais des connaissances immenses, et il devinait qu'en
réglant cette question de la dent en or, les rabbins réglaient aussi, automatiquement, d'autres conflits entre l'utilité et la vanité.

Le dix-neuvième jour, alors que les gardiens de la loi avaient fini
par tomber tous d'accord et déclarer que le port d'une dent en or le jour
du sabbat était une offense, mais qu'une dent en pierre ou en bois était
autorisée, un des rabbins qui cherchait à déterminer un point essentiel
touchant à l'inhérente vanité de l'homme se tourna brusquement vers
Rabbi Asher et lui demanda sèchement :

— Toi, de Makor, qu'a dit Rabbi Naaman ?

D'une voix douce, sans quitter son coin d'ombre, le petit fabricant
de gruau répondit :

— Rabbi Naaman, que sa mémoire soit bénie, a dit : « Pourquoi
Dieu a-t-il créé l'homme le sixième jour ? Pour l'avertir. Si jamais l'homme
s'enfle d'orgueil, il est possible de lui faire observer que dans la création
de Dieu, une simple puce est passée avant lui. » Rabbi Naaman a dit
aussi : « Le chameau était si vaniteux qu'il a voulu des cornes, aussi
lui a-t-on ôté ses oreilles. »

Les rabbins écoutèrent sans rien dire. Et Asher conclut :

— Rabbi Naaman a dit : « L'homme vient au monde les poings
fermés, mais il meurt les mains ouvertes et vides. Les vanités auxquelles
il se cramponne lui échappent à la fin, aussi ne devrait-il pas s'en soucier
durant sa vie. »

Les rabbins approuvèrent en silence et l'un d'eux se serra un peu
contre son voisin pour faire une place à Asher dans leur cercle. Ainsi,
l'homme de Dieu devint un des grands législateurs sacrés, travaillant à
construire la charpente du judaïsme.

Dieu avait déjà donné aux Juifs son grand principe monothéiste,
la Torah et le don de prophétie, et il allait maintenant leur inspirer le
Talmud, après quoi l'édifice serait achevé dans lequel tous les Juifs du
monde vivraient jusqu'à la fin des temps.

Le Talmud ne ressemble à aucun écrit, à aucun livre, à aucune règle
d'aucune religion. C'est une œuvre extraordinaire, l'essence même du
judaïsme, qui se compose de deux livres : la Mishna et la Gemara. Le
premier est une suite de textes réunis par Rabbi Akiba et ses disciples

quelque quatre-vingts ans avant la naissance de Rabbi Asher. C'était sur le second que travaillaient alors les érudits de Tverya et de Babylone. Quand les deux livres seraient finalement assemblés, vers 500, le Talmud serait alors achevé.

Qu'était au juste cette Gemara ? Les Juifs obéissaient depuis peu de temps à la Mishna quand ils s'aperçurent que de nombreux textes prêtaient à confusion, que les autorisations et les interdictions n'étaient pas suffisamment précises. Il fallait donc élaborer un ensemble de lois plus rigides et plus complètes. Les rabbins reprirent donc toutes les spécifications et, en cherchant à faire couvrir par les mots élastiques le plus grand nombre possible d'actes ou d'occupations, ils exécutaient parfois de véritables numéros de jonglerie intellectuelle.

Par exemple, pendant le premier mois de présence active de Rabbi Asher parmi les sages, ils discutèrent de toutes les diverses occupations incluses dans l'acte de semer, interdit le jour du sabbat. Un vieux rabbin fermier expliqua qu'on peut inclure dans l'acte de semer une foule d'occupations annexes telles que la greffe, le repiquage, la taille des arbres et la mise en espaliers.

— Greffer, déclara Rabbi Asher, est exactement la même chose que semer, c'est évident : donc c'est interdit ; mais tailler les arbres est tout le contraire puisqu'on coupe au lieu de planter.

— Entends ceci, protesta le vieux rabbin. Pourquoi un homme taille-t-il ses arbres ? Afin que l'arbre plus vigoureux pousse mieux, que de nouvelles branches jaillissent et que le feuillage soit plus fourni. Donc, tailler équivaut à semer.

— Tu as éclairci ce point, reconnut Asher. Tailler c'est semer. C'est donc interdit aussi.

Ils passèrent une année entière en interminables discussions agricoles pour déterminer quels travaux de la ferme pouvaient être autorisés le jour du sabbat. En partant du principe du vieux rabbin sur la taille, ils aboutirent à l'extraordinaire conclusion que combler un fossé équivalait à creuser un sillon et creuser une fosse équivalait à construire, car plus tard un édifice pourrait avoir ses fondations dans ce trou.

C'étaient ces livres que représentait la barrière d'or autour de la Torah, le Talmud protégeant la loi de Dieu, car le Seigneur s'était contenté de dire : « N'oubliez pas le jour du sabbat », mais les rabbins élevaient leurs barrières de textes, protégeant le jour saint par une barricade de lois. C'était à ce travail sacré d'érection de la barrière talmudique que Rabbi Asher allait consacrer le restant de ses jours.

Il n'allait pas pour autant s'installer définitivement et en permanence à Tverya, pour ne s'occuper que de discussions linguistiques et théologiques. Comme ses collègues de Capharnaüm ou de Biri, il continuait de guider la vie spirituelle de sa communauté, et comme il avait une femme et des filles, il était bien obligé de veiller à leur subsistance en s'occupant de sa fabrique de gruau. Aussi, à chaque moisson, il enfourchait son âne blanc et traversait les forêts de Galilée pour regagner sa petite ville et y acheter le grain nécessaire. Et c'était toujours avec une douce

émotion, la joie au cœur, qu'il gravissait la colline de Makor et retrouvait sa maison et sa famille.

Son plus grand regret, lorsqu'il revenait et reprenait son travail à sa fabrique, c'était de ne pas avoir trouvé de jeune homme pour le remplacer, à défaut de fils, durant ses absences. Il avait essayé plusieurs régisseurs, mais aucun n'était assez intègre ou assez habile, si bien qu'en l'absence d'Asher l'affaire allait tant bien que mal sans rapporter beaucoup. Il avait nourri l'espoir que ses gendres pourraient assumer la responsabilité de la fabrique, mais ils n'étaient pas bons à grand-chose, et maintenant, chaque fois que le petit rabbin retournait à Tverya, il soupirait en pensant qu'il n'avait pas encore trouvé cette fois l'homme capable de le seconder utilement.

Aussi, durant l'hiver de 330, quand sa femme lui annonça qu'elle était de nouveau enceinte alors qu'elle semblait avoir passé l'âge de la conception, il fut transporté de joie, persuadé que Dieu faisait un miracle en sa faveur et lui envoyait un fils pour diriger la fabrique de gruau. La barbe déjà grise à quarante-huit ans, il se pavanait en ville et ne cessait de parler de ce fils tant désiré, qu'il comptait appeler Matthieu, le don de Dieu. Mais à l'automne, sa femme accoucha d'une sixième fille, qu'ils appelèrent Jael.

En 335 rentrant à Makor pour les moissons, le rabbin Asher découvrit que Yohanan, de sa propre initiative, avait imaginé un décor qui transformait complètement la synagogue inachevée. Le petit rabbin, allant selon son habitude mettre le nez à la porte pour examiner la bonne marche des travaux, vit s'allonger devant lui deux rangs de colonnes de marbre antique aux tons merveilleux, dont la délicate beauté évoquait plutôt le paganisme que l'austère judaïsme.

— Où les as-tu obtenues ? demanda-t-il d'un ton soupçonneux.

Craignant d'être réprimandé, Yohanan baissa la tête et gronda :

— Mon fils Menahem... il a entendu les anciens parler de mystères... cachés sous la terre. Les colonnes en or, disaient les gens.

— Ton fils ? C'est lui qui a trouvé ces colonnes ?

Gêné, mal à l'aise, le tailleur de pierres bredouilla :

— Les autres enfants ne veulent pas jouer avec Menahem. Il est allé creuser... par là-bas. Il a découvert le pied d'une colonne. Ce n'était pas de l'or.

Rabbi Asher voyait bien que ces colonnes étaient païennes, et leurs couleurs diaprées pouvaient être interprétées comme un ornement, mais à la réflexion on ne pouvait pas les considérer comme des images ni des idoles.

— Qui les a faites ? demanda Asher.

Mais Yohanan l'ignorait. Il était bien incapable d'imaginer qu'un habitant de Makor nommé Timon Myrmex avait passé jadis des années à choisir ces huit colonnes parfaites dans la Césarée d'Hérode, pour orner son forum romain. Yohanan les trouvait admirablement belles et il espé-

rait de tout son cœur que Rabbi Asher lui permettrait de les laisser dans
la synagogue.

— Bon, finit par grommeler le fabricant de gruau. Elles peuvent
rester. Mais ne recommence plus.

Ayant reçu cette absolution, Yohanan voulut entretenir le rabbin
d'un autre problème. Asher s'y attendait depuis longtemps, et ce fut avec
une certaine appréhension que l'homme de Dieu lui déclara :

— Nous ne pouvons en parler ici. Arrête ton travail et viens chez moi.

Dans la fraîche maison de pierre, Rabbi Asher conduisit Yohanan
dans la petite pièce où il étudiait et priait et là, sous la présence rassurante des textes de la loi, il s'assit à sa table, posa les deux mains
dessus et demanda :

— Eh bien, qu'as-tu à me dire au sujet de ton fils ?

— Comment as-tu deviné... ?

— Nous en parlons assez souvent.

— Il a neuf ans. Il grandit.

— Je sais bien, soupira Rabbi Asher en fermant les yeux pour
mieux imaginer l'enfant brun, au corps droit et fort, qui promettait de
devenir un jeune homme superbe.

— Que va-t-il devenir ?

— Je me suis bien souvent posé la question, Yohanan. Et je ne
trouve aucune solution, car il est un bâtard.

— Je le protégerai, s'écria le tailleur de pierres.

— Cela ne l'empêchera pas d'être un bâtard et de ne jamais faire
partie de la congrégation. Il ne pourra pas se marier.

— Je lui achèterai une femme !

— Pas une épouse juive.

— Je partirai avec lui. Nous irons à Antioche... A Chypre...

Ce n'était pas la première fois que Yohanan menaçait de s'exiler, et
à chaque fois le petit rabbin le raisonnait, lui répétait que partout
ailleurs ce serait la même chose, que la loi était la même partout où
il y avait des Juifs. Dans le Deutéronome, la loi de Dieu était transcrite
en termes précis, cruels : « Un bâtard n'entrera jamais dans la congrégation du Seigneur, ni lui ni ses enfants jusqu'à la dixième génération... » Et dans tout le pays de Judée, la loi était respectée.

Ce fut en cette même année 335 que le tailleur de pierres commença
sa sculpture du linteau du portail ouest de la façade principale, et tandis
qu'il travaillait, le petit Menahem restait à son côté, car les autres
enfants refusaient de jouer avec lui et lui jetaient des cailloux. Yohanan
expliquait à son fils, tout en maniant adroitement le ciseau, ce que
représentait son œuvre :

— Tu vois, j'imagine des vignes montant de la terre, et traversant
le sol de la synagogue et montant aux murs pour nous donner du raisin.
Quatre ceps, huit grappes à chaque cep. Cela suffit pour faire deux verres
de vin, un pour toi, un pour moi.

— Est-ce que les palmiers poussent à travers le sol de la synagogue
aussi ?

— Certes ! Et ils nous apportent des dattes douces pour manger en buvant notre vin.

— Et la petite maison à roulettes ? Elle va passer par la porte ?

— Oui, avec des chevaux blancs au galop.

— Qu'est-ce qu'il y a dans la petite maison ?

— La loi...

Bientôt, le portail fut terminé ; on posa le toit sur les huit merveilleuses colonnes et la synagogue fut achevée, avec sa joyeuse frise de svastikas courant autour du mur, et les pierres gravées d'oiseaux de Galilée et de plantes légères. Cependant, Yohanan n'était pas satisfait et il alla trouver Rabbi Asher pour lui faire part d'une nouvelle idée :

— Quand je travaillais à Antioche, nous avons fait des tableaux avec de petits morceaux de pierre de couleur.

— **Des tableaux ?**

— Pas des personnages, pas des idoles, se hâta d'expliquer Yohanan. Des montagnes, des fleurs, des oiseaux, comme là sur les murs.

— Avec de petits bouts de pierre ?

— Oui, par terre. Si nous recouvrions tout le sol de la synagogue de dessins de cette espèce ?...

Rabbi Asher restait méfiant, mais il avait si peur de voir Yohanan se perdre, et abandonner la Galilée et Dieu pour emmener son fils loin de cette loi qui le condamnait que, de crainte que le tailleur de pierres ne quittât Makor une fois la synagogue complètement achevée, il donna son approbation pour ce curieux dallage, tout en se disant qu'il avait sans doute tort.

Yohanan se mit alors à la recherche des pierres de couleur dont il avait besoin. Menahem grandissait, il eut dix ans, puis onze, et il accompagnait son père dans les montagnes où ils campaient parfois au bord des ruisseaux, dans les forêts, et partout où ils allaient ils ne trouvaient pas seulement des pierres de couleur mais ils faisaient de plus la découverte de toutes les merveilles de la Galilée.

En 338, alors que Menahem avait douze ans, il fit la connaissance de Jael, la fille du fabricant de gruau. La femme du rabbin, appelée à livrer une commande supplémentaire de quatre sacs de gruau à un marchand grec de Ptolémaïs, ne trouva aucun homme pour l'aider, et l'idée lui vint d'embaucher Menahem qui était un grand garçon solide, travailleur et intelligent. Ce travail lui plut et quand son père repartit dans la montagne à la recherche de l'introuvable pierre violette dont il avait besoin, le jeune garçon resta à la fabrique pour moudre le grain. Un matin, comme il tournait la lourde meule de pierre, il leva les yeux et vit la fille du rabbin qui lui souriait. C'était une ravissante enfant, avec de longues tresses blondes, des yeux bleus et toute la vivacité de son père. Elle n'avait alors que huit ans et ignorait encore l'ostracisme qui frappait Menahem.

— Comment t'appelles-tu ? lui demanda-t-elle.

— Menahem. Mon père construit la synagogue.

— Le grand homme fort ? demanda-t-elle en voûtant les épaules pour imiter Yohanan.

— Il serait fâché s'il voyait que tu te moques de lui.

Mais la petite fille se mit à rire, et elle resta toute la matinée près de Menahem, à le regarder faire en posant mille questions.

La femme du rabbin apprécia tellement le travail du garçon qu'elle le garda à son service et il finit par remplacer définitivement un des ouvriers qui s'était révélé buveur et paresseux. Maintenant, avec Menahem, le moulin produisait presque autant de gruau que lorsque Rabbi Asher était là pour veiller à tout, et le jeune enfant imaginait déjà son avenir. Il serait nommé contremaître, régisseur, peut-être, et alors les autres garçons de Makor ne le mépriseraient plus. Et sa vision d'avenir était embellie par la présence de Jael, l'impulsive petite fille aux yeux bleus.

— Ma sœur m'a dit que je ne devais pas te parler, parce que tu es un bâtard, dit-elle un jour.

Menahem ne rougit pas, car à douze ans il avait bien souvent entendu ce nom crié à ses oreilles par les gamins de Makor.

— Tu n'as qu'à leur dire que tu me montres comment faire le gruau.

— Dis, qu'est-ce que c'est, un bâtard ?

Menahem ne le savait pas au juste lui-même, simplement que c'était une tare, une indignité et bientôt, à treize ans, il allait connaître toute l'étendue de cette indignité. C'était l'année de l'initiation des jeunes garçons juifs : ils endossaient des habits neufs et entraient dans la synagogue ; là ils montaient au pupitre où la Torah était lue le matin du sabbat, ils se plaçaient devant le livre sacré et ils psalmodiaient pour la première fois en public la parole de Dieu. A ce moment-là, en présence des hommes, le garçon cessait d'être un enfant et déclarait avec assurance : « Aujourd'hui, je suis un homme. Ce que je fais désormais c'est ma responsabilité et non celle de mon père. »

Mais lorsque Menahem eut l'âge de faire ce bond dramatique de l'enfance dans l'âge adulte, et de s'intégrer ainsi à la congrégation d'Israël, Rabbi Asher, l'homme de Dieu rentré de Tverya, dut avertir le petit :

— Tu ne peux pas entrer dans la congrégation du Seigneur, ni toi ni tes enfants jusqu'à la dixième génération.

Yohanan tempêta, clama qu'il emmènerait son fils à Rome, qu'il laisserait le dallage de mosaïque inachevé, qu'il deviendrait renégat... Pendant trois jours, le jeune garçon écouta son père se quereller aigrement avec Rabbi Asher, et il comprit pour la première fois le secret de sa naissance. Il savait enfin ce que signifiait le mot bâtard, et l'ostracisme effroyable dont était victime non pas l'auteur du péché mais l'innocent.

Les autres garçons de son âge, ceux qui lui avaient jeté des pierres, qui refusaient de jouer avec lui, endossèrent des costumes neufs et firent leur entrée devant la congrégation réunie, pour écouter Rabbi Asher leur transmettre la parole de Dieu. Abraham, le fils d'Hababli le teinturier,

un lourdaud qui ne comprendrait jamais rien à l'esprit du judaïsme, pour qui la présence de Dieu ne serait jamais une réalité, ânonna ses quelques versets de la Torah, et il proclama qu'il était désormais un homme ; cette brute épaisse fut accueillie dans le sein de la congrégation, mais Menahem ne l'était pas, ne le serait jamais.

Fou de désespoir, il s'enfuit et pendant deux jours nul ne put le trouver. Rabbi Asher avait peur qu'il se fût suicidé mais Jael, connaissant bien les habitudes de Menahem, le découvrit dans le verger d'oliviers, endormi au pied d'un arbre creux, le doyen du verger, sous lequel ils avaient souvent joué. Elle le prit par la main et le ramena chez elle où Rabbi Asher dit au jeune garçon :

— Tu es davantage un homme que les autres, Menahem. Sur ton front retombe le fardeau de la loi, et ta manière d'accepter ce fardeau déterminera ta dignité sur cette terre et la joie dans l'au-delà. Ma femme me dit que ton travail au moulin est exceptionnel. Tu conserveras cet emploi tant que tu vivras. Que Dieu accorde le repos à ton cœur orageux.

— Et la synagogue ? murmura le garçon.

— C'est interdit, soupira le rabbin.

La sévérité de ce verdict était telle que le sage pleura et prit Menahem dans ses bras, pour tenter de le consoler.

— Tu vivras en enfant de Dieu... en homme de Dieu. Il est écrit que le sort du bâtard est cruel...

Il voulait en dire plus, mais le cœur lui manqua et il se détourna.

Et les années passèrent. Menahem était heureux de travailler, et Rabbi Asher se félicitait d'avoir enfin trouvé quelqu'un qui le secondât si parfaitement. Sa journée finie, Menahem allait aider son père à la mosaïque, si bien que le petit proscrit, lorsqu'il ne s'occupait pas de la fabrique du rabbin travaillait à la synagogue du rabbin.

Un jour, Yohanan eut besoin de consulter le rabbin mais comme Rabbi Asher était retourné à Tverya, le tailleur de pierres et son fils partirent pour la mer de Galilée. C'était la première fois que Menahem voyageait aussi loin et quand ils arrivèrent à Sephet, le père et le fils escaladèrent une haute colline et ils aperçurent au loin les eaux scintillantes et la ville de marbre de Tverya. Les montagnes enserraient le lac dans leur étreinte violette ; les champs labourés étaient bruns et semblaient doux comme le plumage d'un oiseau ; une brume légère montait du Jourdain et dans les prés des milliers de fleurs brillaient comme des étoiles. Le tailleur de pierres qui avait si peu l'air d'un artiste, fut saisi de tant de beauté et crut voir s'étaler à ses pieds sa mosaïque terminée...

Quand ils entrèrent dans la gracieuse ville décadente, et qu'ils longèrent le bord de l'eau, Yohanan fut à la fois irrité et agréablement surpris de voir les jeunes filles se retourner sur le charmant Menahem, et il regretta de n'avoir pas cédé à sa première impulsion qui était d'emmener son fils au loin pour commencer une nouvelle vie. Mais la construction de la synagogue l'avait retenu prisonnier.

Ils parvinrent enfin à la maison grise où les sages se réunissaient

et Yohanan envoya un messager avertir Rabbi Asher de leur arrivée à tous deux.

— Je suis heureux de te voir, Menahem, dit Asher à l'enfant dès qu'il le revit.

— Nous sommes prêts à parachever la mosaïque, interrompit Yohanan. Mais il me manque certaines pierres, certaines couleurs. Pour cela, il faudrait que j'aille à Ptolémaïs. Avec de l'argent.

Rabbi Asher fronça les sourcils.

— Que veux-tu donc ?

— Le dessin que j'imagine...

— Quel est-il, ton dessin ?

— C'est la Galilée.

— Et alors ?

— Il me faut du violet. En beaucoup d'endroits, il me faut des pierres violettes. Je n'en ai pas trouvé.

— Et à Ptolémaïs, ils ont des pierres violettes ?

— Non, mais ils ont du verre violet. Découpé en petits carrés.

Rabbi Asher réfléchit à ce nouveau problème. Il était heureux que Yohanan fasse la mosaïque du sol, mais il ne voulait pas dépenser d'argent pour cela.

— Pourquoi as-tu besoin de violet ? demanda-t-il.

— Pour les plumes du martin-pêcheur. Et aussi pour l'oiseau houpoeh.

— Tu peux mettre d'autres oiseaux.

— Oui, mais il me faut du violet pour les montagnes.

— Sans doute... Menahem, le moulin marche-t-il bien ? La fabrique rapporte-t-elle de l'argent ?

Le jeune garçon le rassura et le rabbin prit sa décision.

— C'est bien. Va acheter le verre à Ptolémaïs.

— Il me faudra aussi du verre doré.

— De l'or ? Il me semble que c'est un luxe païen !

— Peut-être, mais l'or fera scintiller le sol... Je n'en mettrai que par endroits.

Rabbi Asher céda et il était sur le point de dire au revoir à ses visiteurs quand il songea au sort de Menahem.

— Attendez-moi là un moment, dit-il.

Il les quitta pour aller consulter les autres sages, qui étaient en train de discuter âprement pour savoir si une ménagère avait le droit de jeter son eau de vaisselle le jour du sabbat. L'argumentation durait depuis quelques jours. Le rabbin de Sephet prétendait que jeter l'eau de vaisselle était la suite logique de la préparation du repas du sabbat, qui était autorisée, mais le rabbin de Biri affirmait que jeter l'eau équivalait à semer car, disait-il, « de la terre bien arrosée, des graines peuvent germer », et cela était spécifiquement interdit. Asher vint interrompre la discussion pour proposer un autre problème.

— Le tailleur de pierres dont je vous ai parlé, et son fils bâtard... Ils sont là dehors, et je pensais les inviter à entrer.

Le rabbin de Capharnaüm protesta et s'opposa à la discussion de

cas particuliers, mais un vénérable vieillard venu de Babylone déclara :

— Notre grand Rabbi Akiba aurait interrompu une discussion avec Dieu lui-même pour parler à des enfants. Va chercher le jeune garçon.

Rabbi Asher retourna donc dans la rue et fit entrer Yohanan et Menahem dans la cour ombreuse, où les sages purent admirer à loisir la beauté et l'aisance du garçon. Le vieillard de Babylone s'écria :

— La vue d'un tel jeune homme est un soleil qui se lève !

On fit avancer Menahem dans le cercle des érudits mais son père se tint humblement à l'écart tandis que les rabbins discutaient entre eux. Enfin, ils arrivèrent à une conclusion typiquement rabbinique :

— Un bâtard ne peut sous aucun prétexte entrer dans la congrégation, jusqu'à la dixième génération. Mais il y a un moyen.

Ce fut le vieux Babylonien qui expliqua :

— Rabbi Tarfon, bénie soit sa mémoire, ainsi que Rabbi Shammua, ont dit : « Quand le bâtard aura dépassé l'âge de douze ans, qu'il vole un objet valant plus de dix drachmes. Il sera arrêté et vendu en esclavage à une famille d'Hébreux. Là, il épousera une esclave juive. Et après cinq ans passés, le maître des esclaves les émancipe tous deux, et ils deviennent libres. Et comme pour tous les nouveaux affranchis, leurs enfants seront accueillis dans la maison du Seigneur. »

Yohanan écouta ce propos avec stupéfaction. Les rabbins se mirent à discuter gravement du vol éventuel, où et comment il serait commis afin que ce fût un vol honnête, et comment le garçon devait être arrêté devant témoins. Le malheureux tailleur de pierres avait l'impression qu'un ciel d'incompréhension lui tombait sur la tête. Pour lui, ces rabbins barbus étaient fous. Ils ne pouvaient conseiller sérieusement une manœuvre aussi insensée ! Il avait presque envie de prendre son garçon par la main et de fuir ce lieu quand on l'appela, et il s'avança docilement.

— Yohanan, tailleur de pierres de Makor, dit sévèrement le vieillard de Babylone, tu vois où les actions irraisonnées d'un homme entêté peuvent le mener, lui et sa progéniture. Rabbi Asher nous dit que tu as été averti de ne pas contracter une alliance illégale avec une femme mariée, mais tu t'es obstiné. Maintenant, tu n'as pas de femme et ton fils est plongé dans le malheur...

Jusque-là, Menahem était resté très digne, silencieux devant ses juges, car ces doctes personnages ne faisaient que répéter ce qu'il avait entendu dire autour de lui depuis qu'il avait l'âge de raison. Mais lorsqu'il entendit le vénérable Babylonien prononcer froidement des paroles lourdes de sens (« ne jamais se marier... à jamais proscrit pour les Juifs... seul recours l'esclavage... il sera à jamais souillé mais ses enfants pourront être sauvés... ») Menahem comprit d'un coup l'avenir atroce qui l'attendait et il ne put réprimer un sanglot. La tête dans ses mains, il pleura, devant les rabbins impassibles, et finalement Yohanan vint le prendre par les épaules et lui murmura avec une grande douceur :

— Viens. Nous devons retourner à notre travail...

Durant ses quatorzième et quinzième année, Menahem aida son père à disposer les petits cubes de pierres de couleur. Sur le lit de mortier frais, il remplissait les fonds avec des pierres ordinaires d'un blanc grisâtre tandis que son père, avec ses gros doigts en apparence malhabiles, faisait naître des chefs-d'œuvre délicats aux couleurs de rêve. Avec un petit maillet, il brisait des cubes dont les minces éclats lui servaient à créer une fougère si légère que le vent semblait l'agiter, et au sommet de la fougère il posait quelques petits cubes bleu pastel et jaune, et l'on voyait vivre le gobe-mouches prêt à s'envoler, le bout de ses ailes de verre violet scintillant au soleil. Lentement, dans la synagogue de Makor, le père et le fils évoquaient l'essence même de leur terre natale, les collines ondoyantes et les ruisseaux d'argent, l'oiseau houpoeh avec sa crête mauve et blanche, et sa queue en verre violet de Ptolémaïs. Ces deux artisans n'imaginèrent jamais qu'ils créaient un chef-d'œuvre, mais ils sentaient tout de même confusément qu'ils composaient un cantique muet à la gloire de la belle Galilée.

Menahem eut dix-huit, puis dix-neuf ans, l'âge où les jeunes Juifs se mariaient. Tous ses contemporains l'étaient, et certains avaient même déjà des enfants. Mais aucune fille de Makor ne voulait regarder Menahem, à part la jeune Jael, qui se transformait en une belle jeune femme. Elle avait quinze ans, et n'allait plus regarder Menahem travailler au moulin, mais elle le guettait parfois, et ils allaient se promener dans la campagne, sous les oliviers. Un soir, sous cet arbre creux qui avait un jour abrité son sommeil, il embrassa pour la première fois la fille du rabbin. Ce fut comme si les portes d'un nouvel univers éblouissant s'ouvraient devant lui, et son amour pour Jael devint l'unique espoir de sa triste vie.

Les années suivantes furent douces et amères pour Menahem. Il ne pouvait ouvertement faire la cour à Jael, mais il pouvait l'embrasser en secret. Il savait qu'elle arrivait à un âge où des soupirants se présenteraient chez son père, et que son mariage était retardé uniquement parce que Rabbi Asher avait encore une fille plus âgée à marier avant Jael, et ce souci l'absorbait entièrement quand il était à Makor. Enfin, en 350, le petit rabbin trouva un jeune homme qui louchait d'un œil et ne paraissait pas capable de grand-chose, mais qui acceptait d'épouser sa fille, et Menahem comprit alors qu'ensuite ce serait au tour de Jael.

Un jour qu'il remplissait un sac de gruau que Rabbi Asher tenait ouvert pour lui, Menahem laissa échapper, presque contre sa volonté :

— Rabbi Asher, puis-je épouser Jael ?

Le petit rabbin, alors âgé de soixante-neuf ans, leva si brusquement la tête que sa barbe interrompit le flot du gruau qui tombait dans le sac.

— Qu'est-ce que tu viens de dire ?

— Jael et moi, nous voulons nous marier.

Rabbi Asher lâcha le sac qui se répandit sur ses pieds. Sans même le remarquer, sans dire un mot, il partit en courant vers la synagogue où il prit à partie Yohanan :

— Quels conseils donnes-tu à ton fils ? cria-t-il.

— Celui de travailler dur. D'épargner son argent. Et de quitter cette ville.

— Que lui as-tu dit au sujet de ma fille ?

— Je ne lui en ai jamais parlé.

— Ce n'est pas vrai, tempêta le rabbin.

Voyant qu'il ne tirerait rien de Yohanan, le rabbin courut chez lui où il trouva Jael en train d'aider sa mère à la cuisine.

Sans s'émouvoir de l'agitation de son père, la jeune fille avoua tout de suite qu'elle aimait Menahem.

— Il est tellement plus intelligent que les autres, dit-elle. Et il travaille très dur, aussi.

Rabbi Asher n'avait rien à répondre à cela, car de tous les gendres qu'il avait choisis pour ses cinq filles, il n'en avait jamais trouvé un qui arrivât à la cheville de Menahem ben Yohanan. En désespoir de cause, il avait fini par accepter des paresseux, des Juifs qui ne pratiquaient pas, ou même des imbéciles, et voilà que sa plus jeune fille s'était trouvé toute seule un garçon qui ferait l'orgueil de la famille la plus difficile, un jeune homme capable de diriger la fabrique et fort probablement de procréer et d'élever de beaux enfants.

Sans discuter avec sa fille, le petit rabbin se retira dans la chambre où il avait l'habitude de prier. Il se jeta la face contre terre et cria :

— Dieu, mon Dieu, que dois-je faire ?

Pendant près d'une heure, il pria à la mode des Juifs, en se relevant, en se prosternant, en se balançant d'avant en arrière, et à plusieurs reprises il se jeta à plat ventre de tout son long, le nez dans la poussière. Enfin, après s'être débattu avec les concepts de Dieu, de la Loi et de la Torah, épuisé par ce combat avec son Dieu, il se laissa tomber assis et courba le front. Quand il eut bien compris ce qui était exigé de lui, il se leva, retourna auprès de Jael et l'embrassa avec une tendresse inusitée. Sans rien lui dire, il sortit de sa maison et se dirigea vers les cuves de teinture où, en quelques minutes, il arrangea un mariage entre sa fille Jael et Abraham, le fils du teinturier Hababli.

Tout se passa avec une rapidité incroyable. Une tente fut dressée chez le rabbin, et il acheta des urnes de vin au Grec qui avait sa boutique à côté de l'église chrétienne, mais la veille du mariage, Jael courut imprudemment au moulin et se jeta au cou de Mehahem en sanglotant :

— Oh Menahem, Menahem, c'était toi que je voulais !

Rabbi Asher, qui se méfiait des impulsions de sa fille, l'avait suivie et il la ramena à la maison. Et Menahem ne lui parla plus. Ce même soir, il se mêla aux derniers rangs de la foule, et il vit Abraham, qu'il avait connu enfant, un enfant sans grâce et sans bonté, attendant avec sa calotte dorée sur sa tête qu'on lui amène une Jael défaillante et blême. Il avait une expression parfaitement imbécile, tant son ahurissement était grand de voir la ravissante épousée que lui avait trouvée son père. Quand le mariage fut conclu, que les prières eurent été dites par Rabbi Asher en personne, quand le verre eut été brisé et foulé aux pieds, Menahem, qui

assistait à cela le cœur en lambeaux, jura qu'il ne pourrait endurer plus longtemps une existence pareille.

Il attendit que l'épouse eût été emmenée par son mari médusé, et que les invités eussent bu le vin et fussent partis dans la nuit, puis il alla se réfugier dans le verger d'oliviers aux ténèbres propices.

Au matin, il se rendit gravement chez le rabbin et demanda à lui parler. Le gardien de la Loi le fit entrer dans sa petite chambre, croisa ses mains sous sa longue barbe et demanda :

— Eh bien, que désires-tu, Menahem ?

— Suis-je vraiment condamné à une telle vie ?

Lentement, Rabbi Asher prit sur une étagère un rouleau de la Torah et le déroula à un certain passage, qu'il indiqua de l'index :

— Un bâtard n'entrera jamais dans la congrégation du Seigneur, ni lui ni ses enfants jusqu'à la dixième génération.

Puis il ôta sa main et le parchemin s'enroula de lui-même, comme s'il était doué de vie.

— Je ne puis accepter, protesta Menahem. J'irai à Antioche !

Cette menace était familière au vieil Asher. Un quart de siècle plus tôt, dans cette même chambre, Yohanan avait crié les mêmes paroles, mais le tailleur de pierre était resté prisonnier des traditions, et il n'était pas allé à Antioche.

D'une voix douce, le petit rabbin expliqua :

— Si tu prends la fuite, si tu vas dans une autre ville, tu te retrouveras dans les bras des Juifs, partout où règne la Loi.

— Il n'y a pas d'issue ?

— Aucune.

Alors Menahem aborda de lui-même le sujet qu'il avait entendu évoquer pour la première fois douze ans plus tôt sous la treille de Tverya et auquel il avait bien souvent réfléchi. Hochant la tête, il dit en regardant le rabbin dans les yeux :

— Mais si ce soir je vole un objet valant plus de dix drachmes ?...

Rabbi Asher se redressa tout joyeux.

— Nous t'arrêterions, nous te vendrions comme esclave, tu épouserais une esclave et au bout de cinq ans tu serais complètement libre.

— Et lavé de ma souillure ?

— Non, pas toi. Mais tes enfants.

Le vieil homme s'interrompit. Il sentait ses dernières années venues, et il avait de plus en plus conscience de ses responsabilités d'homme de Dieu ; un peu de la joie et de l'amour qui animaient les discussions de Tverya inonda son cœur, et il murmura :

— Menahem, tu es mon fils, le gardien de mon moulin. Je t'en prie, je t'en supplie, vole les dix drachmes de marchandises et retrouve ta place au sein de la loi.

Laissant là ses parchemins, il courut à petits pas vers Menahem, le serra contre son cœur et l'embrassa tendrement.

— Enfin, tu seras un Juif de la congrégation !

Ainsi, Menahem finissait par se soumettre.

En quittant le rabbin, il alla tout droit à la synagogue pour demander à son père d'organiser un vol et une arrestation devant des témoins, afin qu'on puisse le vendre comme esclave fictif.

Mais comme il allait faire part à Yohanan de sa soumission, il aperçut, gravissant la colline pour entrer en ville, un cortège d'ânes, d'architectes, de tailleurs de pierres, de maçons et d'esclaves, conduits par un homme sombre de haute taille.

C'était le prêtre Eusèbe, un Espagnol qui avait servi à Constantinople, et qui arrivait maintenant, avec ses robes noires et son crucifix d'argent, pour construire enfin la basilique de Sainte-Marie-Madeleine dont la reine Hélène avait marqué l'endroit vingt-cinq ans plus tôt.

C'était un homme mince, à la mine grave, à l'allure imposante, les tempes grises et le visage parcheminé, qui entrait dans cette ville de Makor avec la spiritualité majestueuse d'un familier de Dieu.

Le premier habitant de la ville qu'il rencontra fut Menahem, l'air visiblement agité, et les deux inconnus se dévisagèrent un instant. Puis, d'une manière surprenante, la figure austère de l'Espagnol s'illumina, ses rides se creusèrent, ses yeux noirs pétillèrent comme une promesse d'amitié et il sourit au jeune homme en s'inclinant légèrement pour le saluer.

Menahem se sentit étrangement attiré par cet homme d'église impressionnant, qui venait modifier l'aspect de Makor.

A Makor, la première personne à qui le père Eusèbe rendit officiellement visite fut le commandant de la garnison byzantine, sous l'autorité de qui il entendait placer les ouvriers qu'il avait amenés avec lui. Puis il se rendit à l'église chrétienne, une triste baraque à l'est de la ville, où il fut accueilli par un prêtre syrien sans culture à qui il s'adressa d'un ton condescendant. Enfin, parce qu'il savait que la majeure partie de la population de Makor était juive, il s'engagea dans les étroites venelles et alla jusqu'au moulin à gruau où il trouva Rabbi Asher bras nus, suant et soufflant sous le fardeau de ses sacs de céréales.

Le grand Espagnol s'inclina gracieusement, réprima un sourire, et dit au petit rabbin :

— On me dit que vous êtes un érudit, honoré par votre peuple.

Rabbi Asher épongea son front en sueur et chercha des yeux un siège pour son visiteur, mais la fabrique était rudimentaire et il ne voyait rien. L'austère visage de l'Espagnol se détendit un peu et il murmura :

— Sur le bateau, je suis resté assis pendant de longs jours.

—. Va me chercher un siège à la synagogue, dit Asher à Menahem, et pour la deuxième fois, le mince visiteur remarqua Menahem.

— Votre fils ? demanda-t-il quand le régisseur fut parti.

— Plût au ciel qu'il le fût, soupira Asher, éprouvant soudain une chaude sympathie pour le prêtre espagnol.

— Comme vous le savez, dit alors le père Eusèbe, je suis venu ici construire une basilique... Une grande basilique. Nous travaillerons rapidement, votre ville n'aura pas à souffrir de notre présence, et nous ne

ferons pas venir de nouvelles compagnies de soldats. J'espère que vous avertirez vos Juifs... mais peu importe, nous verrons cela un autre jour.

Sur quoi le prêtre catholique prit congé et s'en alla visiter attentivement la ville qui allait l'absorber durant les années à venir.

Cette Makor où le père Eusèbe venait construire sa basilique était bien différente de la magnifique petite cité du roi Hérode, et rien ou presque de ce que voyait le méticuleux Espagnol ne pouvait lui rappeler le charme grec de jadis. Les remparts n'existaient plus, ce qui privait la ville de son unité ; des maisons étaient perchées en désordre sur les anciens glacis, soutenues par des étais de bois là où la pente était trop abrupte. Le ravissant forum n'était plus, le palais des gouverneurs avait été depuis longtemps abattu pour fournir des pierres à la construction de nouveaux logements. On découvrait parfois le socle d'une statue de déesse ou d'empereur servant de mur du fond à une misérable cuisine. Le gymnase avait disparu, et ses magnifiques statues d'Hermès et d'Hercule, et d'Antiochos Epiphane s'étaient envolées nul ne savait où.

Même ce qui avait fait la force de Makor avait disparu. Le puits était oublié, le tunnel de David ne servait plus. La fosse profonde aux rampes gracieuses à double révolution était comblée : depuis près de trois siècles, elle servait de dépôt d'ordures. Maintenant, les femmes descendaient un raide escalier de bois plongeant dans l'ouadi, où l'on avait creusé un autre puits. Makor ne se souvenait même plus de la source vive qui lui avait donné son nom.

Le père Eusèbe, accoutumé à la grandeur de Rome et de Constantinople, finit quand même par découvrir une construction qui ne manquait pas d'un certain charme rustique. C'était la synagogue, dressée vers le centre de la ville. Il l'aborda par sa façade sud et s'arrêta pour examiner cette imitation d'un temple grec à qui manquait la légèreté et les parfaites proportions de l'architecture grecque. Les colonnes soutenant le fronton étaient ici de pierre grossière, lourdes et sans grâce, mais il en émanait néanmoins une impression de force paisible.

Sous le fronton s'ouvraient trois portes surmontées de linteaux sculptés, et la grâce du linteau ouest, représentant des pampres, des dattiers et une petite maison à roulettes, séduisit l'Espagnol qui s'approcha pour pousser la porte avec curiosité.

Là, il fut stupéfait par la beauté des huit colonnes aux proportions parfaites, de couleurs différentes, et manifestement volées à quelque édifice grec ou romain, car aucun Juif n'était capable de créer de telles colonnes. Elles donnaient à la synagogue une grâce poétique, mais Eusèbe fut davantage encore impressionné par la mosaïque qui s'étendait à ses pieds. Composée avec de petits éclats de verre, de minuscules cubes de pierre, il avait devant lui toute la Galilée, les oiseaux nichant dans les oliviers, les renards rusés guettant dans les roseaux, les petits ruisseaux stylisés descendant des montagnes violettes, un ensemble d'éléments disparates formant un tout qui était un chef-d'œuvre d'unité.

— Démétrius, cria le prêtre à son architecte. Viens voir ceci !

Un Byzantin s'approcha, contempla la mosaïque et fut impressionné

à son tour car ses ouvriers n'étaient pas capables d'un travail aussi délicat.

— Qui l'a faite ? demanda-t-il.

— Ils ont dû faire venir quelqu'un de Byzance, observa un des ouvriers spécialistes en mosaïque.

Eusèbe sortit et demanda en grec à un passant juif :

— Qui a fait ce sol ?

Le passant ne comprenait pas, mais survint alors Menahem, qui venait aider son père à la synagogue, et il répondit à sa place :

— C'est mon père qui l'a fait. Il est là, il travaille à l'intérieur.

Il conduisit l'Espagnol dans le fond de la synagogue, où Yohanan réparait une canalisation en terre cuite.

— Voici mon père, dit Menahem.

— C'est toi qui as fait cette mosaïque ? demanda Eusèbe.

— Oui.

— As-tu appris à Constantinople ? demanda l'architecte Démétrius.

— A Antioche.

Pour la première fois, depuis qu'il avait eu l'idée de ce sol, Yohanan éprouvait la douce satisfaction de voir son œuvre admirée par des experts, des hommes qui comprenaient ce qu'il avait fait.

— Exquis, s'écria le père Eusèbe avec un enthousiasme mesuré et il imagina aussitôt sa basilique dallée de la même façon, si bien qu'il demanda impulsivement à Yohanan : Ton travail ici me semble achevé. Nous avons besoin de ton adresse pour notre basilique.

— Ce verre coûte gros, observa Yohanan.

Le père Eusèbe fit signe à un de ses serviteurs de lui apporter le sac qu'il portait, il y plongea la main et en retira une poignée de pièces d'or qu'il mit dans la main de Yohanan. Le tailleur de pierre n'en avait jamais vu autant.

— Va, achète le verre, tout de suite, dit Eusèbe. Il nous faudra un sol trois fois plus grand que celui-ci.

Yohanan comprit que ces hommes étaient résolus à bâtir un bel édifice, et se dit qu'il aimerait travailler avec eux. Mais il leur confia avec simplicité :

— Je suis juif.

Le père Eusèbe eut un rire condescendant.

— Il se peut qu'il y ait dans notre église des sectes hostiles aux Juifs, mais pas ici à Makor. N'aie crainte. Celui-ci, mon architecte, est de Moldavie et il adore les arbres. Celui-là est de Perse et chez lui on adore encore le feu. Nos soldats germains sont des disciples d'Arius, qui prétend que la substance de Dieu...

Le prêtre catholique s'interrompit, en songeant que Yohanan n'avait pas à connaître ces choses, mais, de la voix d'un homme sûr de sa force, il ajouta :

— Comme Juif et comme habile artisan, tu es le bienvenu auprès de nous.

Prenant Yohanan par la main il le fit sortir doucement mais fermement de la synagogue.

Les jours suivants furent animés. Le père Eusèbe oublia sa morgue un moment, le temps pour le prêtre syrien de reconnaître l'emplacement où la reine Hélène s'était agenouillée et avait marqué l'endroit où devait se dresser l'autel de la future basilique.

Yohanan regarda les chrétiens aller et venir à grands pas, mesurant le terrain en long et en large, au nord de la synagogue, et comme en ce temps-là l'Eglise n'exigeait pas encore que les autels fussent tournés vers l'est, de nombreuses suggestions furent envisagées, mais finalement le père Eusèbe appela Yohanan et lui demanda ce qu'il pensait d'une solution qui mettait la basilique devant la synagogue, inclinée vers le nord-est.

— Le terrain est-il solide en cet endroit ? demanda le prêtre.

— Oui, certainement, répondit Yohanan, mais il vous faudrait abattre des maisons... Celle de Samuel le boulanger, et celles d'Ezra, d'Hababli le teinturier, de son fils Abraham... En tout, au moins trente maisons !

— Dans les années à venir, déclara Eusèbe, nombreux seront ceux qui prieront dans cette église. Des pèlerins venus de pays dont tu n'as jamais entendu parler.

— Mais trente maisons !

— Que préfères-tu ? demanda l'Espagnol. Que nous abattions ta synagogue ?

Quand Yohanan comprit que les nouveaux venus étaient décidés, il envoya Menahem à Tverya pour dire à Rabbi Asher qu'il ferait bien de rentrer à Makor au plus tôt, car certaines décisions risquaient de sonner le glas de la ville.

Quand le jeune homme déclina les noms des futurs expropriés, presque tous juifs, le petit rabbin hocha la tête et répondit à son contremaître stupéfait :

— La discussion dans laquelle je suis engagé ici va durer encore trois jours, et il m'est impossible de partir avant. Va, retourne chez nous, Menahem, et dis aux familles qu'elles doivent libérer leurs locaux comme le demande le prêtre. Je suis sûr que les chrétiens leur trouveront de nouvelles terres et de nouvelles maisons.

— Mais, Rabbi Asher...

— Nous savons depuis un quart de siècle que la construction de cette église est la volonté de Dieu, murmura le vieil homme, et nous aurions dû nous y préparer. Moi, j'étais prêt.

Sur quoi, sans la moindre inquiétude, il retourna sous la treille, où les sages abordaient la question du remariage d'une veuve, affaire qui allait les occuper pendant de nombreuses années.

Mais quand le fabricant de gruau mit les autres rabbins au courant de l'affaire, ils interrompirent leur discussion des textes de loi pour aborder le problème qui les inquiétait depuis quelques années. Le rabbin de Sephet s'exprima au nom de la majorité :

— Je ne vois là nulle cause de souci. Cette prétendue église de Constantinople n'est pas autre chose qu'un dérivé du judaïsme. Nous avons vu des schismes de ce genre, par le passé, et la plupart des sectes ont disparu.

Quelques-uns, cependant, étaient d'un avis contraire, et le vieux rabbin de Babylone parla au nom de la minorité.

— Aucune secte dissidente n'est insignifiante, si elle est défendue par un empereur.

— Nous avons survécu à beaucoup d'empereurs, protesta le rabbin de Biri.

La discussion bifurqua alors sur une suite d'incidents qui commençaient à troubler la Galilée, et quand les rabbins eurent fini d'échanger leurs renseignements, on s'aperçut que dans toutes les villes sauf à Makor il y avait eu des troubles, de jeunes Juifs avaient résisté aux percepteurs d'impôts byzantins dont les exigences dépassaient parfois la mesure. A Capharnaüm, cette résistance avait été si violente que les soldats de Byzance durent intervenir pour calmer les protestataires, mais il n'y avait tout de même pas eu de batailles. Toutefois l'ensemble de ces faits isolés ne manquait pas d'être menaçant.

— Les percepteurs d'impôts, s'écria le rabbin de Biri, disent qu'ils doivent récolter de l'argent pour construire les églises de la nouvelle secte. Mes Juifs ne peuvent accepter de tels impôts, et les soldats nous crient : « Vous avez crucifié Jésus ! » et ils crachent sur nos synagogues et les esprits s'échauffent.

La discussion en était là lorsque Rabbi Asher, maintenant un des plus vénérables membres du groupe, proposa la règle qui devait guider les rabbins :

— Dieu nous a demandé de partager cette terre avec une jeune secte de sa religion. Les enfants qui deviennent des adultes, nous les traitons avec respect et dignité. Faisons de même avec ce nouveau mouvement. Doucement, avec de la douceur.

De tous les sages présents ce jour-là, seuls les Babyloniens parlaient du christianisme comme d'une nouvelle religion ; tous les autres ne voyaient là qu'un autre de ces mouvements dissidents du judaïsme, semblable aux Esséniens ou aux Ebionites. Au mieux, ils comparaient les chrétiens aux Samaritains : des Juifs qui ne reconnaissaient que la Torah et refusaient de croire à l'inspiration divine du reste de l'Ancien Testament. Le rabbin de Biri exprima ainsi la pensée générale :

— Les Samaritains ont coupé notre saint livre en deux, alors que les chrétiens l'allongent en y ajoutant un nouveau livre bien à eux. Au fond, tout cela demeure du judaïsme.

Ce fut dans un état d'esprit troublé que Rabbi Asher dit au revoir, pour la dernière fois, aux sages de Tverya. Ignorant qu'il ne reverrait plus jamais ses collègues, il partit sans s'arrêter pour jeter un dernier regard sur la treille à l'ombre de laquelle le Talmud s'élaborait, ni sur les visages barbus qui avaient si ardemment discuté avec lui durant les vingt-deux dernières années. Quand sa mule blanche gravit les hauteurs de Sephet, il ne se retourna pas pour admirer la splendeur automnale de Tverya glissant lentement dans l'oubli à l'ombre de ses portiques romains, mais le lendemain matin, en repartant pour Makor, il prit quand même le temps d'admirer le panorama de la mer de Galilée et contempla

pour la dernière fois la ville d'Hérode, Tverya, l'antique Tibériade, où Jésus avait vécu, où le grand rabbin Akiba gisait éternellement, où les eaux paisibles venaient caresser les rives où Pierre avait pêché.

Et puis la mule blanche s'engagea sur la route de Makor, sous les arbres de la forêt toute bruissante d'oiseaux, qui semblaient saluer ce vieillard à barbe blanche qui passait. Asher souriait avec bienveillance, en songeant aux problèmes de l'heure, en s'efforçant de raisonner avec justesse, et se rappelant ce résumé de toutes les philosophies que le grand Akiba avait proposé à ses disciples : « Mon maître Eliézer m'a appris qu'une seule règle gouverne le Juif qui désire avoir une bonne vie : Repens-toi la veille de ta mort. Et comme nul homme ne connaît l'heure de sa mort, celui-là est prudent qui mène tous les jours une vie de repentir. » Rabbi Asher avait toujours tenté de vivre comme si demain il devait mourir.

Quand le vieillard approcha de la petite ville, il vit comme il l'avait prévu les maçons byzantins qui construisaient de petites maisons près du verger d'oliviers, pour y reloger les trente familles expropriées à cause de la construction de la basilique chrétienne. Asher espérait que les évictions s'étaient passées sans incident, et il talonna sa mule pour la faire trotter le long de la pente montant vers Makor.

Il trouva la ville en effervescence. Dès que son arrivée fut connue, des représentants des trente familles se pressèrent dans la petite maison de pierre attenante à la synagogue, pour émettre des protestations. Samuel s'écria :

— J'ai travaillé pendant quarante ans pour bâtir ma boutique. Les gens ne vont pas sortir de la ville pour aller acheter leur pain !

— Nous devrons te trouver un nouveau magasin en ville, c'est évident, lui promit Rabbi Asher.

Le problème d'Ezra le cordonnier était différent ; il avait ajouté deux ailes à sa vieille maison, pour ses deux fils et leurs femmes, mais la maison proposée par les Byzantins ne permettait pas de loger trois familles.

— Pour notre maison dans les murs, dit-il, nous devrions en recevoir trois hors les murs.

— C'est raisonnable, jugea Asher. Je suis sûr que les Byzantins le comprendront.

— Ils n'ont pas voulu m'écouter !

— Ils m'écouteront, assura le rabbin.

Quand il eut prêté l'oreille à toutes les doléances, il se dit qu'il n'y avait là aucun problème qu'un peu de bonne volonté ne pût résoudre et il quitta sa petite maison de la synagogue pour se rendre sur le chantier de la basilique et s'entendre avec le père Eusèbe. Les ouvriers étaient déjà en train de tracer au sol les plans de l'église et quand le petit rabbin vit ces proportions il en fut sidéré. Les protestations de ses Juifs ne l'étonnaient plus !

Mais dès qu'il vit arriver Rabbi Asher, l'Espagnol, prévoyant les plaintes qu'il allait transmettre, se précipita vers lui les deux mains tendues.

— Ah ! Rabbi Asher, je suis heureux de votre retour ! Je veux vous montrer ce que nous avons fait pour protéger votre synagogue.

Avant que l'homme de Dieu puisse répondre, le prêtre catholique le conduisit au coin du mur de la synagogue pour lui montrer comment la basilique laissait entre les deux sanctuaires un espace libre de près de vingt coudées.

— Nous vivrons côte à côte en paix, déclara l'Espagnol.

Puis, avant que le rabbin puisse répondre à ce geste de conciliation, le père Eusèbe l'entraîna hors du chantier de démolition et le fit entrer dans son étude, une pièce austère, blanchie à la chaux, ornée simplement d'un crucifix de bois sombre et d'une icône byzantine. Dès que le petit rabbin se fut assis, gêné en présence des images interdites par la loi, le prêtre lui sourit et s'excusa :

— Je fais amende honorable, Rabbi Asher. Je ne me suis pas suffisamment informé du sort de vos Juifs que l'on reloge hors des murs. Il y a eu certaines injustices, dont je n'ai eu connaissance qu'hier soir. J'ai donné l'ordre à mon contremaître Yohanan...

— Le tailleur de pierre ?

— Oui. Je lui ai donné l'ordre de trouver en ville une boutique pour le boulanger. Les gens ne peuvent quand même pas faire un long chemin pour leur pain.

Mais Rabbi Asher ne se souciait pas pour le moment du sort du boulanger. C'était le tailleur de pierres qui l'inquiétait.

— Vous dites que Yohanan va travailler pour vous ?

— Oui. Nous aurons besoin d'une grande mosaïque dans la basilique.

Ces paroles éveillèrent aussitôt sa méfiance. Pourquoi grande ? Pour que la basilique soit plus impressionnante que la synagogue ? Pourquoi ce « besoin » ? Quelle religion pouvait avoir besoin d'un si vaste édifice ? Mais comme s'il devinait les pensées du rabbin, le père Eusèbe poursuivit :

— Nous construisons ce qui doit vous sembler une bien grande église parce que de nombreux pèlerins viendront à Makor. Vous savez que dans les années à venir...

— Vous êtes donc là définitivement ?

— Oui. Je dois être nommé évêque. J'ai été envoyé ici pour...

Le majestueux Espagnol hésita. Il allait dire qu'il venait pour « convertir » la région, mais il se ravisa avec tact.

— Je suis là pour construire nos églises, dit-il, puis comme si son subconscient lui soufflait une défense de son ouvrier, il murmura : Vous ne devez pas avoir mauvaise opinion de Yohanan.

— Parce qu'il a cessé de travailler à la synagogue ?

— Non. Parce qu'il a retiré son fils de votre moulin à gruau. Le jeune homme va également travailler pour nous.

Le coup était rude pour le petit fabricant de gruau. Il avait besoin de Menahem à son moulin, et cependant ce ne fut pas sa première pensée. Il avait veillé sur l'enfant maudit depuis sa naissance, il lui avait cherché des foyers, il s'était toujours occupé de lui. Il lui avait donné un emploi, lui avait manifesté une tendresse quasi paternelle et quelques semaines

plus tôt, il avait conseillé vivement au jeune homme de suivre le procédé par lequel il pourrait rentrer dans la synagogue. Et voilà que Menahem allait contribuer à la construction de la basilique !

Cependant, le père Eusèbe passait à un autre sujet de préoccupation. Les mains croisées sur la table devant lui, sa longue figure émaciée se détachant en sombre sur le mur blanc, il dit à son visiteur :

— Rabbi Asher, je me félicite de votre retour. Votre présence devient de jour en jour plus nécessaire ici. On a besoin de vous, car certains de vos Juifs au sang chaud commencent à fomenter des troubles. A propos d'impôts, je crois. Jusqu'ici, notre gouverneur a fait preuve de beaucoup d'indulgence, sur mes conseils, d'ailleurs. Mais...

Le petit rabbin se leva, comme pour prendre congé. Il ne songeait qu'à aller causer avec Menahem, pour savoir si le jeune homme avait volé les dix drachmes de marchandises afin d'être vendu comme esclave et de pouvoir retourner dans le giron du judaïsme. Il s'inclina respectueusement devant le prêtre, comme il l'avait fait à Tverya devant ses collègues, mais Eusèbe le retint.

— Rabbi Asher... Rasseyez-vous. Votre gendre Abraham figure parmi les chefs de ces têtes chaudes. Vous devez lui ordonner de cesser ses provocations, sinon nous aurons des troubles.

— Abraham ?

Dérouté, Rabbi Asher chercha un instant qui cela pouvait être. Il avait peu de respect pour son gendre, bien que le jeune homme eût épousé Jael dans un moment de crise, mais du moins connaissait-il les aspects juridiques du problème.

— Ah oui, dit-il, les rabbins de Tverya ont parlé de cette affaire. Des impôts excessifs, et la colère qui gronde.

— J'ai donné l'ordre à mes percepteurs d'alléger le fardeau, reprit le père Eusèbe d'une voix onctueuse, et j'ai fait construire des maisons pour vos Juifs, par mes ouvriers. Or vous, Rabbi Asher, vous devez m'aider en commandant à votre gendre Abraham et à ses amis de mettre fin à leur dangereuse agitation.

— Abraham ? répéta le petit rabbin médusé.

Il lui paraissait inconcevable qu'Abraham ben Hababli pût présenter une menace pour Byzance, mais il promit de le réprimander.

Rabbi Asher sortit alors de l'austère cellule à l'icône, et courut à son moulin où il trouva un seul ouvrier en train de tourner la meule.

— Où est Menahem ? demanda-t-il.

— Il nous a quittés, répondit le vieil homme.

Profondément troublé, Rabbi Asher trottina par les étroites venelles vers le vaste chantier de la future basilique, et là il aperçut Yohanan et Menahem qui, avec l'aide d'esclaves africains, tassaient dans des sacs les déblais des maisons démolies pour aller les jeter dans l'ouadi. Le père et le fils saluèrent courtoisement le petit rabbin qui demanda :

— Menahem, viens, j'ai à te parler.

Le jeune homme suivit le rabbin à l'écart, et l'homme de Dieu l'interrogea.

— As-tu fait ce qui avait été convenu ? Dix drachmes de marchandises volées devant témoins ?

Comme si cet étrange épisode n'était qu'un cauchemar d'un passé irrationnel, Menahem recula et murmura :

— J'ai eu tant de travail ici...

— As-tu quitté le moulin pour tout de bon ?

— Oui. Je travaille ici à une grande mosaïque. Je dois d'abord chercher les pierres de couleur. Mon père doit être l'architecte. Mais ensuite, je l'aiderai au dessin.

— Mais, Menahem, tu as bien l'intention de devenir un bon Juif ?

Le jeune homme pensait que si le rabbin avait réellement désiré qu'il devînt un bon Juif, il en serait un à présent, mais par respect pour sa barbe blanche il dit simplement :

— Mon travail m'attend, Rabbi.

Et il s'éloigna. Au même instant, des cris s'élevèrent du côté de l'est, où des flammes montaient en tourbillonnant. Rabbi Asher et Menahem s'y précipitèrent et virent des soldats byzantins en train de frapper un jeune Juif tandis que des ouvriers s'efforçaient d'éteindre un incendie qui ravageait un entrepôt où les percepteurs rangeaient les produits de la dîme exigée des habitants de Makor. Avant que Rabbi Asher pût intervenir en faveur du jeune Juif mis à mal, le père Eusèbe surgit, sa haute silhouette sombre fendant la foule agitée.

— Toi, et toi, et toi ! cria-t-il à des badauds juifs. Eteignez ce feu !

Mais l'incendie faisait rage. L'entrepôt contenait du grain et de l'huile et il était manifeste que tout allait être consumé. Les lèvres pincées, blême de fureur, le prêtre contempla cet outrage commis par les Juifs, puis il s'approcha des soldats qui continuaient de frapper l'incendiaire supposé. Au bout d'un moment il leur cria de s'arrêter. Mais le jeune garçon était mort.

Un murmure s'éleva du groupe des Juifs, vite couvert par les cris des combattants du feu et le crépitement des flammes. Le père Eusèbe, sachant qu'il n'y avait plus rien à faire, se détourna et, en passant près de Rabbi Asher, il lui lança d'un ton glacé :

— Voilà ce que je voulais vous dire, et vous n'avez pas écouté. A présent, l'armée germaine va descendre d'Antioche, et tout est votre faute.

Sans attendre une réponse il fendit la foule et alla s'enfermer dans sa petite cellule où il pria longuement. Enfin il envoya des messagers à Ptolémaïs pour avertir les autorités que la révolte juive devenait grave et qu'il fallait envoyer en renfort les troupes germaines en garnison à Antioche.

Cette même nuit, fatidique s'il en fut, les deux chefs religieux de Makor, le père Eusèbe et le rabbin Asher, eurent chacun une entrevue qui devait avoir de curieuses conséquences. Rabbi Asher s'entretint avec son gendre Abraham, un garçon trapu à l'esprit lent, qui arriva avec sa femme Jael et tint tête à son beau-père d'une façon inattendue.

— Les Byzantins sont allés trop loin, déclara-t-il avec force. Non,

nous ne nous arrêterons pas. Jael te dira pourquoi. S'il faut nous battre, nous nous battrons.

Jael, maintenant âgée de vingt et un ans, s'adressa à son père :

— Abraham a raison. Nous ne pouvons connaître de paix avec les Byzantins. Les percepteurs d'impôts...

— Le père Eusèbe m'a promis que les impôts seraient diminués.

— Ils ont été augmentés, rétorqua Jael avec un rire amer. Il faut bien payer cette église !

— Mais...

— Attends de voir le nouvel impôt sur ton moulin, dit-elle d'un ton méprisant. Les soldats deviennent plus arrogants. Tu as vu ce qu'ils ont fait ce matin !

— Mais ce garçon avait mis le feu à l'entrepôt !

— C'est moi qui ai mis le feu, s'écria fièrement Abraham et Jael lui prit la main, qu'elle ne lâcha plus.

— Toi ? s'étonna Rabbi Asher d'une voix qui trahissait le peu d'estime qu'il avait pour son gendre.

« Allons, pensait-il, est-il possible que des rustres imbéciles comme celui-ci soient une menace pour Byzance ? » Mais le jeune homme paraissait résolu, et Jael plus encore que lui. Rabbi Asher s'aperçut soudain qu'une génération nouvelle se levait à Makor, et il n'avait que peu d'influence sur elle.

Au moment où le petit rabbin faisait cette triste découverte, une entrevue aux résonances mystiques se déroulait dans l'austère cabinet du père Eusèbe, qui était assis à sa table de bois sombre, avec Menahem en face de lui. La figure du prêtre était dure, comme fermée, et il semblait réfléchir à quelque événement stupéfiant.

Menahem venait de lui raconter quel avait été son sort, dans la communauté juive, le péché de son père et la malédiction qui s'abattait sur lui, l'enfant innocent. Il avait aussi raconté le subterfuge par lequel les rabbins consentiraient à l'accepter dans la synagogue, et délivrer de la malédiction non pas lui mais ses enfants.

Le père Eusèbe avait d'abord refusé de croire à cet extravagant récit et Menahem avait dû lui répéter son histoire, sans passion, en termes simples. Maintenant, le prêtre baissait la tête et le jeune homme comprit qu'il priait. Enfin, le prêtre espagnol leva sur Menahem des yeux remplis de larmes de pitié.

— Le salut que tu cherches, Menahem, a toujours été à portée de ta main, murmura-t-il en montrant le crucifix. En montant sur la croix, Dieu a donné sa vie pour toi et pour moi. Il a pris sur ses épaules le fardeau de tous nos péchés. Dès l'instant où tu le reconnaîtras, Menahem, tu seras libre.

Le prêtre se leva, s'approcha du jeune Juif assis et s'agenouilla devant lui sur la terre battue. Prenant Menahem par la main, il le fit agenouiller aussi, et il pria à voix haute :

— Jésus-Christ, Notre Seigneur, baissez les yeux avec bienveillance sur ce jeune homme, Menahem ben Yohanan, qui a porté sur ses épaules

un si atroce péché. Ce n'est pas son péché, Jésus, mais le péché originel. Souriez-lui, mon Dieu, et faites passer de ses épaules sur les vôtres le fardeau qu'il a si courageusement supporté.

Dans la petite pièce austère, un miracle se produisit. Le poids écrasant sous lequel Menahem s'était débattu toute sa vie sembla se soulever, et les brumes se dissipèrent de son esprit. Il eut la même impression que lorsqu'il se déchargeait d'un pesant sac de gruau, et il se mit à pleurer de joie comme un enfant.

— Et maintenant, Seigneur Jésus, poursuivit l'Espagnol, invitez ce proscrit dans votre maison. Dites-lui, maintenant, qu'il est libre de se joindre à nous.

Le prêtre se leva et tendit les mains au jeune Juif pour l'aider à se mettre debout. Puis il l'embrassa comme un fils et s'écria joyeusement :

— Tu n'es plus un proscrit !

Il fit rasseoir le jeune homme, alla reprendre sa place derrière la table et, le visage irradié d'amour, ses tempes grises luisant comme de l'argent à la lumière de la lampe à huile, il lui dit :

— Rabbi Asher a eu raison dans tout ce qu'il a fait, Menahem. Il y a du péché dans le monde, et ton père a gravement péché. Le péché est retombé sur toi, si bien que tu étais un proscrit. Mais l'ancienne loi qui condamnait notre âme au péché éternel est désormais abrogée.

Il vit que le jeune homme ne comprenait pas ce mot, mais il était inspiré et ne prit pas la peine d'expliquer.

— L'ancienne loi sévère n'est plus, poursuivit-il. A sa place est venue la nouvelle loi d'amour et de rédemption. Si tu me déclares cette nuit que tu es prêt à suivre le Christ, ton péché sera aboli à jamais.

— Je pourrai faire partie de l'église ?

— Tu la construiras. Elle sera à toi.

— J'ai aidé à construire la synagogue, mais elle n'a jamais été à moi.

— L'église de Jésus-Christ est ouverte à tous sans restrictions.

— Je pourrai chanter avec vous ? Prier avec vous ?

Il ne vit pas le signe de tête affirmatif du père Eusèbe car il avait les yeux baissés.

— Et je pourrai me marier ?

— N'importe quelle jeune fille de notre église serait heureuse et fière d'être ton épouse, assura le prêtre.

Il se leva, alla s'agenouiller devant le crucifix et fit signe à Menahem de l'imiter. Après qu'ils eurent tous deux prié un moment, Eusèbe murmura :

— Seigneur Jésus-Christ, je vous amène ce soir votre serviteur Menahem ben Yohanan, qui offre son âme et sa vie pour vous servir.

Il donna un léger coup de coude à Menahem, qui murmura dans un souffle :

— Je ne peux plus supporter ma part de péché, Seigneur. Acceptez-moi.

Sa voix mourut dans sa gorge sous l'emprise de l'émotion, et il se prosterna de tout son long devant la croix en suppliant :

— Je ne puis plus le supporter... Je ne peux pas... Oh, Jésus aidez-moi !

Au bout d'un moment, le père Eusèbe releva Menahem et, faisant face au jeune homme tremblant, il l'embrassa par deux fois en lui disant :

— Ce soir, tu es Menahem ben Yohanan. Dans trois jours, tu recevras le sacrement de baptême et tu deviendras Marc et une vie nouvelle commencera pour toi.

Bénissant son premier converti, il le renvoya dans la nuit, allégé de son fardeau.

Depuis quelque temps, Eusèbe avait compris qu'il avait une chance de convertir Menahem, mais il ne s'attendait pas à ce qui se produisit le lendemain matin. Avant que le travail commençât sur le chantier de la basilique, Menahem vint frapper à la porte du prêtre, et quand l'Espagnol interrompit ses prières pour ouvrir, il vit non seulement le jeune homme mais aussi Yohanan. Aussitôt, mais sur un plan moins émotionnel que celui qu'il avait employé pour Menahem, il répéta le message de son Eglise :

— Tu as été un grand pécheur, Yohanan, et ton péché est retombé sur tes enfants et les enfants de tes enfants. Tu es impuissant à effacer ce péché mais Dieu, dit le prêtre en montrant la croix, peut seul te sauver. Reconnais Jésus-Christ, dépose ton fardeau sur ses épaules, et tu seras libre.

— Mon fils aussi ?

— Il l'est déjà.

Pour donner une preuve de cette vérité, le sombre Espagnol posa un bras paternel sur les épaules de Menahem et son geste était si franc, si dépourvu de toute restriction, que Yohanan fut contraint de croire. Il vit le visage radieux de son fils libéré du fardeau dont l'implacable loi d'Israël l'avait chargé, et la réalité du salut fut telle pour lui qu'il tomba spontanément à genoux en criant :

— Acceptez-moi aussi !

Aussitôt le sentiment de culpabilité provoqué par le mal qu'il avait fait à son enfant disparut ; et il fut plongé dans le doux mystère de la conversion. Les ennemis de la nouvelle Eglise pouvaient bien se moquer, mais là, dans cette petite pièce aux murs blancs, le fardeau du péché venait d'être très réellement levé des épaules du tailleur de pierre pour être transféré sur celles de Jésus-Christ. Yohanan murmura la prière récitée par le père Eusèbe et quand il se releva il était un autre homme. Le fait était indiscutable. Il s'était mis à genoux, ployant sous le faix de l'ancienne loi, et il se relevait libéré par la nouvelle.

La date du baptême public de Yohanan et Menahem fut fixée au vendredi, un choix malheureux, car si ce jour n'avait pas de signification particulière pour les chrétiens, c'était pour les Juifs le commencement du sabbat et la perte de deux de leurs membres en un jour pareil aggravait l'injure. Chose curieuse, ces mêmes Juifs qui avaient fermé à Menahem les portes de leur synagogue protestaient maintenant le plus vigoureusement contre son abandon du judaïsme. Un comité se forma pour tenter de

l'en dissuader, et un émissaire lui fut envoyé. Menahem n'aurait jamais imaginé quel membre de ce comité serait le premier à lui parler.

C'était Jael et son message était simple :

— Tu ne peux pas nous quitter maintenant, Menahem. Tu ne peux pas passer dans leur camp. Il va y avoir des troubles, une lutte contre les Byzantins, et tu ne dois pas combattre ton propre peuple !

Fortifié par son espoir tout neuf, il sourit de l'incompréhension de la jeune femme.

— Ton père ne m'a jamais autorisé à être un vrai Juif. Ne cherche pas à en faire un de moi maintenant.

— Mais tu es l'un de nous. Cette ville est la tienne.

— C'est une ville nouvelle, répliqua-t-il avec justesse. Conseille à ton mari de faire la paix avec les Byzantins.

— Menahem !

— Je suis désormais Marc. Un homme nouveau, ressuscité en Jésus-Christ.

Jael recula, comme le font instinctivement les gens devant les choses qu'ils ne comprennent pas, et en partant elle lui lança :

— Te places-tu parmi les ennemis de ton peuple ?

— C'est mon peuple qui s'est rangé parmi mes ennemis. A ma naissance. Demande un peu à Abraham...

Il était sur le point de lui rappeler les sombres années de son enfance, quand le mari de Jael lui jetait des pierres en le traitant de bâtard, mais celui qu'il était devenu par sa rédemption, le nouveau Marc, préféra oublier le passé. Ces choses ne lui importaient plus.

— Vendredi, je renaîtrai à la vie, un homme nouveau, dit-il. Alors je serai un Byzantin, et un ennemi de ton mari.

Jael le quitta et se rendit, le cœur navré, au moulin de son père, à qui elle rapporta l'intransigeance de Menahem. Elle ne lui parla pas de la véritable raison qui l'avait poussée à se rendre chez Menahem, car elle ne voulait pas accabler le vieillard avec les problèmes de l'insurrection en mouvement, mais ce qu'elle lui révéla suffit à le bouleverser. Laissant là sa fille, il courut au chantier, où il ne trouva pas Menahem. Mais Yohanan était là et il alla le secouer par le bras en lui criant :

— As-tu abandonné la synagogue ?

— Mais tu vois bien que j'y travaille.

— Je veux dire le judaïsme.

— Je serai baptisé vendredi.

— Non !

— Et Menahem avec moi.

— Non ! Tu ne dois pas !

Le tailleur de pierre, repoussant la main du rabbin, gronda :

— La synagogue n'a pas pu trouver de place pour lui. Cette église l'accueille avec joie.

— Tu es né dans le judaïsme, Yohanan. Tu vivras dans le judaïsme jusqu'à ton dernier jour.

— Pas si on y refuse mon fils.

— Mais nous avions un plan pour le sauver !

— Esclave pendant cinq ans ? ironisa Yohanan en s'écartant du rabbin.

— Mais nous ne sommes sauvés que par la loi !

— Une loi pareille, je n'en veux plus !

Yohanan tourna le dos au rabbin et se remit à son travail. Rabbi Asher ne lui prit pas le bras mais fit en courant le tour du grand tailleur de pierre et, quand il fut en face de lui, il lui cria avec force :

— Tu ne peux échapper à la loi ! Tu seras toujours un homme de la synagogue !

La répétition de ce dernier mot produisit sur le tailleur de pierre un curieux effet. Il resta figé et leva les yeux vers la synagogue qu'il avait construite avec tant de dévotion ; il vit les pierres qu'il avait taillées dans le roc de Galilée, les murs qu'il avait élevés et si l'édifice n'avait pas la grâce du temple grec qui s'était jadis dressé en ce même lieu, ses lignes nettes et dures évoquaient un homme qui avait adoré Dieu à sa manière primitive. C'était un édifice dont tout ouvrier eût été fier, et soudain cet homme simple se sentit accablé, son tourment devint intolérable et il se couvrit la figure avec les mains. Rabbi Asher, devinant le conflit qui faisait rage en son cœur, s'avança vers lui mais Yohanan le repoussa violemment en criant :

— Tu m'as donné l'ordre de la construire... ce sol, cette mosaïque... combien de pierres avons-nous coupées, la nuit ? Le verre doré... Menahem l'a payé de ses deniers, de ses pauvres gains. Non, tu n'avais pas donné assez. Ces murs...

Il courut à la synagogue et se mit à frapper du poing les blocs de pierre, taillés dans le cœur de la Galilée et tomba à genoux contre le mur.

— Devrais-je construire cette synagogue et ne pas y trouver une humble place pour mon propre fils ? gémit-il en se tapant la tête contre le mur.

Rabbi Asher, craignant que Yohanan ne se blessât gravement, alla vers lui, pour tenter d'apaiser sa fureur, essayer d'adoucir la lettre de la loi, mais le colosse ramassa une pierre dans les déblais et se jeta sur le petit rabbin en hurlant :

— Voudrais-tu me voir vivre dans ce péché à jamais ?

Il aurait sans doute frappé Asher si le père Eusèbe, qui de loin avait observé le désarroi terrible qui accablait bien des nouveaux convertis à la veille de leur baptême, n'était intervenu pour éloigner son ouvrier tremblant.

Dans la soirée, Rabbi Asher délégua son gendre Abraham et Samuel le boulanger, avec mission de lui ramener Menahem, mais pas son irascible père, et quand le jeune homme se tint devant son juge, le fabricant de gruau lui demanda :

— Est-ce vrai que tu vas te faire chrétien ?

— Oui, c'est vrai.

— Où as-tu trouvé le courage d'abandonner ta religion ?

— Tu ne m'as pas laissé d'autre choix.

— Ne comprends-tu pas que c'était Dieu qui te punissait ?

— Tu me conseilles toujours de voler pour dix drachmes de marchandises et de devenir un esclave ?

— C'est la loi, et par elle tu trouveras le salut.

— Aujourd'hui, il y a un moyen plus simple.

— En niant Dieu ? Qui nous a choisis, élus comme son peuple ?

Menahem se mit à rire.

— Le peuple élu ? Personne n'y croit plus. Ni mon père, ni moi, ni aucun de ceux qui sont ici.

— Alors, tu nies Dieu ?

— Non. Mais je le reconnais autrement, dans de plus douces conditions.

— Crois-tu donc que Dieu a établi la loi dans l'intention de rendre la vie facile à l'homme ?

Par ces mots Rabbi Asher, en cette calme nuit et dans la lumière clignotante des lampes à huile, exprimait l'inquiétude perpétuelle des Juifs : Dieu a-t-il voulu que la vie soit facile ? Ou l'obéissance à sa Loi agréable ?

Et Menahem, qui à vingt-cinq ans avait été poussé à rechercher la vérité pour lui-même, lui renvoya l'éternelle réponse des chrétiens :

— Dieu a voulu que le salut soit à la portée de tous, même des hommes comme moi. Il a envoyé Jésus-Christ pour mourir pour moi, un bâtard, pour me dire que l'ancienne loi cruelle n'est plus... pour m'annoncer que désormais la miséricorde régnera.

Ce concept, si simplement énoncé, frappa le rabbin, fit vaciller son propre concept de la loi, et il redevint tout simplement l'homme de Dieu :

— Menahem, quand tu es né, personne n'a pris soin de toi, et je t'ai sauvé la vie. Parce que je t'aimais... Parce que Dieu t'aimait. Comment peux-tu à présent cesser d'être un Juif ?

— J'ai cessé de l'être à ma naissance, parce que ta loi ne m'autorisait pas à aimer Dieu.

— Tu ne peux pas désobéir à la loi de Dieu et te mettre ensuite à l'aimer, raisonna le vieillard.

— Le Christ nous a montré le chemin, répondit Menahem et il tourna le dos au vieux rabbin, à qui il ne devait plus jamais adresser la parole.

Le baptême public de Yohanan et de son fils offrit au père Eusèbe l'occasion d'une première cérémonie religieuse. Le vendredi matin, un dais fut érigé à l'endroit précis où l'on avait jadis adoré El, et El-Shaddaï et Antiochos Epiphane. Le prêtre espagnol, en robe et chasuble brodées d'or accueillit les nouveaux catéchumènes tandis qu'une chorale entonnait un cantique de rite byzantin.

Un groupe de Juifs fidèles étaient allés trouver le petit rabbin pour lui soumettre le plan qu'ils avaient conçu de troubler la cérémonie de baptême et Asher les en avait vivement dissuadés. Mais quand ces fanatiques virent les deux Juifs s'avancer, pour consacrer leur alliance avec la nouvelle église, leur sang s'échauffa et ils se mirent à murmurer. De

toutes parts, des soldats byzantins surgirent alors et, avec une efficacité discrète, ils réduisirent les perturbateurs au silence.

Cependant, le père Eusèbe feignait de n'avoir rien vu et procédait au baptême. Les deux Juifs s'étaient agenouillés, et il leur récita en latin, puis en hébreu les paroles rituelles.

Il les fit enfin lever, les embrassa et les présenta à la congrégation chrétienne en ces termes :

— Jean le tailleur de pierre, qui nous aide à construire notre basilique, appartient désormais à cette église. Son fils Marc, qui était un proscrit parmi vous, ne sera plus rejeté. Acceptez ces deux-là comme vos frères.

Et les chrétiens les acclamèrent, tandis que Rabbi Asher et ses Juifs gardaient le silence.

Or, l'on était à la veille du sabbat et personne ne protesta car tous ceux qui auraient pu fomenter des troubles se trouvaient à la synagogue. Mais le samedi au crépuscule, le sabbat terminé avec le jour, de jeunes Juifs sous la conduite d'Abraham et de Jael se réunirent et convinrent d'un geste de défi. Eludant sournoisement la garde byzantine, ils allèrent arroser d'huile la maison d'un percepteur à laquelle ils mirent le feu. Tandis que les premières étoiles apparaissaient dans le ciel au-dessus de la mer, la garde de nuit à Ptolémaïs aperçut ce fanal de la résistance juive et le gouverneur dépêcha un navire à Antioche, pour réclamer une armée germaine et prier qu'on la fasse descendre vers le sud à marches forcées.

A Makor, une paix relative, succéda aux troubles, grâce surtout au père Eusèbe qui répondit aux provocations par une patience toute chrétienne. Il alla même jusqu'à se déranger en personne pour aller avertir Rabbi Asher à son moulin :

— J'ai appris ce matin que les troupes germaines sont en route pour Ptolémaïs, et si je ne les y arrête pas, elles viendront jusqu'ici afin de châtier les fauteurs de troubles. Ni vous ni moi ne désirons voir arriver ces soldats barbares. Je vais donc leur donner l'ordre de rester au loin si vous, de votre côté, vous donnez à vos Juifs l'ordre de mettre fin à ces manifestations.

Rabbi Asher, déjà navré par la turbulente conduite des jeunes Juifs, imaginait l'armée germaine quittant Antioche pour la marche de Ptolémaïs d'où, comme ses prédécesseurs romains, elle se déploierait pour envahir toute la Galilée — comme si l'histoire, semblable à une chanson populaire, ne se lassait jamais de répéter le même refrain — et il promit aussitôt au prêtre :

— Je ferai de mon mieux pour discipliner les Juifs.

Le petit rabbin réunit alors ses jeunes ouailles et leur expliqua comment elles devaient réagir à la brusque ascendance de l'église chrétienne.

— Nous devons vivre en harmonie, et nous ne le pouvons dans les malentendus et l'envie. Aujourd'hui, à Makor, nous voyons deux filles de Dieu, la vieille religion juive et la jeune église chrétienne, et pendant un temps il peut y avoir une concurrence, mais les deux religions me rappellent le vieux Rabbi Eliézer et son disciple Akiba. Il y eut une grande sécheresse et le vieillard pria neuf fois pour la pluie, en vain. Ensuite, Rabbi

Akiba ne pria qu'une fois, et la pluie vint. Les Juifs l'acclamèrent comme le seul vrai prophète, et cela blessa profondément Eliézer, mais Akiba alla à lui et lui dit : « Un roi avait deux filles, l'une âgée et fort sage, l'autre jeune et volontaire. Quand la douce aînée venait à lui avec quelque requête, le roi tardait à l'accorder dans l'espoir de garder sa préférée auprès de lui plus longtemps car sa voix était une musique à ses oreilles. Mais quand la jeune sœur criait et tempêtait, le roi lui donnait aussitôt ce qu'elle réclamait, pour se débarrasser d'elle et la faire sortir du palais. » Dieu ne nous a pas oubliés uniquement parce qu'il exauce les prières de notre jeune sœur.

Certain d'avoir calmé ses Juifs bouillonnants, Rabbi Asher s'apprêta alors à regagner Tverya où son véritable devoir l'attendait. Il ne se rappelait que trop comment il avait d'abord mal interprété sa vision, et fait ériger une synagogue alors que Dieu lui demandait de protéger la Torah avec des lois, et il n'entendait pas se laisser distraire maintenant par de menus troubles politiques. Sa mission était de défendre la Torah et de l'expliquer aux jeunes élèves de la yeshiva.

Mais quand le père Eusèbe apprit ce projet de départ, il fut atterré à la pensée que le rabbin pût songer à quitter Makor en ces temps difficiles, et il dépêcha un soldat à la fabrique de gruau.

— Le père Eusèbe, dit le chrétien au rabbin, veut te voir, immédiatement.

L'ordre était menaçant, mais dans un esprit de conciliation, Rabbi Asher brossa la poussière de ses vêtements et suivit le soldat.

L'Espagnol imberbe l'accueillit en souriant.

— J'ai appris ce matin votre intention de retourner à Tibériade, dit-il en employant le nom romain de la ville. Est-ce bien sage ?

La question surprit le petit fabricant de gruau car nul n'avait le droit de surveiller ses mouvements. Mais il répondit courtoisement :

— A Tverya, des discussions exigent mon attention.

— A Makor, des révoltes exigent votre attention.

— Mais mon principal devoir...

— Est ici, dit nettement mais calmement le père Eusèbe. Rabbi Asher, ajouta-t-il d'une voix persuasive, dans cette ville, nous sommes bien près du drame. Il y a deux jours, j'ai reçu des nouvelles de Capharnaüm. Il y a eu des émeutes, et croyez-moi, elles ont été réprimées avec la plus grande sévérité. Quand vos Juifs ont brûlé le bureau de la perception, j'aurais pu imiter cette sévérité, mais j'ai agi avec indulgence.

— Je sais.

— Vos Juifs doivent s'incliner devant le fait que, désormais, ce pays est un empire chrétien. Notre religion doit prévaloir. Savez-vous que si je le désirais, je pourrais abattre votre synagogue demain ? J'ai quitté Constantinople investi de ce pouvoir. Mais la Terre sainte contient beaucoup de Juifs, et je tiens à vivre en harmonie avec eux, acheva-t-il d'une voix chargée d'un amour sincère.

— Je veillerai à ce qu'il n'y ait plus d'incidents, promit Asher, avant de partir pour Tverya.

— Rabbi ! cria l'Espagnol d'un ton plus sec. Vous ne semblez pas comprendre ! La nuit dernière, il y a eu un soulèvement à Tibériade, qui a fait six morts. Les Germains marchent sur nous, ils sont déjà partis d'Antioche. Nous courons un grave danger, et je dois vous ordonner de demeurer à Makor.

Le petit rabbin hocha la tête sans faire de commentaires, et prit congé du prêtre chrétien en se disant que s'il y avait eu des soulèvements à Tverya il devait justement y courir. Mais quand il voulut franchir les portes de la ville, des soldats l'arrêtèrent et confisquèrent sa mule.

— Le père Eusèbe défend que tu partes, dirent les gardes.

Ce fut ainsi que Rabbi Asher découvrit que le gouvernement civil et religieux de la Palestine était maintenant entre les mains de l'Espagnol.

Cette nuit-là, un groupe de jeunes Juifs, enhardis par les nouvelles des émeutes de Capharnaüm et de Tverya et trompés par l'apparente faiblesse d'Eusèbe lors du dernier incendie, mirent le feu à un entrepôt de fourrage, et au cours d'un combat dans les ténèbres un soldat byzantin fut tué. Mais le père Eusèbe, espérant encore éviter la guerre, retint encore une fois ses troupes.

Ce fut durant ces jours d'attente angoissée que les tailleurs de pierre Jean et Marc commencèrent à s'adapter à leur nouvelle vie de chrétiens. Le père réagit comme l'on pouvait s'y attendre ; il se nicha entre les bras de sa nouvelle religion comme une vieille bête de somme fatiguée qui voit venir la fin de ses jours et n'aspire qu'à la chaleur et à la sécurité. Quand le père Eusèbe venait inspecter les travaux de la basilique, Jean le suivait affectueusement. Il travaillait plus durement, il assistait régulièrement à la messe dans la petite chapelle syrienne, et il ne cessait d'imaginer mille moyens d'embellir la basilique quand les murs seraient achevés. Il s'aperçut d'un changement inattendu qui se produisait dans sa vie, et qui n'avait qu'un rapport indirect avec la religion ; quand il travaillait à la synagogue, chaque fois qu'il avait voulu embellir le sanctuaire, il avait dû aller à l'encontre des vœux du rabbin et des lois de la religion juive, tandis qu'il trouvait maintenant chez les chrétiens un désir d'exprimer par l'art des idées saintes. Maintenant, lorsque Jean suggérait au père Eusèbe quelque décor nouveau pour accroître la splendeur de la basilique, les yeux de l'Espagnol pétillaient et quel que fût le prix, il encourageait son néophyte à persévérer en disant qu'il trouverait bien l'argent nécessaire, le moment venu. Jean faisait la connaissance d'hommes qui aimaient la beauté en ce qu'elle exaltait la vie.

Mais si Jean trouvait dans sa nouvelle église un havre de paix, il n'en allait pas de même pour Marc qui, à la suite de divers incidents troublants, apprenait que cette religion dépassait de beaucoup le cadre de la conversion facile qui lui avait été offerte, car si les chrétiens présentaient aux Juifs et aux païens un front uni, ils étaient aigrement divisés entre eux, car ils ne parvenaient pas à se mettre d'accord sur l'essence même de leur Dieu et ceux qui croyaient une chose étaient tout prêts à égorger ceux qui croyaient autrement. La fraternité de tous les chrétiens que prêchait le père Eusèbe ne régnait certes pas à Makor.

Des ouvriers venus d'Egypte expliquaient que Jésus-Christ était à la fois vrai homme et vrai Dieu, et qu'en conséquence, la Vierge Marie était la Mère de Dieu. Mais les travailleurs venus de Constantinople contestaient cela en prétendant que Jésus était né homme mais avait mené une vie si exemplaire qu'il était devenu Dieu, donc la Vierge Marie était sans doute la mère du Christ, c'est-à-dire d'un grand prophète, mais pas la Mère de Dieu. Marc, écoutant ces interminables discussions qui se terminaient parfois dans le sang, se disait que ces nouveau chrétiens se battant pour savoir si Marie était la mère du Christ ou la Mère de Dieu, ressemblaient singulièrement à ces vieux rabbins discutant pour savoir si la ménagère jetant son eau de vaisselle labourait ou cuisinait.

Il alla confier ses perplexités au père Eusèbe, qui commença par lui dire que c'était là des questions difficiles qui ne concernaient pas le commun des mortels.

— Mais vous, que croyez-vous ? Ce que disent les Egyptiens, ou ce qu'assurent les Byzantins ? insista le jeune homme.

Le prêtre vit alors que Marc était sincèrement troublé et, prenant une décision qui devait avoir une influence durable sur la vie du jeune converti, il entama une brève discussion du dogme chrétien en lui révélant :

— Les Egyptiens et les Byzantins se trompent tous les deux.

— Alors que dois-je croire ?

— Toujours, et en toute occasion, ne crois que ce que l'Eglise t'ordonne de croire. Les décisions sont parfois difficiles à comprendre, mais elles sont toujours justes.

Et il passa un très long moment à tenter d'expliquer le mystère de la Sainte Trinité et des deux natures du Christ qui était venu sur terre en tant qu'homme alors qu'il avait toujours existé en tant que Dieu lui-même sous trois formes.

Ce fut le monothéisme juif qui détermina le choix de Marc, et il finit, après de longues réflexions, par prendre le parti des gens de Constantinople, car en dépit de la logique du père Eusèbe, il ne parvenait pas à croire que Jésus avait été en même temps un homme comme tout le monde et un Dieu faisant partie du vrai Dieu.

Tandis que Marc se plongeait dans ces réflexions théologiques desquelles dépendaient le reste de sa vie, son père consacrait ses soirées au problème qui plus que tout autre avait déterminé sa conversion : le mariage de son fils. Il faisait une toilette soignée, endossait ses vêtements de fête et allait se présenter chez de bons chrétiens ayant une fille à marier. Mais chaque fois, si on le recevait aimablement, si on lui offrait du vin et si l'on échangeait avec lui les amabilités d'usage, on refusait son fils comme gendre parce qu'il était juif.

— Mais maintenant, il est chrétien, protestait Jean.

— Oui, un Juif chrétien.

Après chaque humiliation, il rentrait chez lui tête basse, et à la quatrième, il replia ses beaux vêtements de fête et les rangea dans son coffre.

Dans sa perplexité chagrine, il se dit une nouvelle fois qu'il irait à Antioche ; là-bas il y avait toujours de la construction en train, là-bas il trouverait du travail et une femme pour son fils... Et puis il laissa tomber sa tête entre ses mains, car il savait qu'il n'était pas libre de partir, qu'il ne serait jamais libre de quitter Makor ; il y était lié par la basilique tout comme il l'avait été par la synagogue.

Marc entendit vaguement parler des expéditions nocturnes de son père mais il ne s'en soucia pas car il avait découvert un nouveau sujet de dissension entre les chrétiens, moins grave que le premier, sans doute, mais qui devait avoir plus d'influence sur sa destinée.

En ces temps reculés, alors que le christianisme luttait contre le monde extérieur pour protéger son existence physique, et contre soi pour atteindre à la perfection théologique, un groupe de fanatiques prit pour guide saint Paul, qui avait prêché à la fois la pauvreté et le principe suivant lequel l'homme réellement pieux devait vivre sans femme. Ces fervents disciples prononçaient des vœux de chasteté et de pauvreté et certains, comme Origène, se laissèrent entraîner à de telles aberrations par suite d'une fallacieuse interprétation des textes, qu'ils allèrent jusqu'à se faire castrer.

On discutait de cela devant Marc, à la caserne de la petite garnison byzantine, et un jour un vieux sergent affirma :

— Nul homme ne peut donner plus grande preuve de sa foi.

Quelques jours plus tard, ce vieux vétéran de bien des guerres disparut. Il était parti dans le désert de Syrie rejoindre l'un des petits monastères qui commençaient à se créer dans tout l'Orient, et le bruit courut à Makor qu'avant de partir il avait suivi l'exemple d'Origène. Les travailleurs de la basilique parlèrent de cela avec une respectueuse ferveur et peu de temps après un Egyptien au profil d'aigle disparut à son tour.

Ce problème monastique intriguait Marc et il alla de nouveau confier sa perplexité au père Eusèbe, qui ce soir-là espérait recevoir des nouvelles de Ptolémaïs où l'on attendait l'armée germaine d'un instant à l'autre.

Dans la petite cellule austère du prêtre espagnol, Marc demanda ce qui pouvait pousser des hommes comme Origène ou le sergent byzantin à se castrer en l'honneur de Jésus-Christ.

— En temps qu'hommes, ils ont été égarés, répondit franchement Eusèbe, mais en tant que dévots cherchant à mieux se soumettre à la loi de Dieu...

— Sa loi ?

— Oui. Toutes les religions doivent créer une loi et les hommes raisonnables s'y soumettre. C'est une des gloires du christianisme que sa loi soit rendue simple par Jésus notre Seigneur, qui a pris sur lui les plus lourds fardeaux.

— Mais la loi de Dieu demeure ?

— Naturellement ! Origène et le sergent ont tort dans leur interprétation de la loi, mais ils ont raison en cherchant à s'intégrer dans cette loi.

— Y a-t-il une loi qui interdise aux prêtres comme vous de se marier ?

— Oui. C'est la loi de saint Paul. Mais pour les chrétiens ordinaires, comme toi, le mariage est un bienfait, une bénédiction. Mon père, dit l'Espagnol avec un sourire plein de tendresse, avait onze enfants et il était plus près du Christ que je ne le serai jamais. Nous vivions à Aveiro...

Il évoqua un moment les souvenirs de la charmante petite ville d'Espagne où il était né et où, disait-il, l'huile et le vin étaient meilleurs qu'en Palestine. Il fut interrompu par l'arrivée d'un messager de Ptolémaïs annonçant que les Germains étaient arrivés d'Antioche et marcheraient sur Makor dans deux jours. Faisant conduire le messager aux cuisines, il donna congé à Marc en lui conseillant :

— Epouse une bonne chrétienne et ayez onze enfants. C'est là le vrai chemin du ciel.

Et il disparut pour aller conférer avec le capitaine de la garnison.

Or, tandis que Marc se trouvait engagé dans diverses controverses qui allaient déchirer la nouvelle Eglise durant des siècles, de jeunes Juifs de son âge, à Capharnaüm, à Tverya et à Makor jugeaient le moment venu de rejeter le joug byzantin et une nuit une révolte plus grave encore que les précédentes éclata simultanément dans les trois villes.

Il était plus de minuit quand Marc fut réveillé par Abraham, le mari de Jael, qui l'entraîna à une réunion secrète où Jael prit la parole. Quand elle vit entrer Marc elle hésita, puis elle lui cria :

— Menahem, veux-tu te joindre à nous à la veille de la victoire ?

L'emploi de son véritable nom surprit le jeune homme, qui eut comme un vertige. C'était un peu comme si on lui offrait une dernière chance de préserver son identité. Mais il répondit :

— Je suis chrétien.

Jael vint à lui, la lumière vacillante de la lampe à huile jouant dans ses cheveux d'or. Elle était plus belle encore que dans ses souvenirs, cette fille extraordinaire qui l'avait embrassé, qui l'avait voulu pour mari, et qui lui tendait maintenant les deux mains !

— Nous ne sommes pas des Juifs cherchant une synagogue, lui dit-elle. Nous sommes des hommes et des femmes cherchant la liberté !

Et elle lui désigna plusieurs des conspirateurs, des païens qui adoraient encore Sérapis. Mais Marc, fils de Jean, avait choisi une autre voie, qui l'empêchait de se joindre à Jael et à son mari. Quand il refusa de participer à la révolution, elle ordonna à deux Juifs contre qui il s'était battu enfant de le saisir et de le maintenir par les bras.

— Nous ne pouvons te laisser courir avertir les Byzantins, dit-elle.

Il demeura ainsi prisonnier tandis que des équipes parcouraient la ville en mettant le feu à divers édifices. A chaque instant, des émissaires enthousiastes surgissaient avec des bulletins de victoire :

— Une escarmouche près de l'église ! Nous avons tué quatre soldats !

— Abraham a été capturé, mais nous l'avons délivré !

Vers le matin, Abraham en personne apparut, une estafilade en
travers du front, et un peu plus tard Jael arriva.

— Nous les avons repoussés hors de la ville, s'écria-t-elle, apercevant Marc entre ses gardes : Laissez-le aller, à présent. Il ne peut plus
nous nuire.

Dans l'aube naissante, Marc courut dans les gravats et les détritus
des combats vers la cellule du père Eusèbe, qu'il trouva intacte et déserte.
Le prêtre avait fui et s'était réfugié dans un camp byzantin improvisé, dans
le verger d'oliviers, et Marc alla lui faire son rapport là-bas. L'Espagnol
en le voyant ne put cacher son soulagement et il l'embrassa comme un fils.

— En ne te voyant pas apparaître pour nous aider, nous avons
craint que tu ne sois retourné chez les Juifs.

— Ce ne sont pas tous des Juifs, répondit Marc, et ils ne luttent pas
contre vous. Seulement contre les impôts et les percepteurs. Je suis allé
à votre cellule, et aussi à l'église. Rien n'y a été touché.

Cela arracha au prêtre un soupir, à la pensée des occasions perdues,
et il baissa la tête comme pour prier, puis il murmura :

— Hélas ! il est trop tard. Les troupes germaines sont déjà en marche
sur cette route de Ptolémaïs.

— Ne pouvez-vous les arrêter ? demanda Marc.

— Je le pourrais, dit le prêtre, mais les Juifs ont demandé la guerre,
et ils auront la guerre. Il n'était pas prévu que cela finirait ainsi. Ni
Rabbi Asher ni moi ne l'avons voulu.

Et il se retira sous les arbres pour prier tandis que les soldats byzantins s'affairaient pour dresser une protection du camp. Mais c'était inutile, car les rebelles étaient occupés à piller la ville.

Les Germains, dans leur marche vers l'est, arrivèrent à Makor à
une heure de l'après-midi, et avant que le père Eusèbe ait pu les en
dissuader, ils envahirent la ville, écrasèrent en un instant la résistance
improvisée des Juifs, détruisirent systématiquement toutes leurs habita-
tions et passèrent au fil de l'épée ceux qui ne se rendaient pas assez vite.
Avec une redoutable efficacité, les soldats bien entraînés sur les champs de
bataille d'Occident et enrôlés comme mercenaires par les empereurs byzantins, nettoyèrent la ville quartier après quartier, repoussèrent les derniers
résistants juifs le long de la pente abrupte au nord jusque dans l'ouadi,
et en massacrèrent un grand nombre. Ce fut dans cette mêlée confuse, au
fond du ravin, que se termina la vie brève, à la fois stupide et aven-
tureuse, d'Abraham fils d'Hababli le teinturier. Jael, après avoir tenté de
le défendre contre quatre Germains, réussit à s'enfuir dans le maquis
de la montagne.

D'autres pelotons germains attaquèrent dans le secteur du moulin
à gruau de Rabbi Asher et le vieillard à barbe blanche s'efforça de
défendre son bien, mais les soldats y mirent le feu et le malmenèrent sauvagement. Jean et Marc, que le père Eusèbe avait envoyés dans le sillage
des mercenaires, assistèrent à la pitoyable scène et le solide tailleur de
pierre qui n'avait pas perdu un pouce de sa taille de colosse avec les ans,
se précipita au secours du vieux rabbin ensanglanté.

Repoussant vigoureusement les soldats, il souleva le pauvre homme dans ses bras puissants et voulut le porter chez lui, mais la demeure de Rabbi Asher avait disparu avec les autres, aussi Marc montra-t-il le chemin de la cellule du père Eusèbe, où ils déposèrent le vieux rabbin par terre, au pied du crucifix.

— Ton temps est fini, lui dit brutalement Jean en essuyant le sang de son visage. Retourne à Tverya fabriquer tes lois.

— La loi existe ici aussi, murmura faiblement le vieux rabbin blessé.

Mais au même instant, les soldats qui avaient été privés de leur victime se mirent à hurler au-dehors :

— Pourquoi des Juifs qui ont mis Notre-Seigneur en croix auraient-ils droit à une synagogue ?

Sur quoi une meute hurlante se jeta sur l'édifice et entreprit de le démolir.

Le père Eusèbe, dans l'espoir de préserver ce qui restait de sa ville, essaya d'intervenir mais les Germains refusèrent de reconnaître son autorité. Lorsque Jean et Marc arrivèrent sur les lieux, la synagogue était déjà à demi détruite et les deux nouveaux chrétiens furent atterrés. Ils avaient rejeté la synagogue mais ils étaient scandalisés que des étrangers eussent l'audace de la souiller.

— Non, hurla Jean en s'élançant pour essayer de protéger l'œuvre de ses mains.

Mais à présent, les habitants de la ville eux-mêmes s'étaient joints aux soldats et quand il courut dans le sanctuaire il vit qu'un groupe de Syriens avaient arraché un linteau et s'en servaient comme d'un bélier pour abattre une des ravissantes colonnes de marbre rose. Elle frémit, vacilla comme un animal blessé, se brisa en deux et s'écroula, entraînant une partie du toit.

— Mort aux Juifs ! glapit la foule démente qui détruisait en quelques minutes ce qu'il avait mis des années à construire.

Dans un élan désespéré, Jean se rua vers des hommes qui attaquaient la précieuse mosaïque à coups de pierres et de madriers, mais l'un d'eux le vit venir et le frappa au ventre avec son bâton. Le tailleur de pierre tomba à la renverse et les émeutiers le laissèrent là où il était tombé.

Au bout de quelques heures, il ne restait plus un seul édifice juif à Makor, et il était apparent que désormais il n'y aurait plus de place pour eux dans la ville. Les Germains consommèrent l'inévitable quand, après avoir été finalement maîtrisés par le père Eusèbe, ils se rendirent solennellement à l'église syrienne pour y prier et traînèrent ensuite le prêtre local sur les ruines de la synagogue où ils le forcèrent à arroser d'eau bénite les murs détruits, consacrant ainsi le lieu pour une église chrétienne. Puis ils se rendirent en force devant le père Eusèbe et ils lui annoncèrent :

— Nous avons éliminé une synagogue et vous avons donné une basilique.

Ils prirent ensuite la route de Tverya, où la destruction allait être encore plus totale.

La nuit tomba, et la ville châtiée tenta de se ressaisir. Dans sa paisible cellule, le père Eusèbe fit ce qu'il put pour ranimer le vieux rabbin et fut soulagé lorsque le vieillard barbu rouvrit les yeux. Les Germains lui avaient cassé deux dents et il saignait de la tête, mais il pouvait encore marcher et après minuit, il quitta le prêtre pour rassembler et consoler ses Juifs. Tout n'était que désolation. Quatre de ses six gendres étaient morts ; le moulin à gruau n'existait plus, et quand il vit la synagogue, le vieux rabbin eut l'impression qu'on lui avait ôté sa raison de vivre.

Il ne restait plus un seul toit pour accueillir les Juifs. Ils se rassemblèrent en petits groupes inquiets et se tournèrent vers leur rabbin pour être guidés, mais il était trop écrasé de douleur pour leur être d'un quelconque secours. Jael apparut alors, avec deux de ses sœurs veuves comme elle, et les trois jeunes femmes paraissaient si héroïques dans leur paisible résolution de vivre malgré tout qu'il retrouva assez de courage et pria à haute voix :

— Dieu d'Israël, encore une fois tu nous as châtiés pour nos péchés, mais dans les ruines nous déclarons que c'est toi que nous aimons, toi que nous servons.

Quand il eut achevé ses lamentations, il consulta les anciens de la communauté, et leur demanda conseil sur la conduite que devaient à présent tenir les Juifs.

L'aube apporta une lueur d'espoir. Les Juifs ne seraient peut-être pas obligés de s'exiler, car le père Eusèbe arrivait, montait sur une pile de gravats et leur annonçait :

— En tant que chef de l'église de Makor, je vous fais des excuses pour les événements d'hier. Nos soldats ont aidé à punir les rebelles, c'est vrai, mais ils n'ont pas détruit votre synagogue, ils n'ont pas incendié vos maisons. Vous demeurez ici chez vous, vous pouvez vivre parmi nous comme par le passé, et mes propres ouvriers vous construiront une nouvelle synagogue.

Tous ceux qui redoutaient l'exil furent apaisés par ce geste, et un Juif exalté s'écria :

— Nous la reconstruirons là où elle se dressait !

— Non, protesta Eusèbe avec douceur. Ce site a été consacré terre chrétienne. Nous y élèverons notre basilique et vous pourrez avoir le terrain que nous avions d'abord choisi.

— Consacré ? bredouilla le Juif sans comprendre.

— Comment ? protesta violemment un autre. Une bande de soudards ivres force un prêtre à jeter un peu d'eau...

— Quand une personne ou un édifice a été consacré... voulut expliquer le père Eusèbe.

— Ce n'est pas un édifice, c'est une ruine ! glapit le premier Juif.

Le père Eusèbe allait poursuivre ses explications quand Rabbi Asher, dans une de ces visions révélatrices qu'ont parfois les hommes de Dieu, comprit que la destruction de la synagogue était la volonté de Dieu. Elle n'avait été construite en premier lieu que parce que Asher avait mal interprété une première vision, et elle avait été bâtie et décorée par un

homme sans dévotion qui devait devenir un renégat. La synagogue avait été trop arrogante, trop belle, trop ornée d'images pour être un véritable sanctuaire juif, et Dieu l'avait détruite. Car la structure religieuse essentielle de la foi judaïque ne serait jamais un édifice orné et gracieux ; ce serait seulement la loi. Si dix Juifs se rassemblaient dans une hutte de terre sèche et que la loi fût avec eux, alors Dieu était présent parmi eux. Rabbi Asher vit que si les Germains détruisaient aussi Tverya, les sages qui faisaient la loi seraient contraints de se réunir à Babylone, où le Talmud serait achevé. Sa mission à lui n'était pas de pleurer une synagogue détruite mais de continuer à élaborer la loi.

Alors, tournant le dos au père Eusèbe, le vieux rabbin annonça à ses Juifs stupéfaits :

— Aujourd'hui même, nous partons pour Babylone.

Certains refusèrent de le suivre ; ils préférèrent partir pour Ptolémaïs et de là gagner l'exil, en Afrique ou en Espagne. D'autres allaient tenter de demeurer à Makor, mais on ne le leur permettrait pas. Il n'y aurait plus de synagogue, et comme ils ne voulaient pas reconnaître le christianisme, ils erreraient le long de la côte méditerranéenne, jusqu'en Egypte. Quelques-uns se convertirent, mais la majorité rassembla les quelques hardes données par des voisins chrétiens charitables et, dans l'après-midi de ce jour de deuil, ils se réunirent au sommet de la côte où jadis s'était dressée la porte en chicane. Certains pleuraient leur synagogue détruite, d'autres disaient adieu à leurs amis chrétiens. Mais la grande majorité tournait résolument la tête vers l'Orient, vers Babylone, où les Juifs seraient encore libres de suivre les enseignements de la Torah.

Jael se trouvait parmi ceux-là, et quand Marc vit qu'elle s'apprêtait à partir pour toujours, il s'approcha d'elle et, aux yeux de tous, il lui dit :

— Jael, ne pars pas. Reste ici avec moi.

Elle toisa le renégat d'un œil méprisant et s'écarta, comme s'il était contaminé. Il répéta sa prière, tandis que d'autres Juives reculaient devant lui.

— Jael, le jour de ton mariage, tu es venue à moi, souviens-toi, murmura-t-il en se tournant machinalement vers les ruines du moulin à gruau.

Elle se détourna de lui, et ses sœurs s'avancèrent comme pour la protéger, bien qu'elle n'en eût nul besoin. Et pour la troisième fois, Marc parla :

— Jael, souviens-toi !

Cette fois, Jael répondit :

— Je ne voudrais pas te toucher avec mon pied. Quand nous avons eu besoin de ton aide, tu nous a répliqué que tu étais chrétien, et tu as laissé tes frères affronter seuls la mort.

Ayant dit, elle se racla la gorge avec un bruit horrible et lui cracha dessus. Les autres femmes l'imitèrent, et les enfants orphelins et les vieilles édentées, e Jael leva les mains, ses mains si douces qui avaient ému le cœur de M rc, pour le repousser. Alors il tourna le dos et s'enfuit, les sarcasmes d son peuple résonnant dans sa tête.

Il se réfugia dans la petite cellule blanche du père Eusèbe, où il pria longuement en silence devant le crucifix. Il n'était plus qu'un homme tourmenté qui n'avait pas eu le droit d'être un Juif et qui n'était pas accepté parmi les chrétiens. Et, à la fin de sa longue veille, il comprit que son destin était de rejoindre les anachorètes qui servaient Dieu dans les déserts de Syrie.

Cependant, aux abords de cette ville qu'il avait tant aimée, Rabbi Asher ha-Garsi enfourchait sa mule blanche et conduisait ses Juifs vers l'exil. Dans le crépuscule, le petit vieillard à la barbe blanche les guidait hors de Palestine pour la longue Diaspora qui allait se poursuivre durant près de seize cents ans.

Ainsi Makor, pour la quatrième fois de son histoire, était pour le moment vide de Juifs. Sanchérib les avait exterminés. Nabuchodonosor les avait conduits en captivité et Vespasien en esclavage, mais chaque fois quelques éléments revenaient construire de petites communautés. Cette fois, l'expulsion byzantine menaçait de donner des résultats définitifs, car elle était suscitée par des motifs religieux, qui sont généralement plus durables.

Quand le dernier Juif fut parti, quand Marc eut disparu dans le désert de Syrie d'où il resurgirait bien des années plus tard pour prêcher le gnosticisme, Jean le tailleur de pierre prit la direction des travaux de la basilique et commença par niveler l'ancien site de la synagogue. Chaque pierre qu'il soulevait lui brisait le cœur. Les petits animaux qu'il avait gravés avec tant d'amour avaient été cassés par les émeutiers ; les linteaux décorés étaient brisés, la frise de joyeuses croix gammées avait disparu, les colonnes étaient abattues en tronçons, et sa merveilleuse mosaïque pleine de poésie avait été défoncée à coups de pic. La seule chose à faire était d'effacer tout souvenir des lieux, en mettant de côté les pierres et les piliers qui pourraient encore servir. Il fit donc récupérer par ses ouvriers les piliers intacts, et réparer avec des cercles de fer les colonnes tronquées, et ramasser dans des corbeilles, par des femmes, les cubes de mosaïque qui pouvaient resservir.

Mais quand la nouvelle basilique fut achevée, usurpant le site de la synagogue, et que le moment vint de dessiner la mosaïque du sol, Jean s'aperçut que, bien qu'il eût à sa disposition les mêmes pierres colorées qu'auparavant, il était incapable de recréer les joyeux souvenirs de sa jeunesse.

LA NAISSANCE DE L'ISLAM

NIVEAU VI — 635

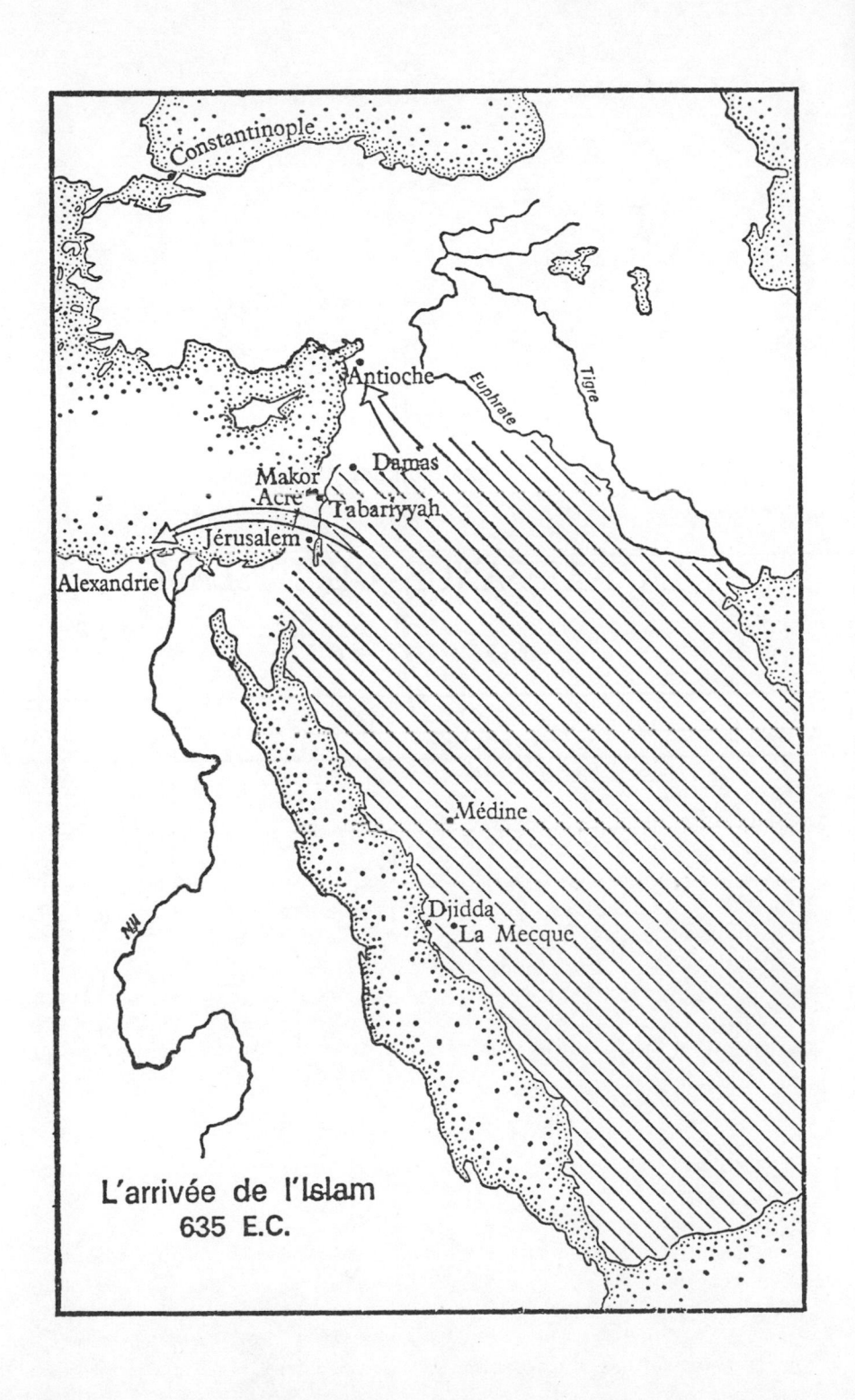

L'arrivée de l'Islam
635 E.C.

L ES Juifs étaient installés depuis deux mille huit cent trente-sept ans à Makor quand les premiers Arabes y arrivèrent. Le soldat qui conduisit les musulmans vers cette ville était un singulier personnage, et son arrivée fut lourde de conséquences.

Dans la ville de Tabariyyah, l'antique Tibériade, par un froid matin pluvieux de novembre 635, deux escadrons distincts de guerriers arabes sellaient leurs chameaux dans l'aube blafarde qui commençait à poindre sur le caravansérail du bord du lac. Ils s'apprêtaient à prendre part à une expérience significative dont les résultats allaient déterminer le sort de l'Islam en Palestine et en Afrique.

Les hommes du premier escadron, agités et bruyants, allaient et venaient nerveusement et les flammes dansantes des feux de bois allumaient des reflets rougeoyants sur leurs robes blanches flottantes et leurs cimeterres nus, tandis qu'ils se préparaient à partir pour leur dangereuse mission. Ils étaient commandés par un petit capitaine sec et noueux débordant d'énergie, Abou Zeid, dont les ordres enflammés, lancés entre les dents comme siffle un serpent, révélaient la violence avec laquelle il avait poussé ses troupes du désert à la conquête des riches cités byzantines. Il était partout à la fois, vérifiait ici la sangle d'une selle, là un baudrier ou un étrier et, dans les lueurs rouges du feu, il ressemblait à un démon vengeur descendu sur les bords du paisible lac de Tabariyyah. Enfin, ne pouvant plus maîtriser son impatience, et sans attendre les ordres officiels du quartier général encore endormi, il sauta sur sa jument grise, piqua vigoureusement des deux et conduisit ses hommes dans les ténèbres, vers les portes, en criant :

— A Safat ! Allah nous guidera !

Et les guerriers réveillés qui les virent partir hochèrent la tête en murmurant :

— Ce soir, Safat sera arabe.

Quand le premier escadron exalté eut disparu, une autre troupe se distingua dans les ombres du caravansérail encombré. Ces hommes n'étaient pas montés, ils n'étaient ni nerveux ni agités. Ils passaient d'un pas paisible mais résolu entre leurs chameaux, assujettissaient un fardeau, serraient les sangles comme s'ils partaient pour une expédition

commerciale sans autres surprises que les prix du tissu. Ils étaient tous
arabes, et, comme ceux de la première troupe, ils avaient fait leurs
preuves à la prise de Damas et lors de l'occupation de Tabariyyah. Ils
formaient une des meilleures unités de l'armée arabe. Alors que les turbulentes troupes d'Abou Zeid avaient été lancées contre Safat pour tuer,
incendier et piller, ce second contingent était maintenu en réserve pour la
partie la plus importante de l'épreuve.

Leur chef se tenait debout près d'un pilier du caravansérail. C'était
un homme mince, de haute taille, portant sur la tête un voile gris tombant
jusqu'à la ceinture, et vêtu d'une robe multicolore faite de larges bandes de
tissus différents cousues ensemble. Il était chaussé de lourdes sandales de
cuir et une large ceinture de poil de chèvre tressé soutenait le fourreau de
cuir de son épée. Agé d'une trentaine d'années, la mine sombre, il était
de nature taciturne.

De son recoin d'ombre, il regardait ses hommes vérifier leur équipement de combat, puis il envoya une ordonnance demander si les bêtes
avaient bu. Il examina avec satisfaction la quarantaine de chevaux debout
au milieu du caravansérail, de remarquables montures qui avaient prouvé
leur valeur devant Damas. Ils n'étaient pas sellés, mais trois grands chameaux, à côté d'eux, étaient lourdement chargés de harnais et de selles.
L'homme à la robe de toutes couleurs s'avança et vérifia si sa propre
selle rouge cloutée d'argent était bien là. Puis il retourna s'accoter au
pilier, d'où il contempla l'horizon d'orient où les étoiles s'éteignaient au-
dessus du lac de Tabariyyah, chassées par les premières lueurs roses de
l'aurore.

Cet homme était Abd Omar, fils d'un guerrier inconnu du désert et
d'une esclave noire d'Abyssinie qu'il n'avait jamais connus. Il avait grandi
dans la ville arabe de Médine, et dès son plus jeune âge il avait conduit
des caravanes le long des pistes jusqu'à Damas, à près de trois cents lieues
de là. Il parlait arabe et grec, et il avait appris l'art militaire aux côtés
du Prophète en personne, lors de la reprise de La Mecque. Sa valeur lui
avait fait mériter un poste haut placé, et aujourd'hui encore, il venait
d'être choisi pour commander une mission importante.

Les Arabes espéraient que tandis qu'Abou Zeid et ses soudards s'emparaient de Safat par la force, les troupes disciplinées d'Abd Omar réus-
siraient à prendre Makor presque sans effusion de sang, car si cette ville
pouvait être occupée sans coup férir, l'important centre de communi-
cations maritimes de Ptolémaïs, que les Arabes connaissaient sous son
ancien nom d'Acre, capitulerait sans doute sans qu'il soit nécessaire de
l'assiéger, et le contrôle de ce port était indispensable si l'on voulait
conquérir des lieux tels que Tyr, Chypre et la puissante Egypte. Le fils de
l'esclave était parfaitement au courant de cette stratégie subtile, et il songeait aux moyens de la mener à bien, tandis qu'il allait de proche en
proche secouer doucement ses hommes par l'épaule, en chuchotant :

— Le jour va poindre, debout.

Silencieusement, comme s'ils se préparaient à un acte grave, les guerriers enfourchèrent les chameaux, qui entourèrent les quarante chevaux sans

selle ni cavalier ; ces montures étaient gardées en réserve pour l'assaut final sur Makor, qui serait donné par un peloton de cavaliers d'élite.

Les chameaux agenouillés se levèrent lentement, les uns après les autres, et dans le petit jour blafard les hautes silhouettes difformes se détachèrent sur le fond du lac d'argent. C'étaient de hardis combattants, juchés sur les chameaux, qui avaient affronté les meilleurs des mercenaires de Byzance. Certains portaient de courtes barbes, mais la plupart étaient glabres comme leur chef. Ils étaient vêtus de robes de toutes couleurs, sauf quelques-uns dont les voiles uniformément fauves semblaient les confondre avec leur monture. Mais ceux dont les robes étaient bariolées de larges bandes violettes, rouges, jaunes, brunes, vertes et bleues ressemblaient à d'éclatants oiseaux du désert perchés un instant sur une éminence avant de reprendre leur vol vers les riantes vallées de Palestine. En huit années de guerres, ce corps d'élite n'avait jamais connu la défaite et aujourd'hui encore, ces valeureux guerriers étaient résolus à faire de ce jour une double victoire, pour leurs armes et pour leur foi.

Abd Omar avait reçu des ordres. La veille, son général, qui avait entière confiance en lui, lui avait répété une dernière fois :

— Tu as bien compris ? Pas de massacres.

— J'obéirai, avait répondu le fils de l'esclave.

Et le général l'avait retenu par la manche, pour une dernière injonction :

— Je veux te répéter ce que le Prophète m'a dit quand nous avons marché sur La Mecque pour la première fois. Sois miséricordieux... si tu le peux. Epargne les vieillards, les femmes, les enfants... si tu le peux. Offre à chaque homme une honnête chance de se joindre à nous, et s'il se soumet, accepte-le tel qu'il est. Mais même si l'ennemi résiste, ne tue ni moutons, ni brebis, ni chameaux, ni bœufs, à moins que tu n'en aies besoin pour te nourrir. Et ne permets à aucun de tes hommes d'endommager un palmier ou un olivier. Ce sont les paroles du Prophète.

— Je les respecterai, avait répondu pieusement Abd Omar en prenant congé de son supérieur.

Abd Omar était trop jeune pour avoir été un ami de Mahomet, mais il l'avait connu assez intimement pour avoir été imprégné de son enseignement — une leçon en cinq points, la plus simple qui fût : les anciens dieux étaient morts ; il n'y avait qu'un seul Dieu ; il avait été découvert par les Juifs ; il avait envoyé son grand prophète Jésus-Christ pour révéler sa parole ; et maintenant il envoyait le prophète final, Mahomet, pour la compléter. Mais chaque fois qu'Abd Omar avait entendu prêcher le Prophète, il avait remarqué qu'il insistait surtout sur un fait précis, à savoir qu'il n'était pas venu d'Arabie avec une nouvelle et bizarre doctrine, mais qu'il était simplement le complément et la synthèse de ce que les Juifs et les chrétiens avaient commencé.

Ainsi, en sortant du caravansérail dans le petit matin piquant, le guerrier du désert éprouvait une confiance en soi que ne pouvaient avoir les défenseurs de la ville qu'il s'apprêtait à attaquer. Car ils étaient soit des Juifs dont la religion avait vieilli en perdant toute sa signification,

soit des chrétiens qui s'étaient trompés en prenant leur Jésus pour le prophète définitif. Abd Omar ne haïssait en aucune façon ses adversaires. Il
avait pitié de leur aveuglement provisoire et voulait les aider à trouver
Dieu. Il était vrai que, lors de la prise de Damas et de celle de Tibériade.
quelques chrétiens et Juifs avaient été lents à comprendre le message du
Prophète, et il y avait eu des exécutions, mais ces temps étaient révolus.
Désormais, et Makor serait la première étape de cette nouvelle politique,
il n'y aurait plus de tueries, plus de massacres de Juifs ni de chrétiens,
car les trois religions devaient vivre côte à côte dans la tolérance. Les
chefs de l'Islam comprenaient à présent que si Juifs et chrétiens demeuraient en vie non seulement ils contribueraient à faire fructifier la terre
mais encore, au bout de quelques années, ils reconnaîtraient la supériorité
morale de la doctrine de Mahomet ; leur conversion se ferait alors tout
naturellement.

Ce fut dans cet état d'esprit méditatif qu'Abd Omar fit sortir ses
troupes de la ville. sans cris, sans cliquetis d'épées, sans galopades effrénées
comme cela avait été le cas pour Abou Zeid et sa clique. Les soldats
chargés d'appliquer la nouvelle politique arabe allaient discrètement, hors
des chemins battus. Ils gagnèrent rapidement les collines. puis les montagnes, avant de franchir les marais qui les séparaient de Makor. Le chemin
serait pénible, malaisé, mais finalement ils aboutiraient à la route pavée de
Damas, où les cavaliers pourraient enfin sauter en selle et s'élancer pour
l'assaut décisif.

La première partie de la marche avait été la plus difficile, car il leur
avait fallu gravir à travers champs et bois la curieuse colline abrupte en
forme de bosse de chameau appelée les Cornes d'Hattin, et Abd Omar
ordonna alors une halte, pour permettre aux bêtes de souffler, et pour
donner ses dernières instructions à ses hommes.

— Vous ne devez tuer personne. N'allumez aucun incendie. Aucun
de vous ne doit toucher à un seul palmier, ni à une seule feuille d'olivier.

Il attendit que les simples guerriers aient bien compris ces ordres
d'un nouveau genre, puis il se tourna vers ses lieutenants :

— Ce soir, Makor doit accepter et reconnaître le Prophète, et son
peuple sera notre ami.

Abd Omar croyait fermement à ce qu'il disait, car comment pouvait-il
en être autrement, puisque les chrétiens eux-mêmes n'étaient pas satisfaits
de leur religion et se querellaient entre eux ? En effet, quand les Arabes
s'étaient hasardés jusqu'à Tibériade après la prise de Damas ils n'avaient
rencontré que très peu de résistance armée, mais une fois dans la place
ils avaient reçu les visites et les doléances des chefs de trois églises chrétienne différentes, venus se plaindre les uns des autres avec tant de
virulence qu'ils en étaient venus aux mains et qu'il y avait eu des morts.
Ces derniers jours, au caravansérail, des espions étaient venus rapporter
que des conditions semblables existaient à Safat et à Makor, tandis
qu'Acre était aigrement divisée, chacune des églises se disputant le droit
d'encaisser les redevances des pèlerins venant de Rome et de tout l'Occident pour visiter les Lieux Saints.

A Damas, surpris par les querelles intestines des chrétiens — et désirant aussi continuer d'attirer les pèlerins chrétiens car ils apportaient beaucoup de richesses — Abd Omar avait voulu étudier de près les chrétiens et leur religion ; il avait réuni le plus de documentation possible, fournie par des espions ou les chefs des diverses églises de Damas et de la nouvelle Tabariyyah. Il était encouragé dans cette tâche par des paroles que lui avait dites un jour Mahomet : « Il n'est que trois religions permises — le judaïsme, le christianisme et la nôtre — et elles ne sont acceptables qu'en cela qu'elles se fondent toutes sur un Livre que Dieu en personne leur a transmis. » Le Prophète avait expliqué que les Juifs avaient leur Vieux Testament, transmis par Moïse, et les chrétiens leur Nouveau, transmis par Jésus-Christ, mais les Arabes avaient le Coran, et comme ce dernier résumait l'essentiel des deux premiers, ceux-là n'étaient donc plus nécessaires.

A Tabariyyah, après avoir calmé les esprits et apaisé les violentes querelles entre les diverses sectes chrétiennes, Abd Omar avait demandé aux prêtres de l'instruire dans leur religion, et il avait été heureux de s'apercevoir que Mahomet avait dit vrai : ces chrétiens reconnaissaient trois des prédécesseurs préférés du Prophète : Jean-Baptiste, la Vierge Marie et Jésus-Christ. En fait, il découvrit que les chrétiens vénéraient Marie tout autant que l'adoraient les Arabes, ce qui était rassurant.

Il apprit en outre, à son grand regret, que l'église chrétienne était si gravement brisée en fractions byzantine, romaine et égyptienne, à propos de points de théologie trop compliqués pour lui, que tout espoir de réconciliation était impossible. Il pensait que le christianisme, à cause de ces terribles luttes fratricides, se fanerait bientôt comme une plante déracinée exposée tout le jour au soleil brûlant du désert, et que son devoir était de rendre les derniers jours de cette foi aussi plaisants que possible. Il était bien résolu à accorder toutes les indulgences aux chrétiens de Makor, dans l'espoir qu'ils reconnaîtraient eux-mêmes leur erreur, et se convertiraient à l'Islam.

Cependant, si Abd Omar avait examiné de près sa propre religion, il y aurait décelé des schismes en puissance ; mais, comme tous les dévots de son époque, il était davantage intéressé par les querelles qui déchiraient les autres églises que par le conflit naissant au sein de la sienne, aussi, tandis qu'il traversait à la tête de ses troupes la forêt qui le séparait encore de Makor, se répétait-il qu'en aucun cas les musulmans ne devaient se mêler des luttes intestines des chrétiens, puisque ces derniers ne tarderaient pas à embrasser sa propre foi.

Dans l'enceinte sans murailles de Makor, les chrétiens attendaient. C'était une assez triste communauté divisée en quatre groupes reflétant les divers schismes du christianisme de cette époque. Même la conquête de Damas par les Arabes n'avait pu induire les sectes à s'unir pour faire front à l'ennemi commun. La chute de Damas avait porté un rude coup au commerce et la perte de Tibériade avait interrompu les fructueux

échanges avec les pèlerins de Capharnaüm. Mais ils continuaient de se disputer aigrement pour des questions de dogme.

Un évêque, nommé par l'empereur de Constantinople et soumis aux désirs de ce monarque, régnait sur la basilique Sainte-Marie-Madeleine, vieille de trois siècles et bien connue en Europe pour la beauté de ses mosaïques que les pèlerins ne manquaient pas de venir admirer. C'était un homme timoré qui s'était efforcé en vain d'apaiser les esprits mais il avait insisté pour faire accepter le dogme orthodoxe selon lequel le Christ était de deux natures bien distinctes, humaine et divine. Ce concept ne pouvait être accepté par le peuple de Makor à l'esprit simple, qui préférait croire à une nature unique du Messie, d'essence à la fois humaine et divine. L'évêque prêchait donc la double nature de Jésus dans sa basilique devant une maigre congrégation tandis que la population chrétienne allait s'entasser dans la pauvre petite chapelle pour prier selon le rite égyptien.

En plus des sectes byzantine et égyptienne, il y avait à Makor deux autres églises chrétiennes, l'une romaine, que fréquentaient les pèlerins venus d'Europe, l'autre nestorienne pour les fidèles d'Orient. Les querelles publiques étaient fréquentes à la sortie des offices. Ainsi, dans ce village, l'on avait un microcosme de l'anarchie théologique qui caractérisait l'Eglise des premiers siècles en Asie : les Byzantins, les Romains, les séparatistes égyptiens et les nestoriens.

C'est dans ce creuset qu'un des plus grands empereurs byzantins venait de lancer une séduisante idée nouvelle. Héraclius était d'abord un soldat, ainsi qu'un sage et un saint, et il avait récemment défait les Perses Sassanides à qui il avait arraché la Vraie Croix, découverte trois siècles auparavant par la reine Hélène, et cet exploit faisait de lui le premier entre les chrétiens. Il avait ensuite étudié les dissentiments qui menaçaient son Eglise et il avait imaginé un ingénieux compromis acceptable tant par les Byzantins, que par les Romains, les Egyptiens et les nestoriens à condition que chacun fît preuve de bonne foi. En ces années terribles où les Arabes s'emparaient de Damas et de la moitié de son empire, Héraclius n'était occupé que de la rédaction de ce compromis que Makor reçut sous la forme suivante :

« Désireux de mettre fin au conflit qui déchire notre Eglise, nous avons décidé qu'il ne doit plus y avoir de discussion quant à la nature de Jésus-Christ, à savoir si elle est unique ou double. La question est sans importance et nous décrétons par la présente que, quelles que soient les croyances d'un fidèle, il est le bienvenu au sein de l'Eglise. Oubliant la nature du corps du Christ, nous annonçons qu'il n'a qu'une volonté, laquelle représente exactement la volonté de Dieu. Telle est désormais la vraie foi des véritables chrétiens, car nous avons dit. »

Le décret de l'empereur fut lu en chaire, aux matines d'un beau jour d'été, et, la nuit venue, trois hommes avaient déjà perdu la vie au cours de batailles religieuses. A la parole de l'empereur, les Egyptiens entêtés avaient répliqué que le Christ n'avait qu'une nature mais deux volontés, si bien qu'en voulant concilier les esprits le malheureux Héraclius n'avait fait que créer un nouveau sujet de schisme.

Et c'est ainsi que, alors que les guerriers du désert arrivaient aux postes de Makor, pour capturer la petite ville et poursuivre leur marche victorieuse sur Ptolémaïs, alors que tout l'Islam déferlait de l'Orient pour envahir la Palestine et mettre définitivement fin au règne de Byzance en Galilée, les citoyens de ce lieu millénaire, berceau de toutes les religions, poursuivaient leurs aigres discussions sans se soucier des messagers poudreux qui venaient, haletants, les avertir du danger qui les menaçait.

Abd Omar, serviteur de Mahomet, était sans doute surpris par les divers postulats des chrétiens, mais il était plus stupéfait encore par les Juifs, car il n'avait jamais pu comprendre pourquoi ils refusaient de reconnaître le Prophète. Ce problème l'intéressait tout particulièrement car, par bien des côtés, il pouvait se considérer comme juif.

Le fils de l'esclave noire avait dans son enfance appartenu à un robuste Juif aux cheveux roux nommé Ben Hadad, dont les ancêtres avaient quitté la Palestine au temps où l'empereur Vespasien écrasait les Juifs rebelles. Les aïeux de Ben Hadad étaient arrivés par caravane de Galilée et avaient trouvé un refuge aimable en Arabie, dans les villes blanches perdues dans les sables. Les Juifs avaient vécu entre eux, respectueux de leur Torah, et s'étaient rapidement établis commerçants. Ils avaient prospéré partout, mais surtout à Médine, la ville natale de Ben Hadad.

Ce dernier était un marchand jovial, dont les caravanes sillonnaient les pistes du désert et une fois, lors d'un voyage à Damas, il s'était procuré une copie du Talmud apportée de Babylone, ce qui faisait de lui une espèce de chef spirituel de la communauté juive. Mais il n'avait rien du rabbin, du sage ni de l'érudit. C'était un brave homme simple, qui aimait l'animation de son métier et qui professait pour le jeune Abd Omar une affection toute paternelle. Il l'avait envoyé tout seul avec une caravane dans le désert à l'âge de onze ans.

— Prends soin des chameaux et Dieu prendra soin de toi, lui avait-il dit simplement. Quand un homme te demande quinze pièces, donne-lui-en seize, si tu veux faire encore des affaires avec lui.

Alors que les Juifs de Médine refusaient de travailler le jour du sabbat, Ben Hadad protestait :

— Si mes chameaux sont à une demi-lieue de la maison le vendredi soir, Dieu lui-même voudrait les voir coucher à l'étable.

Il enseignait aussi à Abd Omar :

— Si tu souffres trois jours dans le désert pour soigner un chameau malade, Dieu te remboursera de tes peines.

Il avait quarante-huit ans, quatre femmes et de nombreux enfants, mais Abd Omar était son préféré, car le fils de l'esclave avait l'esprit vif et le même amour de la vie que Ben Hadad.

Plus que la plupart des Arabes, Abd Omar comprenait combien de préceptes du Coran avaient été inspirés au Prophète par les écrits des Juifs, et il approuvait Mahomet de s'efforcer, dans l'espoir d'unir les

ordres anciens et nouveaux, de convertir les Juifs à sa foi. Mahomet avait souvent répété à ses voisins juifs qu'il descendait comme eux d'Abraham — par Ismaël — et il avait inclus dans sa religion tout ce qui tenait le plus au cœur des Hébreux : le concept d'un Dieu unique, les visions de Moïse, la droiture de Joseph, la gloire de Saül, de David et de Salomon et la sagesse de Job. Logiquement, la religion de Mahomet devait être la suite et l'épanouissement normal du judaïsme, et le Prophète attendait avec confiance l'union avec les Juifs. C'était sans doute un symbole que, dans sa fuite de La Mecque vers Médine, il eût d'abord été accueilli aux portes de la ville par le Juif Ben Hadad qui lui avait offert l'hospitalité.

Pourquoi les Juifs avaient-ils refusé Mahomet ? se demandait Abd Omar. Car il se rappelait l'attitude ironique de son père adoptif Ben Hadad quand Mahomet lui avait conseillé d'abandonner la Torah pour le Coran. Pressé de s'expliquer, le Juif avait répondu :

— Je suis d'accord avec toi, il n'y a qu'un seul Dieu, mais le temps des prophètes est passé.

Une discussion avait suivi, et Mahomet malgré toute sa logique et sa persuasion n'avait pu ébranler la foi du Juif qui répétait obstinément :

— La Torah nous suffit.

Sous les pins et les chênes verts de Galilée, Abd Omar se rappelait le matin où il avait dit au revoir à Ben Hadad pour la dernière fois. Il avait alors vingt ans et s'apprêtait à partir pour Damas avec la caravane quand Mahomet et quelques disciples avaient entamé une discussion sous un bosquet voisin, et en entendant le message inspiré tombant des lèvres du Prophète, il avait retardé son départ pour aller l'écouter. Comme une illumination, il avait brusquement compris — lui, le serviteur d'un Juif, le fils de l'esclave noire — qu'il était appelé à une grande mission. A peine le Prophète s'était-il tu, qu'il était allé se prosterner à ses pieds en criant :

— Je suis ton serviteur.

— Non pas le mien, mais celui de Dieu, avait répondu le Prophète.

En cet instant, Abd Omar avait conclu l'alliance qui devait guider sa vie et transformer l'esclave en capitaine des fidèles.

Dans son exaltation nouvelle, il était allé trouver Ben Hadad et lui avait annoncé :

— Père, je me suis soumis au Prophète.

Le Juif avait commencé par faire la grimace, puis il avait généreusement répondu :

— J'espère que tu trouveras la paix et le réconfort.

— Ne veux-tu pas me rejoindre ?

— Non. Il n'y a qu'un seul Dieu et il s'adresse aux Juifs par l'intermédiaire de la Torah.

Abd Omar fut d'abord surpris par cette réponse si catégorique, mais ensuite il crut comprendre :

— Tu es un chef spirituel, alors tu dois respecter la loi des Juifs. Mais les autres...

— Tu crois qu'ils se convertiront à Mahomet ? s'écria Ben Hadad

en riant. Mon fils, nous sommes des Juifs parce que nous croyons en certaines choses. Aucun des autres ne se convertira.

Le jeune homme fut réellement troublé, et il se crut obligé de murmurer :

— Dans ce cas, c'est peut-être aujourd'hui la dernière fois que je conduis ta caravane à Damas.

— Mon fils, répliqua le bon Juif avec affection, je t'ai élevé pour que tu deviennes un homme de Dieu. A Damas, les chrétiens sont aussi des hommes de Dieu. Et Mahomet en est un lui aussi. Nous arriverons bien à travailler tous ensemble, la main dans la main.

Sans le savoir, Abd Omar avait dit vrai ; ce fut le dernier voyage qu'il fit pour le marchand Ben Hadad. En son absence, les Juifs de Médine, sourds aux objurgations de Mahomet, s'étaient alliés aux ennemis du Prophète. Ils avaient publiquement ridiculisé son Coran, et avaient apporté leur soutien aux païens contre lui, si bien que, par une sombre journée que la nouvelle religion allait tenter en vain d'oublier au cours des siècles, les huit cents Juifs mâles de Médine furent rassemblés sur la place du marché, conduits en rangs devant une tranchée ouverte et décapités un par un de telle manière que les têtes et les corps roulaient dans la fosse béante. A l'heure de la mort, on offrit à chaque Juif la vie sauve s'il consentait à embrasser la foi de Mahomet.

Ils refusèrent. Ben Hadad éclata de rire, et sa tête roula d'un côté, son corps d'un autre.

Ce jour-là, sept cent quatre-vingt-dix-neuf Juifs furent décapités, et un seul sauva sa tête en se convertissant. Le forfait perpétré, il en ressortait deux faits évidents : les Juifs ne se convertiraient jamais à la nouvelle religion, mais il était impossible de les exécuter tous. Ils étaient de bons cultivateurs et on avait besoin d'eux pour s'occuper des terres, aussi usat-on d'un compromis. S'ils se tenaient tranquilles, ils pourraient conserver leur Torah, mais leurs impôts seraient plus élevés et ils ne pourraient plus circuler librement.

Pour donner une preuve de son désir de mansuétude, Mahomet eut une idée théâtrale. Le massacre fini, dans une atmosphère de repentir il s'approcha des cinq ou six cents femmes juives qu'il venait de rendre veuves et choisit une belle jeune femme qu'Abd Omar avait bien connue, Rihana, la femme d'un marchand, et l'épousa. L'année suivante, quand il fut contraint d'exécuter un chef juif rebelle, Mahomet épousa encore une fois sa veuve, la gracieuse Safia, et il vécut affectueusement avec ses deux épouses juives, en comptant sur elles pour apaiser la rébellion des Juifs d'Arabie.

Abd Omar se rappelait le jour maudit de son retour de Damas, quand il avait appris l'exécution de son bienfaiteur Ben Hadad. Il avait couru à la longue tranchée pour rendre les derniers devoirs au bon Juif qui lui avait appris tant de choses, et il songea que là, dans cette fosse, gisaient neuf des dix enfants avec qui il avait joué jadis. Le fardeau d'horreur qu'il avait dû supporter ce jour-là ne devait plus jamais le quitter. Et aujourd'hui, par les sombres forêts de Galilée qui déprimaient les Arabes

habitués aux grands espaces dénudés du désert, il en sentait encore le poids accablant sur ses épaules.

Son attention fut brusquement détournée de ces souvenirs car la piste débouchait de la forêt devant un vaste panorama de collines moutonnantes, et, au sommet de l'une d'elles, où Safat était accrochée comme une étoile, les guerriers arabes virent monter les flammes des incendies. Ils firent halte, le cœur en proie à des émotions confuses. Leurs frères avaient atteint la ville, mais ils la détruisaient d'une façon qui serait interdite à l'avenir. Un soldat grommela dans sa barbe :

— Je vois qu'Abou Zeid est arrivé.

Abd Omar se retourna vivement sur sa selle et cria à ses hommes d'une voix sèche :

— Les temps des incendies sont révolus. Il n'y en aura pas à Makor.

Il talonna son chameau pour le faire repartir et au même instant une pluie fine se mit à tomber. Cela rendrait plus pénible et dangereuse la traversée du marais, mais Abd Omar ne se souciait point de ces choses. Son esprit demeurait au loin dans le passé, sur cette place du marché où il avait vu la longue tombe des Juifs, où, en cet après-midi de deuil, il était devenu l'homme qu'il était à présent : un valeureux guerrier, un chef audacieux, mais un homme qui ne pourrait jamais approuver le crime de vengeance.

Dans les étroites venelles sombres de Makor, les Juifs attendaient le menaçant déferlement de l'Islam. Ils avaient appris la chute de Damas et la capture de Tverya, qui avait été leur ville sainte au bord de la mer de Galilée. Un tiers de la population de Makor était juive et il y en avait aussi beaucoup dans les vallées environnantes, car les Juifs de Galilée préféraient encore travailler la terre et laisser le commerce aux mains des Grecs. Mais ces Juifs ne jouaient aucun rôle dans une ville essentiellement chrétienne, car la loi de Constantinople était formelle : les Juifs ne pouvaient ériger de nouveaux édifices, ni bâtir de nouvelles maisons, ni améliorer ce qui existait déjà. Leur synagogue devait être discrète et ne concurrencer en hauteur aucune des églises chrétiennes, et comme la congrégation nestorienne était très pauvre et sa chapelle bien humble, la synagogue était bien peu de chose en vérité.

Ces Juifs de Makor étaient dirigés par un rabbin ahuri, aussi piteux que l'était leur synagogue. Il n'était ni un vieux sage imbu des traditionnels préceptes des Hébreux ni un jeune fervent du Talmud, mais tout simplement un homme de quarante ans, timoré, craintif, soumis à Constantinople et ne connaissant que la lettre de la loi et non l'esprit.

Or, en cette année de crise, alors que l'Islam était en marche et que seul un pays unifié pouvait espérer résister à son assaut, ce ridicule rabbin insensé avait gravement divisé sa communauté à la suite d'un événement si éternel qu'il aurait pu surgir des rouleaux de la Genèse. Comme la plupart des drames classiques de la Torah, l'histoire avait commencé

simplement : il y avait deux frères. L'un d'eux avait épousé une belle jeune femme. L'autre non.

Dans toute la Palestine, depuis les temps immémoriaux et quel que fût l'occupant, les Juifs avaient toujours eu le monopole d'une industrie, la teinture. A Makor, les cuves de teinture qui se trouvaient à côté de la basilique appartenaient à deux frères, Judas et Aaron. Judas, l'aîné, avait épousé quelques années plus tôt une belle jeune femme nommée Shimrith tandis que le cadet se mariait avec une brave paysanne sans grâce mais dure au travail. Le mariage de Judas et de Shimrith avait porté ses fruits, car s'ils n'avaient pas d'enfants ils avaient réussi à créer une demeure accueillante où l'on respectait la loi de Dieu et où les Juifs aimaient à se réunir en ces sombres années. De fait, quand ils comparaient leur piètre rabbin avec Judas, les Juifs soupiraient souvent entre eux :

— Comme cette ville serait plus heureuse si Judas était notre rabbin !

Les temps étaient difficiles. Damas étant tombée aux mains des Arabes, le commerce avec cette ville s'était interrompu et les deux frères teinturiers ne savaient plus comment écouler leurs marchandises. Ils se voyaient contraints de choisir entre fermer leur fabrique et réduire ainsi leurs ouvriers juifs à la famine, ou se rendre à Ptolémaïs pour voir s'ils ne pourraient vendre des pièces de tissu aux marchands venant de Venise ou de Gênes. Donc, au début du mois de novembre, Judas se décida à partir, laissant sa femme Shimrith à la maison, qu'il partageait avec son frère Aaron. Ce fut pendant l'absence de son mari, que Shimrith s'aperçut que son beau-frère la couvait d'un regard qui n'avait rien de fraternel. Il guettait les instants où elle se trouvait seule, il lui coulait des regards concupiscents, il cherchait à lui prendre la taille... Un jour, il la surprit dans la cuisine et se conduisit d'une façon si révoltante que Shimrith le menaça de tout dire à Judas à son retour.

— Si tu fais ça, je le tuerai, menaça Aaron.

Mais Shimrith le gifla et se débattit si bien qu'il dut la laisser aller, et elle se réfugia, toute tremblante, dans ses appartements.

Cette nuit-là, elle entendit le vent se lever, venant de la mer, prédisant l'hiver proche. Makor, sur son éminence, était exposée à toutes les tempêtes, et les pèlerins venus d'Europe, qui avaient toujours imaginé que Moïse et Jésus avaient vécu sous le brûlant soleil du désert étaient stupéfaits de découvrir une Galilée aussi glacée que leur terre natale.

Shimrith, frissonnante de froid et de terreur, attendait impatiemment le retour de son mari, mais la tempête le retenait à Ptolémaïs et, les jours passant, Aaron, devenu fou de désir, avait fini par se persuader que sa belle-sœur jouait avec lui un jeu de coquette et se morfondait dans sa solitude en attendant ses avances.

Un matin, il quitta subrepticement les cuves, se glissa dans la maison alors que sa femme était occupée par ses enfants au-dehors et surgit soudain dans la chambre de Shimrith. Avant qu'elle soit revenue de sa surprise, il la saisit à bras-le-corps et l'embrassa.

Elle essaya de le repousser, mais il était plus fort qu'elle. D'une

main appliquée sur sa bouche il étouffa ses cris tandis que de l'autre il déchirait ses vêtements. Folle de honte et de terreur, elle se débattait en vain. Aaron la jeta à terre et tomba sur elle de tout son poids. Le choc fut tel qu'elle perdit connaissance et quand elle revint à elle l'irréparable s'était produit.

Aaron parti, elle murmura tout bas :

— Dieu de Moïse, que dois-je faire ?

Comme beaucoup de femmes qui ont subi cet ultime outrage, elle commit une grave erreur. Seule, honteuse, ensanglantée, elle était si mortifiée par ce qui venait de lui arriver qu'elle n'appela pas immédiatement au secours. Pendant le viol, elle avait voulu crier, elle avait tout fait pour se défendre, mais elle avait été maîtrisée. Et maintenant qu'elle pouvait appeler, elle restait muette de terreur et de honte, et les heures passèrent, scellant ses plaintes à jamais.

Elle vécut deux jours de terreur après ce drame. Au-dehors, la tempête faisait rage, et d'énormes nuages noirs moutonnaient dans le ciel, chassés par le vent de mer. Ptolémaïs était perdue dans les brumes, et dans la maison des deux frères, Aaron recommençait à poursuivre sa malheureuse belle-sœur de ses assiduités, comme un chasseur traquant sa proie. Il finit par la prendre au piège dans sa cuisine où, d'un geste triomphant, il ouvrit sa longue robe pour se révéler dans toute sa nudité devant elle. Il avait réussi à se convaincre qu'elle aussi attendait cet instant, au point qu'il ne reconnut pas le geste instinctif de défense qu'elle fit en s'emparant d'un couteau pointu. Il crut à un jeu. En riant, il se jeta sur elle si brutalement qu'elle fut prise de court. D'une main il lui arracha le couteau et de l'autre la bâillonna comme la première fois. Puis la brute imagina que la malheureuse aimait pimenter l'acte sexuel d'un peu de lutte, d'où le couteau, et il l'assomma d'un coup de poing. Profitant de son évanouissement, il la déshabilla et la viola une seconde fois.

Trop tard, trop tard, hélas, elle courut ensuite demander asile au rabbin, mais quand elle pénétra dans son antre en désordre et le trouva enfoui derrière des rouleaux de textes de loi, elle eut le pressentiment d'un malheur, et comprit qu'elle ne frappait pas à la bonne porte.

Les mains croisées sous sa barbe, le rabbin écouta son récit entrecoupé de sanglots, puis avant de lui répondre il fouilla dans son amoncellement de parchemins, trouva celui qu'il désirait et marmonna :

— Ainsi, tu dis qu'Aaron t'a violée ?

— Oui.

— Combien de fois ?

— Deux fois.

— La première fois ?

— Il y a deux jours.

— Et tu n'as pas crié ?

— Je ne pouvais pas.

— Et tu n'as rien dit à personne ensuite ?

— J'avais trop honte.

Le rabbin tirailla sa longue barbe et posa une question pernicieuse :

— Où le viol s'est-il produit ?

— Chez nous.

— A côté de la synagogue ?

— Oui.

Le rabbin soupira et contempla la pauvre femme en croyant tout comprendre. C'était une vieille histoire, familière à tous les juges ; celle de la femme qui avait encouragé un séducteur par ses sourires et ses œillades et qui, après la faute, se sent prise de remords. La Torah regorgeait de semblables affaires, car les patriarches étaient des hommes aux désirs lubriques et les femmes d'Israël ne valaient guère mieux. Il avait fallu près de vingt siècles pour juguler les ardeurs des Juifs, et les rabbins avaient toujours eu fort à faire pour formuler un code moral logique. Une seule chose était certaine. La femme la plus circonspecte pouvait séduire un homme sans y prendre garde et crier ensuite au viol. La question essentielle était donc : « A-t-elle crié pour appeler au secours ? » Les moralistes juifs savaient que lorsqu'une femme ne réagissait pas ainsi, tout ce qu'elle pouvait faire ou dire ensuite était sujet à caution. Aux yeux de ce rabbin formaliste, le cas de Shimrith, femme de Judas, était une nouvelle preuve de cette antique vérité.

— Un péché a été commis, décréta pompeusement le rabbin. Mais ce n'est pas celui dont tu accuses ton beau-frère. C'est le péché que tu as commis en séduisant un homme pour venir ensuite l'accuser de viol.

— Rabbi ! s'écria la malheureuse, scandalisée.

— Oui. Voyons... Voyons, marmonna-t-il en fouillant dans ses papiers. J'ai le texte de la loi, c'est dans le Deutéronome... Ah, voilà... « et si un homme la prend dans la ville et la connaît, alors vous les amènerez tous deux aux portes de cette ville et vous les lapiderez jusqu'à la mort, parce qu'elle n'a pas crié, étant dans la ville... » Voilà. La Torah continue en disant que si le viol supposé a eu lieu dans la campagne, la femme ne sera pas lapidée car il se peut qu'elle ait crié et que personne ne l'ait entendue. Mais toi, Shimrith, de ton propre aveu, je pourrais te condamner à mort. Car tu as séduit le frère de ton mari, dans la ville, et si tu avais crié je t'aurais entendue, de la synagogue qui est à côté. Tu as séduit ton beau-frère par deux fois, et maintenant tu viens te plaindre. Pour cette fois, je te laisse aller. Mais détourne-toi d'Aaron car tu as conçu pour lui un désir lubrique. Et quand Judas reviendra de Ptolémaïs, tâche d'être une bonne épouse pour lui.

Ayant rendu son verdict, le rabbin se leva, mais Shimrith resta pétrifiée sur son siège.

— Si je rentre à la maison, souffla-t-elle, Aaron me violentera encore.

Cela posait un nouveau problème au rabbin, qui se rassit et fouilla derechef dans ses parchemins, certain de trouver un texte répondant à cette éventualité, et il finit par découvrir un passage du Talmud qu'il lut triomphalement :

— Si une femme est menacée de viol, contre sa vertu et contre son gré, mieux vaut pour elle la mort. Tu vois, Shimrith ? Tu avais le cou-

teau, n'est-ce pas ? Tu connais la loi, n'est-ce pas ? Avoue que tu ne t'es pas défendue. Tu as tenté Aaron, n'est-ce pas ? Son désir te faisait plaisir ? Est-ce... ? Est-ce parce que tu savais qu'il peut avoir des enfants et que Judas ne t'en a pas donné ?

Suffoquée de rage et de douleur, Shimrith s'enfuit de chez cet homme chez qui elle était venue chercher un refuge et une consolation. Cette nuit-là, une pluie glacée inonda les campagnes environnantes et le lendemain matin à l'aube, les membres douloureux, le cœur écrasé de honte et de chagrin, Shimrith monta sur le toit de sa maison pour guetter la route de Ptolémaïs en adressant des prières aux clochers de la ville qui se dressaient au lointain horizon de la plaine, pour le prompt retour de son mari. S'il ne rentrait pas ce jour-là, elle était résolue à partir le rejoindre, car elle n'en pouvait plus.

Comme pour exaucer ses prières, Judas quitta Ptolémaïs ce jour-là, espérant arriver à Makor au crépuscule, mais un violent orage le retarda et la nuit était tombée quand il atteignit les abords de Makor. Cependant, Shimrith n'avait pas quitté son toit, et elle le reconnut sur la route. Elle courut à sa rencontre sous la pluie battante.

Ils étaient encore sous les oliviers quand elle lui raconta son malheur et il s'arrêta sur le chemin, pour la considérer et l'interroger.

— Où était la femme d'Aaron ?

— Dehors, avec les enfants.

— Il n'y avait donc personne à la synagogue ?

— Sans doute, je ne sais pas.

— Pourquoi n'as-tu pas crié ?

— J'étais étourdie. Et j'avais honte.

Debout dans la nuit, sous la pluie, Judas réfléchit. C'était ce même récit que Shimrith avait fait au rabbin, mais cette fois il était écouté avec le cœur. Judas se souvint de la réserve, de la timidité de sa belle jeune femme orgueilleuse, de sa modestie. Il connaissait sa parfaite franchise, et sa vertu. Il la crut donc, mais il voulut chercher une excuse à son jeune frère :

— L'as-tu encouragé d'une quelconque façon ?

— Jamais !

— Tu n'as pas péché, dit-il alors en la prenant dans ses bras. Ton corps a été insulté, mais pas ton esprit. Si tu as le courage de venir à moi et de me révéler ces choses, alors tu as le courage d'accepter leurs conséquences. Je t'aime de tout mon cœur, Shimrith, ajouta-t-il après l'avoir embrassée passionnément. A Ptolémaïs, tu m'as manqué à chaque instant. Maintenant, retourne à la maison et attends.

— Que vas-tu faire ?

Il la poussa doucement vers le chemin en lacets qui montait vers Makor, puis il rebroussa chemin vers le verger d'oliviers, mais elle le suivit, le tira par le bras et répéta :

— Que vas-tu faire ?

— Je ne sais pas ! s'écria-t-il dans un cri de tourment. Je ne sais pas. C'est trop grave !

Il marcha sous les oliviers, cherchant une solution honorable à cette situation, et, pendant que sa jeune femme effrayée retournait se calfeutrer dans sa chambre, il examina soigneusement tous les faits qu'il venait d'apprendre, et peut-être, dans sa profonde compassion, finit-il par trouver une solution mais il n'en fit jamais part à personne car soudain deux mains puissantes s'avancèrent derrière lui dans les ténèbres et l'étranglèrent.

On ne sut jamais qui avait assassiné Judas le teinturier. Certains racontaient que des bergers l'avaient tué pour le voler, mais cela n'avait pas de sens car il avait encore sur lui l'argent de ses ventes. D'autres prétendaient que c'était des bandits arabes, mais Shimrith savait. Car lorsque des hommes étaient arrivés en criant que Judas gisait assassiné au bord de la route, elle avait baissé les yeux sur les pieds d'Aaron et avait vu ses sandales couvertes de la boue de la route de Damas. En voyant ces sandales elle avait poussé un grand cri, et Aaron avait suivi la direction de son regard. Il savait. Elle était certaine qu'il savait qu'elle avait crié non pas en apprenant la mort de son mari mais en voyant la boue noire qui dénonçait son assassin.

Judas était enseveli depuis deux jours quand le rabbin vint un matin voir Shimrith. Armé de trois rouleaux de la loi, il s'assit sur le siège préféré de Judas, replia ses mains sous sa barbe noire et dit d'une voix onctueuse :

— Ton mari est mort sans laisser d'enfant, n'est-ce pas ?

— Oui, souffla-t-elle.

— Tu connais notre loi. Quand une épouse sans enfant devient veuve elle doit aussitôt épouser le frère de son défunt mari, afin de perpétuer son nom en Israël.

Dans le silence tendu qui suivit, Shimrith entendit le crépitement de la pluie d'hiver sur le toit.

— C'est ton devoir, ajouta le rabbin.

— Je n'épouserai pas celui qui a tué mon mari, dit enfin Shimrith d'une voix nette.

— Je pourrais te faire lapider pour faux témoignage, marmonna le rabbin. Allons, Shimrith, épouse Aaron comme te l'ordonne la loi. Tu auras des enfants pour honorer Judas et cette vilaine histoire sera oubliée.

Shimrith refusa de répondre. Ce que la loi exigeait d'elle était au-dessus de ses forces. Raide, silencieuse, elle croisait les doigts pour empêcher ses mains de trembler. Le rabbin vit qu'il était inutile de discuter avec elle, alors qu'elle était encore sous le coup de la mort d'un mari tendrement aimé, aussi prit-il congé avec l'intention de revenir le lendemain.

Mais cet après-midi-là, il s'aperçut que les Juifs de Makor commençaient à se séparer en deux groupes. Les uns l'accusaient :

— Rabbi, tu sais très bien qu'Aaron a tué son frère. Pourquoi veux-tu à toutes forces que Shimrith l'épouse ?

— Je pourrais te faire lapider pour ça, marmonnait à cela le ridicule rabbin.

Le second groupe le harcelait :

— La loi exige que la veuve sans enfant épouse le frère de son mari au plus tôt. Pourquoi permets-tu à Shimrith d'attendre ?

— Je fais toutes choses en mon temps, répondait-il à ceux-là.

Mais chaque jour qui passait élargissait le fossé entre les deux groupes opposés dont chacun se fortifiait dans son opinion.

Enfin, vers la fin du mois de novembre, le rabbin retourna à la maison des teinturiers avec ses textes de loi et sans s'asseoir lut solennellement à Shimrith l'implacable sentence :

— Je t'ordonne d'épouser ce jour même ton frère Aaron.

Shimrith, qui attendait ce moment, resta de glace, bien résolue à ne jamais obéir à cet ordre révoltant, même si elle risquait l'expulsion ou la lapidation. Elle n'écoutait pas le rabbin, mais la pluie glacée de novembre qui battait les murs et semblait étrangement l'aider à résister. Elle sentait la brume grise de l'hiver s'insinuer dans son cœur, et transformer en airain le sang de ses veines. Jamais elle n'épouserait l'assassin de son mari. Et la barrière érigée autour de la Torah s'effondrerait avant qu'elle ne cède.

Mais elle ne prononça pas un mot et, comme Aaron après le viol, le rabbin prit son silence pour un acquiescement.

— Très bien, dit-il. Je vais préparer la cérémonie de mariage.

Et il partit.

Seule dans sa chambre glacée, sentant dans la pièce voisine la présence de l'assassin de son mari, Shimrith se murmura tout bas :

— Je ne me soumettrai pas à la loi. Car si la loi dit que je dois épouser l'assassin de mon mari...

Elle n'alla pas plus loin, car elle comprenait qu'il lui serait impossible d'apporter la preuve du forfait d'Aaron, et elle prévoyait que le rabbin pouvait la forcer à devenir l'épouse de son beau-frère aux mains éternellement maculées de teinture. Veuve, seule au monde, sans parents, que pouvait-elle faire ? Désormais, elle apppartenait légalement à son beau-frère, bien qu'il fût déjà marié. Les soldats byzantins eux-mêmes étaient habilités à faire respecter un tel jugement, et si elle n'obéissait pas cela ne pouvait se terminer que par une tragédie.

Mais elle ne pouvait s'y résoudre. Alors elle sortit sans bruit de sa chambre et monta sur le toit, où elle resta sous la pluie battante, le regard tourné vers Ptolémaïs, en cherchant comment s'enfuir.

Cependant, Abd Omar, serviteur de Mahomet, sortit avec ses chameaux et ses chevaux de la sombre forêt pour affronter le marais de Galilée. La pluie tombait en rafales et les bêtes hésitaient devant cette étendue inconnue toute grouillante de bêtes invisibles. Les guerriers durent mettre pied à terre pour les conduire par la bride. Pour les hommes du désert, ce marécage était terrifiant et pendant un bref instant Abd Omar eut envie de fuir ces lieux inhospitaliers. Il aspirait à retrouver les vastes étendues dorées du désert, les grands espaces purs apaisants à l'âme. Il ne parvenait pas à maîtriser sa haine de cette terre gorgée d'eau noire et de cette étouffante forêt. Il se ressaisait cependant, et pressa le pas.

mais ses chameaux ne pouvaient marcher plus vite car la terre du marécage collait à leurs grands pieds faits pour fouler le sable doux et chaud du désert.

Pour se donner du courage, Abd Omar pensa alors à la pierre sacrée de La Mecque, que l'on appelait la pierre noire et qui était consacrée au Prophète. A la mort de Mahomet, Abd Omar avait fait le pèlerinage à la Ka'bah, et il avait fait sept fois le tour de la pierre en murmurant :

— Dieu de cette Ka'bah, me voici venu en pèlerinage. Ne porte pas témoignage contre moi, ne dis pas : « Abd Omar, tu n'es pas venu à ma Ka'bah », car tu me vois maintenant, humblement courbé à l'ombre de ton rocher. Pardonne-moi. Pardonne à Ben Hadad le Juif. Car comme tu le vois, j'ai accompli mon pèlerinage.

En songeant à la sombre pierre où Dieu était présent, il contemplait l'eau noire du marais, qui ne ressemblait pas aux eaux vives des oasis qu'il avait connues. Elle lui était étrangère, et pendant un instant fugace il eut une très vague vision de l'avenir dans lequel le noir et d'autres couleurs se mêleraient, comme l'avait un jour prédit Mahomet. Mais la vision se dissipa aussitôt, et sur le moment il fut incapable de comprendre le message.

Mais bientôt, son pied toucha de la terre plus ferme ; et comme il devinait au loin les collines de Makor son esprit chassa les ombres ; les vagues pensées qui l'avaient intrigué dans le marais prirent une forme plus précise. Songeant encore une fois à la pierre noire de La Mecque, il se murmura tout bas :

— Je ne retournerai plus jamais dans le désert. Aujourd'hui, nous prendrons Makor, et ensuite Acre, et là je m'embarquerai pour les îles et les royaumes où je porterai la parole du Prophète... moi qui n'ai jamais vu la mer...

Il imagina l'ampleur de l'entreprise dans laquelle il s'engageait, pour répandre dans le monde entier la foi de l'Islam. S'il tournait le dos au marécage qui avait effrayé ses chameaux et ses chevaux, il disait adieu aussi au désert, où ses chevaux et ses chameaux avaient couru librement vers des horizons sans fin.

— Ces déserts, je ne les reverrai plus, dit-il, en s'inclinant devant la volonté de Dieu. *La ilaha illa Allah !*

Car s'il n'y avait qu'un seul Dieu, qui régnait sur toutes choses, mieux valait accepter sa loi. Si Dieu avait guidé le fils de l'esclave noire dans le marais, il avait le droit de guider ses pas jusqu'à la fin de sa vie.

« Reverrai-je un jour mes femmes ? » se demanda Abd Omar, en revoyant par la pensée celles qui étaient toujours restées à Médine avec ses enfants. Comme Mahomet, il avait épousé une Ethiopienne noire, sa bien-aimée, mais il protégeait aussi la fille de Suleiman et la sœur de Kaled Yezd le guerrier. Pourraient-elles, de quelque mystérieuse manière, le suivre au-delà des mers et courir vers lui dans une ville inconnue, pieds nus, avec des enfants cramponnés à leurs jupes ?

La route de Damas s'étendait devant eux, et des éclaireurs, remontés

à dos de chameau, lui criaient que tout allait bien. Makor devait se trouver derrière cette colline, celle qui était couronnée d'arbres. La marche forcée à travers le marécage avait pris fin et la bataille, s'il devait y en avoir une, se livrerait dans quelques minutes.

— *La ilaha illa Allah*, murmura Abd Omar en montant sur son chameau.

En s'engageant sur cette antique chaussée qu'avaient suivie toutes les invasions depuis des temps immémoriaux, il fut rassuré par ce terrain ferme et sûr, et, oubliant ses pressentiments d'un avenir lointain et solitaire, il se dit qu'après avoir pris cette ville il aimerait découvrir une douce esclave docile... ou peut-être une jeune veuve, car Mahomet avait eu onze épouses, dont dix avaient été des veuves, et peu d'hommes, en Arabie, avaient connu une vie conjugale aussi harmonieuse que celle du Prophète.

Dans l'enceinte condamnée de Makor, les païens attendaient, et même les plus stupides d'entre eux comprenaient que la venue de l'Islam signifiait la fin d'un monde et le début d'une nouvelle ère. Qui étaient donc ces païens qui avaient résisté aux pressions du judaïsme et au zèle fanatique du père Eusèbe ? Certains s'étaient convertis à la religion du feu des Perses quand ces derniers avaient envahi la Palestine vingt ans plus tôt pour ne l'occuper que peu de temps. D'autres, des esclaves importés du haut Nil, demeuraient fidèles à leur dieu du fleuve, Sérapis, et quelques irréductibles, dont les ancêtres remontaient aux hommes des cavernes qui avaient hanté ce lieu, vénéraient encore Baal.

Chose incroyable, ces hommes et ces femmes résolus, adorateurs de Baal, avaient tenu tête à l'assaut des croyances égyptienne, juive, chrétienne et perse, ainsi qu'aux tentations d'une dizaine d'autres puissances religieuses telles qu'Antioche Epiphane où César Auguste, pour rester loyaux à leur dieu primitif de la montagne. Par les nuits sans lune, au temps de l'équinoxe ou de la cueillette des olives, ces païens confirmés continuaient de gravir leur montagne, au nord de la ville, où les monolithes n'existaient plus que dans les lointains souvenirs, et là ils adoraient le dieu permanent de Makor.

Quand les Byzantins postèrent des soldats sur la montagne avec mission de tuer tout païen venant adorer Baal, les vieux Cananéens opiniâtres restèrent en ville et se chuchotèrent entre eux le plus vieux et le mieux gardé des secrets locaux : leurs pères avaient appris par leurs pères qu'à l'endroit précis de l'autel de la basilique Sainte-Marie-Madeleine, dans les entrailles de la terre, se trouvait l'autel éternel de Baal, un monolithe de pierre noire qui avait été dressé en ce lieu au commencement des siècles.

Et les païens assistèrent joyeusement aux offices dans la basilique, écoutèrent les prêtres et s'inclinèrent avec dévotion devant l'autel, plus encore que ne l'exigeait le rite chrétien. Naturellement, une fois la garde byzantine retirée après que les prêtres chrétiens eurent informé Constan-

tinople que tous les adorateurs de Baal avaient disparu, les païens irréductibles reprirent nuitamment le chemin de leur montagne sacrée.

Quel était donc le secret de leur extraordinaire endurance ? Cela venait sans doute de ce que tout homme vivant en communion constante avec la nature, comme ceux de Makor, savait au fond de son cœur que les forces qui commandent à la pluie et à l'orage sont mystérieuses, et non pas mystérieuses à la façon subtile des théologiens et des dogmes qui aboutissent à des schismes, mais d'une manière fondamentale et tangible. Au printemps, quand les bourgeons délicats commencent à se déplier au bout des branches, certains pour former des feuilles, d'autres des fleurs qui donneront des fruits, l'homme le plus obtus de Makor percevait qu'il se tramait quelque chose de mystérieux, et il n'avait besoin ni de prêtre ni de rabbin pour l'initier à ces mystères simples. Il était plus commode de les attribuer à Baal, qui vivait au cœur de la terre, caché sous l'autel des chrétiens, car ce ne pouvait être par hasard que les prêtres avaient justement choisi cet endroit précis pour y ériger leur sanctuaire. Baal, dans son infinie sagesse, les y avait guidés.

Dans un sens, les anciens païens avaient raison. Ce n'était pas par hasard que l'autel de la basilique était posé juste au-dessus de l'endroit où Baal avait régné, mais plutôt parce que la logique avait prévalu. Les Juifs avaient emprunté aux Cananéens, et les chrétiens aux Juifs. Et maintenant arrivait du désert une foi nouvelle, qui avait emprunté plus encore aux religions juive et chrétienne, mais tout remontait aux besoins primitifs qui s'étaient concrétisés en Baal et, avant lui, dans la première divinité de toutes, le mystérieux et invisible El.

Mais le jour du jugement arrivait, pour les païens. Mahomet avait dressé une barrière entre « les peuples du Livre », c'est-à-dire les Juifs et les chrétiens, et ceux qui n'avaient pas de livre, les païens. Les premiers seraient toujours honorés par les musulmans, tandis que les derniers n'auraient d'autre recours que de se convertir ou se faire exterminer. La nouvelle de ce choix final était parvenue à Makor, et les païens savaient que lorsque les Arabes surgiraient au galop sur la route de Damas, l'heure de la décision aurait sonné.

Dans le temps de l'attente, les citoyens de Makor prenaient leurs diverses décisions. Les prêtres orthodoxes de Byzance voulaient défendre leur ville, mais les chrétiens schismatiques, qu'ils avaient tenus sous le joug, faisaient savoir qu'ils refuseraient de combattre. En fait, ils attendaient avec impatience la venue des fidèles de Mahomet, car ils devinaient que sous la domination arabe ils bénéficieraient d'une plus grande tolérance que sous les Byzantins. Les Juifs s'attendaient à une nouvelle dispersion. Ils ne savaient où ils s'en iraient errer, cette fois, mais ils étaient surtout préoccupés par la querelle concernant Shimrith et son beau-frère Aaron. Pour ces Juifs, l'arrivée des Arabes n'était qu'un nouvel incident auquel ils espéraient survivre. Mais pour les païens, la foi nouvelle représentait la fin, et ils attendaient dans la terreur.

Dans cet état démoralisé, la petite ville de Makor s'apprêtait à affronter les Arabes, qui surgissaient plus unis qu'aucun autre conquérant ne

l'avait jamais été par un idéal religieux unique. Et par un caprice de l'histoire, ces Arabes survenaient alors qu'ils étaient en pleine force de leur
jeunesse et de leur unité et que Makor n'avait jamais été aussi faible.
Depuis près de six cents ans, personne n'avait songé à reconstruire les
murailles ni à dégager le puits.

Abd Omar, le serviteur de Mahomet, pressait ses chameaux sur la
route de Damas, et il avait à peine eu le temps de remarquer que les
cieux s'étaient dégagés et que quelques nuages blancs flottaient dans une
étendue bleue, quand des éclaireurs vinrent l'avertir que le verger d'oliviers de Makor était devant eux et que la ville devait être proche. Le fils
de l'esclave fit agenouiller son chameau, mit pied à terre et ordonna à
quarante de ses meilleurs guerriers de l'imiter. On amena les chevaux frais,
on dégaina les épées et les chameaux devenus inutiles furent conduits
au pâturage dans un champ voisin. Abd Omar enfourcha souplement sa
monture couleur de sable, glissa ses longs pieds dans les étriers en forme
de corbeilles et se tourna vers ses hommes, en sachant qu'il n'avait pas
besoin de leur adresser d'exhortation au courage. Il se contenta de
répéter son ordre de bataille, « Ne tuez personne », puis il fit faire volte-
face à son cheval, l'éperonna et partit au galop vers la ville.

Un de ses lieutenants le dépassa en lui criant au passage :

— Abd Omar, je vais entrer dans la ville devant toi.

Le fils de l'esclave comprit que son officier voulait le protéger de la
première volée de flèches, mais il en fut humilié et il poussa sa monture
pour reprendre la tête de sa petite colonne et dans cette formation les
Arabes se ruèrent à l'assaut de Makor. Mais il n'y eut pas de première
volée de flèches, ni aucune autre, et en quelques minutes les cavaliers du
désert emportés par leur irrésistible élan se trouvèrent au cœur de la
ville, tournant en rond devant la basilique, en se demandant ce qu'ils
devaient faire maintenant.

La facile conquête avait surpris Abd Omar. Il avait imaginé
qu'aux premiers engagements de fer son esprit s'éclaircirait et il saurait
aussitôt quelles mesures prendre, mais quand les citoyens refusèrent de se
défendre et se présentèrent simplement en troupeau comme du bétail, il
fut pris de court, aussi perplexe que ses hommes.

Enfin, tandis qu'il calmait son cheval que tant de monde effrayait,
il se rappela les instructions du Coran et il cria à l'un de ses lieutenants :

— Le tribut, sur le dos de la main !

Des Arabes connaissant le grec mirent pied à terre pour expliquer aux
Juifs et aux chrétiens que selon la loi du Coran ils devaient s'agenouiller,
se prosterner et présenter leur tribut sur le dos de leurs mains étendues
parallèles à la terre, dans la posture humiliante réservée aux esclaves.

Les quatre sectes chrétiennes s'agenouillèrent donc dans la poussière,
et les deux factions juives firent de même, Aaron à genoux dans un groupe,
Shimrith dans l'autre. Les guerriers arabes passèrent parmi eux et récol-
tèrent l'argent de la soumission.

Quand le tribut fut placé devant lui, Abd Omar, parlant le grec qu'il avait appris à Damas, s'adressa aux habitants de Makor :

— Allah est reconnaissant que nous nous soyons rencontrés paisiblement, et nous vivrons éternellement ainsi. Vous êtes les peuples du Livre, et vous pouvez vous relever et me faire face honorablement.

Lorsque tout le monde fut debout, il prononça l'offre simple que les fidèles de Mahomet allaient désormais utiliser pour régner sur leurs conquêtes, maintenant que le temps des massacres était passé :

— Rendez vos armes. Tous les Grecs et autres voleurs devront quitter le pays, mais les autres peuvent demeurer et conserver leur propre religion. Payez de modestes impôts, et vous serez assurés de notre protection. Ou si vous préférez, reconnaissez l'Islam maintenant et devenez membre de notre communauté, dans laquelle vous aurez les mêmes droits que nous.

Ayant dit, il attendit.

Alors un chrétien nommé Nicanor, de la secte byzantine qui proclamait que Jésus-Christ avait eu deux natures, s'avança et cria :

— Reconnais-tu Jésus-Christ ?

— Il est vénéré dans notre Coran comme un puissant prophète, répondit Abd Omar.

Sur quoi le chrétien se jeta à genoux en criant :

— Je reconnais l'Islam.

Mais comme il se prosternait, un prêtre byzantin s'élança pour l'en empêcher. Alors une épée scintilla et le pouce du prêtre fut tranché net. Il aurait aussi facilement pu perdre la tête, et tous apprécièrent ce geste de miséricorde.

Froidement, Abd Omar déclara :

— Dès l'instant où cet homme a dit qu'il reconnaissait l'Islam, il est devenu l'un de nous, et il vous est interdit de lui parler contre la foi qu'il a choisie. Qui d'autre reconnaît le Prophète ?

Un grand nombre de personnes — un nombre véritablement surprenant — s'avancèrent pour reconnaître la foi des conquérants, mais les Egyptiens qui proclamaient que Jésus n'avait qu'une nature et que Marie était la Mère de Dieu, s'avancèrent au-devant d'Abd Omar et, par l'intermédiaire de leur vieux prêtre dépenaillé, ils lui demandèrent :

— As-tu dit la vérité quand tu as déclaré que si nous obéissons à vos lois nous serons libres de professer notre propre religion ?

Le soldat qui avait tranché le pouce du prêtre byzantin s'offusqua de ce sournois soupçon de mensonge et il aurait frappé l'Egyptien, mais Abd Omar intervint.

— Il est difficile de connaître la vérité, et tu fais bien de t'informer. Mais j'ai parlé sans détours. Vous serez libres de vivre comme vous l'entendrez.

Le prêtre égyptien s'inclina puis il annonça hardiment :

— Fils d'Allah, nous, Egyptiens, choisissons de payer tes impôts et de conserver notre petite église.

— Ainsi sera-t-il fait, répondit Abd Omar, puis il se tourna vers

tous les autres chrétiens : Vous vivrez en paix avec nous, et je vous protégerai comme je viens de le faire. Vous ne devrez pas empêcher ceux des vôtres qui le désirent de se joindre à nous. Vous ne pourrez monter ni chameaux, ni chevaux, mais les mules et les ânes vous sont permis. Vous ne devrez avoir nul édifice, ni demeure ni église, qui soient plus hauts que les nôtres, et vous ne pourrez pas ériger de nouvelles églises, autres que celles que vous possédez déjà.

Il s'interrompit brusquement, regarda autour de lui et observa :

— Je ne vois pas d'enfants.

— Ils sont cachés, expliqua le prêtre égyptien.

— Qu'on les amène !

Aussitôt, des mères terrifiées se dispersèrent par les ruelles pour aller chercher leurs enfants. Quand tous les petits furent rassemblés, Abd Omar dit en grec :

— Maintenant que chaque enfant aille se placer auprès de ses véritables parents, et que chaque père et mère certifie que cet enfant est la chair de sa chair.

Les enfants coururent se jeter dans les bras de leurs mères qui les serrèrent contre leur cœur, mais quatorze d'entre eux, les orphelins, restèrent seuls au milieu de la place.

Abd Omar descendit de cheval et s'approcha des quatorze enfants. Il leur parla affectueusement, comme s'ils étaient ses fils et ses filles, demandant à chacun :

— Où est ton père ?

Et lorsqu'aucun d'eux ne put répondre, il annonça :

— Ces enfants sont désormais les enfants d'Allah, car Mahomet a dit que tous les enfants naissent dans notre foi. Ce sont leurs parents qui les égarent.

Et il embrassa les enfants, l'un après l'autre, et ils devinrent les siens.

Le dernier qu'il embrassa était un petit Juif, portant un nom juif, et Abd Omar demanda :

— Où sont les Juifs de cette ville ? Quelle est leur décision ?

Le rabbin pompeux et timoré s'avança pour dire que les Juifs se soumettaient. Ils acceptaient l'impôt mais désiraient rester fidèles à leur religion. Alors Abd Omar demanda :

— N'y en a-t-il aucun parmi vous pour se joindre à nous ?

Le silence lui répondit.

— J'ai été élevé par un Juif : Ben Hadad, le marchand de Médine. C'est une foi meilleure et nouvelle que je vous apporte. Aucun ne veut se convertir ?

Le silence, encore une fois, mais il crut surprendre le geste d'une femme juive, plus belle que toutes les autres, qui semblait vouloir embrasser la foi des conquérants. Si telle avait été son intention, elle en fut empêchée par le rabbin qui lui jeta un regard dur, autoritaire, et elle ne dit rien. Si un des guerriers arabes avait surpris l'intervention du rabbin, il l'aurait abattu sur-le-champ, mais Abd Omar, espérant éviter toute effusion de sang, songea qu'il pourrait s'occuper de ce problème plus tard.

Remontant en selle, il lança une suite d'ordres brefs. Les prêtres des diverses confessions devaient se tenir à l'écart entourés de tous leurs fidèles, ainsi que le rabbin et ses Juifs. Cela fait, il ne resta plus que le petit groupe des païens. Abd Omar trotta vers eux et leur cria :

— Vous, chacun de vous ! N'êtes-vous pas des peuples du Livre ?

Les païens gardèrent le silence, certains levant hardiment la tête, d'autres courbant le front, mais tous manifestement obstinés.

— Toi, dit le capitaine arabe au premier du groupe. Reconnais-tu, en cet instant, la foi de l'Islam ?

L'homme hésita, trembla, et finit par répondre qu'il demeurait fidèle aux dieux du feu de la Perse. Il n'avait pas fini de parler qu'un guerrier s'approchait par-derrière et le décapitait d'un seul coup d'épée, si proprement que la tête tomba de côté et que le corps resta encore un instant debout avant de s'écrouler.

Sans vouloir regarder le cadavre, Abd Omar s'adressa au suivant, un grand Noir du Soudan, et lui donna cinq secondes pour décider de son avenir, mais l'homme ne voulut pas renier son dieu Sérapis, et un soldat arabe allait le tuer quand Abd Omar insista encore, avec douceur :

— J'ai la peau sombre, comme toi, et pourtant le Prophète a trouvé une place pour moi. Viens avec nous.

Le grand Noir, en pleine connaissance de cause, répondit gravement :
— Je suis fidèle à Sérapis.

Abd Omar se détourna quand il fut abattu.

Mais le troisième païen à qui il s'adressa était un membre de la Grande Famille d'Ur, et bien que cet homme fût demeuré fidèle à Baal au travers de bien d'autres vicissitudes, il ne lui fallut qu'une seconde pour se déclarer en faveur de la nouvelle religion.

— Je reconnais le Prophète ! clama le descendant d'Ur d'une voix claire.

La chaleur de l'accueil qu'il reçut des Arabes persuada les autres païens de se convertir aussi. Comme ils s'agenouillaient pour cela, l'homme d'Ur se plaça un peu à l'écart, en un endroit d'où il pouvait voir à la fois la basilique sous laquelle Baal était enterré et le sommet de la montagne où il régnait, et il fut rassuré ; sous la domination arabe, ce ne serait pas plus difficile que sous Byzance...

Ce jour-là, Abd Omar n'eut à tuer que deux païens et quand tous eurent abjuré leurs croyances, et qu'il comprit combien facile serait la conquête de la Palestine il éperonna son cheval vers les quartiers de Makor tournés vers le couchant, d'où il contempla au-delà des prés et des champs les lointaines murailles d'Acre. En ce clair après-midi d'hiver, la ville de la mer semblait lumineuse sous les derniers rayons rougeoyants du soleil, avec ses tours rutilantes, gages des richesses qu'elle contenait, et qui attendaient le vainqueur. Abd Omar sourit. S'emparer de cette cité serait aussi facile que de prendre Makor, car les mêmes dissensions paralyseraient les chrétiens, et les Juifs étroitement serrés dans leur rituel ne pourraient opposer nulle résistance cohérente.

— Un empire s'effondre et s'émiette, cria-t-il, et nous arrivons au galop pour ramasser les morceaux !

Maintenant, enfin, il imaginait nettement ce qu'il y aurait après Acre : les voyages sur cette mer qui scintillait là-bas, les batailles dans des pays dont il ignorait le nom, sa rapide ascension au grade de général et la propagation de sa foi, jusqu'à ce qu'elle englobe la moitié du monde connu.

L'expérience avait réussi. Il avait pris Makor par la miséricorde. Pour lui-même, il murmura :

— Les massacres sont finis. Les incendies sont éteints, et nous avons un univers à prendre, simplement en poussant nos chevaux au pied des murailles de leurs villes.

Saluant de loin les portes d'Acre, il fit virer son cheval et trotta vers le centre de la ville, et soudain, près de la synagogue, il aperçut la veuve juive Shimrith, qui hésitait à rentrer chez elle de crainte de subir les assiduités de son beau-frère. Le capitaine arabe, reconnaissant la jolie femme dont il avait remarqué l'indécision, mit pied à terre et s'approcha d'elle en souriant.

LES CROISÉS

NIVEAU V — 1096-1105

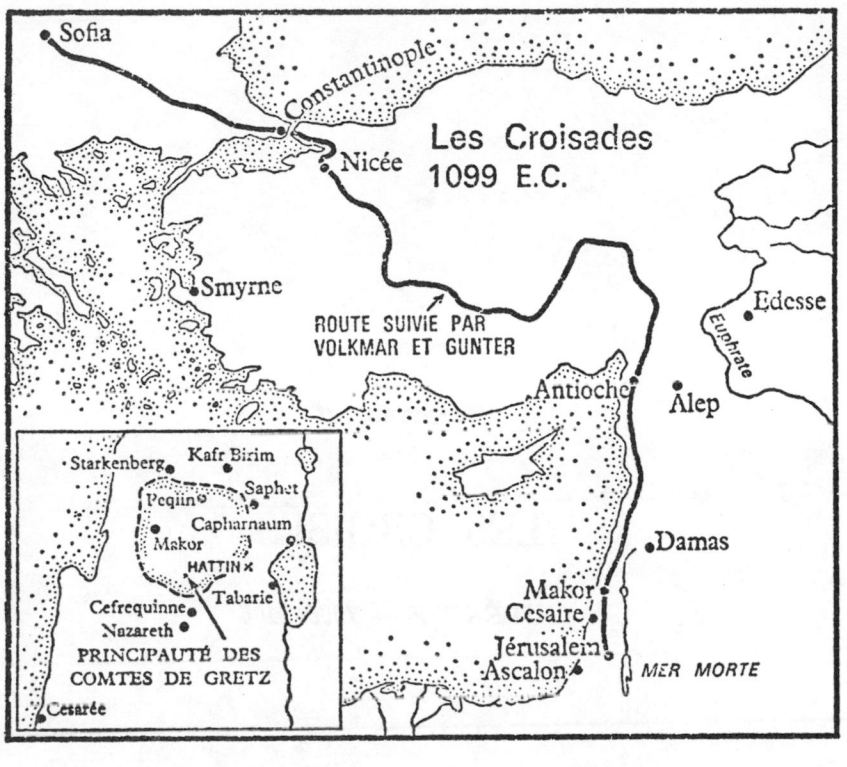

Les Croisades
1099 E.C.

Sofia

Constantinople

Nicée

Smyrne

ROUTE SUIVIE PAR
VOLKMAR ET GUNTER

Edesse

Euphrate

Antioche

Alep

Damas

Starkenberg

Kafr Birim

Peqiin

Saphet

Capharnaum

Makor

HATTIN ×

Tabarie

Cefrequinne

Nazareth

PRINCIPAUTÉ DES
COMTES DE GRETZ

Cesarée

Makor
Cesaire

Jérusalem
Ascalon

MER MORTE

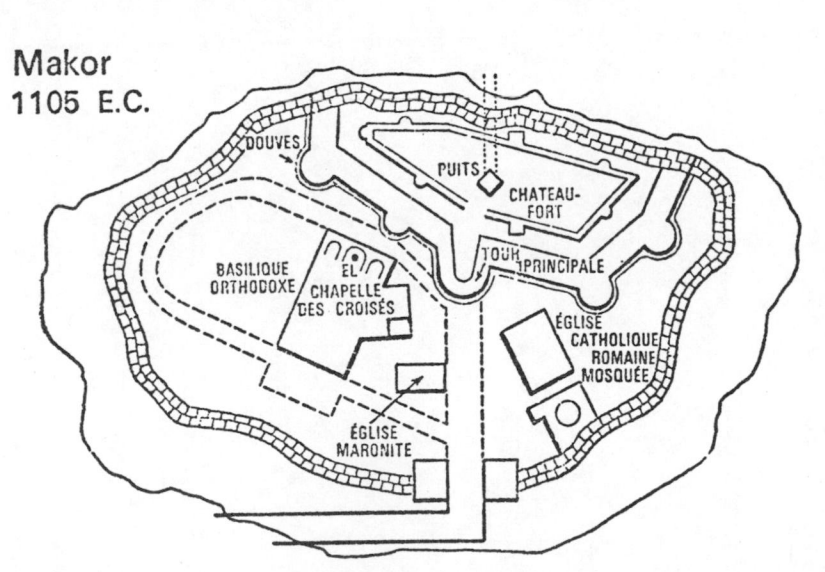

Makor
1105 E.C.

DOUVES

PUITS

CHATEAU-
FORT

BASILIQUE
ORTHODOXE

EL
CHAPELLE
DES CROISÉS

TOUR
PRINCIPALE

ÉGLISE
CATHOLIQUE
ROMAINE
MOSQUÉE

ÉGLISE
MARONITE

L E 24 avril 1096, un peu avant le lever du jour, l'aumônier Wenzel de Trèves se hâtait vers la chambre de son seigneur, dans le sombre château de Gretz, en Allemagne. Arrivé devant la lourde porte de chêne cloutée de fer, il tambourina avec insistance, jusqu'à ce qu'il entendît la réponse ensommeillée du comte qui vint ouvrir la porte en grommelant :

— Eh bien, l'abbé, que vous arrive-t-il ?

— Monseigneur, monseigneur, haleta le prêtre, ils arrivent !

— Qui donc ?

— Ceux dont je vous ai parlé, monseigneur.

— La horde ?

— Je n'ai pas dit ça.

— Or çà, c'est pour m'annoncer le passage de la canaille que tu me tires du lit ?

— Vous devez les voir, monseigneur. C'est comme un miracle !

— Mon bon ami, allez donc marmonner vos matines et laissez-moi me recoucher jusqu'au jour, dit le comte de Gretz.

Mais comme il se retournait un bruit étrange s'éleva au-dehors, un murmure de vagues battant une falaise de rochers, un puissant glissement murmurant ne ressemblant à rien de ce que ce seigneur avait pu entendre. Un coq chanta, puis des chiens aboyèrent et se répondirent dans la campagne environnante, et des sabots claquèrent dans les étroites ruelles pavées de la ville fortifiée, mais rien ne couvrait le puissant mugissement d'une multitude en marche, le grincement des roues des chariots tirés non par des bœufs ou des chevaux mais par des hommes.

— Qu'est cela ? demanda le comte à son aumônier.

— Monseigneur, ce sont eux. Ceux de Cologne.

— Allons, je vais les voir.

Bien qu'il approchât de la cinquantaine, le comte Volkmar de Gretz était un homme grand et fort, puissamment charpenté, au torse et aux bras couverts d'un fin duvet doré, à la mine à la fois altière et bienveillante, aux cheveux blonds coupés ras. Il enfila rapidement une tunique fourrée, des chausses et de hautes bottes souples, et suivit son aumônier au sommet d'une tour de guet d'où ils purent voir à leurs pieds, sur la route de Colo-

gne à Mayence, une foule innombrable, une masse mouvante que l'on distinguait à peine dans les premières lueurs de l'aube.

— Que vois-je courir au-devant ? demanda le comte.

— Des enfants. Ils courent ainsi de ville en ville, mais ils n'en font pas partie.

Volkmar se pencha au créneau et n'en crut pas sa vue. Derrière les enfants gambadeurs, dans un épais nuage de poussière, marchaient des hommes et des femmes en guenilles, une horde misérable qui traînait les pieds et semblait à bout de forces, mais soutenue par un espoir surnaturel. Volkmar suivit l'interminable colonne des yeux et n'en vit pas la fin.

— Combien sont-ils ? demanda-t-il à son aumônier.

— A Cologne, on les a estimés à vingt mille.

— Ils ne sont pas armés ! Il n'y a pas de chevaliers ! Pas de soldats !

— Ils n'en veulent point, répondit Wenzel de Trèves. Ils disent qu'avec l'aide de Dieu, ils remporteront la victoire.

Le comte se tut, médusé par cette étrange armée, qui allait de l'avant avec une sorte de sombre résolution. Jamais on n'en avait vu de pareille sur les bords du Rhin. Les hommes et les femmes surgissaient de la nuit, passaient en silence, lentement mais inexorablement, et d'autres les remplaçaient, et d'autres encore, de ce même pas morne. Parfois la masse humaine s'interrompait et passaient alors de lourds chariots, tirés par des chevaux fourbus et faméliques, ou même par des hommes. On distinguait des tas de pauvres hardes, quelques maigres provisions, et puis des vieillards infirmes, de vieilles femmes, des mères avec leurs petits enfants silencieux, bien différents des joyeux garnements qui précédaient l'incroyable procession. Ceux-là étaient déjà épuisés, ils avaient faim, et ne comprenaient pas.

— Ces enfants ?... murmura le comte de Gretz.

— Oui, ceux-là en font partie.

— Ils ont l'air affamés.

— Ils le sont.

Le seigneur prit une décision rapide :

— L'abbé, quand ils entreront dans ma ville, faites donner à manger aux enfants sur ma cassette.

— Mais ils ne s'arrêtent pas ici, monseigneur.

Volkmar se tourna vers la tête de la longue colonne et vit qu'en effet les premiers éléments avaient déjà dépassé les portes closes de la ville et marchaient lentement vers Mayence.

— Qu'on les fasse arrêter ! cria-t-il et il se rua dans l'escalier en colimaçon pour aller chercher sa femme et ses enfants, qu'ils pussent voir ce surprenant spectacle.

L'aumônier, un vieillard de soixante ans aux membres grêles, courut ordonner aux hommes de guet d'ouvrir les portes et quand les gigantesques battants de chêne sombre aux lourdes ferrures noires se furent ouverts en grinçant, le petit abbé sortit et avança dans la foule des marcheurs en agitant les bras. L'avant-garde de la procession ne prit pas garde à lui et poursuivit sa route, mais les nouveaux arrivants aperçurent l'abbé devant les tours et ralentirent le pas.

Le comte Volkmar de Gretz et la comtesse, suivis de leur fils et de leur fille adolescents, apparurent alors, en grand costume d'apparat. D'une voix forte, le seigneur annonça :

— Nous allons donner à manger à tous les enfants !

La foule l'acclama et les mères se mirent à pousser devant elles deux fois plus d'enfants qu'il ne l'avait prévu. Bientôt, plus d'un millier se pressèrent devant les portes de Gretz. Mathilde, la belle comtesse, était émue par ces petits visages pincés et graves, manifestement affamés et elle se pencha pour interroger les plus âgés, mais aucun ne parlait allemand.

— Pourrons-nous en nourrir autant ? s'inquiéta l'aumônier.

— Il le faut bien, je l'ai promis, grommela le comte en pensant qu'il s'était engagé bien à la légère.

En se penchant pour questionner un tout petit garçon, Volkmar vit pour la première fois l'emblème cousu sur le sarrau de l'enfant, deux bandes de tissu rouge en forme de croix. Il leva les yeux vers son aumônier ·

— Est-ce là l'emblème ?

— Oui, monseigneur.

Volkmar se releva et, regardant autour de lui, il s'aperçut que tous les membres de l'étrange cohorte dépenaillée arboraient le même symbole. Soudain, son attention fut attirée par un brouhaha et la foule s'écarta précipitamment pour laisser le passage à un grand et maigre moine juché sur un ânon gris. Sur sa robe noire, il portait un long scapulaire brun orné d'une grande croix écarlate. Ses yeux brillaient d'une flamme intérieure et, en voyant le seigneur de la ville, il talonna son âne et s'approcha en criant :

— Dieu le veut ! Dieu l'ordonne ! Viens avec nous, car ton salut est à ce prix !

Surpris et méfiant, Volkmar se tourna vers son aumônier :

— Est-ce là celui que l'on appelle l'Ermite ?

— Oui monseigneur. Pierre l'Ermite. C'est lui.

— Dieu le veut ! répétait le moine d'une voix inspirée.

Volkmar cherchait quoi lui répondre quand un brusque élan de la foule le sépara du prédicateur. La population de Gretz tout entière, semblait-il, se déversait par la porte ouverte pour venir saluer le moine français, en criant son nom, et c'était à qui toucherait sa robe de bure ou caresserait son âne.

Le menu peuple de Gretz l'écouta religieusement clamer qu'ils ne pourraient être sauvés que s'ils marchaient avec lui jusqu'à Jérusalem. L'exaltation du Français effraya quelque peu le placide seigneur d'Allemagne et il rentra dans sa ville, avec sa femme et ses enfants. En passant, il murmura au capitaine de ses gardes :

— Referme discrètement les portes et ne laisse entrer personne.

Comme des soldats et des serviteurs étaient déjà sortis avec des corbeilles de provisions, les pèlerins ne protestèrent pas en voyant les portes de la ville se refermer. Des tours et des poternes furent ouvertes par où l'on fit passer encore quelques pains et fromages et quand tous les enfants eurent mangé, on permit à leurs parents d'emporter les restes, et

des filles de cuisine, en regardant pour s'assurer que le seigneur ne les voyait pas, firent des baluchons de provisions pour les chefs de la cohorte, Pierre l'Ermite et Gautier Sans Avoir. Et la gigantesque marée humaine reprit son déferlement dans la campagne rhénane, vers Mayence, Worms et Speyer.

Le seigneur de Gretz regagnait son château quand il croisa son intendant qui venait donner des ordres afin qu'aucune bassine ni corbeille ne s'égarât.

— Combien cela a-t-il coûté ? lui demanda-t-il.

— Il me faut six marcs d'or pour rembourser les marchands, monseigneur.

— J'aurais mieux fait de tenir ma langue, grommela le comte Volkmar.

Laissant sa femme et ses enfants regagner leurs appartements du donjon, il traversa sa ville pour se rendre chez un homme avisé, avec qui il pourrait discuter des événements surprenants de la matinée, et s'arrêta enfin devant une belle maison de pierre à quatre étages en encorbellement adossée au rempart sud-est de la ville.

— Holà, dort-on encore céans ? cria-t-il joyeusement en tambourinant au vantail de chêne.

Une vieille servante lui ouvrit et une jeune femme enceinte accourut pour l'accueillir en souriant.

— Ah, monseigneur Volkmar ! Venez, mon père est dans son étude.

Elle conduisit le comte le long d'un large corridor meublé de coffres et de fauteuils massifs et le fit entrer dans une salle intérieure encombrée de grimoires, où trônait un remarquable personnage barbu revêtu d'une longue robe en brocart de Venise bordée de fourrure. C'était un homme de quarante à cinquante ans, un Juif affable au regard perçant, coiffé d'une petite calotte de toile d'or. Il émanait de lui une impression de compétence totale ; on devinait qu'en affaires il serait rusé, en disputes judicieux et en temps de crise courageux.

Volkmar connaissait bien ce cabinet aux manuscrits, car il aimait converser avec ce Juif érudit et de bon conseil qui, de plus, lui prêtait de l'argent à l'occasion.

— Hagarzi, lui dit-il sans préambule, croyez-vous qu'une racaille comme celle qui vient de passer Gretz ce matin a des chances d'arriver à Jérusalem ? Les avez-vous vus ?

— Naturellement, fit impatiemment Hagarzi comme si son affaire était de voir tout ce qui passait à l'aube aux portes de Gretz. Moi, ajouta-t-il d'une voix rêveuse, je ne suis jamais allé jusqu'à Jérusalem. A Antioche, oui.

— Et à Constantinople ?

— Plusieurs fois. Alors que les Hongrois et les Bulgares étaient encore des païens, je conduisais des compagnies de marchands de Gretz à Constantinople, et nous n'avions que peu de batailles à livrer. Oui... Cela peut se faire. A condition de ne pas s'attirer la haine des Hongrois... ni des Bulgares.

— Alors vous pensez que ce moine insensé monté sur son âne et cette horde de misérables peuvent réussir ?

— A arriver jusqu'à Jérusalem ?

Le Juif réfléchit un moment, puis il murmura :

— Je n'ai point vu de chevaliers pour les escorter. Ils n'avaient que bien peu de provisions.

— Quel chemin prendront-ils ?

— Quand nous allions en Orient, répondit l'ancien chef de compagnies en fermant les yeux pour mieux se souvenir, nous suivions le Danube jusqu'à l'endroit où la route bifurque vers le nord pour conduire jusqu'à Nijni-Novgorod... Nous y allions aussi. Smolensk... Kiev...

— Bon, et si la racaille atteint Constantinople, interrompit impatiemment le seigneur de Gretz, pourra-t-elle poursuivre jusqu'à Jérusalem ?

— Ils peuvent essayer, répliqua le prêteur qui ne souhaitait manifestement pas s'engager sur ce terrain et préférait évoquer les souvenirs de sa jeunesse ardente. Je me rappelle, une année que nous avons tenté d'aller de Kiev à Constantinople...

— Simon, insista le comte en prenant ce ton familier qu'il employait parfois pour s'adresser à son vieil ami. Tu ne crois pas qu'ils arriveront à Jérusalem ?

Hagarzi se mit à rire brusquement, et lui aussi se laissa aller au tutoiement.

— Allons, Volkmar, voilà une entreprise décidée en concile par l'Eglise catholique. Cela convient-il à un Juif d'en discuter les possibilités ?

— Nous sommes de bien vieux amis, Simon.

— Eh bien, entre nous, ils n'y arriveront jamais. La dernière fois que je suis allé en Orient, j'ai pu voir que les Turcs devenaient très forts. Je voulais retourner à Antioche. Acheter des marchandises à Chypre et en Egypte. Impossible. Cependant, ajouta-t-il vivement, si j'avais eu mille hommes d'armes... des chevaliers... comme toi.

— Mais tu as vu la multitude, Simon. Que pourra-t-elle accomplir ?

— Cette horde ? Rien du tout. Mais j'ai reçu des nouvelles de Normandie et de Toulouse qui rendent un tout autre son. Des seigneurs et des chefs de guerre cousent la croix sur leurs tuniques et leurs cottes de mailles...

En ce temps-là, dans les petites villes comme Gretz, les Juifs vivaient à peu près comme bon leur semblait. Quelques fanatiques protestaient parfois contre cette promiscuité entre Juifs et catholiques, mais nulle mesure discriminatoire n'avait encore été promulguée et un banquier distingué comme Simon Hagarzi pouvait être reconnu comme un citoyen important, une notabilité de la ville. Sa belle maison était un lieu de réunions aimables que fréquentaient des bourgeois et même le seigneur en personne, qui venaient davantage deviser qu'emprunter de l'or.

Les Juifs étaient devenus prêteurs sur gages à la suite d'une différence d'interprétation de deux textes de la Bible par les chrétiens et par les Juifs. Les catholiques s'en tenaient à la lettre du strict commandement de l'Exode qui stipulait : « Si tu prêtes de l'argent à quelqu'un de mon peuple, au pauvre qui est avec toi, tu ne te comporteras pas à son égard comme un usurier : tu n'exigeras pas de lui des intérêts. » Les catholiques pensaient que cela signifiait qu'un chrétien — sous peine d'excommunication ou de mort — ne devait pas prêter de l'argent avec intérêts, et cette loi arrivait au moment précis où le commerce commençait à prendre de l'extension et où il devenait indispensable d'emprunter certaines sommes pour financer diverses entreprises. Que faire ? Les catholiques découvrirent alors que les Juifs, plus fidèles au Deutéronome qu'à l'Exode, s'en tenaient aux instructions de Moïse qui leur avait recommandé : « Tu n'exigeras de ton frère aucun intérêt, ni pour de l'argent, ni pour des denrées, ni pour aucune chose que l'on prête à intérêt. Tu pourras exiger un intérêt de l'étranger. » Ainsi, à l'instigation des chrétiens, un curieux pacte avait été conclu : les chrétiens régneraient sur le monde mais les Juifs le financeraient. Ils eurent ainsi le monopole de la banque et il devint normal que même des cardinaux ou des évêques allassent emprunter aux Juifs, tout comme les marchands. De cette manière, des Juifs comme Simon Hagarzi de Gretz s'enrichirent.

Hagarzi appartenait à une famille qui était venue de Babylone s'établir en Allemagne, le long du Rhin, plusieurs siècles avant que les Allemands qui y vivaient à l'époque des Croisades fussent descendus du nord. Comme ses ancêtres dans la petite ville palestinienne de Makor, Simon Hagarzi avait débuté dans la vie comme fabricant de gruau et il le serait resté à sa satisfaction si son métier ne l'avait contraint à voyager au loin pour acheter son grain, ce qui l'amena tout naturellement à devenir banquier. Maintenant, sa transformation était complète. Ce que les Cananéens, les Egyptiens, les Grecs, les Romains et les Byzantins n'avaient jamais pu accomplir — arracher les Juifs à la terre et en faire des commerçants — l'Europe l'avait réussi. Les Juifs étaient à présent les grands manipulateurs d'argent et, sans leurs services, la nouvelle Europe n'aurait jamais pu se créer.

Mais même si Hagarzi n'avait pas contrôlé les finances de Gretz, les Allemands se seraient quand même pressés chez lui, car à cette époque où peu de gens savaient lire et où les nouvelles voyageaient lentement, il était l'homme le mieux informé de la ville. Cependant, il ne faisait pas étalage de son savoir et s'il connaissait presque tout le Talmud par cœur, il gardait ces connaissances pour lui et pour sa famille car il savait que les chrétiens avaient leur propre Livre et jamais il ne discutait de religion avec eux. Il était respecté comme un sage et aussi pour son esprit de charité qui lui avait valu le surnom d'Homme de Dieu, un nom par lequel bien des hommes de sa famille avaient été connus au long de nombreuses générations, à Makor puis à Babylone. Même de fervents chrétiens tiraient un profit spirituel de la conversation de ce Juif-là.

Le comte de Gretz avait quitté Simon Hagarz et déjeunait avec sa femme et ses enfants quand un serviteur accourut l'informer qu'une troupe inconnue arrivait au galop, par la route de Cologne. Toute la famille monta à la tour, d'où l'on pouvait voir un nuage de poussière roulant vers la ville.

— Il doit bien y avoir là six ou sept cavaliers, estima Volkmar.

Enfin, quand les chevaux approchèrent, il vit que le premier cavalier portait la cotte de mailles. Une longue tunique blanche recouvrait le haubert et elle était ornée d'une grande croix bleue. Il avait un bouclier et un heaume à sa selle. Au pied de la tour, l'homme leva la tête, une belle tête blonde au menton volontaire et aux yeux bleus.

— C'est Gunter ! s'écria joyeusement la comtesse Mathilde et elle s'élança dans l'étroit escalier pour aller accueillir son frère.

Quand les sept chevaliers venus de Cologne furent installés dans la grande salle, Gunter, qui ne tenait pas en place et faisait résonner les murs du tintement de son armement, annonça la grande nouvelle :

— Nous avons adopté la croix. D'ici à un mois, nous marcherons sur Jérusalem. Quand nous partirons, nous serons quinze mille, et toi, Volkmar, tu seras parmi nous !

— Moi ? s'écria le comte, stupéfait.

— Toi ! Et Conrad de Mayence, et Henri de Worms. Tous, nous partirons tous ! Songe, mon frère, qu'il y a là-bas des royaumes à conquérir !

Tous ses compagnons le confirmèrent et l'un d'eux se tournant vers la comtesse Mathilde, s'écria :

— Ne vous plairait-il point d'être reine d'Antioche ou princesse de Jérusalem ?

— J'aimerais voir Gunter régner sur une de ces terres, répondit-elle car elle savait avec quelle avidité son jeune frère désirait avoir un fief à lui.

— Mais je suis très heureux ici ! protesta Volkmar.

— Tu ne veux pas aller à la croisade ? tonna son fougueux beau-frère. En Rhénanie, tout le monde en rêve ! Attends, tu vas voir...

Il s'élança à la croisée qui donnait sur la grand-place et cria de sa voix puissante qui portait au-delà du portail :

— Vous, là en bas, vous tous ! Combien en est-il parmi vous qui veulent marcher sur Jérusalem et la sauver des mains des infidèles ?

Une grande clameur s'éleva et s'enfla en battant les murailles du château. Gunter salua la foule en riant et revint au milieu de la salle. Dans les vociférations du peuple, on entendait répéter le nom de Pierre l'Ermite et cela assombrit la belle humeur du jeune chevalier teuton.

— Ce maudit moine, grommela-t-il entre ses dents. Jamais il n'arrivera à Jérusalem.

— Tu crois cela ? demanda Volkmar.

— Tu l'as vu. Y avait-il dix hommes parmi ces vingt mille capables de se battre ? Mon frère, pour reconquérir Jérusalem pour Notre-Seigneur Jésus-Christ, nous avons besoin de soldats, d'hommes habiles à faire la guerre. Les Turcs sont de redoutables guerriers...

— Et tu es bien décidé à les affronter ? s'inquiéta sa sœur Mathilde.

D'un bond, le jeune Gunter traversa la salle et se jeta à ses genoux.

— Ma sœur ! Un des chevaliers qui quitteront l'Europe ce mois-ci va se faire couronner roi de Jérusalem ! D'autres vont se tailler d'immenses marches, des duchés et des principautés, s'emparer de villes aux richesses innombrables ! Je veux être de ceux-là !

Un peu honteux de son impétuosité orgueilleuse, le jeune homme se calma et se releva en montrant un de ses compagnons, un être falot au menton absent et au regard terne, et il ajouta :

— Gottfried que voici en sera un autre.

Le chevalier sourit en hochant la tête. Lui aussi il entendait bien se tailler un fief en Terre sainte.

— Dans un mois jour pour jour, reprit Gunter qui s'exaltait plus encore à mesure qu'il parlait, le 24 mai, nous quitterons Gretz pour Jérusalem. Nous serons quinze, vingt mille. Et toi, Volkmar, tu seras parmi nous.

Les chevaliers ne s'attardèrent pas et repartirent pour leur tournée de recrutement. Après leur départ, l'aumônier Wenzel de Trèves s'approcha respectueusement de son seigneur et lui déclara :

— Il est de mon avis, monseigneur, que vous devriez endosser la tunique à la croix.

— Comment, moi ? Pourquoi ? s'étonna Volkmar.

— Parce que c'est la volonté de Dieu.

— Voilà que tu répètes ce que dit ce méchant moine !

— Croyez-moi, monseigneur, l'heure est grave et il ne sied pas de moquer. Rien ne compte que l'appel de Dieu. La Ville sainte, la terre de Notre-Seigneur Jésus-Christ sont aux mains des infidèles, et nous devons les délivrer.

Le comte Volkmar considéra son aumônier avec étonnement.

— L'abbé, tu parles comme si...

— Dans un mois jour pour jour, répondit paisiblement le prêtre, je partirai avec les autres.

— Mais pourquoi ? répéta le seigneur de Gretz en retrouvant toute sa gravité. Vous avez une chapelle ici. Nous avons besoin de vous.

— Et vous avez besoin de Jérusalem.

Pendant une semaine, le comte Volkmar réfléchit et chaque jour Wenzel de Trèves, le regard clair et froid sous la frange de cheveux gris, venait insister et lui répéter qu'un mouvement spirituel à nul autre pareil s'était déclenché et que tout homme de courage qui le manquerait en demeurerait accablé de honte à jamais. Wenzel ne parlait jamais des royaumes et des principautés ; il n'y avait de place dans son cœur que pour l'appel de Dieu, et il voulait faire percevoir cet appel à son seigneur.

Volkmar n'avait pas encore pris de décision quand Gunter revint avec ses six compagnons de son incursion sur le Rhin, accompagnés de sept autres jeunes enthousiastes.

— Partout où nous avons chevauché, déclara-t-il, des hommes de

grand renom nous ont fait savoir qu'ils se joindraient à nous à la fin du mois. Volkmar, il faut que tu viennes ! Conrad de Mayence a accepté, et il viendra fort de neuf cents soldats.

Volkmar fut suffoqué par ce chiffre. Comment la ville de Mayence, qui n'était pas plus importante que Gretz, pouvait-elle laisser partir neuf cents hommes ? Qui labourerait les champs ? Qui ferait les moissons ? Pour la première fois, il eut soudain conscience de l'ampleur d'un mouvement irrésistible qui faisait fi des simples lois de la culture et de la vie quotidienne.

— Gretz nous donnera douze cents hommes, prédit Gunter. Nous aurons besoin de chariots et de chevaux, aussi. C'est une entreprise fertile en grands périls, et sans doute ai-je trop parlé de la principauté que j'entends me tailler avec ce bras droit. Car il y a avant tout la volonté de Dieu, et Wenzel que voici te dira qu'il est honteux d'abandonner les Lieux saints aux mains des infidèles. Par Dieu, s'écria-t-il en abattant son poing sur la table, cela ne peut durer !

Le comte de Gretz réfléchit toute la nuit et, au petit matin, sa décision était prise. Il se rendit à sa chapelle et demanda à son aumônier de le bénir. Car si son beau-frère se rendait en Terre sainte avec des idées de lucre et pour un ensemble de raisons complexes, Volkmar lui n'en avait qu'une : mettre l'infidèle en pièces et le chasser des Lieux saints. Courbant le front devant l'autel, il jura :

— Je revêts la tunique à la croix. C'est la volonté de Dieu.

Mais quand il monta aux appartements de la comtesse pour demander à la belle Mathilde de lui coudre la croix rouge sur sa tunique, il se trouva devant un nouveau problème qu'il ne sut résoudre. L'âme déchirée, il traversa sa ville, et alla prendre conseil de son ami le Juif Hagarzi.

La jeune femme sereine, le visage tout illuminé de son espoir de maternité, l'accueillit comme les autres fois et le conduisit dans l'antre de son père. Dès qu'il fut seul avec le prêteur, il s'écria :

— Hagarzi, j'ai besoin de ton aide !

— De l'argent ?

— C'est beaucoup plus grave, et plus difficile.

— Il n'y a qu'une chose difficile dans la vie d'un homme. C'est son épouse.

— Tu l'as dit. Hagarzi, j'ai fait le serment de rejoindre la croisade.

— J'espère que tu atteindras Jérusalem, répondit gravement le Juif.

— Nous avons une bonne armée, assura Volkmar.

— Alors, vous avez une chance.

— Mais quand je suis allé en informer la comtesse, je l'ai surprise en train de coudre la croix sur ses propres vêtements et sur ceux de nos enfants.

Le banquier se renversa dans son fauteuil et ouvrit des yeux ronds.

— Elle a l'intention de partir aussi ?

— Oui. Son frère l'a contaminée avec ses rêves fous.

— Volkmar, dit alors le prêteur d'une voix insistante et sincère, je suis allé quatre fois à Constantinople, et jamais nous n'avons pu emmener

une femme. On voyage plus de cent jours en pays inconnus semés de périls.

— Elle insiste.

L'homme de Dieu contempla son seigneur avec une grande compassion. Le comte et lui étaient de vieux amis, et il savait qu'en cas de crise, le mieux est toujours de parler très franchement.

— Volkmar, dit-il, sur cent hommes qui partiront de Gretz pour Jérusalem, et qui affronteront les Hongrois, les Bulgares, les Turcs...

— Mais ne m'as-tu pas dit l'autre jour que maintenant les Hongrois et les Bulgares sont chrétiens ?

— Sans doute, mais vous aurez quand même à les combattre.

— C'est l'infidèle que nous entendons combattre !

— Sur cent hommes qui partiront, neuf reviendront, s'ils ont de la chance.

Volkmar était atterré. Il avait pensé que la guerre contre les infidèles ressemblerait aux combats contre les Normands en Sicile. Il y aurait quelques morts de part et d'autre, mais la grande majorité regagnerait ses foyers avec peut-être une cicatrice ou deux. Cependant, le Juif poursuivait :

— Si tu nous quittes, il y a peu de chances que nous nous revoyions un jour, tous les deux. Peu de chances que la comtesse Mathilde te revoie.

— A ma place, tu l'emmènerais ?

— Oui. Mais pas ton fils. Nous avons besoin d'un seigneur à Gretz.

Volkmar soupira et contempla l'entassement de grimoires et de rouleaux derrière le banquier. Le château n'en possédait pas un seul.

— Pourrais-tu me prêter de l'or sur mes champs de l'autre rive du fleuve ?

— Naturellement. Mais si tu pars, il te faut faire un testament, pour garantir mon prêt.

Le seigneur de Gretz prit congé, et regagna son château en traversant la place du marché animée. Quand il se retrouva chez lui, entouré de sa famille, il eut un geste inusité. Il embrassa tendrement son fils. Puis il arracha de l'épaule du jeune garçon la croix que sa mère y avait cousue.

— Tu ne pars pas, lui dit-il.

L'enfant pleura mais Volkmar ne se laissa pas attendrir.

— Non, vous devez demeurer ici pour vous occuper du fief avec l'aide de votre oncle, lui dit-il en faisant appel à son honneur. Votre mère et votre sœur Fulda m'accompagneront.

Mathilde, encore aussi belle à trente-cinq ans qu'au jour où le comte Volkmar avait chevauché vers le nord pour lui faire sa cour, fut heureuse de cette décision. Elle comprenait pourquoi son fils Otto devait rester et elle le consola du mieux qu'elle put. Le comte fit alors appeler son aumônier et un scribe et dicta :

— Au cas où je ne reviendrais pas, les champs situés au-delà du fleuve deviendront la propriété du monastère de Worms, lequel devra auparavant se décharger d'une dette par moi contractée envers le Juif Simon Hagarzi appelé aussi l'Homme de Dieu.

Il ajouta ensuite diverses provisions, régla soigneusement tous les points de sa succession, se fit relire le document et le signa d'une croix, car il ne savait ni lire ni écrire.

Les semaines qui suivirent bourdonnèrent d'une activité déraisonnée. Si le comte de Gretz allait à Jérusalem, avec plus d'un millier de ses sujets, il entendait bien ne rien laisser au hasard. Rien que pour sa femme et pour sa fille, huit chariots et seize chevaux transporteraient les bagages et les provisions, et six serviteurs formeraient leur suite. Huit autres chariots seraient chargés de provisions de bouche, de vêtements et d'armes. A part la suite de la comtesse Mathilde, douze valets et manants devaient s'occuper du seigneur de Gretz et de son aumônier et huit palefreniers conduiraient les vingt-quatre montures des chevaliers de la petite cour de Gretz. Viendrait ensuite une troupe à pied d'un millier de marchands et cultivateurs, serfs et moines. Une centaine de femmes voulaient les accompagner, mais ce nombre fut réduit après que la comtesse Mathilde eut rigoureusement écarté les ribaudes.

Le dimanche 24 mai 1096, à l'aube, le contingent de Gretz se forma devant les portes de la ville pour attendre l'arrivée de Gunter et de ses hommes du nord. Vers dix heures, des cavaliers arrivèrent en avant-garde, bientôt suivis par une horde de quelque six mille personnes. Il se révéla bientôt que Gunter n'avait pas apporté le même soin que son beau-frère au choix des hommes qui devaient aller délivrer le Tombeau du Christ ! Les volontaires de Cologne, loin de former une armée ordonnée comme celle des paysans de Gretz, n'étaient qu'un ramassis de tire-laine et de coupe-jarrets, de ribauds et de gourgandines, de serfs en fuite et de condamnés en rupture de ban, toute une racaille attirée par les mirobolantes promesses de Gunter qui rêvait davantage de vol et de pillage que de croisade sacrée. Gunter lui-même, superbe dans sa belle armure neuve et sa tunique rouge à croix bleue, faisait caracoler son cheval entre les chars et le bétail mugissant. Il était entouré par onze chevaliers aussi étincelants et enthousiastes que lui, mais qui, loin d'être des matamores, étaient d'excellents capitaines fort capables de se défendre et de diriger la horde désordonnée qu'ils avaient à commander.

— Avez-vous jamais vu pareille armée ? rugit Gunter en tirant sur ses rênes si violemment que sa monture tenta de se cabrer malgré son lourd caparaçon.

Volkmar ne répondit pas, mais tandis que la racaille de son beau-frère désorganisait les rangs bien ordonnés de ses sujets, il se tourna vers Wenzel de Trèves et suggéra :

— Monsieur l'aumônier, veuillez nous bénir avant le départ.

Tous se découvrirent et le prêtre s'écria, les bras levés au ciel :

— Dieu Tout-Puissant, daignez dans votre miséricorde protéger cette armée durant notre longue marche pour délivrer Jérusalem des mains des infidèles. Fortifiez nos armes, car nous livrons votre combat. Notre-Seigneur Jésus-Christ conduisez-nous, car nous portons votre croix. Jésus, exaucez-nous. Mort aux infidèles !

La multitude reprit en chœur :

— Mort aux infidèles !

A ce moment précis, un drapier juif eut le malheur de rentrer à Gretz, revenant d'un voyage à Coblence où il avait acheté du drap, et en le voyant, Gunter s'écria :

— Par le Corps Dieu, Jésus Tout-Puissant ! Comment pourrions-nous partir pour Jérusalem combattre les ennemis de Jésus alors que nous laissons ici ses pires ennemis qui l'ont mis en croix ?

Et dans la fougue de son exaltation, il se précipita à la suite du marchand et d'un seul coup de sa grande épée il fit sauter la tête du Juif. La foule hurla son approbation et les hommes du nord se mirent à pousser leurs chevaux dans l'enceinte des murs, bientôt suivis de la racaille, puis de la foule du peuple de Gretz aux cris déments et mille fois répétés de « Mort aux Juifs ! »

En un instant, comme une flambée infernale, ce fut un massacre sans nom. Le comte Volkmar, affolé, galopait deçà et delà, cherchant à apaiser les esprits enfiévrés et à protéger ses sujets juifs mais il s'adressait à des sourds qui ne savaient plus ce qu'ils faisaient. La populace frappait, égorgeait hommes, femmes et enfants. De vieux ressentiments poussaient celui-ci à tuer ce Juif qui était son créancier, ou cet autre qui lui avait causé un tort.

— Le banquier ! Le banquier ! hurla soudain un homme qui n'avait probablement jamais vu Hagarzi.

Comme un monstre altéré de sang, la populace se rua vers la belle maison de pierre adossée aux remparts. Par bonheur pour lui, le banquier était absent, mais les forcenés assassinèrent sauvagement sa fille enceinte, en riant grassement et criant qu'ils en tuaient deux à la fois. Ils allèrent ensuite mettre le feu à la synagogue.

Pendant deux heures atroces, la horde donna libre cours à ses instincts meurtriers, poussée par les compagnons de Gunter de Cologne. Lorsqu'enfin les monstres repus se reposèrent, appuyés sur leurs épées ruisselantes de sang, ils justifièrent le carnage à leurs yeux en se disant les uns aux autres :

— Il eût été fou de partir pour Jérusalem alors que les gens qui ont crucifié Notre-Seigneur restaient là pour s'enrichir !

Lorsqu'ils se retirèrent, ils laissaient dans la ville ravagée les cadavres de dix-huit cents Juifs.

Dans l'horrible silence qui suivit, lorsque les grands chevaliers en armure furent partis avec les prêtres, un robuste Juif en robe de velours de Venise bordée de fourrure sortit de la retraite où il s'était abrité durant quelques heures, et se hasarda prudemment dans les rues. Il ne vit que quelques ruines fumantes, des rigoles de sang noir au milieu des venelles, et les visages blêmes, hagards, terrifiés des chrétiens du voisinage qui avaient été ses amis. La folie meurtrière était passée, et personne ne leva la main sur lui. Comme dans un cauchemar, le regard égaré, il allait vers sa demeure profanée, et vit le cadavre de sa fille bien-aimée. Nous laisserons là ce malheureux, cet honnête banquier, mais nous ne l'abandonnerons pas, car il sera encore souvent auprès de nous. Son nom

est Hagarzi de Gretz, un fabricant de gruau de Makor éternellement en fuite, et pour ses voisins, quand la grandeur de son courage sera reconnue, il continuera d'être connu comme l'Homme de Dieu, *Gottes Mann.*

Ce soir-là, quand les croisés bivouaquèrent au bord du Rhin, le comte Volkmar laissa sa femme et se rendit à la tente de son beau-frère, qu'il trouva entouré de ses commensaux.

— Comment as-tu osé massacrer les Juifs de ma ville ? lui demanda-t-il.

Gunter, repu, apaisé par ses excès mêmes, lui répondit calmement :

— Ce sont des ennemis de Dieu. Ici, sous cette tente, nous venons de jurer qu'après notre passage, il n'en restera plus un seul vivant le long du Rhin.

Atterré par cette froideur, Volkmar prit le bras du jeune homme.

— Gunter, tu ne dois pas encourager tes hommes au carnage. Vois quelle folie les a pris à Gretz !

Sans se départir de son calme, Gunter repoussa la main de son beau-frère.

— Je vous fais mes excuses, frère, d'avoir quelque peu gâté votre ville en brûlant la synagogue.

Volkmar, de plus en plus irrité, le prit par les deux bras et le fit lever devant lui.

— Tu dois empêcher de telles émeutes, ordonna-t-il. Tu ne dois pas massacrer les Juifs !

Gunter était beaucoup plus jeune que Volkmar, plus grand, plus massif. Il le toisa un instant, puis il se défit de son étreinte et se rassit sur son coffre.

— Ce serait folie que de laisser les Juifs derrière nous, dit-il comme on explique un fait évident. Ils ont crucifié Jésus, et ils ne doivent pas s'enrichir pendant que nous luttons au loin pour la seule gloire de Jésus.

Sur quoi Gunter tourna insolemment le dos au seigneur de Gretz qui voulut se ruer sur lui, mais les autres seigneurs le retinrent et le firent sortir de la tente. Gottfried, le sot sans menton, lui cria :

— Ne viens plus nous ennuyer. Gunter commande cette armée et nous ne laisserons pas un seul Juif en vie.

Et tout au long de la route, le massacre des Juifs se poursuivit le lendemain et les jours suivants, avec une effroyable monotonie. Volkmar en était écœuré au point de vouloir abandonner la croisade, mais son aumônier le pria de rester en lui faisant ressortir que mieux valait qu'un homme sage et pondéré demeurât auprès de Gunter pour éviter de pires désastres. La comtesse Mathilde joignit ses prières à celles de Wenzel de Trèves, et le comte resta.

Ces tueries cessèrent quand la colonne arriva en Autriche et elle traversa ce pays assez paisiblement. Mais en Hongrie, Gunter et ses chevaliers se heurtèrent à une résistance imprévue. Il y avait à peine un mois

que Pierre l'Ermite et Gautier Sans Avoir étaient passés avec leur multitude affamée qui avait ravagé les vergers et les potagers. Ils avaient mendié dans les villes et villages, volé les paysans et avaient semé une animosité dont les croisés allemands allaient récolter les fruits. A la première ville hongroise, ceux-ci trouvèrent les boutiques barricadées et les portes fermées.

Ivre de rage, Gunter donna l'ordre d'enfoncer les portes et, au cours de l'engagement, six Hongrois furent tués. Volkmar réussit à grand-peine à calmer ses bouillants chevaliers et à les empêcher de mettre la ville à feu et à sang. Mais les nouvelles se répandaient vite, et partout où la colonne arrivait, les Hongrois étaient retranchés et livraient combat. Des bandes isolées harcelaient les flancs et l'arrière-garde de l'armée des croisés et Gunter perdit un homme sur huit.

En Bulgarie, ce fut pis encore. Car la première ville leur avait ouvert ses portes avec confiance, et l'abominable racaille de Gunter, enragée par la résistance des Hongrois, répondit à cette confiance par le vol et le pillage. La riposte fut terrible. Si les Hongrois avaient harcelé les croisés, les Bulgares les décimèrent. Le 15 juillet, une foule de paysans armés de fourches se rua sur la cohorte, isola le contingent où se trouvaient le seigneur de Gretz et sa suite, et emmena plus de sept cents prisonniers allemands. Pétrifié d'horreur, le comte vit les Bulgares commencer à trancher méthodiquement la tête de tous ces prisonniers, et il croyait sa dernière heure venue quand un paysan s'avança et dit :

— Non. Pas ceux-là. Gardons celui-là et sa famille et nous en tirerons rançon.

Volkmar de Gretz fut ainsi conduit en prison à Sofia, avec la comtesse Mathilde, leur fille et leur suite.

Dans une certaine mesure, ce fut ce qui pouvait lui arriver de mieux, car pendant qu'il se morfondait dans une forteresse en attendant la venue de Wenzel avec l'argent de la rançon, Gunter et ses chevaliers guerroyaient en Bulgarie, se frayaient un passage par la force et perdaient près d'un tiers de leurs effectifs. Et quand ils parvinrent enfin sous les murs de Constantinople, ils trouvèrent les portes fermées.

— Ouvrez les portes, tempêta Gunter, ou nous raserons votre ville !

Sur quoi les chrétiens de Constantinople dépêchèrent une armée de métier qui infligea un châtiment sévère aux Allemands et en tua neuf cents.

Calmés et contrits, les croisés purent alors pénétrer dans l'admirable capitale juste à temps pour se joindre à la horde de Pierre l'Ermite qui s'embarquait pour l'Asie sur une misérable petite flottille.

Ce fut avec une profonde émotion que Gunter se tint debout à la proue de la nef, frémissant d'impatience de sauter sur la terre d'Asie et d'entamer la véritable marche sur Jérusalem. Des seize mille pèlerins qui avaient pris le départ avec lui sur les bords du Rhin, il n'en restait que neuf mille, mais quand les barques touchèrent les plages d'Orient, il cria d'une voix forte :

— C'est la volonté de Dieu ! Nous écraserons l'infidèle !

Le 1ᵉʳ octobre, longtemps après que Gunter eut pénétré en Asie, Wenzel de Trèves retourna à Sofia avec un sac de pièces d'or, et, en acceptant la rançon des mains du prêtre, le capitaine de la prison lui confia :

— Si tous les croisés étaient comme votre comte Volkmar, ils n'auraient jamais eu d'ennuis en Bulgarie.

Il semblait avoir du regret de se séparer du seigneur de Gretz et de sa famille et il leur donna une petite escorte armée pour les accompagner jusqu'à Constantinople.

— Puissiez-vous vaincre les infidèles ! leur cria-t-il du haut de la tour en leur disant adieu.

Ils atteignirent les colossales murailles de la capitale le 18 octobre 1096 et Volkmar demanda à son escorte de faire halte pour lui permettre d'examiner les impressionnantes fortifications. Il vit qu'alors qu'à Gretz son château avait une épaisseur de murs de quatre pierres, les murailles byzantines en avaient vingt.

— Je n'aimerais pas avoir à investir ce fort, confia-t-il à son aumônier.

— Monseigneur, intervint le capitaine de la garde bulgare, ceci n'est pas le fort, mais simplement le mur extérieur.

De plus en plus stupéfaits, les Allemands entrèrent dans la ville et quand ils arrivèrent enfin devant un véritable fort, Volkmar déclara nettement :

— Ce fort ne peut en aucune façon être pris par un assaut extérieur.

— Les forts des Turcs, lui dit le Bulgare, sont beaucoup plus redoutables, et il vous faudra les conquérir, pour parvenir jusqu'à Jérusalem.

Volkmar comprit soudain l'énormité de la tâche qui les attendait.

Il continua de marcher, les yeux éblouis, le long de la grande avenue conduisant à la Corne d'Or, où d'innombrables vaisseaux dansaient à l'ancre le long de ses côtes tourmentées, et il vit l'autre rive, avec ses magasins, ses souks, ses foules bariolées. Cela ne ressemblait guère à sa Rhénanie campagnarde ! C'était manifestement le cœur d'un grand empire, couronné par les multiples dômes dorés de la radieuse Sainte-Sophie se reflétant dans la mer.

Lorsqu'il eut été remis à des officiers et ministres de l'empereur, il demanda aussitôt où étaient ses compagnons de croisade. Il lui fut répondu que l'on avait eu des nouvelles de la prochaine arrivée de Godefroy de Bouillon et de Robert de Normandie. Soulagé d'ouïr d'aussi grands noms, Volkmar de Gretz demanda encore :

— Je voulais parler de Gunter de Cologne et de Pierre l'Ermite.

Le visage de son interlocuteur s'assombrit.

— Pour ceux-là, je ne puis vous répondre.

En se promenant dans les souks et les caravansérails, le petit aumônier Wenzel de Trèves apprit que Gunter et ses Allemands étaient passés

en Asie au mois d'août et qu'ils avaient déjà engagé le combat contre les Turcs. Cette nouvelle chagrina Volkmar, non qu'il craignît que son beau-frère s'attribuât avant lui-même les royaumes de ses rêves, mais parce que tout homme d'honneur se devait d'être au combat. Il fit part de sa déception à la comtesse Mathilde. Mais le lendemain, Wenzel revint avec la rumeur que les hordes des croisés en Asie avaient été anéanties par l'armée turque.

Pendant trois sombres journées, des nouvelles contradictoires furent colportées et à la fin du troisième jour Gunter de Cologne retraversa le Bosphore sur une barque de pêcheur, si hâve, si décharné que sa sœur put à peine le reconnaître. Le fier guerrier teuton n'était plus qu'une épave, la tunique à la croix une guenille. Il fut heureux de voir Volkmar, mais sa faiblesse était telle qu'il n'eut que la force de se laisser tomber sans un mot sur un lit de brocart en faisant signe qu'il avait soif.

Il dormit ensuite une journée entière et quand il s'éveilla il ne voulut d'abord rien dire. Il regardait sa sœur Mathilde sans parler, le regard fixe. Enfin il se tourna vers Volkmar et articula péniblement :

— Sept d'entre nous sont revenus.

— Sept chevaliers seulement !

Gunter ferma les yeux et détourna la tête.

— Aucun autre chevalier que moi, murmura-t-il. Les autres, six paysans.

— Mais... Où avez-vous laissé les femmes et les enfants ? s'inquiéta la comtesse Mathilde.

Son frère se redressa un peu pour la regarder, puis il éclata d'un rire aigu de dément.

— Les femmes ? Avez-vous jamais vu une bande de soldats turcs se ruer à l'assaut d'un campement de femmes et d'enfants ?

D'une main, il taillait à droite, à gauche, avec une puissance d'évocation horrifiante.

— Mais tous n'ont pas péri ? s'exclama Volkmar.

— Mon frère, de tous ceux qui ont marché avec nous, sept seulement sont revenus.

L'aumônier Wenzel de Trèves tomba à genoux et le comte Volkmar, atterré, tentait en vain d'imaginer un tel carnage. Une petite armée de plus de douze mille hommes, sans compter les trois ou quatre mille femmes et enfants, avait quitté le Rhin cinq mois plus tôt à peine. Et de tous ceux-là il ne restait que Gunter et six compagnons ! Le seigneur de Gretz se rappelait bien que les moines les avaient prévenus :

— Nous allons livrer bataille pour Notre-Seigneur et certains mourront, mais tous ceux qui auront fait le sacrifice de leur vie terrestre seront absous de tout péché.

On s'attendait donc à des pertes. Et Hagarzi avait dit que sur cent qui partiraient, neuf seulement reviendraient. Mais sept... sur seize mille !

Quand il fut reposé et réconforté, Gunter de Cologne fit des récits terrifiants. Les Turcs étaient de redoutables guerriers, des soldats impitoyables, et leur nombre était incalculable. Les croisés n'avaient pas de

mercenaires, presque pas de chefs, les chevaliers n'avaient que leur courage. Ils avaient été taillés en pièces devant Nicée. Mais les Turcs avaient des points faibles, assurait le jeune croisé émacié. Ils n'étaient pas invincibles. Il suffirait d'avoir une véritable armée disciplinée et des capitaines.

Le mois suivant, l'une et les autres arrivèrent, des soldats et des mercenaires entraînés à la guerre, conduits par Godefroy de Bouillon et par le comte de Vermandois, de solides Normands intrépides commandés par leur duc Robert, les Francs d'Etienne de Blois, les Provençaux du comte de Toulouse et bien d'autres. Les rues de Constantinople résonnaient du fracas de leurs armures, et quand ils se réunissaient sur les terrasses surplombant le détroit, c'était avec des plans bien mûris en tête qu'ils contemplaient les rives d'Asie toutes proches. Ce n'était pas là une horde désordonnée mais une véritable armée, la plus puissante sans doute que l'Europe eût jamais levée. Les nouveaux venus écoutèrent avec grande attention les propos et les conseils de Gunter de Cologne. Certains étaient effrayés par ses sombres récits, mais tous entendaient profiter de sa triste expérience.

— Nous devons marcher en formation disciplinée, leur disait-il, et former notre arrière-garde avec nos meilleurs éléments, car c'est à l'arrière que le Turc aime attaquer.

Le 24 mai 1097, douze mois après son départ de Gretz, le comte Volkmar, simplement accompagné de sa femme, de sa fille et de son aumônier — car toute la suite avait péri en chemin — s'embarqua enfin pour l'Asie. Dans la petite nef dansant sur les eaux du Bosphore, il se tourna vers Wenzel de Trèves et lui cria dans le vent :

— Monsieur l'aumônier, veuillez bénir notre entreprise et prier pour sa bonne fin, car elle a bien tristement commencé.

Il s'agenouilla à la proue du petit bateau, et la comtesse Mathilde l'imita, ainsi que la jeune Fulda. Et l'aumônier pria Dieu de bénir son serviteur haut et puissant seigneur de Gretz, et de le conduire aux portes de Jérusalem.

Quand la nef toucha terre, le comte Volkmar sauta le premier sur la plage, leva son épée vers les cieux et s'écria :

— Seigneur, faites que je me montre digne de votre Terre sainte !

Cependant que les croisés avançaient en Asie, Babek, le plus terrible capitaine des Turcs qui avait déjà vaincu les Arabes quelques années plus tôt, les observait en riant dans sa barbe, car dans leur ignorance, ils attaquaient l'un après l'autre les établissements chrétiens, et massacraient les moines et les prêtres barbus qu'ils prenaient pour des infidèles.

« Ils anéantissent leurs alliés », songeait-il en hochant la tête devant une telle folie.

Babek avait l'intention de tendre aux Francs le même piège qu'il avait tendu aux cohortes de Pierre l'Ermite, et il attendait son heure en suivant les croisés de loin, quand ses espions vinrent l'avertir que cette fois il y avait un grand nombre de soldats et de chevaliers armés. Il décida

donc de ne pas attaquer de front. Patiemment, il attendait, hors de vue dans les collines, un moment propice qui arriva lorsque les capitaines de l'armée des croisés séparèrent leurs forces et envoyèrent un détachement de dix mille hommes en éclaireurs vers l'est. Le comte Volkmar de Gretz faisait partie de cette avant-garde tandis que Gunter de Cologne, suivant le conseil qu'il avait lui-même donné, demeurait avec une compagnie de chevaliers de haute valeur, pour protéger l'immense convoi de chariots portant les femmes et les enfants. La pesante caravane avançait lentement dans les sables du désert — cent vingt chevaliers, deux fois ce nombre de petits seigneurs et d'hommes libres à cheval, sept mille soldats à pied bien armés, et quelque deux mille pèlerins, parmi lesquels l'aumônier Wenzel de Trèves, la comtesse Mathilde et sa fille.

Le 1er juillet 1097, Babek vit que les troupes d'élite formant l'avant-garde étaient assez éloignées du gros de l'armée ; aussi, quand la chaleur du jour fut au plus fort, il fit signe à ses soixante mille soldats de s'élancer à l'assaut des croisés de Gunter de Cologne.

Comme un tourbillon descendu des collines, comme la foudre elle-même, dans un déluge de flèches et au galop de ses petits chevaux rapides, l'armée turque tomba sur les Francs. Les chevaux lourdement caparaçonnés s'affolèrent, les cris aigus des Turcs déroutèrent les Francs et pendant un instant on put croire au désastre.

Mais le Turc Babek n'avait pas imaginé qu'il se heurtait à un homme de guerre de la qualité de Gunter de Cologne qui, d'un seul coup d'œil, en voyant fondre sur lui la horde turque, comprit le danger et sut prendre une décision éclair. Il évalua avec précision le nombre et la force de son assaillant, comprit qu'en suivant sa trajectoire l'armée turque déborderait les chariots et couperait ainsi la caravane en deux, et serait libre ensuite de tailler en pièces chacun des groupes l'un après l'autre. Mais Gunter comprit aussi que si les deux compagnies de chevaliers pouvaient se rejoindre immédiatement, ils présenteraient un front que Babek lui-même ne pourrait enfoncer. Sans la moindre hésitation, Gunter de Cologne hurla à ses chevaliers :

— A l'avant-garde ! En avant ! En avant !

Et il conduisit une charge furieuse à travers les premiers cavaliers turcs qui arrivaient, amenant ainsi en renfort à l'avant-garde les neuf dixièmes de ses forces.

Naturellement, sa décision laissait les femmes, les enfants et le convoi à la merci des Turcs qui, rendus furieux par l'échappée des chevaliers se ruèrent sur les chariots. Ce fut un massacre, un carnage qui devait hanter à jamais les croisés. Les chevaux furent éventrés, des vieillards égorgés, des femmes violées et tuées, et les plus jeunes mises de côté pour être vendues aux marchés d'esclaves de Damas. La jeune Fulda de Gretz se trouva parmi celles-là, alors que la comtesse Mathilde sa mère était attachée à un chariot pour servir de cible aux archers turcs.

Impuissants à empêcher le massacre, les chevaliers rassemblés attendaient le crépuscule et que les Turcs fussent affaiblis et ivres de carnage. Gunter de Cologne conduisit alors une petite troupe de quarante chevaliers

seulement à l'attaque et les Turcs, pensant les décimer, s'élancèrent à leur poursuite. Lorsque l'armée ennemie fut désorganisée, le comte Volkmar donna le signal de l'assaut et tous se ruèrent à la charge, taillant sans merci de droite et de gauche.

Ce fut pour Babek une humiliante défaite. Il ne comprenait pas comment il avait pu se laisser abuser par la manœuvre du grand croisé blond qui avait audacieusement séparé ses forces une seconde fois pour diviser les Turcs. Il s'apercevait qu'il avait tué un grand nombre de femmes et de vieillards, mais que la puissance des chevaliers francs demeurait intacte.

Babek battit donc en retraite vers l'orient. et fit savoir à son sultan que ces hommes étaient bien différents des premiers arrivés. Ce n'était plus une misérable cohue de paysans, mais une véritable armée. La physionomie de la guerre était transformée.

Cependant, Volkmar de Gretz ne pouvait pardonner à son beau-frère d'avoir sacrifié, en connaissance de cause, les femmes et les enfants du convoi. Mais les chefs de la croisade, Godefroy de Bouillon, et Baudouin de Hainaut et Tancrède de Sicile, apprenant la décision qu'avait prise Gunter de Cologne dès le premier choc, l'approuvèrent et se félicitèrent entre eux de sa victoire.

Devant Antioche, la troisième plus grande ville de l'empire romain, la ville des Césars, la Ville sainte où pour la première fois le mot « chrétien » avait été employé, Gunter donna de nouvelles preuves de sa valeur militaire. Le siège de la puissante ville fortifiée dont les épaisses murailles ne cédèrent jamais sous les coups des machines des croisés, débuta le 21 octobre 1097 et dura jusqu'au mois de juin de l'année suivante. Ce siège difficile fut marqué par trois périodes critiques, au cours desquelles Gunter se distingua chaque fois.

Alors que les croisés avaient massé leurs forces sous les murs d'Antioche, un émissaire imprévu arriva du sud, un musulman d'Egypte sur qui Volkmar de Gretz se précipita pour le tuer dès qu'il le vit ; mais Gunter retint son bras, et il conduisit l'Egyptien auprès des chefs de la croisade. Le musulman leur proposa alors une alliance entre l'Egypte et les croisés afin d'écraser les Turcs pour leur profit mutuel. Gunter était d'avis de signer ce pacte.

— Pactiser avec des infidèles ? s'insurgea le comte Volkmar.

— Avec n'importe qui, pourvu qu'il ait une armée, lui répondit judicieusement Gunter.

— La croisade en serait profanée !

— Quand nous serons vainqueurs, alors nous pourrons nous laver de cette souillure.

Il mit tout en œuvre pour rédiger un traité profitable pour les deux parties, mais les croisés ne pouvaient imaginer — après avoir vu des musulmans exterminer leurs familles — que d'autres musulmans pussent avoir des intérêts contraires à ceux-là. Et ce qui aurait pu être une fructueuse alliance ne se fit point.

Du deuxième exploit de Gunter, Wenzel de Trèves écrivit dans ses chroniques :

« Monseigneur Gunter a fait miracle alors que le sort de notre croisade était bien indécis. Comme nos preux tenaient devant les hautes murailles d'Antioche et se désolaient, le Turc Babek imagina de venger sa défaite et de nous prendre à revers, et il marcha sur nous d'Orient, fort de près de quatorze mille hommes, et nos preux se dirent entre eux : « Si nous attendons, nous mourrons. Allons donc de l'avant, chevauchons à sa rencontre et voyons ce que nous pouvons accomplir. » Et Monseigneur Gunter partit à la tête de sept cents chevaliers seulement, en chantant un cantique comme ils approchaient de l'ennemi, alors que la victoire paraissait impossible. Mais avec l'aide de Dieu, les sept cents écrasèrent les quatorze mille et Monseigneur Gunter revint vers Antioche en chantant à nouveau... »

Enfin, lorsqu'il fut manifeste que les murailles romaines d'Antioche renforcées par les ingénieurs byzantins ne pourraient être enfoncées d'aucune manière, ce fut encore Gunter qui s'entendit avec un traître turc qui, en échange d'une forte somme d'or, convint d'ouvrir secrètement les portes à Bohémond de Tarente. Gunter avait pu s'arranger avec l'espion grâce à sa connaissance de la langue arabe que lui avaient enseignée ses nombreuses esclaves et maîtresses, mais il n'osait pas y croire. Pourtant, dans la nuit du 3 juin 1098, l'espion, fidèle à sa parole, ouvrit les portes et laissa pénétrer les Francs dans la ville où se déroula un massacre sans précédent.

Quand les croisés reprirent leur lente marche vers Jérusalem, Bohémond de Tarente resta et devint prince d'Antioche, tandis que Baudouin de Boulogne devenait comte d'Edesse après sa victoire en cette ville. Gunter de Cologne, encouragé par ces événements, attendait avec impatience de s'emparer d'un fief, et tous les chevaliers faisaient les mêmes rêves. Seul, Volkmar de Gretz ne pouvait se consoler de la perte de son épouse bien-aimée et de sa fille, et il chevauchait le plus souvent seul, à l'écart, plongé dans de sombres pensées et de plus en plus persuadé qu'il ne verrait jamais Jérusalem, car les croisés étaient tenus en échec en Syrie et le typhus ravageait leurs rangs.

Mais au printemps de 1099, trois ans après le départ de la première croisade, les événements se précipitèrent. La ville arabe de Ma'arrat tomba, et quand la forteresse massive d'Acre se dressa devant les Francs, plus redoutable encore que celle d'Antioche, ils résolurent tout simplement de la déborder. Laissant une petite force assiégeante devant les murs ils continuèrent leur route. Ils avaient fait de même pour les autres ports méditerranéens, Tyr, Beyrouth et Tripoli, qui restèrent intacts, avec leurs armées turques, tandis que les croisés se préparaient à l'assaut final sur Jérusalem. Gunter de Cologne, le conseiller le plus écouté, avait déclaré :

— Une fois que nous nous serons emparés de Jérusalem, nous pourrons revenir cueillir les ports de mer l'un après l'autre, comme des fruits mûrs.

L'allure s'accélérait en approchant du but, et ce fut de cette période exaltante que l'aumônier Wenzel de Trèves écrivit plus tard dans ses chroniques :

« En cet après-midi du mois de mai alors que nous étions partis de

Tyr pour marcher sur cette ville qui allait devenir Saint-Jean-d'Acre, laissant derrière nous les terres inhospitalières du nord pour pénétrer sur les terres sacrées de Palestine où Notre-Seigneur a vécu et où il est mort, une grande exaltation s'empara des nôtres et chacun poussa son cheval en avant de manière à pouvoir être le premier à crier : « Nous voici venus sur la terre de notre doux Seigneur Jésus. » Et ainsi nous sommes arrivés en vue d'une petite colline que nous avons gravie et d'où nous avons vu les tours païennes d'Acre entourées de formidables murailles, et je craignis que le spectacle d'aussi redoutables fortifications ne frappât de terreur les âmes des chevaliers, mais nos chefs se sont écriés : « Nous n'allons pas donner assaut à ce port de mer, mais nous le laisserons de côté comme nous avons fait des autres. En avant vers Jérusalem ! » Et c'est bien volontiers que nous avons débordé ces terribles murailles. Monseigneur haut et puissant comte de Gretz et moi chevauchions dans l'aile gauche et nous avons aperçu au loin quelques Turcs. Nous avons poussé nos chevaux au sommet d'une petite éminence afin de leur donner la chasse quand le seigneur de Cologne nous a dépassés au galop de son palefroi en criant d'une voix forte : « Pénétrons dans la terre sacrée de Jésus. » Il était désordonné dans ses mouvements, et nous enjoignait de le suivre, aussi avons-nous oublié nos Turcs pour galoper à sa poursuite et peu de temps après nous avons gravi une autre éminence d'où nous avons pu admirer le plus beau panorama dont nos yeux étaient gratifiés depuis notre départ de Gretz. A l'ouest se dressaient les tours païennes d'Acre au bord de la mer scintillante, à l'est se suivaient les collines verdoyantes de Galilée où Notre-Seigneur a vécu et enseigné. Mais tout droit devant nous, sur une petite colline entourée d'oliviers gris, nous vîmes la ville de Makor, avec ses mosquées brillant au soleil et la croix de Notre-Seigneur au sommet du clocher de la basilique. Monseigneur Volkmar, comte de Gretz, s'est écrié : « Voyez cette belle ville et ses champs verdoyants ! » Mais aussitôt le seigneur Gunter a crié : « Cette ville est à moi ! » Et il a piqué son cheval pour le faire descendre de la colline au risque de se rompre les os, en criant afin que tous l'entendent : « Cette ville est à moi ! Elle sera la capitale de mon royaume ! »

Parmi les infidèles de Makor, qui observaient depuis quelques mois la marche vers le sud des croisés, nul n'avait si bien prévu leur victoire que le chef de la grande famille d'Ur. Shaliq ibn Tewfik était un homme de quarante-deux ans au regard de faucon, qui savait estimer la victoire ou l'échec avec toute la sagacité d'un Arabe bien versé dans l'art de la guerre. Mais de là à dire qu'il était un Arabe véritable il y avait loin, et c'était un sujet de controverse à Makor. Shaliq était musulman, force était de le reconnaître, et, depuis quatre siècles, sa famille était musulmane aussi ; mais la mémoire est longue dans les petites villes, et nul n'avait oublié que jadis la famille de Shaliq avait été païenne, puis juive, et chrétienne durant quelque temps. Mais aussi, sur cent habitants de Makor qui se targuaient d'être de purs Arabes, bien peu étaient ceux dont les ancêtres étaient arrivés avec les disciples de la vraie foi. La plupart étaient issus de souches hittite, égyptienne ou cananéenne. Mais ils étaient

tous devenus de bons fidèles de Mahomet, et passaient pour Arabes,
aussi étaient-ils mal venus de critiquer Shaliq ibn Tewfik.

Cependant, sans se soucier de ses antécédents, Shaliq s'occupait de son
commerce et prêtait l'oreille à toutes les rumeurs, si bien qu'il avait
bientôt découvert que, tandis que les croisés déferlaient d'Antioche sur
la Syrie et la Palestine, la vie des habitants de ces terres dépendait du
seul hasard, de leur astuce ou de leur chance. Il expliqua à sa famille
effrayée :

— Quand ils s'emparent d'une ville, les croisés sont si furieux qu'ils
massacrent sans distinction Juifs, chrétiens et musulmans. Mais dès que la
fièvre de la bataille s'est calmée — en général le troisième jour — tous
les habitants de la ville qui ont pu survivre sont désormais bien traités.
Si bien même que les chevaliers choisissent des épouses parmi ces mêmes
femmes que l'avant-veille ils passaient au fil de l'épée.

Il regarda sa femme et ses enfants et ajouta :

— Nous devrons donc survivre pendant trois jours.

En conséquence, il chercha par toute la ville une retraite où ils
pourraient se cacher, et finit par se souvenir d'une très ancienne fosse
abandonnée qui servait de dépôt d'ordures et de gravats et qui avait
été comblée depuis longtemps. Ce fut dans cette fosse que le 21 mai 1099
Shaliq ibn Tewfik fit descendre sa femme Raya, ses fils et sa fille de
seize ans, Taleb. Ils s'y creusèrent une sorte d'étroite grotte, emportèrent
avec eux des vivres et de l'eau pour trois jours, et attendirent l'arrivée
des Francs.

Quand Gunter de Cologne s'empara de Makor — et il n'eut aucun
mal car les Turcs ne la défendaient pas et la ville n'avait plus de remparts
depuis des siècles — il fit mettre à mort tous les habitants. Les
chrétiens et les musulmans furent les premiers à tomber sous les coups
de ses soldats, et dans une poche près des ruines de l'ancien rempart
est, il découvrit les derniers Juifs qui devaient vivre à Makor de bien
longtemps — les derniers descendants de Joktan, de Zadok et de Jabaal
— et il les massacra tous, hommes, femmes et enfants. Ses hommes
voulaient garder pour eux la plus jolie des jeunes filles, mais il refusa :

— Qu'il n'y ait point commerce avec les ennemis de Notre-Seigneur !
proclama-t-il.

Et tous les Juifs furent exterminés.

Mais au cours de ce dernier massacre il se produisit un fâcheux incident. Un paysan juif, bien résolu à ne pas capituler sans coup férir,
s'empara d'une hache et lorsque le comte de Gretz passa il se rua sur lui
et abattit sa hache de toutes ses forces sur la jambe gauche du Germain.
Le sang jaillit et le Juif leva le bras pour frapper derechef, mais des soldats
de Gunter le virent et le percèrent de nombreux coups d'épée.

Ce soir-là, alors que le seigneur de Gretz perdait ses forces et qu'il
semblait qu'il dût mourir, son aumônier Wenzel de Trèves écrivit, le cœur
gros :

« La grande perfidie des Juifs s'est manifestée une fois de plus quand,
la soumission de la ville étant assurée, un méchant homme se munit

d'une hache et fort sournoisement guetta le passage de monseigneur Volkmar et lui sauta dessus pour lui porter un mauvais coup qui manqua bien de lui couper pour tout de bon une jambe. Nous transportâmes notre pauvre seigneur dans une chambre propre où nous le déposâmes sur un lit, et ses yeux se posèrent sur un crucifix dans cette chambre, car malheureusement nous avons tué ce jour de nombreux chrétiens, ce qui peut nous être pardonné car dans ce pays nos frères ressemblent à s'y méprendre à des infidèles et dans la fièvre des combats l'on ne peut distinguer les élus d'entre les damnés, et quand notre seigneur Volkmar a vu le crucifix et a compris qu'une fois encore nous avions tué des chrétiens, il voulut mourir, mais je suis resté auprès de lui toute la nuit, à panser sa jambe et à prier pour son âme. Au matin, le seigneur Gunter est venu voir son frère et lui a dit : « Mon frère, je dois partir avec les autres de crainte qu'ils ne prennent Jérusalem sans moi et que je ne sois pas là pour revendiquer mon royaume. » Je lui ai fait remontrance, disant : « Monseigneur, vous abandonneriez votre frère ainsi meurtri ? » et le seigneur Gunter m'a répondu : « Je marche depuis Cologne pour délivrer Jérusalem et le diable lui-même ne m'empêchera pas de gagner la Ville sainte. » Je le priai et le suppliai de ne pas abandonner son frère, mais il me répondit : « Sa jambe devra être coupée et il va certainement mourir, mais je vais laisser six de mes bons soldats auprès de lui. » Et mon bon seigneur Volkmar, en entendant ces mots, eut la force de crier de sa couche : « Va jusqu'en enfer avec tes soldats ! » Mais le seigneur Gunter ne se fâcha point et dit avec douceur : « Mon frère, voici la terre que j'entends faire mienne, et si tu vis tu pourras la partager avec moi. » Et il partit, avec tous ses soldats, sans même laisser les six qu'il avait promis. Je pensais que mon seigneur allait sûrement trépasser, mais le troisième jour surgit d'une grotte un homme appelé Shaliq qui s'était fort judicieusement dissimulé pendant le carnage et qui me dit être chirurgien. Il me montra comment couper la jambe de mon seigneur et quand le membre pourri lui fut ôté, monseigneur le comte se trouva mieux, et l'inconnu me dit : « Ma famille et moi sommes des chrétiens d'âme et de cœur, mais les musulmans nous ont forcés à embrasser leur religion. Nous aimerions être baptisés, maintenant. » Et avec des larmes de joie, nous les avons baptisés, lui, sa femme, sa fille et ses trois fils. Son nom était celui d'un infidèle, aussi lui en donnai-je un autre par baptême, et comme il était médecin et avait su couper la jambe de monseigneur, je lui dis que désormais il porterait le saint nom de Luc, et il répéta plusieurs fois son nouveau nom, à la satisfaction de sa famille. Son apparition avait été véritablement miraculeuse et ses pieuses façons s'y ajoutant me faisaient bien augurer de notre occupation de cette jolie petite ville. »

Cependant, pendant que Wenzel de Trèves et Luc le marchand-docteur lui coupaient la jambe en maudissant les Juifs perfides d'avoir osé attaquer un noble croisé avec une hache, le comte Volkmar mordait la garde de sa dague pour ne pas crier et entendait dans son délire la voix du Juif Simon Hagarzi qui lui prédisait : « Sur cent hommes qui partiront de Gretz, neuf seulement reviendront, s'ils ont de la chance. »

Et dans sa démence, il savait qu'il ne serait pas de ceux-là. Jamais plus il ne reverrait son Rhin, et en pensant aux Juifs que ses sujets avaient massacrés le long de ce fleuve, il pardonna à celui qui l'avait frappé.

— C'est la vengeance de Dieu, soupira-t-il tandis que l'Arabe lui sciait l'os de la jambe. Puisse Dieu nous pardonner les choses que nous avons faites.

Pendant plusieurs années, on ne revit pas Gunter de Cologne à Makor car il participa à la prise de Jérusalem, puis au siège d'Ascalon, à l'assaut contre Tyr et Tripoli et enfin, amaigri par les durs combats, il vint prendre possession de son fief de Makor où Luc, en sa qualité d'intendant général, le reçut au nom du comte Volkmar.

Quand il se trouva en présence de son beau-frère, dans une grande maison rudimentaire qui servait de palais, Gunter vit un frêle vieillard de cinquante-six ans, au dos voûté et aux cheveux de neige, à qui manquait une jambe.

— Les combats sont finis, annonça le chevalier, et je viens prendre possession de mon fief de Galilée.

— Mais c'est moi qui règne ici, rétorqua le comte Volkmar.

— Et c'est très bien ainsi, s'exclama Gunter. Vous continuerez de régner pendant que je guerroie afin d'agrandir nos frontières.

— Mais à ma mort, ce fief doit aller à mon fils Volkmar, répondit avec une ferme douceur le seigneur de Gretz.

Il fit un signe et Luc disparut pour revenir avec un bel enfant brun de trois ans. Le petit garçon courut vers son père qui le souleva et le jucha sur son unique genou.

— On m'a appris que vous vous étiez marié, dit Gunter sans approfondir pour le moment la question d'héritage. Où avez-vous trouvé une chrétienne ?

— Ici même. Une que vos soldats avaient oublié de tuer.

Le comte fit un nouveau signe à Luc et l'intendant se retira un instant et reparut avec sa fille Taleb qui était maintenant une belle jeune femme de vingt ans. Elle fit sa révérence à Gunter et lui dit dans un allemand chantant :

— Soyez le bienvenu à Makor, mon frère.

Gunter s'inclina :

— Je suis heureux que vous ayez survécu, madame. Pour dire vrai, soupira-t-il ensuite, si nous devions recommencer la guerre, nous tuerions beaucoup moins. Jérusalem m'a servi de leçon. Nous avons exterminé tout le monde... les Juifs... les Arabes... mais le lendemain nous avons appris que la moitié des morts étaient des chrétiens comme nous. Personne ne nous avait avertis. Ils avaient des turbans, de longues barbes... Vous savez, mon frère...

— Je ne suis plus votre frère, interrompit Volkmar.

— Vous êtes plus encore, protesta Gunter sans s'offusquer. Vous êtes mon ami le meilleur. Je m'apprêtais à dire qu'à Jérusalem nous nous

sommes aperçus que nous nous serions singulièrement enrichis si nous avions laissé la vie sauve aux habitants. Après le massacre, nous avons découvert d'immenses cuves à teinture de pourpre valant chacune cent mille besants et il ne restait personne sachant les utiliser. Tous les Juifs étaient morts.

— Ici, nous avons agi autrement, dit Volkmar. Dans les villages, nous n'avons occis personne et maintenant les terres sont prospères.

— J'en suis fort aise. J'en ai besoin dans mon fief.

— Il ne sera jamais à toi ! s'écria le vieillard avec force.

— Mais si. Avec cette épée, je l'ai gagné, et il est à moi. Vous y serez le bienvenu jusqu'à la fin de vos jours, parce que j'ai besoin de votre assistance. Mais quand j'aurai des fils, ils régneront et le petit Volkmar et vous devrez aller chercher fortune ailleurs.

Les deux chevaliers germains se dévisagèrent, chacun s'efforçant d'imposer sa volonté à l'autre, et finalement Gunter de Cologne s'écria durement :

— Volkmar, pourquoi ne prends-tu pas ton fils et ne rentres-tu pas en Allemagne ?

La question surprit le vieillard, car depuis que sa femme et sa fille lui avaient été enlevées à la bataille des chariots, il ne pensait plus guère à sa seigneurie des bords du Rhin. Plus de huit ans s'étaient écoulés depuis son départ. Son fils Otto gouvernait maintenant la ville de Gretz, et Volkmar avait cessé de se considérer comme un Germain. Sous le ciel bleu de Galilée il oubliait les grisailles de Rhénanie, les richesses de l'Orient, les soies de Perse, les confiseries de Damas, les tapisseries de Constantinople, l'orfèvrerie de Tyr ou d'Antioche remplaçant avantageusement pour lui les couloirs sombres et glacés, les étains, les venaisons grossières et le drap brun de sa ville de Gretz. Par Luc, il avait fait la connaissance de médications ignorées des barbares d'Occident.

— Si j'avais perdu ma jambe à Gretz, fit-il observer à Gunter, je serais mort. Je n'ai nul désir de retourner dans ce pays barbare.

— Alors restez, et aidez-moi à gouverner, décida Gunter.

Le jeune seigneur de Cologne s'installa donc à Makor et dès la première semaine il prit une décision spectaculaire : celle de construire au sommet du monticule un grand château fort, un krak comme il commençait à s'en construire un peu partout en Syrie et en Palestine.

— Tous les hommes valides, d'Acre à Jérusalem, travailleront seize jours par mois à cette forteresse, jusqu'à ce qu'elle soit achevée. Nous aurons besoin de mille hommes en permanence aux carrières, et de cinq cents chevaux pour traîner les quartiers de roche.

Suivi de Volkmar claudiquant avec l'aide d'une béquille due à l'ingéniosité de Luc, Gunter traça les limites de son château, si ambitieuses que le vieillard en fut saisi. Il avait demandé à Volkmar, qui vivait à Makor depuis cinq ans, quel serait l'emplacement idéal et le comte lui avait conseillé le quartier nord-ouest, à côté de la basilique, car cet endroit recevait les brises de mer en été et l'on y avait un panorama admirable. Mais Gunter préféra l'est de la ville car la défense en serait

facilitée par la paroi abrupte de la colline plongeant au nord dans l'ouadi.

— Un jour, prédit Gunter, il y aura un siège, et ce ravin sera peut-être notre salut.

En conséquence, au nord-est de Makor et derrière la basilique il traça le plan d'un gigantesque château fort, avec une première enceinte fortifiée, un glacis, des douves et un donjon cerné de remparts. Quand Luc vit que le tracé englobait un tiers des maisons de la ville il protesta, mais Gunter ordonna simplement qu'on les rasât et cela fut fait.

Après avoir assiégé plus de trente forteresses — Nicée, Antioche, Jérusalem, Ascalon aux noms de rêve — subi le feu grégeois des défenseurs et projeté dans leur enceinte les têtes des prisonniers turcs à l'aide de catapultes et de mangonneaux, Gunter savait comment devait être construit un château fort. Il ne devait pas y avoir de tours carrées, pas d'angles, plus vulnérables aux coups de bélier, mais uniquement des tours rondes, et construites avec des pierres si bien équarries qu'aucune arête ne devait en faciliter l'escalade. Les murailles et les tours devaient être si parfaitement lisses que nul grappin ne pourrait s'y accrocher pour soutenir les échelles de corde. Le bas des tours devait être incliné de manière que les pierres projetées du haut des créneaux par les défenseurs rebondissent et s'en aillent frapper les assaillants aux jambes. Les tours elles-mêmes seraient disposées de telle façon qu'à tout moment l'assaillant se trouverait sous un feu croisé de flèches.

Durant plusieurs années, des centaines d'hommes travaillèrent à la construction du château et, quand il fut achevé, alors que les paysans espéraient pouvoir retourner à leurs cultures trop souvent négligées, Gunter fit construire un rempart massif de vingt pieds d'épaisseur tout autour de la ville, et il mit en œuvre ces formidables fortifications qui transformèrent Makor la faible — qui n'avait pas de remparts depuis mille ans, depuis le temps de Vespasien — en exemple parfait de ville féodale des croisés, avec son château, sa basilique et sa mosquée serrés entre ses murailles gigantesques.

Le nouveau mur des croisés s'élevait à l'intérieur de l'ancien tracé des remparts cananéens et juifs, car en s'élevant l'éminence avait vu s'amenuiser sa surface plane si bien que la ville était de plus en plus petite et comme à présent le château et les édifices religieux occupaient presque toute la place, trois cents habitants à peine pouvaient vivre entre les murs. Mais comme les fortifications étaient une garantie de paix, plus de quinze cents paysans habitaient en sécurité hors des murs, sachant qu'en temps de périls ils pourraient se réfugier à l'abri des remparts.

Lorsque les défenses furent achevées, les plus belles et les plus solides au sud d'Antioche, Gunter aurait dû se reposer avec satisfaction, mais il ne le pouvait car un souci qu'il ne parvenait pas à chasser l'assaillait de jour comme de nuit. Il savait qu'il n'avait pas résolu le plus grand problème, ni paré la plus grande faiblesse. Il n'avait pas d'eau dans sa forteresse. Naturellement, il avait tout fait pour pallier ce défaut, en faisant creuser d'immenses citernes dans le roc qui furent badigeonnées de

chaux et tapissées de graviers pour les rendre étanches, et tous les toits étaient conçus de manière que l'eau de pluie s'écoulât dans ces réservoirs, mais l'année fatale pouvait arriver où la sécheresse se ferait l'alliée d'un assiégeant pour contraindre Makor à capituler.

Un jour, Gunter s'ouvrit de son souci à Luc, qui dirigeait maintenant toutes ces opérations, et le néophyte lui dit :

— Monseigneur, quand je me suis caché dans cette grotte, j'ai eu l'impression que cette fosse pouvait bien avoir été creusée jadis pour parvenir à un puits.

— Et où est-elle, cette fosse ?

Luc conduisit son nouveau maître dans une des salles du donjon et lui expliqua :

— Elle était là. Elle a été recomblée et couverte quand nous avons posé ce dallage.

— Malheureux ! s'emporta Gunter. Et pourquoi ne m'en as-tu rien dit ?

— Je ne savais pas.

— Bon. Va me chercher vingt de tes ouvriers les plus habiles.

Ce même jour, les hommes se mirent à desceller le dallage qui n'avait été posé que quelques semaines plus tôt et les sapeurs commencèrent à creuser à l'endroit même de la grande fosse carrée que Houpoeh avait tracée deux mille ans plus tôt, persuadés qu'au fond de ce puits ils trouveraient de l'eau. Ils dégagèrent les deux rampes à double révolution, aux dalles usées au milieu par le constant frottement des pieds nus des porteuses d'eau, et puis ils touchèrent le fond de roche unie, mais n'y découvrirent nulle source. Gunter lui-même descendit au fond du trou et battit du poing les parois rocheuses en hurlant :

— Au nom du Dieu vivant, où est l'eau ?

Furieux, déçu, il rumina pendant plusieurs jours de sombres pensées et le malheur voulut que ce fût justement une période de grande sécheresse alors que l'on était à la saison des pluies, et il fut tourmenté par la crainte qu'une semblable sécheresse ne vînt justement alors qu'une armée arabe les assiégerait. Il parcourait les salles de son beau château neuf en tempêtant et il alla même jusqu'à forcer Volkmar à descendre péniblement au fond de la fosse avec ses béquilles, pour lui prouver que sa première idée n'avait pas été mauvaise.

— Comment un puits aurait-il pu disparaître et se tarir ? répétait-il.

Ce fut une réflexion distraite de Volkmar qui lui permit de résoudre le mystère. En voyant les rampes de pierre, le comte observa :

— Elles ont été usées par des milliers et des milliers de pieds nus.

— Que dites-vous, mon frère ? lui cria Gunter.

— Regardez, là. Ce sont des pieds de femmes qui ont usé ces pierres.

Gunter fut séduit par cette idée et pendant plus de huit jours il fut hanté par la vision d'une procession sans fin de femmes portant des urnes sur la tête. Il se demandait où elles allaient, car il les voyait toujours descendre, descendre, toujours plus nombreuses... et puis une

nuit, il eut comme une illumination et il se leva de sa couche en criant :

— Elles ne se rendaient pas au fond de la fosse, elles allaient ailleurs !

Réveillant ses serviteurs, il se fit aussitôt descendre au fond du trou et recommença à tâter les parois, à gratter, à chercher un indice, mais il ne trouva rien. Il fit signe qu'on le remontât, et il s'en alla errer par les ruelles de Makor, suivi par ses fantômes de porteuses d'eau. Une fois, l'impression fut si vive qu'il s'arrêta net, se retourna et cria dans les ténèbres.

— Où allez-vous ? Dites-le-moi ! hurlait-il à Kerith, l'épouse juive dévote qui était descendue admirer l'œuvre de son mari, à Gomer qui dans ces profondeurs avait parlé à Dieu. Où avez-vous disparu ?

Mais les spectres le suivaient en silence.

Gunter fit alors ce que tous les hommes de Makor avaient fait dans la perplexité, depuis des millénaires. Il monta au sommet de son rempart pour examiner le site de Makor. A l'horizon d'occident il distinguait les feux d'Acre et la mer miroitante, au sud c'était le verger d'oliviers et au-delà, hors de vue, les marécages, au nord le moutonnement de collines déferlant jusqu'au bord de l'ouadi à pic... Gunter regarda. Il se demanda si l'ouadi...

— Pourquoi ont-ils creusé une fosse aussi profonde ? demanda-t-il à haute voix.

Mais il ne comprenait pas et dans son désespoir il tomba à genoux et pria :

— Dieu tout-puissant, où avez-vous caché l'eau ?

La colère le prit, et dans sa rage il frappa les pierres froides avec ses poings en hurlant :

— Dieu ! Seigneur Dieu ! Où avez-vous caché l'eau ? J'en ai besoin ! Maintenant !

Et comme Dieu ne préfère pas toujours les hommes doux et humbles qui chantent dans les basiliques, un rayon de lune illumina l'ouadi et Gunter se dressa d'un bond en criant :

— Là-bas ! L'eau est là-bas !

Le jour pointait quand il retourna en courant à la fosse et fit appeler Luc.

— Je sais où est l'eau ! lui annonça-t-il joyeusement.

Il prit avec lui cinq bons ouvriers, saisit lui-même une pioche et descendit avec eux au fond du trou. Là, il essaya de calculer où se trouvait le nord et la chance le fit tomber assez juste. Ils se mirent à creuser avec acharnement. Toute la journée, il aiguillonna ses hommes, en fit venir d'autres et des hottes entières de déblais furent remontées.

La nuit était tombée depuis longtemps quand un des ouvriers grecs donna un coup de pelle dans la paroi de terre rocheuse, et l'instrument la traversa tout soudain. D'un bond Gunter fut devant le trou et il l'agrandit fébrilement de ses mains. Une torche au poing, il regarda et vit le tunnel de David, depuis si longtemps enfoui, le long tunnel creusé par Houpoeh et son esclave le Moabite. L'ouverture fut rapidement déga-

gée et, sans imaginer le danger qu'il pouvait courir, sans crainte des ténèbres, le jeune chevalier courut dans le tunnel en réveillant les échos des siècles, jusqu'à ce qu'il arrivât dans la salle du puits et qu'il découvrît la source d'eau pure.

En regagnant son château dans la nuit, il n'exultait pas, cependant, car bien qu'il fût assuré désormais que son château et sa ville pourraient soutenir le siège le plus acharné, sa descente dans les entrailles de la terre et sa brève rencontre avec Dieu lui avaient rappelé combien la vie est fugace, et le contraignaient à songer à l'avenir. Lorsque Luc vint le féliciter, il ne trouva pas le chevalier exubérant, mais un homme plus humble qui lui annonça d'une voix lointaine et douce :

— Il est grand temps que je prenne épouse.

Ce soir-là, lorsque le comte Volkmar se fut retiré dans ses anciens appartements qu'il n'avait pas voulu quitter, Luc fit venir auprès de lui sa fille Taleb et, sans la regarder en face, il murmura :

— Le seigneur Gunter parle de prendre épouse... Aujourd'hui, j'ai examiné la jambe du seigneur Volkmar. Elle ne guérira jamais... Il ne saurait vivre encore longtemps...

— Il a la fièvre tous les matins, dit Taleb.

Luc jugea nécessaire alors de parler avec une franchise brutale :

— Je me suis souvent posé des questions au sujet du seigneur Gunter. Ne trouves-tu pas étrange qu'il ait tant de femmes... un harem... mais que personne n'ait jamais entendu dire que l'une d'elles fût enceinte ?

Les deux chrétiens de fraîche date se regardèrent dans les yeux, et puis le père dit à sa fille :

— J'en conclus que même s'il voulait un héritier, le seigneur Gunter n'en pourrait avoir.

— Tu ne dois pas oublier, répondit-elle, que Volkmar est ton petit-fils... Que proposes-tu ?

— Eh bien... Pendant une quinzaine de jours, le seigneur Gunter va être absorbé par les travaux de déblaiement de son puits. Mais ensuite, il se tournera vers d'autres sujets d'intérêt et, à ta place, je me trouverais bien en vue au moment où il se retournera...

Les jours suivants, Taleb trouva mille prétextes pour examiner le tunnel du puits et visiter le château neuf. Quand une caravane arriva de Damas avec de riches marchandises, Gunter profita de cette occasion pour inviter les marchands à l'inauguration de sa grande salle qui, pendant deux siècles, serait admirée par tous les pèlerins en Terre sainte comme une des plus belles d'Orient. Ce soir-là, Taleb trôna à la place d'honneur entre son mari et Gunter et régala les convives de pâtés de venaison, de brochettes de grives, de sanglier mariné, ainsi que de confitures de roses, de dattes et de légumes confits, le tout arrosé de vins épicés.

Volkmar ne put s'empêcher de surprendre les regards lascifs que jetait Gunter sur sa femme, mais il ne dit rien.

Le vieux comte resta désormais chez lui et refusa de fréquenter le

château neuf, mais Taleb y allait de plus en plus souvent. Volkmar s'efforçait de gouverner la principauté de sa chambre de malade, mais il s'apercevait qu'on lui ôtait graduellement ses responsabilités et ses privilèges. Luc, chef de cette accommodante famille d'Ur, s'était installé au château, avait abandonné son ancien suzerain et il était devenu l'homme lige de Gunter.

Et puis un jour qu'il entrait sans s'être fait annoncer dans les appartements de sa femme, Volkmar découvrit Taleb à demi nue qui se débattait dans les bras de Gunter, mais en riant aux éclats sans beaucoup résister. En le voyant, Gunter la serra plus fort et s'écria :

— Vous êtes un vieillard sénile. Votre jambe ne guérira jamais et vous ne tarderez pas à mourir ! Quand vous serez mort, je prendrai votre femme et nous aurons des enfants à nous ! J'enverrai votre bâtard en Allemagne et s'il refuse de partir, je le ferai égorger !

Sur quoi, avec un mauvais rire, il embrassa dans le cou la seconde comtesse Volkmar de Gretz.

Le comte n'avait que sa béquille, mais il s'élança sur le chevalier pour venger son honneur. Au cours de la brève lutte inégale, le vieillard tomba et Gunter lui décocha lâchement un coup de pied, ce qui eut pour résultat de rouvrir la blessure du moignon.

Après le départ des amants, Volkmar appela ses serviteurs à l'aide, et leur demanda d'aller quérir Luc le médecin, mais ce dernier, ayant appris ce qui venait de se passer, s'était caché. Le sang continua donc de s'épancher.

Dans sa chronique des croisades, Wenzel de Trèves raconte cette sombre nuit :

« Je portai monseigneur Volkmar sur sa couche, car il était alangui et bien maigre de corps, et il me dit en tenant sa tête à deux mains : « Je ressens de nouvelles douleurs et je ne vais plus vivre longtemps », mais il dura toute cette nuit et au matin il demanda son fils, qui vint à lui mais ne comprit pas la gravité du mal de son père. La comtesse Taleb, que j'avais moi-même baptisée, refusa de venir auprès de son époux mais mena un train joyeux au château avec le seigneur Gunter, pour qui elle éprouvait même déjà un coupable penchant, et je ne désirai pas la rappeler à ses devoirs. Dans la soirée, je dis à monseigneur Volkmar : « Pauvre seigneur, vous n'avez jamais atteint Jérusalem », et il me fit une réponse que je compris être la vérité : « Tu te trompes, l'abbé, car le matin même où je suis parti de Gretz, je fus à Jérusalem. » Il me commanda de prier pour sa bonne épouse la comtesse Mathilde et murmura : « Comment a-t-elle pu avoir un tel frère ? » et puis il pria avec moi pour sa fille Fulda, et partagea avec moi un secret que je n'avais jamais deviné. « Je suis convaincu qu'elle est enfermée dans un château, à l'est de Damas, en Orient. » Et je compris alors pourquoi il avait toujours été le premier à accueillir les caravanes qui arrivaient de cette ville, dans l'espoir d'avoir des nouvelles de sa malheureuse enfant. « Monsieur l'aumônier, me dit-il encore, priez bien Dieu pour ma fille. Priez pour elle. »

Au crépuscule, la fièvre du comte Volkmar de Gretz monta, et il put entendre que l'on faisait ripaille au château. Il demanda encore une fois son fils, mais l'aumônier dut lui avouer que Luc avait emporté l'enfant dans un lieu inconnu et refusait de le rendre. Le comte ne répondit rien à cette triste nouvelle, et il parut certain qu'il allait entrer en agonie, mais à minuit il était encore en vie.

LES FEUX DE MAKOR

NIVEAU IV — 1289-1291

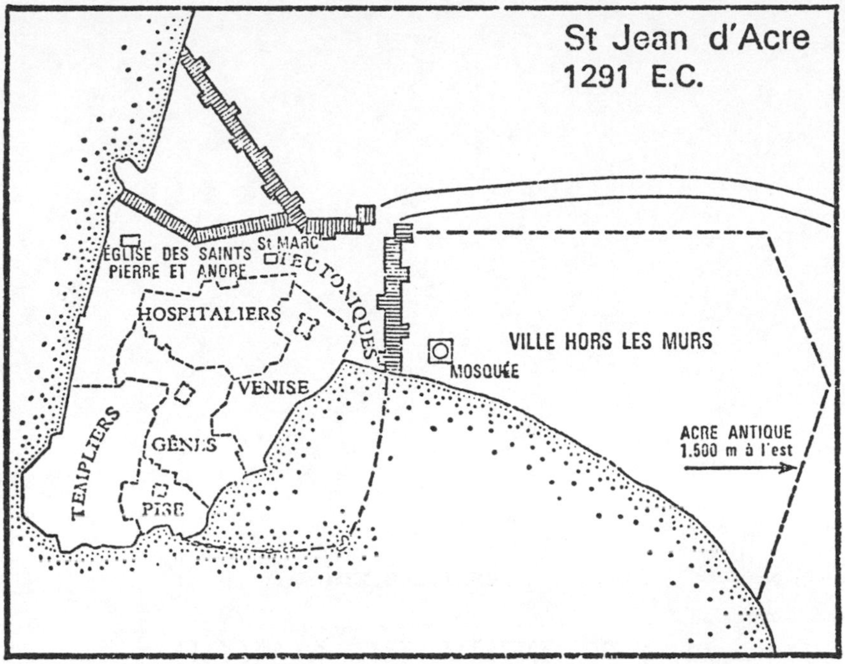

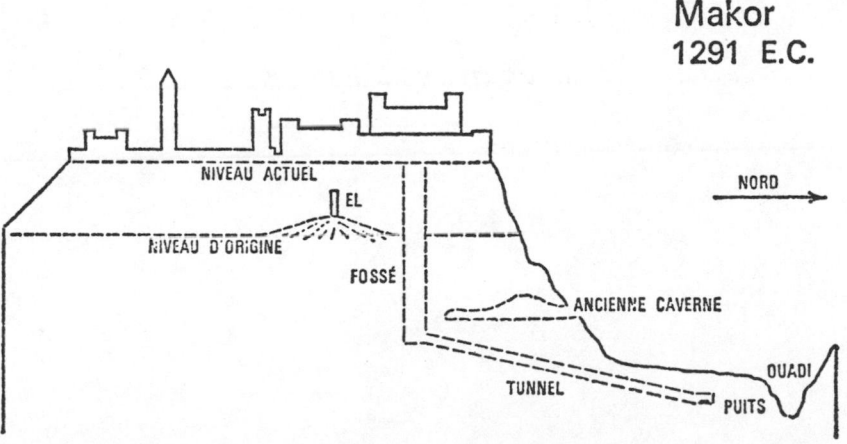

St Jean d'Acre
1291 E.C.

ÉGLISE DES SAINTS
PIERRE ET ANDRE

St MARC

TEUTONIQUES

HOSPITALIERS

VENISE

TEMPLIERS

GÊNES

PISE

MOSQUÉE

VILLE HORS LES MURS

ACRE ANTIQUE
1.500 m à l'est

Makor
1291 E.C.

NIVEAU ACTUEL

EL

NIVEAU D'ORIGINE

FOSSÉ

ANCIENNE CAVERNE

NORD

OUADI

TUNNEL

PUITS

Coupe de l'éminence de Makor, de la porte principale à gauche, à la poterne à droite, telle qu'elle apparaissait en 1291, alors que des ruines s'étaient déjà accumulées sur une hauteur de 67 pieds. De gauche à droite, les édifices sont : la tour de la porte principale, le minaret de la mosquée, la tour que les croisés avaient ajoutée à la basilique du Père Eusèbe, les douves du château fort, la porte principale du krak du comte Volkmar, le château proprement dit, et le mur nord du château. On peut voir la fosse et le tunnel construits par Jabaal le Houpoeh en 966-963 av. E. C. et rouverts par Gunter de Cologne en 1105. On peut également voir la caverne habitée en 9834 av. E. C. par la famille d'Ur, ainsi que le mono-lithe d'El érigé par cette même famille en 9831 av. E. C., à présent enfoui juste sous le maître-autel de la basilique.

AU printemps de 1289, alors que le feu spirituel qui avait animé les croisades n'était plus que braises mourantes, alors que Jérusalem était pour jamais aux mains des infidèles et que les beaux ports de la Méditerranée appartenaient définitivement à l'ennemi, alors qu'une étrange malédiction semblait planer sur la Terre sainte comme les nuages de sable apportés du désert sur les ailes du khalsin, la cité fortifiée de Saint-Jean-d'Acre demeurait la capitale des croisés et le huitième comte Volkmar de Gretz régnait toujours sur Makor, ce bastion avancé de la chrétienté, dans l'espoir qu'un miracle lui permettrait de demeurer encore pour une génération.

Le miracle parut se produire le 26 avril 1289, quand les mameluks, cette poignée d'esclaves asiatiques qui s'étaient emparés du trône turc et régnaient sur le vaste empire musulman, avaient consenti à prolonger la trêve pour la période traditionnelle de dix ans, dix mois et dix jours. Aussi, dès que cette rassurante nouvelle fut connue, les caravanes se remirent à sillonner la Terre sainte, entre Damas, la place forte des mameluks, et Saint-Jean-d'Acre.

Les Français ou les Italiens, mettant pour la première fois le pied sur cette terre après un long voyage en mer, étaient généralement stupéfaits de voir que les premiers à les accueillir, sur le port d'Acre, étaient des marchands enturbannés venus de Damas, cherchant à gagner honnêtement leur or en commerçant avec les chrétiens. Et les nouveaux venus comprenaient mal les explications des croisés installés depuis deux ou trois générations qui leur disaient :

— Oui, naturellement, nous sommes venus exterminer l'infidèle, c'est notre devoir, mais pas ces infidèles-ci car avec eux nous faisons de fructueux échanges dont chacun tire profit.

Un des premiers marchands damasquins à engager ses chameaux sur l'antique route pavée allant de Damas en Acre fut le vieil Arabe musulman Muzaffar qui, à l'automne de cette année 1289, fit étape selon son habitude à Makor pour y vendre ses soieries de Chine, ses broderies de Perse, ses épées de Damas, ses épices et ses confitures mais surtout pour remettre au comte Volkmar un document émanant du gouvernement mameluk de Damas. Les habitants du château recevaient toujours

avec joie le vieux Muzaffar car depuis de longues années il passait avec ses caravanes et il était ainsi devenu l'ami intime de la famille, presque un parent depuis le jour où, lors du mariage de Volkmar VII, le père du comte actuel, il avait avancé une somme princière pour les fêtes.

Il était petit pour un Arabe, et il avait tendance à l'embonpoint. Quand il se tenait à côté du comte Volkmar qui tenait de ses ancêtres germains sa haute stature et ses cheveux roux, le contraste était frappant. Mais avec ses longues robes couleur de sable, ourlées d'or, et son voile retenu autour de la tête par une double cordelière d'or, avec sa barbe d'un blanc de neige ressortant sur sa figure basanée, il ne manquait pas d'une noble beauté.

En remettant le document à son ami le comte, il souriait de toutes ses dents.

— Les mameluks t'autorisent à faire ton pèlerinage, annonça-t-il en français, en s'installant à son aise dans la grande salle du château.

— Tu as donc lu le parchemin ?

— Bien sûr, voyons.

Le vieil Arabe se leva brusquement pour saluer la comtesse qui arrivait. Elle l'embrassa sur les deux joues avec une grande affection. C'était une fine jeune femme délicate dont les longs cheveux tombaient en deux nattes sur le devant de sa robe, jusqu'à la ceinture. Muzaffar la complimenta de sa beauté et frappa des mains pour appeler un de ses serviteurs qu'il envoya quérir un petit coffre de cuir contenant une longue robe blanche brodée d'argent et de perles.

— Pour une gente dame qui s'en va en pèlerinage, dit-il gracieusement en offrant la robe.

La comtesse battit des mains.

— Les mameluks ont donné leur autorisation ?

— Oui, mais il a fallu un peu les aider, ici et là, répondit en riant le vieil Arabe, la main droite faisant signe de compter de l'argent.

— Vous êtes notre plus cher ami, s'écria la comtesse en l'embrassant encore une fois, mais je n'irai pas au pèlerinage.

Muzaffar fit mine de lui reprendre la robe et elle recula en riant.

— Mais avec ma nouvelle robe, j'en ferai un ici, toute seule, à la basilique, à l'église maronite et à l'église romaine !

— Je n'emmène que notre fils, dit le comte.

— C'est très bien, cela. Volkmar, mon ami, faites votre pèlerinage au printemps. Nous pourrions nous donner rendez-vous à Saphet et revenir par les collines ensemble.

Le comte, un homme d'une quarantaine d'années aux traits aigus comme ses ancêtres de Terre sainte, sourit au vieillard.

— Cela me ferait le plus grand plaisir, mais j'avais l'intention, en quittant Saphet, de passer par Starkenberg pour montrer à mon fils le krak des Germains, et cela te ferait faire un grand détour.

— Pas du tout. J'enverrai la caravane en avant avec des intendants, et la retrouverai ici.

— Alors touchons là, s'écria Volkmar en tendant sa main ouverte. A Saphet en avril !

La grande salle dans laquelle les amis devisaient avait été achevée vers 1105 par Gunter de Cologne ; elle était considérée par tous les pèlerins qui la voyaient comme un chef-d'œuvre d'architecture avec ses voûtes en plein cintre et ses hautes fenêtres étroites à meneaux. De riches tapisseries byzantines réchauffaient les murs ; la longue table et les nombreux coffres venaient d'Italie et de Serbie, les chandeliers d'argent de Damas et d'Alep, les boîtes émaillées de Perse. C'était une salle magnifique qui avait été le témoin de tous les hauts faits de la famille, depuis cent quatre-vingts ans. Richard Cœur de Lion s'y était reposé de son épuisante prise d'Acre, en 1191 ; les princes de Galilée y étaient venus, les Embriaco de Gênes et Jean de Brienne lui-même.

Le fils du comte, un jeune garçon de onze ans, descendit alors de sa salle d'études pour saluer le vieil Arabe, qui lui apportait souvent des cadeaux de Damas. Ils s'entretenaient en arabe, alors que Muzaffar parlait généralement français avec le comte.

— As-tu jamais conduit ton fils aux Cornes de Hattin ? demanda-t-il soudain.

— Ma foi non, répondit le comte en riant. Notre famille préfère se tenir à l'écart de ces lieux-là.

— Tu as tort. Tu devrais y aller au printemps, dit Muzaffar. Plus on connaît l'histoire, mieux cela vaut.

La comtesse les interrompit pour les inviter à souper dans une petite salle attenante où le couvert avait été dressé. Un magnifique cuissot de chevreuil trônait sur la nappe de lin, entouré de plats et de confituriers de cristal et d'argent pleins de sauces épicées, de prunes de Damas et d'abricots de Syrie, de melons confits et d'oranges. Dans une petite coupe grecque en argent, il y avait des violettes cristallisées dans un sirop de sucre parfumé à la cannelle.

Tout en soupant, Muzaffar contemplait les parchemins entassés dans des coffres, le long d'un des murs de la pièce. Makor possédait soixante-dix volumes, une bibliothèque remarquable pour l'époque, qui avaient été presque tous apportés par le vieil Arabe. A Smyrne, Alep, Bagdad, partout où ses affaires l'appelaient, il achetait d'anciens grimoires pour son ami car, comme la plupart des Arabes de son temps, il trouvait étranges ces croisés illettrés qui ne s'intéressaient pas à la culture. Mais Volkmar VIII n'était pas de ceux-là.

Le repas fini, le vieux marchand embrassa la comtesse et son fils et prit congé. Le comte l'accompagna jusqu'à ses chameaux, en le tenant familièrement par le bras. Quand ils furent seuls, Muzaffar demanda

— Et à la fin de la trêve ?

Le comte Volkmar soupira, réfléchit sombrement et finit par murmurer :

— A Saint-Jean-d'Acre, ils ont bon espoir, mais je me méfie. Les mameluks sont bien capables de nous chasser.

— Je le crois aussi. Que feras-tu ?

— Je ne quitterai jamais ce château. Je résisterai.

— Et ton fils ?

— Voilà la question, soupira le comte.

— Pourquoi ne l'envoies-tu pas en Allemagne ? suggéra Muzaffar.

— Mon père y a fait une visite, et je me souviens encore de son retour. Il nous a raconté qu'à côté de notre vie gracieuse de Makor, les Germains vivaient comme des bêtes. Et de leur côté, nos cousins le considéraient d'un œil méfiant, en se demandant s'il n'était pas devenu arabe, et s'il convenait de croire à sa foi chrétienne. Mon père nous a dit qu'il n'y avait rien de commun entre lui et sa famille rhénane. Il aimait s'instruire, et ils ne savaient pas lire ; il aimait philosopher et ils ne connaissaient que la chasse. En un mot, il était un homme hautement civilisé chez des barbares. Non, je ne crois pas que mon fils aimerait l'Allemagne.

— Mais je te préviens, Volkmar. Il faudrait qu'il parte.

— Je sais. Mais l'envoyer où ?

Les deux vieux amis s'embrassèrent, et l'Arabe reprit la route avec ses chameaux

Par une belle matinée d'avril 1290, le comte Volkmar fit réveiller son fils avant l'aube et demanda qu'on le lui amenât dans une salle où des serviteurs avaient préparé la première armure du jeune garçon.

— Nous allons traverser des régions dangereuses, dit le comte, et un sauf-conduit ne protège pas des bandits de grand chemin.

Les valets habillèrent l'enfant d'une courte tunique et de chausses longues, puis d'une sorte de chasuble matelassée et bourrée de vieux chiffons trempés dans du vinaigre et séchés ensuite. Cela devait le protéger des flèches. Par-dessus, ils enfilèrent une cotte de mailles qui tombait jusqu'aux genoux, fendue par-derrière pour permettre de monter à cheval. Aux pieds on lui mit des poulaines de fer avec une large tige sur le devant qui montait devant la jambe. Et comme les pèlerins allaient chevaucher en plein soleil, on lui jeta sur les épaules un grand manteau de gaze blanche. Comme arme, son père lui accorda une courte épée, et un bouclier de cuir clouté de fer.

Dans la cour d'honneur, le jeune garçon vit avec satisfaction que tous les autres chevaliers étaient vêtus comme lui, sauf qu'ils étaient plus lourdement armés, et tous portaient le heaume à la visière baissée.

Le pont-levis fut abaissé, les grandes portes massives s'ouvrirent en grinçant, et la petite troupe partit au trot sous le grand soleil du matin par les étroites ruelles de Makor, vers les vertes étendues de la Galilée.

Comme elle était belle, cette Terre sainte, avec ses forêts de cèdres et de pins qui n'avaient pas encore été complètement abattues, ses vergers d'oliviers et ses beaux vignobles, ses champs verdoyants promettant de riches moissons de seigle, de blé et d'orge, avec ses petits carrés de sésame dont on faisait des friandises pour les enfants ! Toutes les deux ou trois lieues, un petit village surgissait au détour de la route, vassal

du comte Volkmar, où travaillaient côte à côte dans la bonne entente quatre-vingt-seize musulmans pour quatre chrétiens. Le cœur serré de sombres pressentiments, craignant de contempler cette terre pour la dernière fois, Volkmar songeait que c'était bien réellement le pays où coulaient à flots le miel et le lait, et il était affligé de ne pouvoir imaginer un moyen de le conserver. Descendant de la grande famille d'Ur par son aïeule Taleb, Volkmar aimait sa terre non seulement parce qu'elle était sa principauté, mais aussi parce qu'elle était en soi bonne et belle. Elle méritait que l'on en préservât les richesses, et il savait que si les mameluks s'en emparaient ils ne feraient rien pour la garder féconde. Ils extermineraient les paysans, ils abattraient les arbres, ils détruiraient les canaux d'irrigation et abandonneraient les vallées aux Bédouins et aux chèvres. Ce serait grande pitié de voir ces champs en friche, soupirait Volkmar...

Ils bivouaquèrent le premier soir au bord du marécage qui s'étendait presque de Makor à Nazareth et au matin, un des veilleurs réveilla les chevaliers par son cri :

— Les cigognes s'envolent !

Les pèlerins se précipitèrent pour ne pas manquer un des spectacles les plus curieux de Galilée. Cinq cigognes d'une grande compagnie qui s'était reposée près du marécage au cours de sa migration avaient découvert un courant d'air chaud s'élevant de la terre et ces cinq cigognes-là s'y étaient déjà engagées ; elles se laissaient emporter, rapidement, sans agiter leurs ailes. Les grands corps noirs étaient dressés verticalement, les ailes blanches déployées, immobiles ; les longs becs roses levés et les pattes raidies allongeaient encore l'oiseau et le courant d'air chaud le faisait monter en spirales régulières.

Les cigognes à terre, voyant leurs compagnes, comprirent qu'elles avaient trouvé un courant ascendant et avec de grands sauts disgracieux, elles coururent dans le champ et se projetèrent, ailes déployées, dans la colonne d'air chaud qui les éleva en tournoyant jusqu'à ces autres courants le long desquels elles regagneraient l'Europe.

Quand Volkmar et son fils sortirent à leur tour de leur tente, ils virent dans les premiers rayons du soleil levant un mystérieux pilier formé par plus de cent cigognes, apparemment immobiles et s'élevant cependant inexorablement jusqu'à ce qu'elles se fussent toutes perdues dans le ciel.

— C'est un présage, dit un des chevaliers.

En effet, en s'élevant ainsi, le cou, les pattes et les ailes étendues formaient des croix, qui montaient en troupe vers les cieux.

— Un heureux présage, répétèrent les autres, et ils mirent un genou en terre en se signant.

Mais Volkmar, en voyant les premières cigognes battre enfin des ailes pour sortir du courant ascendant et prendre la direction de leurs nids d'été, se dit que ce n'était pas un présage mais un avertissement. Les cigognes volaient vers l'Allemagne, et bientôt elles se jucheraient sur les cheminées de Gretz. Elles avaient été suscitées pour prévenir Volkmar et sa famille, leur conseiller de quitter la Galilée et de retourner en Alle-

magne. Et pendant de longs jours, il fut hanté par le souvenir de cette
majestueuse colonne de croix disparaissant vers l'occident.

Un des compagnons qui connaissait bien le marécage prit la tête de la
petite troupe et guida les pèlerins le long des mystérieuses pistes invisibles,
entre ces eaux dormantes qui défiaient toujours les aventuriers de la
région. Leur passage faisait lever des aigrettes et des flamants et d'innombrables petits oiseaux.

Ils retrouvèrent enfin la terre ferme, et entamèrent la marche finale
sur Nazareth. Tandis qu'ils avançaient, la Galilée semblait s'efforcer de
les séduire. Des oiseaux chantaient dans les oliviers, les cigales crissaient
au soleil, des coquelicots éclaboussaient les chemins de leurs taches écarlates. Que les cigognes partent pour l'Allemagne ! songea alors le comte
Volkmar. Qui voudrait quitter ce paradis ? Et il prit la résolution de
demeurer sur ses terres.

A Nazareth, ils visitèrent la grotte de l'Annonciation, puis ils se rendirent au mont Thabor où Jésus avait été transfiguré et le lendemain
au plus charmant des Lieux saints, à Cana où se produisit le premier
miracle de Jésus, le premier pas du charpentier de Nazareth vers le
Calvaire, et Volkmar ne put s'empêcher de songer à son premier ancêtre
croisé dont Wenzel de Trèves avait rapporté les paroles dans ses chroniques : « Le jour même où j'ai quitté Gretz, je me suis trouvé dans
Jérusalem. »

Quel avait été le tournant décisif des croisades ? Quand l'échec était-il
devenu inévitable ? s'interrogeait le comte en quittant la petite ville de
Cana. Ce devait être au début du XIIᵉ siècle, au temps de Volkmar II,
lorsqu'il était devenu évident que bien peu d'Européens feraient le long
voyage pour venir s'établir en Terre sainte. Nous n'avons jamais été assez
nombreux, soupira Volkmar VIII. Combien de rois et de princes sont
morts ici, et nul n'est venu les remplacer ?... Nous avons toujours été si
peu nombreux... si peu... Nous tenions les villes de la côte, d'Antioche
à Ascalon, mais les places fortes les plus puissantes, Alep et Damas,
nous les avons laissées aux mains des Turcs. Et maintenant aux mameluks. Et malgré cela, nous avons refusé de faire les deux choses les plus
indispensables à notre existence. Nous ne sommes jamais devenus une
puissance maritime, avec une flotte à nous, et nous avons toujours dû
compter sur les Vénitiens et les Génois qui nous ont saignés à blanc et
nous ont trahis chaque fois que cela convenait à leurs intérêts. Et nous
n'avons pas voulu faire alliance avec les Arabes, et lier notre fortune
à la leur. Si bien qu'à la fin la Syrie a signé un pacte avec l'Egypte et nous
n'avons pu conserver qu'une misérable enclave au bord de la mer. Nous
avons produit des hommes de valeur, mais chaque fois qu'ils allaient
construire quelque chose de durable, de nouveaux fous arrivaient d'Europe et massacraient les Arabes, détruisant en un jour ce que les sages élaboraient depuis des mois.

Avec un profond soupir, le comte Volkmar chassa ses réflexions et
rassembla ses compagnons pour chevaucher jusqu'à la mer de Galilée. Mais
comme ils se mettaient tous en selle, il observa :

— Nous sommes treize, comme à la dernière cène de Notre-Seigneur...

Ils partirent et chevauchèrent pendant quelques heures vers l'est, dans la campagne féconde à la terre grasse et noire, prometteuse de fructueuses récoltes, par des chemins bordés de fleurs sauvages, de sauge et de romarin embaumé. C'était une terre d'une exquise beauté, admirablement faite pour être le lieu de naissance d'un Sauveur.

Soudain, les cavaliers de l'avant-garde poussèrent un cri et pressèrent leurs montures.

— Le lac !

Tous mirent leurs chevaux au trot et bientôt les chevaliers en armure s'arrêtèrent pour admirer l'étendue miroitante et le magnifique paysage.

C'était le très ancien lac de Génésareth, la mer de Galilée que l'on appelait maintenant de son nom latin, mer de Tibériade, dans son écrin de hautes collines dont les ocres rouges et brunes se reflétaient dans les eaux bleues qui se teintaient alors de pourpre ou d'or, ou du vert des pins du bord de l'eau. Ces couleurs mouvantes formaient un tableau chatoyant, le lac était une pierre précieuse enchâssée dans ses montagnes, plus beau que toute autre étendue d'eau au monde.

— Voici le lac de Jésus, expliqua le comte Volkmar à son jeune fils en lui montrant ces eaux sur lesquelles le Seigneur avait marché. Au nord se trouve Capharnaüm, où nous irons ensuite. La ville que tu vois, avec son château, est Tabarie que l'on appelait autrefois Tibériade. Jadis, elle a appartenu à la famille de ton oncle, mais aujourd'hui elle est aux mameluks.

Les hommes laissèrent longtemps souffler leurs chevaux, et admirèrent l'incomparable tableau que la conquête des Turcs leur avait interdit de voir depuis tant d'années.

Le jeune Volkmar était pressé de marcher sur Tabarie, car la ville fortifiée le séduisait, mais son père lui dit qu'il lui fallait patienter encore, et il guida les pèlerins vers le nord, en direction d'une curieuse colline couronnée de deux éminences.

— Les Cornes de Hattin, murmura le comte. Plût à Dieu que notre maison n'eût jamais entendu ce nom funeste !

Les chevaliers se signèrent alors, car des douze seigneurs qui étaient partis de Makor tous avaient perdu un aïeul à la grande bataille et certains, comme le comte Volkmar, en avaient perdu quatre ; des arrière-grands-oncles et des arrière-grands-pères, tous des hommes qui, eussent-ils vécu, auraient pu conserver et affermir les royaumes des croisés.

— C'était en juillet 1187, il y a plus de cent ans, dit le comte à son fils. Saladin se trouvait dans Tabarie, avec tous les vivres et l'eau dont il avait besoin. Nous avions chez nous à Makor le roi et tous les plus puissants seigneurs, et dans notre grande salle la discussion commença. Qu'aurais-tu fait, Volkmar ? Tu es en sécurité dans ton château fort. Tu as des milliers de valeureux soldats et des armes en suffisance. Tu as de l'eau et des vivres. Pour te vaincre, Saladin doit quitter ses remparts et son eau, gravir cette colline où nous sommes et traverser les plaines

et le marécage que nous avons traversés pour venir te donner l'assaut dans ta forteresse. Que ferais-tu ?

— Je ferais rentrer dans les murs tous les vivres possibles, et j'attendrais, répondit l'enfant.

— Seigneur Jésus ! 'écria le comte en frappant sa cotte de mailles de son gantelet. Un simple enfant de douze ans le comprend. Mais sais-tu ce qu'ont proposé les fous qui entouraient notre roi ? Que nous quittions nos forteresses. Que nous abandonnions nos réserves d'eau et de vivres. Que nous endossions au gros de l'été nos lourdes armures pour chevaucher en plein soleil et aller au-devant de Saladin, le défier sur un terrain qu'il aurait lui-même choisi !

— Oui, c'est ce que nos pères ont fait, soupira l'un des chevaliers en contemplant l'impossible champ de bataille.

— Les nôtres, murmura le seigneur de Makor, ont protesté contre cette démence, mais nul n'a voulu les écouter. Et au matin, lorsque le comte Volkmar IV et son jeune fils sont partis, ils ont dit adieu à leur famille sachant qu'ils ne reviendraient jamais.

Les malheureux descendants de ces preux insensés courbèrent le front.

— Vingt mille Francs ont quitté Makor le 3 juillet, reprit le comte, au jour le plus chaud de l'été, revêtus de leurs armures, et ils ont marché jusqu'ici, sans trouver de points d'eau. Saladin les attendait avec cent mille hommes. Nous n'avions que mille cavaliers. Il en possédait vingt mille. La dernière nuit, la veille de la bataille, les nôtres mouraient presque de soif — il y a un puits, là-bas, mais ils n'avaient pu le trouver — et soudain la lune se leva... illuminant ce merveilleux lac. Les Francs virent miroiter l'eau, et cela les rendit fous et Saladin le savait. Il fit alors allumer des feux dans ces champs et le vent poussa la fumée et les flammes et les étincelles vers les nôtres, et à l'aube Saladin se mit à resserrer les rets. Ce fut la plus atroce bataille jamais livrée sur cette terre. Cruelle... cruelle...

— Mais pourquoi les nôtres ont-ils agi de la sorte ? s'étonna le fils du comte.

— Parce que des hommes stupides nous gouvernaient. Nous avons perdu ce jour-là Tabarie et Jérusalem, Makor et jusqu'à Saint-Jean-d'Acre ! Nous avons tant perdu... Par la suite, nous récupérâmes Makor et Saint-Jean-d'Acre, mais Jérusalem était perdue à jamais, et aujourd'hui les ombres s'amassent, le crépuscule descend...

Et le comte entonna un cantique de l'office des ténèbres.

Derrière lui, il entendait les chevaliers commenter la bataille et l'expliquer à son fils.

— Le comte Volkmar a finalement percé l'encerclement de fer et il a conduit ses hommes vers le lac. Il est mort en les menant à l'eau. Là, dirent-ils en lui montrant l'endroit où son aïeul était tombé.

— Son fils était-il avec lui ? demanda l'enfant.

— Naturellement. Les Volkmar ont toujours recherché l'ennemi.

Les chevaliers tournèrent bride, et reprirent lentement le chemin de

Tabarie, comme des fantômes surgissant des collines où leurs ancêtres, la fine fleur de la chevalerie d'Orient, avaient péri un siècle auparavant.

Tabarie était alors une petite ville accueillante cernée de murailles sur trois côtés, le quatrième étant bordé par le lac. Comme la Galilée était située au-dessous du niveau de la mer, l'air y était lourd et chaud, mais de fraîches brises soufflaient du lac. Les Arabes qui l'habitaient — il n'y avait pas plus de six mameluks et une centaine de Turcs — étaient hospitaliers et toujours enchantés d'avoir des nouvelles d'Acre et de Nazareth.

Un mameluk aux moustaches hérissées sortit de la tour et vint à la porte où il examina les sauf-conduits des pèlerins, puis il les laissa entrer dans la ville, et leur donna une petite escorte pour les conduire auprès du gouverneur.

Comme ils traversaient une petite place, le comte Volkmar cria soudain à son fils :

— Regarde ! Regarde ! Là, c'est un Juif !

Et, pour la première fois de sa vie, le jeune garçon vit un Juif.

— Quelques-uns sont revenus des pays des Francs, expliqua le capitaine de l'escorte en se retournant pour suivre des yeux le bizarre personnage.

Le jeune Volkmar paraissait fasciné par cet homme à la longue barbe qui marchait lentement, en traînant un peu les pieds. Le capitaine mameluk l'interpella et le Juif s'approcha docilement des chevaliers. Il parlait un mauvais arabe, mais il put expliquer qu'il venait de France.

— Pourquoi ? demanda le mameluk.

— Parce que cette ville est sainte pour les Juifs.

— Pourquoi ? interrogea Volkmar en français.

Mis en confiance, le Juif lui répondit :

— Parce que la Bible a été écrite ici dans cette ville, et le Talmud de Jérusalem aussi.

— Qu'est-ce donc que ce Talmud ? s'enquirent les chevaliers.

— Le livre de la Loi des Juifs.

— C'est bon. Va, maintenant, lui dit le capitaine de l'escorte, et le Juif s'éloigna.

Pour une raison quelque peu perverse, le comte Volkmar était heureux que son fils eût pu voir un Juif, car depuis deux siècles il n'en était plus passé un seul à Makor. Mais quand il serait un peu plus grand, l'enfant lirait certainement les chroniques, et il pourrait tomber sur un passage énigmatique qui avait causé bien des disputes et des colères au château de Makor. Un prêtre inconnu avait écrit ses soupçons sur le parchemin, près de deux cents ans plus tôt :

« Et sur sa couche d'agonie, la comtesse Taleb a dit simplement que la religion de Jésus et la religion de Mahomet étaient folies, et dans les grandes salles la rumeur courut que c'était parce qu'elle était elle-même juive, d'une manière secrète, et il fut rappelé que bien souvent ses amis lui avaient demandé : « Pourquoi ne rejetez-vous pas votre nom de Taleb pour prendre un nom chrétien ? » et elle avait maintes fois

répondu : « Parce que je suis née Taleb et ce serait folie que de changer. » Et d'autres se souvinrent que son père, connu sous le nom de Luc — car celui-là avait pris un nom chrétien — avait porté toutes les marques d'un vrai Juif. Il était bon médecin. Il ne mangeait oncques le gras des viandes. Il savait lire et écrire. Il connaissait les choses mystérieuses. Et il était habile à commercer avec l'or et l'argent, ce qu'il fit pour le comte Volkmar Ier tant que ce seigneur vécut, puis pour le seigneur Gunter, qui avait pris pour femme justement la comtesse Taleb, veuve du seigneur Volkmar, dans l'espoir qu'elle lui donnerait un héritier, mais il n'en eut point, car la faute en revenait à lui seul, et le jeune comte Volkmar devint seigneur après lui. Mais le soupçon que la mère de ce jeune seigneur était juive persista et ce fut pour cette raison que les grandes maisons d'Antioche et de Jérusalem refusèrent toujours alliances et mariages dans la famille des seigneurs Volkmar de Makor, mais d'autres seigneurs voyant que la principauté prospérait bien au-dessus et au-delà de toutes autres, étaient en grand-hâte et avidité de s'y allier et unir. »

Le comte Volkmar VIII riait de ces fables et disait de ces grandes maisons qui avaient refusé de s'unir avec ses ancêtres :

— Où sont-elles maintenant ? Disparues depuis longtemps !

De Tabarie, les pèlerins se rendirent à Capharnaüm, la petite ville près de laquelle Jésus avait multiplié les pains et les poissons, puis ils repartirent par les collines et atteignirent finalement Saphet, où devait les rejoindre Muzaffar et sa caravane venue de Damas.

Ce fut sans doute le moment le plus douloureux du voyage, plus encore que la triste visite aux Cornes de Hattin, car la victoire de Saladin était vieille de plus d'un siècle, alors que la perte de Saphet était encore une blessure vive au cœur de tous les croisés.

Quand les chevaliers eurent présenté leur sauf-conduit au capitaine de la garnison des mameluks, ils passèrent dans la cour d'honneur de ce qui avait été naguère un magnifique château chrétien. Perché au sommet d'une colline, avec des pentes vertigineuses de tous côtés, la citadelle de Saphet avait été un point de repère célèbre. Du haut de ses remparts on pouvait voir la mer de Galilée au loin, et les plaines du nord. Le fort commandait la route de Damas à Saint-Jean-d'Acre. Quand les feux de signalisation étaient allumés en haut de ses tours, ils pouvaient être vus du littoral méditerranéen et les habitants d'Acre savaient alors que tout allait bien aux marches orientales. C'était là qu'en 1266 un des plus pénibles drames des croisades s'était produit, une tragédie qui frappait encore les Européens de terreur.

Le premier sultan mameluk avait mis le siège devant Saphet, et après une brillante résistance, les défenseurs commencèrent à comprendre que le vent de l'Histoire avait tourné et qu'ils ne pourraient plus tenir bien longtemps de tels avant-postes. Ils proposèrent héroïquement de se rendre afin d'épargner des vies humaines et un accord fut conclu avec l'assaillant : ils ouvriraient les portes et chaque défenseur recevrait un laissez-passer pour aller se réfugier en Acre. Le sultan mameluk prêta serment, et le long siège prit fin. Mais pas du tout selon les termes du pacte. Dès

que le sultan eut franchi le pont-levis ses hommes maîtrisèrent les défenseurs et passèrent tous les chevaliers au fil de l'épée.

A présent, Saphet était une ville fantôme. Le village qui s'était naguère accroché aux flancs de la colline, hors les murs, avait été rasé par les vainqueurs et n'avait pas encore été reconstruit. La forteresse se dressait donc solitaire, et ses énormes murailles commençaient de s'effriter.

— Un de ces jours, nous démolirons tout cela, dit le capitaine de la garnison d'une voix paisible.

Il avait l'air d'un honnête homme, pas du tout enclin à décapiter des prisonniers sans défense. Son crâne rasé portait une longue cicatrice qui semblait fasciner le jeune Volkmar. Il fit servir des sirops et des fruits sur les remparts, où des brises fraîches descendaient des montagnes, et reçut les pèlerins le plus aimablement du monde.

Le lendemain matin, le château fort parut se réveiller d'un long sommeil et retrouver son animation de naguère, car les guetteurs avaient aperçu les premiers chameaux de la caravane de Muzaffar sur la route de Damas, et tout le monde se précipita sur les remparts pour la voir arriver. C'était un spectacle pittoresque et joyeux, et un événement pour la petite garnison, car le marchand apportait des vivres frais, des viandes et des fruits, et les portes furent rapidement ouvertes pour laisser entrer les quelque soixante-dix chameaux et leurs chameliers armés. Muzaffar chevauchait un magnifique cheval arabe, plus fin et plus racé que les lourdes montures des chevaliers. Il sauta à terre dans la cour d'honneur avec une souplesse de jeune homme et, après avoir salué les officiers mameluks, il embrassa affectueusement le comte Volkmar et son fils.

Croisés et mameluks passèrent deux plaisantes journées à Saphet. L'on organisa des tournois, des compétitions de tir à l'arc que les mameluks remportèrent facilement ; mais, aux joutes, les Francs eurent le dessus. Le capitaine expliqua au jeune Volkmar que c'était ainsi qu'il avait été blessé et qu'il devait sa cicatrice à un coup d'épée au cours d'un tournoi, à Tyr.

Après les jeux, une collation fut servie, et ce fut alors que le mameluk posa une question hardie :

— Combien de temps encore pensez-vous que notre sultan va laisser subsister Acre et votre forteresse ?

Le comte Volkmar soupira.

— La trêve conclue l'année dernière se prolonge au-delà de la fin de ce siècle. Je ne pense pas que...

— Crois-tu donc qu'une trêve puisse durer aussi longtemps ? interrompit le mameluk.

— Oui. Je le crois. Après tout, nous avons tous à y gagner. Le commerce est fructueux, le port d'Acre est indispensable aux échanges.

— Bien dit, s'écria jovialement le mameluk. Je suis du même avis. *Toi et moi savons que nous devons prolonger la trêve. Il n'y a pas de dispute entre nous. Mais nous avons appris par les Génois... je l'ai entendu moi-même au Caire, de la bouche d'un capitaine de vaisseau... Votre pape prêche une nouvelle croisade.*

— Oui, soupira amèrement Volkmar. Là-bas, ils ne peuvent comprendre...

— Et s'il nous arrive dix navires pleins de chevaliers ardents au combat...

Les deux chefs de guerre tombèrent dans un silence lourd d'appréhension, et contemplèrent au loin les eaux chatoyantes de la mer de Galilée. Ce fut un jeune mameluk qui le rompit, en observant :

— Je ne crois pas que la trêve puisse durer dix ans.

— J'en doute fort, moi aussi, en convint tristement Volkmar.

— Moi, je ne vous cache pas mon inquiétude, intervint Muzaffar. Quand cette trêve a été signée, je me suis frotté les mains et j'ai pensé que je ferais du commerce avec Acre jusqu'à la fin de mes jours. Mais maintenant que les chrétiens d'Europe se conduisent de manière si inconsidérée... Ma foi, je crains bien que vous, les mameluks, vous ne détruisiez Acre avant la fin de l'année.

— Nous y serons peut-être forcés, dit le capitaine et Muzaffar s'aperçut alors que le jeune Volkmar s'était approché et avait écouté la conversation.

Le lendemain dès l'aube, Muzaffar et les chevaliers quittèrent Saphet et se dirigèrent vers Kafr Birim au nord, où une petite colonie de Juifs d'Espagne revenus en Terre sainte se serrait autour de l'ancienne synagogue, et tandis que le jeune Volkmar courait en avant pour voir de près le premier groupe de Juifs qu'il rencontrait, son père confiait son inquiétude à son vieil ami Muzaffar.

— Quand tu retourneras à Damas, ne voudrais-tu pas emmener mon fils avec toi ? Ne pourrais-tu l'envoyer à Constantinople, qu'il puisse gagner l'Allemagne ?

— Tu es donc si soucieux ?

— Je le suis.

— Alors je vais t'avouer ce que je n'ai dit à nul autre au monde. Ceci est mon dernier voyage, mon ami.

— Tu penses que les mameluks frapperont bientôt ?

— Oui, répondit Muzaffar dans un souffle.

La petite troupe repartit ensuite par les vertes collines de Galilée, mais quand elle arriva à Starkenberg, elle ne trouva que des ruines. Le merveilleux château aux tours pointues, perché comme un aigle farouche au sommet de son piton rocheux, qui avait été le plus gracieux des châteaux des croisés, avait été investi par les mameluks et n'était plus qu'une carcasse démantelée qui dressait ses murailles écroulées comme une tête de mort aux dents cassées. Le comte Volkmar pressa sa monture et s'en alla contempler ces ruines en solitaire, car c'était là que tout enfant, avec son père, il avait connu ses heures les plus joyeuses. C'était là qu'il avait appris l'allemand et qu'il avait donné son premier baiser à une jeune princesse rieuse aux tresses blondes.

Inexpugnable Starkenberg, comment étais-tu tombée ? La citadelle était protégée sur trois côtés par des falaises abruptes, et sur le quatrième, les croisés avaient taillé à même le rocher une muraille natu-

relle à pic. Les chevaliers teutons avaient semblé si puissants, et leurs citernes si profondes, alimentées par des sources vives et des puits sans fond, que l'on ne pouvait croire à ces ruines que le regard découvrait...

Pendant quelques instants, le comte s'entretint avec les fantômes de ce riche et joyeux passé, et puis la petite troupe tourna bride et se dirigea vers le sud, vers les tours encore intactes de Makor.

Durant l'été précoce de 1290, la situation des croisés parut s'améliorer et un certain optimisme réservé soutenait les esprits. Les moissons promettaient d'être abondantes, les récoltes d'olives et de raisins meilleures encore que de coutume. Les mameluks ne bougeaient pas et l'on savait par des navigateurs vénitiens et génois que la croisade prêchée en Europe par le pape ne suscitait que de l'indifférence. Les hommes les plus méfiants pouvaient espérer que la trêve durerait encore de nombreuses années.

Le comte Volkmar avait abandonné son projet d'envoyer son fils en Europe. Après avoir soigneusement inspecté ses remparts et ses glacis, il avait estimé que ces fortifications pourraient, en cas de troubles mineurs, soutenir un assaut de cinq à six jours. Puis il examina les douves et les énormes murailles du château fort, et jugea qu'elles tiendraient pendant six mois au moins, comme elles l'avaient fait par le passé.

Au mois de juillet, il décida de se rendre à Saint-Jean-d'Acre, pour voir si les dirigeants du royaume partageaient son optimisme, et comme il approchait du célèbre port dont les nombreuses tours se reflétaient dans la rade, son impression de sécurité s'accrut car, d'une mystérieuse façon, Acre communiquait sa force à tous ceux qui la contemplaient. La ville avait connu des désastres, mais elle s'était toujours relevée. Après son écrasante victoire de Hattin, cent ans plus tôt, Saladin s'en était emparé, mais quatre ans plus tard Richard Cœur de Lion l'avait reconquise à la tête de quatre-vingt mille hommes. Volkmar était certain qu'Acre resterait éternellement aux mains des croisés.

La ville était construite sur une péninsule, entourée par la mer ; sa force venait de la mer et ses remparts gigantesques prenaient appui sur les rochers dans l'eau salée. Une massive muraille barrait la péninsule, et un second mur protégeait le cœur de la cité. C'était la plus noble ville de la côte dans laquelle Volkmar de Makor entra avec sa suite, à la fin d'une chaude journée d'été.

Mais dès qu'il fut entré dans cette place forte des croisés, Volkmar s'entendit héler par un marchand vénitien qui lui cria :

— Monseigneur, monseigneur ! Ne vendez pas votre huile d'olive aux Pisans, cette année ! Ce sont des voleurs !

Il se trouva replongé aussitôt dans ce tourbillon d'intérêts contraires et de querelles intestines qui ravageaient Acre à l'heure de son agonie.

— Dieu, soupira-t-il en entendant les cris aigres des marchands concurrents, cette ville ne peut survivre une semaine de plus ! Nous sommes véritablement condamnés.

Car en ces temps troublés où les croisades se mouraient, Acre symbolisait toutes les raisons de leur écroulement. Peu de villes dans l'Histoire auront été aussi lamentablement divisées que Saint-Jean-d'Acre en 1290. Elle était gouvernée en principe par les Francs d'Henri II, roi de Jérusalem, qui ne possédait ni royaume ni ville de Jérusalem, mais c'était en réalité une ville italienne divisée, ravagée par les querelles des Guelfes et des Gibelins. Le centre d'Acre était découpé en trois quartiers commerciaux, séparés les uns des autres par d'épaisses murailles, avec leurs propres églises, leur hôtel de ville, leurs magistrats et leurs chevaliers du guet. Chacun de ces quartiers italiens se serrait autour de son *fondouk*, un immense marché couvert, et faisait la guerre à ses voisins. Le plus vaste fondouk, à l'est, appartenait à Venise et n'était soumis qu'aux lois de la cité des Doges, car les fonctionnaires et les soldats du roi Henri n'étaient même pas admis dans ses murs. Au cœur de la ville d'Acre, bien fortifiée de tous côtés, se dressait le fondouk de Gênes, dont les habitants n'obéissaient qu'aux lois génoises. Et au sud, avançant en éperon dans la mer, se trouvait le fondouk autonome de Pise.

En cette année critique, les rapports entre ces quartiers reflétaient la situation en Europe et révélaient la faiblesse fondamentale des croisades. En Italie, Gênes guerroyait contre Pise, et Venise maltraitait les marchands génois. De même, à Saint-Jean-d'Acre, les Vénitiens chassaient les Génois de leur ville, lesquels se vengeaient sur mer en arraisonnant les vaisseaux vénitiens et pisans pour capturer les navigateurs et les vendre aux mameluks comme esclaves. C'était la guerre, une guerre uniquement économique, et si l'une ou l'autre faction avait intérêt à trahir Acre au profit des mameluks, elle le faisait sans remords.

C'était là une première division, mais ce n'était pas la plus grave. La ville n'était pas défendue par une armée régulière de mercenaires, mais par des moines appartenant à l'un ou l'autre des trois ordres militaires — les Templiers, les Hospitaliers de Saint-Jean de Jérusalem et l'ordre teutonique — et chacune de ces unités était autonome. Les moines-chevaliers grands maîtres de ces ordres avaient le droit de signer leurs propres traités avec les mameluks et de déterminer quand et comment ils se battraient. Il était difficile, pour ne pas dire impossible, de mettre d'accord ces trois ordres sur un plan de défense unique et cohérent. Ils avaient chacun leurs quartiers fortifiés en pleine ville, à l'écart des fondouks italiens. Moines et marchands se toisaient avec mépris, mais comme chacun était indispensable à l'autre, une sorte de paix maussade était maintenue.

La troisième division, moins importante du point de vue militaire, était certainement la plus grave spirituellement. Il y avait à Saint-Jean-d'Acre trente-huit églises : des églises latines fidèles à Rome, des chapelles orthodoxes byzantines, des catholiques grecs soumis à Rome mais qui avaient leurs propres rites, et les pittoresques monophysites qui se détournaient à la fois de Rome et de Constantinople pour s'en tenir au vieux dogme égyptien de la nature unique du Christ. On comptait parmi eux les coptes d'Afrique, les Arméniens et surtout les Jacobites de Syrie.

Toutes ces sectes étaient en conflit latent et formaient quatre groupes bien distincts, avec quatre églises, quatre rites et quatre théologies différents. En cas de crise, au lieu de s'unir contre un ennemi commun, ces sectes se haïssaient au point de se livrer les unes les autres aux mameluks.

Ainsi la ville d'Acre, si puissante vue de loin, n'était que la réunion précaire de onze communautés, dont la dernière, la plus fragile, était le royaume de Jérusalem gouverné par un jeune roi dont l'entourage avait réussi à cacher au peuple qu'il était épileptique.

Harcelé par les marchands concurrents, écœuré par ces aigres disputes, accablé par une inquiétude renouvelée, le comte Volkmar se dirigea vers le fondouk de Venise dont le portrait était surmonté d'un cochon sculpté afin d'insulter les musulmans. Il se rendit au caravansérail, qui était le meilleur de la ville, et y chercha Muzaffar, en espérant que le vieil Arabe continuait de faire du commerce avec les Vénitiens ; il l'y trouva en effet. Les deux amis s'embrassèrent et Volkmar entraîna le marchand à l'église Saints-Pierre-et-André, où il alla faire ses dévotions à l'une des chapelles des croisés tandis que Muzaffar se prosternait à la chapelle islamique.

Cette disposition était bien faite pour surprendre les visiteurs d'Europe qui ne parlaient que de pourfendre l'infidèle. Le partage d'une église consacrée, avec la religion ennemie ! Mais de même, la mosquée située hors des murs avait une chapelle de la Vierge réservée aux chrétiens. Le nouveau venu avait encore bien d'autres sujets d'étonnement. Le commerce d'importation était presque uniquement aux mains d'Arabes, si bien que l'on voyait de fidèles chrétiens vénitiens ou génois traiter en toute cordialité avec des musulmans comme Muzaffar de Damas. Et quand par hasard le voyageur rencontrait un prêtre catholique, c'était le plus souvent un Syrien barbu en costume oriental. Ce fut justement cela qui donna le signal de la catastrophe finale de Saint-Jean-d'Acre.

Volkmar n'aurait su dire pourquoi il s'attardait dans la ville d'Acre en ce brûlant été de 1290. Il aimait sa femme et son fils, et son beau fief de Makor, plus que tout au monde, et il était fier d'appartenir à l'une des rares familles nobles qui avaient survécu pendant près de deux siècles en Terre sainte. A Acre, il sentait confusément que son univers s'écroulait mais il ne pouvait se résoudre à quitter la ville condamnée.

Il s'était lié d'amitié avec un groupe de Juifs venus de France, et prenait plaisir à philosopher avec leur patriarche, un vieillard érudit qui discutait avec lui des écrits de Moïse et des principes de sa religion. Volkmar était avide de s'instruire car, comme tous les croisés établis sur la terre juive par excellence, il ne savait rien d'eux.

Il allait ensuite demander des éclaircissements à Muzaffar et ses journées s'écoulaient ainsi, fructueusement consacrées à des soucis d'ordre spirituel. Tous les jours le seigneur de Makor disait qu'il devait regagner son fief, et tous les jours il remettait au lendemain. Et puis, un après-

midi qu'il s'entretenait avec le Juif de Paris, toutes les cloches d'Acre se mirent à sonner. Des cris s'élevèrent dans les rues, des gens passèrent en courant et, pris d'une inquiétude subite, le comte Volkmar sortit et suivit la foule jusqu'au quartier vénitien où la population se rassemblait.

Les cloches n'arrêtaient pas de sonner joyeusement et bientôt des chevaliers surgirent de tous côtés en criant :

— Les croisés sont arrivés ! C'est la nouvelle croisade !

Le comte Volkmar poussa lui aussi des cris de joie car, contournant la tour des Mouches, la flotte venue d'Europe entrait dans le port. A l'heure critique, comme c'était si souvent arrivé dans l'histoire d'Acre, les renforts arrivaient !

Dans le fracas assourdissant des cloches, le premier vaisseau accosta à l'embarcadère des Vénitiens, et le comte Volkmar fut pris alors d'un sombre pressentiment. Car le capitaine et son équipage ne manifestaient pas la joie habituelle à la fin d'un long voyage périlleux. Ils amarrèrent le voilier avec des gestes mécaniques, rapidement, comme s'ils étaient heureux d'en avoir fini avec une corvée et bientôt les chevaliers d'Acre comprirent pourquoi.

A Rome, le pape Nicolas IV avait espéré prêcher une grande croisade qui délivrerait enfin Jérusalem des infidèles, mais il avait mal choisi son heure, car aucun des rois ne tenait alors à quitter son royaume. L'Angleterre était absorbée par ses ennuis avec l'Ecosse. La France, berceau des croisades, était en pleine prospérité et avait peu de goût pour l'aventure. La mort de son bon roi Saint Louis à Tunis l'avait à jamais dégoûtée de l'Orient. L'Aragon était en guerre avec la papauté, et les relations entre Venise et Gênes étaient plus que tendues. Dans tous les pays d'Europe, Nicolas IV n'avait pu lever qu'une poignée de volontaires qui, loin d'être des chevaliers, venaient de misérables villages du nord de l'Italie, si bien que cette dernière croisade n'était pas formée de guerriers mais de quelque seize cents serfs illettrés qui ne savaient rien de Jérusalem et encore moins d'Acre.

Quand l'armée en guenilles mit pied à terre, les habitants d'Acre furent atterrés. Des hommes aux visages de brutes, aux épaules voûtées, aux fronts bas, une racaille armée de bâtons et de couteaux, s'avancèrent, les jambes encore mal assurées après le roulis de la Méditerranée, écoutèrent les cloches, regardèrent autour d'eux d'un air morne et s'écrièrent :

— Où est l'infidèle ?

Ils se répandirent dans la ville, sans chefs, sans ordres, et un petit groupe s'aventura dans l'église Saints-Pierre-et-André pour rendre grâces à Dieu qui avait protégé leur traversée. Comme ils s'agenouillaient devant le maître-autel, ils virent dans la petite chapelle de droite la silhouette prosternée du marchand de Damas, Muzaffar, qui priait face à La Mecque. Un des Italiens se précipita dehors et ameuta la foule aux cris de : « L'infidèle est parmi nous ! » Sur quoi ses compagnons se ruèrent sur Muzaffar la dague haute et le blessèrent à l'épaule.

Le vieil Arabe, surpris, réussit à s'enfuir, pourchassé par les nou-

veaux venus. D'autres survinrent qui, voyant son bras droit couvert de sang, crurent qu'il venait d'occire un chrétien. Ils se jetèrent sur lui et l'auraient promptement mis en pièces si le comte Volkmar n'était heureusement survenu pour se porter au secours de son ami.

Les chevaliers d'Acre, craignant le pire, s'efforçaient de calmer ces paysans, mais ils étaient tous enfiévrés par l'esprit de la croisade et n'écoutaient rien ni personne. Avant le départ, on leur avait promis le paradis s'ils réussissaient à tuer un infidèle et là ils en voyaient tout autour d'eux. Le grand maître des templiers fit fermer ses portes et ses chevaliers s'alignèrent en ligne de défense, mais la meute hurlante changea brusquement de direction et, dans le tumulte et le fracas des cloches, les Italiens virent deux prêtres syriens sortir de l'église Saint-Marc. Trompés par leur costume oriental, ils les prirent pour des infidèles et les égorgèrent tous les deux.

Ce fut alors un affreux massacre. Des chrétiens d'Arménie, établis à Acre depuis deux siècles, furent exterminés avec femmes et enfants. Des ambassadeurs des mameluks du Caire venus conclure des traités commerciaux avec les Vénitiens furent décapités aux acclamations d'une foule prise de folie. Des marchands arabes, de qui dépendait la prospérité de la ville, furent poignardés et des églises byzantines que l'on prenait pour des mosquées furent profanées et saccagées. L'équilibre précaire d'Acre, parachevé au prix de longues années de patientes compromissions, fut brisé en quelques heures.

Au plus fort de l'émeute, le comte Volkmar songea soudain à la petite colonie juive installée dans le fondouk de Gênes et, pour des raisons qu'il ne put s'expliquer clairement, il réunit quelques templiers et y courut, mais il arriva trop tard. Les nouveaux croisés étaient déjà passés par là. Le rabbin était mort. Tous ses précieux manuscrits avaient été brûlés.

Les Italiens, ivres de carnage et de victoire, ignorant ce qu'ils avaient commis, furent enfin repoussés en troupeaux dans le fondouk de Pise, où ils chantèrent des cantiques tandis que les cloches de Saints-Pierre-et-André sonnaient le glas. Quand ils voulurent aller se présenter au roi, afin qu'il les félicitât de leur loyauté, les chevaliers les plus sages arrêtèrent les chefs de file de la horde, dans l'espoir qu'en les livrant aux mameluks le pire pourrait être évité. Mais les Italiens résistèrent en glapissant :

— Nous avons été envoyés pour tuer les infidèles, et nous les avons tués. Ne nous mettez pas en prison mais conduisez-nous à Jérusalem !

Quand la nouvelle du massacre parvint au Caire, les mameluks refusèrent de discuter les conditions d'une prolongation de la trêve. Des ambassadeurs venus présenter les excuses d'Acre furent jetés en prison où ils moururent. Après ce massacre, il ne pouvait être question de laisser des chrétiens demeurer en Terre sainte, et Saint-Jean-d'Acre devait être anéantie. C'était la fin des croisades...

Le comte Volkmar, blessé au bras gauche en protégeant Muzaffar, avait réuni sa suite et regagné son fief de Makor. Là, avec ses chevaliers,

il prépara la défense de la ville. Tous les paysans vivant hors les murs reçurent l'ordre de se préparer à se réfugier dans l'enceinte des remparts avec leurs bêtes, et quand ce fut fait, le comte leur dit :

— S'il en est qui ont peur, ils peuvent partir maintenant.

Quelques musulmans s'en allèrent vers le sud, rejoindre les rangs des mameluks. Mais où pouvaient fuir les chrétiens ?

Les chevaliers furent surpris quand leur seigneur donna l'ordre de faire rentrer le plus possible de bois et de broussailles dans l'enceinte du château, mais ils transmirent ces instructions aux paysans sans poser de questions. On descendit des hommes au bout de longues cordes pour vérifier les niveaux des citernes, et ils rapportèrent que, grâce au puits enfoui, le château avait assez d'eau pour abreuver deux mille personnes pendant deux ans, si le siège devait durer aussi longtemps. Il y avait aussi des vivres en suffisance, des fruits secs, des céréales, du poisson et de la viande séchés, des poulets, des porcs dont la seule ombre terrifiait les musulmans, et d'immenses réserves de grain. Durant les deux siècles d'occupation, peu de châteaux avaient évité un siège, et certains avaient duré jusqu'à trente et quarante mois. Mais en ces temps révolus, il y avait toujours l'espoir que des renforts arriveraient d'Antioche ou de Chypre. Cette fois-ci, d'où pourraient venir les secours ?

Quand toutes les provisions eurent été soigneusement comptées et vérifiées, Volkmar et ses chevaliers inspectèrent les défenses. Le rempart extérieur de la ville ne paraissait plus aussi solide qu'au temps où Gunter de Cologne l'avait fait construire, mais il était en bon état, et bien protégé par ses glacis. Bien défendu il pourrait tenir tête à l'ennemi pendant cinq à six jours. Les étroites ruelles présentaient aussi des possibilités de défense, et la mosquée serait un point de ralliement ainsi que les trois églises chrétiennes. La basilique Sainte-Marie-Madeleine était fortifiée, et serait transformée en bastion ; elle pourrait tenir plusieurs semaines. Les douves profondes du château seraient difficiles à franchir, et la muraille elle-même était certainement imprenable. Le château proprement dit était défendu par des murs épais, et derrière ses tours il y avait encore l'ultime îlot de résistance, le donjon. Tout était en parfait état de conservation.

Satisfait de ce côté-là, le comte Volkmar aborda alors le problème le plus inquiétant. Que faire de sa femme et de son fils ? Il réunit ses chevaliers dans la grande salle des gardes et leur dit :

— S'il en est un parmi vous qui préfère s'embarquer à Acre, pour l'Allemagne, peut-être...

Il n'alla pas plus loin. La comtesse déclara qu'elle était née en Terre sainte, que son père avait soutenu sept sièges, et elle-même quatre. Et son fils s'écria :

— A Saphet, j'ai entendu ce qu'a dit le capitaine des mameluks. Et aux Cornes de Hattin le jeune Volkmar a combattu aux côtés de son père, n'est-ce pas ?

— Oui, soupira le comte, puis il demanda encore si l'un de ses chevaliers préférait partir, mais tous refusèrent.

Et l'attente commença.

Vers la fin de février, par une matinée sombre et pluvieuse, les guetteurs annoncèrent calmement :

— Ils arrivent.

Sans passion, les chevaliers montèrent sur les remparts pour voir déferler les mameluks des plaines du Sud. Il n'y avait pas de nuage de poussière, pas de cris. Les puissantes colonnes avançaient lentement, car rien ne poussait à l'exaltation. Quand elles auraient anéanti Makor, elles s'en iraient attaquer Acre, et tous les sièges se ressemblaient. Les chefs demeuraient à l'arrière tandis que la piétaille escaladait les murailles. Les paysans de Makor qui se trouvaient aux champs se hâtèrent de se replier en bon ordre dans l'enceinte des murs, à part une poignée de musulmans qui coururent au-devant des mameluks. Nul ne tenta de les en empêcher.

A midi, l'armée ennemie arriva sous les murs de la ville, mais personne, dans un camp comme dans l'autre, ne décocha de flèches ni de lances. Le plus impressionnant, c'était le nombre des colonnes qui semblaient couvrir toute la campagne environnante.

— Ils doivent être au moins cinquante mille, estima un des chevaliers.

Ce chiffre n'avait rien d'insensé. Dès que la horde approcha, le comte Volkmar se retira dans la petite salle où il avait soupé avec Muzaffar au commencement de la trêve, pour écrire à Acre :

« Une armée de mameluks considérable approche venant du Sud. Elle semble être accompagnée d'un si grand nombre de machines de guerre et d'armes de siège que je ne puis croire qu'elles soient toutes destinées à Makor, aussi je suppose que vous devez vous attendre à les voir arriver ensuite. Ici, tout va bien, et nous tiendrons jusqu'à la mort. Nous vous enverrons les signaux habituels, mais nous n'attendons pas que vous dépêchiez vos chevaliers trop peu nombreux à notre secours. Agir ainsi serait folie. Puisse Dieu nous bénir tous en ces heures d'épreuve et puisse-t-il nous envoyer des secours divins. »

Il porta son message au sommet d'une des tours, le fixa par un fil de soie à la patte d'un pigeon qui, dès qu'il fut lâché, décrivit un grand cercle dans le ciel pour s'orienter, puis vola à tire-d'aile vers Acre.

Toute la journée, les colonnes avancèrent, la plus colossale armée que le seigneur de Makor avait jamais vue, et au crépuscule, les chevaliers se dirent qu'elle devait bien compter plus de cent mille hommes, alors que les défenseurs de Makor n'étaient que soixante chevaliers et un millier de paysans désarmés. Le comte Volkmar posta ses sentinelles, mangea de bon appétit, alla se coucher et dormit bien.

Pendant deux jours, il ne se passa rien, sauf que les mameluks envoyèrent leurs esclaves abattre tous les arbres à l'exception des oliviers. Ils les coupèrent et rangèrent d'un côté les troncs dépouillés, de l'autre les branches. Cependant, les soldats poussaient de l'arrière les monstrueuses machines de guerre en bois, qui avançaient lourdement, en grinçant. Il y avait de gigantesques balistes qui pouvaient projeter des pierres de deux cents livres jusque dans l'enceinte du château, des *shei-*

tanis plus légers, d'énormes tours branlantes avec des ponts-levis mobiles qui pourraient être jetés sur les douves, des passerelles pour escalader les murs, des béliers aux têtes de fer pour enfoncer les portes, des échelles de corde, des grappins, des baquets pour la poix brûlante et, l'arme la plus redoutable, les mangonneaux, une espèce d'arc géant qui exigeait la force de trois hommes pour être bandé et lancer des flèches capables de transpercer le bouclier le plus résistant. Et, enfin, les effrayantes tortues qui rampaient lentement vers les remparts et dont la carapace protégeait les assaillants des traits et de l'huile bouillante des défenseurs.

Ce n'était pas la présence des machines de guerre qui effrayait les croisés, c'était leur nombre. Alors que, pour un siège normal, on utilisait généralement une tour mobile, là il y en avait cinq, plus deux douzaines de tortues, et plus de cavaliers que l'on ne pouvait compter.

Lorsque tout fut mis en place, le chef des mameluks signala avec trois drapeaux blancs qu'il voulait parlementer, et selon la coutume le pont-levis fut abaissé pour lui et la grande porte du château ouverte. Il pénétra dans la cour d'honneur avec six de ses lieutenants, qui purent ainsi étudier attentivement la nature des défenses qu'ils avaient à abattre. Volkmar ne put réprimer un sombre sourire en reconnaissant parmi les six le gouverneur si hospitalier de Tabarie, et le capitaine au crâne fendu de Saphet.

Le chef des mameluks était un petit homme rougeaud, barbu et moustachu. Il portait un long manteau de brocart richement brodé d'or et d'argent, et un turban de soie orné de pierreries. Ses babouches brodées se relevaient au bout. Il était armé d'un court cimeterre à la poignée incrustée de nacre et de pierres et portait à la main droite un bâton d'ébène décoré de la même façon. C'était un puissant personnage, qui ne voulait pas perdre de temps, car le sultan lui avait donné une date limite pour la prise d'Acre et il n'entendait pas s'attarder inutilement au siège d'une petite ville comme Makor.

Le comte Volkmar rassembla tous ses chevaliers dans la cour, et fit tenir les remparts par des paysans armés de lances. Le chef des mameluks avança, mit pied à terre et s'approcha de Volkmar la main offerte. Le comte la prit, sur quoi les autres mameluks mirent pied à terre à leur tour.

— Vous avez vu nos préparatifs, dit le mameluk en arabe. Vous désirez capituler ? Vous rendre tout de suite ?

— Dans quelles conditions ?

— Vos paysans, musulmans ou chrétiens, peuvent rester. Ils culti-veront leurs terres comme maintenant. Nous ne tuerons aucun chevalier. Vous pourrez en choisir quatre. Les autres deviendront des esclaves.

A ces mots, Volkmar recula d'un pas, et le mameluk poursuivit implacablement :

— Toi, ta femme, ta famille, et quatre de tes chevaliers, vous rece-vrez un sauf-conduit pour Acre.

Froidement, avec un courage qu'il ne se connaissait pas, le seigneur de Makor répliqua :

— Le même sauf-conduit que les tiens ont donné aux défenseurs de Saphet ?

Si cette riposte offensa le mameluk, il n'y parut pas.

— Nous avons changé depuis, se contenta-t-il de répondre.

— A chacune de tes propositions, non, dit le comte Volkmar d'une voix posée.

— Le sultan m'a donné des ordres. Je dois demander une seconde fois.

— Et je suis tenu par ma conscience à te répondre pour la seconde fois, non.

Le mameluk s'inclina. D'un regard méprisant, il examina le château et les chevaliers rassemblés, et laissa tomber :

— Vous nous retarderez peut-être d'une semaine, pas davantage.

Il s'inclina encore une fois, remonta à cheval avec son escorte et, au moment de franchir la porte, il se retourna pour lancer :

— Pas un de vous ne sortira vivant de ce château !

Il regagna son camp, mais il ne donna pas tout de suite le signal de l'assaut. Pendant deux jours encore il fit manœuvrer ses tours contre les murailles de la forteresse, après quoi il demanda encore une fois à parlementer. Mais quand les portes de la ville s'ouvrirent, il ne monta pas au château. Il s'adressa aux paysans sur la place, par l'intermédiaire d'un interprète, après quoi une soixantaine d'entre eux le suivirent hors des murs. Les chrétiens qui se trouvaient parmi eux furent aussitôt envoyés aux marchés d'esclaves d'Alep et de Damas.

Enfin, à l'aube du 25 février, le siège commença. Les trompettes des mameluks sonnèrent et l'armée tout entière avança lentement, en masse, avec ses puissantes machines de guerre, ses catapultes et ses béliers. La violence de ce premier assaut fut telle que dès l'après-midi, les ennemis avaient franchi les remparts et se trouvaient dans la ville elle-même.

Accablé par l'écroulement de ces défenses qui, selon ses calculs, devaient tenir cinq à six jours, le comte Volkmar donna l'ordre à ses troupes de se battre dans les rues, où des compagnies résolues occupèrent la mosquée, les églises romaine et maronite et la basilique pendant que d'autres se retiraient dans l'enceinte du château et qu'on relevait ensuite le pont-levis. Ceux qui n'arrivèrent pas à temps furent impitoyablement massacrés par les mameluks. Les envahisseurs ne se donnaient même pas la peine de mettre de côté les plus jolies filles pour les harems. Ils les violaient sur place, et les étranglaient ensuite. Pour bien montrer au défenseur ce que devait être ce siège, les mameluks firent décapiter tous les cadavres par les esclaves et chargèrent leurs balistes avec les têtes pour les projeter dans la cour du château. Le comte Volkmar vit rouler à ses pieds les faces grimaçantes de quelques-uns de ses amis.

Il se retira alors dans sa petite salle pour rapporter à Acre l'écroulement désastreux de ses remparts.

« C'était une muraille telle qu'elle avait soutenu pendant plusieurs jours l'assaut d'armées entières, et elle était courageusement défendue, mais

les mameluks ont levé une armée d'une puissance encore inconnue à ce jour dans notre pays. Au début, nos chevaliers l'estimèrent à près de cent mille hommes, mais j'en comptais pour ma part seulement soixante mille. Aujourd'hui, nous convenons que l'ennemi doit avoir là plus de deux cent mille hommes, avec un si grand nombre de machines de guerre que leur ombre couvre nos murs. Ils trouveront notre château difficile à investir et je ne crains pas une prompte défaite. Nous adressons chaque jour nos prières à Dieu et à notre doux Seigneur Jésus-Christ qui ont conduit nos aïeux sur ces rivages. »

Et un deuxième pigeon s'envola pour Acre avec le message.

Des quatre lignes de défense sur lesquelles comptaient les assiégés — le glacis, les remparts de la ville, les douves et les murailles du château — deux avaient déjà cédé, mais des chevaliers tenaient encore dans les trois églises et la mosquée. Le lendemain à l'aube, le chef des mameluks fit le tour de la ville, et donna des ordres en vue de la réduction de ces édifices religieux. L'attaque commença aussitôt. En même temps, des esclaves jetaient dans les douves des pierres et des gravats aux endroits où les tours mobiles seraient avancées contre le mur du château. Devant les tours de la porte principale, ils creusèrent le bord extérieur du fossé pour ménager un chemin en pente menant au fond des douves, et les menaçantes tortues s'y engagèrent lentement.

Ces tortues étaient des espèces de constructions basses, hautes de trois pieds à peine, ni larges ni longues mais extrêmement résistantes, sous lesquelles des sapeurs, protégés du feu grégeois, de la poix et des flèches des défenseurs pouvaient forer un tunnel dans les fondations mêmes des tours massives. Généralement, ce tunnel était si étroit qu'à son orifice, de l'autre côté des murailles, les assaillants pouvaient facilement être tués un à un à mesure qu'ils surgissaient ; mais ce n'était pas un tunnel ordinaire que creusaient les sapeurs des mameluks.

Les plus lourdes balistes furent mises en position au bord du fossé et se mirent à bombarder le château de pierres énormes. Les mameluks poussèrent des cris de joie quand un rocher géant enfonça la dentelle de pierre d'une fenêtre de la salle des gardes et arracha une partie du mur. Ensuite, les mangonneaux furent bandés et leurs flèches mortelles disposées contre les cordes. Puis les soldats lâchèrent tout et les flèches s'abattirent avec une violence incroyable sur les défenseurs des tours. L'une d'elles, frappant un homme en pleine poitrine, le transperça de part en part et le fit choir du haut du créneau.

Les hommes du comte Volkmar n'étaient cependant pas inactifs. Quand les esclaves approchaient pour combler les douves, ils étaient accueillis par des volées de pierres et de flèches, et il y eut de nombreux morts. Quand les tortues tentèrent de s'insinuer à la base des tours, les défenseurs firent basculer des quartiers de roc qui rebondissaient contre la base inclinée et s'en allaient s'écraser sous les tortues, au milieu des soldats, arrachant bras et jambes. Mais leur arme la plus efficace était contenue dans des urnes de terre cuite. C'était le feu grégeois, un mélange de naphte et de soufre mis à feu par des silex rougis à blanc, qui brûlait

même dans l'eau et ne pouvait être éteint qu'avec du vinaigre ou du talc. Ce feu aveuglait les soldats, brûlait leurs visages et semait la terreur. Et, du haut de chaque tour, si soigneusement disposées par Gunter de Cologne, un feu croisé de flèches à pointes de fer pleuvait sur tout mameluk assez fou pour vouloir tenter l'escalade.

Le comte Volkmar décida alors de conserver ses pigeons et, vers minuit, il ordonna à ses serviteurs de hisser sur la plus haute tour une multitude de fagots de broussailles et leur fit dresser un bûcher. Puis, avec son fils, il gravit l'escalier en colimaçon une torche à la main et mit le feu au bûcher, selon l'ancienne tradition, afin de signaler par toutes les collines de Galilée et jusqu'à Saint-Jean-d'Acre qu'au château de Makor tout allait bien.

L'orgueilleux propos du chef des mameluks qui avait déclaré qu'il investirait le château en huit jours avait été démenti depuis longtemps. Il avait rasé la mosquée. Il avait pris les églises romaine et maronite et les avait démolies, mais la basilique Sainte-Marie-Madeleine résistait encore, et à la fin de la troisième semaine le siège était au point mort. Les balistes et les mangonneaux continuaient de faire pleuvoir leur déluge mortel de pierres et de flèches géantes, mais les assaillants semblaient se lasser. Et tous les soirs à minuit, le comte et son fils allumaient le signal.

Les feux de Makor brûlaient encore.

Cependant, les sapeurs travaillaient sans répit. Au plus profond du cœur du vieux Makor, sous le niveau de la ville romaine, au-delà des ruines des Grecs et des Babyloniens, les esclaves des mameluks creusaient un large tunnel sous la tour principale de l'enceinte extérieure du château. A mesure que les sapeurs avançaient, d'autres esclaves suivaient avec des troncs d'arbres dont ils se servaient pour étayer le tunnel. Et à la fin de chaque jour, un des capitaines pénétrait dans le tunnel avec une cordelière blanche pour mesurer la longueur de la sape. Quand tous furent certains que le tunnel devait passer sous le mur, le chef des mameluks fit élargir une sorte de vaste salle sous les fondations mêmes de la tour.

Les travaux allaient de plus en plus vite. Les esclaves apportaient sans se lasser d'énormes troncs si bien qu'à la fin la salle ressembla à une sombre forêt enfouie. Enfin, tout travail cessa, les assauts furent interrompus et les ennemis hissèrent trois drapeaux blancs. Les portes du château s'ouvrirent, le pont-levis fut abaissé et le mameluk entouré de ses lieutenants pénétra encore une fois dans la forteresse assiégée. Gravement, il descendit de cheval et ordonna au capitaine de Saphet au crâne fendu d'étirer la corde blanche, pendant qu'un autre dessinait à la craie un cercle sur les pavés de la cour, marquant la circonférence de la salle souterraine. Puis il annonça :

— Chevalier, notre caverne se trouve sous cette tour.

Le comte Volkmar contempla le cercle menaçant et répondit :

— Je te crois.

— Nous n'avons pas encore disposé le bûcher. Nous t'offrons une dernière chance. Ensuite, ce sera le feu.

— Les conditions ?

— Toujours les mêmes... Ta réponse ?

— Toujours la même.

— Adieu. Nous ne nous reparlerons plus.

— Tu te trompes, lui dit Volkmar. Car lorsque vous aurez franchi ce mur, il vous faudra ensuite pénétrer dans le château. Et chaque soir à minuit, je te parlerai avec mon signal de feu. Cela te prendra beaucoup plus longtemps que tu ne le crois.

Le mameluk ne répondit pas, et cet après-midi-là les défenseurs regardèrent les longues colonnes d'esclaves qui transportaient des branches et des fagots dans le tunnel. Mais les coups sourds des sapeurs s'étaient tus, et dans le silence de ce répit, le seigneur de Makor prépara un de ses derniers pigeons pour porter le message dramatique qui serait correctement interprété à Acre :

« La basilique est tombée. Les sapeurs ont fini de creuser. L'ennemi m'a montré la circonférence de la salle souterraine sous la tour principale, et ils y ont transporté des fagots. Nous attendons en silence, mais nous n'avons plus d'espoir. La tour doit tomber, et ensuite nous devrons nous réfugier dans le château. Allez à l'église Saints-Pierre-et-André, les patrons de la Galilée, et priez pour nous. Nous tiendrons pendant des semaines, mais vous demandons de prier pour un secours divin. »

Cette nuit-là, les mameluks mirent le feu à leur bûcher souterrain et tous les piliers de soutien se consumèrent lentement, produisant une chaleur telle que les murs de la tour craquèrent, et puis les fondations s'écroulèrent. Enfin toute la tour parut frémir et dans un tumulte de cris de triomphe des mameluks, l'inexpugnable tour de Makor s'abattit lourdement. Des guerriers enturbannés bondirent sur les pierres brûlantes pour repousser les croisés des autres tours et les forcer à se replier dans le château.

Mais à minuit, du haut de la plus haute tour, le signal de feu s'éleva dans le ciel, assurant Acre qu'à Makor tout allait encore bien !

Vinrent alors les sombres jours, où la défaite était si proche qu'elle serrait le cœur des défenseurs, car le chef des mameluks avait fait déblayer les pierres de la tour par ses esclaves et s'en servait pour construire un passage sur les douves comblées, pour faire avancer ses tours mobiles et ses lourdes machines. Les tortues furent ensuite avancées contre les murs du château et le lent travail de sape recommença. Le siège en était à présent à sa cinquième semaine, et comme les balistes et les sheitanis étaient plus près, les croisés commencèrent à perdre davantage d'hommes. Tout le jour et toute la nuit, les survivants pouvaient entendre le résonnement sourd des pics et des pelles dans les entrailles de la terre, sous leurs pieds. Et les provisions de feu grégeois avaient diminué au point qu'on ne pouvait plus l'utiliser qu'avec parcimonie, ce qui enhardissait les assaillants.

Les assiégés, hantés par le bruit constant des pics des sapeurs qui se répercutait dans tous les murs du château, avaient parfois besoin de tout leur courage pour ne pas céder à la terreur.

Jusque-là, les blocs de rocher projetés par les mangonneaux et les balistes avaient épargné la chapelle, et la comtesse y passait presque toute la journée en prière avec ses femmes, en se demandant ce qui arriverait aux dernières heures du siège, car aucune n'espérait pouvoir fuir. La comtesse, qui sortait parfois soigner les blessés, regrettait surtout qu'ils n'aient pas envoyé le jeune Volkmar en Allemagne.

Le garçon, moins vulnérable que d'autres à l'action psychologique des coups des sapeurs, allait et venait sur les chemins de ronde et au sommet des tours, allant d'un groupe de défenseurs à un autre, tandis que les chevaliers et leurs fidèles s'efforçaient de repousser les tours de bois géantes qui touchaient presque la face externe des murs. Plusieurs hommes avaient été tués à ses côtés, et il devait savoir que Makor vivait ses dernières heures, mais il ne manifestait aucune peur. Pour lui — comme pour son père — le meilleur moment de chaque journée d'angoisse, c'était celui où ils montaient à minuit allumer les feux qui jetaient sur la campagne des lueurs surnaturelles et révélaient les tentes des mameluks dans les vergers d'oliviers et sur les vertes collines de Galilée.

A la fin de la cinquième semaine, les assiégeants interrompirent leurs assauts et hissèrent une fois de plus les trois drapeaux blancs, mais cette fois le chef à la figure rouge ne se dérangea pas. Il envoya à sa place le capitaine de Saphet qui annonça simplement :

— Le bûcher est prêt sous votre porte. Vous rendez-vous ?

— Accordez-vous un sauf-conduit pour Acre à tous mes sujets ?

— Ta famille et quatre chevaliers. Le reste sera vendu comme esclaves.

— La réponse est non.

L'émissaire tourna les talons et s'en fut. Cette nuit-là, le bûcher fut enflammé et quand les piliers de soutènement eurent été consumés, les lourdes portes de chêne et de fer s'ébranlèrent et basculèrent vers les mameluks, hésitèrent un instant et s'écroulèrent d'un bloc. Les croisés se replièrent alors dans le donjon, tandis que, méthodiquement, les mameluks dégageaient les pierres brûlantes et poussaient patiemment leurs tours et leurs machines sous les étroites meurtrières du donjon.

Les défenseurs avaient perdu deux citernes et la plupart de leur bétail, mais ils tenaient encore le tunnel de David. Ils avaient de l'eau en abondance et leur dernier bastion contenait assez de vivres pour soutenir un siège de plusieurs mois, dans le cas où un miracle leur apporterait du renfort par la Méditerranée. Mais nul vaisseau ne faisait voile vers eux ; les grotesques Italiens avaient été les derniers représentants des croisades, et ils avaient fait plus de mal que de bien.

Au début de la sixième semaine, les défenseurs de Makor étaient donc réduits à une petite poignée d'hommes et de femmes serrés dans le donjon, et la fin n'était plus qu'une question de temps. Les mameluks étaient si sûrs de leur victoire qu'ils ne se donnèrent pas la peine cette fois de saper les fondations pour faire tomber les portes.

C'était fascinant, hideusement fascinant de voir la première tortue de bois avancer pour remplir une nouvelle fonction. Elle rampa insensible-

ment vers le mur, jusqu'à ce que les hommes, en dessous, pussent poser leurs mains à plat sur les pierres du donjon. Les pierres jetées du haut des tours roulaient sur la carapace et abattaient les soldats qui étaient derrière, mais pas ceux de dessous. On versa du feu grégeois, mais les mameluks avaient recouvert la tortue de peaux de vaches et de bœufs fraîchement abattus, si bien que le bois ne brûla pas et les assaillants éteignirent les flammes avec du vinaigre. Et quand la tortue fut enfin placée tout contre le donjon, des cordes furent lancées en arrière et solidement attachées à une des gigantesques tours d'assaut, si bien qu'en tirant de sous la tortue et en poussant par-derrière l'énorme engin se trouva bientôt en position.

Un craquement. Un hurlement. Un cri :

— Là ! Là !

Les croisés se ruèrent contre les mameluks qui étaient déjà entrés dans le donjon, quarante d'entre eux sautant de leur tour mobile.

— Protégez la porte ! glapit le comte Volkmar.

Les chevaliers convergèrent de tous côtés, luttant corps à corps avec l'assaillant. Les quarante mameluks furent tués et le donjon sauvé pour cette fois. Et à minuit, les feux de Makor furent aperçus d'Acre, où les hommes priaient à la fois pour les courageux défenseurs et pour eux-mêmes.

Avant le jour, les croisés avaient repoussé la première tour d'assaut et l'avaient fait basculer dans la petite cour, tuant de nombreux soldats et esclaves, mais au jour levant les mameluks firent avancer deux autres tortues qui à leur tour halèrent deux autres tours contre le donjon. Mais quand elles furent en position, aucun ordre d'assaut ne fut donné, car les tortues manœuvraient encore au pied des murs pour tirer d'autres tours, jusqu'à ce que le donjon fût entouré.

— Ils vont nous attaquer de tous côtés, observa le jeune Volkmar, sans crainte mais plutôt avec l'intérêt d'un jeune garçon pour la guerre et les machines.

L'aumônier du château, en voyant les menaçantes tours de bois, comprit que ce jour serait le dernier du siège, et il fit monter les survivants au sommet du donjon, d'où ils contemplèrent les merveilleuses collines de Galilée, et les champs couverts des fleurs du printemps. Les oliviers, sous lesquels les mameluks avaient dressé leurs innombrables tentes, étaient d'un vert argenté et dans le lointain, au-delà des clochers, des tours et des minarets d'Acre, le bleu de la Méditerranée scintillait au soleil. C'était une belle journée d'avril, de celles qui réjouissent le cœur de l'homme dans cette région, et l'aumônier s'adressa aux chevaliers et à leurs femmes en ces termes :

— Enfants bien-aimés de Jésus, voici venu le jour où nous rencontrerons notre Seigneur Dieu tout-puissant face à face. Nous avons bien combattu. Nous avons été des croisés de la foi, et s'il en est parmi vous qui se demandent pourquoi cette tragédie ne nous a pas été épargnée, je ne puis l'expliquer, mais il y a des siècles, le grand saint Augustin, au cours d'une époque semblable à la nôtre, a parlé ainsi à ceux qui s'interrogeaient : « Car le monde est comme un pressoir à olives

et les hommes sont constamment soumis à la pression. Si vous êtes les déchets de l'huile vous êtes emporté vers les égouts, mais si vous êtes l'huile pure, vous demeurez dans l'urne. »

Comme l'aumônier disait ces mots, le chef des mameluks agita son bâton d'ébène et le tour de vis du pressoir fut donné contre Makor, mais avec une nouvelle source de terreur à laquelle les chrétiens ne s'attendaient pas. Ils connaissaient les mangonneaux et les sheitanis et quand ces derniers se mirent à projeter des fagots enflammés sur le toit du donjon, le comte Volkmar aida ses hommes à éteindre les commencements d'incendies, mais en plus de ces engins traditionnels les mameluks avaient une arme particulière : un corps de plus de cent tambours de toutes tailles et de toutes formes ; et tandis que les esclaves et les soldats entamaient leur ultime poussée contre les murs, ces tambours se mirent à résonner comme un puissant tonnerre, comme un fracas de cauchemar, accompagnés par le carillon ironique des cloches de la basilique capturée se moquant des malheureux chrétiens condamnés.

Au premier roulement terrifiant, le comte Volkmar remonta sur le toit, où les femmes entouraient l'aumônier et, se jetant à genoux, il cria :

— Mon Père, bénissez-nous !

Et dans le tumulte infernal, l'aumônier entonna sa dernière oraison.

— Miséricordieux Jésus, acceptez nos âmes en ce jour funeste. Dans notre château, nous avons formé une famille chrétienne et chaque homme avait confiance en son frère. Nous avons combattu de notre mieux, et en notre dernière heure, nous trouvons un pieux réconfort en notre union. Jésus notre roi, acceptez-nous tels que nous sommes !

Derrière lui, un grand cri jaillit :

— Ils sont sur nous !

Le combat fut hideux. De chacune des cinq tours d'assaut grouillantes d'archers des flèches tombaient sur les croisés, tandis que les mameluks furieux, enivrés par le bruit des tambours, sautaient sur le donjon en brandissant leurs grands sabres recourbés. Ce jour-là, il ne devait pas y avoir de prisonniers, même pas de femmes pour l'esclavage, car leur chef était résolu à effacer de la surface de la terre le souvenir même de cet exaspérant château fort.

Le comte Volkmar aurait préféré résister jusqu'au bout sur ses créneaux, mais les impétueux mameluks le forcèrent à descendre et, rendu à demi fou par le roulement incessant des tambours, il trouva sa femme dans la grande salle, debout, tenant calmement son fils par la main pour l'empêcher d'aller se battre.

— Laissez votre fils combattre aux côtés de son père, lui cria-t-il.

Et il se pencha pour ramasser l'épée d'un de ses chevaliers morts afin de la tendre à son fils ; mais au même instant trois mameluks surgirent qui se jetèrent sur lui et le percèrent de plusieurs coups d'épée, si bien qu'il tomba en avant et mourut sans avoir pu frapper. La mort l'empêcha de voir les mameluks massacrer sa femme et son fils. Ensuite, ils se répandirent dans toutes les salles du donjon, et égorgèrent systématiquement toutes les femmes et tous les survivants. Cependant, un premier

groupe de tambours était monté aux tours d'assaut et ils pénétraient à leur tour dans le donjon, où ils battirent triomphalement tandis que les cloches continuaient de sonner à toute volée la fin des croisades.

Les hommes de fer étaient venus d'Allemagne dans le sang, et ils disparaissaient dans le sang.

A minuit, par un goût macabre de la plaisanterie, le petit chef rougeaud des mameluks fit allumer le signal de feu au sommet du donjon de Makor, et les flammes furent aperçues d'Acre, mais dans le matin silencieux, devant les machines de guerre devenues inutiles, le chef enturbanné ordonna que Makor fût rasée.

— Jamais plus aucune tour ne se dressera ici pour nous narguer !

Les esclaves se mirent à démanteler la forteresse pierre par pierre, à abattre les tours et à démolir ce plus puissant des kraks des croisés. Le beau château que Gunter de Cologne avait mis des années à bâtir fut détruit en quelques jours et, faisant confiance aux esclaves pour mener à bien leur tâche, les officiers rassemblèrent leurs troupes et la puissante armée, avec ses redoutables machines, s'ébranla pour aller mettre le siège devant Acre, où les sapeurs commencèrent patiemment à miner les fondations des remparts.

Effectuant son voyage annuel pendant l'hiver de 1294, Muzaffar, un vieil Arabe manchot qui conduisait toujours ses caravanes de Damas vers la côte, eut du mal à reconnaître l'éminence de Makor, car la Galilée était couverte de neige. Il ne reconnut l'endroit qu'en retrouvant la route en pente qu'il avait si souvent gravie avec joie pour aller voir ses amis, et il fit une brève halte, pour s'incliner avec respect, à la mémoire du preux chevalier qui lui avait sauvé la vie.

— Pauvres gens, murmura-t-il, sa prière finie. Ils ne savaient rien de la terre qu'ils occupaient, alors ils ont construit d'épaisses murailles et ils ont laissé la raison dehors...

Et il reprit sa route avec ses chameaux, vers Acre où nulle cloche ne sonnait plus, et où le port s'ensablait lentement.

En été, les brûlants khamsins que les collines dénudées de leurs beaux arbres n'arrêtaient plus, soufflèrent sur les plaines, apportant une fine poussière qui s'insinua dans toutes les crevasses, solidifiant insensiblement la masse écroulée du château et la recouvrant lentement. En 1350, un demi-siècle après la chute de Makor, on voyait encore de nombreuses pierres, et les vieux bergers se rappelaient que là s'était dressé un château fort ; mais en 1400 — un siècle après la destruction — il ne restait plus que quelques vagues pierres informes et les voyageurs ne savaient plus ce qu'elles représentaient.

Les vents soufflaient du désert. Petit à petit, la terre recouvrait le monticule, et le lieu devenait de plus en plus solitaire, hanté seulement par les chacals et les serpents. Le monticule silencieux dormait sous le soleil, dissimulant le puits d'eau douce qui, durant dix mille ans, avait apporté la vie à tant d'hommes. Ses eaux s'écoulèrent par des voies souter-

raines jusqu'au marécage qui s'étendit, d'année en année, sur les terres qui n'étaient plus fertiles. Les oiseaux eux-mêmes désertaient la région, car les arbres et les champs avaient disparu et le monticule faisait partie du désert.

Cette terre féconde aux beaux vergers, cette terre dont le miel était célèbre aux premiers temps de la Bible, cette terre qui réjouissait le cœur de l'homme et faisait chanter sa femme, ces merveilleuses vallées sacrées où l'homme avait découvert Dieu, où s'étaient dressés les baals et où avaient dansé les jeunes filles nues, tout dormait sous la poussière.

Quelle étrange contradiction! Le marécage s'étendait, gaspillant ses eaux, alors qu'en même temps la terre devenait un désert par manque d'eau. De temps en temps, une troupe de Bédouins passait en trombe, tuant stupidement les paysans qui pouvaient être revenus pour tenter de ranimer la terre, détruisant les canaux d'irrigation, ravageant les vergers et allant porter la destruction ailleurs. Et la terre fut complètement abandonnée.

Et puis, au début du XVIᵉ siècle, quelques hommes commencèrent à revenir avec leurs familles, des lointaines extrémités de la Méditerranée et des ports intermédiaires. Ils étaient des Juifs, et ils ne venaient pas à Makor, d'où leur souche était issue, mais dont ils ignoraient l'existence. Ils allèrent à Safed, à six lieues à l'est, et un nouveau cycle débuta qui, un jour, engloberait aussi Makor.

CHAPITRE XIV

LES SAINTS HOMMES DE SAFED

NIVEAU III — 1540-1559

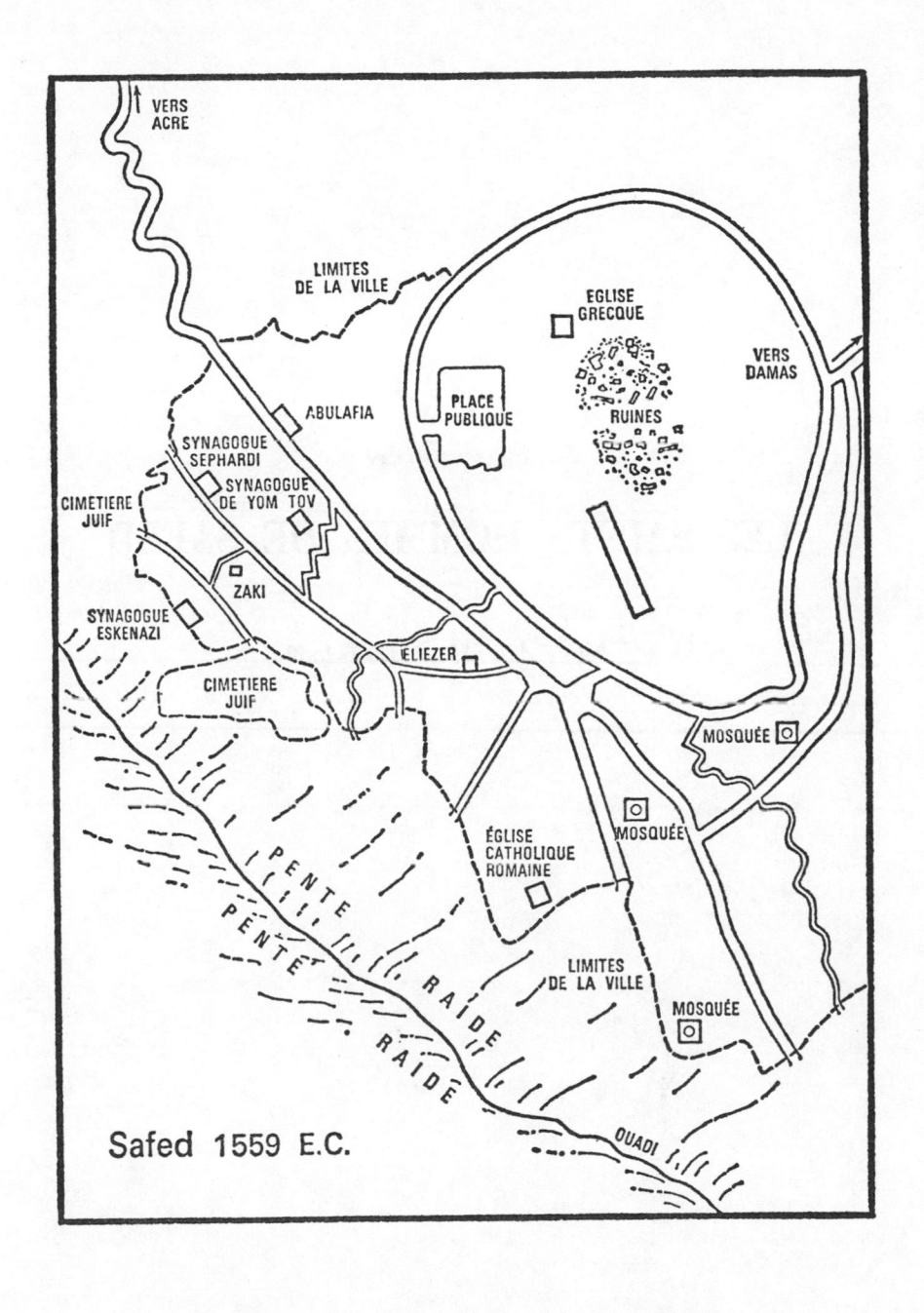

VERS ACRE

LIMITES DE LA VILLE

EGLISE GRECQUE

VERS DAMAS

PLACE PUBLIQUE

RUINES

ABULAFIA

SYNAGOGUE SEPHARDI

SYNAGOGUE DE YOM TOV

CIMETIERE JUIF

ZAKI

SYNAGOGUE ESKENAZI

ELIEZER

CIMETIERE JUIF

MOSQUÉE

PENTE

PENTE

RAIDE

MOSQUÉE

PENTE

RAIDE

ÉGLISE CATHOLIQUE ROMAINE

LIMITES DE LA VILLE

MOSQUÉE

RAIDE

OUADI

Safed 1559 E.C.

C'ETAIT le siècle de l'expansion. Constantinople, sous la domination ottomane depuis 1453, offrait à l'Europe des richesses venues de l'Inde et de la Chine, telles que n'en avait jamais rêvé même un Marco Polo. Christophe Colomb avait fait don au monde d'un nouveau continent et de hardis navigateurs portugais avaient prouvé que la route des épices, la route des Indes, pouvait passer par le cap de Bonne-Espérance. L'Espagne éblouissait l'Europe avec les fabuleuses richesses des Incas et des Aztèques, et tous les horizons s'élargissaient au point que le centre du monde n'était plus la Méditerranée mais l'immense Atlantique qui ouvrait au commerce des voies jusqu'alors inconnues.

C'était le siècle de la découverte. Des caves de monastères oubliés, des bibliothèques poussiéreuses des princes, et surtout des cabinets des savants arabes qui avaient préservé la sagesse de l'occident, resurgissaient les ouvrages d'Aristote, de Platon et d'Euclide, sauvés du passé pour élargir les concepts de l'humanité. Dante et Boccace révélaient à un monde oublieux Virgile et Ovide. Les navires rapportaient de Java ou du Pérou, non seulement des fruits, des épices ou des légumes inconnus, mais de nouvelles découvertes de l'esprit et les vestiges d'antiques civilisations et l'invention de Gutenberg permettait au savoir de se répandre.

C'était un siècle d'éclatement religieux. Depuis des centaines et des centaines d'années, l'Europe chrétienne était unie en une seule foi, en une église universelle dévote, compétente, et prévoyante. Les Maures avaient été chassés d'Espagne et les Aztèques se convertissaient. Les chrétiens pouvaient à bon droit espérer que les millions d'âmes d'Asie et d'Afrique entreraient bientôt dans le giron de l'Eglise, car de nombreux missionnaires partaient évangéliser ces régions. Pendant une brève période, on put logiquement croire que le monde connu serait bientôt uni sous l'unique férule de Rome. Et puis Martin Luther se dressa, suscitant des hommes comme Calvin ou Knox, qui allaient détruire les vieilles associations et en établir de nouvelles.

C'était un siècle de bouleversements politiques. Villes et petites principautés s'unissaient pour former des Etats souverains, les rois écrasaient la féodalité et s'appuyaient sur la bourgeoisie naissante. Le séculier remplaçait le religieux, tandis que les gouvernants se tournaient plutôt vers

Machiavel que vers Thomas d'Aquin. Les barbares du nord étaient enfin maîtrisés et l'Europe, ayant chassé l'Islam de son dernier bastion d'Espagne s'apprêtait à repousser les Turcs qui marchaient sur Vienne.

C'était un siècle de libertés nouvelles. Ceux qui se sentaient à l'étroit dans la vieille Europe étaient maintenant libres d'aller chercher fortune aux Amériques ou en Asie. Ceux qu'irritait la loi papale étaient libres d'embrasser le luthéranisme et les serfs secouaient le joug des seigneurs. Chaque année voyait s'ouvrir de nouveaux horizons, car la liberté était en marche.

Mais pas pour les Juifs.

En 1492, après plus de sept cents ans de résidence et de fidélité, les Juifs furent expulsés d'Espagne. Ils se réfugièrent au Portugal, où ils furent pourchassés, baptisés de force et plus tard exilés. En Italie et en Allemagne, ils furent contraints de vivre dans des ghettos et de porter d'humiliants costumes. Ils étaient accusés des pires forfaits, d'égorger des enfants chrétiens pour leurs cérémonies rituelles, d'empoisonner les puits, de propager le choléra, d'inoculer la peste aux rats afin d'exterminer les communautés chrétiennes. Ils étaient surtout accusés de se faire passer pour catholiques, d'aller à la sainte table pour feindre de communier puis de dissimuler subrepticement l'hostie et de s'en servir dans leurs messes noires. En ce siècle de liberté grandissante, ils étaient perpétuellement contraints et privés de tous les droits. Les lois prévoyaient où ils devaient habiter, comment ils devaient se comporter, ce qu'ils pouvaient porter et quels métiers ils pouvaient exercer.

Dans leur grand malheur, ils n'avaient que deux sujets de satisfaction : ils continuaient d'avoir le monopole de la banque et des prêts sur gages, ce qui leur permettait de vivre, et, en 1520, à Venise, un imprimeur publia un exemplaire complet du Talmud. La haine des chrétiens pour ce chef-d'œuvre juif était telle que les manuscrits avaient à maintes reprises été brûlés par les autorités, en Italie, en France, en Espagne et en Allemagne. Lorsque ces textes de lois furent enfin imprimés, il n'en restait qu'un unique manuscrit connu. Cette somme des connaissances juives fut donc sauvée par miracle... et l'imprimeur vénitien qui sauva de l'oubli la loi judaïque était un chrétien.

Mais, en ces jours sombres où les Juifs d'Europe étaient cloués au pilori et enfermés dans leurs ghettos une lueur d'espoir leur vint soudain d'un lieu inattendu : la petite ville de Safed en Galilée.

1

Rabbi Zaki le cordonnier était un Juif gras, et de là découlèrent ses malheurs.

Dans le petit port italien de Podi, où il s'était installé après son mariage en 1521, la venue du printemps apportait avec les premiers bourgeons des jours d'angoisse pour les Juifs trop corpulents, car dès le début du mois de mars ils sentaient s'appesantir sur eux les regards de

leurs voisins chrétiens qui semblaient soupeser leur graisse et se demander si Zaki était plus gras que Jacob ou que Salomon. Et toutes les familles s'inquiétaient. Plus la date fatidique du 21 mars approchait, plus l'angoisse montait.

Depuis des siècles, les ducs de Podi fêtaient l'équinoxe de printemps en faisant venir des saltimbanques, des jongleurs et des montreurs d'ours. La fête durait une journée et avait lieu même si elle tombait en plein carême. Il y avait de nombreux jeux, mais le clou était une course à pied entre les six plus gros Juifs de la ville et leurs voisines de quartier, les prostituées. On venait de très loin assister à ce spectacle bouffon des malheureux Juifs obèses en caleçon, pieds nus, luttant de vitesse sur la grand-place avec les ribaudes déchaînées.

Plus les Juifs étaient gros, plus la populace riait de les voir s'époumoner, et leur jetait des légumes, des œufs, des plumes de poulet enduites de miel, mais jamais de pierres car c'était défendu. A Podi, on ne faisait pas de mal aux Juifs. La joie était à son comble quand le ridicule petit caleçon s'ouvrait et que les spectateurs, et surtout les spectatrices, pouvaient entrevoir ce que cet étrange rite de la circoncision faisait à un homme.

Pour tous les Juifs, la nudité était une abomination, mais courir par les rues affublé de ce révoltant petit caleçon débraillé était véritablement le comble de la honte, et les épouses des concurrents, leurs amis, même leurs ennemis s'ils en avaient pleuraient pour Israël humilié.

Rachel, la femme de Rabbi Zaki, était toujours certaine que son mari serait choisi, car il était indiscutablement le Juif le plus gras de la ville. Et tout au long de l'année, songeant à ce jour maudit, elle le harcelait :

— Pourquoi es-tu si gros ? Moïse n'est pas gros. Et Meyer non plus !

Il y avait vingt ans qu'elle était mariée avec lui et elle en était venue à la conclusion, non sans causes, que son mari était un bien triste spécimen d'humanité. Il ne subvenait qu'à peine aux besoins de sa famille. Il ne faisait pas payer assez cher les souliers qu'il fabriquait, il se laissait attendrir par les mauvais payeurs ou gruger par les rusés Italiens. Et à son âge, il était évident qu'il ne deviendrait jamais un célèbre rabbin qui apporterait la gloire à sa congrégation. Il n'était qu'un brave petit homme obèse et jovial, ridicule tout au long de l'année, que la course de printemps couvrait de honte, et toute sa famille avec lui.

Les Juifs de Podi formaient une communauté étroitement unie, car ils avaient tous fui l'Espagne pour le Portugal au cours de l'expulsion de 1492 et ensuite — après avoir subi le scandaleux baptême massif ordonné par le gouvernement portugais, ils étaient venus de Lisbonne en Italie. Dans le sens le plus strict du terme, Rabbi Zaki et Rachel sa femme acariâtre, et tous les Juifs de Podi, étaient des chrétiens, car ils avaient été baptisés. Mais une succession de papes raisonnables avaient décrété que l'Eglise ne pouvait accepter les fruits d'un tel baptême et que les Juifs de Podi étaient libres de pratiquer leur religion. Le géné-

reux duc de Podi avait accueilli de grand cœur ces commerçants industrieux et travailleurs qui apportaient une prospérité nouvelle à ses territoires et les avait même encouragés à se construire une synagogue. Dans l'atmosphère aimable et tolérante d'Italie, les persécutions espagnoles et portugaises avaient fini par s'oublier.

Le 21 mars 1541 était une belle journée, déjà chaude pour la saison, et dès l'aube la foule en habits de fête se pressait sur le parvis pour admirer bouche bée les jongleurs et les saltimbanques. Le duc fit distribuer des galettes, des pâtés et du vin et après le repas il y eut des jeux et des concours, un mât de cocagne et une course d'ânes.

Mais c'était la grande course des Juifs que la foule attendait avec impatience. Enfin, vers quatre heures, le sergent du guet fut l'objet d'une ovation quand il apparut sur la place avec six prostituées notoires à qui l'on avait promis la rémission des peines de prison qu'elles avaient encourues si elles arrivaient parmi les trois premiers.

— Mais pour gagner, leur dit-il avec un rire gras, il faudra bousculer un peu ces gros Juifs et leur faire des croche-pieds si vous ne voulez pas qu'ils arrivent les premiers.

La foule acclama les ribaudes, et poussa de nouveaux cris de joie quand on amena sur la ligne de départ le malheureux rabbin et ses cinq compagnons d'infortune, déjà ruisselants de sueur, tant de chaleur que d'angoisse.

Le duc donna le signal du départ et les concurrents s'élancèrent. Un des Juifs trébucha et s'étendit de tout son long presque tout de suite, sous les quolibets de la foule qui le bombarda de légumes divers, et Rachel remercia le Seigneur que ce n'eût pas été Zaki.

Les coureurs firent ainsi trois fois le tour de la grand-place. La foule s'était tue et attendait l'incident qui ne manquait pas de se produire à chaque course. Cette fois-ci, ce fut Rabbi Zaki la victime. Une des prostituées qu'il venait de dépasser jeta les deux mains en avant, agrippa ses doigts à la ceinture de son petit caleçon flottant et le baissa brusquement sur ses hanches. Surpris en plein élan, incapable d'arrêter net le jeu de ses grosses jambes courtes, il s'empêtra dans le vêtement qui glissait plus bas que ses genoux et s'écroula sur les pavés, le derrière en l'air, dans toute sa nudité.

Ce fut une explosion de joie, de rires et de lazzis. Le duc lui-même prit part à l'hilarité générale et s'écria :

— Cette fille ! Même si elle ne gagne pas la course, qu'on lui remette sa peine !

Le malheureux Zaki aurait voulu abandonner la course et courir se cacher, mais le grand dominicain qui prêchait le carême et présidait aux jeux fit un signe, et le sergent du guet le poussa sans ménagements. Il dut repartir, et il arriva plusieurs minutes après les autres.

Selon la tradition, tous les Juifs furent alors rassemblés et poussés en troupeau dans la cathédrale, où un espace clos de cordes leur avait été réservé, pour écouter, comme toute la population, le sermon de carême. Le duc et sa suite prirent place à leur banc et, après le salut,

un maigre dominicain au visage d'ascète illuminé monta en chaire et fit un violent sermon contre les Juifs, les vouant au feu perpétuel et les menaçant des pires sévices, de la corde, du pilori, du supplice de l'eau et du bûcher final s'ils n'abjuraient pas leur abominable foi pour se convertir à la religion de Jésus.

Il acheva son sermon dans un paroxysme de fanatisme religieux et Rabbi Zaki, qui s'y connaissait, fut terrifié.

Ce soir-là, après s'être laissé injurier par sa femme pour être si gros, et pour s'être laissé déculotter pendant la course, Zaki voulut lui faire part de ses craintes réelles, mais ses trois filles disgracieuses lui coupèrent la parole pour reprendre les reproches de leur mère et l'accuser de les avoir humiliées. Le malheureux était tenté d'abattre son poing sur la table et de crier à ces harpies qu'il n'était pas question d'humiliation, mais de leur vie même. Mais il laissa parler ses femmes jusqu'au bout, avec résignation et lorsqu'elles se turent enfin, à bout de souffle, il reprit d'une voix posée :

— Le moine pensait ce qu'il disait. On va nous tolérer encore quelques années. Et puis les bûchers s'allumeront.

— Zaki ! s'écria sa femme. Es-tu devenu fou ?

— Je dis ce que je sais être vrai. Nous devons quitter l'Italie la semaine prochaine.

— Mais qu'est-ce que tu racontes ? protesta Rachel. Des bûchers ? Parce que tu es si gros que tu es tombé ? Parce que le moine a fait son sermon habituel ? Pour ça, tout à coup, tu as peur ?

— J'ai atrocement peur, reconnut Zaki. Cet homme furieux pensait tout ce qu'il disait.

— Mais où irions-nous ? Veux-tu me le dire ? Où ?

Zaki baissa la voix, comme s'il craignait d'être entendu, pour murmurer :

— A Salonique. J'ai lu la lettre d'un Juif allemand qui s'est enfui à Salonique et il dit que le Grand Turc...

— Chez les Turcs ! Il est fou ! Votre père est fou ! Tu voudrais que tes filles épousent des Turcs ?

— Mais...

— Le pape lui-même ne nous a-t-il pas assuré que nous pourrions vivre en paix en Italie ? Tant que nous le voudrions ? Es-tu si lâche que tu doutes de la promesse du pape ?

— Ce pape a promis. Un autre peut révoquer la promesse, répliqua doucement Zaki.

— Mais il a fait cette promesse parce qu'il savait que nous avions été baptisés de force. Nous n'avons jamais été de vrais chrétiens, et comme il est bon il nous a permis de redevenir des Juifs. Je ne veux pas aller à Salonique. Je refuse !

— Rachel, supplia le gros rabbin, tu m'as demandé si j'étais un lâche. Eh bien, oui, j'ai peur. J'ai écouté ce moine, tout à l'heure, et il brûlait. Il parlait comme les prêtres d'Espagne et du Portugal. Il n'aura pas de repos tant que les Juifs comme toi et moi ne seront pas tous brûlés vifs. Je t'en prie, Rachel, écoute-moi !

Mais Rachel ne voulait rien entendre et elle interdit à ses filles d'écouter leur père.

Fatiguée des émotions de la journée, la famille du rabbin alla se coucher, mais lui ne dormit pas et au matin, après avoir fait ses prières, il se rendit au palais ducal, où il attendit cinq heures que le duc voulût bien le recevoir.

— Je voudrais avoir l'autorisation de m'embarquer pour Salonique, dit-il en s'inclinant respectueusement.

— Quoi ? s'écria le duc. Tu veux partir ?

— Oui, monseigneur.

— Mais pourquoi cela ?

— J'ai peur, dit le gros rabbin avec simplicité.

— Peur de quoi ? Allons, Zaki, il ne faut pas t'offusquer pour nos petits amusements d'hier, plaisanta le duc. Nous ne pensions pas à mal. Cette fille qui a tiré ton caleçon... tu sais, les femmes sont curieuses de ces choses-là. Mais ce n'était pas bien méchant. Tu n'as aucune raison d'avoir peur.

— Cependant, monseigneur, j'ai très peur.

— Bon, bon. L'année prochaine, on ne te choisira pas pour la course.

— Ce n'est pas la course, monseigneur. C'est le sermon qui m'a fait peur.

— Le sermon ? s'étonna le duc en éclatant de rire. Mais le prédicateur fait le même tous les ans ! Cela ne veut rien dire. Ne fais pas attention à ce qu'il a dit. Ici, c'est moi qui gouverne et je ne te veux pas de mal.

— Monseigneur, le moine pensait ce qu'il disait.

— Cet âne bâté ? Cet ignorantin ? Il n'a aucun pouvoir, tu peux m'en croire.

— Monseigneur, je suis terrifié. Permettez-moi d'emmener ma famille chez le Grand Turc.

— Par Dieu, non ! Pas chez cet infidèle !

— Je supplie Votre Seigneurie ! Des mauvais jours vont se lever, ici ; de cela je suis certain.

Ce propos déplut fort au duc, car le pape avait donné sa parole que les Juifs baptisés de force seraient désormais placés sous la protection du Saint-Siège et libres de pratiquer leur propre religion à leur gré. On s'attendait que les papes suivants renouvelassent cette promesse. Donc, en exprimant le désir de quitter l'Italie pour l'empire ottoman, le gros rabbin insultait l'Eglise.

— Tu ne peux partir, lui déclara sèchement le duc en lui signifiant d'un geste que l'audience était terminée.

Chez lui, sa femme et sa fille, qui avaient bien deviné où il avait passé sa journée, le raillèrent aigrement pour sa couardise. Des voisins et amis, qu'elles firent venir pour tourner le pauvre Zaki en dérision, lui assurèrent que ses craintes eussent peut-être été fondées en Espagne ou au Portugal, où sévissait la redoutable Inquisition, mais qu'à Podi elles étaient ridicules.

— Nous sommes en Italie, répétaient-ils. Rien de fâcheux ne peut nous advenir ici ! Les gens sont trop civilisés pour cela !

Mais pour la première fois de sa vie, Rabbi Zaki s'entêta dans son idée et ne céda pas aux objurgations de ses amis ni aux railleries de sa famille. Il prévoyait avec une terrible lucidité ce qui allait arriver, soit à l'avènement d'un nouveau pape soit à la suite d'une crise politique ou économique quelconque.

— J'ai peur, répétait-il obstinément. J'ai vu les visages du peuple pendant la course et le sermon. Il y avait de la haine dans les yeux.

Et le lendemain matin, il retourna au palais ducal. Après s'être excusé, et défendu de vouloir insulter le duc, le pape ou l'Eglise, il demanda encore une fois la permission d'émigrer.

— Donne-moi une bonne raison ! tonna le duc.

Zaki avait passé la nuit à élaborer une dizaine d'excellentes raisons, mais cédant à l'impulsion du moment il les écarta toutes et répondit spontanément :

— J'ai trois filles, monseigneur, et en bon père je désire les marier à des Juifs, que je pourrais mieux trouver à Salonique.

Cette raison inattendue fit rire le duc.

— Tu dois trouver trois maris, Zaki ?

— Oui, murmura le gros rabbin, sentant qu'il avait éveillé l'intérêt de son seigneur. Ce n'est pas facile. Trouver trois bons maris, ce n'est pas commode aujourd'hui.

— Et tu crois qu'à Salonique ?...

— Oui.

Le duc fit alors appeler son frère cadet, qu'il avait fait nommer archevêque de Podi, et lorsque cet aimable prélat arriva, et apprit que Rabbi Zaki voulait partir, il s'efforça d'apaiser ses craintes.

— Le duc est ici le maître, dit-il. Tu devrais savoir qu'il ne supportera pas que l'on s'attaque à ses Juifs.

— J'ai trop besoin de vous pour **mon commerce**, intervint le duc.

— Oui, mais j'ai entendu le moine **dire** que nous devions être brûlés, protesta Zaki. Je l'ai cru.

— Celui-là ? s'écria en riant l'archevêque. Sache que mon frère et moi nous avons trouvé son sermon fort déplaisant. Ce n'est rien, crois-moi. Tu ne dois plus y penser.

— Je ne puis le chasser de mon esprit. J'ai peur.

L'archevêque attira Zaki vers la fenêtre et lui montra sur la place la statue équestre du duc de Podi. Le sculpteur avait représenté le condottiere l'épée à la main, lors de la conquête de Podi, dans toute sa gloire et sa dignité.

— Crois-tu, dit le prélat, qu'un homme comme le duc se laissera dicter sa conduite par un méchant moine, ou même par un pape ?

Mais quand Zaki s'obstina à vouloir partir, l'homme d'Eglise haussa les épaules.

— Ici à Podi, nous ne voulons retenir personne contre son gré, mon

ami. Mais ce sont les moines qui se chargent de faire respecter les lois concernant les départs.

Et il envoya chercher ce même moine dominicain qui avait prêché le sermon terrible.

Quand le prédicateur arriva, il toisa ce Juif qui venait importuner son seigneur et déclara :

— Il ne devrait pas avoir l'autorisation de partir. Il a été baptisé, et il ne lui sied pas d'aller demander asile aux Turcs.

— Sa décision est prise, dit le duc.

Alors le dominicain demanda de quoi écrire et se mit à dresser la liste des restrictions et des conditions sous lesquelles les Juifs pourraient s'exiler.

— Il ne devra pas emporter de papiers certifiant que des chrétiens ont des dettes envers lui. Il ne devra pas emporter de livres, manuscrits ou imprimés, ni monnaie frappée dans nos Etats, ni aucune liste de noms pouvant intéresser les Turcs, ni objets du culte. Et sur la jetée, au moment du départ, il devra s'agenouiller et baiser le livre des Evangiles pour montrer qu'il reconnaît son inspiration divine.

Zaki promit tout ce qu'on voulut, et le duc de Podi signa les accords, ce qui devait lui être reproché plus tard. L'archevêque signa à son tour, et cela aussi fut retenu contre lui par la suite. Enfin, le moine remit le document au Juif, avec un dernier avertissement :

— Si tu transgresses un seul de ces règlements, tu ne pourras pas partir.

Mais Zaki tenait son autorisation et en proie à une terreur indéfinissable, il quitta la salle où il avait été traité avec justice par le duc et l'archevêque, car il sentait confusément couver un drame qu'il comprenait mal. Et en traversant la place pour se rendre au port et s'entendre avec un capitaine de navire en vue de son départ, il s'arrêta au pied du socle de granit de la statue de bronze et murmura une prière :

— Puisse le Seigneur Dieu tout-puissant, qui vous a permis de conquérir cette ville, vous la faire conserver et vous protéger.

Mais en revenant sur ses pas pour rentrer chez lui, il se mit à trembler, car s'il avait réussi à persuader le duc, l'archevêque, le capitaine et même le moine vengeur, il lui restait encore à convaincre sa femme, et il savait que ce serait difficile.

En poussant la porte de son échoppe de cordonnier, il s'efforça de prendre l'air le plus résolu du monde, et sans doute y parvint-il, car Rachel le regarda sans murmurer.

— Je viens de chez le duc, déclara-t-il.

— Oui ?

— Il nous autorise à partir.

— Pour où ?

— J'ai également vu un capitaine et il a consenti...

— Pour où ? répéta-t-elle.

— Le temps n'est plus aux hésitations, Rachel, s'écria-t-il. De sombres jours attendent cette ville et...

— Pour où ? glapit-elle. Salonique ?

— Oui, répondit-il fermement en s'apprêtant à résister aux assauts de sa femme.

A sa grande surprise, Rachel s'assit sans rien dire. Elle soupira, laissa tomber sa tête dans ses mains, puis elle appela ses filles et leur dit :

— Nous partons pour Salonique. Vous allez toutes épouser des Turcs !

Les trois filles se mirent à pousser des cris et à se lamenter, mais à la profonde stupéfaction de Zaki, Rachel en gifla une au hasard et leur annonça calmement :

— Nous ferons ce que désire votre père. Personne ne doit discuter ses décisions !

Et ce fut sans discuter qu'elle se mit à faire les bagages de la famille. Sachant que le moine dominicain viendrait les examiner, et voir si elles n'emportaient rien de défendu, elle rassembla ses économies secrètes, et cousit dans la doublure de ses vêtements et de ceux de ses filles, suffisamment de pièces d'or pour permettre à son mari et à sa famille de vivre quelques mois à l'abri du besoin.

Le jour du départ, tous les Juifs de Podi vinrent au port dire adieu à leur rabbin terrifié, et en voyant tous ses amis, comme un précieux collier de perles le long de la jetée, il sentit des larmes lui monter aux yeux. Heureusement pour lui, il ne pouvait entendre leurs murmures malicieux : « Regardez donc ce fou ! Il perd la tête parce qu'une ribaude lui a arraché son caleçon ! »

Et soudain, comme un sombre nuage couvre de ténèbres la mer scintillante, il eut une vision de ce qu'allait être l'avenir de sa congrégation. Il vit le gros Jacob, qui avait participé à la course, roué et brûlé vif en 1556. A côté de lui, le maigre Meier, un ami cher qui mourrait sur le bûcher en 1555. Et les deux sœurs, Ruth et Zipporah, la première brûlée vive et la seconde mourant dans les tortures dans la salle de la question. Et Josiah et combien d'autres ? Tous condamnés au supplice et au feu ! Et puis l'atroce vision se dissipa comme elle était venue.

La famille s'embarqua ainsi pour Salonique, mais après avoir échappé à des pirates barbaresques, le navire fut pris dans une tempête et, au lieu d'aller aborder à Salonique, il alla s'échouer sur les côtes d'Afrique, et les passagers durent débarquer dans ce pays où l'on n'avait pas besoin de cordonniers, et où Rachel et ses filles furent obligées de travailler comme des esclaves.

Et, après de longues années de privations, Zaki et sa famille parvinrent à Safed.

2

Par une froide matinée de 1540, les habitants de la petite ville d'Aveiro, au centre de l'Espagne, eurent à prendre connaissance d'un édit leur commandant de dénoncer à la Sainte Inquisition quiconque avait publiquement accepté le baptême mais continuait en secret de pra-

tiquer la religion juive. Pour aider à les dépister, l'Inquisition donnait une liste d'épreuves ingénieuses. Il fallait par exemple offrir de la viande de porc à un suspect. S'il la refusait, c'était un Juif. Il fallait observer la conduite des voisins le vendredi. La femme faisait-elle à fond son ménage ? Le mari changeait-il de linge ? A coup sûr, ils étaient juifs. Le vendredi au coucher du soleil, toute cheminée qui s'arrêtait brusquement de fumer dénonçait un foyer juif. Il fallait surtout redoubler de vigilance à la sainte table. Quiconque n'avalait pas aussitôt l'hostie était soupçonné de la subtiliser pour s'en servir dans des messes noires.

A quelque temps de là, Diego Ximenez, conseiller de Charles Quint, dont les ancêtres avaient vécu pendant onze cents ans en Espagne en pratiquant la religion juive et s'étaient convertis au christianisme cent ans plus tôt, avala par hasard de travers alors qu'il mangeait un rôti de porc, et cracha par terre le morceau qui l'étouffait. Machinalement, il repoussa le morceau de viande du bout du pied, sous la table. Le malheur voulut qu'un de ses voisins assistât à la scène et, persuadé qu'il avait vu un Juif secret se trahir, il courut chez les Inquisiteurs et rapporta qu'il avait tout lieu de soupçonner le seigneur Diego Ximenez de juiverie.

Les moines s'étonnèrent d'abord. Si quelques notables d'Aveiro avaient été pris dans les rets de l'Inquisition, aucune personnalité aussi importante que Diego Ximenez n'avait encore été soupçonnée, et celui-ci était si haut placé qu'il convenait d'agir avec prudence. On conseilla au dénonciateur de surveiller plus étroitement le suspect, qui revint quelques jours plus tard en déclarant qu'il avait vu le sieur Ximenez se laver les mains trois fois dans la même journée, et qu'il avait toussé à l'église au moment de dire : « Au nom du Père, du Fils et du Saint-Esprit. » Les inquisiteurs questionnèrent plus avant ce témoin qui découvrit dans sa mémoire une quantité d'autres menus faits entachés de suspicion. Ce voisin pouvait porter ces nébuleuses accusations sans crainte, car jamais son nom ne serait prononcé au cours du procès de sa victime pas plus qu'il ne serait confronté avec elle. Au bout de plusieurs heures de déposition, les inquisiteurs remercièrent cet homme et le renvoyèrent chez lui. Puis ils se frottèrent les mains en se disant que cette fois, ils en avaient enfin pris un d'importance !

Dans l'après-midi même, des gardes de l'Inquisition se présentèrent chez Diego Ximenez, et sans lui dire de quoi il était accusé ils le traînèrent dans un sombre cachot où il demeura au secret pendant quatre mois.

Les inquisiteurs savaient qu'ils devaient préparer leur acte d'accusation avec le plus grand soin, car bien qu'il ait eu des ancêtres juifs, sa famille était convertie depuis plus d'un siècle et il avait lui-même une grande influence à la cour de l'empereur. Son arrestation avait d'ailleurs fait grand bruit, et de nombreux courriers avaient été échangés entre Vienne et Aveiro. Enfin, l'Inquisition fut prête à interroger Ximenez, mais comme il ne put savoir de quoi on l'accusait au juste il ne fit

aucune confession. Les interrogatoires durèrent quatre jours au bout desquels les inquisiteurs furent persuadés qu'ils tenaient en la personne du conseiller de Charles Quint un Juif secret des plus obstinés.

Il fut rejeté dans son cachot où on le laissa moisir plusieurs mois, puis on l'en tira pour l'interroger de nouveau, toujours sans succès. Ensuite, ce furent les tortures habituelles, la question, avec les brodequins, les poucettes, l'eau, la plante des pieds brûlée et tout ce que l'époque pouvait imaginer de plus horrible. Dans les pires tourments, Diego Ximenez se taisait. Ses tortionnaires eux-mêmes avaient parfois pitié de lui, et admiraient son courage, et le représentant du grand inquisiteur le supplia d'avouer qu'il était un Juif secret car il lui serait tenu compte de sa confession, et il serait miséricordieusement étranglé avant d'être livré aux flammes du bûcher purificateur. Mais Diego Ximenez refusait de parler.

Finalement, vers la fin de 1542, alors que le malheureux dépérissait depuis trois ans dans un cul-de-basse-fosse, un dominicain aux yeux navrés vint le voir un jour à l'aube et lui dit :

— Demain, c'est pour toi le jour du jugement, Diego. Tu seras brûlé vif sur le parvis de la cathédrale.

Le prisonnier ne répondit pas, et le religieux le supplia :

— Diego, je t'en conjure, pour l'amour de Dieu, avoue tes crimes, que le bourreau puisse t'étrangler avant qu'on allume ton bûcher ! Ton âme est déjà entre les mains de Dieu. Que ton corps meure en paix !

Mais le prisonnier obstiné garda le silence et le prêtre s'en fut. Et le lendemain, pieds nus, revêtu du cilice et de la cagoule, un cierge à la main, il fut conduit au bûcher en même temps qu'une vingtaine d'autres condamnés, suspects de judaïsme ou d'hérésie.

De tous ceux qui se pressaient sur le chemin du lugubre cortège, nul n'éprouvait plus d'appréhension que le Dr Abulafia, un éminent médecin dont les ancêtres juifs avaient embrassé la foi chrétienne en 1391 et qui, bon chrétien lui-même, avait acquis une situation élevée à Aveiro. Il avait épousé une noble dame chrétienne de haute lignée. Il mangeait du porc, n'était pas circoncis, ni lui ni ses fils, n'avait jamais été soupçonné, même pas durant les pires jours de l'Inquisition à ses débuts, et personne n'aurait songé à l'accuser d'être juif. C'était un homme sans tache. Diego Ximenez l'avait parfois consulté pour ses maux d'estomac.

Le cœur battant, le visage défait mais s'efforçant de faire bonne figure, il suivit le cortège des condamnés et, sur le parvis, se plaça juste en face du bûcher pour tenter de croiser le regard de Ximenez. Mais le condamné levait les yeux au ciel et gardait ses lèvres scellées, alors que les secrétaires de l'Inquisition attendaient un aveu, une dénonciation de complices.

Cependant, vers la fin, alors que déjà ses cheveux s'enflammaient, Diego Ximenez abaissa son regard sur la foule et croisa à travers les flammes dansantes celui du Dr Abulafia.

Lorsque tout fut consumé, et qu'il ne resta plus des condamnés que des ossements calcinés, le médecin rentra chez lui, le regard morne

et la mine hagarde. Doña Maria, sa femme, s'inquiéta et voulut connaître la raison de sa pâleur.

— Je viens de voir brûler Diego, répondit-il.

— Il devait certainement être coupable, assura alors sa femme. Cela
ne doit pas nous concerner.

Abulafia fut incapable de souper. Il n'avait nulle envie de jouer avec
ses deux jeunes fils. Il se retira dans son cabinet, pour recevoir ses malades et les examiner. Mais il se sentait si mal qu'à plusieurs reprises il crut
s'évanouir. Ce fut uniquement grâce à un effort surhumain qu'il surmonta
ses malaises, en se disant qu'il ne pouvait se permettre de s'évanouir
ainsi, car qui pouvait dire si tel ou tel de ses malades n'était pas un
espion envoyé pour le surveiller et le dénoncer ?

Le Dr Abulafia était un homme mince de haute taille, aux yeux
sombres animés d'une flamme de compassion. Très respecté par le petit
peuple d'Aveiro, excellent médecin, sa réputation s'étendait jusqu'à Tolède
où il avait jadis soigné l'empereur Charles Quint lui-même. Il avait des
manières courtoises et sa douceur était si appréciée des malades qu'il
gagnait beaucoup plus d'argent que la plupart des médecins de son époque. Il descendait d'une famille établie en Espagne depuis plus de mille
ans, qui avait toujours occupé des postes élevés, et il aurait dû se sentir
en sécurité en ce soir d'automne où la fumée des autodafés planait encore
au-dessus des toits en terrasses de la ville. Mais il tremblait.

Il était hanté par le spectre de Diego Ximenez, et, dès qu'il le put,
il ferma son cabinet et, à l'insu des siens, il se réfugia dans une petite
cellule qui ne contenait ni livres, ni papiers, ni tableaux. Les murs
blanchis à la chaux étaient nus et il n'y avait pour tout mobilier qu'une
table et une chaise de bois brut.

Il s'assit, croisa ses mains sur la table et regarda fixement devant lui.
Il avait peur d'écrire, alors qu'il en éprouvait le besoin lancinant, car sa
femme ou quelque espion pourrait découvrir ses écrits et les remettre à
l'Inquisition. Il avait peur de murmurer les mots qui se formaient dans
son esprit, crainte qu'une oreille ne les surprît et que l'on ne s'étonnât
de ces consonances si peu castillanes. Il n'avait pas la liberté de réciter
les litanies ni de consulter ses livres, ni de lire des textes, ni de faire quoi
que ce fût d'autre que rester assis, le regard fixe.

Pendant plus d'une heure il contempla ainsi le mur blanc, en s'efforçant de nettoyer son esprit des choses horribles auxquelles il avait assisté
dans la matinée, mais les flammes et le regard pénétrant de Diego Ximenez le hantaient. Car le Dr Abulafia savait, avec certitude, que le conseiller de Charles Quint avait été un Juif secret, et que l'Inquisition, pour une
fois, n'avait pas condamné un innocent.

Ce jour de 1540 où il avait appris que le très respecté Diego Ximenez avait été arrêté, le Dr Abulafia s'était retiré, déjà, dans sa cellule
blanche, tremblant de tous ses membres, en se disant que Diego allait
avouer, sous la torture, et que ce serait bientôt son tour. Et la longue
angoisse avait commencé. Avec une lâche appréhension, il allait contempler tous les jours la sombre prison où Diego était détenu, s'attendant

chaque matin à voir surgir les sbires de l'Inquisition. Les trois années de détention de Ximenez furent une éternité de tourments pour Abulafia, car il imaginait la question, les abominables tortures auxquelles peu d'hommes résistaient. Il voyait parfois dans son cabinet des malades venus faire soigner un pied écrasé par les horribles brodequins, ou une main aux phalanges démises ou un dos marqué de brûlures au fer rouge, libérés par miracle après avoir subi la question, et ils essayaient parfois de lui raconter comment ils avaient été meurtris de la sorte. Mais il refusait toujours de les écouter et répondait dévotement :

— La Sainte-Hermandad fait son devoir et agit justement.

Car il ne pouvait savoir si l'un d'eux n'était pas un espion sauvé du bûcher afin de le faire tomber dans un piège.

Dans la solitude de sa chambre blanche, il avait prié sans bruit :

— Dieu de Moïse ! notre Maître, sauve Diego.

Et puis, les semaines passant sans visite des Inquisiteurs, Abulafia reprit espoir et se dit que Ximenez ne parlerait peut-être pas, et il eut honte de sa peur abjecte.

A présent, au soir de la mort de Diego Ximenez, le Dr Abulafia se retrouvait dans son austère cellule et se demandait en son cœur : « Combien d'autres Juifs secrets Ximenez a-t-il protégés par son silence ? » Et, songeant à la force d'âme de ce martyr qui jamais n'avait parlé, il ne put s'empêcher de crier, sans se soucier qu'on l'entendît ou non :

— Loué soit Dieu, pour ceux qui ont la force de mourir pour la gloire de son Nom !

Et il continua sur ce ton, se laissant emporter dans un grand élan lyrique à chanter les louanges de ce Juif sincère qui s'était laissé brûler vif plutôt que d'abréger ses souffrances en incriminant d'autres qui seraient traqués et exécutés après sa mort.

Le Dr Abulafia avait fait la connaissance de Ximenez vingt ans plus tôt, durant l'hiver de 1522, et leur amitié était née du hasard d'une conversation. Lors d'un grand dîner, il avait demandé sans songer à mal :

— Quelle est donc cette Cabale dont parlent les Juifs ?

Après de longs et prudents sondages, Diego Ximenez s'était révélé comme un maître de la Cabale, cette mystique ésotérique fondée sur le symbolisme des lettres et des chiffres, qui s'était élaborée en Allemagne et en Espagne pour aboutir à une compréhension plus parfaite du Dieu des Hébreux. Ximenez avait donné au Dr Abulafia un manuscrit du Zohar, le livre clef de la Cabale, et l'avait initié à ses mystères. Abulafia avait été tout de suite séduit, car il n'avait jamais pu accepter en son cœur le dogme de la Sainte-Trinité et il trouvait tout aussi ardu l'austère monothéisme du judaïsme. Il y avait, dans la vie, et son ardente nature espagnole le sentait bien, une envolée, un mouvement passionné de l'âme à la recherche d'une identification plus parfaite de Dieu dont le Zohar lui apportait la révélation la plus convaincante.

Entre l'immensité de Dieu et l'insignifiance de l'homme, le Zohar distinguait dix sphères de manifestations divines, chacune d'elles étant perméable à l'entendement humain : la couronne suprême de Dieu, sa

sagesse, son intelligence, son amour, sa puissance, sa pitié, son éternité, sa majesté, ses racines et le royaume de Dieu. Ces dix sphères, par lesquelles Dieu émergeait de son état inconnu, pouvaient être représentées par un arbre, mais la sève de cet arbre, la puissance vitale, était et devait être l'ultime esprit de Dieu.

C'était par l'étude et la contemplation de ces sphères que Ximenez et Abulafia atteignaient le point mystique où, après avoir manipulé pendant des heures les lettres de l'alphabet hébreu, ils parviendraient presque au secret de Dieu lui-même. Alors les quatre lettres du tetragrammaton mystique, YHWH, apparaissaient sur le papier devant eux, formant le Nom, et ils sentaient enfin la présence réelle de Dieu.

Mais quand l'Inquisition avait commencé à traquer les Juifs secrets, Ximenez avait conseillé de brûler les livres, et, le cœur meurtri, ils avaient livré aux flammes leur exemplaire de la Torah et leurs textes du Talmud mais quand le tour du Zohar était venu, Abulafia n'avait pu s'y résoudre et, sans en rien dire à son ami, il l'avait caché derrière une pierre descellée du mur de sa cave.

Il se sentait incapable de détruire le livre qui avait illuminé son âme.

Et maintenant, Ximenez était mort, brûlé vif, après trois ans de tortures, sans jamais avoir prononcé un seul nom. Il n'en avait jamais prononcé non plus même devant son ami Abulafia, si bien que maintenant le médecin se retrouvait seul, avec sa terreur qu'il n'osait montrer et ses larmes qu'il devait retenir.

Accablé de douleur et de culpabilité, le Dr Abulafia prit alors une décision, celle de fuir l'Espagne. Il ne pouvait plus endurer ces horreurs. Il espérait découvrir un lieu paisible où il pourrait étudier le Zohar à loisir, et continuer de chercher comment les dix sphères de Dieu pourraient amener le commun des mortels à la compréhension de son essence. Mais où un Juif pourrait-il trouver la paix et la liberté ? Et comment s'évader d'Espagne pour y accéder ? Alors, l'esprit perpétuellement en mouvement du médecin se souvint d'une lettre, écrite par un Juif d'Allemagne, qui prétendait que dans l'empire du Grand Turc les Juifs n'étaient pas persécutés, et il se mit à concevoir un plan pour se rendre à Constantinople.

Cette décision était grave, car il lui faudrait abandonner sa femme et ses enfants. Or, Maria Abulafia était une épouse affectueuse et compréhensive, d'une très grande beauté, et il aimait tout aussi tendrement ses deux solides garçons rieurs et francs. Mais il raisonna ainsi : « Même s'ils voulaient être juifs, je ne pourrais pas les faire sortir d'Espagne, et s'ils préféraient demeurer chrétiens, comment aurais-je la certitude qu'ils ne me trahiraient pas ? » Il préféra donc ne rien leur dire, sans comprendre, telle était grande sa panique, que sa propre fuite les jetterait sûrement entre les mains de l'Inquisition qui les condamnerait comme complices.

Puis il fit une folie. Il descendit en secret dans sa cave, déplaça la pierre descellée et prit dans la cachette le manuscrit du Zohar et un petit chandelier à sept branches, un menorah que Diego Ximenez lui

avait donné en ce jour fatidique de 1522 où ils s'étaient mutuellement avoué qu'ils étaient des Juifs secrets. Tenter de fuir l'Espagne avec ces deux objets si révélateurs, surtout en passant par Séville, était une pure folie car la découverte signifiait la mort certaine, mais le malheureux ne voulait pas partir sans ce trésor.

Un matin, il embrassa Maria et ses deux garçons, leur expliqua qu'il était appelé en consultation par un confrère à Séville et les quitta. En chemin, il s'arrêta dans une *posada* et commit froidement un faux en rédigeant un document lui ordonnant de se rendre en Egypte pour le compte de l'empereur afin d'y étudier certaines médecines. Il authentifia son parchemin en y collant le sceau royal découpé sur un autre ordre, et les autorités sévillanes s'y laissèrent prendre.

Ainsi, le Dr Abulafia quitta l'Espagne.

Dès que son navire eut touché Tunis, il descendit à terre et courut chez un boucher, où il lacéra ses vêtements et les macula de sang. Puis, après s'être changé, il remit le ballot de vêtements ensanglantés à un mendiant, avec de l'argent, pour qu'il les porte au capitaine du vaisseau en lui disant que le médecin espagnol avait été attaqué par des bandits, dévalisé, égorgé et jeté dans la baie.

Puis il porta son précieux petit bagage dans une auberge, et attendit dans l'angoisse de voir son bateau refaire voile vers l'Espagne.

Il était libre.

Alors il emprunta à l'aubergiste une chandelle et une paire de ciseaux, après quoi il s'enferma dans sa chambre à double tour. Là, il coupa la chandelle en sept morceaux, déballa amoureusement le menorah et ficha les sept petits morceaux de chandelle dans chacune des branches du chandelier. Puis il les alluma, fit ses prières en hébreu et procéda aux ablutions rituelles, pour se laver symboliquement de l'eau lustrale de son baptême.

Alors, les mains tremblantes, il prit les ciseaux rouillés de l'aubergiste pour se circoncire lui-même. La douleur fut si vive, si inattendue, le flot de sang si abondant, qu'il faillit s'évanouir. Mais il se maîtrisa, en s'invectivant :

— Lâche ! Songe plutôt aux tortures de Diego !

Et, avec une force d'âme qui n'avait encore jamais été mise à l'épreuve, il acheva son engagement solennel. Alors, dans son exaltation joyeuse, il ouvrit sa fenêtre à deux battants et cria dans la nuit étoilée d'Orient l'antique invocation sacrée du judaïsme :

— Entends, ô Israël, le Seigneur notre Dieu, le Seigneur est Un !

Quelques passants levèrent des yeux stupéfaits, et il cria encore :

— Ximenez, Ximenez ! Je suis un Juif, je suis juif !

Et puis, de longues années plus tard, ses pas errants l'amenèrent à Safed, un livre sous le bras.

3

Le troisième Juif à accomplir le long pèlerinage de Safed n'y venait pas poussé par la peur, comme Rabbi Zaki, ni par amour de la Cabale, comme le Dr Abulafia. Il arrivait, mû par une force plus grande

encore que ces deux-là : la meurtrissure morale d'un homme écœuré par le milieu dans lequel il vit.

En 1523, l'Allemagne se distinguait des autres nations, telles que l'Espagne ou le Portugal, en ce sens qu'elle n'avait pas expulsé ses Juifs, ou tout au moins pas tous, car l'Allemagne était encore bien loin d'être une nation unie, et chaque duc, prince ou baron agissait à sa guise dans son fief. Ainsi, Cologne avait expulsé ses Juifs en 1426, mais Francfort les protégeait. Augsbourg, Nuremberg et Ulm les avaient bannis, mais la cité rhénane de Gretz, entourée de ses remparts, avait encore une Judenstrasse, une rue des Juifs. Et nul habitant de ce quartier n'était plus estimé que Rabbi Eliézer bar Zadok, descendant de la grande famille Hagarzi ha-Ashkenaz, dont les ancêtres fabricants de gruau étaient venus de Babylone mille ans plus tôt. En 1523, Rabbi Eliézer était un homme grand et maigre, un savant légiste qui surprenait fort ceux qui ne le connaissaient pas par sa prédilection pour la plaisanterie et la bonne bière. Le jour de son mariage avec la plus jolie Juive de Gretz, la belle Léa, la fille du tisserand, il avait ahuri la Judenstrasse en dansant toute la nuit, en buvant avec qui voulait trinquer et puis, au petit matin, il s'était retiré avec un groupe d'érudits dans la synagogue pour discuter le Talmud jusqu'à la nuit. A ceux qui lui demandaient comment sa jeune épousée prenait cela, il répondait avec son sourire désarmant : « Léa et moi, nous avons l'éternité. Une nuit passée à chanter et danser, une journée consacrée à honorer le Talmud ne nous feront jamais défaut. »

Il était le chef avéré de la communauté juive, le juge de la Judenstrasse. Il était libre, plus que tout autre Juif de Gretz, d'aller et de venir à sa guise, et bien qu'il fût contraint d'observer toutes les lois gouvernant le ghetto, lui seul réussissait à les accepter avec dignité. Par exemple, bien qu'il fût très grand, la loi l'obligeait à se coiffer d'un chapeau de Juif, conique et fort haut, de couleur rouge, avec les bords tordus de telle manière qu'ils figuraient une paire de cornes de diable, afin que partout où il se déplaçât on pût de loin le reconnaître comme Juif. Il devait également se revêtir d'un manteau de laine grossière « qui devait arriver à deux pouces du sol, pas moins », ce qui, avec le chapeau pointu, lui donnait l'apparence d'une sorcière et incitait les galopins à le suivre en criant des injures. Mais Eliézer portait ce manteau et ce chapeau avec une telle dignité qu'il conférait de l'honneur au pitoyable uniforme. Dans le dos du manteau, semblable à une cible, il y avait un cercle de tissu jaune cousu qui proclamait, comme s'il était besoin d'autres explications, que le porteur de ce vêtement était un Juif. Ce même cercle se répétait en plus petit par-devant, sur le cœur. Certains pensaient que le cercle représentait une pièce de monnaie, tournant ainsi en dérision la seule profession permise aux Juifs, mais la grande majorité savait que c'était le symbole de l'hostie sainte que les Juifs étaient accusés de subtiliser pour s'en servir dans leurs messes noires. C'était ce symbole, plus que tout autre interdit, qui maintenait les Juifs à l'écart des honnêtes gens ; et si les enfants jetaient des pierres aux Juifs, c'était finalement en grande partie parce que ce cercle jaune évoquait trop une cible, et semblait les narguer.

Au milieu de la Judenstrasse se trouvait une petite maison, et dans cette maison une étroite cellule, sombre et humide, qui abritait la grande joie de Rabbi Eliézer. Cette chambre close était sa synagogue, et peu de maisons de Dieu ont jamais été aussi misérables. C'était un véritable taudis, que ce lieu du culte des Juifs de Gretz ! Il n'y avait pas de bancs, pas de fenêtres, pas d'étagères pour les manuscrits. Les Juifs qui venaient prier devaient s'asseoir par terre ou, quand il y avait trop de monde, rester debout. Au fond, il y avait un petit pupitre d'où l'oncle du rabbin, Isaac Gottes Mann, lisait la Torah le jour du sabbat ; le seul ornement en était un morceau de soie brodée recouvrant le petit casier où l'on conservait le rouleau de la Torah.

Ce n'était pas par goût que les Juifs de Gretz priaient dans une aussi mesquine synagogue. Les lois ne leur en permettaient pas d'autre : « La Judenstasse a le droit d'avoir une synagogue à condition qu'elle ne soit ni aussi grande ni aussi haute qu'aucune des églises de la ville, ni ornée d'aucune façon. Une fois construite, elle ne devra pas être transformée, ni changée d'aucune manière si minime soit-elle, sans l'accord de l'archevêque. » Les Juifs, chagrinés de voir leur rabbin travailler à un aussi triste pupitre, s'étaient cotisés quelques années plus tôt pour lui faire don d'une plus belle table, mais les autorités s'étaient émues, avaient confisqué la table neuve, avaient mis les Juifs à l'amende et les avaient obligés à restituer le vieux pupitre.   ·

Cela dit, à cette époque les Juifs avaient peu de raisons d'envier les chrétiens, car l'église catholique était alors déchirée par des querelles intestines. En 1517, les Juifs avaient vu, avec indifférence, un certain Martin Luther, un moine parlant hébreu, lancer ses premiers traits contre Rome. Mais quelques années plus tard, en 1523, un vent d'espoir souffla sur la Judenstrasse quand Isaac Gottes Mann leur fit connaître la première déclaration de Luther concernant les Juifs.

— C'est incroyable ! leur cria-t-il.

— Que dit-il ? Que dit-il ? demandèrent les Juifs.

— Son pamphlet s'intitule *Jésus était un Juif*. Et je n'ai pu en croire mes yeux quand je l'ai lu ! Dieu veuille accorder la victoire à Luther ! Car s'il gagne, il abolira la Judenstrasse. Ecoutez ce qu'il écrit : « Mon conseil est de traiter ces gens avec justice. Tant que nous aurons recours à la violence, aux mensonges et à la diffamation, tant que nous leur interdirons de vivre comme nous, et de pratiquer tous commerces, les contraignant ainsi à l'usure, comment pouvons-nous espérer les sauver ? Si nous voulons les aider, nous ne devons pas suivre les lois papistes mais les préceptes de la charité chrétienne. Nous devons leur tendre une main amicale, les laisser travailler librement et vivre parmi nous, afin de leur donner la possibilité de devenir nos frères. »

Les paroles compatissantes séduisirent les Juifs mais Rabbi Eliézer, un homme circonspect, demanda à lire plus attentivement le pamphlet et en conclut que ses coreligionnaires avaient tort de mettre tous leurs espoirs dans ce moine rebelle. Il ne leur cacha pas.

— Que veux-tu dire ? s'insurgea Isaac Gottes Mann. Il déclare

nettement que les Juifs doivent être traités comme des êtres humains !

— Oui, il le dit, reconnut Rabbi Eliézer.

— Alors je pense que nous devons le soutenir.

Tous les Juifs approuvèrent Isaac mais Eliézer hocha la tête.

— Je ne le crois pas.

— Comment peux-tu parler ainsi ?

— Nous connaissons l'Eglise, nous savons comment elle traite les Juifs. Mais nous ne savons rien de ce moine, Martin Luther.

— Lis donc ses paroles, Rabbi ! s'écria un autre Juif.

— Je les ai lues. Et je sais ce qu'elles signifient. Cet homme veut se servir de nous contre son Eglise. Mais quelle sera son attitude s'il est vainqueur ? Ne cherchera-t-il pas par tous les moyens à nous convertir à sa religion nouvelle ?

Eliézer demanda à emprunter le pamphlet et, en marchant vers la petite maison de deux pièces où il vivait misérablement avec sa femme, sa petite fille, sa belle-mère et deux tantes, il se persuadait que sa décision était la plus raisonnable. Mais après avoir relu la déclaration avec grand soin, il appela sa femme, et comme elle ne savait pas lire il lui lut le pamphlet. Et quand elle l'eut écouté en silence, les mains croisées sur les genoux, il lui demanda :

— Que penses-tu de ce message ?

— Il dit beaucoup de choses qui me réjouissent le cœur.

— Oui, mais que veut-il dire au fond ?

— Je suppose qu'il a deux choses en tête. Nous utiliser maintenant et nous convertir plus tard.

— Tout juste ! s'exclama Rabbi Eliézer.

Il y avait deux ans qu'il avait épousé Léa et sa joie ne s'était pas émoussée. Elle était aussi intuitive que belle, aussi bonne pour ses voisins que pour son propre mari, et tous les enfants de la Judenstrasse à qui elle racontait les histoires de la Bible l'adoraient. La famille du rabbin était une des plus heureuses du ghetto et leur joie rayonnait sur toute la Judenstrasse. C'était le foyer juif idéal et leur bonheur ne fit que croître lorsque Dieu bénit leur union et qu'ils eurent une petite fille qu'ils nommèrent Elisheba. Le seul chagrin du rabbin était de n'avoir pas de place chez lui pour travailler et pour étudier la Torah et le Talmud. Il se réfugiait alors dans la minuscule synagogue.

Et les années passèrent.

En 1542, Isaac le banquier vint trouver Eliézer et lui fit la proposition suivante :

— J'ai eu la chance de faire d'importants bénéfices, et je voudrais faire construire une nouvelle synagogue dans la Judenstrasse, un sanctuaire dont nous puissions être fiers.

Eliézer s'alarma.

— Mais les lois de la ville nous obligent à conserver celle que nous avons !

— Dans la nouvelle, nous pourrions avoir des bancs pour les fidèles, et un cabinet de travail pour toi. Nous honorerions le Seigneur.

Eliézer combattit cette idée, et conseilla à Isaac de faire don de ses bénéfices aux pauvres, mais le prêteur lui fit observer qu'en ces temps de troubles religieux les édiles de la ville seraient certainement plus conciliants. Aussi, à demi convaincu, Eliézer se rendit-il à l'hôtel de ville pour déclarer aux conseillers :

— Les Juifs de Gretz demandent la permission de construire une nouvelle synagogue.

Sa demande fit scandale.

— Ce serait une insulte à la ville, lui répondit-on. Ce serait une atteinte à la suprématie de la cathédrale. Puisque les Juifs semblent avoir déjà l'argent nécessaire à la perpétration de ce sacrilège, nous mettons la Judenstrasse à l'amende d'une somme égale au coût de l'érection de cette nouvelle synagogue !

Eliézer protesta contre l'iniquité de ce jugement, sur quoi les édiles s'en prirent à lui :

— Pour son obstination, le rabbin de la Judenstrasse sera jugé !

Non seulement le tribunal confirma l'interdiction de construire une nouvelle synagogue mais il ordonna que soit détruite celle qui existait déjà, puisqu'elle était une cause de scandale et une insulte à Jésus-Christ.

Tête basse, le cœur meurtri, le malheureux rabbin quitta la salle d'audience et s'en alla annoncer à sa congrégation qu'elle allait perdre son lieu de culte.

— Notre arrogance est bien punie, tonna-t-il. Quand donc, ô Israël, apprendrons-nous que nous servons le Seigneur non dans des édifices mais dans notre cœur ? Le péché est sur nous, et non pas sur ceux qui détruisent la synagogue. Lamentons-nous et couvrons notre tête de cendres, car notre vanité a provoqué cette destruction. Quand on démolira notre temple, nous assisterons à la démolition en vêtements de deuil, car le péché est sur nous !

Il se retira pour prier une dernière fois dans la synagogue condamnée, mais bientôt des cris retentirent dans la rue :

— Les voilà avec des haches et des pioches !

Il sortit en hâte et vit une équipe d'ouvriers attaquer la porte de leur pauvre temple. Quand ils l'eurent arrachée, ils allèrent chercher du feu et des fagots dans un des foyers juifs, et dressèrent un bûcher sur lequel ils jetèrent le pupitre. Accablé, Eliézer les vit arracher le voile brodé recouvrant le casier de la Torah et le lancer dans les flammes. Ce fut pour lui comme si l'on brûlait une femme, car le fragile tissu était merveilleux. Un homme tenta de le sauver, mais il fut brutalement repoussé.

L'horreur d'Eliézer fut à son comble quand ces vandales découvrirent le parchemin sacré de la Torah et le livrèrent également au feu où le brasier le consuma rapidement. Une longue plainte s'éleva dans la rue.

— Dieu de Moïse, sauve notre Torah !

Les Juifs lacérèrent leurs vêtements comme s'ils avaient perdu un être cher, et le rabbin entonna un des psaumes de David :

— Nos pères ont crié vers toi, et tu les as délivrés. Ils ont crié vers toi, et ils ont été sauvés. Ils ont eu confiance en toi, et ils n'ont pas été confondus !

Ainsi, dans le malheur, s'efforçait-il de consoler son peuple, mais au milieu de sa prière sa gorge se noua et il se tut, non par crainte pour lui-même, mais parce que les ouvriers venaient de trouver dans la synagogue les précieux rouleaux du Talmud et les jetaient au feu.

Lorsque le brasier fut éteint, Rabbi Eliézer contempla les ruines de sa pauvre synagogue où il avait si souvent passé des nuits en prière, en songeant aux discussions animées sur tel ou tel texte de loi, et aux beaux matins de sabbat où les jeunes garçons de treize ans se présentaient devant leurs aînés pour déclarer de leurs petites voix flûtées : « Aujourd'hui je suis un homme. » Où prierait-on désormais ? Où les garçons proclameraient-ils leur virilité ? Il leva les yeux vers le toit béant, sur lequel depuis des siècles les cigognes revenaient se poser après l'hiver passé en Terre sainte, et la porte fracassée où l'étranger avait toujours trouvé bon accueil, et la salle détruite où des générations de Juifs avaient appris les préceptes qui permettent aux hommes de vivre en harmonie. La synagogue avait été une force bénéfique, à Gretz, et en la détruisant les chrétiens s'étaient affaiblis.

Le cœur gros, Rabbi Eliézer rentra chez lui et il y trouva sa femme, paisiblement assise au milieu d'un cercle d'enfants attentifs à qui elle racontait les merveilles de la Terre promise. Il alla s'asseoir dans un coin, la tête entre les mains. Léa, croyant qu'il pleurait, envoya les enfants jouer dehors, mais les chrétiens avaient amené des chevaux et un chariot dans l'étroite ruelle pour emporter les pierres et les restes de la synagogue. Elle conduisit alors les petits chez sa voisine, afin qu'ils ne fussent pas témoins de la profanation de leur temple, puis elle revint auprès de son mari.

Il ne pleurait pas. Rabbi Eliézer n'était pas homme à s'abandonner aux larmes futiles, mais il lui arrivait de sentir sur ses épaules le poids d'un fardeau trop lourd pour lui, et c'était maintenant le cas. En le voyant si triste, sa femme éclata en sanglots.

— Notre belle synagogue, gémit-elle, si belle, si belle !

A vrai dire, ce n'avait été qu'un misérable taudis, mais même dans sa pauvreté elle avait été trop importante pour que les Gentils la tolérassent, et voilà qu'elle n'était plus !

— Dieu d'Israël, sanglota-t-elle, qu'avons-nous fait de mal ? Qu'allons-nous devenir, sans synagogue ?

— Cette chambre sera notre temple, lui dit paisiblement son mari, et il l'envoya dans la rue pour rassembler le plus de Juifs possible à la prière.

Quand tous les hommes furent réunis dans l'étroite pièce, il récita de mémoire un des grands passages de la Torah, car dans toute la communauté il ne restait plus un seul exemplaire du texte sacré :

— Voici la promesse de Moïse notre maître : « Si désormais tu cherches le Seigneur notre Dieu, tu le trouveras, si tu le cherches de tout ton

cœur et de toute ton âme. Quand tu seras dans la tribulation, et que toutes ces choses t'accableront, même aux derniers jours, si tu te tournes vers le Seigneur notre Dieu et si tu obéis à sa voix, (car le Seigneur ton Dieu est un Dieu de miséricorde), il ne t'abandonnera pas, ni ne te détruira, ni n'oubliera l'alliance que tes pères ont conclue avec lui. »

Le lendemain soir, il réunit dans cette synagogue de fortune les principaux notables de la communauté juive et leur lut une lettre qui circulait secrètement en Allemagne depuis quelques années. Elle avait été écrite par un Juif de Gretz qui s'était enfui de la Judenstrasse et s'était réfugié en Turquie :

« Dans le royaume du Grand Turc, le plus pauvre des Juifs peut vivre décemment. Constantinople ne manque de rien, et c'est une des plus belles villes du monde. Je m'habille comme je veux et je ne suis pas obligé de porter une marque particulière. Mes enfants font de même et ne sont pas frappés dans les rues. Nous nous sommes élevé une belle synagogue, et un des nôtres est conseiller auprès du sultan. Tout homme capable de travailler est le bienvenu chez les Turcs. »

— Je crois que nous devrions aller là-bas, conclut Rabbi Eliézer.

— Tu es encore bouleversé par la destruction de notre synagogue, protesta Isaac Gottes Mann.

— Non. Mais je ne puis oublier les regards de haine des chrétiens. Pour leur propre salut, nous devrions partir.

— Ces gens-là que tu as vus hier ? S'ils nous laissaient, ils trouveraient d'autres sujets de haine.

— Je ne veux plus être une cause de péché pour les chrétiens, s'obstina Eliézer. Je ne veux pas vivre avec mon frère si à cause de moi il offense Dieu.

Et Léa pensa alors : « Mon mari est véritablement un saint homme. »

La discussion prit un tour différent quand Isaac, qui continuait d'espérer que les Juifs se feraient une place honorable en Allemagne, déclara :

— La domination de l'Eglise sur nous est limitée, Eliézer. Bientôt, Gretz deviendra une ville luthérienne.

Inspirés par ces paroles, les Juifs présents ce soir-là reprirent la vieille discussion commencée vingt ans plus tôt lors de la publication de la lettre conciliante de Luther aux Juifs. Ne pouvait-on supposer qu'un nouveau christianisme remplacerait l'ancien ?

— Nous devons prier pour le triomphe de Luther, dit un des assistants. Dans toutes les régions d'Allemagne, il humilie l'Eglise, et sa victoire sonnera l'avènement de notre liberté.

Un rayon d'espoir véritable se levait, une bouffée d'air frais balayant la persécution des siècles en pénétrant jusque dans les pauvres foyers de la Judenstrasse. Aucun Juif n'osait prier ouvertement pour la ruine de ses oppresseurs, car l'Eglise s'était montrée impitoyable en châtiant les renégats, mais il fut convenu, contre les avis de Rabbi Eliézer, d'attendre encore un peu. Et ce soir-là, après le départ de la congrégation, Léa elle-même murmura à son mari :

— Il ne faut pas partir pour la Turquie. Nos enfants seront heureux ici, et notre vie n'est pas mauvaise.

Mais Eliézer savait qu'elle se trompait. Nulle vie dans laquelle existaient les haines dont il avait été témoin ces jours-ci (bien que personne n'eût été tué ni aucune maison incendiée) ne pouvait être bonne.

Et puis l'année suivante, en 1543, les Juifs les plus optimistes apprirent ce que serait leur avenir, car Martin Luther, en qui ils avaient eu confiance, se retourna contre eux avec une violence que seul un sage comme Rabbi Eliézer pouvait avoir prévue. Après s'être efforcé en vain de convertir les Juifs « au cou raide » comme dit la Bible, et les avoir trouvés aussi ennemis de la Réforme qu'ils l'avaient été de Rome, Luther abandonna tout espoir de salut pour eux et se laissa aller à des anathèmes proches de la démence ou de l'imbécillité pure : il les traitait à présent de tous les noms, les accusait à son tour d'empoisonner les puits, de commettre des assassinats rituels, de propager la peste, de pratiquer la magie noire. Les banquiers juifs, disait-il, volaient les chrétiens tandis que les médecins juifs les faisaient mourir. Les synagogues devaient être détruites, la Torah brûlée, les Juifs traqués et exterminés.

Alors Rabbi Eliézer se décida et un soir il annonça à sa famille :

— Demain, nous partons pour la Turquie.

— Sais-tu où est ce pays ? s'inquiéta sa femme.

— Nous descendrons le Rhin, et puis le Danube, jusqu'à la capitale du Grand Turc.

Mais Eliézer ne pouvait quitter Gretz sans accomplir un dernier devoir envers sa communauté, aussi rassembla-t-il les notables juifs dans une de ses petites pièces, pour les conjurer :

— Je crois que vous devez quitter l'Allemagne au plus tôt. Ceux qui craignent le long voyage de Constantinople devraient aller en France ou en Pologne, où la liberté est plus grande.

Ce conseil fut accueilli par des protestations, aussi ajouta-t-il :

— Je connais votre amour profond pour l'Allemagne, et votre espoir d'y vivre un jour en paix. Isaac Gottes Mann a consenti à devenir le chef de ceux qui voudront rester, et avec lui vous trouverez la tranquillité de l'esprit.

— Réfléchis ! supplia Isaac. Cette folie passera et nous connaîtrons des siècles de bonheur dans ce beau pays, car nous sommes allemands.

— Je sens qu'il est de mon devoir de sauver l'âme du judaïsme, répondit Eliézer.

Le lendemain, il prit la route. Mais quand sa femme longea pour la dernière fois l'étroite ruelle du ghetto, elle se retourna avec nostalgie sur les petits enfants de la Judenstrasse de Gretz qui pleuraient de la voir partir, et son cœur exhala la lamentation de toutes les mères juives quittant les ghettos qu'elles ont tenté de rendre supportables :

— Notre petite rue, quel royaume d'amour elle a été !

Quand la famille d'Eliézer bar Zadok approcha des frontières, elle fut attaquée par une bande de cavaliers qui remarquèrent la beauté de

Léa et d'Elisheba, qui avait alors onze ans. Ils s'arrêtèrent et l'un d'eux s'écria :

— Amusons-nous un peu avec ces Juives !

Le rabbin voulut les protéger et une bataille s'ensuivit. Léa fut jetée à terre. Voyant cela, Eliézer se jeta sur un des cavaliers, lui saisit la jambe et voulut le faire choir, mais les autres dégagèrent leur camarade ; dans la mêlée, les chevaux piétinèrent Léa et elle mourut.

Ecrasé d'une douleur telle qu'il n'en avait jamais connue, Rabbi Eliézer enterra sa tendre épouse dans un champ, en bordure de la route, et repartit vers la Hongrie avec sa fille.

Et, après de longues années, le savant rabbin et la belle Elisheba arrivèrent à Safed.

4

Au début du XVIᵉ siècle, Safed n'était qu'une obscure petite commune d'un millier d'âmes, aux maisons de pisé serrées le long d'étroites venelles tortueuses, perchée au flanc abrupt d'une colline de Galilée. Au sommet de l'éminence, hantées par les aigles et les serpents, se dressaient au soleil les ruines d'un château fort des croisés, ses fières tours abattues, ses remparts écroulés.

Les vents du nord avaient déposé sur la forteresse vaincue des amoncellements de sables et de terre, où des herbes et des arbres avaient pris racine. L'orgueilleux château n'était plus qu'un tertre d'où surgissaient çà et là quelques pierres, un fragment de sculpture, souvenirs de la majesté de jadis.

Sur le millier d'habitants de ce village, il y avait deux cents Juifs environ, quelques chrétiens et le reste était formé de musulmans. Un ou deux anciens se rappelaient que leurs pères leur avaient dit que cette colline avait été autrefois un bastion avancé des croisés.

La petite agglomération nichée au pied de ses ruines possédait deux mosquées, une synagogue, une petite église chrétienne, quelques sombres souks couverts et des échoppes juives. Le gouverneur turc nommé par Constantinople, maintenait la paix entre les diverses communautés et permettait aux cadis de rendre la justice pour les musulmans, aux rabbins de gouverner les Juifs et aux prêtres de diriger les chrétiens. Une fois l'an, une maigre caravane venait de Damas, apportant de méchantes marchandises qui remplaçaient les soies et les épices de jadis, et la Turquie récoltait fort peu d'impôts car le commerce n'y était guère florissant. En fait, le visiteur faisant connaissance avec Safed en ce début de siècle pouvait se dire à bon droit : « Voilà un petit village endormi qui ne se réveillera jamais. Son seul avantage est le bon air des montagnes. »

Et puis en 1525 divers événements, sans rapport apparent entre eux, contribuèrent à changer l'histoire de Safed, transformant le village, pour quelque cent ans, en un des hauts lieux du monde ; une ville industrielle de soixante mille habitants, un centre commercial connu jusqu'en Europe et la capitale spirituelle du peuple juif. La petite ville endormie allait

entrer dans un âge d'or si éblouissant que son souvenir serait béni
de nations qui n'existaient même pas encore à l'époque. Cette révolution
serait due à trois conspirateurs inattendus : le chameau, le rouet et le
livre.

Le miracle de Safed commença avec le chameau. Tandis qu'augmentaient les richesses et la puissance de l'empire turc, Constantinople remplaçant Gênes et Venise pour le transport des marchandises d'Asie en
Europe, la prospérité nouvelle toucha des centres comme la ville industrielle de Damas et l'ancien port déchu d'Acre. Comme la route entre ces
deux villes avait de tout temps passé par Safed, cette dernière devint
un relais commode. Et tous les voyageurs s'arrêtant à Safed y laissaient
un peu de leur or, quand ils ne s'y installaient pas eux-mêmes, séduits
par le site enchanteur, rafraîchi par les vents de la montagne, qui les
changeait agréablement de la touffeur du désert. La plupart de ceux qui
arrivèrent de la sorte à Safed étaient des Arabes, qui s'établirent dans
les quartiers sud et est de la ville, y construisirent de nouvelles mosquées
et y ajoutèrent de nombreux souks couverts.

Mais sans le rouet, les chameaux n'auraient pas changé grand-chose.
Quand les Juifs furent expulsés d'Espagne, et plus tard du Portugal, ils
apportèrent avec eux en exil le rouet, que l'on utilisait en Espagne pour
filer la laine mérinos, et avec cet instrument ils créèrent dans leur nouvelle
patrie, Safed, un des plus actifs centres de tissage d'Orient. De
grandes caravanes convergeaient maintenant sur Acre, pour y attendre
les navires apportant de France et d'Espagne la laine brute, tandis qu'à
Safed les Juifs transformaient cette laine en un drap excellent, teint selon
les antiques procédés traditionnels, qu'ils expédiaient par Acre à tous les
grands marchés d'Europe. Brusquement, le revenu de Safed passa de dix
mille florins par an à deux cent mille, puis à six cent mille florins, et la
population juive de deux cents âmes à plus de vingt mille.

Mais des caravanes de chameaux traversaient bien des villes dont
la prospérité n'est pas demeurée dans les mémoires. Il en serait sans
doute allé de même à Safed, si les Juifs n'avaient pas apporté, en même
temps que le rouet, un livre, un des plus extraordinaires de l'histoire du
monde, et ce fut l'influence de ce livre qui répandit le nom de Safed jusque
dans les communautés juives les plus perdues, les plus lointaines, attirant
vers la ville sur la colline des érudits de nations aussi différentes que
l'Egypte et la Pologne, l'Angleterre et la Perse.

Mais bien des villes ont reçu des livres, et n'ont pas su en tirer
profit. La gloire de Safed, ce fut d'avoir vu arriver aussi trois rabbins
qui allaient donner au livre toute sa profonde signification : Rabbi Zaki
d'Italie, Rabbi Eliézer d'Allemagne, et Rabbi Abulafia d'Espagne.

Le premier qui arriva fut Zaki le cordonnier qui, après sept ans
de vie difficile en Afrique du Nord et en Grèce, débarqua avec sa femme
et ses trois filles dans le port à demi ensablé d'Acre. Une caravane partait
pour Damas, et elle campa le premier soir sur le monticule désert de
Makor, d'où les ancêtres de Zaki avaient fui plus de mille ans plus
tôt. Mais les maisons où avaient vécu ses pères étaient enfouies sous un

château fort des croisés, lequel à son tour dormait sous un morceau de terre et d'herbes folles.

Le lendemain, vers quatre heures de relevée, la caravane atteignit la passe séparant les plaines des collines de Safed, et Zaki vit pour la première fois la charmante ville qui allait devenir la sienne. Au sommet d'une éminence, quelques grands blocs de pierre, des restes du château des croisés, se doraient au soleil couchant, et au-dessous, les innombrables maisons recouvraient les pentes abruptes comme les pétales tombés d'une fleur.

Zaki, le cœur gonflé de joie, subjugué par la beauté de ce spectacle, lança ces paroles chantantes par lesquelles Dieu avait encouragé Lot :

— Enfuis-toi pour sauver ta vie ! Ne regarde pas derrière toi et ne t'arrête nulle part dans la plaine ; fuis vers la montagne, de peur que tu ne périsses.

Il avait été dans la plaine, et maintenant la montagne lui faisait signe.

La route menait à une place publique, au pied du château en ruine, où se trouvait le centre commercial de la ville. Là, les chameaux furent déchargés, et les marchandises triées pour être livrées aux marchands. Des fonctionnaires turcs entouraient les chameliers, demandaient des nouvelles d'Acre, et Rabbi Zaki resta seul, au cœur de Safed. En murmurant une prière d'action de grâces pour sa délivrance, il laissa errer son regard au-delà des limites de la ville et aperçut au sud-est les eaux colorées par le couchant de la mer de Galilée.

Soudain, une main forte le prit par le bras, et une voix péremptoire lui demanda :

— Est-ce à Safed que tu viens ?

Il se retourna, et vit un homme dans la force de l'âge, en vêtements de travailleur, le visage mangé de barbe noire. Surpris, il se taisait, et ce fut Rachel sa femme qui répondit d'une voix aigre :

— Oui. Comme si nous n'étions pas bien à Salonique !

— En attendant de trouver à vous loger, dit l'inconnu sans prendre garde à ce propos, vous habiterez chez moi. Tous les nouveaux venus le font. Je m'appelle Yom Tov ben Gaddiel.

Et il conduisit la famille, qui n'avait que bien peu de bagages, le long d'une ruelle en pente et par un labyrinthe de petites rues étroites, jusqu'à sa demeure d'où l'on pouvait voir les collines, et la passe que venait de franchir la caravane, et des champs labourés à l'infini.

Le lendemain, quand les Juifs de Safed apprirent l'arrivée d'un rabbin venu d'Italie, ils se pressèrent chez Yom Tov pour l'interroger, et nombreux furent ceux qui voulaient savoir pourquoi un Juif qui avait vécu à Podi avait quitté un havre si bien protégé.

— Oui, pourquoi, en vérité ? se plaignit Rachel.

Zaki leur fit part de ses craintes, et leur raconta comment, depuis sept ans, il aspirait à connaître Safed. Il leur parla de la gloire de la petite ville des collines qui était parvenue dans les plus lointaines communautés juives, et leur assura qu'il rêvait de faire partie de leur confrérie.

Ses explications furent écoutées en silence, comme si les hommes de Safed estimaient qu'ils ne méritaient pas de telles louanges, et durant ce silence Zaki eut l'occasion d'examiner ceux qui l'entouraient, ces visages barbus, dont les yeux profondément enfoncés semblaient exprimer la paisible exaltation de la ville. Les hommes portaient des costumes à l'orientale et certains même, le turban. Il y avait chez eux une étrange dignité, comme s'ils avaient passé de nombreuses années à apprendre à maîtriser à la fois leurs émotions et leurs pensées fugitives. C'étaient des hommes, songea Zaki, dont la valeur intellectuelle surpassait de loin la sienne, et il se demanda s'il aurait sa place parmi eux.

Cette inquiétude s'accrut quand Yom Tov lui proposa de lui faire visiter la ville et le conduisit de l'autre côté de la grand-place, dans une yeshiva où un érudit d'une cinquantaine d'années enseignait le Talmud à une classe de plus de cent élèves de toutes conditions. C'était le grand rabbin de Safed, Joseph Caro. Jamais, de toute sa vie, Zaki n'avait vu une aussi importante yeshiva, pas plus qu'il n'avait imaginé qu'un si grand nombre de Juifs pouvaient être passionnés par une discussion philosophique.

Yom Tov le mena ensuite au pied de la colline, où, dans une grande demeure, il le présenta à un érudit plus impressionnant encore, le savant Moïse de Cordoue, celui qui à Safed en savait le plus sur les arcanes de la Cabale, et qui avait lui aussi plus de cent disciples, qui écoutaient religieusement des hypothèses compliquées que Zaki pensait ne jamais pouvoir comprendre.

Yom Tov repartit ensuite avec son invité vers un autre quartier où se trouvaient groupées quatre synagogues différentes, chacune avec son professeur et soixante à soixante-dix élèves.

— C'est la ville de la sagesse ! s'écria Zaki avec admiration.

— C'est aussi la ville du travail, lui répondit Yom Tov.

Et il le conduisit dans un immense bâtiment au travers duquel coulait un petit torrent de montagne dont les eaux actionnaient diverses mécaniques et là Zaki comprit que Yom Tov ben Gaddiel n'était pas seulement un rabbin respecté mais encore le principal tisserand de Safed. Sa fabrique employait trois cents ouvriers qui peignaient la laine, foulaient le drap, le lavaient et le teignaient.

— A Safed, nous disons que sans travail il n'y a pas de Torah, déclara le rabbin et il parla d'un autre rabbin célèbre qui possédait un magasin, et d'un autre qui était barbier. Je trouverai du travail pour ta femme et tes filles, conclut-il.

— Quel travail ? demanda Zaki, car dans la filature il ne voyait que des hommes.

Yom Tov le ramena vers le centre de la ville, où il entra dans plusieurs maisons, et dans chacune des femmes filaient la laine importée de Turquie ou la tissaient pour en faire ce solide tissu qui avait fait la renommée de Safed tout autour de la Méditerranée. Yom Tov expliqua qu'il possédait la filature, une entreprise de teinture dans les faubourgs et des entrepôts.

— Tu dois être immensément riche, lui dit Zaki sans la moindre envie.

— Non. L'argent que nous gagnons avec des étoffes va aux synagogues et aux yeshivas.

Zaki regarda le rabbin barbu en vêtements de travailleur et ne sut que répondre, car il avait peine à croire à ce qu'il venait d'entendre.

Lorsqu'ils revinrent chez Yom Tov, Zaki suait à grosses gouttes, et l'acariâtre Rachel observa :

— Enfin ! Tu vas monter et descendre ces collines si souvent que tu finiras bien par faire fondre ta graisse !

Sur quoi elle se mit à raconter avec force détails comment elle avait été humiliée quand son mari avait perdu son caleçon devant tout le monde, à Podi, mais aucun de ceux qui l'écoutaient n'en furent gênés pour elle, car la plupart d'entre eux, du temps qu'ils vivaient chez les chrétiens, avaient souffert de semblables indignités.

— Je vais vous donner quatre rouets, dit Rabbi Yom Tov aux femmes de Zaki.

— Pour quoi faire ? demanda Rachel avec méfiance.

— Pour travailler, répliqua sèchement Yom Tov, et avant que Rachel pût riposter qu'elle n'était pas venue à Safed pour apprendre à filer, il poursuivit : Ici, nous travaillons tous. Je vous trouverai une maison où les femmes pourront filer la laine dans une pièce du fond tandis que le rabbin ouvrira une échoppe de cordonnier sur le devant.

La famille s'installa donc dans sa nouvelle existence, et le gros rabbin ne confia à personne quelle était la raison primordiale de sa joie de vivre à Safed, mais il pensait souvent à part soi : « C'est merveilleux ! Tant de jeunes gens à marier ! Si je ne trouve pas de maris pour mes filles ici, je me demande bien où je pourrais en trouver ! »

Aussi, partout où il allait, partout où les hommes se réunissaient pour des discussions religieuses, Rabbi Zaki ne manquait jamais de citer la Torah ou le Talmud en choisissant les textes concernant le mariage.

— Comme dit le Talmud, répétait-il à ses clients dans son échoppe, le célibataire vit sans joie, sans bénédictions et sans biens. Il ne peut être appelé homme dans le sens complet du terme.

Il était difficile de trouver plus fâcheux défenseur du mariage que le pauvre Zaki. Safed eut tôt fait de découvrir qu'il était mené par le bout du nez par sa femme, laquelle était une mégère. Quant aux trois filles que le gros rabbin présentait comme un bienfait de Dieu aux jeunes gens à marier, elles étaient laides, acariâtres et maussades. Il semblait peu probable que Sarah, l'aînée, pût jamais trouver un mari, car elle avait la langue acérée et le teint gris, et les deux plus jeunes, Athaliah et Tamar, bien qu'un peu plus avenantes avaient tout aussi mauvais caractère.

Et puis un jour un muletier de Damas, un solide jeune Juif qui n'avait jamais lu le Talmud ni entendu parler des yeshivas de Safed, descendit des hauteurs de la ville pour venir voir Zaki dans son échoppe.

— Pendant le trajet, en venant d'Acre, dit-il, j'ai bien regardé ta fille, Rabbi.

— C'est vrai ? s'écria Zaki en sautant de joie. Laquelle ?

— Athaliah. Elle a de meilleures façons que les autres.

— C'est une fille merveilleuse, assura Zaki avec enthousiasme. Ah, cette petite... Elle sait cuisiner, elle sait filer la laine, elle...

Il en bredouillait d'émotion, car ses filles n'étaient déjà plus très jeunes, et c'était la première fois qu'un garçon parlait mariage... Il éprouva une inquiétude soudaine :

— C'est bien pour l'épouser que tu viens me parler d'elle, au moins ?

— Oui, répondit le muletier. J'en ai déjà parlé à ma mère.

— Oh ! Rachel ! cria le gros rabbin. Rachel !

Il appela toute sa famille et quand ses trois filles furent là il leur annonça :

— Ce sympathique jeune homme de Damas... Voyons, comment t'appelles-tu ?...

Il s'étrangla, sa figure se congestionna et, à court de paroles, il prit sa fille Athaliah par la main et la remit à son prétendant.

Dès que les convenances le permirent, le muletier épousa son Athaliah et l'emmena à Damas, et ce soir-là le joyeux rabbin inaugura une coutume qui devait le faire adorer à Safed et connaître dans tout le monde juif. La joie l'empêchant de dormir, il se leva en pleine nuit et courut par les étroites ruelles de Safed en criant à pleine voix :

— Hommes de Safed ! Comment pouvez-vous dormir en paix alors que par le monde des Juifs sont malheureux et persécutés ? Appréciez-vous l'immensité des bienfaits que vous avez reçus ? Juifs de Safed, bienheureux Juifs, levez-vous, et allons tous à la maison du Seigneur lui exprimer nos remerciements !

Deux ou trois fois par mois, cette sensation de bonheur absolu submergeait Zaki et il courait par les rues en pleine nuit, pour appeler tous les Juifs de Safed à la prière, et leur faire remercier le Seigneur de ses dons et bienfaits. Et si les érudits de Safed savaient que Zaki l'Italien n'occuperait jamais une place de choix dans leurs écoles — même pas comme élève car il était incapable de comprendre un mot de ce que disaient le légiste Caro ou le Cordouan mystique — il pouvait, par la pure simplicité de sa foi, devenir un des rabbins les plus mémorables de la ville. Il ne laissa aucun écrit pourtant, mais il avait à ce point imprégné la ville de son humanité qu'il en modifia la conduite religieuse.

La clef de son enseignement, inlassablement répétée dans ses discours de minuit, était la charité.

— L'or ne pousse pas dans les champs, disait-il. Il est le produit du travail. Et ceux qui profitent de l'or doivent en rendre une bonne part aux pauvres.

Il utilisait des images simples :

— Les moulins de Yom Tov ne pourraient tourner un seul jour si Dieu arrêtait le cours des torrents qui les alimentent. Si nous vivons de la charité de Dieu, ne devrions-nous pas partager ce que Dieu nous donne ?

Il prêchait qu'un homme devait distribuer aux nécessiteux au moins vingt pour cent de son revenu :

— Et s'il donne moins d'une part sur dix, il n'a pas le droit de se dire Juif.

Il ne cessait de faire appel à la générosité, et une plaisanterie circulait dans Safed : « Rabbi Zaki veut, par-dessus tout au monde, donner et donner encore... surtout ses filles ! »

Cependant, les jeunes gens de la ville, en voyant passer le généreux et jovial petit rabbin, commencèrent de se dire entre eux :

— Sa fille Tamar, qui a vécu si longtemps avec lui, ne peut pas être aussi déplaisante qu'elle en a l'air.

Et un jour un homme se présenta à l'échoppe du cordonnier pour lui dire, en hésitant un peu :

— Rabbi Zaki, j'ai pensé que peut-être je pourrais épouser ta fille.

— Sarah ? Une jeune fille parfaite !

— Non, je pensais à Tamar.

— Elle est parfaite aussi, assura le cordonnier avec enthousiasme.

Mais après que le mariage eut été célébré, il demandà à son gendre :

— Pour Sarah, tu ne connaîtrais pas quelqu'un qui...

— Non, coupa nettement le gendre.

Cela n'empêcha pas Zaki de courir cette nuit-là dans les rues en appelant à grands cris les Juifs à remercier Dieu de les faire vivre dans un paradis comme Safed, au point que les plus cyniques observèrent :

— Attendez donc un peu ! Quand il aura enfin réussi à se débarrasser de son aînée, nous aurons des offices de minuit tous les soirs pendant un mois !

Mais Safed aimait l'exubérance de son gros petit rabbin, car tout le monde reconnaissait — même les gens les plus savants — que de temps en temps il était bon que quelqu'un attirât l'attention sur les joies quotidiennes et les menues victoires de tous les jours.

— Et il n'y a pas de plus grande victoire imaginable, déclara le docte Joseph Caro, que d'avoir réussi à trouver un mari pour une fille comme Tamar !

Si la charité était la clef de l'enseignement de Zaki, le fonds philosophique pouvait se trouver dans un passage de Maïmonidès, qu'il cita à Safed :

— Tout homme, au long de l'année, doit se considérer comme à moitié innocent et à moitié coupable. Et il doit considérer de même l'ensemble de l'humanité. Si donc il commet un péché de plus, il fait pencher le plateau de la culpabilité pour lui et pour le monde entier. Et il provoque lui-même la destruction de tous. Mais s'il respecte un commandement, il fait pencher la balance du côté du mérite en sa faveur et sauve peut-être ainsi le monde entier. Lui seul détient le pouvoir d'apporter le salut et la délivrance à l'humanité entière. Et tous les hommes de Safed, ajoutait Zaki après la citation, les Juifs comme les Arabes, possèdent ce pouvoir divin. L'acte de charité que tu accomplis aujourd'hui, toi, Mohammed Iqbal, peut sauver le monde.

Les doux enseignements du petit rabbin eussent sans doute été plus suivis si sa propre vie familiale n'avait été si lamentable. A Safed, ceux-là

même qui écoutaient avec un respect de plus en plus profond leur petit rabbin leur parler de la belle et bonne vie, entendaient sa femme le traiter d'imbécile.

La mauvaise humeur de Rachel était compréhensible. Elle s'était mis dans la tête que s'ils étaient restés à Salonique Zaki aurait déjà trouvé un mari à Sarah. Mais le petit rabbin regardait sa fille aînée, avec son teint brouillé et sa mine revêche, et il soupirait. Il n'osait même plus la proposer aux jeunes gens ni même aux veufs qui fréquentaient sa boutique.

Et puis un beau jour de 1547, il arriva hors d'haleine chez lui avec une grande nouvelle. Un rabbin inconnu venait d'arriver à Safed.

— Il est grand, et très bel homme. On m'a dit que son nom est Abulafia et qu'il vient de voyager en Afrique et en Egypte. Il n'est pas marié.

Rachel bondit.

— Va lui parler tout de suite, Zaki ! C'est ta faute si ta fille n'a pas encore de mari !

Zaki ne protesta pas. Il ne contredisait jamais sa femme, aussi poursuivit-elle :

— C'est le devoir d'un bon père de trouver des maris à ses filles, et c'est une honte pour toi que ton aînée ne soit pas encore mariée Regarde-la ! Une si belle femme !

Le gros petit rabbin regarda sa fille et se dit qu'il aurait beau dire et beau faire, jamais personne ne pourrait souhaiter épouser ce laideron acariâtre. Néanmoins, il anticipait avec joie une conversation intime avec le nouvel arrivant, car nul rabbin ne devait être sans épouse.

Le Dr Abulafia provoqua des remous dans bien d'autres familles de Safed. Ses années d'errance l'avaient amaigri ; sa barbe était grise ; il se coiffait du turban, et sa recherche acharnée des mystérieux rapports de l'homme avec Dieu avait donné à ses traits une étrange beauté sereine qui troublait hommes et femmes. Il y avait une certaine sensualité en lui, qui se manifestait dans tous ses gestes, un mélange de grâce espagnole et de mysticisme hébreu. Il n'était pas là depuis un mois que Safed avait compris que le groupe de la Cabale avait trouvé un nouveau maître, et peut-être un chef.

Abulafia impressionnait le public et le grand nombre d'élèves qui se pressaient à ses conférences sur l'essence de Dieu, car il enseignait que le Juif le plus simple, le plus humble, pouvait, par la seule force de sa concentration et un fervent désir d'atteindre l'infinité de Dieu, s'élever à des niveaux de compréhension plus étendus et plus complexes. Mais c'était auprès du petit groupe d'initiés avec qui il se réunissait tous les jours à l'aube qu'Abulafia faisait merveille. car pour ces philosophes experts, le médecin espagnol développait les arcanes de la Cabale.

Les thèses préliminaires d'Abulafia, qu'il exprimait en un langage pur comme le cristal, étaient doubles : « Pour vivre en harmonie avec lui-même, un homme doit s'efforcer de dénouer les liens qui retiennent son âme, et c'est une affaire personnelle entre l'homme et lui-même :

puis il doit s'astreindre, au moyen de la contemplation, à comprendre le nom de Dieu, c'est-à-dire les rapports éternels entre l'homme et Dieu. »

Les enseignements du médecin sur la compréhension de Dieu étaient simples : « Vous devez vous asseoir dans une chambre close, avec une feuille de papier blanc devant vous, et un pinceau, et vous devez commencer par tracer au hasard les lettres de l'alphabet hébreu, le langage dans lequel Dieu a écrit la Torah. Et sans associer ces lettres mouvantes et libres pour former des mots spécifiques, vous devez les laisser aller et venir à leur gré, et votre esprit ne doit pas commander à votre bras de commander à vos doigts de commander au pinceau de former telle ou telle lettre et de la placer là ou ailleurs. Et après une semblable marche des lettres de plusieurs heures, si vous vous concentrez avec une intensité suffisante, la plume échappera à vos doigts et le papier s'éloignera de vous, et vous serez en présence de la pensée infinie dans laquelle les lettres se déplacent d'elles-mêmes, librement dans l'espace, et au bout d'un moment votre corps sera saisi de tremblements, et votre souffle sera court, ou peut-être sera-t-il coupé, et il y aura comme un éclatement dans votre poitrine et vous aurez l'impression que vous allez mourir — et alors une immense paix descendra sur vous, car votre âme aura dénoué les liens qui la retiennent et le voile se lèvera de vos yeux ; et après un certain temps passé dans cet état d'éblouissement lumineux, vous verrez de nouvelles lettres d'une luminosité encore jamais vue, et d'elles surgiront les quatre ineffables, et vous les verrez, non pas sur le papier ni sur le mur ni dans la pièce mais dans les insondables abîmes de votre âme, le nom sacré de Dieu, Y H W H ! »

Tel était le premier niveau de l'enseignement d'Abulafia, accessible à n'importe quel disciple qui se donnait la peine d'étudier une des pages manuscrites du Zohar qui circulaient à Safed. C'était un livre aussi mystérieux que mystique, car nul ne savait au juste qui en était l'auteur. Par orgueil de village, sans doute, ceux de Safed pensaient qu'il avait été écrit par l'immortel Rabbi Simeon ben Yohai, qui, au IIᵉ siècle, s'était caché pendant treize ans des soldats romains de l'empereur Adrien. Il avait vécu dans une grotte près du village voisin de Peqiin, où Elie l'avait visité et lui avait apporté les secrets de la Cabale, que Yohai avait écrits dans le Zohar, la Splendeur.

Mais Abulafia savait que le livre avait été composé vers 1280 par un aventurier espagnol qui l'avait rédigé en ancien araméen pour lui conférer de la vraisemblance. C'était un mélange de formules ésotériques, provenant sans doute des sources les plus diverses, avec un commentaire de la Torah et quelques explications permettant à un esprit mystique de parvenir parfois à s'hypnotiser soi-même jusqu'à pénétrer les mystères divins. En secret, des copies bien écornées du Zohar, circulant la nuit, avaient passé de Grenade en Espagne à toutes les contrées d'Europe, et les chrétiens mystiques le chérissaient tout autant que les Juifs.

Cependant, ce fut dans ce petit village de montagne appelé Safed que son pouvoir fut le plus clairement démontré, car là se réunirent, presque par hasard, la demi-douzaine d'hommes qui allaient conférer

au livre sa vitalité philosophique, après quoi il jouirait d'une longue existence en Allemagne, en Pologne et en Russie, formant la base d'une nouvelle interprétation du judaïsme.

C'était un ouvrage qui influençait tous ceux qui le touchaient, et le Dr Abulafia, chef du groupe de Safed, exposa ses premiers niveaux en une prose lucide et séduisante, mais quand il progressa vers les deuxième et troisième niveaux il devint incohérent, pour ce qui était de la logique de l'exposition, mais son style était fleuri de métaphores et de paraboles. Une fois, alors qu'un flot de mots parfaitement incompréhensibles venaient de lui échapper comme un torrent de montagne, il s'excusa :

— Prononcer une seule parole du monde du mystère ultime est comme de faire tomber la clef de voûte d'une arche, si bien que nul ne peut savoir de quel côté tombera la prochaine pierre.

Ses élèves lui demandèrent alors de mettre un peu d'ordre dans ses mots et ses phrases, mais il leur répliqua :

— Où peut commencer un homme pour labourer un champ qui n'a ni commencement ni fin ? Mais si vous m'écoutez pendant assez de temps, vous comprendrez l'essence de ce que j'essaye de vous dire, et je n'en sais pas plus moi-même.

A d'autres moments, il s'exprimait avec une lucidité, une clarté presque douloureuse, et avec une pénétration spirituelle due en partie à son drame personnel, en partie à sa totale contemplation de Dieu.

— Si soixante d'entre nous réunis ici étudient la Torah, nous trouverons qu'elle nous présente soixante faces différentes, car chacun de nous verra sa propre création radieuse dans les paroles de Dieu. Mais moi je vous dis que la Torah n'a pas une face, ni soixante, mais six cent mille faces, une pour chacun des Juifs présents quand Dieu a donné les tables de la loi à notre maître Moïse. Et si les liens qui retiennent votre âme se dénouent, vous serez libres de découvrir votre propre Torah parmi les six cent mille.

Dans le groupe des disciples assidus du Dr Abulafia se trouvait le gros petit rabbin Zaki, mais ces enseignements l'affectaient différemment. Quand on en arrivait aux explications les plus abstruses il avait tendance à s'endormir, et il lui arrivait de ronfler, car les envolées cabalistiques de la pensée le dépassaient. Un matin, même ses ronflements divertirent les disciples qui pouffèrent de rire, mais Rabbi Abulafia les gourmanda :

— Je crois que notre gros cordonnier endormi illustre mieux que les mots ce que j'essaye de vous expliquer. Rabbi Zaki n'a pas vu la face de la Torah, mais le cœur même de la Torah, et il y a découvert l'unique commandement sur lequel reposent la Torah, le Talmud et le Judaïsme : Tu aimeras ton prochain comme toi-même. Je sais que Rabbi Zaki a passé toute la nuit à veiller l'épouse malade de Rabbi Paltiel, et il a besoin de son sommeil. Pas un d'entre vous ici présents n'est digne de le réveiller !

Rabbi Zaki adorait assister aux conférences d'Abulafia, bien qu'il n'y comprît pas grand-chose, parce qu'il pouvait rester assis paisiblement dans la synagogue et penser : Un magnifique rabbin comme Abulafia

devrait être marié. Je n'imagine pas une femme à Safed, ou même à Salonique, qui ferait une meilleure épouse pour lui que ma Sarah.

Aussi, un jour de 1549, alors que le docteur espagnol venait d'achever un sermon exaltant, Zaki attendit que les disciples eussent fini de poser leurs questions, puis, resté seul avec Abulafia, il lui demanda tout à trac :

— Docteur, pourquoi ne prendriez-vous pas ma fille Sarah pour épouse ?

— Sarah ? s'étonna l'érudit. Je connais Sarah ?

— Vous devez l'avoir vue. Ma fille. Elle sort souvent avec sa mère.

— Ah oui. Sarah. Je vois...

Il y eut un silence.

— Le Talmud nous dit qu'un rabbin doit avoir une femme, et je puis vous assurer que Sarah est aussi parfaite que sa mère.

— Je n'en doute pas.

— Et même si vous ne pouvez accepter ma fille, docteur Abulafia, vous devez vous trouver une épouse, car nous sommes nombreux à penser que votre influence à Safed serait plus grande encore si...

— Si j'étais marié ?

— Oui. Pour un rabbin, c'est presque une obligation.

Le bel Espagnol baissa la tête, et contempla ses mains jointes pendant quelques minutes, puis il murmura :

— Pour ta fille, je serais un vieillard. J'ai tout de même cinquante-sept ans, jusqu'à cent vingt ans.

C'était la façon juive de donner son âge, et cela venait de la promesse de Dieu révélée dans la Torah : « Et ses jours seront de cent et vingt ans. »

— Je vous assure que Sarah ne se soucierait pas de cela.

Un nouveau silence tomba, un silence lourd qu'aucun des deux hommes ne savait comment rompre. Il était évident qu'un fardeau accablait le cœur d'Abulafia, et quand il contempla la bonne figure ronde toute simple de son ami, il fut pris du désir de se confier à lui comme il ne l'avait jamais fait ; il proposa :

— Si nous marchions un peu dans les collines ?

Les deux rabbins barbus suivirent lentement les étroites venelles de Safed, ces merveilleux chemins sinueux qui ne connaissaient pas une ligne droite, et après avoir gravi bien des pentes et des marches, et passé devant les sept synagogues, ils arrivèrent aux ruines du château fort et de ce sommet le Dr Abulafia montra d'un geste large les lointaines collines et la mer de Galilée.

— C'est ici le paradis, Zaki, et je suis d'accord avec toi que tout homme qui a le bonheur d'y vivre doit avoir une femme.

— Docteur, croyez-moi ! Sarah vous fera une parfaite épouse. Elle est vertueuse, ordonnée, et sa mère lui a appris à cuisiner.

— Mais en Espagne...

Abulafia se tut brusquement, reculant de terreur devant les affreux souvenirs, mais la rassurante présence de Zaki l' encourageait. Avec un petit rire nerveux, il reprit :

— Zaki, tu veux te débarrasser d'une fille qui encombre ta maison. C'est un gros problème. Mais je dois me débarrasser du démon qui encombre mon âme, et cela m'est impossible.

Le petit rabbin contempla avec stupéfaction le maître de la Cabale.

— Mais c'est vous qui nous enseignez chaque matin à dénouer les liens qui retiennent notre âme !

— Oui, c'est moi, et cependant je ne puis libérer la mienne.

Les deux rabbins se tournèrent vers l'admirable panorama de la haute Galilée ; au temps où les collines étaient encore boisées, lorsque les grands rabbins du IIe et du IVe siècles se réunissaient à Tverya pour rédiger le Talmud, ce devait être encore plus beau.

Alors Abulafia commença, à voix basse :

— En Espagne, j'étais marié. Avec une chrétienne que j'adorais. Nous étions merveilleusement heureux, mais j'avais peur de lui avouer que j'étais un Juif secret. Nous avions deux fils. Eux non plus ne savaient pas que leur père était juif. Quand les persécutions...

Il hésita, se leva de la pierre où ils s'étaient assis, et fit quelques pas, le regard tourné vers Tubariyeh où l'âme du judaïsme avait été sauvée par un groupe de pieux rabbins assez semblables à ceux qui se réunissaient aujourd'hui à Safed pour une même mission. Il se demanda si l'un de ces grands anciens, des sages comme Rabbi Asher, le marchand de gruau, avaient été accablés par un péché aussi terrible que le sien. Puis il revint sur ses pas, vers Rabbi Zaki qui attendait patiemment.

— Mon meilleur ami, meilleur encore que ma femme elle-même, était un Juif secret nommé Diego Ximenez. Il m'a initié à la Cabale, et tout ce que j'ai jamais pu accomplir, c'est... L'Inquisition l'a arrêté. Dans quel piège l'a-t-on fait tomber, je ne sais. Ils lui ont démis les membres, ils l'ont roué, soumis à toutes les tortures pendant trois ans. Et le jour où il a traversé la ville pour marcher jusqu'au bûcher où il allait être brûlé vif, il est passé près de moi et...

Le souvenir du regard de Ximenez à travers les flammes et le poids de son propre péché l'accablèrent, et il ne put continuer.

— Brûlé ? s'écria Zaki. Brûlé vif ?

— Oui. Alors ce soir-là, j'ai décidé de fuir l'Espagne, parce que Diego m'avait fait honte en révélant un courage dont je ne me sentais pas capable. Il était aussi près de moi que tu l'es en ce moment, en cet instant fatal, et il m'a regardé mais il ne m'a pas trahi. Alors je me suis fabriqué de faux documents...

Les élèves d'Abulafia, qui enviaient sa prestance et sa maîtrise de la langue auraient été bien surpris s'ils avaient pu l'entendre alors. Il bredouillait, il détournait honteusement son visage, n'osant regarder son ami en face, et tête basse, il murmurait :

— Dans mon ignorance... eh bien, je voulais épargner ma femme... jamais je n'ai pensé...

Des syllabes lui échappèrent, des mots sans suite, puis :

— Je suis arrivé à Tunis... me suis circoncis moi-même avec une paire de ciseaux rouillés... ai crié par la fenêtre : « Je suis juif ! Je suis juif ! »

Abulafia s'effondra et se tut un moment, puis il maîtrisa son émotion et reprit d'un ton plus posé :

— Bien des années plus tard, un Espagnol passant par Alexandrie tomba malade et on me l'amena. Il me dit : « Abulafia ? N'y avait-il pas un Juif renégat d'Aveiro nommé Abulafia ? » Et bien que je fusse alors en sécurité, je me mis à trembler. « Cet Abulafia s'est enfui, abandonnant sa femme et ses enfants à l'Inquisition. » Je me retins au bras de cet homme pour ne pas m'évanouir et il devina qui j'étais. Tout malade qu'il fût, il s'écarta de moi avec horreur et s'enfuit. Je lui courus après dans la rue. Une foule s'assembla et l'homme se débattit. Il me montrait du doigt...

Au souvenir de ce jour-là, en Egypte, le grand rabbin éclata en sanglots, et les larmes l'étouffèrent. Enfin, tandis que Rabbi Zaki s'efforçait de le consoler, il se maîtrisa et reprit son récit :

— Ma femme fut brûlée vive. Mon fils aîné fut brûlé vif. Le plus jeune mourut sous la torture. Ils ne savaient même pas ce que c'était qu'un Juif.

Comme le malade d'Alexandrie, Rabbi Zaki recula. A Salonique, il avait rencontré beaucoup de Juifs d'Espagne et du Portugal qui avaient subi les tortures de l'Inquisition et il n'était plus affecté par les horreurs de leurs histoires. Mais c'était la première fois qu'il voyait un homme tombé assez bas pour se sauver aux dépens de sa femme et de ses enfants. Il n'imaginait pas comment l'on pouvait songer une seconde à abandonner sa famille. Lui-même, à Podi, n'avait-il pas tenu à emmener les siens ? Mais en dépit de sa répugnance instinctive, il ne se jugeait pas qualifié pour condamner un homme comme Abulafia, et il ne fit aucun commentaire. La question du docteur le prit donc par surprise :

— Zaki, ai-je le droit d'épouser ta fille ?

A sa profonde stupéfaction, Zaki s'entendit répondre :

— Non.

Ce jour-là, ils n'en dirent pas plus. Mais lorsque Zaki rentra chez lui et vit sa fille disgracieuse il éprouva de cuisants remords. « Seigneur Dieu, gémit-il en son cœur, j'avais l'occasion de lui trouver un mari, et j'ai dit non ! » Les regrets l'étouffaient. En qualité de rabbin, il ne pouvait se défendre de condamner la conduite du Dr Abulafia. Abandonner sa femme et ses enfants et être la cause de leurs tortures et de leur mort, c'était le péché le plus grave qu'il pût imaginer, plus affreux peut-être que l'apostasie, car c'était l'abdication de tous les principes humains. Cependant, plus il réfléchissait, plus ses pensées devenaient confuses.

Sa perplexité s'accrût quand Abulafia se présenta chez lui et, dans un élan de désespoir moral, demanda à Rachel et à Zaki :

— Voulez-vous m'accorder la main de votre fille Sarah ?

— Oui, s'écria Rachel.

— C'est à lui de se prononcer, dit Abulafia en montrant le gros rabbin.

— Il dit oui, assura joyeusement Rachel.

— Non, dit Zaki.

— Interroge ton cœur, supplia Abulafia et il les quitta.

En remontant sombrement l'étroite ruelle en pente, il entendait les cris rageurs de Rachel invectivant son mari.

Pendant trois jours, l'échoppe du cordonnier fut un véritable enfer. Sarah, qui dès le premier jour avait été éblouie par le beau rabbin d'Espagne, pleura tant que sa vilaine figure pâle devint toute bouffie et congestionnée. Elle accusa son père de vouloir sa mort. Rachel était encore plus vindicative.

— Il a perdu l'esprit, déclarait-elle. Nous devrions payer un Arabe pour l'égorger.

Zaki courbait le front sous l'orage qu'il avait déchaîné, mais il ne chercha pas à éluder le problème moral qu'il avait à résoudre. Abulafia, en abandonnant son épouse chrétienne, s'était placé hors de la sphère de l'amour, et quand bien même les rabbins étaient presque tenus de se marier, il avait été sage de n'en rien faire. Zaki regrettait d'avoir abordé cette question, et plus encore d'y avoir mêlé sa fille.

Le petit rabbin-cordonnier avait l'habitude, chaque fois qu'il était troublé, d'aller consulter le sage dont les écrits l'aidaient immanquablement. Il se rendit à la synagogue et ouvrit son livre préféré, tournant lentement les pages jusqu'à ce qu'il retrouvât la phrase par laquelle Maïmonidès évoquait le passage du Talmud qui résumait sa philosophie : « La Torah parle la langue des hommes vivants. » La loi avait été donnée aux hommes, et non pas les hommes à la loi. Dans l'abstrait, la conduite d'Abulafia le rendait indigne de contracter un second mariage, mais il n'était plus question d'abstraction. Il s'agissait d'êtres humains — d'un rabbin solitaire qui servait son Dieu, d'une femme sans époux — et le bon sens criait : « Qu'ils se marient ! »

Encore indécis, sans trop savoir s'il agissait pour le mieux, le gros petit Zaki gravit la colline en soufflant et entra dans le cabinet d'Abulafia, à qui il annonça d'une voix entrecoupée :

— Le mariage pourra se faire.

Puis il tourna aussitôt les talons, redescendit la colline et alla dire à sa fille :

— Rabbi Abulafia va t'épouser.

Le jour du mariage, les Juifs de Safed plaisantèrent entre eux :

— Maintenant que Zaki a fini par se débarrasser de celle-là, il va nous inviter à nous réjouir dans la synagogue jusqu'au matin !

Et après la cérémonie, chacun rentra chez soi et attendit les appels de leur joyeux rabbin. Mais minuit arriva, puis une heure, et Zaki ne se manifestait pas. Finalement des voisins vinrent crier devant l'échope :

— Rabbi Zaki ? Tu ne rends donc pas grâces ce soir ?

Il ne répondit pas, et d'autres vinrent se joindre aux premiers pour l'appeler :

— Rabbi Zaki, réunis-nous donc à la synagogue !

Mais le pauvre rabbin n'éprouvait nulle joie de ce mariage, et à sa

grande surprise, ce fut l'aigre Rachel elle-même, plus douce et souriante qu'elle ne l'avait jamais été, qui vint lui dire :

— Tes amis t'appellent. Va donc avec eux.

Rabbi Zaki sortit alors et quand il arriva à la synagogue, le cœur gros, il vit un inconnu, grand et maigre, debout contre le mur en compagnie d'une belle jeune fille. C'était Rabbi Eliézer de Gretz, qui venait d'arriver à Safed avec sa fille Elisheba.

Le rabbin allemand, le dernier des trois dont les travaux, à Safed, allaient modifier les doctrines judaïques, produisit sur la ville un effet apaisant assez austère. Il n'était pas un brave homme simple comme Zaki, ni un mystique illuminé comme Abulafia. Il n'était plus le jeune rabbin charmant qui aimait la danse et la bonne bière, car ses sept ans d'exil l'avaient prématurément vieilli. Il était maintenant un ascète consumé par les flammes de la persécution et du chagrin intime. Il ne lui restait plus qu'une vision claire de la façon par laquelle les Juifs du monde pouvaient être sauvés du chaos qui les menaçait, et ce fut cet indéfectible attachement à cet unique concept qui le rendit immortel.

A Safed, il n'enseigna point, pas plus qu'il ne se construisit sa propre synagogue, comme tant d'autres éminents rabbins. Lorsque le richissime Yom Tov ben Gaddiel lui proposa de lui en ériger une, il refusa. Il se contenta de réunir tous les livres possibles que l'on pût se procurer en Galilée et s'appliqua à les étudier, jour après jour, année après année. Quiconque désirait le consulter en avait la possibilité, et avec le temps, presque toute la ville de Safed passa dans son cabinet, même les Arabes, car il était reconnu par tous comme le plus grand juriste de Galilée. Il s'interdisait d'aborder la Cabale, disant que c'était là le domaine du Dr Abulafia, qui avait une vision mystique que lui-même ne possédait pas. Il ne s'occupait pas davantage des règles simples de la vie quotidienne, comme le faisait Zaki, dont il disait : « Il est le plus grand des rabbins, et j'espère que dans l'avenir toute communauté en découvrira un comme lui. Mais moi, je dois rester dans mes livres. »

La mission que s'était donnée Rabbi Eliézer était la codification de la loi juive ; il entendait rédiger en termes simples tout ce qu'un Juif doit faire afin de demeurer juif. La Torah contenait six cent treize lois, le Talmud des dizaines de milliers et les écrits plus récents de rabbins tels que Maïmonidès ou Rashi des centaines de mille. Il y en avait tant qu'aucun Juif ne pouvait prétendre savoir quelle était la loi concernant un sujet donné, le mariage par exemple, et c'était à cette confusion que Rabbi Eliézer voulait remédier. D'autre part, au cours de ses pérégrinations en Allemagne, en Hongrie, en Bulgarie et en Turquie, il avait vu de nombreuses communautés où l'on ne connaissait plus très bien la Torah et où l'on ignorait totalement le Talmud. La structure légale du judaïsme s'était atrophiée, et si cela continuait ainsi, le peuple juif disparaîtrait. A tous ces Juifs, Eliézer allait donner un livre massif contenant un sommaire de toutes les lois. Son ambition était de sauver le peuple juif, pas moins.

Telle était donc Safed en son âge d'or du milieu du XVI⁰ siècle,

quand Zaki enseignait l'amour, Abulafia le mysticisme et Eliézer bar Zadok la loi.

Mais si l'époque semblait radieuse, la ville était loin d'avoir découvert le secret de l'harmonie civique définitive, car au début de 1551 une grave querelle éclata justement entre ces trois grands rabbins. Bientôt, elle se propagea à toute la communauté et aurait sans doute fini par en détruire l'unité si des mesures énergiques n'avaient été prises pour guérir la blessure.

Tout commença quand une Juive de Damas voulut divorcer d'un homme qui avait vécu quelque temps à Safed et dont les antécédents familiaux étaient inconnus. Rabbi Abulafia, encore tourmenté par son propre péché et malheureux en ménage avec Sarah — qui ressemblait de plus en plus à sa mère — était enclin à aider ceux qui avaient des ennuis domestiques. Aussi, bien que la situation légale de la plaignante fût confuse, il accorda le divorce. Rabbi Eliézer, qui n'avait pas été mêlé à l'affaire, observa avec quelque inquiétude que c'était la quatrième fois que le Dr Abulafia négligeait la stricte interprétation de la loi de Moïse, et il estima que les fondations spirituelles du judaïsme étaient attaquées.

Il se retira dans sa bibliothèque aux innombrables volumes, don des Juifs de Constantinople, et rédigea une lettre très dure, bourrée de citations juridiques et de ces phrases germaniques sèches qu'il employait pour ses textes de loi.

La lettre circula dans les synagogues et fit grand bruit, chacun prenant parti pour l'un ou pour l'autre. Les élèves d'Abulafia furent scandalisés et firent tant que leur maître se décida à répliquer. Il écrivit à son tour une lettre bourrée d'autant de citations de précédents justifiant sa décision du divorce de Damas.

La bataille était engagée entre les deux forces dynamiques du judaïsme, la légalité et le mysticisme, le conservatisme contre le libéralisme, le Talmud s'opposant à la libération explosive du Zohar. Et la querelle dépassa de loin les deux antagonistes.

Tandis que l'argumentation devenait plus serrée, l'abîme qui scindait la communauté en deux s'élargissait, et Rabbi Zaki s'inquiétait. A sa façon simple et gauche, il comprenait plus clairement qu'aucun des adversaires principaux que cette rupture devait à toute force être réparée, mais ni l'un ni l'autre ne consentait à faire le geste conciliant. Le petit Zaki se résolut enfin à aller s'humilier devant Rabbi Eliézer, mais quand il voulut parler il fut distrait par l'arrivée d'Elisheba, ses longs cheveux tirés sur les oreilles et tressés par-derrière en une épaisse natte. Alors, comme le sot maladroit qu'il était (à en croire sa femme), il oublia le but de sa visite et dit brusquement :

— Rabbi Eliézer, vous devriez trouver un mari à votre fille.

Le reproche était si franc, et si inattendu, que l'austère Allemand éclata de rire.

— Tu as raison. Je me suis laissé distraire par des sujets moins importants.

— Nous avons tous fait de même, reconnut Zaki. Toute la ville ne parle plus de Talmud et de Zohar, de Maïmonidès et d'Abulafia. Ne pensez-vous pas, franchement, que nous devrions tous nous remettre sagement au travail ?

— As-tu compris de quoi l'on discute ? lui demanda Eliézer.

— J'ai essayé. Le Dr Abulafia s'occupe du présent. Vous vous inquiétez de l'avenir.

Cela fit sourire Eliézer qui répondit :

— Tu touches de bien près à la vérité. Mais je puis prévoir un jour assez proche où les Juifs de ce monde, égarés, en pleine confusion et possédant chacun leur propre vision de Dieu, entendront quelque fou leur hurler : « Je suis votre Messie ! Je viens vous sauver ! » et si à ce moment-là le bon Juif sincère n'est pas solidement ancré et protégé par la loi, il va se mettre à danser de joie en criant : « Le Messie est aux grilles et je suis sauvé de la Judenstrasse ! »

— De la quoi ? demanda Zaki.

L'Allemand eut alors un sursaut, et recula comme si l'homme à qui il s'adressait avait un autre alphabet, et ne connaissait pas les mots les plus simples qu'on lui disait. Il ne répondit pas à la question.

— Nous autres Juifs, nous sommes parfois un peuple très obtus, Zaki. La loi est notre seule force. Nous sommes le peuple du Livre, et le jour viendra où le Livre seul nous préservera de nous-mêmes.

— Je vous crois, Rabbi Eliézer. Et maintenant, pouvons-nous faire la paix ici ?

— Oui. J'ai dit ce que j'avais à dire et je garderai le silence désormais.

— Je vais voir mon gendre de ce pas, s'écria Zaki et il sortit en hâte.

Alors Eliézer se tourna vers sa fille et lui dit :

— Voilà un saint homme. Pour Rabbi Zaki, le Dr Abulafia n'est pas un homme qui a semé le trouble à Safed et mis le judaïsme en péril. C'est simplement son gendre.

Chez le maître de la Cabale, Sarah accueillit son père en lui disant aigrement qu'elle avait répété cent fois au rabbin de ne plus écrire de lettres. Le Dr Abulafia eut un petit rire contraint, sur quoi Rabbi Zaki suggéra :

— Je crois qu'il est temps que vous quittiez la fraîcheur de votre bibliothèque pour descendre la colline et venir à mon échoppe.

— C'est possible, murmura Abulafia en prenant son châle de prières. Comme les deux hommes sortaient, Sarah lança à son mari :

— Et tâche un peu d'écouter ce que mon père aura à te dire !

Ce qui fit sourire Zaki. « Me voilà passé prophète », se dit-il.

Le gros petit rabbin envoya un gamin chercher Eliézer et les trois hommes s'assirent dans la petite échoppe pour discuter.

— Je crois que nous avons tous précisé clairement notre position, dit enfin Rabbi Zaki.

— Toi, tu n'as rien dit, protesta Eliézer. Quelle est ta position ?

— Je pense que la Torah a six cent mille faces et que deux de mes amis les plus chers, Rabbi Eliézer et Rabbi Abulafia, ont vu chacun une face et en ont tiré une immense illumination.

— Comment, s'écria Abulafia, mais nous avons discuté de différences fondamentales !

— Qu'y a-t-il de plus fondamental que la Torah ? demanda doucement Rabbi Zaki.

— Rien, reconnut Eliézer. Je n'écrirai plus de lettres.

— Moi non plus, promit Abulafia.

Rabbi Zaki dit à Rachel d'apporter du vin et déclara à ses deux amis :

— Vous vous êtes tous deux demandé si je comprenais le fond de la discussion. Oui, je l'ai compris. Abulafia lutte pour le droit qu'a tout Juif d'aborder la Torah à son propre niveau et d'y trouver la joie qu'il désire, et je suis d'accord avec lui. Eliézer lutte pour le droit à l'existence des Juifs en tant que groupe, et je l'approuve. La mission d'un pauvre petit rabbin comme moi est de veiller à la réussite de chacun de ces buts si désirables. Mais il y a un mot que je ne comprends pas, le mot Judenstrasse, et je voudrais bien qu'on me l'expliquât.

— C'est une rue hideuse, étroite et sombre, où les Juifs d'Allemagne sont contraints de vivre, répondit Eliézer. Et bientôt nous y vivrons tous.

— Si ce jour arrive, puissions-nous avoir tous le courage de Diego Ximenez, murmura Abulafia.

Et les deux adversaires se réconcilièrent. Ainsi s'apaisa la querelle.

Elisheba avait à présent vingt ans et ressemblait de plus en plus à sa mère. Elle était grande, aussi digne que son père, mais aussi pleine de fantaisie que sa mère ; comme elle, elle adorait les enfants. Elle était le sujet de bien des conversations et même les Juifs espagnols de Safed se mirent à fréquenter la synagogue allemande de Rabbi Eliézer, dans l'espoir d'apercevoir Elisheba. De nombreux jeunes gens rêvaient de l'épouser, et certains allaient demander conseil au rabbin-cordonnier dans son échoppe.

— Demande donc à son père, répondait Zaki.

— Il me fait peur, disaient les garçons.

— Je lui parlerai si tes parents m'en prient.

Mais à un jeune homme, encore plus petit que lui, Zaki conseilla :

— Oublie Elisheba. Elle est grande et tu es petit, et les garçons et filles qui se marient doivent être assortis en tous points.

Il organisa un autre mariage pour ce prétendant, et plus tard le jeune homme s'en félicita.

A deux reprises, Rabbi Zaki alla voir Eliézer pour lui parler au nom d'un soupirant, mais le Juif allemand, répugnant à perdre ce souvenir de Léa, lui répondit :

— Elisheba peut attendre encore un peu. D'ailleurs, j'aime la regarder aller et venir et m'apporter mes livres.

Durant les années qui suivirent, Rabbi Zaki eut à supporter deux drames personnels qui calmèrent un peu son exubérance. La seule consolation qu'il trouva en ces heures d'épreuves fut que le premier deuil ait eu lieu avant le second, épargnant ainsi à sa femme une trop grande douleur. Au début de 1555, Rachel tomba malade. Le Dr Abulafia l'examina et déclara qu'il ne pouvait rien pour elle. Et certains chuchotèrent en ville qu'elle s'empoisonnait avec son propre venin. Car depuis quelque temps, elle s'était remise à harceler son mari, pour qu'il se fasse construire sa synagogue, et une yeshiva pour y enseigner, comme les autres.

— Mais je n'ai rien à enseigner, protestait-il.

— Tu aurais des choses à dire si tu n'étais pas si gros, répliquait-elle alors en défiant tout sens commun.

Méchante, aigrie, envieuse, elle sentait venir la fin d'une vie décevante, mais à son dernier matin, elle murmura à son mari :

— Zaki, je boirais bien un petit verre de vin.

Il le lui apporta et resta un moment à son chevet, et bientôt elle sembla perdre son animosité et elle lui dit :

— Nous aurions dû rester à Salonique. Mais je suis d'accord avec toi. Mieux vaut vivre à Safed que de courir à moitié nu dans les rues de Podi. C'était mieux ainsi... puisque tu as toujours voulu rester aussi gros...

Sur ces mots elle mourut. Zaki sombra dans la douleur, et pendant près de six mois on ne le vit presque pas dans la ville.

Vers la fin de 1555, son âme fut distraite de son deuil par l'arrivée d'un réfugié de la communauté juive d'Ancône, un port italien situé au nord de Podi, et cet homme réunit les Juifs de Safed dans la plus grande des synagogues pour leur raconter le désastre qui s'était abattu sur sa ville.

— Durant de longues années, dit-il, nous, les Juifs qui avions fui l'Espagne, nous avons vécu heureux à Ancône, et nous avons même des petits-enfants nés sur la terre d'Italie. Moi, j'étais vannier, j'avais ma boutique...

Il s'interrompit, comme vaincu par la douleur, puis il souffla :

— Nous étions dix-huit familles dans ma rue, et il ne reste plus que moi.

— Que s'est-il passé ? demanda Rabbi Zaki.

— Quatre papes à la suite ont confirmé notre droit de vivre à Ancône, bien que nous ayons été baptisés de force en passant par le Portugal. Mais cette année un nouveau pape a été élu, qui a annoncé que l'Eglise devait résoudre le problème juif une fois pour toutes. Nous pensons que c'est son neveu qui a rédigé les nouvelles bulles, mais il les a publiées.

— Y a-t-il eu beaucoup de changement dans les lois ? demanda encore Zaki.

Le réfugié se tourna vers lui, l'examina et lui dit :

— Ne serais-tu pas Zaki, qui s'est enfui de Podi ?

— Oui, c'est moi.

— Les nouveaux édits sont très différents. D'abord, aucune ville au monde ne doit avoir plus d'une synagogue et si une ville en a déjà plusieurs qui existent, il faut les détruire toutes et n'en laisser qu'une. Ensuite, tous les Juifs du monde doivent porter un chapeau vert. Les femmes comme les hommes. Chez eux et dehors et à tous moments. Troisièmement, tous les Juifs d'une ville doivent vivre dans une seule et même rue.

— C'était ainsi chez nous en Allemagne, dit Eliézer qui voyait se réaliser sa prophétie.

— Quatrièmement, aucun Juif n'a le droit d'être propriétaire. S'il possède des terres, il doit les vendre dans les quatre mois suivant l'édit, pour le prix que les chrétiens voudront bien lui proposer. Cinquièmement, nul Juif n'a le droit de pratiquer un commerce, à part la vente de vieilles fripes.

D'une voix morne, il énuméra les autres interdictions : défense à un chrétien de travailler pour un Juif, défense à un Juif médecin de soigner un chrétien, défense à un Juif de travailler les jours de fêtes chrétiennes et enfin nulle part, en aucune occasion, même pas dans la synagogue, un Juif ne doit être appelé messire, ou Rabbi ou maître.

Rabbi Zaki, en écoutant cette litanie, tentait de découvrir quelque raison d'espérer.

— Ce sont simplement les anciennes lois un peu renforcées, dit-il.

— Mais il y en a deux nouvelles, répondit l'homme d'Ancône, et ce sont celles-là qui m'ont fait fuir. Treizièmement, tous les précédents édits qui accordaient une quelconque protection aux Juifs sont annulés, et les édiles de chaque ville sont invités à imposer toutes les restrictions supplémentaires qu'ils désirent. Quatorzièmement, si un Juif proteste de quoi que ce soit, il doit subir un châtiment corporel, d'une grande sévérité.

Dans le silence atterré, Yom Tov ben Gaddiel qui avait toujours les pieds sur terre, demanda :

— Mais quand ces édits ont été promulgués, s'est-il passé quelque chose ?

— Non, reconnut l'Anconitain, et un soupir de soulagement passa comme une brise de mer sur les têtes des Juifs. Mais le dernier soir que j'ai passé dans ma maison, un chrétien qui me devait de l'argent est venu chez moi en se cachant et m'a dit : « Simon ben Judas, tu as toujours été un ami. Voici la moitié de ce que je te dois. Fuis la ville sur l'heure, car à l'aube il y aura de nombreuses arrestations. » Je lui ai demandé pour quel motif et il a haussé les épaules en répondant : « Après tout, vous êtes des hérétiques. » Alors je suis allé me cacher dans la colline, derrière Ancône, et vers quatre heures du matin j'ai vu de nombreuses torches aller et venir dans la rue des Juifs.

— Et alors ? insista Rabbi Yom Tov.

— Je ne sais pas. Je me suis réfugié à Podi.

— Les Juifs ont-ils été arrêtés là-bas ? s'écria le gros petit rabbin Zaki, le visage ruisselant de sueur froide.

— Non. Votre duc a déclaré que les nouvelles lois ne seraient pas appliquées à Podi, et il fut soutenu dans son défi par son frère le car-

dinal. Des messagers sont venus tant de Rome que d'Ancône pour tenter de convaincre les deux frères, mais ils n'ont pas cédé et ils n'ont permis aucune arrestation. Néanmoins, j'ai eu peur et je me suis embarqué sur une galère turque.

— Dis-moi, demanda Zaki, Jacob ben Shlomo et sa femme Sarah, ils allaient bien ?

— Ils allaient bien, assura l'Anconitain. Ils vivent encore dans leur maison rouge près du marché au poisson.

Ce soir-là, Rabbi Zaki rentra dans sa maison déserte et pria, mais ses lèvres remuaient tristement car il revoyait les Juifs de Podi alignés sur le quai, il y avait si longtemps, avec le signe du feu sur leurs fronts.

Et puis l'été suivant, en 1556, Safed reçut, en même temps qu'un envoi de laine, une de ces terrifiantes proclamations que les villes d'Europe prenaient un plaisir morbide à faire circuler à l'époque. La nouvelle presse à imprimer de Podi en avait produit une pour faire savoir au monde qu'en 1555 et 1556, la Sainte Inquisition avait sauvé Podi en faisant brûler vifs vingt-neuf Juifs, dont les noms suivaient, illustrés de vingt-neuf gravures sur bois représentant leur supplice.

Le gros Jacob, qui avait couru avec Zaki, était mort en priant. Le maigre Nathan avait crié miséricorde. Et Sarah, la femme de Jacob, était morte, les cheveux flambant comme une torche. Pétrifié d'horreur, Rabbi Zaki lut la dramatique histoire de sa congrégation, qu'il avait prévue ; c'était comme si l'Inquisition avait allongé un grand bras au-dessus de la Méditerranée pour le reprendre, le ramener au châtiment auquel il avait échappé en fuyant.

Ce fut alors que Rabbi Zaki, le jovial petit rabbin tout rond, fut saisi de ce sentiment de culpabilité qui caractérisa ses dernières années. Il se reprochait l'acrimonie de Rachel, en se disant que s'il avait été un meilleur mari, elle n'aurait pas eu aussi mauvais caractère. Et il se reprochait d'avoir fui Podi, abandonnant ses Juifs au bûcher, tout aussi sûrement que le Dr Abulafia avait abandonné les siens à la torture. Pendant des mois, il ne fut plus qu'un homme rendu à demi fou par le remords, et il ne trouvait plus, ni dans la Torah ni dans le Talmud, la moindre consolation. Il essaya de partager sa peine avec Rabbi Eliézer, qui avait fait la même chose en fuyant Gretz, mais l'austère Allemand était si préoccupé par la loi qu'il n'avait pas le temps de réconforter son ami, et la loi n'avait rien à lui apporter, qui précisait ce qu'un homme devait faire pour ensevelir ses morts, mais pas ce qu'il pouvait faire quand ces morts étaient accrochés à son cou, brûlant d'un feu perpétuel, au point que la fumée de leur corps lui brouillait la vue.

Dans son tourment, le secours lui vint d'un côté inattendu. Le Dr Abulafia vint le voir dans son échoppe et lui dit :

— Zaki, mon beau-père et mon ami, le moment est venu pour toi, dans ta perplexité, d'étudier la Cabale.

Et le pieux Espagnol expliqua en termes simples certains concepts de cet univers mystique que les Juifs érudits avaient perfectionné depuis quelques années.

— Le mystique perçoit avec son cœur ce que son esprit sait perti-
nemment être la vérité, mais ne peut prouver. Or, nous savons qu'avant
la création Dieu devait être immanent en toutes choses. Sans Dieu, il ne
pourrait rien y avoir. Mais si un Dieu de miséricorde est toutes choses,
et responsable de toutes choses, comment peut-il exister des scandales
comme le supplice par le feu des Juifs de Podi ? Parce que juste avant de
créer le monde, Dieu se retira volontairement pour faire la place à cet
univers physique que nous voyons. Mais pour nous rappeler sa présence,
il a laissé derrière lui les dix vases dont tu m'as souvent entendu parler.
Et dans ces dix vases il a versé sa lumière divine afin que sa présence
demeurât parmi nous. Mais si les trois premiers vases ont retenu et
conservé pour nous leur part de lumière, les sept autres ont éclaté et
n'ont pu retenir une telle splendeur. Ainsi le monde a été plongé dans
la confusion et la tragédie. Aujourd'hui, toi et moi nous sommes debout
parmi les débris des vases brisés et les souvenirs de nos trahisons de
Podi et d'Aveiro. Le péché est sur nous et notre devoir est de nous
efforcer, par la prière, et l'effort suprême et la foi, de raccommoder ces
vases brisés afin que la lumière de Dieu puisse de nouveau être contenue
dans les récipients prévus. Zaki, tu dois collaborer avec tous les hommes
de bien et les aider à réunir les morceaux épars et à raccommoder ces
vases.

Enfin, Rabbi Zaki comprenait ce que son ardent ami enseignait
depuis son arrivée à Safed. Il existait dans le monde des maléfices que
Dieu était impuissant à combattre sans l'aide des hommes ; une association mystique leur était offerte, stupéfiante dans son concept et dans son
pouvoir de découvrir ce qu'il y avait de meilleur dans la vie. Comme
des milliers d'autres Juifs qui, en ce temps-là, perçaient les mystères du
Zohar, Zaki s'aperçut qu'il n'était pas de ces hommes qui trouvent un
réconfort spirituel en récitant le Talmud ou en apprenant par cœur des
textes de loi stériles. Il ne pouvait trouver cette consolation mystique
qu'à travers la Cabale.

— Que dois-je faire pour aider à recoller les morceaux des vases
brisés ? demanda-t-il d'une voix inspirée.

— Nul homme ne peut te le dire, répondit Abulafia. Contemple et
prie, et Dieu t'avertira quand il aura besoin de toi.

Alors Rabbi Zaki commença de se concentrer, mais il trouvait cet
exercice difficile. En général, il s'endormait. Il n'était pas non plus de
ces hommes à qui Dieu s'adressait, aussi revint-il à ses vieilles habitudes,
les choses simples qu'il faisait le mieux. Il pria pour les Juifs de Podi, et
puis soudain le monde s'ouvrit devant lui dans un éblouissement mystique.

Cela commença un jour de novembre, quand les dignitaires de Safed
vinrent le trouver en groupe et que Rabbi Yom Tov lui déclara avec sa
franchise bourrue :

— Zaki, il n'est pas bon que tu restes veuf et sans épouse.

Zaki répondit à cela qu'il avait cinquante-sept ans jusqu'à cent
vingt ans, et que sa vie avec Rachel...

— Ce n'est pas une excuse, gronda Yom Tov. Quand Dieu a créé

l'homme, quel a été le premier commandement qu'il lui a donné ?

Yom Tov attendit, puis il récita de sa voix puissante :

— Ainsi Dieu créa l'homme à son image : Il le créa à l'image de Dieu. Il créa l'homme et la femme. Dieu les bénit et leur dit : « Croissez et multipliez... »

Aux deux premières réunions, Zaki refusa d'écouter les objurgations de ses pairs, mais à la troisième, la force du commandement originel de Dieu le frappa lorsque Yom Tov lui dit :

— Pour les premiers mots qu'il adressait à l'espèce humaine, Dieu aurait pu choisir n'importe lequel de ses commandements, mais il a préféré le plus simple. Un homme doit se trouver une femme, ils doivent former une même chair, dans la joie, et ils doivent se multiplier. Par la suite, Dieu a dit encore bien des choses à ses Juifs au cou raide, et nous nous sommes rebellés contre lui sur presque tous les points, mais pour ce principe-là tout le monde a toujours été d'accord.

— Alors tu vois, Zaki, il faut prendre femme, insista un autre rabbin.

Le gros petit cordonnier finit par céder.

— C'est bon, dit-il. Je vais me chercher une bonne épouse parmi les veuves de Safed.

Sur ces entrefaites, Rabbi Eliézer vint voir Zaki à son échoppe et lui annonça :

— Zaki, ma fille Elisheba veut devenir ta femme.

Le tonnerre tombant à ses pieds ne l'eût pas stupéfié davantage.

— Mais, protesta-t-il, j'ai cinquante-sept ans jusqu'à cent vingt ans, et elle vingt-trois à peine !

— Comment sais-tu son âge ?

— Depuis le jour de son arrivée à Safed, j'ai suivi ses moindres mouvements.

— Alors pourquoi es-tu si étonné ?

— Mais plus de dix jeunes gens se sont assis là, sur ce tabouret, et m'ont supplié de parler en leur faveur à Rabbi Eliézer ! Vous le savez bien... Je suis allé vous voir plusieurs fois.

— Et pourquoi penses-tu qu'Elisheba m'a toujours prié de répondre non à ces soupirants ?

Rabbi Zaki voulait croire ce que ses oreilles entendaient, mais il avait peur. Devant ses yeux, il ne voyait pas Rabbi Eliézer, mais son aigre fille Sarah, qui ne faisait rien pour cacher la déception que lui avait causée son bel Espagnol, si séduisant pour toutes les autres femmes de Safed. Zaki devinait bien que le désenchantement de Sarah venait de l'antique problème évoqué dans la Torah avec une franchise désarmante : « Les devoirs conjugaux auxquels la Torah soumet les maris sont les suivants : tous les jours pour ceux qui sont sans travail, deux fois par semaine pour les travailleurs, une fois par semaine pour les muletiers qui conduisent des caravanes sur de courtes distances, une fois tous les trente jours pour les chameliers qui mènent des caravanes sur de plus longues distances, et une fois tous les six mois pour les marins, mais les

disciples des sages qui étudient la Torah peuvent rester éloignés de leur femme pendant trente jours. »

Rabbi Zaki se disait que le Dr Abulafia était âgé, il avait soixante-six ans, et s'il connaissait des ennuis, pourquoi lui-même, qui n'était pas non plus un jeune homme, serait-il épargné ?

Avec une grande simplicité Zaki répondit à Rabbi Eliézer :

— Rabbi, j'ai peur d'épouser votre fille.

— Je suis certain que ma fille devine tes craintes, répondit affectueusement l'Allemand, mais elle estime que pour ces choses Dieu nous guide. Elle consent à courir le risque. Elle tient à t'épouser.

Par trois fois, Rabbi Zaki voulut parler, mais aucune parole ne sortait de sa gorge contractée, aussi Rabbi Eliézer lui dit-il avec compassion :

— Petit Zaki, tu es un saint. Et les femmes savent mieux que les hommes reconnaître un saint quand elles en voient un.

Et le mariage fut célébré dans la synagogue allemande.

Vinrent alors les jours du paradis sur terre. Rabbi Zaki, qui avait poussé tant d'hommes à se marier, s'apercevait qu'il n'avait jamais su ce qu'était le mariage, car ces devoirs, qui avec l'aigre Rachel avaient été des corvées, devinrent auprès de la grande et fine Elisheba une joie qui dépassait l'entendement. Comme il n'était pas un homme compliqué, ni absorbé comme le Dr Abulafia par des problèmes spirituels, Rabbi Zaki n'eut aucune peine à obéir aux prescriptions de la Torah, et même à les dépasser. Si bien qu'en très peu de temps Elisheba se trouva enceinte et annonça joyeusement à la ville de Safed :

— Rabbi Zaki et moi nous allons avoir douze enfants !

Elle mit au monde un fils, et fut de nouveau enceinte presque aussitôt, et en trois ans elle eut ainsi trois enfants. Elle riait constamment et quand les jeunes gens de la ville lui disaient : « Comment se fait-il que Rabbi Zaki ne nous appelle plus à la synagogue à minuit pour remercier le Ciel de ses bienfaits ? » elle choquait certains en répondant :

— A sa place, que feriez-vous ?

Le souvenir le plus particulier que Zaki avait de son épouse parfaite, quand il était éloigné d'elle, était un petit détail ridicule. Le vendredi, tandis que le sabbat approchait, elle prenait de la peinture blanche et traçait au pinceau toutes les jointures des dalles de la maison, et de la rue devant sa porte aussi. C'était une coutume allemande, qui donnait au foyer un aspect bien ordonné et propre. Or, un jour que Zaki songeait à ces charmants carrés bordés de blanc qui étaient une louange à Dieu — il les voyait dans son esprit se détacher sur le ciel à l'ouest — il vit d'abord le nombre 301. Les chiffres le frappèrent comme des symboles brûlants, plus réels que la terre qu'il foulait aux pieds, ces chiffres de feu formant le nombre 301.

Cette nuit-là, assis à sa table à la lumière de sa chandelle, jetant au hasard l'alphabet hébreu sur le papier, dans l'espoir qu'il évoquerait les lettres mystiques YHWH, un exploit qu'il n'avait pas encore accompli,

les lettres ordinaires s'écartèrent soudain et il vit enfin les deux qui désignaient le nombre 301. Et là encore, les lettres flamboyaient.

Durant la période la plus heureuse de sa vie, alors qu'Elisheba promenait fièrement ses trois enfants, et que sa propre influence était à Safed à son apogée, Rabbi Zaki découvrit le nombre 301 sous ses yeux, à tout moment, dans les lieux les plus inattendus. Le vendredi après-midi, il allait dans les champs avec les autres rabbins pour chanter la venue du sabbat, et quand il s'écartait d'eux pour annoncer le sabbat aux arbres, les terrifiants chiffres de feu, 301, s'imposaient à lui. Il ne pouvait leur échapper, et le troisième mois de cette obsession, alors qu'il embrassait sa femme, il les vit nettement se détacher sur le front d'Elisheba, puis sur ceux des enfants. Ce fut un instant de terreur.

Pendant trois jours, il ne parla à personne, et le vendredi suivant il ne prit pas le bain rituel, et il n'alla pas dans les champs accueillir le sabbat. Il se rendit en rasant les murs à la synagogue allemande, incapable de croire qu'un appel divin pût s'adresser à lui, et tandis que les voix des chanteurs s'élevaient autour de lui, il entendait Elisheba chanter derrière le rideau qui séparait les hommes des femmes :

> Viens ma bien-aimée, allons à la rencontre de l'Epouse
> Allons recevoir le sabbat...

Et soudain, sur le voile brodé recouvrant la Torah, il vit flamboyer le nombre 301.

Plus fort que les voix des chanteurs, il cria :

— O Dieu, que dois-je faire pour aider ?

Les chiffres flamboyèrent de plus belle, comme s'ils allaient consumer la synagogue, et à la stupéfaction des fidèles, Zaki se jeta la face contre terre en clamant :

— Dieu, Dieu, m'as-tu enfin appelé ?

Rabbi Eliézer l'entendit et interrompit son cantique pour courir le relever, et quand il vit l'extase illuminer les traits du gros petit rabbin il sentit qu'une chose terrible arrivait parce qu'il avait commercé avec la Cabale, et Eliézer fit alors une chose extraordinaire. Par trois fois, il gifla Zaki en lui criant :

— Ce n'est pas vrai, ce n'est pas vrai !

Mais l'homme prosterné ne sentait pas les coups, et il gardait les yeux rivés sur le voile de la Torah où les chiffres mystiques brûlèrent un moment et ne disparurent que lorsque Zaki déclara, d'une voix soumise :

— Je partirai.

A la fin de l'office, sans paraître voir Rabbi Eliézer, il courut chez lui où il dit les prières du soir avec sa femme et ses enfants, et il manqua défaillir en contemplant ces quatre visages tendrement aimés. Puis il ferma la porte aux voisins qui venaient habituellement chanter avec lui la veille du sabbat. Il alla s'enfermer dans son cabinet et pria

toute la nuit. Au matin, il attendit qu'Elisheba eût fait manger les enfants et puis il lui dit :

— J'ai à te parler.

— Je t'écoute, répondit-elle en souriant.

— Ne pourrions-nous monter à l'ancien fort ? demanda-t-il d'une voix grave et elle, qui redoutait cet instant depuis plusieurs jours, accepta.

Elle confia ses enfants à une voisine et suivit son mari par les ruelles sinueuses montant à l'ancien château des Croisés, où ils s'assirent tous deux sur des pierres, devant le merveilleux paysage.

— Il s'agit d'une affaire concernant la volonté de Dieu, dit enfin le petit rabbin.

— Je savais que ce jour viendrait, répondit Elisheba.

— Je ne suis pas instruit comme ton père, et je ne sais percer les mystères comme le Dr Abulafia, mais il y a bien longtemps, quand tout enfant j'ai lu le Talmud pour la première fois, j'y ai découvert le message qui a guidé ma vie. Ce sont des paroles du grand Akiba, un homme sans complications, comme moi. Akiba a dit : « Toute chose dans la vie est donnée contre un gage, et un filet est jeté sur tous les vivants ; la boutique est ouverte, le marchand fait crédit, le livre est ouvert devant vous, la main écrit, et quiconque désire emprunter peut venir et emprunter ; mais les encaisseurs font continuellement leur ronde, et ils exigent le tribut de tout homme, qui doit payer, avec ou sans son consentement. »

Un silence tomba. Elisheba connaissait depuis longtemps le plus important des textes d'Akiba ; elle savait que tous les êtres humains vivaient sous un filet qui limitait leurs activités, et elle savait aussi que les encaisseurs passaient chaque jour, pour se faire rembourser par ceux qui avaient emprunté sur l'avenir. Ce principe était à la base de la morale judaïque et elle s'inclinait devant lui. Elle se demanda ce que son mari projetait.

— Depuis plusieurs mois, reprit-il, j'ai senti le nombre 301 qui m'appelait, et récemment il est apparu sur ton front et celui de nos enfants.

Il la regarda, se mit à trembler et recula en soufflant :

— Il y est en ce moment, Elisheba !

— Que signifie-t-il ?

— Le feu.

Elle dévisagea un long moment le gros petit saint avec qui il lui avait été donné de vivre un si simple bonheur, et lentement la signification de sa vision se précisa pour elle et elle repoussa les grandes paroles d'Akiba dans un cri :

— Non ! Zaki, non ! Non !

— Cela veut dire le feu, répéta-t-il sombrement.

Le vieil homme obèse et la ravissante jeune femme restèrent plusieurs heures assis dans les ruines du château des croisés, et enfin chacun d'eux accepta l'inévitable, s'inclina devant la volonté divine. Elisheba, prise d'une angoisse qu'elle n'aurait pu imaginer, prit la main de son mari et lui murmura :

— Si tu le dois, Dieu te fortifiera pour la sanctification de son Nom.

— Je le dois, dit-il.

Comme deux fantômes, marchant dans un rêve, ils redescendirent de la colline.

Elisheba prit sur elle d'avertir les autres rabbins, et ils accoururent aussitôt. En les voyant se hâter dans les rues vers l'échoppe du cordonnier, les voisins s'inquiétèrent et demandèrent :

— Que se passe-t-il ? Zaki est-il mourant ?

Le petit cordonnier, qui avait maintenant soixante ans et une belle barbe blanche, était assis à son banc, entouré de tous les dignitaires juifs de Safed.

— Toute ma vie, je me suis demandé pourquoi j'étais si gros, leur dit-il. Pour faire plaisir à Rachel, j'essayais de manger moins, mais Dieu me maintenait gros et gras. Il avait ses raisons. Afin que le jour où je marcherais vers le bûcher pour la sanctification de son Nom, je puisse brûler plus longtemps à sa gloire.

Alors la solidarité spirituelle de Safed se manifesta. Rabbi Eliézer, arraché à ses études, ne rappela pas à ses collègues qu'un tel égocentrisme était le produit fini de la Cabale, pas plus qu'il ne fulmina que la recherche du martyre était de l'arrogance et que la loi ne l'approuvait pas. Il raisonna :

— Zaki, mon gendre bien-aimé, Dieu t'a-t-il ordonné de faire cela, ou n'est-ce que ta vanité ?

Le Dr Abulafia, qui avait poussé Zaki à étudier la Cabale et qui pouvait se sentir responsable du message flamboyant, se sentit un peu blessé par la résolution qu'avait prise Zaki de compenser l'abandon de sa congrégation à Podi.

— Zaki, demanda-t-il, est-ce une véritable vision que tu as eue, ou bien as-tu imaginé cela parce que tu te trouvais auprès d'autres qui ont, eux, la perception intérieure ?

Avec patience, Zaki mit ses amis à leur aise :

— Cela m'est arrivé bien longtemps avant que j'entende parler de la Cabale, car le jour où j'ai fui Podi, Dieu m'a montré sur les figures des amis que j'abandonnais la marque du feu. Et c'est une véritable vision, car dans un rêve une voix m'a parlé et m'a dit : « Zaki, si tu essaies de diviser ce nombre 301 par deux ou par trois ou par quatre ou par cinq ou par six, qui sont les jours de la semaine, il y a toujours un qui reste, et cet un est toi. Mais si tu le divises par sept, qui est le chiffre du sabbat, il n'y a pas de reste, et tu es un avec Dieu. »

Et dans un souffle, le petit rabbin ajouta :

— Si vous additionnez les lettres formant le mot feu, elles donnent 301.

Les Cabalistes discutèrent âprement de ces révélations, mais la discussion fut coupée net par Rabbi Yom Tov qui rappela à Zaki :

— Il n'y a qu'une raison suprême pour ne pas y aller. Si tes os sont ensevelis ici à Safed, le jour du Jugement Dernier, tu te lèveras pour

accueillir le Messie, mais si tu es enterré au-delà des mers, tu seras obligé de creuser sous la terre comme une taupe pour regagner la Terre sainte.

C'était une croyance à laquelle se cramponnaient beaucoup de vieux Juifs, et ils redoutaient tant ce voyage souterrain après la mort qu'ils s'efforçaient de retourner en Terre sainte pour y pousser leur dernier soupir.

L'argument du Dr Abulafia avait son poids, aussi :

— Tu n'es pas un Juif ordinaire, allant à Rome défendre la Torah. Certains l'ont fait, Zaki, et en sont revenus. Mais toi, tu es un Juif qui a été baptisé dans l'Eglise chrétienne, et comme les Juifs de Podi qui ont été brûlés vifs, aux yeux de cette même Eglise tu es un hérétique, un apostat qu'il faut purifier par le feu. Si tu vas à Rome, tu cours à une mort certaine.

Mais la réponse de Rabbi Zaki pesa d'un bien plus grand poids encore :

— Nous vivons dans le filet de Dieu, et si j'ai nagé jusqu'aux confins les plus éloignés de la Méditerranée, je n'ai pu m'évader ; si j'étais resté avec les Juifs de Podi, j'aurais brûlé avec eux. Ils m'appellent, et Dieu m'appelle.

La discussion fut interrompue par l'arrivée inopinée des deux filles aînées de Zaki, Sarah et Tamar, qui voulaient savoir de quoi il s'agissait. Quand on leur apprit que leur père se proposait d'aller à Rome discuter en faveur du judaïsme et s'offrir de lui-même au martyre, elles protestèrent aigrement.

— Si notre mère était en vie... glapirent-elles.

— Elle n'est pas en vie, interrompit Elisheba. Mais moi je le suis, et je dis que Rabbi Zaki a été appelé par Dieu à cette terrible mission, et il partira avec ma bénédiction et celle de nos enfants.

— Si notre mère était là... gémit Sarah.

— Fais donc sortir ta femme d'ici, grommela un des rabbins à l'adresse d'Abulafia.

Mais il répondit d'un air résigné :

— Elle est sa fille. Elle a le droit de rester.

La discussion se poursuivit, mais aucun argument ne put ébranler le gros petit rabbin, et finalement il fut entendu qu'il irait à Rome. Il consacra deux semaines à mettre de l'ordre dans ses affaires et vendit son échoppe de cordonnier à un jeune homme dont il espérait bien qu'il deviendrait l'époux d'Elisheba quand elle serait veuve. Il eut de longues conversations avec ses enfants, dans l'espoir qu'ils se souviendraient de ce bon gros vieillard à barbe blanche qui était leur père.

Il alla de synagogue en synagogue, pour prier avec tous ceux qui l'avaient connu et aimé, et le dernier vendredi il se rendit dans les champs avec les autres rabbins pour chanter un joyeux cantique à l'approche du sabbat. Puis il les quitta et marcha tout seul sous les arbres. Le samedi, on pensa qu'il passerait le sabbat à la synagogue allemande. que fréquentait sa femme, mais il alla à celle d'Abulafia, un homme qui

portait aussi son fardeau de péché, et les deux vieux rabbins échangèrent un brûlant regard par-dessus les têtes des fidèles.

Le dimanche, Zaki dit au revoir à sa femme. Jamais plus il n'enlacerait ce corps parfait aux longues cuisses blanches ; le ravissant visage encadré de cheveux noirs s'effacerait lentement de sa mémoire, sauf au dernier instant, dans les flammes, où il ne verrait pas le signe mystique de YHWH mais Elisheba, la fille d'Eliézer bar Zadok.

Le lundi matin à l'aube, la population de Safed, sous la conduite de ses rabbins, suivit dans la campagne Rabbi Zaki qui partait pour son pèlerinage. Ils lui donnèrent des aumônes, et prièrent pour lui. Zaki embrassa une dernière fois sa femme et ses enfants, mais le dernier habitant de Safed à qui il s'adressa fut Abulafia, qui arriva avec un petit paquet :

— Tu sais sous quel lourd péché je marche accablé, dit le fier Espagnol. Aide-moi. Quand je me suis enfui, j'ai emporté avec moi ce menorah. Rapporte-le au pays des persécutions. Il sera peut-être précieux pour quelqu'un.

Rabbi Zaki contempla le rabbin au turban et murmura, avec humilité :

— Je t'ai jugé durement. Maintenant, Dieu me force à me conduire de même. Pardonne-moi.

Mais quand ce soir-là, il campa seul sur la petite éminence où s'était dressée Makor, il se ravisa. Il se dit que rapporter le menorah de Rabbi Abulafia en Europe était un acte d'arrogance, sinon d'idolâtrie. Alors il creusa un trou profond et y enfouit le menorah, en pensant que plus tard, bien plus tard, un Juif de la région le découvrirait et croirait à un miracle.

Le lendemain matin, il s'éveilla avant le jour et reprit sa marche vers Rome.

CHAPITRE XV

CRÉPUSCULE D'UN EMPIRE

NIVEAU II — 1876-1880

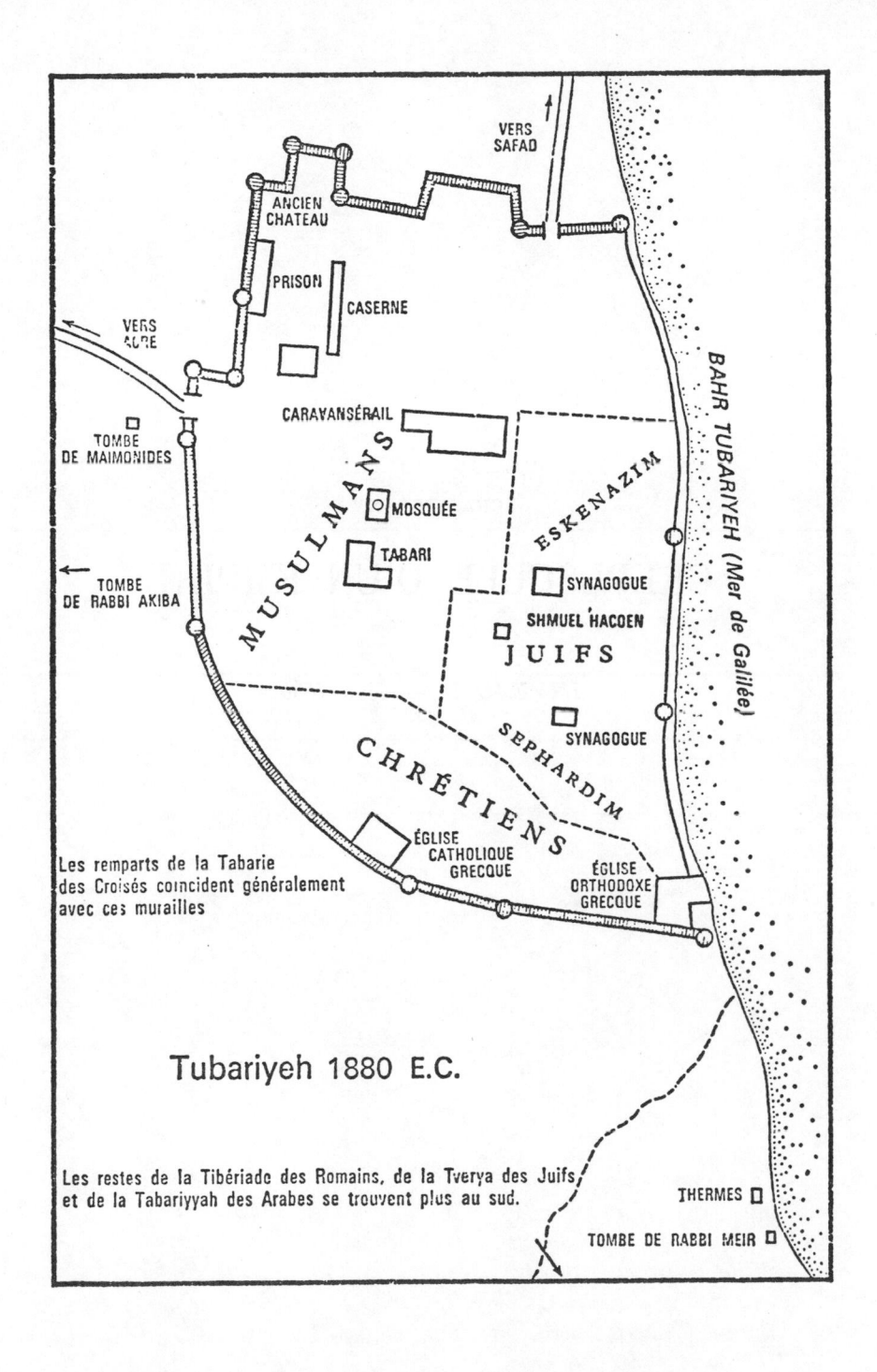

VERS
SAFAD

ANCIEN
CHATEAU

PRISON

CASERNE

VERS
ACRE

TOMBE
DE MAIMONIDES

CARAVANSÉRAIL

MOSQUÉE

TABARI

TOMBE
DE RABBI AKIBA

M U S U L M A N S

ESKENAZIM

SYNAGOGUE

SHMUEL HACOEN

J U I F S

SYNAGOGUE

S E P H A R D I M

BAHR TUBARIYEH (Mer de Galilée)

C H R É T I E N S

ÉGLISE
CATHOLIQUE
GRECQUE

ÉGLISE
ORTHODOXE
GRECQUE

Les remparts de la Tabarie
des Croisés coïncident généralement
avec ces murailles

Tubariyeh 1880 E.C.

Les restes de la Tibériade des Romains, de la Tverya des Juifs,
et de la Tabariyyah des Arabes se trouvent plus au sud.

THERMES

TOMBE DE RABBI MEIR

IL faisait chaud à Tibériade. Un soleil de feu frappait la surface plombée du lac et les collines désertiques comme une torche immense calcinant tout sur son passage. A l'intérieur des sombres murs massifs de la petite ville, la chaleur était intolérable, et pendant les heures du milieu du jour, bien peu de personnes se hasardaient dans la fournaise des ruelles encaissées où couraient les ruisseaux nauséabonds des égouts à ciel ouvert.

Tibériade était le lieu le plus bas du monde, niché à plus de deux cents mètres au-dessous du niveau de la mer, et en cet été torride de 1880, c'était aussi l'une des agglomérations les plus tristes du monde, un village misérable, malodorant, somnolent, croupissant dans sa crasse avec ses maisons aux fenêtres closes tassées sur elles-mêmes, comme si la ville avait honte de montrer sa face au soleil.

Un voyageur, apercevant la ville telle qu'elle était à présent, n'aurait pu reconnaître la fière cité d'Hérode le Grand, ni le centre intellectuel où la Bible et le Talmud avaient été composés. Jamais il n'aurait pu imaginer qu'entre ces mêmes murs les croisés avaient tenu une cour brillante, car aujourd'hui quelques Arabes végétaient dans leur quartier, quelques Juifs dans le leur, divisés par les éternelles querelles entre les Eskenazim, les Juifs d'Europe centrale et d'Allemagne, et les Séphardim, les Juifs d'Orient, d'Espagne et du Portugal, représentant l'aristocratie oisive de la race et méprisant cordialement les ingénieux Eskenazim qui le leur rendaient bien. Une poignée de chrétiens vivaient dans le quartier méridional de la ville, et par des journées pareilles, où le thermomètre montait jusqu'à plus de cinquante à l'ombre sur le balcon du *kaimakam*, les habitants de Tibériade faisaient la sieste en espérant que la nuit apporterait quelque répit.

Dans cette bourgade livrée aux puces et aux scorpions, un seul homme était au frais. Dans une salle souterraine, au-dessus d'une cave qui avait été bourrée de glace transportée des montagnes durant l'hiver, un bel homme majestueux et corpulent d'une quarantaine d'année était allongé dans une chaise longue de rotin, une serviette humide sur le front, un éventail dans une main, un verre de jus de raisin glacé dans l'autre, vêtu d'un simple pagne lâche.

Et cependant, cet homme aux longues moustaches n'était pas à son aise, à cause des plans compliqués et dangereux qu'il élaborait. Deux plaignants différents s'étaient adressés à lui, et lui avaient soumis des pétitions diamétralement opposées concernant un achat de terrain. Le petit cadi au burnous blanc et le mufti à la figure rouge s'étaient associés pour faire cause commune contre Samuel Hacohen, un Juif bossu de Russie. Et Faraj ibn Ahmed Tabari, kaimakam de Tubariyeh, comme le gouvernement turc appelait Tibériade, avait imaginé une ruse par laquelle il pourrait extorquer un bakchich à l'une et à l'autre partie sans en satisfaire aucune, solution qui séduisait fort son sens de l'administration.

Tabari se carra plus commodément dans sa chaise longue, et imagina les arguments des plaignants qu'il devait voir dans la soirée. Le mufti congestionné protesterait hautement : « En ma qualité de chef religieux des musulmans, j'exige... » Le petit cadi tout vêtu de blanc, toujours timoré, bredouillerait : « Excellence, je pense vraiment que vous devriez... » Et Hacohen, un homme à la résolution inébranlable, l'air faussement servile à cause de sa bosse, plaiderait : « Un bateau vient de débarquer un important groupe de Juifs en Acre. » Et chacun aurait dans ses poches, pour soutenir sa pétition, une poignée de pièces d'or, de bons souverains anglais négociables. C'était le genre de situation qui faisait la joie du kaimakam.

Mais la raison profonde de son souci n'était pas sa propre duplicité concernant cette attribution de terres. Le gouverneur Tabari était agité, parce qu'il se sentait poussé de plus en plus vers cette minute de vérité, où il devrait s'engager dans un parti ou l'autre pour le salut de l'empire, et c'était ce choix qu'il redoutait. Etant un des rares Arabes autorisés à parvenir à un poste aussi élevé dans la haute administration turque, il devait être plus prudent qu'un autre en matière de politique. De fait, sa présence dans le palais du gouvernement était due à un heureux hasard, et il ne tenait pas à commettre d'impairs qui risqueraient de lui faire perdre sa situation.

Bien des années plus tôt, alors qu'il n'était encore qu'un jeune gamin arabe au regard vif, courant pieds nus dans les rues de Tubariyeh, il avait éveillé l'intérêt du kaimakam de l'époque, un éminent érudit turc qui avait invité le jeune Faraj chez lui pour jouer avec son fils et sa fille, et qui s'était pris d'une passion aussi coupable que dévorante pour le jeune Arabe. D'étranges années avaient suivi au cours desquelles Faraj avait voyagé en compagnie du kaimakam de Safad à Acre puis à Beyrouth, apprenant ainsi de première main les arcanes de la politique et de l'administration turques. Et puis, aussi brusquement qu'elle s'était éveillée, la passion du kaimakam s'apaisa et il permit à Faraj d'épouser sa fille puis il l'inscrivit à l'école nationale d'administration d'Istanbul. Là, Tabari avait été le seul Arabe dans les classes où dominaient les Grecs, les Bulgares et les Perses, et il avait appris le mépris que professaient les dirigeants turcs pour tous les Arabes, ces sujets les plus vils de l'empire. Il s'appliqua alors avec ferveur à démontrer ce dont

un Arabe pouvait être capable et il impressionna tant ses professeurs qu'une fois diplômé il fut envoyé à des postes d'essai à Salonique, à Andrinople et à Bagdad. Ce fut dans cette dernière ville qu'en 1876, alors qu'il avait trente-huit ans et que son étrange beau-père était mort, le frère de sa femme se présenta à lui avec des nouvelles exaltantes :

— Faraj ! On t'envoie à La Mecque. Et si tu arrives à force de prévarications et de bakchich à réunir six cents marie-thérèses, tu pourras acheter la charge de kaimakam de Tubariyeh ! Il faut absolument que tu obtiennes cette position, d'une façon ou d'une autre. Car ensuite, tu seras à même d'accomplir de grandes choses !

Pour la première fois de sa vie, Tabari écouta alors un de ces jeunes idéalistes nouvellement surgis lui expliquer ce que devait devenir l'empire turc.

— Faraj ! rêvait tout haut son beau-frère, quand tu seras retourné à Tubariyeh tu pourras peut-être créer une école, fonder un hôpital ! Nous avons un projet de service militaire tout prêt, qui servira à apprendre aux paysans à lire et à écrire.

Ils avaient parlé durant plusieurs heures, et à la fin Tabari avait déclaré qu'il s'arrangerait pour trouver la somme nécessaire, et ils s'étaient serré la main, non pas comme des conspirateurs, mais comme deux hommes, l'un turc l'autre arabe, qui voyaient quelles réformes devaient être adoptées pour sauver leur vieil empire épuisé.

A La Mecque, Tabari s'était appliqué avec acharnement à soutirer de l'argent à tout le monde, sous tous les prétextes. Il convient de dire qu'en ces années somnolentes, l'empire turc partait du principe que tout fonctionnaire devait pouvoir amasser chaque année quatre fois plus d'argent que son traitement : une part pour payer le bakchich sur le poste qu'il détenait, une part à mettre de côté pour acheter la charge qu'il ambitionnait, une part pour aider son supérieur à payer sa charge et une part enfin à garder en cas d'urgence. Tout fonctionnaire turc ne sachant ni extorquer de l'argent, ni mentir, frauder, voler, et pratiquer le chantage sans provoquer de scandale était jugé incapable d'administrer l'empire, et Faraj Tabari avait la ferme intention de devenir un des meilleurs fonctionnaires du gouvernement envoyés en poste en Arabie depuis des années.

Quand il eut amassé les six cents marie-thérèses, il se rendit à Istanbul et remit la somme au personnage chargé de nommer les kaimakams, puis il passa quelques semaines à renouer de vieilles amitiés de collège. Il rencontrait souvent son bouillant beau-frère sur les rives du Bosphore, et le jeune révolutionnaire, qui avait réussi à se procurer un bon emploi, lui parlait des progrès que faisaient les idées nouvelles.

— Nous détenons des positions clefs dans tous les services du gouvernement, assurait l'enthousiaste réformateur. Quand tu seras de retour à Tubariyeh, tu pourras nous aider.

Enfin, son mandat de gouverneur en poche, Faraj Ahmed ibn Tabari, l'homme qui avait le mieux réussi de tous les descendants de la grande famille d'Ur, retourna gouverner sa ville natale de Tubariyeh. Il prit sa

tâche à cœur, visita fidèlement les coins les plus reculés de sa circonscription et paya régulièrement le bakchich au mutasarrif d'Acre et à l'ouali de Beyrouth. De plus, il s'appliquait à extorquer le plus de fonds possible, pour se préparer une retraite confortable. A ce moment-là il reviendrait à Tubariyeh, si un poste plus important l'en avait éloigné, et il s'achèterait la moitié de la ville.

Car il aimait la sordide petite agglomération où il avait passé son enfance. Même lorsqu'il était en poste dans les lieux les plus délicieux, il songeait avec nostalgie aux montagnes du nord couronnées de neige, aux lumières de Safad nichée dans les collines, au lac merveilleux.

A Tubariyeh, il gouverna bien, si l'on compare son administration à celle des autres pays d'Orient de l'époque, des Indes au Maroc, car son peuple était heureux. Il n'opprima point, et il permit à chaque communauté, chrétienne, musulmane ou juive, de se gouverner elle-même pour tout ce qui concernait la religion ou la vie quotidienne.

Dans tout l'Orient, des centaines de milliers d'individus vivaient dans des conditions bien pires, et si à Tubariyeh il n'y avait pas d'écoles, si les femmes de toutes confessions n'étaient guère mieux considérées que des bêtes de somme, c'était simplement que personne n'avait eu l'idée d'y changer quoi que ce fût. Depuis deux ans que le gouverneur Tabari occupait son poste, et son bureau donnant sur les collines stériles de Galilée, il n'avait jamais songé que les réformes suggérées par les ardents jeunes Turcs d'Istanbul pussent s'appliquer là, pour peu que l'on y consacrât quelque énergie. En voyant les terres désertiques, il n'imaginait pas qu'elles pussent être autrement, ni qu'elles avaient jadis été fécondes. Il vivait au bord d'un lac poissonneux, un lac qui avait nourri des multitudes sans que Jésus ait besoin de faire un miracle, et pourtant il ne s'étonnait pas du tout que la Tubariyeh contemporaine ne possédât pas une barque de pêche, et négligeât ce réservoir alimentaire naturel. Il n'eut pas un instant l'idée d'acheter un bateau et de le faire transporter au lac, afin que ses sujets pussent de nouveau connaître le goût du poisson. La dernière embarcation à voguer sur le lac avait pourri quatre siècles plus tôt, et, alors qu'il y avait eu là des flottilles de cent et deux cents barques de pêche, il ne restait même plus un bachot à rames. Au bord même de cette abondance, le peuple mourait de faim, et le gouverneur n'envisageait aucune solution.

« Je suis là, avait-il un jour déclaré à l'ouali d'Acre, pour maintenir l'ordre et veiller à ce que les Bédouins n'attaquent pas nos murs. »

Le kaimakam Tabari avait une seule et unique règle administrative, qui était fort bien comprise de ses sujets : tout était à vendre à Tubariyeh. Si un jeune Arabe était appelé à faire son service militaire, il ne pouvait se dérober, mais si son père était riche et savait soudoyer le kaimakam, on trouvait une excellente raison de le réformer. Les Juifs étrangers n'avaient sous aucun prétexte le droit de posséder de la terre dans les secteurs arabes, sous peine d'amendes sévères, de prison et parfois même de mort ; mais si un Juif distribuait assez de bakchich, il pouvait acheter sa terre. Lorsque le cadi condamnait un coupable, il était secrètement

entendu entre le cadi et le kaimakam que le premier prononcerait une sentence excessive ; le coupable pouvait alors faire appel à la miséricorde du second, et s'il était assez riche, il était acquitté. Pour la délivrance du moindre papier officiel, il existait un barème de bakchich, et pour la justice, que ce fût à la cour civile du cadi ou au tribunal religieux du mufti, quiconque en avait les moyens pouvait faire rendre le verdict de son choix par le kaimakam.

Naturellement, le gouverneur n'empochait pas tout le revenu qui affluait ainsi. Il payait généreusement ses subordonnés, et il partageait les pots-de-vin avec le cadi et le mufti. De plus, il était tenu d'envoyer régulièrement des bakchichs à Beyrouth ou à Acre. Il était donc évident que ces prévarications saignaient à blanc la population de Tabariyeh, et qu'il ne pouvait rester d'argent pour construire des écoles, des hôpitaux, des égouts ou une prison où l'on ne mourrait pas en quelques semaines. Il n'y avait pas d'adduction d'eau, pas de police, à part la garde du gouverneur, et pas de pompiers. Il y avait le mur, qui faisait échec aux Bédouins, et un aimable kaimakam souriant qui s'efforçait d'« arranger » les affaires de ses administrés.

Pour qu'un tel système de concussion officielle pût marcher, il devait régner une honnêteté relative entre les participants, mais depuis quelque temps le kaimakam avait découvert que le mufti rougeaud le trompait, le volait et cherchait à lui nuire en haut lieu, et qu'en plus il conspirait contre lui avec le petit cadi.

Tabari résolut de régler la question du mufti. Il vida son verre de jus de raisin, essuya son corps en sueur et endossa l'uniforme turc qu'il revêtait pour exercer ses fonctions, puis il quitta sa fraîche maison pour se rendre à son bureau.

Dans la rue, les Arabes et les Juifs s'écartaient respectueusement, et il passa lentement, de son pas majestueux, devant la mosquée. Au caravansérail, qui occupait un vaste périmètre dans le centre, il s'arrêta pour demander s'il n'était pas arrivé un messager d'Acre avec des dépêches du mutasarrif, et fut déçu d'apprendre qu'aucun cavalier ne s'était présenté.

— S'il en vient un, dit-il, envoyez-le-moi tout de suite au palais du gouvernement.

Il pressa ensuite le pas, entra en coup de vent dans son bureau, où les deux complices l'attendaient, et les embrassa avec une feinte cordialité à laquelle il ne se laissèrent pas prendre.

— Mes bons amis, s'écria-t-il, asseyez-vous, prenez place. Alors, quel est donc votre problème ?

Le petit cadi ne put étouffer une exclamation stupéfaite :

— Excellence ! Mais voilà maintenant deux ans que nous discutons de notre problème !

— Oui, oui certes, fit aimablement Tabari, mais avons-nous de nouvelles solutions ?

— Quelles sont les nouvelles d'Acre ? grommela le mufti.

— Je n'en ai aucune.

— Alors c'est à vous de prendre la décision ?

— Naturellement.

— Qu'avez-vous décidé ?

— Je suis enclin à partager votre point de vue.

Le cadi estima aussitôt que cela annonçait une victoire et il s'inclina servilement en s'écriant :

— Excellence, nous savions dans le fond de nos cœurs qu'un homme de votre grande sagesse...

Mais le mufti, un des hommes les plus habiles de Tubariyeh, était plus au fait des ruses des administrateurs turcs, et il voulut mettre Tabari au pied du mur.

— Pouvons-nous compter sur votre parole ?

Si le kaimakam était offusqué par la brutalité du mufti, il maîtrisa sa colère en se rappelant son but unique, tirer de l'argent de cet homme. La vengeance pouvait attendre au lendemain. Il sourit donc le plus aimablement du monde et répondit sans se troubler :

— Mais naturellement, vous avez ma parole.

Le cadi, encore une fois, fut enchanté.

— Alors le Juif n'aura pas sa terre ?

— Je n'ai pas dit précisément cela, objecta Tabari.

— Quoi ? Alors qu'avez-vous dit ? gronda le mufti.

— Simplement que je partageais votre point de vue.

— Mais qu'allez-vous faire ?

Le gouverneur sourit. Il cherchait à faire enrager le mufti, pensant qu'ainsi il lui serait plus aisé de lui soutirer de l'argent.

— Ce que je vais faire ? répondit-il posément. Mais la chose même que vous avez recommandée.

Le petit cadi ne cacha pas son soulagement.

— C'est une journée mémorable, Excellence. Ainsi, le Juif n'aura pas de terre.

— Sous aucun prétexte plausible, assura le gouverneur.

C'était une phrase classique, qui signifiait, et chacun l'entendait ainsi, que le moment des marchandages était arrivé et que le vainqueur serait le demandeur offrant la plus forte somme. Tabari savait que le mufti comprenait fort bien, et il gardait le silence, mais le mufti savait aussi se taire, et finalement ce fut Tabari qui dut s'incliner.

— Je pense, dit-il, que puisque nous sommes tous trois convenus que le Juif ne doit pas avoir sa terre, il faudrait que j'aille en informer le mutasarrif d'Acre... Mais pour se rendre là-bas, il faut de l'argent.

— Combien ? demanda le mufti d'une voix méprisante.

— Trente livres anglaises, répliqua posément Tabari et voyant l'autre blêmir, il ajouta d'un air suave : Je dis trente livres anglaises parce que je sais que vous en avez extorqué plus de quarante aux derniers pèlerins de Capharnaüm.

La figure congestionnée du mufti vira au violet et il eut du mal à contenir sa rage d'être traité ainsi par un Arabe déguisé en Turc ! De plus, s'il donnait trente livres à Tabari, il y avait de fortes chances pour

que la somme n'arrivât jamais dans sa totalité à Acre, et cela lui inspira une ruse. Pourquoi ne pas remettre à Tabari les trente livres qu'il exigeait, puis informer le mutasarrif de la somme remise à son intention ? Le mufti était certain que le gouverneur en garderait au moins la moitié pour lui, et de cette manière il se débarrasserait de lui. Cela valait bien trente livres.

— Le mutasarrif sera-t-il qualifié pour rendre un verdict ? demanda-t-il tout de même, avant d'ouvrir sa bourse.

— Naturellement, assura Tabari.

Mais il songeait qu'il y avait deux ans que les papiers étaient partis de Tubariyeh pour Istanbul, en passant par Acre et Beyrouth. La décision devait certainement avoir été déjà prise en haut lieu, et un firman du sultan était vraisemblablement déjà en route. Or, depuis quelques années, les gouvernements européens faisaient pression sur le sultan pour l'amener à plus de libéralité, et si le sultan accordait des privilèges aux Russes et aux Anglais, il ne pouvait pas ne pas faire de même pour les Juifs. « Donc, se disait Tabari, si je dois toucher mon bakchich, il faut que je fasse payer le mufti et le cadi tout de suite, avant qu'ils apprennent que le sultan a pris une décision contraire à leurs vœux. »

La voix chevrotante du cadi interrompit ses réflexions.

— Et si nous vous donnons les trente livres ?...

— Je mettrai tout en œuvre pour interdire nos terres aux Juifs.

— Nous pouvons compter dessus ?

— Vous avez ma parole d'honneur, s'écria Tabari avec un geste théâtral. Tenez, je pars pour Acre dès demain. Je remettrai moi-même l'argent au mutasarrif, et il n'y aura pas de Juifs propriétaires à Tubariyeh.

« Et si le sultan a déjà pris une décision contraire, songeait-il à part soi, je leur jurerai que j'ai tout fait pour intercepter l'ordre. »

Le cadi et le mufti échangèrent un long regard dubitatif, puis le cadi déclara :

— Nous allons vous donner les trente livres, Excellence.

— Afin d'être utilisées comme il a été dit, gronda le mufti méfiant.

— Mais naturellement ! s'écria joyeusement le gouverneur et sa bonne fortune l'inspira car il se leva et prit les deux hommes aux épaules pour leur donner l'accolade, comme s'ils étaient ses amis chers.

Or au même instant, derrière eux, un serviteur égyptien apparut, une serviette de cuir à la main. Mais comme le gouverneur enlaçait fougueusement les deux hommes, ils ne le virent pas et Tabari lui fit signe de disparaître.

Puis il lâcha les deux complices éberlués et frappa dans ses mains en criant à son domestique :

— Hassan, accompagne le mufti chez lui. Il a un paquet à te remettre pour moi.

L'Egyptien, les mains vides, rentra docilement, et le mufti le considéra avec méfiance.

— J'apporterai l'argent demain, dit-il.

C'était le moment d'appliquer la seconde règle d'or de la prévarication turque : quand un homme a accepté de remettre un pot-de-vin, ne jamais le quitter un seul instant, tant qu'il n'a pas ouvert sa bourse ; il serait capable de se raviser.

— Vous oubliez, mon bien cher ami, dit-il onctueusement, que je pars pour Acre dès l'aube, et que, pour être efficace, votre argent doit parvenir au plus tôt entre les mains du mutasarrif.

Le mufti s'inclina, tendit la main de l'amitié et sortit en entraînant le petit cadi. Dès qu'ils furent dans la galerie, le mufti attira le juge hors de portée des oreilles du domestique et lui chuchota :

— Quand le vieux filou nous tenait enlacés, n'as-tu pas eu l'impression que quelqu'un était entré dans le bureau ?

— Je n'ai rien remarqué, bredouilla le cadi ahuri.

— Hum !

En silence, suivi du domestique, il rentra chez lui, où il remit la liasse de livres anglaises que Hassan compta et recompta soigneusement.

Au même instant, dans son bureau, le gouverneur Tabari ouvrait le portefeuille aux dépêches que Hassan lui avait apporté et mis de côté. Il négligea les ordres de routine, et feuilleta impatiemment les papiers jusqu'à ce qu'il trouvât celui qu'il attendait. Il découvrit enfin le précieux firman, enluminé d'or et scellé de soie rouge, et lut :

« La pétition du Juif Samuel Hacohen de Tubariyeh désirant acheter la terre sise au sud du Bahr Tubariyeh, ladite terre étant actuellement la propriété de l'émir Tewfik ben Alafa, natif de Damas, est accordée par la présente. La seconde pétition du Juif Hacohen, d'acheter d'autres terres accédant directement au lac et au Jourdain est refusée par la présente. Sous aucun prétexte, les Juifs ne seront autorisés à acquérir des terres en bordure des eaux. »

En achevant sa lecture, le kaimakam souriait, car cela signifiait qu'alors même qu'il remettait son argent, le mufti ne pouvait déjà plus rien espérer, et en sa qualité de fonctionnaire de l'empire turc, Tabari goûtait fort ce genre d'ironie du sort. Mais Hassan revenait déjà, avec les trente livres, et une nouvelle moins plaisante : le Juif Hacohen se trouvait dans l'antichambre, et venait encore parler au kaimakam de la terre qu'il s'efforçait en vain d'acheter depuis quatre ans.

Samuel Hacohen voulait de la terre. Il en avait besoin. Plus que tout autre homme de Palestine, ce petit Juif russe tout tordu et bossu et dur à l'ouvrage devait trouver de la terre. Et en ce crépuscule d'une torride journée d'été, il était au bord du désespoir, car le messager qui avait apporté les dépêches officielles au kaimakam Tabari lui avait également apporté la nouvelle que, deux jours plus tôt, le premier chargement de Juifs d'Europe était arrivé par bateau dans le port d'Acre. Dès le lendemain, ils se mettraient en marche vers Tibériade, et s'ils ne trouvaient pas de terre d'accueil à leur arrivée, ce serait un désastre.

Quatre ans auparavant, en arrivant à Tibériade, il avait pensé que

rien ne lui serait plus aisé que d'acheter un vaste terrain pour y créer une communauté juive, mais des mois et des années avaient passé en négociations, humiliations de toutes sortes, démarches et confusion, sans parler des sommes distribuées à droite et à gauche pour hâter en principe son affaire.

Dans son misérable taudis situé entre les quartiers des Eskenazim et des Séphardim, qui tous le méprisaient également, accablé de chaleur, il se dit qu'il devait aller une dernière fois supplier le kaimakam de lui accorder cette terre pour ces Juifs qui allaient arriver, et en songeant au gouverneur Tabari il hocha la tête. Il ne comprenait pas cet homme. Il était corrompu, certes, mais en Russie, bien des fonctionnaires l'étaient aussi. Hacohen savait que Tabari entendait soutirer aux Juifs le maximum de piastres possible, et aussi qu'il se servait adroitement du mutasarrif d'Acre et de l'ouali de Beyrouth comme excuses à de nouvelles extorsions, mais ce que le Juif ne pouvait comprendre, c'était l'apparent manque total de sens moral.

Essayer d'arracher à un tel homme une autorisation de posséder une terre était une entreprise harassante qui vous poussait au désespoir, et c'était bien là qu'en était réduit Hacohen.

Dans sa misérable cabane étouffante, le petit Juif revêtit son épais costume européen, enfila de lourds brodequins de cuir et se prépara à lutter une fois encore avec le rusé kaimakam. Mais ce soir, ce serait différent. Ce soir, il était résolu à obtenir sa terre. Il obtiendrait ce terrain qu'il avait payé ou bien... Ou bien quoi ? Quelle arme possédait un Juif étranger contre un haut fonctionnaire turc ?

Hacohen soupira, s'agenouilla dans la poussière de son taudis, et fouilla à la tête de son grabat, dans le sol en terre battue. Il déplaça quelques vieilles pierres, et il sortit son pécule de cette cachette. Il possédait là près de mille livres anglaises, tout ce qui lui restait de l'argent de Russie, et avec cette somme il devait conclure le marché.

Il reboucha le trou, se releva, et épousseta la terre de son pantalon. Mais comme il allait sortir, il se ravisa, réfléchit longuement, puis il alla à la tête de son pauvre lit, et fouilla de nouveau dans la terre. Quand il se redressa, une merveilleuse pièce d'or pur brillait au creux de sa main. Il l'examina avec tendresse, avec regret, et finit par conclure qu'en ce jour de jugement, même cette pièce pouvait être sacrifiée.

Il l'avait trouvée lors d'une de ses premières promenades de prospection, le long de la rive méridionale du Bahr Tubariyeh où il s'était arrêté pour donner des coups de pied dans la terre et voir si elle paraissait féconde. Il s'aperçut que la riche terre noire serait certainement capable de donner d'abondantes récoltes pour peu qu'on la cultivât, et il prit un bâton pour fouiller comme si la terre lui appartenait déjà. C'est ainsi qu'il avait trouvé cette très ancienne pièce d'or couverte d'inscriptions arabes, et il s'était dit qu'elle l'avait attendu là.

L'intention de Samuel Hacohen avait été de conserver cette pièce, et de la consacrer à l'édification de sa propre demeure dans la nouvelle communauté, et il avait résisté à toutes les tentations de la dépenser

autrement, mais cette-fois, il était acculé au pied du mur. Il devait avoir la terre pour ses Juifs, et si cette pièce d'or pouvait l'aider à se la procurer, alors elle devrait être sacrifiée.

Il se coiffa de son fez turc, épousseta encore une fois son costume et sortit en priant tout bas :

— Dieu de Moïse, conduis-moi hors de ce désert.

Le vrai nom de Samuel Hacohen était Samuel Kagan. Il était né dans le petit village de Vodzh, près de la frontière occidentale de Russie. Son père était un maigre dévot, qui encaissait les loyers des propriétaires russes, et dès l'âge de neuf ans, le petit Samuel s'était rebellé contre lui. Kagan l'aîné, en bon Juif orthodoxe, avait obligé son fils à porter les longues papillotes tombant devant les oreilles, la marque de piété hasidique exigée par la Bible, mais le jeune Samuel, un enfant maladif à la colonne vertébrale déformée, découvrait de dure façon que les petits écoliers russes n'appréciaient pas les garçons aux longues boucles, aussi, empruntant les ciseaux de sa mère, s'était-il coupé les cheveux. Sur le moment sa mère n'avait rien dit, mais quand le père était rentré de sa tournée d'encaissement, elle avait éclaté en sanglots. Le père avait emmené Samuel dans une pièce obscure et lui avait cité un passage de la loi de Moïse condamnant les coupables d'un tel geste de rébellion contre leurs parents aux plus affreux supplices, et à la lapidation à mort.

Les menaces paternelles avaient fortement impressionné le petit Samuel, et pendant quelques semaines il fut hanté par la vision du châtiment recommandé par la Torah, mais cela ne suffit pas à lui faire adopter les idées de son père. Il refusa de porter les longues boucles sur les joues. Le conflit devint plus aigu quand le père Kagan voulut le faire entrer à la yeshiva afin de se préparer à une vie d'études, puisqu'il n'était pas robuste. Une fois encore, Samuel refusa, car il avait déjà décidé d'entrer dans les affaires, de faire du commerce.

— Il n'est pas de commerce plus noble que l'étude du Talmud, proféra sentencieusement son père.

— Ce n'est pas pour moi.

— Samuel, écoute. Tous les matins, quand je passe devant la synagogue, je demande à Dieu de me pardonner. Car j'encaisse des loyers. Pour des Gentils. Et je ne lis pas le Talmud comme je devrais.

— Moi, je veux travailler.

Le père Kagan, voyant qu'il ne parvenait pas à convaincre son fils, décida d'aller avec lui consulter le saint homme de Vodzh et de s'en tenir à sa décision. Ils sortirent donc, suivirent le chemin boueux jusqu'à la fontaine du village, en face de laquelle se trouvait une cour entourée sur trois côtés par des bâtiments plus ou moins délabrés. Des Juifs hasidiques, en longs caftans verdis, chapeau de fourrure et longues papillotes sur les joues, se pressaient devant la porte. Kagan se fraya un passage pour lui et son fils, et, sans frapper, il entra dans la maison de bois en criant :

— Rabbi, nous venons quémander un jugement.

Le saint homme devant qui ils se présentaient n'avait à première vue rien d'un religieux. Il était grand et solide, âgé d'une quarantaine d'années à peine, avec une physionomie joviale et rubiconde. Il aimait boire et danser, chanter des chansons populaires et ses yeux bleus pétillaient de rire au-dessus de sa grosse barbe noire. On ne l'appelait pas autrement que Vodzher Rebbe, le rabbin de Vodzh, un hasidique qui soulageait les misères de ses Juifs par la joie et la piété. Il descendait de trois générations de rabbins qui avaient rendu la justice à Vodzh, et sa maison était le refuge de tous les Juifs errants, un centre de discussions permanent, un tribunal et un lieu de prières. Dans tous les villages de Russie occidentale et de Pologne orientale, le Vodzher Rebbe était considéré comme un saint juif, et souvent, le samedi, cinquante Juifs venus de loin se pressaient pour écouter ses paroles de sagesse profonde, mais ce qu'ils entendaient généralement, c'était de joyeux chants populaires.

En voyant devant lui Kagan et son fils aux cheveux ras, il sourit dans sa barbe et demanda :

— Eh bien, Samuel, qu'as-tu donc fait ?

— Mon fils refuse de porter les papillotes, se plaignit le père. Il ne veut pas entrer à la yeshiva.

— Vraiment ? s'écria le rabbin.

— Je veux travailler, déclara Samuel.

Le grand rabbin, rejetant sa tête en arrière, se mit à rire à pleine gorge.

— Combien de pères de Vodzh seraient heureux d'entendre leurs paresseux de fils déclarer : « Je veux travailler. » Viens, petit, viens t'asseoir sur mes genoux. Je t'avais remarqué, courant dans le village comme un mouton qu'on vient de tondre, petit garnement. Mais ton père a raison, Samuel. Israël ne peut survivre sans un nouveau contingent d'érudits chaque année. Mon fils est à la yeshiva, et je suis fier de lui. Ton père serait fier de te voir étudier le Talmud. Voyons, qu'est-ce qui ne va pas, hein ? Tu n'aimes pas les études ?

— Je veux travailler, répéta Samuel.

— Eh bien, tu travailleras, s'écria joyeusement le rabbin. Kagan, mon ami, Israël n'a pas seulement besoin d'érudits mais aussi d'hommes de bons sens pratique. Rase ton crâne, Samuel. Fréquente les écoles russes. Va en Allemagne, à l'université. Fais toutes les merveilleuses choses dont les Juifs sont capables. Mais n'oublie jamais ton Dieu.

Le rabbin serra l'enfant sur son cœur et lui chuchota à l'oreille : « Tu es l'enfant de Dieu, le fils d'Abraham », puis il le posa par terre et dit à son père :

— Les voies de l'Eternel sont nombreuses et diverses.

Puis, comme s'il recevait subitement une inspiration de Dieu, il fondit en larmes, leva les bras au ciel et gémit d'une voix entrecoupée de sanglots :

— Enfant, tu feras toutes ces choses, mais elles ne t'apporteront pas le bonheur. Ni à toi, ajouta-t-il en désignant tour à tour tous les hasidiques en visite. Ni à toi, ni à toi...

Il retourna s'asseoir, en marchant comme un vieil homme, tout tremblant, car Dieu lui avait accordé une vision du sort qui attendait ses Juifs.

Samuel Kagan, avec l'assentiment de son père, évita donc la yeshiva et s'inscrivit dans les écoles russes. Il fut bon élève, mais nul petit village comme Vodzh ne pouvait récolter de quoi envoyer le jeune garçon à une université ; aussi, à vingt ans, trouva-t-il un emploi d'acheteur de bois pour le gouvernement. Cela lui permit de voyager partout en Russie occidentale, et de humer les vents mauvais qui commençaient à souffler sur ces steppes infinies. A Kiev, il rencontra des jeunes gens qui affirmaient :

— Le seul espoir pour les Juifs est de se joindre au mouvement socialiste et de construire une nouvelle Russie dans laquelle ils pourront fonder un foyer honorable.

A Berdichev, il fit la connaissance d'un poète qui répétait :

— Les Juifs renaîtront uniquement s'ils retournent à Sion pour y bâtir un nouvel Etat.

Mais à la fin de chaque voyage, il rentrait à Vodzh, où il s'asseyait comme un pénitent dans la cour du rabbin, pour écouter ce saint barbu prêcher que les Juifs ne trouveraient leur salut que dans la sainteté et le Talmud.

Mais un jour de 1874, le rabbin surprit grandement le jeune Samuel, qui avait alors vingt-huit ans, en lui confiant :

— Ce que le poète de Berdichev t'a dit est vrai. Le jour arrive où nous, les Juifs de Russie et de Pologne, nous devrons nous unir aux Juifs d'Eretz Israël, pour nous ériger un nouveau pays pour nous. Nous labourerons la terre et nous travaillerons dans les villes, comme tous les autres hommes, et si j'étais plus jeune, c'est ce mode de vie que je choisirais.

Cette année-là, Samuel eut un autre sujet de perplexité, quand il vit arriver dans la maison de son père un Juif papelard et barbu nommé Lipschitz, qui saluait tout le monde, arborait un sourire permanent et serrait mollement les mains, comme une femme. Il marchait de village en village, par toute la Russie, avec en poche une liste de Juifs sur lesquels il pourrait compter pour être hébergé et nourri, et à Vodzh il s'installa sans vergogne chez les Kagan.

— Je suis de Tibériade, dit-il, en Eretz Israël, et je viens vivre avec vous pendant quelques jours.

Il fit comme chez lui, mangea voracement et rendit visite à toutes les familles juives pour mendier des fonds qu'il enverrait aux érudits talmudiques de Tibériade.

Lipschitz déplut fort à Samuel, qui le soupçonnait de garder la plus grosse partie de l'argent pour lui, mais cet homme parlant d'Eretz Israël si tôt après la réflexion du rabbin, excita l'imagination du jeune homme, et tandis que l'hôte se gavait, Samuel lui posait question sur question. Entre deux bouchées, le visiteur décrivait la Ville sainte nichée au bord de la mer de Galilée, et racontait que les Arabes étaient en majorité, que les Turcs gouvernaient et aussi comment vivaient les Juifs.

— Quel travail font-ils ? demanda Samuel.

Lipschitz ouvrit de grands yeux.

— Ils étudient.

— Tous ?

— Oui, tous, assura le Juif errant et il rapporta la légende selon laquelle le judaïsme périrait si jamais les saints hommes de Safed et de Tibériade cessaient d'étudier le Talmud. Tu donnes ton argent ici à Vodzh, afin que le Messie soit protégé à Tibériade.

Cependant, Samuel pensait que la majeure partie de ces propos ne tenaient pas debout.

Dans les mois qui suivirent, le jeune acheteur de bois passa de nombreuses soirées en tête à tête avec le rabbin, qui lui expliquait la loi et les rapports des Juifs entre eux, avec les autres et avec Dieu. Par moments, le saint homme avait comme une prémonition du malheur imminent, et il prophétisa vers la fin de 1874 :

— Samuel, un jour les Juifs de Russie et de Pologne auront de nouveau à affronter les sombres jours de Czmielnicki. Je suis trop vieux pour fuir. Je resterai ici, et j'aiderai ma petite cour à survivre quoi qu'il advienne. Mais d'autres devraient songer à l'avenir, et agir.

Par un soir tiède du printemps de 1875, Samuel comprit ce que son rabbin avait voulu dire. Dans un village voisin, un groupe de paysans russes étaient attablés à l'auberge et s'enivraient joyeusement après une dure journée de labours et, au coucher du soleil, une espèce de nostalgie les frappa, et l'un d'eux observa sans penser à mal :

— Tous les kopecks que je gagne s'en vont entre les mains de quelque Juif.

Les paysans se tournèrent comme un seul homme pour dévisager l'aubergiste, un Juif nommé Lieb, qui reconnut l'expression et se mit à ranger ses verres.

— Lieb, cria le premier paysan, que fais-tu de notre argent ?

— Je dirige l'auberge pour le propriétaire, murmura humblement Lieb en cachant l'argent de son patron.

— Et Kagan ? glapit un autre. Que fait-il de notre argent ?

— Comme moi. Il le remet aux propriétaires.

Les hommes savaient bien que c'était vrai, et l'un d'eux observa :

— Au fond, vous autres Juifs, vous n'êtes pas plus gâtés que nous, allez.

Lieb respira, mais alors un autre murmura distraitement, sans savoir pourquoi :

— Jérusalem est perdue.

Ce fut comme une étincelle qui s'alluma dans les yeux des Russes.

— Jérusalem est perdue, répéta un paysan qui n'avait pas encore ouvert la bouche.

Il y eut un long moment d'hésitation, pendant lequel l'aubergiste Lieb fit sa prière, tandis que le soleil se couchait. Les paysans le regardaient baisser à l'horizon. Ce fut un tout jeune homme, plus ivre que les autres, qui donna le signal, qui prononça la syllabe fatale, le mot odieux qui, une fois prononcé, ne pouvait plus être repris.

— *Hep*, murmura-t-il paisiblement, et Lieb verdit de peur.

— Hep, répéta le premier fermier, et Lieb se tourna pour voir s'il pourrait bondir jusqu'à la porte.

— Hep ! se mirent à scander les paysans, et dans le village, en entendant ce chant menaçant, les gens se hâtèrent de fermer les volets de bois.

Lieb, la terreur panique dans les yeux, se terrait dans un coin de son comptoir.

— Hep, répétèrent les buveurs, et brusquement le plus jeune sauta sur le comptoir et se laissa glisser devant l'aubergiste.

Saisissant le grand couteau à pain, il se rua sur le Juif blême et lui trancha la gorge.

— Hep ! rugit la foule amassée en se précipitant vers le quartier juif du village, hurlant et répétant l'ancien cri du pogrom : Hep, Hep !

Hep... *Hierosolyma est perdita*. Et, on ne sait comment ni pourquoi, mais le fait que Jérusalem fût perdue, une ville lointaine qu'ils ne connaissaient pas, cela devenait une excuse pour massacrer les Juifs. Si jamais peuple avait le droit de pleurer la perte de la Ville sainte et la domination de Jérusalem par l'Islam, c'était bien le peuple juif, mais la logique n'existait plus.

Il en était cependant, dans la foule, qui reconnaissaient l'inanité de ce cri, et en lançaient un autre, tout aussi redoutable :

— Les Zhid ont crucifié Notre-Seigneur !

Mais quel que fût le cri employé, il alimentait l'esprit sauvage du pogrom et se résumait à un seul et même but : tuer les Juifs.

Les paysans, ayant détruit le ghetto de leur propre village se déployèrent dans les campagnes, ramassant des forcenés dans chaque ferme, et aboutirent finalement à Vodzh, où quelqu'un cria :

— Allons régler ses comptes à l'encaisseur des loyers !

La meute hurlante se rua chez les Kagan, et un homme armé d'une faux trancha net la tête du père de Samuel. Puis ils ouvrirent le ventre de sa mère et sortirent en hâte tuer quatre hasidiques aux longs caftans qui couraient tenter de se réfugier chez leur rabbin. Les paysans y arrivèrent enfin, et le Vodzher Rebbe fut égorgé, son corps traîné dehors et on mit le feu à sa barbe. Après quoi plus de soixante femmes et enfants furent massacrés.

Samuel Kagan revint à temps de sa tournée pour enterrer ses parents et son rabbin. Cette nuit-là, il prit la résolution de quitter la Russie, car il comprenait enfin que le rabbin avait dit vrai. Il avait devant ses yeux la vision merveilleuse de Tibériade, au bord de son lac, et il passa les jours suivants à convaincre les Juifs survivants, encore sous le coup de l'inexplicable sauvagerie de leurs voisins ; il récolta d'eux assez d'argent pour l'achat d'une ferme communautaire à Tibériade. Il s'entretint en dernier lieu avec le fils du Vodzher Rebbe, qui avait terminé ses études à la yeshiva, et lui demanda de conduire l'exode, mais ce pieux jeune homme refusa de quitter le village de ses ancêtres.

— Je resterai ici, et je serai le rabbin. La semaine dernière, mon père m'a prévenu que bientôt tu partirais.

Alors le nouveau rabbin pria avec Samuel, et à la fin, en se quittant, ils répétèrent l'éternelle litanie de tous les Juifs pendant la Diaspora : « L'an prochain à Jérusalem. »

Quand Samuel débarqua sur le quai d'Acre, en 1876, il n'imita pas les nombreux émigrants juifs qui se jetaient à terre pour embrasser le sol où ils seraient enterrés, car pour lui la Palestine n'était pas une fin mais un commencement, et dans cet esprit il accomplit une chose plus symbolique encore que d'embrasser la terre. Il abandonna son nom russe de Kagan pour adopter sa traduction hébraïque, Hacohen, et ce fut sous le nom de Samuel Hacohen — Samuel le Prêtre — qu'il entra dans sa nouvelle existence.

Son trajet d'Acre à Tibériade fut un voyage dans la désillusion car l'Ancien Testament et le Talmud lui avaient appris que la Galilée était une terre couverte de forêts et de vergers ; devant lui, il ne voyait qu'un désert aride. Entre la Méditerranée et le lac de Tibériade, il ne vit qu'une seule petite éminence plantée de quelques oliviers, l'ancien verger de Makor, et il se demanda quel cataclysme avait frappé la Terre promise.

Son appréhension s'accrut encore quand il atteignit la colline où reposaient les restes vénérés de Rabbi Akiba, car de cette hauteur son regard n'embrassait pas la belle Tibériade romaine aux palais de marbre, ni la radieuse Tverya du Talmud, mais la triste Tubariyeh des Turcs aux murs de pisé, encaissée et sordide entre les murailles croulantes des croisés. Mais ce qui le frappait le plus, c'était la stérilité du sol ; il ne voyait pas un champ cultivé, et il se rappelait avec nostalgie les riches terres grasses de Russie. N'y a-t-il donc pas de cultivateurs, par ici ? se demanda-t-il, et quand il descendit de la colline desséchée pour pénétrer dans la petite ville, il y découvrit une désolation aussi accablante que celle des campagnes abandonnées.

Il croyait retrouver la haine qu'il avait fuie en quittant la Russie, car les Turcs méprisaient les Arabes, et les Juifs Séphardim toisaient de haut les Eskenazim.

Il essaya de se lier d'amitié avec ce dernier groupe, car nombreux étaient ceux qui venaient de Russie ou de Pologne, mais ils le repoussèrent comme un intrus qui chercherait peut-être à s'attribuer une part des dons que les Juifs d'Europe leur envoyaient et qui étaient leur unique source de revenus. Et quand il leur expliqua qu'il ne voulait pas de cette charité, qu'il voulait s'associer avec les Juifs qui travaillaient pour gagner leur vie, il s'aperçut que Lipschitz le quêteur n'avait pas menti. A Tubariyeh, aucun Juif ne travaillait !

Dès son arrivée, le premier jour, il se mit à chercher une terre arable, mais près des murs il n'y en avait pas. Le lendemain, il alla jusqu'à Capharnaüm, à l'extrémité nord du lac, où il repéra de vastes étendues qui feraient l'affaire, et tout le long de la côte orientale il trouva d'autres terres cultivables. Rentré dans la misérable chambre qu'il avait trouvée, il écrivit à Vodzh une lettre enthousiaste : « Ici, de vastes

terres désertées vous attendent, que l'on pourrait rendre aussi fertiles qu'en Russie. Je vous avertirai dès que j'aurai conclu mon achat. »

Deux jours plus tard, il longea le lac vers le sud, où le Jourdain entame sa longue descente vers la mer, et, à côté de ce fleuve béni, il découvrit à la fois la terre rêvée et l'ancienne pièce d'or. Ensuite, il ne chercha plus, car il savait qu'en ce lieu les Juifs de son village viendraient bâtir leurs fermes et planter des vignes sur ces terres incultes depuis la fin de la domination romaine.

Dans sa deuxième lettre à Vodzh, il raconta, en yiddish : « J'ai appelé notre futur domaine Kefar Kerem, le village des vignobles, et nous y ferons du bon vin, car Salomon lui-même n'a-t-il pas chanté : « Viens donc, ô mon bien-aimé ! Sortons dans les champs, passons la nuit dans les hameaux, nous irons dès le matin dans les vergers pour voir si la vigne montre ses bourgeons, si les ceps s'épanouissent... » Commencez tout de suite à préparer vos bagages ! »

Samuel découvrit sa Terre promise en février 1876, mais quand il voulut l'acheter il se heurta à une confusion telle qu'il se hâta d'avertir ses compatriotes : « Vous feriez bien de ne pas quitter Vodzh tant que je n'ai pas appris qui possède ce terrain. »

Il lui fallut dix-huit mois pour découvrir ce simple fait, et il dut soudoyer trois fonctionnaires, pas moins, pour apprendre le nom et l'adresse du propriétaire, l'émir Tewfik ibn Alafa, bien connu à Damas. Il paya fort cher un écrivain public arabe, et envoya une lettre à l'émir, lui demandant de lui vendre sa terre, pour laquelle il offrait un bon prix. Il reçut d'un secrétaire une réponse sèche : « L'émir Tewfik n'a jamais vu cette terre, il ne touche aucun loyer dessus, il ne sait pas exactement où elle est située, et n'a aucun désir de la vendre. »

Samuel se mit donc à l'étude de la langue arabe et, vers la fin de 1877, il se rendit à Damas pour tenter d'avoir un entretien avec cet émir. Il dut attendre deux mois, et finit par être reçu par un intendant qui lui expliqua avec morgue :

— L'émir Tewfik ibn Alafa n'a jamais adressé la parole à un Juif et n'a nulle intention de le faire.

— Mais ne serait-il pas heureux de faire un bénéfice avec sa terre ?

— L'émir Tewfik n'achète ni ne vend jamais.

— Il lui est égal que sa terre soit inculte et ne serve à rien ?

— L'émir Tewfik possède des milliers d'hectares de terres incultes. Il ne s'en soucie point.

Et Samuel dut quitter Damas sans avoir pu voir l'émir. Le cœur gros, il venait de renoncer à ses beaux terrains fertiles quand, sur la route de Tubariyeh, il fit la connaissance d'un charmant Arabe qui lui conseilla :

— Demandez donc au kaimakam de s'occuper de votre affaire. Quand on sait le soudoyer, avec suffisamment d'argent, il peut n'importe quoi.

— Même m'acheter mes terrains ?

— N'importe quoi.

Samuel Hacohen consacra donc trois mois à l'étude du turc et, au

début de 1878, il se présenta devant le secrétaire du gouverneur, demandant une audience du kaimakam. A sa grande surprise, il fut presque aussitôt reçu et le haut fonctionnaire, un grand et maigre Turc distingué de plus de soixante-dix ans, écouta ses doléances avec intérêt. La situation était la suivante : le kaimakam savait que dans deux mois il quitterait Tubariyeh, mais personne ne le savait, Samuel moins que tout autre. Le gouverneur promit donc contre un bakchich considérable, d'intercéder en faveur du petit Juif bossu, puis il s'en alla, sans avoir écrit la moindre lettre concernant l'achat de terrain. Lorsque le pauvre Hacohen découvrit cette duplicité, il apprit par la même occasion que le voyageur serviable qui lui avait si aimablement conseillé de s'adresser au kaimakam était son cousin, et avait touché dix pour cent du bakchich.

En juillet 1878, le nouveau kaimakam, Faraj Tabari, entra en fonctions et quand Samuel demanda audience et lui rapporta comment son prédécesseur avait empoché un bakchich pour des promesses jamais tenues, le gouverneur se mit à rire et jura qu'avec lui, Samuel obtiendrait sa terre.

Ces belles paroles marquèrent le début, pour Samuel Hacohen, d'une période insupportable. Les retards, les malentendus, les chicaneries, les mensonges étaient désormais de règle à Tubariyeh, tandis qu'en Russie les Juifs de Vodzh, ayant conclu que Samuel les avait escroqués et avait fui avec leur argent, se préparaient à débarquer en masse en Palestine. Hacohen harcelait le gouverneur, qui le renvoyait avec de belles paroles et de nouvelles demandes d'argent. pour soudoyer tel ou tel juge ou gouverneur de province...

A la fin de 1879, aussi incroyable que cela puisse paraître, Hacohen, ce petit Juif bossu de Vodzh, avait à sa solde sept hauts fonctionnaires de l'empire turc, mais il ne possédait toujours pas sa terre. A force d'insistance, de persuasion et de distributions de bakchich, plus qu'il n'en pouvait compter, il avait avancé son affaire au point que l'émir Tewfik de Damas consentait à vendre ses hectares inutiles pour la somme raisonnable de neuf cent quatre-vingts livres anglaises, mais la somme totale de bakchich nécessaire pour en arriver là se montait à plus de mille sept cents livres. Et le gouvernement turc continuait de faire attendre sa décision.

Cependant, Hacohen n'avait pas complètement perdu confiance en Faraj Tabari, car, d'une manière curieuse, le kaimakan cupide et trompeur avait manifesté une très réelle amitié pour le petit Juif russe, en une occasion pénible.

Une nuit que Samuel était assis dans son misérable taudis, en se demandant s'il ne devrait pas renoncer, abandonner Tubariyeh, il entendit sur les pavés de la ruelle un frottement de pas étouffés et il vérifia machinalement ses cachettes pour s'assurer que rien ne se voyait. Soudain, la porte s'ouvrit à la volée et huit Juifs en papillotes, long caftan et chapeau de fourrure firent irruption et se jetèrent sur lui. Sans qu'il pût se défendre, il fut traîné devant la cour du rabbin. réunie dans le quartier eskenazi de la ville.

La salle était basse et sombre, le spectacle angoissant. Trois rabbins étaient assis dans le fond, attendant de juger le coupable. On lut à Hacohen l'acte d'accusation rédigé en yiddish : « Il ne fait pas partie de notre communauté. Il n'observe pas strictement nos lois, il n'étudie pas à la synagogue. On l'a entendu dire du mal de Lipschitz, qui à Vodzh l'avait déjà considéré comme un individu suspect, et il trouble notre communauté avec ses folles idées de terres à cultiver et de Juifs au travail. »

Tandis que ces invraisemblables accusations étaient proférées, Samuel songeait qu'ils passaient sous silence la principale : il menaçait leur mode d'existence sordide.

Vint ensuite la condamnation, incroyable en l'an 1880, mais rendue possible par la coutume turque de laisser chaque communauté religieuse se gouverner à sa guise. « Samuel Hacohen sera mis à l'amende de la totalité de ses biens. Il sera dévêtu, lapidé et banni de Tubariyeh, et il devra quitter Eretz Israël sans troubler autrement les lois et les habitudes du judaïsme. »

Avant que Samuel pût protester, la sentence était mise à exécution. Les Juifs qui en étaient venus à craindre ce petit Russe, étranger à leur milieu étroit, se jetèrent sur lui et le déshabillèrent. On fouilla les poches de ses vêtements, on remit le peu d'argent aux juges, puis on le traîna dans un coin de la cour où la population juive rassemblée lui lança des pierres, au risque de lui crever les yeux ou de le tuer. Il serait certainement mort là, si l'un des rabbins n'avait intercédé ; le prisonnier ensanglanté fut alors traîné dans les ruelles jusqu'à la porte principale des remparts croulants et jeté dehors. Sur quoi la foule courut chez lui pour saccager sa pauvre tanière et y chercher l'or qu'il aurait pu y cacher.

Ce fut à ce moment que le gouverneur Tabari intervint. Sa gendarmerie, apprenant que le tribunal rabbinique venait de prononcer une condamnation, ne s'en inquiéta pas, tout d'abord, car c'était une question concernant la communauté religieuse et les prêtres, de quelque confession qu'ils fussent, étaient libres de discipliner leurs ouailles comme ils l'entendaient. Mais la nouvelle de ce châtiment exceptionnellement sévère parvint aux oreilles de Tabari.

— Comment avez-vous dit ? Hacohen ? Le Juif de Russie ?

Quand il sut que c'était l'obstiné petit acheteur de terrain qui avait été lapidé, il fit appeler ses gardes et se rendit en personne à la porte principale de la ville, où la lueur dansante des torches lui révéla le Juif nu et ensanglanté marchant comme égaré.

— Raccompagnez-le chez lui, ordonna le gouverneur. Et toi, toi, toi, ajouta-t-il en désignant trois de ses gardes, prêtez-lui de quoi se vêtir.

Tabari les suivit et en arrivant devant le taudis de Hacohen, il vit la foule saccager la maison et il la fit disperser sans ménagements.

Resté seul dans son logement, Samuel fut tout de suite soulagé de voir que les pilleurs n'avaient pas découvert sa cachette ni déterré son pécule. Puis il s'affala sur son grabat et se mit à pleurer. La sentence de la cour avait été si inattendue, le châtiment si dur, qu'il était heureux

d'avoir la vie sauve, mais l'intervention du kaimakam l'étonnait. Tout en soignant ses blessures, il se demandait si le gouverneur ne l'avait pas sauvé afin de pouvoir encore lui soutirer de l'argent. Mais il chassa vite cette pensée indigne, car les torches avaient illuminé la figure de Tabari, et son expression était celle d'un homme qui ne pouvait tolérer semblables agissements. Tabari pourrait bien voler à Samuel toutes ses économies dans les mois à venir, cela ne ferait pas oublier que ce soir, il s'était conduit humainement envers son prochain.

Pourquoi l'avait-il fait ? Samuel s'endormit d'épuisement sans avoir trouvé la réponse, mais dans sa chambre donnant sur la mosquée, Faraj Tabari se posait la même question et y répondait : « Il était petit, et bossu, mais sa figure me rappelait celle de mon beau-frère, alors je devais le sauver. » Et pour la première fois le kaimakan espéra que le jeune révolutionnaire lui rendrait bientôt visite à Tubariyeh pour lui expliquer quelles nouvelles idées il pourrait y mettre en pratique.

Abandonné à lui-même, Samuel Hacohen se remit tant bien que mal de son épreuve. Résolu à résister à ces Juifs qui refusaient de le comprendre, il ressortit au bout de quelques jours, mais quand il vit tous ces visages barbus, hostiles, la peur le prit et il regagna son taudis en murmurant :

— Dieu de Moïse, je ne pourrai jamais rien accomplir dans cette ville maudite.

Il se prépara alors à s'enfuir. Il creusa la terre au pied de son grabat, rassembla tout son argent et prit la route du nord. A Safed, il trouva une situation encore plus repoussante qu'à Tubariyeh. De vieux Juifs méfiants se penchaient sur le Talmud tandis que les jeunes en étaient réduits à voler. La gloire spirituelle de la ville des collines était bien oubliée. Il la laissa derrière lui sans regrets et gagna les collines qui moutonnaient à l'ouest. Et ce qu'il y découvrit sauva sa mission, car un soir qu'il venait de franchir un sommet aride il arriva dans un hameau qui changea l'idée qu'il se faisait des possibilités des Juifs en Israël.

Ce petit village s'appelait Peqiin. Ce n'était que quelques maisons serrées autour d'un puits, avec une synagogue cachée au fond d'une impasse, mais il ne ressemblait à rien de ce que Samuel avait vu en Galilée. Tout d'abord, les Juifs de Peqiin ne restaient pas enfermés dans leur synagogue à lire le Talmud, car ils étaient loin de centres comme Safed et Tubariyeh, et ils ne recevaient pas de subsides d'Europe. Ils étaient obligés de travailler la terre s'ils ne voulaient pas mourir de faim, et Samuel trouva leurs champs parfaitement cultivés. Les Juifs de Peqiin ne se terraient pas non plus à l'abri de murailles, dans la crainte des Bédouins. Ils vivaient à découvert et postaient des hommes armés de fusils sur les hauteurs pour garder les cols. A quatre reprises, au cours des dix dernières années, des Bédouins avaient voulu piller le village et avaient dû battre en retraite en laissant des morts. Les Juifs résistaient ; ils étaient solides et travailleurs, et pendant quelques semaines Hacohen trouva chez eux un asile. Il les aida aux travaux des champs, et reprit son équilibre moral.

Il ne découvrit que plus tard la principale anomalie de ce village. Un soir de printemps, alors que les vignobles en fleur promettaient une bonne récolte, et qu'il se reposait après une journée de travail sur la place publique en compagnie de quelques nouveaux amis, il observa :

— Jacob, tu ne m'as jamais dit d'où tu es originaire.

— De Peqiin, répondit le fermier.

— Je veux dire, tes parents. De quelle région d'Europe sont-ils venus ?

— De Pequiin, répéta l'autre.

— Mais non. De Russie ? De Pologne ? De Lituanie ?

— Je suis de Peqiin. Aaron aussi. Et Absalon.

Samuel Hacohen ouvrit de grands yeux, car il n'avait jamais rencontré de Juifs qui ne fussent pas originaires de quelque pays d'Europe.

— Vous n'êtes pas égyptiens ? Espagnols ? demanda-t-il.

— Nous sommes des Juifs, répondit Aaron. Nos familles n'ont jamais quitté ce pays.

— Mais pendant la Diaspora ?

— Les fils de Jacob sont allés en Egypte, mais pas nous. Néhémie et Ezra se sont réfugiés à Babylone, mais pas nous.

— Où êtes-vous allés quand les Romains nous ont tous chassés ?

— Nous ne sommes pas partis.

Il ne pouvait croire que, perdus dans ces collines, les habitants de Peqiin n'avaient pas fui. C'était insensé, mais malgré ses questions insistantes il ne découvrit aucun Juif qui se rappelât la Russie, aucun qui eût un souvenir de Bagdad. Ces Juifs appartenaient à des familles qui avaient vécu là pendant plus de quatre mille ans, et ils n'avaient jamais pris les mœurs serviles de l'exil.

Un soir de juillet, alors que ses compagnons dînaient en famille, il gravit les collines qu'avaient de tout temps hantées des Juifs, et ce faisant il eut l'impression que le Vodzher Rebbe marchait à ses côtés ; il revit le joyeux rabbin aux bras puissants qui l'enlaçait et lui murmurait : « Tu es un enfant de Dieu, le fils d'Abraham. » Et le rabbin embrassa Hacohen l'homme comme il avait embrassé l'enfant Samuel Kagan, et il cria dans la nuit : « Tu obtiendras ta terre, Samuel, mais tu y trouveras la mort. » Les paroles du rabbin résonnant encore à ses oreilles, Samuel revint sur ses pas et alla faire ses adieux aux Juifs de Peqiin.

— Je dois retourner à Tubariyeh, leur dit-il.

— Mais pourquoi ? Ils t'ont lapidé !

— Pour acheter ma terre.

— Tu peux en acheter ici, Samuel.

Ils avaient reconnu en lui un vrai travailleur, et tenaient à le garder avec eux.

— Ma terre est au bord du lac, répondit-il.

Il retourna donc à Tubariyeh, où il trouva son logement occupé par des poulets. Il les chassa, retourna son grabat couvert de fiente, et creusa un nouveau trou à la tête pour y enfouir ses livres anglaises, et un autre au pied où il cacha la pièce d'or.

Dès qu'il fut de nouveau installé, il se remit à faire le siège du kaimakam avec une ardeur renouvelée, et l'intention bien arrêtée de ne pas avoir de cesse qu'il n'eût acheté sa terre à l'endroit où le Jourdain s'écoulait du lac de Tibériade, où l'on pouvait planter des vignobles.

Mû par le souvenir de ces années décevantes et par la nouvelle de l'arrivée des Juifs de Vodzh à Acre, Samuel sortit au soir de cette journée torride pour aller affronter le kaimakam en un dernier effort pour acheter sa terre.

Le gouverneur Tabari, qui avait espéré éviter Samuel tant qu'il n'aurait pas élaboré un plan pour lui soutirer un nouveau bakchich, désarma son visiteur en l'accueillant sur son seuil comme un ami.

— Pourquoi sortir par un jour comme celui-ci ? s'exclama-t-il avec sollicitude.

— Le firman est-il arrivé d'Istanbul ?

— Pas encore, Samuel, mentit le gouverneur. Ces choses demandent du temps... Il y a le mutasarrif à Acre, l'ouali à...

— Je sais, grommela Hacohen en maîtrisant son dépit. Excusez-moi, Excellence. J'ai reçu des nouvelles inquiétantes d'Acre.

Le gouverneur Tabari fut aussitôt sur la défensive et se dit : « Je sais que les Juifs sont arrivés, mais Hacohen ne sait pas que je le sais. Alors pourquoi me dit-il cela qui affaiblit sa position ? Il doit avoir une raison. Il compte sans doute faire appel à ma miséricorde... »

— Allons, dit-il, quelles mauvaises nouvelles pourraient bien venir d'Acre ? Vous savez que le mutasarrif est favorable à votre cause.

— Les Juifs qui achètent cette terre... Ils ont débarqué.

Le kaimakam affecta l'inquiétude.

— Vraiment ? Mais c'est grave, cela, Samuel !

Il attendit de voir quelle serait l'attitude du Juif et vit qu'il avait deviné juste. Sans répondre, Hacohen plongea la main dans la poche de son manteau et en tira une liasse de billets qu'il poussa sur le bureau, vers Tabari.

— Neuf cent quatre-vingts livres. Pour l'émir Tewfik de Damas.

Le kaimakam ne toucha pas aux billets mais regarda attentivement son visiteur qui fouillait dans ses autres poches. Samuel en sortit quelques pièces d'argent, quelques billets étrangers, une pauvre somme, telle qu'un homme au désespoir en offrirait pour qu'on lui retrouve son cheval volé. Tabari attendit.

— Excellence, voici tout ce que je possède au monde. Prenez, mais faites-moi accorder la terre.

— C'est grave, ce que vous me demandez là. Vous voulez que j'autorise des Juifs à s'établir avant d'avoir appris la décision d'Istanbul. Je risque ma place, ma réputation... Si vous pouviez attendre encore quelques mois...

Hacohen se pencha et poussa la liasse un peu plus près du kaimakam.

— S'ils arrivent ici et découvrent qu'ils ont été trompés dit-il avec simplicité, ils me tueront. ·

Tabari eut un rire indulgent.

— Voyons, Samuel ! Les Juifs ne se tuent pas entre eux. Ils vous insulteront, ils vous chasseront, mais ils ne vous tueront pas. Même l'autre soir, ils ne vous ont pas tué !

Il était persuadé que Samuel lui mentait, qu'il avait encore de l'argent en réserve, et il avait bien l'intention de l'extorquer. Il se leva, prit un fauteuil et l'avança près du bureau.

— Asseyez-vous, Samuel.

Ce geste stupéfia Hacohen, qui comprit alors, à cette attitude insolite, que le firman d'Istanbul était arrivé. Tout en s'efforçant de masquer ses sentiments, il déduisit ce qui s'était passé. Le messager qui lui avait apporté la nouvelle de l'arrivée des Juifs à Acre avait en même temps remis le firman à Tabari. Les Juifs auraient leur terre !

Cependant, le gouverneur ne disait rien, et un silence gênant s'établit. De toute évidence, le kaimakam méditait quelque chose, mais quoi ? Hacohen ne pouvait le deviner. Il attendit donc, et enfin Tabari lui déclara :

— Nous devons nous procurer de nouveaux fonds pour acheter un jugement favorable d'Istanbul.

C'était l'instant de la décision. Samuel sentait peser dans sa poche la belle pièce d'or, et il était tenté de la lancer sur la table dans un dernier geste désespéré. Mais il avait appris à se fier à son instinct, qui lui disait que le firman favorable était déjà entre les mains de Tabari, et qu'il suffisait d'insister. Il ne bougea donc pas.

— J'ai pensé, reprit le gouverneur, que vous pourriez me donner les noms des chefs de votre groupe qui sont en ce moment à Acre, et en y allant demain je pourrais les voir, leur expliquer la gravité de la situation...

Profondément écœuré, Samuel considéra fixement le kaimakam. Le Juif se disait : « Il va se rendre au bateau avec un interprète, une brute quelconque des quais, et à eux deux ils feront peur aux immigrants. Les Juifs croiront qu'il menace leur terre et ils lui remettront jusqu'à leur dernier kopeck ! »

Mais Hacohen se trompait, car au même instant Tabari songeait : « Ce pauvre Juif ! Il s'imagine que je ne fais cela que pour le gruger. Il ne se rend pas compte qu'en ce moment je suis son meilleur ami ; je ferais mieux de le lui démontrer. »

— Vous ne voulez pas me donner leurs noms ? demanda-t-il.

— Découvrez-les vous-même ! Volez les immigrants à votre manière !

— Imbécile ! cria le kaimakam à bout de patience, et il prit rageusement dans son tiroir le firman qu'il jeta sur le bureau. Tenez, lisez !

— Je parle turc, je ne le lis pas.

— Avez-vous suffisamment confiance en moi pour que je vous le lise ?

Tabari lut la première partie du document et vit des larmes de joie monter aux yeux de Hacohen. Puis il lut la dure restriction qui interdisait le bord de l'eau aux Juifs et la joie fit place au désespoir.

— Sans eau, la terre ne vaut rien, protesta Samuel.

— C'est évident. C'est pourquoi il me faut encore de l'argent.

Hacohen ne le crut pas. Il était persuadé que le gouverneur voulait cet argent pour lui-même. Mais Tabari lui expliqua :

— Je soupçonne fort que le sultan n'a rien à voir avec cette clause finale. Ce doit être un de mes amis qui l'a ajoutée pour me rendre service.

— Que voulez-vous dire ?

— Pour me permettre de faire exactement ce que je fais en ce moment. Extorquer un peu d'argent pour moi... et lui en remettre la moitié.

Cette duplicité confondait Hacohen. En Russie, les fonctionnaires étaient cruels. Mais on arrivait à les comprendre. En Turquie... Son angoisse était telle qu'il se mit à rire. Le kaimakam l'imita et s'écria joyeusement :

— Notre situation est donc la suivante, Samuel. Je veux que vous ayez votre terre, et l'eau aussi. J'imagine que le sultan pense de même. Mais à cause de cette clause finale je dois en référer à Istanbul, et cela exigera...

— De l'argent ?

— Beaucoup d'argent. Plus qu'il ne vous en reste. Alors, maintenant, me donnez-vous ces noms ?

Moralement épuisé par des agissements si tortueux qu'il ne pouvait les suivre, Samuel Hacohen prit la plume du gouverneur et il écrivit les noms des Juifs de Vodzh sur qui l'on pouvait compter pour réunir l'argent, s'ils en avaient. Et tandis qu'il écrivait, les visages de ses amis défilaient devant ses yeux, Mendel de Berdichev, avec sa barbe et son bonnet de fourrure, Salomon de Vodzh au franc-parler, Jozadak du village voisin, un lutteur qui détestait les rabbins... Quand il eut noté le dernier nom, la plume lui échappa des doigts. Il laissa tomber sa tête sur le bureau et pleura.

Le gouverneur Tabari comprenait la détresse de Samuel, et il le laissa tranquille un moment. Puis il avança la main et le prit par l'épaule.

— A quoi vous servirait une terre sans eau ? murmura-t-il avec douceur.

— Je ne pleurais pas pour cela, soupira Samuel, mais pour tous ceux qui sont morts et qui ne verront pas notre terre.

Alors débuta une étrange négociation, un échange que ni Tabari ni Hacohen ne devaient oublier. Le gouverneur restait convaincu que le petit Juif têtu avait encore de l'argent en réserve, et il soupçonnait qu'une fois que les Juifs auraient leur terre, il ne reverrait plus jamais Hacohen. Une de ses meilleures sources de bakchich serait tarie, et il avait horreur de voir quelqu'un lui échapper avec de l'argent. Aussi, cédant à une impulsion soudaine, sans réfléchir, il fit une chose qui le hanterait jusqu'à la fin de ses jours.

— Au fait, Samuel, j'ai là quelque chose, dans la pièce voisine, qui vous intéressera peut-être.

— Quoi donc ?

— Venez. Venez voir.

Le gouverneur se leva, ouvrit la porte d'une bibliothèque et mena son visiteur devant une planche soutenant vingt-deux grands volumes aux belles reliures de cuir frappées de fers d'or. Hacohen reconnut une très belle édition lituanienne du Talmud, car il en avait vu de semblables à Berdichev, alors qu'il récoltait de l'argent pour l'achat de la terre. Tabari lui en tendit un, et il l'ouvrit avec respect. Sous ses yeux s'alignaient les gracieuses lettres hébraïques, les phrases chantantes que son père avait voulu lui faire étudier.

— Ce que j'aimerais savoir, dit Tabari, c'est pourquoi ce livre produit un tel effet sur les Juifs.

Samuel contemplait les larges pages — hautes de plus de quarante centimètres, larges de trente. C'était un livre unique, comme n'en possédaient pas les musulmans ni les chrétiens, car chaque page était une œuvre en soi, composée avec sept ou huit caractères différents, des plus petits aux plus grands. La mise en page était stupéfiante ; au milieu de la page il y avait une courte phrase en gros caractères, entourée de tous côtés par des « pavés » typographiques de types différents, expliquant et développant la phrase centrale. Les marges étaient occupées par des colonnes larges de moins d'un centimètre, en caractères minuscules. C'était un labyrinthe, un chaos, un désordre admirable, et il n'y avait pas deux pages semblables dans tout le livre.

— Qu'est-ce que tout cela veut dire ? demanda Tabari.

— Eh bien, là, cette grande phrase au milieu est une maxime de notre grand Rabbi Akiba.

— Qui était-ce ?

— Un rabbin. Il est enterré ici à Tubariyeh.

Tabari examina la phrase d'Akiba, puis il posa le doigt sur un des pavés.

— Et ça, qu'est-ce que c'est ?

— Un jugement de Rabbi Meier, qui est venu plus tard. Lui aussi, il est enterré à Tubariyeh.

— Et ce grand paragraphe, là ?

— Le plus grand de tous. Maïmonidès d'Egypte, répondit Samuel et, après avoir encore admiré la page, il ajouta : Excellence, vous avez choisi une page particulièrement appropriée à Tubariyeh, car Maïmonidès est aussi enterré ici.

Alors, navré, il comprit que le kaimakam Tabari ne prenait pas au sérieux ses explications sur le Talmud, qu'il avait simplement voulu savoir ce que racontait le grand livre des Juifs. Tabari avait en tête des idées beaucoup plus terre à terre. Il reprit le livre, le ferma et regarda en face le petit Juif.

— Samuel, je suppose que vous aurez une synagogue dans votre nouvelle communauté ?

— Oui.

— Eh bien, est-ce qu'une belle édition du Talmud comme celle-ci... toute reliée en cuir... Est-ce que ce ne serait pas un don précieux pour la synagogue ?

Hacohen crut d'abord que Tabari, en reconnaissance du bakchich qu'il soutirerait aux Juifs, proposait de faire don aux nouveaux arrivants de cette collection de volumes précieux, et il faillit se donner le ridicule d'exprimer sa gratitude. Il se retint à temps quand il comprit que l'autre voulait les lui vendre.

Tabari, entraîné à guetter les expressions de ceux qui venaient le voir, surprit l'ombre de sourire et il éprouva le même choc. « Seigneur, se dit-il, je crois bien que le petit Juif s'imaginait que j'allais les lui donner ! » Il se hâta de rompre le silence :

— J'ai donc pensé que si jamais vous aviez — euh — quelques économies...

Toutes les paroles que prononça ensuite Samuel Hacohen, en ce soir étouffant, il ne put se les rappeler par la suite, car ce n'était pas lui qui parlait mais une plus grande puissance s'exprimant par sa voix.

— Où vous êtes-vous procuré ce Talmud ? demanda-t-il d'un ton glacé.

— Il y avait un vieux rabbin, qui avait des papiers à faire signer... à Beyrouth.

— Et il vous a offert ce Talmud ? Pour quelques papiers ?

— C'était un très important document... concernant toute sa communauté.

— Mais vous a-t-il proposé son Talmud ? insista Hacohen avec une subite autorité.

— Eh bien... On ne peut pas dire qu'il m'a offert ces livres.

— Vous lui avez demandé ce qu'il avait de précieux ?

— Je pensais qu'il me donnerait de l'argent... des pièces d'or. Quand il est arrivé avec ces vieux livres seulement...

— Et vous les avez pris !

— C'était un document très important, répéta Tabari.

Samuel avait la gorge nouée. Il ouvrit le premier volume, et contempla la page du titre. *Wilno 1732.* Il se demanda dans quelle détresse avait été le vieux rabbin pour se défaire de ces précieux volumes. Des Juifs étaient morts pour ce livre, ils avaient été brûlés vifs, torturés, ils avaient vu mourir leurs femmes et leurs enfants. De quoi le malheureux rabbin avait-il un si urgent besoin pour son peuple, qu'il avait pu ainsi s'arracher le cœur ?

— Ce sont des livres rares, Excellence, murmura-t-il enfin.

— Je le pensais bien.

— Et vous aimeriez en tirer de l'argent ?

— Naturellement. Je sais que vous m'avez dit que vous n'aviez plus rien, mais on garde toujours une petite poire pour la soif...

Sans un mot, Samuel Hacohen prit dans sa poche gauche sa précieuse pièce d'or. Il la déposa cérémonieusement sur la table, devant le kaimakam.

— Je ne sais ce qu'elle vaut, Excellence, mais elle est à vous. Maïmonidès a dit : « Si un homme bâtit une synagogue, qu'il la construise
plus belle que la maison dans laquelle il demeure. » Je vivrai encore un peu
plus longtemps avec les rats et la vermine. Mais la synagogue...

Il considéra Tabari, comme pour lui demander : Quel homme est assez
vil pour voler les textes sacrés d'un autre, et les revendre ensuite pour un
bénéfice ?

Samuel entreprit d'empiler sur ses bras les lourds volumes, mais
Tabari, voyant qu'il n'y parviendrait pas, appela son serviteur égyptien.
Hacohen repoussa le domestique et réussit à entasser les vingt-deux
volumes en équilibre instable sur ses avant-bras. Le kaimakam se précipita
pour lui ouvrir la porte, et Samuel s'arrêta. Les deux hommes se dévisagèrent longuement, séparés par un abîme moral si large et profond que
nulle compréhension ne pouvait le combler.

Pour se rendre de Tubariyeh à Acre en plein mois d'août, la caravane du kaimakam Tabari devait partir à l'aube afin de pouvoir
atteindre une halte sûre vers midi, et y dresser des tentes pour se reposer
pendant les heures les plus chaudes de la journée. Donc, à quatre heures
du matin, une suite importante se réunit au caravansérail, où attendaient
les chevaux et les provisions.

Il était prudent, en 1880, de voyager sous bonne escorte armée, car
les voyageurs solitaires se faisaient souvent attaquer et assassiner, et même
des groupes de trois ou quatre accompagnés de soldats étaient à la merci
des Bédouins. Le long de la route que Jésus avait suivie seul en toute
sécurité, le gouverneur turc se hâtait comme une jeune fille peureuse, car le
chemin qui avait relié de nombreux villages ne traversait plus que des
régions désertiques et sauvages. Pis encore, une fois que l'on avait franchi
les collines sans encombre, on pénétrait dans une zone de marécages dangereux bien plus étendus qu'ils ne l'avaient été jadis et infestés de mous-
tiques porteurs de malaria. Deux mille ans plus tôt, la plus grande partie
de cette région avait été irriguée par des canaux, et la terre produisait le
vin et l'huile d'olive qui faisaient la réputation de la Galilée.

Vers onze heures du matin, la caravane atteignit le tertre désolé de
Makor, la halte habituelle, car de ses hauteurs les guetteurs pouvaient
prévenir une attaque ; la tente du gouverneur fut dressée au sommet. A
midi, alors que le soleil écrasait les terres, il dormait déjà.

A six heures du soir, il fut réveillé par de grands éclats de rire. Il
sortit la tête de sa tente pour voir ce qui se passait, mais il ne distingua
rien et, comme les rires continuaient, il jeta un manteau sur ses épaules et
fit quelques pas dehors.

Sur le chemin, au pied de la colline, il vit alors un spectacle ridicule.
Venant d'Acre, seul et à pied, un petit homme frêle bizarrement vêtu
s'avançait. De temps en temps, il exécutait quelques pas de danse et
sautait en l'air, en prononçant des mots incompréhensibles. Puis il remontait son sac sur ses épaules et reprenait sa marche.

— Qu'est-ce que c'est ? demanda Tabari.

Personne ne put lui répondre.

— Allez me le chercher.

Trois gardes dévalèrent la colline et coururent au-devant de l'inconnu. Se croyant menacé, il fit preuve d'une étrange indifférence et avec un sourire extasié il dénuda sa poitrine pour l'offrir aux coups de fusil. Les Arabes lui firent comprendre qu'ils ne lui voulaient pas de mal, sur quoi il exécuta de nouveau sa drôle de petite danse, puis il les suivit docilement au sommet de la colline.

Il se présenta devant le kaimakam et attendit, tandis que la suite du gouverneur s'étranglait de rire, car c'était vraiment un bien curieux personnage, un petit Juif malingre et barbu, avec deux longues boucles tombant sur les joues, un long manteau sombre serré à la taille, un pantalon gris rayé aux jambes larges s'arrêtant à mi-mollet, avec des bas blancs et de gros souliers à boucle d'argent. Un large chapeau plat bordé de fourrure noire complétait ce costume et comme l'inconnu avait manifestement marché sous le plein soleil, sa figure ruisselait de sueur mêlée à la poussière du chemin. Mais ce qui frappait le plus, plus encore que le large pantalon et le chapeau de fourrure, c'était le regard perçant de ses yeux bleus vifs.

— Demandez-lui qui il est, ordonna Tabari.

Les membres de la caravane essayèrent d'interroger l'inconnu en turc, en arabe et en grec, sans résultat, mais un cavalier qui avait des notions de yiddish finit par apprendre qu'il s'appelait Mendel de Berdichev et qu'il venait s'établir en Galilée.

Tabari se rappela que c'était un des noms donnés par Samuel Hacohen, parmi ceux des chefs de la nouvelle colonie, et soupira à la pensée que c'était à des individus comme celui-ci qu'il comptait extorquer de l'argent.

— Demande-lui ce qu'il fait tout seul sur la route, grommela-t-il au cavalier.

L'interprète ne comprit pas grand-chose de la réponse du pèlerin, mais il s'efforça d'expliquer :

— Il n'a pas eu la patience d'attendre les autres. Il voulait voir la terre.

— Pourquoi danse-t-il ?

— C'est la joie.

— Comment peut-il savoir où il va ?

— Il a une carte.

Le kaimakam voulut la voir, et Mendel lui montra une carte provenant d'une édition russe de la Torah, une carte de la Palestine de l'Ancien Testament, mais qui était bien aussi bonne que celles fournies par le gouvernement turc actuel. La route d'Acre à la mer de Galilée était bien indiquée, et c'était celle-là que le Juif suivait.

Tabari comprit bien qu'il ne pouvait espérer soutirer un bakchich à ce demi-fou. Il lui fit demander :

— Ne sait-il pas qu'il peut être tué par des bandits ?

L'interprète traduisit, mais l'étranger ne comprit pas, ou ne voulut pas s'en soucier. Il avait le visage radieux, et semblait penser que si la mort devait le surprendre avant qu'il voie sa terre, il n'y pouvait rien.

— Il dit, expliqua l'interprète, qu'en Russie il a failli être massacré, qu'à Dantzig on lui a volé tout son argent, que sur le bateau en venant il a manqué de se noyer, mais que maintenant il est en Israël.

Le kaimakam et l'immigrant se contemplèrent longuement, les yeux bleus radieux du Juif plongés dans les yeux de velours noir de l'Arabe, et entre eux il n'y eut nulle compréhension. Pas d'animosité non plus. Enfin, à contrecœur, Tabari grommela :

— Dis-lui qu'il peut se reposer et dormir avec nous.

Mais le Juif ne voulait pas faire halte. Il s'inclina devant le kaimakam, devant le cavalier, devant tout le monde, et repartit en dansant.

— Qu'on lui donne au moins de l'eau, dit Tabari.

Un garde courut après le Juif, lui remplit son bidon, et le regarda partir mi-dansant mi-courant, le visage extasié, les yeux levés vers le ciel de Galilée, sautant comme si la terre même de ses ancêtres lui communiquait par les pieds une joie sans mélange.

Tabari le regarda disparaître dans le crépuscule, et se demanda si c'était un présage. Il avait eu l'étrange sensation que l'étranger de Berdichev l'avait regardé durement, de la même façon que Samuel Hacohen la veille. Hanté par ces deux paires d'yeux, Tabari prit dans sa poche la pièce d'or que lui avait rapportée le Talmud et la fit distraitement sauter dans sa paume.

Le lendemain matin, en arrivant à Acre, Tabari avait l'intention de se rendre immédiatement au port, pour voir les immigrants et tenter de leur soutirer le plus d'argent possible, mais le souvenir du Juif dansant le troublait encore au point qu'il remit ces considérations à plus tard. Il occupa son temps à des choses sans grande importance, et il dut se forcer, dans l'après-midi, pour se rendre à l'ancien caravansérail du quartier génois où campaient les nouveaux venus. Il y trouva Salomon et Jozak plus raisonnables que ne l'avait été Mendel. Il put discuter affaires avec eux, mais le cœur n'y était pas, et il ne leur soutira qu'une faible partie du bakchich qu'il prévoyait. Il fut heureux de les quitter, et il se rendit aux bains turcs, en face de la citadelle. Une agréable surprise l'y attendait. Le masseur noir, vêtu d'un simple pagne, l'accueillit et lui annonça :

— Dans la salle du fond, il y a quelqu'un que vous désirez peut-être voir.

Tabari se déshabilla en hâte, pressé de se débarrasser de la poussière du voyage, et entra dans une petite salle où les bancs de marbre étaient toujours parfaitement propres, et la vapeur abondante. Il ne vit pas tout d'abord qui l'attendait, mais ses yeux s'accoutumèrent à la pénombre et dans les volutes de vapeur il distingua la silhouette majestueuse du mutasarrif d'Acre. Il était énorme, avec une grosse figure basanée, et des bourrelets de graisse le recouvraient du menton aux chevilles ; il avait l'air d'un gigantesque crapaud attendant une mouche.

— Mutasarrif Hamid pacha, s'écria Tabari. Quel plaisir des plaisirs !

Le gros homme grommela et Tabari ajouta :

— Je suis venu de Tubariyeh tout exprès pour vous voir, et vous voilà !

— Je vous attendais, gronda la voix profonde qui semblait venir du fond d'un puits.

Il fit signe à Tabari de s'asseoir à côté de lui sur le banc de marbre, et comme le mutasarrif d'Acre était un Turc de pure race et Tabari un simple Arabe, le geste était plus que courtois.

Le colosse d'ébène entra avec de l'eau fraîche, dont il aspergea les murs brûlants pour produire de la vapeur, et le mutasarrif proposa :

— Voulez-vous un peu de jus de raisin ?

Tabari accepta. Le Noir sortit et revint avec des verres pleins, couverts de givre.

Tout en buvant à petits coups le frais breuvage, Tabari considérait le délicat problème qu'il avait à résoudre. S'il pouvait être sûr que le mufti de Tubariyeh n'avait pas rapporté au mutasarrif qu'il avait remis trente livres anglaises au gouverneur, il pourrait les garder pour lui. D'un autre côté, s'il était sûr que le mufti l'avait trahi, il pouvait avoir un beau geste, et remettre la totalité de la somme à Hamid avant que la question soit soulevée, ce qui serait porté à son crédit. Enfin, si le mufti avait craint de parler lui-même au mutasarrif, il pouvait avoir laissé entendre qu'une somme d'argent indéterminée avait été remise. Dans ce cas, Tabari pouvait en garder la moitié et donner le reste à Hamid.

Mais il ne devait pas oublier que son avancement dépendait du mutasarrif, donc il était indispensable de s'assurer non seulement de sa bonne volonté mais encore de son amitié. Que faire ? C'était le problème qu'affrontaient tous les fonctionnaires de l'empire turc : Dois-je être honnête cette fois-ci, et jusqu'à quel point ?

Sa décision fut bientôt prise. Dans un élan de franchise, il dit à son hôte :

— Excellence, je vous apporte de bonnes nouvelles. Le mufti de Tubariyeh m'a donné trente livres anglaises. Pour vous. Pour s'assurer de votre aide afin d'écarter les Juifs de Tubariyeh.

— Je sais, marmonna le gros homme.

Cette réponse n'abusa point Tabari. Il y avait de fortes chances pour que le mutasarrif ne sût rien, et ne le prétendît que pour s'assurer de l'honnêteté de Tabari dans l'avenir. Dans ce genre de marché délicat, on ne pouvait jamais être sûr de rien.

L'obèse poursuivit :

— Mais comme vous ne l'ignorez pas, Faraj ibn Ahmed, le sultan a déjà décidé d'accorder la terre aux Juifs. Alors le cadeau du mufti...

Les deux hauts fonctionnaires se mirent à rire, et leur graisse ruisselante de sueur tressauta comme du gras-double.

— Le mufti n'a pas de chance, dit Tabari.

— C'est un mauvais homme, grommela Hamid. Et il m'a fait un affront en venant m'avertir qu'il vous avait remis cet argent.

— Il a fait cela ? s'écria Tabari en feignant la surprise.

Le gros crapaud sourit à part soi en se disant que Tabari le savait très bien, sans quoi il n'aurait pas parlé de la somme. Mais il lui dit simplement :

— Oui, il est venu à moi comme un méchant écolier rapporteur... Entre nous, je vous avertis que le mufti cherche à vous faire chasser de Tubariyeh.

La ruse du mufti rougeaud impressionna le gouverneur. C'était un ennemi redoutable dont il fallait s'occuper au plus tôt !

— Excellence, dit-il, ce mufti doit être remplacé.

— J'ai déjà écrit à l'ouali de Beyrouth. Mais ces choses-là, mon bon ami, prennent du temps, vous le savez...

— Et de l'argent. Je sais. C'est justement en pensant à cela que je vous ai apporté un cadeau, une pièce d'or très rare, frappée il y a plus de huit siècles. Je l'ai trouvée à Tubariyeh.

Les petits yeux du mutasarrif se plissèrent pour masquer une lueur de cupidité, et il sourit.

— Un don généreux, Ibn Ahmed. Je ne pense pas que vous ayez à vous inquiéter du mufti, à l'avenir.

Les deux fonctionnaires se turent et se prélassèrent un moment dans la vapeur parfumée. Le Noir revint avec de l'eau fraîche, et leur plaça des serviettes humides sur le front, les frictionna de ses mains puissantes et se retira.

— Faraj ibn Ahmed, dit soudain le mutasarrif, ne commettons-nous pas une grave erreur en autorisant tant de Juifs à s'installer chez nous ?

— Le firman a été signé.

— Il arrive parfois que l'on signe un mauvais firman, murmura énigmatiquement le gros homme.

Tabari soupçonnait que cette réflexion recelait un piège, mais lequel ? Le mutasarrif n'avait-il parlé ainsi que pour l'induire à prononcer quelque déclaration anti-impériale ? Plus il y pensait, plus il était sûr que le vieux renard cherchait à le sonder, à lui faire avouer des sentiments révolutionnaires. Il serra les poings et déclara avec force :

— J'ai toujours trouvé que notre sultan avait raison dans tous ses édits.

Un grognement approbateur monta de la masse en sueur du mutasarrif. Il se pencha vers Tabari, le regarda attentivement et répondit :

— Il est bon qu'un Arabe ait ces sentiments-là. Ce matin, le mufti a essayé de me dire que vous étiez passé dans le camp des réformateurs.

— Le porc ! s'écria vertueusement Tabari, outré par cette trahison, mais heureux d'avoir si bien jugé le mufti.

— En temps normal, je ne l'aurais pas écouté, reprit le mutasarrif, mais il y a deux jours votre beau-frère a été pendu à Beyrouth. Un complot.

Tabari eut l'impression que l'on venait de dénouer un garrot dans une chambre de torture. Le vieux crapaud avait bien failli le prendre au piège. S'il avait fait une mauvaise réponse, il serait en ce moment même

dans l'antichambre de la mort, mais ce n'était pas le danger qu'il avait couru ni son salut qui le faisaient soupirer. Il comprenait qu'en taisant ses opinions, qui commençaient à se former, il avait trahi sa conscience et qu'il renonçait à jamais. D'autres seraient les chefs de la réforme turque, pas lui. Samuel Hacohen suivrait la voie de l'avenir, pas lui. Peutêtre était-ce pour cela qu'il avait sauvé le Juif, cette nuit-là...

Plus tard, comme ils se rhabillaient, Tabari voulut donner au mutasarrif la pièce d'or, mais il eut beau se fouiller il ne la trouva pas. Il voyait à côté de lui le vieil homme irrité, qui semblait le soupçonner de quelque malhonnêteté, mais il avait perdu la pièce. Or, le mutasarrif était capable de se venger s'il s'estimait grugé. Alors, feignant la générosité et l'affection, Tabari s'écria :

— Excellence, je m'aperçois que j'ai perdu votre pièce. Mais voici des fonds que j'avais récoltés pour une autre affaire...

Et il lui remit l'argent qu'il avait extorqué aux Juifs nouveaux venus.

Dès qu'il fut sorti du bain turc, le gouverneur Tabari dépêcha deux cavaliers à Makor, pour y rechercher la pièce d'or qu'il avait dû y laisser tomber, mais ils ne la retrouvèrent point.

CHAPITRE XVI

L'AUBE D'ISRAEL

NIVEAU I — AVRIL-MAI 1948

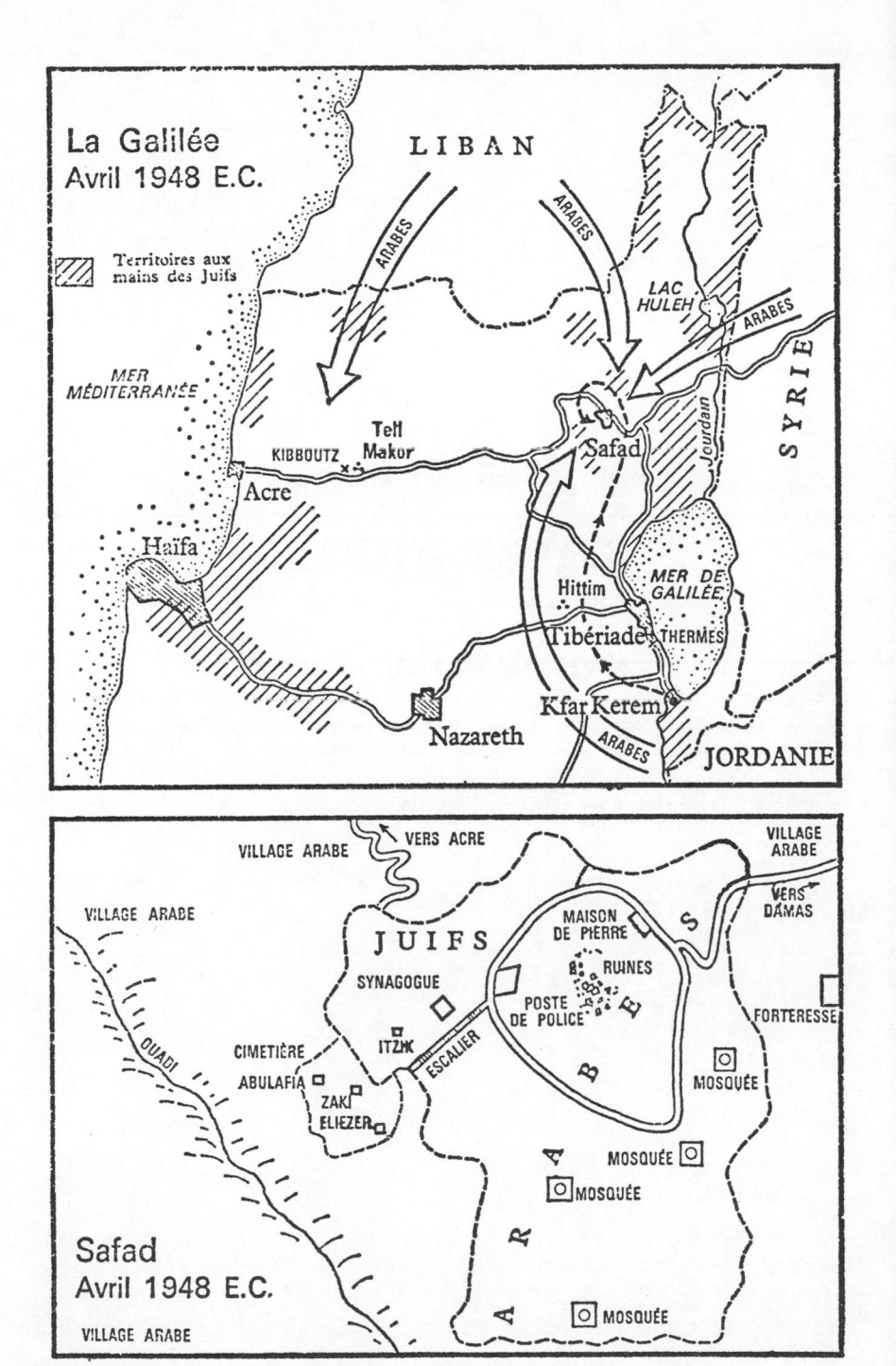

La Galilée
Avril 1948 E.C.

Territoires aux
mains des Juifs

LIBAN

ARABES

ARABES

LAC
HULEH

ARABES

SYRIE

MER
MÉDITERRANÉE

Tell
Makor

KIBBOUTZ

Safad

Jourdain

Acre

Haïfa

Hittim

MER DE
GALILÉE

Tibériade THERMES

Kfar Kerem

Nazareth

ARABES

JORDANIE

VILLAGE ARABE

VERS ACRE

VILLAGE
ARABE

VILLAGE ARABE

VERS
DAMAS

JUIFS

MAISON
DE PIERRE

SYNAGOGUE

RUINES

POSTE
DE POLICE

FORTERESSE

CIMETIÈRE

ITZIK

ESCALIER

ABULAFIA

MOSQUÉE

ZAKI
ELIEZER

OUADI

ARABES

MOSQUÉE

MOSQUÉE

Safad
Avril 1948 E.C.

VILLAGE ARABE

MOSQUÉE

ILS avaient tous les trois ceci en commun : ils aimaient passionnément le pays, comme un homme aime une femme, joyeusement aussi,
comme un enfant aime voir se lever le jour d'un pique-nique. La *sabra*
aimait la Galilée parce que c'était la terre natale de ses ancêtres, le soldat
aimait la Palestine parce que c'était un refuge après des années de guerre et
le petit rabbin aux yeux bleus aimait Israël parce que c'était la terre que
Dieu avait choisie. Ce fut durant le turbulent printemps de 1948 que leurs
trois amours se réunirent.

Pour Isidore Gottesmann, le soldat, les instructions de Moïse le Maître étaient claires et précises : « Quand vous irez au combat contre vos
ennemis... les officiers parleront au peuple et lui diront : Quel est parmi
vous celui qui vient de construire sa maison ?... qu'il parte, et retourne
dans sa maison, de peur de mourir à la bataille... Et quel est parmi vous
celui qui vient de planter sa vigne ? qu'il s'en aille aussi et rentre
chez lui, de peur de mourir à la bataille... » Gottesmann appréciait
encore plus un autre commandement : « Quand un homme vient de
prendre femme, il n'ira pas à la guerre, mais il restera chez lui pendant
un an, pour réjouir sa jeune épouse. »

En songeant tristement à sa propre situation, Gottesmann leva les
yeux de l'almanach auquel il travaillait et songea : « J'ai une maison
neuve. J'ai planté une vigne. Et je viens de prendre femme. Moïse devait
penser justement à moi en faisant ses lois, et je veux rester chez moi de
peur de mourir à la guerre. »

Il eut un petit rire nerveux. Je suis plus particulièrement couvert par
cette autre injonction, et Moïse a sûrement pensé à moi en disant : « Et
les officiers parleront encore au peuple et ils lui diront, s'il est ici un
homme qui ait peur et qui sente son cœur faiblir, qu'il s'en aille et retourne
chez lui... »

Il se redressa et s'écarta un peu du bureau où il puisait des renseignements dans l'almanach, pour écouter les bruits venant de la cuisine où sa
femme préparait le souper, et il hocha la tête. C'était un grand Juif maigre, ascétique, aux joues creuses et aux yeux profondément enfoncés sous
les épais sourcils noirs. Il était réservé et ne paraissait pas exagérément
sensible. Quand il citait la Torah, il parlait hébreu, mais il pensait en

allemand, car c'était sa langue maternelle. Il parlait aussi un excellent anglais, avec un très léger accent allemand-yiddish...

« Dieu sait, songea-t-il en se rappelant le discours de Moïse, si ce dernier point s'applique à moi. Car j'ai peur et j'ai le cœur faible. »

Avec un soupir il se remit à ses calculs et nota soigneusement les résultats dans les colonnes qu'il avait tracées à la règle dans un cahier :

« Ce soir, 12 avril 1948, le soleil se couche à six heures huit minutes. Demain matin, 13 avril 1948, le soleil se lèvera à cinq heures treize minutes. Donc si nous ajoutons quarante-cinq minutes de visibilité après le coucher du soleil ce soir et avant le lever du soleil demain matin, il nous reste... (Il s'interrompit pour faire quelques soustractions, puis il nota ses déductions :) Nous avons environ neuf heures et demie de ténèbres pendant lesquelles nous pourrons exécuter ce que nous avons à faire. »

Il posa son crayon et se pencha sur l'almanach. Il devinait ce qu'il y aurait à faire, et qui aurait l'ordre de l'exécuter... Le regard perdu, il soupira, et se dit que Moïse le Maître aurait pu tout résumer en quelques mots . « Quel est l'homme qui est las de la guerre ? Qu'il retourne chez lui. » Il se dit qu'il avait le cœur faible, qu'il était las et n'en pouvait plus.

A Gretz, âgé de onze ans, il avait assisté à la grande folie de 1933 qui avait déferlé le long du Rhin, et il avait tout compris, quand son père l'avait envoyé à Amsterdam en 1935. Quand la guerre avait éclaté, il avait rejoint un groupe de résistance qui opérait le long de la frontière allemande pour aider les réfugiés à s'enfuir. Des agents britanniques en Hollande étaient tombés par hasard sur le groupe et l'avaient organisé, en lui confiant la tâche de faire sauter les ponts. Ces Anglais avaient vite reconnu les possibilités de Gottesmann, et l'avaient fait passer à Anvers, d'où il avait été conduit à Folkestone pour être solidement instruit en Angleterre. En 1942, il était entré dans l'armée britannique comme caporal d'habillement mais il fut bientôt muté dans une unité secrète en partance pour la Syrie, afin d'empêcher Damas de tomber entre les mains de Vichy et des Allemands. Plus tard, Rommel vaincu, Gottesmann avait combattu en Italie où il avait rencontré pour la première fois des membres de la Brigade juive de Palestine. Auprès d'eux, il avait acquis ce rêve d'un Israël libre, et s'était porté volontaire pour y convoyer des immigrants clandestins. Pendant neuf ans, de 1939 à 1947, il avait fait la guerre, et maintenant il en avait assez. Il commençait à perdre son cran, et il n'aspirait plus qu'à s'occuper paisiblement de ses vignobles de Kefar Kerem.

Il avait vu pour la première fois ces merveilleux vignobles dans des circonstances insolites, un jour d'hiver de 1944, alors que la menace allemande sur la Syrie s'était dissipée, grâce aux victoires alliées dans le désert et au triomphe russe de Stalingrad. L'unité spéciale de Gottesmann avait été envoyée par camions de Damas au Caire, et, comme le convoi empruntait des routes détournées, il passa par Safad, où une tempête de neige inattendue l'immobilisa. Les soldats anglais sautèrent des camions pour explorer les curieuses ruelles, mais Gottesmann les parcourut avec respect,

en songeant que la Judenstrasse de Gretz devait avoir cet aspect au temps où Simon Hagarzi y vivait. Et ce fut avec une joie sans mélange qu'il découvrit, sur une petite maison, une plaque annonçant que le grand rabbin Eliézer bar Zadok de Gretz, qui avait codifié la loi, avait travaillé là.

Un peu plus tard, la neige ayant cessé, il gravit la colline et, dans le coucher de soleil, découvrit les majestueuses montagnes de Galilée, roses et dorées dans le couchant, avec, dans le lointain, le cristal bleu de la mer de Galilée. Gottesmann avait toujours entendu parler de ce pays, mais il n'avait jamais su qu'il était si beau.

En proie à une exaltation quasi religieuse, il était remonté dans son camion et ils avaient dévalé la montagne jusqu'à Tibériade, où le capitaine avait proposé de visiter les sources chaudes. Toute l'unité avait sauté à terre pour aller profiter des antiques thermes, au sud de la ville. Puis, extraordinairement reposé et rafraîchi, Gottesmann avait quitté les bains pour se promener jusqu'à l'extrémité du lac, où il avait découvert les riches cultures et les beaux vignobles de Kefar Kerem. Il vit des hommes qui taillaient les ceps et il leur demanda en yiddish :

— A qui appartiennent ces terres ?

— Aux hommes de Kefar Kerem, répondirent-ils en hébreu.

— Qui sont-ils ?

— C'est nous.

— Des Juifs ? Comme vous ?

— Oui, des Juifs comme toi, plaisanta l'un d'eux en mauvais yiddish.

Ce fut alors qu'il prit une décision. Après la guerre, songea-t-il, je ne retournerai pas à Gretz. L'Angleterre n'est pas non plus mon pays.

— Comment s'appelle cet endroit, dites-vous ? demanda-t-il.

— Kefar Kerem. Le village des vignobles.

— Nous sommes le plus ancien établissement juif de la région, dit un autre. Il a été fondé par un dénommé Hacohen il y a plus de soixante ans.

Et Gottesmann n'avait jamais oublié les noms, ni les champs, ni les vignobles.

Quand son convoi était arrivé à Jérusalem, sur la route du Caire, Gottesmann avait été saisi par le mystère de cette ville tellement significative pour les Juifs — « L'an prochain à Jérusalem », la prière de sa famille et de tous les Juifs exilés — et quand les soldats anglais étaient partis explorer les souks arabes, il alla avec quelques compagnons juifs de son unité à l'Université hébraïque, sur le mont Scopus. Alors qu'il admirait le vaste panorama de la Judée, et s'émerveillait de la beauté de ce pays qui était le sien, il fut distrait par un groupe de jeunes filles qui s'entretenaient en hébreu avec les soldats. Il s'approcha et fit signe qu'il ne comprenait pas la langue. Une des étudiantes lui dit alors en mauvais yiddish :

— Nous espérons que lorsque la guerre sera finie vous reviendrez nous aider à reconquérir notre patrie.

C'était une jeune fille de dix-sept ans, aux larges épaules, bronzée, les

cheveux drus coupés court, la jupe kaki au-dessus des genoux nus. C'était la jeune fille dure et musclée du nouvel Israël, une vraie *sabra* — une « fleur de cactus », comme on appelait celles qui étaient nées en Palestine, « piquantes à l'extérieur, douces à l'intérieur » — mais ses traits harmonieux avaient un type slave très net. Elle avait des pommettes hautes, un menton carré, des joues rondes, la bouche bien dessinée et ne paraissait pas du tout juive. Elle ne ressemblait à aucune Juive qu'il eût jamais vue. Et ce fut d'une voix assurée, confiante, qu'elle lui demanda :

— Vous reviendrez nous aider, n'est-ce pas ?

— A quoi faire ?

Son sourire s'effaça, et sa mine grave était bien éloignée de l'expression que peut avoir une jeune fille de dix-sept ans flirtant avec des militaires.

— Il y aura la guerre. Il y aura beaucoup de combats et nous aurons besoin de votre aide.

— Mais vous ne pouvez pas combattre tous ces Arabes !

— Nous ne voulons pas les combattre, mais ils nous y forcent. Ils pensent qu'ils peuvent nous détruire. Mais une fois que nous aurons pris Jérusalem...

— Quoi !

Elle posa sur Gottesmann ses grands yeux dorés.

— Nous prendrons Jérusalem, assura-t-elle. Nous aurons besoin d'aide, naturellement. Soldat, je vous en supplie, s'écria-t-elle en lui prenant une main. Je vous en supplie, revenez !

Puis, comme honteuse de son geste impulsif, elle recula d'un pas et lui sourit. Au bout de quelques instants, elle lui demanda :

— D'où êtes-vous, soldat ?

— D'Allemagne.

— Et votre famille ?

— Je n'en ai plus.

Elle lui prit alors les deux mains et les baisa.

— En Allemagne, vous n'avez pas de foyer. Dans notre Israël libre, vous en aurez un.

Il fut surpris. Elle s'écria alors en hébreu, un langage qu'il ne pouvait comprendre mais dont la passion le frappait :

— Ici est ton foyer ! Jérusalem sera notre capitale, et s'ils veulent nous faire la guerre, nous leur ferons connaître une guerre telle qu'ils n'en imaginent pas !

Séduit par la musique de la langue, il demanda en yiddish :

— Et vous ? Où est votre foyer ?

— Dans le plus important des établissements juifs. Au bout de la mer de Galilée, où mon grand-père a prouvé que les Juifs...

— A Kefar Kerem ?

— Vous en avez entendu parler ? s'écria-t-elle avec fierté.

Il prit alors entre ses paumes le ravissant visage exalté et l'embrassa.

— Kefar Kerem sera mon foyer, dit-il, et toi tu seras ma femme.

Et maintenant, en ce 12 avril 1948, dans sa maison neuve sous les oliviers, Gottesmann écoutait cette même jeune fille ardente remuer des casseroles à la cuisine, et il songea avec tendresse à sa femme Ilana, ménagère contre son gré. La Galilée, éloignée des centres du pouvoir semblait se désagréger et les Juifs ne savaient que faire. On parlait vaguement d'attaquer Tibériade, aux mains des Arabes, mais des esprits audacieux prétendaient que la première attaque devrait frapper Acre, également aux mains des Arabes. Quant à Safad, la situation y était plus que désespérée.

Les temps étaient sombres. Le mandat britannique de Palestine touchait à sa fin, et les Nations unies avaient déjà décidé de diviser le pays en trois parties : à l'intérieur des terres un Etat arabe peuplé en majorité d'Arabes, le long de la Méditerranée un Etat juif peuplé en majorité de Juifs, et enfin la ville internationale de Jérusalem que se partageraient à égalité les Juifs, les musulmans et les chrétiens, car c'était la Ville sainte des trois religions.

Mais les Arabes ne l'entendaient pas ainsi et le lendemain même de la déclaration des Nations unies, ils avaient attaqué un paisible car et massacré les Juifs qu'il transportait. Les coups de main succédèrent aux embuscades, et les Anglais, qui faisaient déjà leurs paquets, furent vite débordés ; ils savaient qu'ils quittaient le pays le 15 mai 1948 et en attendant, ils laissaient Arabes et Juifs se débrouiller entre eux. Le gouvernement anglais avait tendance à favoriser les Arabes dans le partage des villes, car il n'y avait que 600 000 Juifs contre un million trois cent mille Arabes, sans compter tous les renforts qu'ils pouvaient obtenir des pays voisins comme l'Egypte, la Transjordanie, la Syrie, l'Arabie séoudite, le Yémen ou l'Irak. Les politiciens britanniques étaient persuadés que quelques semaines après le départ de leurs troupes, les Arabes auraient rejeté à la mer tous les Juifs de Palestine. Par conséquent, il était imprudent de miser sur le vaincu, et chaque fois que cela était possible, les fortifications, le matériel et les avantages divers étaient confiés aux Arabes. Dès la mi-avril, on devinait comment se passerait la transition : les Anglais s'en iraient, les Arabes arriveraient, les flottes du monde entier se tiendraient prêtes, en Méditerranée, à sauver les Juifs échappés au massacre général et l'O. N. U. déciderait en dernier lieu du refuge que l'on assignerait aux survivants.

Les chiffres qu'étudiait Isidore Gottesmann étaient décourageants. Dans toute la haute Galilée, que son groupe et lui devaient tenir, il n'y avait pas plus de cinq mille Juifs. Et les Arabes étaient cent mille, avec quelque deux cent mille de plus qui pouvaient venir en renfort des pays voisins du Nord et de l'Est. Par exemple, dans les villages entre Safad et Acre, il y avait exactement trente-quatre garçons et filles juifs armés de fusils. A Safad, où devrait probablement se porter la première attaque, on avait recensé les Juifs : 1 211 contre environ 13 400 Arabes. Gottesmann avait calculé que cela faisait un pourcentage de 11,1 contre 1, un chiffre bien facile à retenir ! Mais les forces juives étaient encore

plus faibles du fait que les Arabes tenaient toutes les hauteurs, d'où ils
pouvaient tirer presque à bout portant sur les quartiers juifs, et aussi
du fait qu'à Safad la population juive était composée en majorité de
vieillards dévots qui refusaient de se défendre ou en étaient incapables.
Nombreux étaient ceux qui demeuraient convaincus que Dieu entendait
toujours les punir de crimes inconnus, et que cette fois il avait choisi
les Arabes pour faire son travail, comme récemment il s'était servi des
Allemands, et avant cela des Cosaques de Czelmienicki, et des Espagnols
de l'Inquisition. Les Juifs de Safad étaient condamnés à mort ; la Torah
le disait. Et ils attendraient dans leur synagogue qu'on vînt les massacrer, comme par le passé.

Malgré tout, la capture de Safad était essentielle si les Juifs voulaient
préserver leur Etat libre ou gagner la guerre qui suivrait cette proclamation.
Car Safad commandait les collines, et tout comme elle avait été vitale
pour les croisés en 1100 comme un saillant protégeant à la fois Tibériade et Saint-Jean-d'Acre, et indispensable aux mameluks de 1291 comme
base d'où ils contrôlaient toute la Galilée, ainsi, en 1948, elle était de
nouveau une place forte dominant la veine jugulaire de la région. En
prenant en considération la supériorité numérique écrasante des Arabes,
les Nations unies avaient logiquement donné Safad au futur Etat arabe,
mais si elle restait entre des mains arabes, la nation juive ne serait plus
viable. Et tandis que le mandat britannique touchait à sa fin, Safad devenait l'objectif numéro un des Juifs de la région.

Isidore Gottesmann, ayant achevé son rapport sur Safad, referma son
cahier et s'adossa à sa chaise. Il était sûr que dans la soirée, quand
Teddy Reich et ses lieutenants de la *Palmach* viendraient discuter de la
situation, il répéterait : « Nous devons nous emparer de Safad. Remue-toi,
Gottesmann ! » Et le malheureux soldat se demanda pourquoi on l'appelait
toujours Gottesmann, et jamais par son prénom ni par un nom d'amitié.

C'était toujours : « Gottesmann, nous devons expédier ces réfugiés
à Eretz Israël. Trouve un bateau à Tarente, débrouille-toi... » Et la voix
de Teddy Reich, dure et sèche : « Gottesmann, tu portes cette dynamite à
Tibériade et quand le camion passe... » Et juste avant l'explosion de la
valise, une voix britannique, atroce dans son angoisse : « Gottesmann,
qu'as-tu fait ?... »

C'est en fuyant les Anglais après ce dynamitage qu'il s'était réfugié
à Kefar Kerem, où il avait été conduit chez Netanel Hacohen.

— S'ils te traquent, entre, avait grommelé le grand Juif au menton
volontaire.

— J'ai fait la connaissance de votre fille Ilana à Jérusalem, bredouilla
Isidore.

— Elle n'est pas là. Mais tu dois être Gottesmann et je suppose que
c'est toi qui as fait sauter le camion. Sois le bienvenu, mon fils.

Cette nuit-là, il avait vu pour la première fois le portrait du petit
Samuel Hacohen, avec ses épaules déformées et ses yeux pénétrants.

— Il a été tué par des Bédouins, en protégeant cette terre, expliqua
Netanel. Quand les premiers troubles ont commencé, les autres voulaient

se réfugier dans les murs de Tibériade, mais Samuel a prêché que nous devions construire avec notre amour pour la terre des murs plus hauts que ceux de Tibériade.

— Prêché ? Il était rabbin ?

Netanel éclata de rire.

— Rabbin ? Que non ! A sa mort, il en avait par-dessus la tête des rabbins. Il n'y a jamais eu de rabbins chez nous. L'Etat juif naîtra quand des hommes comme mon père prendront des fusils et abattront les salauds qui nous menacent. A cinquante ans, mon père avait organisé sa petite armée, pour protéger notre communauté. Et les Bédouins l'ont tué, en pensant que, lui disparu, les autres s'en iraient. Mais sa foi avait été si forte que personne n'osa s'enfuir, et, après deux ou trois autres attaques, les Bédouins nous ont fichu la paix. Pour tenir cette terre, Gottesmann, il faut se battre pour elle. Si nous voulons un Etat juif à nous, il faudra nous battre. Tu as bien agi en faisant sauter ce camion.

— Je pensais qu'il était rabbin, à cause de ces volumes de la Torah, que je vois là.

— Ça ? Un type les a vendus à mon père, et il les a gardés comme porte-bonheur. Samuel Hacohen... On pouvait lui vendre n'importe quoi. Son enseignement était simple, Gottesmann, et tâche de ne pas l'oublier. Aucun Etat ne vous est offert sur un plateau d'argent. On l'achète avec son sang. Les rabbins et les gouvernements et les belles idées ne nous gagneront pas notre pays. Tu prends ton fusil, tu gagneras Israël !

Et puis un jour, alors que Gottesmann se cachait encore chez lui, Netanel Hacohen vint lui annoncer qu'il devait partir parce que sa fille revenait de l'université. Mais comme il faisait ses paquets, Ilana apparut, plus ravissante que dans son souvenir, mais plus grave, plus dévouée encore à la cause d'Israël. En le voyant s'apprêter à partir, elle lui dit :

— Restez, Gottesmann.

Il la revoyait encore, toute droite, le menton volontaire, le regard illuminé, ses genoux ronds, bronzés sous l'ourlet de la jupe courte. Quelle fille merveilleuse, cette Ilana, si forte dans sa résolution, incarnant l'amour fervent de la patrie ! Comme il aurait aimé rester auprès d'elle aujourd'hui, éloigné de cette guerre qui menaçait de l'emporter... demeurer avec sa femme au milieu de ses vignobles !

Gottesmann reconnaissait tout de même que la loi de Moïse ne le concernait pas entièrement, car s'il avait une maison neuve, et une vigne récemment plantée, il n'avait pas d'épouse. Ilana et lui n'étaient pas mariés. Selon la mode impétueuse du temps, elle s'était tout simplement installée chez lui, en déclarant à la communauté : « Gottesmann et moi, nous allons vivre ensemble. » Il s'était attendu à une protestation de son père, mais Netanel avait convoqué deux témoins, devant lesquels Ilana et Gottesmann avaient récité à tour de rôle l'antique formule : « Je me consacre à toi suivant la loi d'Israël », après quoi Netanel avait crié : « Vous êtes mariés. Ayez beaucoup d'enfants ! » Certains voisins timorés avaient suggéré que le jeune couple aimerait peut-être que l'on fît venir un rabbin de Tibériade pour les unir selon les règles, mais Ilana avait

répliqué d'une voix méprisante : « Nous en avons fini avec les rabbins et toutes ces sottises. Ici en Israël (Ilana parlait toujours comme si sa patrie existait déjà) nous ne serons pas sauvés par Dieu, Moïse ou un quelconque rabbin. Quinze mille Arabes vont un jour descendre sur nous et ces collines, et nous ferions bien de nous préparer à les recevoir. Nos fusils nous sauveront, pas un rabbin qui se tordra les mains en gémissant : « Israël est perdu. Israël subit son châtiment. »

En se rappelant cet éclat, Gottesmann sourit, et reprit sa plume.

Derrière lui, la porte s'ouvrit à la volée. Il entendit un tintamarre de vaisselle, et la voix à la fois dure et assourdie de sa femme qui annonçait :

— Viens, on mange !

Ilana Hacohen avait vingt et un ans. Elle n'était ni grande ni grosse, et pétillait toujours de vie. C'était certainement la plus mauvaise cuisinière d'Israël, qui n'en compte guère de bonnes, et ce qu'elle servait à son mari lui faisait regretter les plus sinistres des restaurants anglais. Mais elle était fière de sa maison neuve, et s'efforçait malgré tout d'être bonne ménagère.

Elle servit généreusement son mari, puis, voyant son front soucieux, elle demanda :

— Safad t'inquiète ?

— Il y a onze virgule un pour cent d'Arabes contre un seul Juif, murmura-t-il sombrement. Et les Arabes tiennent les positions les plus favorables.

— Naturellement.

— Et si l'on estime les forces réelles, c'est un combat à quarante contre un.

Elle se servit distraitement, le front plissé, en songeant à cette supériorité écrasante des Arabes, et à la position clef de Safad qu'elle connaissait bien, et qui était si indispensable aux Juifs.

— Il me semble, dit-elle posément, que Teddy Reich devrait donner l'ordre de faire avancer ses Palmach dès cette nuit.

Isidore Gottesmann se raidit. Il s'arrêta de manger, et contempla fixement le bois brut de la table de cuisine. Voyant que son mari se taisait, elle ajouta paisiblement :

— Et si Teddy Reich décide d'envoyer ses hommes, toi et moi partirons aussi.

— Sans doute, murmura Gottesmann en reprenant sa fourchette.

Ilana Hacohen connaissait bien Safad. Son grand-père avait été tué par les Bédouins avant sa naissance, mais elle se rappelait le temps heureux où son père l'emmenait à cheval sur les pentes abruptes de Safad, d'où l'on voyait Tibériade et la mer de Galilée. Debout sur les pierres des ruines du château fort des croisés, il lui racontait ce qu'avait été la merveilleuse cité romaine de Tibériade, et comment, plus tard, une bande de Juifs bigots et mal inspirés y avaient rédigé le Talmud « qui enchaînait le monde ». Il ajoutait que vers l'an mille, d'autres rabbins s'y étaient assemblés pour écrire une bonne traduction de la Bible, mais à son avis, le seul rabbin admirable de la région avait été Rabbi Zaki

le martyr. « C'était un grand homme, un honnête homme, en qui tout le monde pouvait avoir confiance. » Des rabbins contemporains, il n'avait rien de bon à dire, sinon qu'ils étaient un bien triste lot, sales et méprisables, et Samuel Hacohen avait décrété qu'il n'en voulait voir aucun à Kefar Kerem.

Cependant, Ilana n'avait pas été entièrement privée de religion. Chez son père, on lisait la Torah en famille, comme chez des Anglais cultivés on lisait Shakespeare, ou Gœthe en Allemagne. La seule différence, c'était que la Torah était l'histoire de cette terre et de ce peuple. Ilana savait que Kefar Kerem avait été jadis terre cananéenne, et qu'à leur victorieux retour d'Egypte, les Juifs s'étaient déployés et installés dans les vallées fertiles entre le lac et la mer. Et pour elle, le partage de la Terre de Chanaan entre les douze tribus, qui s'était déroulé trois mille ans plus tôt, était aussi réel que celui proposé par les Nations unies qui se ferait dans quelques semaines. Car Kefar Kerem se trouvait à la jonction des territoires concédés à Nephtali, Issachar et Manassé, et c'était de ces mêmes terres que les Hébreux avaient été chassés et emmenés en captivité. Pour les sabras de la génération d'Ilana, la Bible était presque contemporaine. Dans le vignoble de son père, elle avait trouvé des pièces de monnaie juives frappées par les Macchabées.

Comme la plupart de ses amis, dont les parents étaient athées ou carrément anticléricaux, Ilana Hacohen ne portait pas un prénom biblique. Le sien voulait dire *arbre*, et rappelait l'ancienne Terre promise. D'autres jeunes filles portaient des prénoms évocateurs tels qu'Aviva (la source) ou Ayelet (le faon), Talma (le sillon) tandis que les garçons s'appelaient Dov (l'ours), Arieh (le lion) ou Dagan (la céréale). Ilana était bien décidée, si Gottesmann et elle avaient des enfants, à ce qu'il n'y ait parmi eux ni de Sarah ni de Rachel, d'Abraham ni de Mendel, ni aucun autre prénom biblique ou à consonance d'Europe orientale. En fait, elle ne reprochait qu'une chose à son mari, c'était qu'il tînt à son prénom allemand, Isidore, qui ne convenait pas, à son avis, à un Juif moderne. Aussi ne l'appelait-elle jamais que Gottesmann, même dans l'intimité.

Ces filles et ces garçons délivrés des rigides contraintes de la religion aimaient cependant leur Bible d'un amour profond et s'ils repoussaient les rites et la religion, ils professaient un autre culte, tout aussi exigeant : ils étaient fanatiquement dévoués à la cause d'un Etat d'Israël libre fondé sur la justice sociale. Il n'y avait pas de communistes à Kefar Kerem, et certains penchaient au contraire pour le capitalisme qui permettait à tout homme de s'enrichir, mais cela n'empêchait pas qu'il y régnât un authentique esprit communautaire. Presque tous disaient, comme Ilana : « Notre maison n'est pas vraiment à nous. Elle appartient à la communauté et si nous partons quelqu'un d'autre s'y installera, ce qui sera justice. Je travaille dans les vignes et j'en parle comme si elles étaient à moi, mais elles appartiennent à la communauté aussi, et si je pars d'autres mains cueilleront les raisins. L'essentiel, c'est que la terre continue ! »

C'était cela, la profonde mystique du groupe : la terre doit continuer.
« Il y a quatre mille ans, des Juifs vivaient sur cette terre, aimait à

répéter Ilana, et je suis fière d'être un maillon de cette chaîne. Quand je ne serai plus là, d'autres Juifs vivront sur notre terre pour quatre mille ans encore. C'est la terre qui importe. »

La terre était le but suprême, la Terre promise, la Terre de Chanaan et d'Israël, les champs de jadis donnés par Dieu à Nephtali, Issachar et Manassé.

Maintenant, dans sa maison neuve, alors qu'il attendait Teddy Reich et la décision concernant Safad, Gottesmann avoua à sa femme qu'elle avait fini par le convaincre.

— Depuis quelques jours, dit-il, je reconnais que tu as raison. La terre passe avant tout, et une fois que nous l'aurons conquise, nous pourrons passer à d'autres problèmes.

— Enfin, te voilà raisonnable ! s'écria-t-elle joyeusement. Une fois que nous serons en possession de notre pays...

— J'ai l'impression que les six semaines à venir diront si nous devons ou non le conquérir...

— Si ? Comment, si ? Gottesmann, nous le devons ! Nous l'aurons ! Aurais-tu peur d'échouer ?

— Je suis un soldat, répondit-il posément. Je sais ce que c'est... une ville comme Safad... quarante contre un...

— Il faudra vaincre, déclara-t-elle. Il le faudra... Dieu de Moïse ! Fais-nous reconquérir notre terre !

Sur ce, Teddy Reich fit irruption dans la maison et l'atmosphère changea. C'était un jeune Juif allemand manchot de vingt-quatre ans, tout en nerfs et en muscles, qui semblait électrisé par son fanatisme. Il avait des yeux glacés, un menton volontaire, des cheveux noirs coupés à ras, et l'esprit le plus audacieux de Galilée. Ce soir-là, il était accompagné par quatre lieutenants semblables à lui, Juifs allemands aussi, et un cinquième qui semblait singulièrement déplacé. Ce dernier combattant était plus petit, tout rond, avec une expression douce, des traits fins, des épaules tombantes et un sourire perpétuel. Il s'appelait Nissim Bagdadi, un nom qui trahissait son origine et révélait que lui seul, dans cette maison, était un Juif séphardim.

— Alors ? Safad ? cria Reich en se laissant tomber sur une chaise, à la table.

— J'y étais il y a deux jours, répondit Gottesmann.

— Des difficultés ?

— On m'a tiré dessus à l'aller et au retour.

— Dans la campagne ?

— Non. En ville.

— Fallait s'y attendre, grommela Reich. Comment est-ce ?

Gottesmann prit un des profonds saladiers d'Ilana et le renversa sur la table.

— Voilà, expliqua-t-il dans son mauvais hébreu. Cette espèce de petit plateau, au sommet, c'est la ruine du château des croisés, tenue par les Arabes. De là, ils dominent tout. Maintenant, imaginez les côtés divisés comme un melon en six portions. Les Arabes en détiennent cinq.

Nous n'en avons qu'une, cette petite-là. Au coin supérieur de notre portion il y a une solide bâtisse en pierre que les Anglais ont remise aux Arabes, et là se trouve un poste de police que les Anglais vont leur donner aussi, je le crains.

La mine sombre, les huit Juifs étudièrent l'impossible situation : un unique secteur entre leurs mains, pour ainsi dire cerné par les Arabes, dominé par les ruines du fort des croisades, par la maison de pierre et le poste de police.

Gottesmann prit ensuite un livre qu'il posa debout, verticalement, et déclara :

— Là derrière, dominant absolument tout, se trouve la nouvelle forteresse construite par les Anglais. Les Arabes ont déjà commencé à s'y installer.

D'un geste irrité de son bras unique, Teddy Reich balaya le livre et le saladier, la forteresse inexpugnable, Safad et son poste de police.

— La population. Combien ? aboya-t-il.

— Nous avons un recensement précis. 1 214 Juifs contre 13 000 Arabes. C'est-à-dire une proportion de onze virgule un pour cent contre un.

— Régulier, grommela Reich. Les Juifs se battront-ils ?

— Deux cent soixante d'entre eux, peut-être... A condition que nous leur fournissions des armes.

— Combien de fusils ont-ils en ce moment ?

— Cent quarante.

— Mieux que je ne le pensais. Allon m'a dit que Safad doit être prise. Nous ferons avancer ce commando qui se cache au nord du patelin.

— Un commando suffira ? s'inquiéta Gottesmann.

— Sûr, grommela Reich tout en prenant des notes. Faudra bien. Safad doit être prise. Pour y parvenir, nous pouvons sacrifier un peloton.

Dans le silence qui suivit il ajouta :

— Gottesmann, si tu pars tout de suite, crois-tu que tu pourrais rejoindre ce commando avant l'aube, en passant par les collines ?

— Il n'y a pas de lune. Oui, si nous marchons bien.

— Pars tout de suite, ordonna Reich sans s'arrêter d'écrire. Dis-leur qu'ils doivent investir Safad coûte que coûte demain soir.

— Très bien, répondit Gottesmann en allemand.

Si la mission qu'on venait de lui donner provoquait chez lui une réaction émotionnelle, il n'en laissa rien paraître.

— As-tu besoin d'un de mes hommes ? demanda Reich.

— J'emmènerai Ilana, répondit Gottesmann en examinant les quatre eskenazim musclés et les repoussant aussitôt. Et comme guide, je prends Bagdadi.

Teddy Reich leva les yeux, se retourna pour examiner Ilana et Bagdadi, puis il fit un signe de tête approbateur, se leva, poussa brutalement une porte du pied, entra dans la chambre et alla se jeter sur le lit défait.

— Pendant votre absence, nous établirons notre Q. G. ici.

Gottesmann et sa femme n'étaient pas encore sortis de chez eux qu'il dormait déjà.

Les membres de la Palmach — une abréviation signifiant *Plugat Machatz*, ou « force de frappe », créée en 1941 pour résister à la menace d'invasion allemande — portaient généralement en campagne une charge de quarante kilos par homme — ou femme — mais à cause des difficultés de ce parcours jusqu'à Safad, Gottesmann et Bagdadi ne prirent que trente kilos d'équipement chacun, et Ilana vingt. En principe, la route de Kefar Kerem était facile, mais cette nuit le petit garçon ne pouvait l'emprunter car elle était sans cesse suivie par des patrouilles d'Arabes armés qui tuaient à vue. Ses chances de réussite étaient minces, car il lui fallait couper à travers champs et collines en terrain difficile, et traverser quatre routes principales. Les quarante-trois kilomètres devraient être couverts avant le début de l'aube vers quatre heurees et demie.

Mais ce n'était pas sans raison que Gottesmann avait choisi l'Irakien Bagdadi pour les guider, car il était aussi bon éclaireur que vaillant combattant. Il connaissait admirablement la région, et possédait un instinct sûr qui le prévenait des embuscades possibles de l'ennemi. Il partit au pas de chasseur, et entraîna rapidement sa petite équipe à l'ouest de la mer de Galilée. Ilana, bien qu'elle portât un fusil et beaucoup de munitions, n'avait aucun mal à suivre l'allure accélérée des hommes, et chaque fois que Gottesmann la regardait, il sentait monter en lui une bouffée de tendresse pour cette fille exceptionnelle qui, en d'autres temps, aurait poursuivi ses études à l'université.

En manœuvrant adroitement, Bagdadi leur fit traverser sans encombre les deux premières routes, puis il s'engagea sur les pentes abruptes montant aux Cornes de Hattin, le champ de bataille fatidique des Francs. Tout en forçant l'allure, Gottesmann songeait à la bataille historique de Hattin qui avait décidé du sort de ce pays. Est-il possible, se demandait-il, qu'une nation commette une seule erreur stratégique et se condamne à disparaître ? Et cette tentative contre Safad, n'était-ce pas une erreur ? Mais Bagdadi, manifestement peu soucieux d'Histoire, pressait le pas, et bientôt le champ de bataille des croisés fut dépassé.

Ils se trouvaient à présent en plein pays arabe, avec de petits villages de tous côtés, et Bagdadi démontrait son adresse en les conduisant aussi loin que possible des éventuels guetteurs ennemis. Ils franchirent la troisième route, et puis au bout d'un moment l'Irakien fit halte et chuchota :

— D'ici jusqu'à la dernière route, ça va être difficile. Et pour la traverser, ce sera pire. Ensuite, nous aurons une montée très raide. Si nous rencontrons des Arabes, que faisons-nous ?

— On ne tire pas, commanda Gottesmann. Pas un seul coup de feu, c'est bien compris ?

Il parlait plus pour Bagdadi que pour Ilana, car il savait qu'elle gardait son sang-froid dans ces cas-là.

— On ne tirera pas, dit-elle.

— Non, c'est compris, promit Bagdadi en se remettant en marche.

Le terrain était de plus en plus difficile et la marche pénible. Ils débordèrent un village arabe, puis un autre, et n'entendirent que quelques chiens aboyant dans la nuit. Enfin ils arrivèrent en vue de la route, et

s'arrêtèrent, car elle leur paraissait singulièrement menaçante, comme si des tireurs étaient aux aguets, et tandis que les trois combattants de la nuit se serraient l'un contre l'autre, tapis dans l'ombre plus dense d'un rocher, ils virent un spectacle à la fois exaltant et irritant. Au-dessus d'eux, si près qu'ils s'imaginaient le toucher en tendant la main, le village de Safad accroché au flanc de la montagne brillait dans la nuit de toutes les lumières de ses quartiers arabes. Ils auraient voulu pouvoir courir en avant, tout droit, vers cette ville qui leur faisait signe, vers l'objectif capital de leur mouvement, mais ils savaient qu'ils devraient courir et se cacher et prendre des chemins détournés pendant plusieurs heures encore, traverser la route dangereuse et ensuite progresser en silence entre les collines vers la montagne, au nord de Safad, où les attendaient les Palmach.

— Allez, on y va, décida enfin Bagdadi.

Ils coupèrent rapidement à travers champs, traversèrent la route dangereusement exposée, puis ils disparurent dans les sombres collines, où Bagdadi les contraignit à courir sur les pentes raides.

Il était maintenant trois heures du matin ; ils marchaient depuis huit heures, et Ilana était presque épuisée, mais elle but une gorgée d'eau du bidon de Bagdadi, changea son fusil d'épaule et repartit.

— Donne, je vais te le porter, lui dit son mari.

Mais elle lui jeta un regard noir, et pressa le pas, avec son fusil.

— Ne nous séparons pas, avertit Bagdadi. Y a des villages arabes tout autour.

Et pendant une heure, jusqu'à ce que sa montre marque quatre heures, il maintint cette allure épuisante. Gottesmann lui-même, avec ses longues jambes, avait du mal à suivre le train d'enfer du petit Irakien, mais se laisser distancer serait fatal, et ils poussèrent en avant jusqu'aux prémices de l'aube qui menaçait déjà de poindre derrière eux.

C'était à présent que la sûreté d'instinct de Bagdadi devenait capitale. Devant eux, ils ne savaient au juste où, se trouvait le village tenu par les Palmach, mais entre eux et le commando il y avait de nombreux hameaux arabes pleins de guetteurs, et se frayer un chemin dans ces collines et ces champs, éviter à la fois les sentinelles arabes et empêcher les Palmach de tirer au jugé, cela exigeait beaucoup d'adresse. L'Irakien avançait plus lentement, si lentement même que Gottesmann perdit patience.

— Mais qu'est-ce que tu fiches ? On avance, oui ?

Doucement, comme une grande personne grondant un enfant, Bagdadi lui répondit :

— C'est le moment où nous n'avons pas le droit de nous tromper.

Et comme un renard astucieux flairant la meilleure piste, il choisit le seul chemin qui pourrait les faire passer entre les hameaux.

Mais soudain le soleil, comme lassé de la nuit, approcha du bord de l'horizon. Il était quatre heures vingt, et l'aurore pointait. Les trois Juifs connurent un instant de terreur, car brusquement ils distinguaient leurs silhouettes, ils voyaient leurs visages beaucoup trop nettement. Ilana, qui ne rêvait que de pouvoir se laisser tomber là où elle était, s'effraya en voyant la figure de son mari se détacher des ténèbres environnantes.

C'était celle d'un homme qui avait dépassé les limites de son endurance. Il s'arrêta brusquement de trotter. Il ne pouvait faire un pas de plus.

— On ne peut pas rester là, protesta Bagdadi.

Gottesmann refusa de bouger. Il n'était plus capable de faire avancer ses jambes, et il avait l'intention de rester sur place, au centre de ce nid d'Arabes.

— Nous n'avons plus qu'un quart d'heure, supplia Bagdadi.

Gottesmann ne parut pas l'entendre. Il trouva un creux entre deux rochers et alla s'y asseoir, tandis que l'aube naissante dessinait de plus en plus nettement leurs silhouettes. L'Irakien se tourna vers Ilana.

— Fais-le marcher, supplia-t-il.

Malgré sa fatigue, elle alla vers son mari, le tira par le bras, mais il ne bougea pas.

Le commandement revenait maintenant à Bagdadi, et il était bien mal préparé à l'exercer, car toute sa vie s'était passée, semblait-il, à obéir aux ordres des Juifs eskenazim. Seul de sa famille à réchapper, à l'âge de deux ans, aux massacres de 1929 à Hebron, il avait été élevé dans un orphelinat de Tel-Aviv où régnaient les Eskenazim. Plus tard, quand il avait cherché du travail, c'était toujours à ces autres qu'allait la préférence, et dans le Palmach, il devait obéir à des supérieus eskenazim. Mais à présent, l'avenir de ce secteur du futur Etat d'Israël reposait entre ses mains.

Comprenant que Gottesmann était bien décidé à conserver cette attitude qui équivalait au suicide, il s'avança, repoussa Ilana et gifla le Juif allemand à toute volée.

— Tu vas courir ! lui cria-t-il.

Il l'empoigna par le bras, le mit debout de force et le poussa violemment. Gottesmann trébucha, et puis il se mit enfin à courir en zigzag pour couvrir les quelque huit cents mètres qui les séparaient encore du village de la Palmach. Puis l'Irakien se tourna vers Ilana.

— Viens, suis-moi !

L'attitude insensée de Gottesmann leur avait fait perdre de précieuses minutes, et maintenant le soleil se levait carrément. Un coup de feu claqua dans les collines, effrayant Ilana mais réveillant son mari. Retrouvant sa lucidité, il vit les petits nuages de poussière soulevés par les balles devant eux et il espéra que les Arabes continueraient de les manquer. Il ne se rendait pas compte qu'il était responsable du danger qu'ils couraient. Une balle siffla à ses oreilles et s'en alla ricocher contre un rocher. Les poumons déchirés, les jambes trop lourdes, il songeait à la fatigue d'Ilana. Il leva les yeux et la vit courir devant lui, aussi vite qu'elle le pouvait, mais en ligne droite. Le tir des ennemis invisibles se précisait, se concentrait sur elle, et il comprit que si elle continuait ainsi, elle serait fatalement touchée.

— *Nieder !* hurla-t-il.

Mais il vit avec terreur qu'Ilana courait toujours droit devant elle, vers le village que l'on apercevait. Une balle frappa le sol près de son talon gauche. Il fut alors pris de panique en s'apercevant qu'il avait instinctive-

ment crié en allemand, au lieu de lui conseiller de se coucher en hébreu, *artza*. Mais avant qu'il puisse de nouveau l'avertir, Bagdadi s'était retourné, avait compris la situation et d'un geste de la main indiquait à la jeune femme ce qu'elle devait faire. Dès qu'elle vit son signal elle se jeta à plat ventre, roula deux ou trois fois sur elle-même et se remit à courir mais en zigzag. La balle suivante frappa juste à l'endroit où elle se serait trouvée sans l'intervention de l'Irakien, et les trois Juifs échappèrent aux Arabes et se rapprochèrent du village tenu par les leurs.

A présent, c'était au tour de Bagdadi de s'inquiéter, car dans le demi-jour il était fort possible qu'un soldat juif se mît à tirer sur tout ce qui bougeait. Sans s'arrêter de galoper, il tira de sa poche un petit drapeau blanc orné de l'étoile de David bleue et se mit à crier à pleins poumons :

— Palmach ! Palmach !

Une sentinelle à l'esprit vif, là-haut au village, comprit tout de suite et se mit à déclencher un tir de barrage contre les Arabes massés sur les hauteurs. L'ennemi fut repoussé et les trois messagers de Kefar Kerem couvrirent les derniers cent mètres sans incident.

Quand ils arrivèrent au Q. G. de fortune, haletants, épuisés, le soleil levant allongeait déjà leurs ombres devant eux. Pendant que Gottesmann et Bagdadi faisaient leur rapport, Ilana se pelotonna par terre comme un petit chien et s'endormit. Après une heure de conversation, Bagdadi et Gottesmann la soulevèrent et la transportèrent sur un lit, sans la réveiller. Elle dormit toute la journée.

Le mardi 13 avril au soir, les Palmach la réveillèrent. Le petit village était sur le pied de guerre, dans le calme. L'ordre de Teddy Reich de s'infiltrer dans Safad et de prendre le commandement des forces de défense locale avait été si complètement discuté et assimilé, et les difficultés de l'entreprise si bien prévues, que l'excitation et la peur s'étaient dissipées. Maintenant, tout le monde savait qu'un commando de trente-trois garçons et filles se déploierait dans la campagne, ramperait sur le ventre pendant trois kilomètres et chercherait à pénétrer dans la ville en évitant les patrouilles arabes. Si la manœuvre dégénérait en bataille rangée, les Palmach devaient riposter coup pour coup sans cesser d'avancer.

Le commando était dirigé par MemMem Bar-El, un jeune homme nerveux portant la barbe, assez fier de son allure martiale, de sa naissance sabra et du fait qu'il ne parlait d'autre langue que l'hébreu. Il avait des yeux bleus et des cheveux roux, et tous les instincts d'un homme de guerre. Son nom, MemMem, était dérivé des initiales hébraïques d'un commandant de peloton, et il était vraiment fait pour ce rôle. Il avait le jugement rapide et juste, ses ordres étaient clairs et précis ; et pour les exécuter, il marchait généralement en tête. En temps ordinaire, Bar-El eût sans doute été un « tombeur de cœurs » ; en ce moment, il était un chef-né, un chef de guerre, un meneur d'hommes de vingt ans.

Une ravissante fille de dix-sept ans l'accompagnait, menue, vive, les cheveux noirs et le teint clair, une véritable femme-enfant. Pour se grandir, elle portait ses cheveux coiffés en haut chignon, avec une petite casquette de soldat perchée dessus, rejetée en arrière et la visière pointée vers le ciel

dans l'espoir d'ajouter quelques centimètres de plus à sa taille. Contrairement à Ilana, elle s'habillait avec goût, mais en vraie sabra elle n'avait ni poudre ni rouge et ne se rasait pas sous les bras. Elle servait de secrétaire à Bar-El. On ne la connaissait que sous le nom de Vered, la Rose en hébreu. Elle était arrivée un matin, prête à servir dans l'unité de Bar-El en qualité de n'importe quoi, et suivait le commando depuis. On avait fini par apprendre qu'elle était la fille d'un grand médecin de Tel-Aviv, mais ses parents ignoraient où elle se trouvait et elle n'avait pas l'intention de leur donner de ses nouvelles tant que la victoire ne serait pas à eux. Le plus curieux était que, jolie comme elle l'était, elle n'eût pas d'amoureux ; Bar-El n'était pour elle qu'un chien de garde.

Gottesmann fut surpris en voyant cette frêle enfant refermer la table pliante qui lui servait de bureau, se charger d'un sac à dos et prendre d'une main la table, de l'autre un lourd fusil.

Les Juifs soupèrent tard, puis ils fermèrent les volets comme s'ils allaient se coucher normalement. Ceux qui ne participaient pas à l'attaque patrouillèrent aux abords du village, comme toutes les nuits, en s'arrêtant de temps en temps pour bien se faire voir des guetteurs arabes. Quelques chiens couraient dans les ruelles en aboyant. Apparemment, le village était paisible. Mais un peu avant minuit, Bar-El rassembla son commando et d'un pas sûr les vingt-six hommes et les sept filles descendirent du village et disparurent dans le profond ouadi qui passait au pied de Safad. Aucun Arabe ne les avait vus.

Silencieusement, en file indienne, les Palmach suivirent l'ouadi, transportant une Sten, une mitrailleuse Vickers volée aux Anglais, un Mauser, un Garand, une brassée de fusils tchèques et de revolvers divers, et au milieu du commando trottinait un petit âne chargé de quatre Hotchkiss. Trois des plus jeunes garçons étaient recouverts de filets de camouflages volés à une unité écossaise. Gottesmann, commandant l'arrière-garde, se demandait ce qu'un sergent-major anglais aurait dit de cette troupe disparate. En levant les yeux, il vit les lumières de Safad comme suspendues dans le ciel, et comprit qu'ils allaient devoir grimper sans arrêt, avec quarante kilos de matériel sur le dos.

Leur situation était périlleuse. Ils marchaient au fond de la ravine profonde, vers le sud et le secteur juif de Safad, et si jamais quelque chose tournait mal ils seraient pris au piège, avec l'ennemi tenant toutes les hauteurs. De plus, l'ouadi était une voie de communication naturelle, et les patrouilles arabes risquaient de l'emprunter. Cependant, Gottesmann approuvait cette dangereuse disposition du commando, car c'était le seul moyen de s'infiltrer dans Safad.

Au bout d'un moment de marche silencieuse, Bar-El s'approcha de Gottesmann et lui chuchota :

— C'est maintenant que ça va être dur. Il faudra se déployer au maximum.

Soudain un cri lugubre retentit et alla en s'amplifiant. Bar-El sursauta, Gottesmann sentit sa gorge se contracter, mais Bagdadi se mit à rire tout bas.

— Des chacals souffla-t-il. Ils sentent l'âne.

Les Arabes, aux aguets, reconnurent le cri familier et n'eurent aucun soupçon. Les Juifs, ruisselants d'une sueur d'angoisse, reprirent leur marche en avant.

Ils étaient maintenant prêts pour la ruée sur Safad, et il était nécessaire de consolider la troupe trop déployée. Bar-El fit halte, et attendit que l'arrière-garde le rattrapât. Après avoir consulté les guides, il chuchota un seul mot :

— Cimetière.

La préparation avait été si soignée que chaque section savait ce qu'elle avait à faire.

Divisés en trois pelotons, les Juifs s'infiltrèrent dans le vieux cimetière. Le premier passa à gauche, près de la tombe de Rabbi Abulafia, le maître de la Cabale ; le deuxième sur la droite, près du tombeau de Rabbi Eliézer de Gretz, le légiste, et le dernier passa devant le monument à la mémoire du bien-aimé Rabbi Zaki, le martyr, mort à Rome. Sans doute ces grands saints du judaïsme les protégèrent-ils, ou bien les Arabes ne croyaient pas à la possibilité d'une telle manœuvre, ou plus probablement ils avaient été endormis par la déclaration britannique assurant que les troupes anglaises, en se retirant le 16 avril — le surlendemain — emmèneraient tous les Juifs, toujours est-il que MemMem Bar-El put faire traverser le cimetière sans encombre à sa petite troupe.

Soudain, un coup de feu claqua dans le secteur juif. Il venait de la vieille synagogue de Rabbi Yom Tov ben Gaddiel. Quelques Arabes ripostèrent au hasard et Gottesmann pesta : il allait y avoir une véritable fusillade. Le commando se jeta à terre en jurant. Bar-El envoya deux éclaireurs en ville pour ordonner aux Juifs de cesser le tir.

Le silence. Le commando rampa en avant. Ils étaient presque en en sécurité... dans Safad.

— En avant ! hurla Bar-El.

Les trente et un garçons et filles se ruèrent follement hors de l'abri du cimetière, dans les rues de Safad.

Dès que les Juifs se trouvèrent en sécurité dans les ruelles tortueuses, la voix enfantine de Vered s'éleva, pour un chant de triomphe :

> De Metulla au Neguev
> Du désert à la mer
> Toute la jeunesse porte les armes
> Chaque garçon doit veiller.

Et la poignée de Palmach déferla par les venelles du quartier juif, en chantant ses chants de guerre.

— Séparez-vous en trois groupes, commanda Bar-El. Que l'un de vous aille crier que deux mille Palmach sont arrivés !

Aussitôt, la petite Vered partit en courant, sa voix aiguë d'enfant annonçant à tue-tête :

— Nous sommes sauvés ! Deux mille braves soldats ! Ils ont franchi les lignes arabes !

Bientôt' tous les Juifs de Safad répétaient le cri et tandis que l'aube de ce mercredi dorait les toits de la ville, un chant d'espoir balaya les rues de Safad :

— Les soldats sont arrivés !

Des Juifs qui la veille encore avaient à choisir entre la mort et l'exil se mettaient à croire à la victoire, et décidaient de tenir bon, encore un peu de temps. Dans tout Safad, ce furent des réjouissances.

Dans tout le quartier juif on exultait, sauf dans la synagogue eskenazi de Rebbe Itzik de Vodzh. Entre ses murs étroits, dix vieillards en longs caftans verdis et papillotes étaient en prière. La veille, les Anglais leur avaient offert un sauf-conduit pour Acre mais ils étaient décidés à ne pas quitter Safad.

Leur rabbin était un petit homme malingre, un Juif russe qui, quarante ans plus tôt, avait amené son troupeau de fidèles de Vodzh en Israël, afin qu'ils pussent mourir en Terre sainte. Il avait des yeux bleus perçants, des sourcils broussailleux, de longues boucles et une barbe blanches. Son chapeau plat était bordé de fourrure et son long manteau était exactement celui qu'avaient porté les Juifs polonais trois siècles plus tôt.

Un jeune garçon fit irruption dans la synagogue en criant :

— Rebbe ! Rebbe ! Des soldats juifs sont arrivés ! Toute une armée !

Mais le petit rabbin se contenta de se tordre les mains et baissa la tête sans répondre. Ses neuf disciples l'imitèrent, les chevilles et les genoux bien joints comme le prescrivait le Talmud. Ils priaient pour que les enfants d'Israël soient patients dans leurs tribulations. Ils priaient Dieu d'accepter leurs âmes quand le glaive des Arabes tomberait. Ils priaient pour rejoindre bientôt Moïse le Maître, le grand Akiba et le doux Rabbi Zaki qui avait compris Dieu.

Le petit garçon haussa les épaules et courut porter ailleurs sa bonne nouvelle.

Le lendemain après-midi un long débat commença, qui devait déterminer le caractère de l'Etat qui luttait pour venir au monde. Il commença parce que Ilana Hacohen et Isidore Gottesmann avaient été logés dans une petite maison à côté de l'échoppe historique où Rabbi Zaki avait été cordonnier. La population de Safad aimait beaucoup cette boutique et la tradition voulait qu'elle fût réservée au logement d'un rabbin. En 1948, elle était occupée par le Vodzher Rebbe.

Le mot yiddish *rebbe* signifiait à l'origine maître d'école et s'appliquait à ces maîtres qui donnaient des leçons d'éducation religieuse en hébreu, dans les villages de Pologne et de Russie ; mais plus tard le sens s'était étendu à tous ces grands rabbins mystiques d'Europe orientale, les chefs inspirés du hasidisme.

Déjà dans sa jeunesse, à Vodzh, le rebbe avait été considéré comme

un homme prédestiné, le digne successeur du grand Vodzher Rebbe qui avait trouvé la mort lors des pogroms de 1875. Les yeux bleus du jeune homme semblaient plonger au fond des problèmes, et il fut vite connu à la ronde sous le nom d'Itzik, le petit Isaac. Il n'hésitait pas à condamner le Juif le plus riche de Vodzh pour peu qu'il eût transgressé, si légèrement fût-il, une loi du Talmud, et c'était à sa seule énergie que ses fidèles devaient d'être venus à Safad. Soixante-dix seulement l'avaient suivi, et tous ceux qui étaient restés à Vodzh avaient trouvé la mort dans les chambres à gaz d'Oswiecim.

A Safad, Rebbe Itzik avait trouvé des maisons abandonnées et ses fidèles les avaient restaurées et s'y étaient installés. Vivant d'aumônes envoyées par des Juifs d'Amérique, il avait acheté une des plus anciennes synagogues eskenazim, et avec le temps ils avaient prospéré, bien modestement. On les appelait les Juifs Vodzher et si les jeunes étaient partis pour les villes plus animées, le rebbe avait encore autour de lui un groupe de soixante fidèles résolus à adorer Dieu selon la Torah telle qu'elle était interprétée par le Vodzher Rebbe.

Selon lui, il n'y avait qu'à suivre les préceptes de la Torah. Les moindres gestes de l'homme y étaient prévus, classés, dirigés. Les rites accompagnant sa naissance y étaient expliqués tout comme ceux de sa mort, son comportement intime avec sa femme, et ses rapports avec ses voisins, ses associés en affaires, jusqu'aux plus infimes détails de sa vie quotidienne.

Ces Juifs s'habillaient sous le ciel de Galilée comme leurs ancêtres des ghettos de Pologne, avec caftan noir, chapeau et fourrure, pantalon large et court, gros bas blancs et souliers à boucle d'argent. Ils portaient de longues barbes et dès boucles devant les oreilles et ils marchaient même le dos voûté, comme leurs aïeux persécutés et tremblants. Et ils respectaient le sabbat, en commençant le vendredi après-midi, sans travailler, sans allumer de feu, ni de lampe, sans faire de cuisine, sans s'éloigner de plus de deux mille pas de sa maison, sans porter quoi que ce fût, même un mouchoir.

Mais ce qui différenciait le plus les Vodzher des autres Juifs c'était leur refus de parler hébreu dans la vie courante. C'était une langue sacrée, réservée à la religion. De la lecture de la Torah et du Talmud, ils avaient tiré la conviction que l'hébreu ne pourrait être employé dans la vie courante qu'après l'avènement du Messie et qu'en attendant c'était un sacrilège. « Remarquez, disait le rebbe, que même dans le Talmud, seule la Mishna, la loi de Dieu, est écrite en hébreu. La Gemara, les interprétations des autres rabbins, sont en araméen. Ce que le Talmud refuse de faire, nous devons le refuser aussi. »

En conséquence, en dehors de la synagogue, les Juifs Vodzher ne parlaient que le yiddish, et ils s'offusquaient qu'on leur adressât la parole en hébreu. Leur rabbin allait jusqu'à interdire à ses fidèles de prendre le train parce que, sous le protectorat anglais, les billets étaient imprimés en anglais, en arabe et en hébreu.

Tant que la Palestine demeura sous mandat britannique, les bizarreries de la petite communauté de Rebbe Itzik n'occasionnèrent aucune

difficulté. A Jérusalem, des Juifs aveuglément dévoués comme eux aux lois du Talmud, avaient parfois lapidé des ambulances qui allaient chercher les malades le samedi, jour du sabbat, mais dans le secteur Vodzher de Safad les rues étaient si étroites qu'aucune voiture n'y pouvait passer, et ce sujet de frictions fut évité. Mais en 1948, tandis que se précisait l'éventualité de la naissance d'un Etat juif, des problèmes se posèrent.

Rebbe Itzik envisageait avec appréhension la création d'un tel Etat en Palestine, et la simple idée qu'il pût s'appeler « Israël » lui répugnait. Il dit à ses fidèles que ce blasphème ne pouvait être autorisé. Et quand quelques jeunes gens de sa congrégation s'en allèrent au kibboutz Makor pour combattre dans les rangs de la Palmach, il pleura comme s'ils s'étaient convertis à une autre religion.

— Il ne doit pas y avoir d'Israël, protestait-il.

Heureusement pour MemMem Bar-El et ses Palmach, une poignée seulement des Juifs Vodzher professait des idées aussi extrêmes, car même parmi les fidèles de Rebbe Itzik une bonne moitié préférait écouter les propos d'autres chefs spirituels, comme Rav Lœwe ou Rabbi Goldberg, qui disaient : « La Palmach est un instrument de la volonté de Dieu. Aidez-la de votre mieux, car cette fois nous vaincrons les Arabes. » Lorsque Rebbe Itzik apprit ce que prêchaient les autres rabbins, il se tordit les mains, pleura, et gémit qu'ils ne comprenaient pas la volonté de Dieu qui avait condamné le peuple élu à errer jusqu'à la venue du Messie parmi les païens hostiles.

La discussion débuta vers midi, le jeudi 15 avril, quand Ilana Hacohen sortit de chez elle, son fusil à l'épaule, en jupe au-dessus des genoux, et passa devant la maison de Rebbe Itzik. Elle aperçut alors, clouée au cadre de la porte, la *mezuzah* contenant un texte sacré, conformément à la Torah. Sentant venir des jours d'épreuve, elle leva la main et la toucha. Au même instant, le Vodzher Rebbe sortit de sa maison.

— Pour porter chance, dit-elle en hébreu. Nous allons en avoir besoin.

Le petit rabbin fut suffoqué. Tout, dans cette fille, était une abomination. Elle était à demi nue comme une courtisane. Elle portait un fusil. Manifestement, elle combattait pour l'Etat d'Israël. Elle avait touché la mezuzah comme si c'était un vulgaire porte-bonheur. Et elle s'était adressée à lui en hébreu ! Il lui tourna le dos avec mépris et s'éloigna.

Ilana Hacohen, élevée dans les principes combatifs de son grand-père et de son père antirabbiniques, réagit impulsivement. Elle courut, empoigna le petit rabbin par l'épaule et le fit pivoter si brusquement qu'il en perdit son chapeau.

— Vous n'avez pas le droit de me blâmer ! cria-t-elle.

Rebbe Itzik, peu habitué à l'opposition, fut complètement médusé par le geste insensé de la sabra. Il se pencha pour ramasser son chapeau mais un faux mouvement le lui fit pousser plus loin. En se redressant, il

vit sous ses yeux les genoux nus et bronzés de la jeune femme, et puis son visage insolent. Sans raison apparente, il lui jeta en yiddish :

— Tu n'es même pas mariée avec cet homme !

— Si vous voulez me parler, rétorqua Ilana, que ce soit dans la langue de notre pays.

Le rabbin furieux se mit à lui faire d'aigres reproches et elle riposta. Le bruit de la dispute attira des fidèles du rabbin ; un vieillard cria :

— Fille de mauvaise vie ! Tu oses t'adresser à notre rabbin ! Arrière !

Ilana se retourna brusquement pour faire face à son accusateur et le canon de son fusil faillit éborgner Rebbe Itzik, qui recula. Le vieillard crut que le rabbin avait été volontairement frappé et voulut saisir Ilana. Elle laissa glisser la bretelle de son fusil sur son bras et prit l'arme à deux mains pour se défendre.

Gottesmann, attiré par le bruit de l'altercation, sortit et comprit aussitôt ce qui se passait. Il connaissait les sentiments d'Ilana pour les ultra-orthodoxes que son père et son grand-père avaient toujours raillés, et il devinait l'effet qu'elle devait produire sur le rabbin. Il la prit par le bras et la fit rentrer dans la maison, puis il alla tenter d'apaiser les Juifs furieux.

En yiddish, ce qui contribua à calmer les esprits, il expliqua doucement au patriarche :

— Rebbe, nous sommes venus sauver votre ville, si nous le pouvons.

— Dieu seul décidera si Safad doit être sauvée ou détruite !

Gottesmann en convint volontiers. Sur quoi un jeune Palmach qui passait hurla en hébreu :

— Mais nous allons l'aider !

Gottesmann rentra alors chez lui, tandis que le petit rabbin se laissait entraîner dans sa synagogue par ses fidèles.

Mais le lendemain, un nouvel incident éclata. C'était le 16 avril 1948, et les Anglais évacuaient Safad. Le capitaine commandant le convoi de camions, un ancien combattant las de la guerre qui ne comprenait ni les Arabes ni les Juifs, pénétra dans le secteur juif escorté de quatre solides Tommies armés de mitraillettes. Il convoqua Rebbe Itzik et quelques autres notables, tandis que MemMem Bar-El, caché derrière un mur, se faisait traduire l'anglais par Gottesmann.

L'officier britannique cria :

— Juifs de Safad, dans une heure nous partons. Votre situation est sans espoir. Vous êtes un millier. Les Arabes qui attendent là-bas sont quatorze mille. Des troupes fraîches sont arrivées hier soir de Syrie. Si vous restez, des choses horribles se produiront. Nous vous offrons à tous sans exception un sauf-conduit pour Acre.

Il attendit une réponse et Rebbe Itzik s'avança.

— Nous avons tenu une conférence, dit-il en désignant les dix anciens de sa congrégation, et nous avons décidé que les Juifs Vodzher resteraient ici. Mais les fidèles de Rabbi Goldberg et de Rav Lœwe sont libres de partir avec vous.

L'Anglais poussa un soupir de soulagement et se tourna vers ces deux rabbins.

— Vous avez pris la bonne décision, leur dit-il.

Il se mit ensuite à hurler des ordres et des instructions pour le départ, et quand ses paroles eurent été traduites en hébreu et en yiddish, quelques vieillards et quelques mères avec de petits enfants se préparèrent à marcher vers les camions.

A ce moment, Bar-El surgit théâtralement, entouré de dix hommes de son commando, l'arme au poing.

— Aucun Juif ne quittera Safad, déclara-t-il paisiblement en hébreu.

Ce fut la consternation générale. Quand l'officier britannique entendit la traduction de Gottesmann, il n'en crut pas ses oreilles. Quant aux réfugiés éventuels, ils considérèrent cet ordre comme une condamnation à mort, tandis que Rebbe Itzik était scandalisé qu'un individu sans autorité, inconnu à Safad, osât contredire les rabbins qui avaient décidé que les vieillards et les enfants pouvaient partir.

— Aucun Juif ne quittera Safad, répéta MemMem Bar-El.

— C'est insensé ! fulmina l'Anglais. D'abord, qui êtes-vous ?

— MemMem Bar-El. Palmach.

— Comment êtes-vous entrés ?

— Nous sommes passés en plein dans vos lignes, répondit Gottesmann en riant.

— Mais enfin, vous êtes écrasés par le nombre, gémit le capitaine. Cernés. Entourés. Assiégés. Affamés !

— C'est vrai, dit Gottesmann. Les Arabes n'ont que quelques pas à faire pour s'emparer de nous.

L'officier eut un geste résigné et supplia :

— Laissez-moi au moins emmener les femmes et les enfants.

— Vous l'avez entendu, répondit Gottesmann en désignant Bar-El.

L'Anglais se désintéressa du chef de commando et demanda à Gottesmann :

— Vous avez été enlevé en Angleterre, non ?

— A Norwich.

Cela parut tout changer pour l'Anglais et il insista, plus aimablement :

— Savez-vous qu'ils ont l'intention de vous massacrer tous ? Ils nous l'ont dit.

— Nous n'évacuerons pas.

— Laissez-nous emmener les malades et les infirmes !

MemMem Bar-El comprit le ton sinon les paroles, et interrompit, sèchement :

— Nous ne nous séparons pas. Nous resterons ensemble, comme à Massada, comme à Varsovie.

L'Anglais soupira.

— J'ai tout fait pour empêcher le massacre. Maintenant, c'est votre responsabilité.

— C'est notre responsabilité à tous, répondit Bar-El. Celle de votre

mère et celle de mon oncle. Vous autres Anglais vous avez tout fait pour détruire la Palestine. Quand vous partirez — dans quelques minutes — vous allez remettre toutes vos installations aux Arabes, n'est-ce pas ? Les armes, les vivres, tout.

— Ce sont les ordres, tenta de s'excuser l'officier. Il a été entendu que les Arabes auraient cette ville.

— Et vous vous inquiétez d'un massacre ?

— Nous devons faire preuve d'impartialité.

— Maudite soit votre sale âme impartiale, gronda Bar-El.

Gottesmann ne voulut pas traduire cette imprécation, mais un des soldats anglais qui comprenait l'hébreu avança. Une fille Palmach le retint. Gottesmann dit à l'officier :

— Vous vous trompez, au sujet de Safad. Elle ne tombera pas.

— Remettez les clefs aux Arabes, lança amèrement MemMem, et quand vous serez rentré chez vous, rappelez-vous ce nom. Safad, Safad, Safad !

Il cracha par terre et tourna les talons, emmenant ses hommes. Gottesmann accompagna l'Anglais jusqu'aux limites du secteur juif.

— Je pensais ce que je vous ai dit, vous savez. Nous allons nous emparer de cette ville. Safad ne tombera pas, répéta-t-il.

— Que Dieu vous garde, soupira l'officier.

Il ne pouvait en dire plus, car maintenant il lui fallait remettre entre les mains des Arabes les positions fortifiées, l'armement, les vivres, tout. Près de deux mille soldats étaient arrivés en renfort, de Syrie et du Liban. Six mille Arabes fanatisés étaient bien décidés à ne pas laisser la vie sauve à un seul Juif.

Tout de suite après le départ des troupes britanniques, deux choses se produisirent. L'officier anglais épuisé confia à l'un de ses lieutenants :

— C'est la première fois que je vois des Juifs prêts à riposter. Ils tiendront trois jours. Priez pour les pauvres bougres.

Et un tirailleur arabe, voyant Gottesmann bien encadré à l'entrée d'une rue, lui tira dessus. Il le manqua, mais la bataille de Safad était engagée.

Safad est traversée en partie, à partir du poste de police en béton jusqu'au bas de la colline du cimetière, par un très bel escalier de pierre de deux cent soixante et une marches, séparées par deux paliers. Il est large, solide et produit sur le voyageur une impression de pérennité. On parlera longtemps de cet escalier, dans l'histoire d'Israël, car il a été construit par les Anglais tout exprès pour séparer les Juifs des Arabes et, de 1936 à 1948 il a effectivement servi à protéger l'un de l'autre deux peuples en guerre ; la nuit, quand le phare tournant du poste de police plongeait le long des marches, Juifs et Arabes craignaient de franchir cette cascade de lumière pour aller s'attaquer.

Mais le 16 avril 1948, tout changea lorsque les Anglais remirent aux Arabes les clefs de la forteresse, de tous les postes de combat de la ville, et s'en allèrent bien en rang au son de leurs cornemuses. On comprit aussitôt que la bataille de Safad débuterait à l'escalier. Si les Juifs par-

venaient à le tenir, ils avaient une chance d'investir la ville entière.

En partant, les Anglais avaient averti Londres que tous les Juifs seraient massacrés en trois jours. Les Arabes pensaient faire place nette en quarante-huit heures. Et les balles arabes commencèrent à siffler et ricocher sur les belles marches de pierre de l'escalier-frontière. De toutes parts, les troupes arabes convergèrent sur le quartier juif pour l'étrangler, et dès la première demi-heure de combat, les familles juives habitant le long de l'escalier évacuèrent leurs maisons. Les guetteurs arabes crièrent victoire. On ne voyait plus un seul Juif de l'autre côté.

Le commandant arabe, sachant fort bien l'effet psychologique que produirait l'établissement d'une tête de pont de l'autre côté des marches, donna l'ordre d'avancer et une compagnie se rua à l'assaut au cri de :

— *Irbah il Yahoud !* Massacrez les Juifs !

Syriens, Libanais et Irakiens bondirent à découvert et brusquement, comme surgis de terre, des garçons et des filles juifs apparurent, car Mem-Mem Bar-El avait prévu cette manœuvre arabe et avait bien disposé ses troupes pour l'embuscade. Ilana Hacohen avançait posément, l'arme à la hanche, et tirait juste tout en marchant. La petite Vered, sa casquette en bataille, courut avec sa mitraillette crachant le feu. Gottesmann et Bar-El se dressèrent sur un tas de gravats et lancèrent des grenades tandis que du haut d'un toit, le souriant petit Nissim Bagdadi arrosait les assaillants d'un feu terrible. Les Arabes stupéfaits reculèrent. Ils tentèrent d'emmener leurs blessés mais durent les abandonner sur les marches.

— Cessez le feu ! cria Bar-El.

Les Juifs se retirèrent et l'on n'entendit plus que les gémissements d'un jeune Arabe de Mossoul blessé.

Dans le quartier arabe, les gens se regardaient avec stupéfaction et se disaient entre eux :

— Des femmes qui combattent ! Des femmes soldats qui tirent à la mitraillette !

Cette nuit-là, dans chaque camp, on comprit que s'il devait y avoir un massacre des Juifs à Safad, ce ne serait ni facile ni rapide.

Les jours suivants, MemMem Bar-El mobilisa toute la population juive pour fortifier le périmètre de son quartier. Des tranchées furent creusées, réunissant les postes d'observation ; on dut démolir des maisons pour empêcher les tirailleurs arabes de s'y infiltrer ; des barricades furent dressées et cent soixante-treize Juifs armés se retranchèrent pour résister à l'assaut furieux de quelque six mille guerriers arabes fanatisés. Tout homme, toute femme avait sa tâche assignée, et Bar-El entretenait chez tous une espèce d'optimisme opiniâtre.

Mais il ne réussit pas à impressionner Rebbe Itzik, qui refusa de participer à ce travail profane. Tous les matins à l'aube, avec ses dix fidèles disciples en caftan et chapeau de fourrure, il se rendait à la synagogue Vodzher pour se lamenter sur la destruction prochaine de Safad et, en se fondant sur une histoire souventes fois répétée, il trouvait des précédents indiquant quelle devait être l'attitude d'un groupe de Juifs

condamnés à l'heure de leur agonie. Le judaïsme était la seule religion donnant une prière spéciale pour être dite « quand le couteau est sur la gorge, quand les flammes sont aux pieds ». Des grâces particulières étaient accordées à ceux qui mouraient entre des mains étrangères en continuant de proclamer le Dieu unique, et Rebbe Itzik entendait bien que, lorsque les Arabes vaincraient, les fidèles Vodzher ajouteraient un nouveau chapitre au martyrologe juif.

Il fut donc irrité, un matin, de ne voir que sept Juifs dans sa synagogue.

— Où sont donc Schepsel et Avram ? demanda-t-il. Et Samuel ? Un des vieillards lui répondit :

— Ils sont à casser des cailloux.

Le petit rabbin sortit en courant de sa synagogue pour aller récupérer ses disciples. Il les trouva au travail, sous les ordres de Bar-El, cassant des pierres provenant des maisons détruites. Ces débris étaient destinés à combler les intervalles entre des planches, afin de fabriquer des espèces de remparts capables d'arrêter efficacement les balles. On avait besoin de chariots entiers de pierraille pour protéger les maisons longeant l'escalier, et les trois Juifs Vodzher ruisselaient de sueur sous leurs chapeaux de fourrure.

— Schepsel ! Avram ! cria le rabbin. Pourquoi n'êtes-vous pas à la synagogue ?

— Nous travaillons pour repousser les Arabes, répondirent les vieillards ; et rien de ce que put leur dire le rabbin n'ébranla leur résolution.

Il avait perdu trois éléments de son bataillon.

Dans la matinée, il subit un autre choc, en trouvant Ilana Hacohen, l'arme à la bretelle, qui organisait les jeunes filles de sa congrégation en peloton de défense dont la mission serait de porter des pierres aux vieillards et des repas aux Palmach.

— Reviens, petite Esther ! cria le rabbin.

Mais les jeunes filles avaient découvert un guide plus passionnant, et le vieux rabbin frémit d'horreur quand la petite Esther lui répliqua :

— Ilana dit que lorsqu'on recevra les nouveaux fusils, j'en aurai un !

La petite Esther, fille d'Avram Ginsberg, avait treize ans.

Mais quand Ilana eut organisé son peloton de filles, elle eut un geste inattendu. Elle passa chez Rebbe Itzik pour tenter de lui expliquer ce que l'on accomplirait en défendant Safad, car MemMem Bar-El avait bougonné qu'on devrait bien essayer de convaincre « le vieux bouc ».

Elle poussa la porte de l'ancienne échoppe de cordonnier, et y trouva la vieille épouse du rabbin, la *rebbetzin*, une grosse paysanne russe, qui préparait un maigre brouet. Ilana voulut lui parler, mais la rebbetzin ne connaissait que le russe et le yiddish, et Ilana refusait de parler cette dernière langue. Au bout d'un moment, le rebbe arriva et fut ahuri de voir la jeune sabra armée, tranquillement assise dans sa cuisine. La rencontre fut bizarre, car un rebbe ultra-orthodoxe ne devait pas toucher, ni même regarder une autre femme que son épouse, et quand il finit par

s'adresser à Ilana, ce fut comme si chacun d'eux était assis dans une pièce différente.

— Nous avons repoussé quatre sorties arabes hier soir, annonça Ilana en hébreu.

— La volonté de Dieu est qu'Israël doit être châtié pour ses péchés, répondit-il en yiddish.

— Mais pas par les Arabes.

— Dans le passé, Dieu s'est servi des Assyriens et des Babyloniens. Pourquoi pas des Arabes aujourd'hui ?

— Parce que les Assyriens pouvaient nous vaincre. Les Arabes ne le pourront jamais.

— Comment oses-tu être aussi arrogante ?

— Comment osez-vous être aussi aveugle ?

Le mercredi, alors qu'ils discutaient ainsi tous les jours depuis trois jours, Ilana eut la très nette impression que le rebbe, de quelque manière singulièrement contradictoire, appréciait ce qu'elle faisait car, à brûle-pourpoint, il observa :

— Les filles d'Israël sont belles.

Ilana eut alors la stupéfaction de s'entendre répondre :

— Nous essayons de vous bâtir un Israël dont vous serez fier.

Le rabbin baissa les yeux sur ses mains parcheminées et murmura :

— Comment le pourrez-vous en étant si arrogants ? Toi, pourquoi n'épouses-tu pas le grand Eskenazi ?

La réponse d'Ilana, en hébreu, navra le vieillard, car il la jugea sacrilège et opiniâtre :

— Nous sommes mariés, dit-elle.

Néanmoins, les rapports s'améliorèrent encore un peu quand Ilana vint un jour avec Vered. Le rabbin les trouva toutes deux attablées chez lui devant le brouet d'herbes amères de la rebbetzin.

— Je suis fier d'une chose, déclara-t-il.

— Des barricades que nous avons dressées ? demanda Ilana.

— Non. Du fait que dans tout Safad, où les vivres se font si rares, aucun Juif ne fait de marché noir.

— Si l'un d'eux essayait, dit Vered, MemMem le ferait fusiller.

Le rabbin considéra la frêle jeune fille.

— Quel âge as-tu donc ? lui demanda-t-il.

— Dix-sept ans.

— Ton père est-il pieux ?

— Oui. Il ne sait pas où je suis.

— Son cœur doit souffrir, soupira le rabbin et il murmura une prière pour les deux jeunes filles.

Et puis tout fut remis en question. Dans la soirée du 23 avril, au début du deuxième sabbat depuis l'arrivée des Palmach, MemMem Bar-El jugea que les Arabes étaient sur le point d'attaquer, et qu'ils profiteraient du sabbat en supposant avec logique que tous les Juifs seraient en prière ; dans l'après-midi, il recruta toutes les bonnes volontés pour ériger une barrière supplémentaire. Les Juifs étaient tous en train de charrier des

madriers et des pierres quand Rebbe Itzik surgit dans les ombres crépusculaires.

— Que faites-vous là, le jour du sabbat ? s'écria-t-il.

— Nous construisons un mur, répondit Bar-El.

— Arrêtez ! Arrêtez !

— Rebbe, retournez à vos prières, supplia Bar-El.

Mais le rabbin outragé voulut empêcher les Juifs de poursuivre leur tâche et, craignant qu'il ne donnât par ses cris l'alerte aux Arabes, MemMem plaqua sa grande main sur la bouche du vieillard, l'entraîna et le remit entre les mains de Bagdadi en conseillant :

— Débarrasse-nous de lui.

Le Juif irakien, deux fois plus imposant que le rabbin, n'eut aucun mal à traîner le vieillard jusqu'à sa demeure, et il appela Ilana pour lui dire de le surveiller.

— Qu'il reste chez lui. Nous devons construire le mur.

Ilana entra alors dans la maison du rabbin et s'y installa, avec son fusil. Ils veillèrent ainsi toute la nuit et vers l'aurore, le vieux rabbin prédit en yiddish, d'une voix sombre :

— Dieu maudira ce mur. Dieu maudira toute armée qui travaille le jour du sabbat.

Mais le moment le plus critique arriva lors de la pâque juive, alors que les Arabes intensifiaient leurs attaques. MemMem déclara que deux rangées de maisons proches de la ligne de feu devaient être fortifiées, même s'il fallait pour cela abattre d'autres demeures pour avoir des pierres. Les travaux commencèrent la veille de la pâque, et Rebbe Itzik, entendant les coups de marteau et le bruit des pelles, fut pris d'une rage folle. Il courut entre les terrassiers d'occasion, les franges de son châle de prière tombant sur ses yeux, et voulut leur faire honte. Il les supplia de ne pas profaner le jour du Seigneur, mais ils lui répondirent que Rabbi Goldberg et Rav Lœwe, reconnaissant le temps du danger, avaient permis de transgresser aussi bien la pâque que le sabbat.

Les deux rabbins n'innovaient pas, car déjà du temps des Grecs et des Romains, les ennemis des Juifs avaient toujours fait en sorte de choisir le jour du sabbat pour lancer leurs offensives et avaient ainsi remporté des victoires faciles, jusqu'à ce que les rabbins du temps d'Akiba décrètent que si un homme ou une nation était en péril de mort les préceptes de la Torah pouvaient être transgressés, à part ceux concernant l'assassinat, l'inceste et l'apostasie. MemMem Bar-El, fort de ces précédents judicieux, avait fait appel aux rabbins pour qu'ils déclarent que le siège actuel justifiait cette procédure d'exception, et ils y avaient consenti. Les soldats pouvaient donc travailler. Mais pour Rebbe Itzik, la loi était plus sacrée que la sauvegarde d'un Etat en gestation, et il parcourut les rues en proférant des imprécations.

— Qu'on nous débarrasse de lui, fulmina Bar-El.

Une fois encore, Ilana eut mission de garder le vieillard irascible prisonnier chez lui. Ce fut en ces heures de tension que se produisit un incident regrettable qui navra Ilana elle-même.

— Je devrais être à la synagogue, se lamentait le malheureux rabbin.

— Vous y étiez, à la synagogue, et vous en êtes sorti pour provoquer des troubles, lui répliqua Ilana. Asseyez-vous.

— Crois-tu que Dieu bénira un Etat qui fait travailler le jour de la pâque ?

— Nous aurons notre Etat, d'abord, et ensuite nous nous inquiéterons de Dieu et de sa pâque.

Le blasphème était abominable.

— Si nous ne respectons pas les lois de Dieu et les anciennes traditions, votre Israël aura un goût de cendres dans votre bouche !

Ce genre de raisonnement exaspérait Ilana, et elle répondit d'une voix méprisante :

— Rebbe Itzik, croyez-vous vraiment que ces vieilles idées démodées, conçues en Pologne il y a trois cents ans, représentent la volonté de Dieu ?

— Que veux-tu dire ? s'écria le vieillard.

— Cet uniforme que vous portez. Il n'y a jamais eu de défroques pareilles en Israël. Ça sort tout droit des ghettos de Pologne.

— Les franges... s'étrangla le rabbin.

— Le caftan, railla-t-elle. Ça ne vient pas d'Israël, et nous n'en voulons pas ici. Ce chapeau de fourrure. Tout ce noir. Ce deuil. Tout ça, c'est le ghetto.

Rebbe Itzik recula, atterré. Cette fille infernale défiait les symboles de sa vie, les traditions respectées par dix générations de saints hommes, à Vodzh.

— C'est l'habit de Dieu, clama-t-il.

— Ce n'est pas vrai ! C'est la défroque de la honte que les dominateurs chrétiens nous ont forcés à endosser !

Ce fut alors qu'Ilana perdit son sang-froid, tant elle était scandalisée et terrifiée par la menace que représentait ce vieillard irréductible. Par malheur, son regard se porta sur la rebbetzin, debout près de son fourneau, et d'un geste furieux et impulsif elle fit tomber sa perruque par terre. La vieille femme, rouge de honte, baissa son triste crâne rasé.

— Puisse Dieu te pardonner, soupira le rabbin d'une voix sourde, affolé à la pensée qu'une Juive ait pu commettre un tel sacrilège.

Il se baissa, ramassa la perruque et la rendit à sa femme qui recoiffa maladroitement sa tête chauve de ses pauvres mains tremblantes. Son mari l'aida tendrement puis il se tourna vers Ilana et siffla entre ses dents :

— Sors d'ici ! Va-t'en !

Mais la jeune fille, tout en regrettant son geste, refusa de bouger.

— Où trouvez-vous cette coutume dans le Talmud ? cria-t-elle. Au Moyen Age, en Pologne, les Juifs rasaient les crânes des jeunes fiancées la veille du mariage, pour que les seigneurs ne soient pas tentés d'exercer leur droit de cuissage, pour les enlaidir, les rendre odieuses même à leur mari. Alors aujourd'hui, vous persistez à raser la tête des jeunes épousées pour les enlaidir, et puis vous leur mettez des perruques ! C'est grotesque !

— Hors d'ici ! répéta le vieux rabbin. Honte à toi, fille juive qui

insultes une vieille femme ! Quelle espèce d'Israël construisez-vous donc ?

Avec une force inattendue, il poussa Ilana hors de chez lui. Elle resta interdite, dans la rue obscure. Elle entendait, dans les maisons voisines, les bruits familiers de la célébration de la pâque. Qu'avait-elle fait ? Elle revit la rebbetzin chauve, la perruque sur le carrelage... Brusquement, elle laissa tomber sa figure entre ses mains, et se sentit affreusement seule.

Elle était encore là lorsque Gottesmann revint du mur pour manger un morceau. Inquiet, il lui prit les mains, les écarta de force de sa figure, et vit qu'elle pleurait.

— Ilana ! Que s'est-il passé ?

— Je... J'ai frappé...

Les sanglots l'étouffèrent et elle ne put continuer, mais son mari devina que cela concernait le Vodzher Rebbe. Il embrassa Ilana, lui dit de rester là, et il poussa doucement la porte du rabbin.

Quelques minutes plus tard il ressortit, la mine grave et, sans un mot, il prit sa femme par la main.

— Où allons-nous ? demanda-t-elle, méfiante.

— Tu vas t'excuser.

— Non !

— Allez, viens ! ordonna-t-il d'une voix dure.

Il la fit entrer de force et la poussa sans ménagements devant la vieille rebbetzin.

— Ma femme désire vous faire des excuses, dit-il en yiddish. Silence. Une torsion de poignet. Silence. Nouvelle torsion. Puis, en hébreu, d'une voix morne :

— Je m'excuse...

— En yiddish, ordonna Gottesmann.

Il lui tordit si brutalement le poignet qu'elle ne put retenir un cri, mais toujours en hébreu, elle poursuivit :

— Je regrette ce que j'ai fait. Dans la rue j'ai pleuré de honte.

Elle arracha son bras à l'étreinte de son mari et se mit à sangloter dans ses mains.

Gottesmann, mortifié, s'apprêtait à faire sortir sa femme de la pièce où elle avait insulté la vieille rebbetzin quand celle-ci intervint :

— Enfants, dit-elle, c'est la pâque. Vous accueillerez Elie chez nous.

Elle obligea Gottesmann et Ilana à revenir au centre de la cuisine, pour l'aider à célébrer ce qui, elle le devinait, serait sa dernière pâque.

— Trouvez le levain ! chuchota-t-elle avec tout l'enthousiasme de la jeunesse.

Gottesmann en eut la gorge nouée. Des larmes lui brûlèrent les yeux à la pensée que cette vieille femme, en cette pâque de deuil, avait caché de petits morceaux de levain dans sa maison, bien qu'elle n'ait pas pas pu deviner qu'elle aurait des visiteurs. Alors, croyant vivre à la fois un rêve et un cauchemar, il chercha dans les cachettes les plus simples de la maison et cria, comme lorsqu'il était petit garçon à Gretz :

— Mère ! J'ai trouvé du levain que tu as oublié !

Et d'un air faussement gêné, comme si elle était une ménagère négligente, la rebbetzin le prenait et le jetait au feu, comme l'ordonnait la Torah.

Ainsi, la maison fut purifiée. Elle avança à ses visiteurs des chaises bancales et leur servit un repas pitoyable, tout ce qu'elle avait amassé en prévision de cette fête sacrée, le brouet d'herbes amères, le pain sans levain, mais pas de viande car la famine régnait à Safad. Elle avait tout de même réussi à se procurer deux betteraves, pour faire la soupe rouge traditionnelle qui symbolisait la mer Rouge. En Russie elle en avait préparé des marmites gigantesques... Puis le rabbin serra sa ceinture d'un cran, mit des sandales et prit un bâton, afin d'être prêt à partir immédiatement si l'Eternel l'ordonnait, et les quatre célébrants firent de petits paquets de pain sans levain pour les jeter sur leurs épaules, comme s'ils étaient, eux aussi, des fugitifs d'Egypte. Enfin, le rabbin versa deux doigts de vin de Safad dans deux verres, après quoi il pria :

— Loué sois-tu, ô Eternel notre Dieu, roi de l'univers, qui nous as conservé en vie jusqu'à ce moment !

La prière finie, la rebbetzin se leva et alla entrouvrir la porte, afin qu'un étranger passant dans la rue pût entrer, tandis que son mari versait du vin dans un cinquième verre qu'il mettait de côté, pour l'inconnu qui viendrait.

Pour Gottesmann, l'instant était atrocement douloureux. La dernière pâque juive qu'il avait fêtée, c'était celle de 1935, à Gretz, et des cinquante-cinq convives qui avaient bu le verre de vin, deux seulement devaient échapper aux massacres. Mais ensuite, ce fut le moment traditionnel le plus doux, le plus profond de la vie judaïque, et Gottesmann retrouva l'équilibre qu'il avait cru perdre l'instant d'avant.

Pendant la pâque, une fête joyeuse célébrant la délivrance des Juifs de l'esclavage d'Egypte et leur fuite vers la Terre promise, il était d'usage que le plus jeune garçon de la famille posât d'une voix ânonnante les quatre questions traditionnelles dont les réponses expliquaient ce qu'était la pâque. N'ayant pas d'enfant mâle, le vieux rabbin et sa femme se tournèrent tout naturellement vers Ilana, la plus jeune, comme si elle était leur fille bien-aimée, et elle rougit.

Dans la communauté agnostique de Kefar Kerem, les fêtes juives n'étaient pas célébrées, car les disciples de Samuel Hacohen considéraient un peu la religion juive comme un ramassis de traditions archaïques et insensées. Mais si les familles désiraient célébrer la pâque, qui après tout était la fête de la liberté, elles étaient libres de le faire. Netanel Hacohen et sa femme ne l'avaient jamais fait ; cependant la jeune Ilana avait assez souvent célébré cette fête chez des amis ou des camarades d'école et elle se rappelait vaguement les questions rituelles. D'une voix hésitante, elle posa la première :

— Pourquoi cette nuit est-elle différente de toutes les autres nuits ?
Puis :

— Pourquoi ce soir mangeons-nous du pain sans levain ?
Les trois autres Juifs psalmodièrent les réponses et Ilana reprit :

— Pourquoi mangeons-nous des légumes les autres soirs, et cette nuit seulement des herbes amères ?

Les autres répondirent, mais Ilana hésita et ne se souvint plus de la question suivante. Gottesmann rougit comme le père d'un enfant qui a oublié sa récitation devant un auditoire. Le rabbin s'agita sur sa chaise.

Le silence gênant fut brusquement déchiré par le crépitement d'une fusillade venant du quartier arabe. D'un bond, Gottesmann fut sur pied : il saisit son fusil et se rua par la porte entrouverte.

Instinctivement, Ilana voulut l'imiter, mais la rebbetzin la retint.

— C'est la nuit de la pâque, murmura-t-elle avec douceur en forçant la jeune femme à se rasseoir.

Puis elle retourna à la porte que Gottesmann avait claquée, la rouvrit et revint à la table. Alors le rabbin passa au dernier stade de la fête, où l'on demande : « Pourquoi laissons-nous notre porte ouverte ? Pourquoi versons-nous un verre de vin supplémentaire ? » Et Ilana dut répondre, avec les mots ampoulés de la tradition, que la porte était laissée ouverte pour le prophète Elie, et selon la coutume, chacun se tourna vers la porte pour voir si, pour une fois, le prophète Elie n'apparaîtrait pas. Mais en se retournant, Ilana priait Dieu qu'il fît entrer Gottesmann à la place d'Elie.

Ni Gottesmann ni Elie ne survinrent et la fusillade dura toute la nuit. Ilana resta de longues heures en compagnie des deux vieux, et en cette pâque de guerre débuta un véritable dialogue entre le rabbin aux yeux bleus et la sabra hâlée, qui devait se poursuivre durant les huit jours de la pâque et jusque dans la première semaine de mai, tandis que l'extraordinaire héroïsme des combattants juifs protégeait incroyablement le quartier.

La résistance des Juifs de Safad tenait véritablement du miracle, car de tous les côtés les Arabes déferlaient sur la ville et faisaient pleuvoir un déluge de feu, tirant sur tout Juif qui se montrait imprudemment. Et malgré tout, ces Juifs au cou raide se cramponnaient, et ils tenaient bon malgré le nombre des ennemis, malgré l'armement arabe, malgré les conditions précaires.

Et pendant l'héroïque défense d'une ville qui ne pouvait humainement pas être tenue, mais que les Juifs étaient résolus à tenir, Ilana et Rebbe Itzik parlèrent inlassablement, chacun expliquant à l'autre son idéal, chacun s'efforçant de convaincre l'autre, et s'enrichissant mutuellement.

L'étrange dialogue prit fin dans la matinée du 6 mai 1948. Le partage définitif de la Palestine aurait lieu dans neuf jours, et les Arabes qui assiégeaient Safad reçurent un ordre du G. Q. G. du Grand Mufti à Jérusalem : « Safad doit immédiatement être nettoyée de tous ses Juifs et convertie en un Q. G. permanent pour la Galilée du nord. »

Dans l'après-midi, l'offensive finale fut déclenchée contre le quartier juif. Le tir s'intensifia et des Juifs moururent. Maison par maison, les Arabes resserraient le filet, franchissant même la frontière de l'escalier, et dans la synagogue Vodzher, des hommes priaient.

Cette offensive aurait sans doute réussi à éliminer tous les Juifs si elle avait été suivie dans la nuit même d'un ratissage systématique, mais pour une raison que Gottesmann ne put comprendre, les Arabes arrêtèrent leur avance au coucher du soleil, permettant ainsi aux Juifs de se regrouper. Mais il était évident que les défenseurs ne pouvaient tenir bien longtemps, car MemMem El-Bar était épuisé, et Gottesmann n'en pouvait plus. Il cédait à la panique, et Ilana se demandait même s'il tiendrait encore une journée. De tous les hommes et femmes du petit commando, seul Nissim Bagdadi semblait en forme.

Dans la nuit, les Palmach se réunirent chez Ilana. Leur courage n'était pas entamé, mais ils ne possédaient plus l'énergie nécessaire à l'élaboration de nouvelles tactiques, à part attendre et tenir bon. Et tandis qu'ils discutaient, ils entendaient des bruits effrayants, venant de l'ouadi et du cimetière. Gottesmann frémit. Si les Arabes repassaient à l'attaque, il faudrait bien qu'il y aille mais...

Et puis ils entendirent des voix, comme si les Irakiens aux fez rouges et les Lions d'Alep en burnous blancs s'encourageaient les uns les autres au massacre. La petite Vered empoigna sa mitraillette et poussa la porte. Dans la nuit étoilée, les voix se précisèrent. Des voix de femmes... un chant martial... Maintenant, Gottesmann pouvait entendre les paroles claquant dans la nuit comme un défi :

> De Metulla au Neguev
> Du désert jusqu'à la mer
> Toute la jeunesse porte les armes
> Chaque garçon doit veiller...

— Ils sont des centaines ! s'écria Vered.

Elle sortit en courant. Bagdadi et Bar-El la suivirent, en se découvrant des forces qu'ils croyaient avoir perdues.

— Gottesmann, viens ! cria Ilana.

— Je préfère attendre ici, murmura-t-il.

Sans insister, elle le laissa et courut rejoindre les Juifs surexcités qui dévalaient les étroites ruelles vers le cimetière, mais au coin de la synagogue Vodzher elle s'arrêta net.

— C'est une ruse, murmura-t-elle. Ce sont des Arabes ; et quand nous serons tous descendus à leur rencontre, d'autres passeront à l'attaque sur l'escalier !

Elle fit aussitôt demi-tour et se précipita, toute seule, vers ce secteur vital, mais quand elle y arriva, prête à tirer, elle ne trouva rien. Car les envahisseurs éventuels étaient pétrifiés par les sons qui montaient de l'ouadi.

Deux cents Palmach arrivèrent cette nuit-là, avec Teddy Reich à leur tête. Sec et musclé, brûlant d'un feu intérieur intense, il était l'image même de ces soldats juifs fanatiques qui allaient opérer durant les

huit mois à venir. Vêtu d'un treillis kaki délavé, un chapelet de grenades à la ceinture, un revolver à la main, il réussissait encore à manier de son seul bras une petite mitraillette Schmeisser. Sa manche gauche était repliée et épinglée à son épaule. Malgré sa petite taille, il émanait de lui une telle force que sa seule apparition suffit à rassurer les assiégés.

Après avoir brièvement présenté ses lieutenants — Gabbai, Zuchanski, Geldzenberg, Peled et Mizrachi — il partit pour une reconnaissance de Safad.

— Voilà l'escalier, expliqua MemMem. Là-haut, le poste de police en béton.

— Combien d'Arabes à l'intérieur?

— Environ quatre cents.

— Mitrailleuses?

— Au moins trente. Laissées par les Anglais.

Teddy remonta et se porta rapidement à l'autre pointe du secteur juif et montra du canon de son arme la grande maison de pierre à trois étages avec son toit en terrasse.

— Défendue de la même manière? demanda-t-il.

— Oui.

Il revint sur ses pas, et contempla un moment les ruines menaçantes du château des croisés dominant toute la ville. Puis il monta sur le toit d'une maison juive, pour examiner de loin la plus redoutable de toutes les installations arabes, la grande forteresse sur la montagne, derrière la ville, solidement construite par les Anglais, et imprenable. Derrière ses épaisses murailles, il y avait des vivres et de l'eau en abondance. Elle paraissait si puissante, que Gottesmann, les nerfs à fleur de peau, entendit Teddy Reich lui-même pousser un cri de dépit étouffé en voyant la monstrueuse citadelle.

Mais si les défenses arabes l'avaient effrayé, Reich n'en dit rien.

— Retournons au Q. G., grommela-t-il.

Il était bien plus de minuit, mais Reich réunit tous ses lieutenants et, prenant un saladier, il répéta les gestes et les paroles de Gottesmann à Kefar Kerem. Puis, après avoir ainsi exposé la situation, il déclara d'une voix posée:

— Donc, nous devons utiliser chaque homme, chaque femme, et nous emparer de ces trois places fortes.

— Quoi? s'exclama Bar-El.

— Oui. Au sommet de la colline. Nous traverserons la route arabe. Et nous investirons chacun de ces trois points.

Tous les soldats se regardèrent, avec stupéfaction, et puis Bar-El rompit le silence en suspendant son poing derrière le saladier.

— Et la forteresse là-haut? Hein?

Teddy Reich poussa un profond soupir, puis il saisit de sa main unique le poignet de MemMem et lui répondit:

— Nous nous en inquiéterons plus tard. Oui! rugit-il, nous la laisserons. Parce que moi, je vous dis que lorsque les Arabes de là-haut auront appris que nous avons pris la maison de pierre, et le poste de

police et le château fort, ce sont eux qui se feront du souci. Pas les Juifs de Safad !

Il savait qu'il était capital de convaincre cette poignée d'hommes que ce plan insensé pouvait réussir, et avant qu'ils aient le temps de réfléchir ou de discuter entre eux, il commença de donner des ordres d'une voix tonitruante :

— Toi, Zuchanski. Tu as vu la maison de pierre. Combien d'hommes veux-tu ? Tu devras la conquérir étage par étage. Ce sera dur. Comme à Haïfa. Combien ?

— Ma foi, marmonna Zuchanski. Avec Gabbai, et Peled...

— Tu les auras. Combien ?

— Trente gars.

— Choisis-les ! Tout de suite !

Le premier détachement fut choisi et sans leur laisser le temps de souffler, Teddy poursuivit :

— Toi, Bar-El. Combien d'hommes pour t'emparer des ruines des croisés ?

— Si j'avais Gottesmann, avec quarante-cinq types, cinquante peut-être ? C'est assez étendu, tu sais. Des tranchées...

— Cinquante hommes. Tu les as. Maintenant, le poste de police, en haut de l'escalier. Ce sera pour moi. Et pour Bagdadi. Sais-tu toujours faire sauter un mur à la dynamite ?

— C'est sûr, répondit le placide Irakien.

Le regard de Teddy Reich tomba alors sur Vered et il interrompit sa conférence stratégique.

— Tu ne serais pas par hasard la fille de Pincus Yevneski ?

— Si, souffla timidement Vered.

— Pourquoi n'as-tu pas écrit à tes parents ?

— Ils me feraient rentrer à la maison.

— Ilana, tu garderas Vered auprès de toi. Compris ? Les filles se chargeront de protéger nos flancs. Toi, je suppose que tu veux accompagner Gottesmann ?

— Naturellement.

Reich désigna alors les autres, pour s'incorporer à telle ou telle unité, puis il demanda à Vered Yevneski :

— Avec qui veux-tu combattre ?

— Avec MemMem, répondit-elle doucement.

Reich conclut en déclarant qu'il avait besoin de six petits garçons de moins de treize ans. Ilana savait où les trouver et en quelques minutes elle eut rassemblé six enfants, dont deux portaient de longues boucles dansantes sur les joues.

— Quel est le plus courageux d'entre vous ? leur demanda Teddy Reich.

Ils s'avancèrent tous, et le chef des Palmach sourit.

— C'est très bien. Maintenant, si vous aviez à accomplir une mission difficile, en deux équipes, qui voudriez-vous avoir avec vous ?

Les deux garçons aux boucles se rapprochèrent. Les quatre autres

formèrent un autre groupe. Reich s'avança et tira sur les franges qui dépassaient de la chemise d'un des enfants orthodoxes.

— Toi, comment t'appelles-tu ?

— Yaacov.

— Yaacov, je veux qu'avec ton camarade vous vous approchiez le plus possible du quartier arabe. Geldzenberg et Peled resteront dans l'ombre et vous protégeront avec leurs fusils. Et vous crierez à un copain imaginaire, aussi fort que possible, que les Palmach ont apporté un énorme canon. Si on vous pose des questions sur ce canon, inventez n'importe quoi. Vous avez compris ?

— Oui, répondirent les enfants.

— Bon. Maintenant sortez et voyons un peu si vous savez crier très fort.

Les six enfants sortirent en courant et bientôt Gottesmann les entendit crier, quatre en hébreu et deux en yiddish :

— Les Palmach ont apporté un énorme canon !

Les voix aiguës s'éloignèrent, en direction du quartier arabe, et Gottesmann fut certain que l'ennemi devait les entendre. Et puis il perçut le chuchotement de Teddy Reich qui demandait à Ilana :

— Crois-tu que Gottesmann reprendra son sang-froid pour l'attaque ?

— Je crois qu'il y arrivera, répondit-elle.

L'arme secrète que les Palmach avaient traînée jusqu'à Safad était un de ces engins qui terrifient les soldats, surtout ceux qui s'en servent. Quand Bagdadi qui plus que les autres s'y connaissait en explosifs, l'eut examiné, il revint confier à Ilana et Vered :

— Je ne sais pas si ça fera peur aux Arabes, mais moi ça me flanque une trouille de tous les diables.

Il les fit monter sur le toit où l'engin bricolé avait été installé. C'était simplement un tube d'acier posé sur un trépied formant une sorte de mortier grossier que l'on chargeait par le canon d'un obus massif qui ressemblait à un pilon à purée géant, large et aplati d'un côté, avec un manche conique équipé d'ailettes.

— Ce sont ces ailettes qui font un bruit d'enfer, leur expliqua Bagdadi. Quand l'obus vole, ça produit une espèce de gémissement affreux, à faire dresser les cheveux sur la tête. Malheureusement, ça ne fait pas trop de dégâts.

— Comment ça s'appelle ? demanda Vered.

— *Davidka*. Le petit David. Pour lutter contre ce Goliath, répondit Bagdadi en montrant la masse trapue du poste de police qu'ils attaqueraient bientôt.

Cette nuit-là, ils tirèrent le davidka. Comme l'avait prédit Bagdadi, l'encombrant obus fit un bruit abominable qui dut effrayer les Arabes, mais ne causa aucun dégât car il ne retomba pas sur le nez et n'explosa pas. Le servant eut alors une idée qui pétrifia l'Irakien d'horreur. Avant de tirer, une mèche fut enfoncée dans le nez de l'obus et allumée avec une allumette. Puis le davidka tira et le pilon à purée s'envola, avec sa mèche enflammée. S'il tombait sur le nez, il explosait. Sinon, il explosait

tout de même grâce à la mèche. Les deux premiers coups furent satisfaisants. Mais Bagdadi s'inquiéta :

— Et qu'arrivera-t-il si le coup rate et si l'obus reste dans le canon
avec sa mèche allumée ?

Le servant montra une jeune fille.

— Dans ce cas, elle court devant et elle arrache la mèche. En espérant arriver à temps.

La jeune fille avait à peine seize ans.

Mais en réponse au piteux davidka, les Arabes mirent en position
quelques pièces d'artillerie authentiques et firent pleuvoir des obus sur le
quartier juif. Les résultats furent affreux, car les maisons de pisé et de
pierre sèche s'écroulaient comme des châteaux de cartes sous l'impact
des bombes de fabrication anglaise, ensevelissant des familles entières.
Les survivants couraient dans les rues, en vitupérant les Palmach :

— Avant que vous arriviez avec votre davidka, les Arabes nous
laissaient tranquilles !

Rebbe Itzik parcourait les ruelles en criant :

— C'est le jugement de Dieu contre son peuple opiniâtre et indocile !

Et tandis que le bombardement arabe augmentait, un sombre désespoir planait sur le quartier juif, dont la population ne pouvait savoir
que Teddy Reich avait l'intention d'opérer bientôt une sortie et de réduire
au silence l'insolente artillerie. En ces moments critiques, il reçut soudain un soutien imprévu.

Il y avait alors à Safad un certain Rabbi Gedalia, un homme de
quarante ans au teint cireux, barbu, les épaules voûtées à force de se
pencher sur la Torah. Il était taciturne et réservé, et nul n'aurait imaginé qu'il pût être d'un quelconque secours en ces heures difficiles, mais
après avoir étudié avec soin la situation, le grand rabbin Gedalia avait fini
par conclure que les Juifs avaient une chance de se créer un Etat en
Palestine, mais uniquement si la Ville sainte de Safad restait entre
des mains juives. En conséquence, dans sa synagogue, il donna à ses
fidèles des instructions diamétralement opposées à celles de Rebbe
Itzik.

— Allez aider les combattants, prêchait-il. Faites tout ce qu'ils vous
demandent, car avec l'aide de Dieu nous vaincrons.

Il alla lui-même dans les rangs des Palmach et donna des conseils
à Teddy Reich, Bagdadi, Bar-El et leurs compagnons :

— Vous ne devez pas penser que vous combattez à un contre quarante. Car la plupart des soldats arabes ne luttent pas comme vous pour
une cause à laquelle ils croient. Qu'importe Safad à ces Syriens, ces
Irakiens ? Ce sont de bons soldats, et des hommes braves, j'en suis sûr.
Mais cette Ville sainte n'est pas leur patrie. Elle est la nôtre.

Et quand l'heure de l'offensive arriva, il cita les réconfortantes promesses de Dieu à son peuple dans l'épreuve :

« Vous chasserez vos ennemis, et ils tomberont devant vous par
le glaive. Et cinq d'entre vous en chasseront cent, et cent d'entre vous
en mettront dix mille en déroute. »

Et les paroles de ce maigre rabbin voûté communiquèrent aux combattants la certitude de la victoire finale.

Dans l'après-midi du 9 mai, alors que tout portait à croire que l'artillerie arabe allait écraser les défenses de Safad, Teddy Reich réunit une dernière fois les hommes qui devaient monter à l'assaut des places fortes. Il leur parla avec confiance, répéta son plan stratégique et leur conseilla à tous de dormir, de se reposer avant l'offensive qui serait déclenchée à huit heures du soir. Puis il s'étendit à même le sol et s'endormit aussitôt.

Les membres du premier commando se rendirent chez Ilana, qui leur fit à souper. Il y avait Bar-El et Vered, Bagdadi, Gottesmann et Ilana. Elle regardait son mari d'un air soucieux.

— Tu m'as l'air bien fatigué, Gottesmann, lui dit-elle enfin.

— Je le suis, avoua-t-il. J'aimerais que ce soit fini, tous ces combats, la guerre...

— Gottesmann ! protesta Ilana en riant. Elle va durer des années ! Après avoir pris Safad nous prendrons des camions et nous marcherons sur Jérusalem, et de là sur Gaza.

Gottesmann baissa la tête.

Bagdadi, toujours très calme, riait à la pensée de la surprise des Arabes du poste de police.

— Ils doivent se figurer que ces murs de béton les protégeront éternellement ! Attendez voir que la dynamite saute !

— Tu crois que tu pourras le prendre ? demanda Gottesmann en levant lentement la tête.

— Bien sûr ! Et toi, tu ne crois pas que tu peux t'emparer des ruines des croisés, là-haut ?

— Non, répondit nettement Gottesmann.

Bagdadi n'exprima ni surprise ni réprobation. Il se pencha en avant sur la table et murmura :

— Si tu veux tout savoir, Gottesmann, je n'ai guère d'espoir non plus. Il faudrait un miracle. Mais je suis sûr qu'il s'en produira un.

Gottesmann éclata d'un rire amer, un rire de fou qui fit peur à ses compagnons. Mais Ilana les rassura.

— Ne faites pas attention. Il est toujours comme ça avant une attaque. Mais je vous parie qu'il capturera les ruines avant que vous ayez pris le poste de police.

Lorsque l'heure vint de partir, ils eurent la surprise de voir la femme de Rebbe Itzik mettre sa tête en perruque à la porte pour leur crier :

— Allez, enfants ! Dieu vous guidera comme il nous a conduits hors d'Egypte !

Rebbe Itzik n'entendit pas l'encouragement blasphématoire de sa femme, car il était à la synagogue en compagnie de deux vieillards, ses derniers fidèles, et priait pour le châtiment des Juifs arrogants.

A huit heures, toutes les unités étaient en position de départ. La nuit était sombre et Teddy Reich espérait qu'une attaque surprise entraînerait les Juifs bien avant dans les premières lignes ennemies avant que

les Arabes comprennent ce qui se passait. Mais comme il allait donner le signal de l'assaut, il s'immobilisa, la main tendue. Une goutte de pluie venait de s'y écraser, une autre suivit.

De la pluie en mai, c'était presque incroyable. Cela n'arrivait pour ainsi dire jamais. Mais la pluie tombait, de plus en plus serrée. Les Juifs se regardèrent avec inquiétude, en se demandant en quoi cet événement imprévu allait influencer leurs plans, mais en les voyant hésiter, Rabbi Gedalia s'avança et murmura à Teddy Reich et à Bar-El les paroles de l'Eternel à Moïse :

— Voici la terre que j'ai promis de donner à Abraham, à Isaac et à Jacob, en disant : Je la donnerai à ta postérité.

Reich donna alors un coup de sifflet et les commandos s'ébranlèrent.

Monter du quartier juif au poste de police était pénible même en temps de paix, car les venelles tortueuses grimpaient et se croisaient jusqu'au sommet du plateau, mais suivre ce chemin dangereux par une nuit pluvieuse, à la merci des tirailleurs arabes, exigeait un véritable héroïsme. Les hommes de Reich n'en manquaient pas. Ils ripostaient coup pour coup, avec une froide résolution, surprenant les Arabes en avançant malgré le feu nourri, impitoyablement. A neuf heures, ils étaient devant les murs de béton gris du poste de police.

Bagdadi et son équipe de dynamiteurs portèrent leurs charges au pied même de ces murailles, allumèrent les mèches et coururent se protéger de l'explosion. Mais rien ne se produisit. La pluie imprévue avait éteint les mèches.

— On y retourne ! cria Bagdadi.

Il s'élança de nouveau, à la tête de ses hommes, et deux d'entre eux furent tués.

Une fois encore, la pluie éteignit les mèches et pour la troisième fois, Bagdadi repartit. Son courage galvanisait ses équipiers et cette fois les hommes de Teddy Reich réussirent à contenir le feu des Arabes et les dynamiteurs revinrent sains et saufs. Mais ils n'avaient pas réussi à mettre le feu à la dynamite. L'Irakien pestait en songeant aux nombreuses occasions où il avait vu de la dynamite sauter presque toute seule.

Reich les retint alors et tenta de faire sauter les explosifs à coups de fusil, sans résultat. Le bruit d'une fusillade intense leur parvenait des ruines des croisés, et Bagdadi observa :

— On dirait qu'Ilana va gagner son pari.

— Quel pari ?

— Elle a parié qu'ils emporteraient le sommet avant que nous ne prenions le poste de police, grommela l'Irakien.

Il partit une quatrième fois à l'assaut du mur, mais ne réussit pas à allumer ses mèches. De retour à l'abri, des larmes se mêlaient à la pluie, sur sa figure, et il maudit l'averse.

A dix heures cinq, les servants du davidka tirèrent leur premier obus sur l'extrémité des ruines, et le hurlement de sirène, puis l'explosion furent horribles à entendre, car les Palmach utilisaient dix-huit livres de poudre noire alors qu'il n'en fallait que deux.

— On sent la poudre d'ici, murmura Bagdadi avec stupéfaction.

A dix heures vingt-cinq, un deuxième obus tomba sur le quartier kurde, avec autant de bruit mais peu d'effet, sauf que l'explosion parut transformer l'averse de printemps en véritable déluge.

— Et la dynamite ? cria Teddy à Bagdadi.

— Mieux vaut attendre.

Le davidka tira alors sur les souks arabes, la maison du maire et le dépôt de munitions derrière l'école des filles, et dans le fracas de la dernière explosion, Bagdadi se mit à hurler en trépignant :

— Teddy ! Regarde ! Regarde !

Dans la nuit, dévalant de la colline des croisés, ils virent arriver Isidore Gottesmann et Ilana Hacohen. Ils couraient comme des enfants, et Ilana criait :

— Teddy, nous sommes maîtres du sommet ! Il est à nous !

Teddy Reich porta la main à sa figure, puis il embrassa Ilana.

— Et la maison de pierre ?

— Ils ont des difficultés.

— Allez-y ! Prenez-la !

Gottesmann et sa femme y coururent, et Teddy se tourna vers Bagdadi :

— Maintenant, nous faisons sauter ce poste.

Les dynamiteurs, encouragés par le succès de leurs camarades, retournèrent sous les balles arabes, mais tous leurs efforts demeurèrent vains. C'était exaspérant. Ils pouvaient entendre là-haut le chant de victoire des Palmach, mais si le poste de police restait aux mains des Arabes, tout serait perdu.

Vers trois heures du matin, Gottesmann et Ilana reparurent.

— La maison de pierre est à nous ! annoncèrent-ils d'une voix exultante.

— Tout le monde ici ! glapit Teddy.

Avec ses renforts, il se rua de nouveau à l'assaut du bastion de béton, toujours sans résultat. La pluie cessa un moment plus tard, et Bagdadi promit :

— Maintenant, nous allons pouvoir tout faire sauter

Mais leurs vaillants efforts ne furent pas couronnés de succès. De la courageuse équipe de dynamiteurs, il ne restait plus que Bagdadi. Il se mit à pleurer.

Il était maintenant quatre heures passées, et Teddy Reich se désespérait. Si le jour se levait, illuminant les rues, les Arabes dans le poste de police — sans parler de ceux de la forteresse anglaise sur la montagne, pourraient viser les Juifs à leur aise.

— Tous ensemble, gémit Teddy. A nous tous, nous devons emporter cette place !

Isidore Gottesmann sentait ses nerfs lâcher. Ilana savait que son mari était à bout. Tous deux voulaient se retirer dans le quartier juif, mais ni l'un ni l'autre ne l'osait.

— Encore une fois, supplia-t-elle.

Et son grand Allemand, qui avait conduit les assauts contre les ruines et la maison de pierre, serra les poings et accompagna la charge suivante contre les murailles de béton. Ils durent battre en retraite.

Le ciel pâlissait, et les Juifs pouvaient s'attendre d'un instant à l'autre à une puissante contre-offensive arabe, mais comme Teddy Reich se dressait en haut de l'escalier il se mit à rire comme un fou. D'autres Juifs le rejoignirent, et le fou rire les prit aussi car vers le milieu de l'escalier, dans la pâle lumière de l'aube, une vieille Juive, un châle sur la tête, revenait du quartier arabe en traînant tant bien que mal une machine à coudre.

— Ils sont tous partis ! leur cria-t-elle d'une voix chevrotante.

— Quoi ? s'exclama Teddy.

— Il n'y a plus personne. Ils sont partis, répéta-t-elle et elle disparut avec son trésor.

Quatre Palmach bondirent sur les marches et les dévalèrent quatre à quatre. L'arme braquée, ils pénétrèrent dans le secteur arabe. Bientôt, ils tirèrent des coups de feu, mais en l'air.

— Mais que s'est-il passé ? s'exclama Teddy Reich.

Au même instant, du haut des ruines, Bar-El hurla :

— Ils ont abandonné toutes les positions !

De la maison de pierre, d'autres Juifs arrivèrent en annonçant que le quartier kurde, autour du sommet, était désert.

Mais la position clef n'était pas abandonnée, et des Arabes obstinés tiraient encore du poste de police, au point que les Juifs durent abandonner l'escalier pour se mettre à l'abri. Teddy Reich tourna un visage sombre vers Bagdadi.

— Prêt ? lui demanda-t-il.

Le petit Irakien acquiesça et d'un geste Reich envoya un commando attaquer la bâtisse par les flancs tandis qu'il courait en zigzag avec Bagdadi pour s'occuper de la dynamite. Cette fois, les mèches restèrent allumées. Du coin de mur où ils s'abritaient, ils entendirent d'abord un sourd grondement puis une violente explosion, et les Juifs se ruèrent par la brèche. Ils pénétraient enfin dans le bastion !

Le combat fut bref mais horrible. Après des corps à corps farouches, les Juifs réussirent à se rendre maîtres de la place.

Seulement alors les combattants de la Palmach purent enfin croire que Safad était à eux. De tous les quartiers surgissaient des Juifs incrédules, aux mines ahuries :

— Il n'y a plus personne ! Plus d'ennemis !

Reich et ses lieutenants firent une rapide tournée d'inspection et trouvèrent les maisons mystérieusement abandonnées, à part quelques vieillards trop faibles pour s'enfuir. L'un d'eux leur donna la clef de l'énigme.

— Mon fils Mahmoud l'a lu dans le journal, leur dit-il.

— Qu'est-ce qu'il a lu ? demanda Teddy en arabe.

— Hashiroma, répondit le vieillard ; il ne comprenait pas ce mot, mais il ajouta : Quand la bombe atoumi est tombée sur Hashiroma, les pluies sont tombées aussi.

Il fit un geste des deux mains, pour évoquer une grosse bombe, imita le hurlement des obus de davidka et ajouta :

— Ne laisse pas la pluie te toucher, jeune homme. Elle te rongera jusqu'à l'os.

L'incroyable s'était produit. Le miracle que Nissim Bagdadi espérait avait eu lieu. Les Arabes de Safad, cette puissante multitude, avaient entendu l'affreux hurlement du davidka, avaient vu tomber la pluie de mai sans précédent, et s'étaient souvenus du cri des enfants juifs : « Une arme nouvelle... » Dans la nuit, les yeux dilatés de terreur, ils se chuchotèrent des paroles inquiètes plus redoutables que les explosions, et finalement quelque imbécile avait crié : « Bombe atoumi. »

— Où est ton fils ? demanda Teddy au vieil Arabe.

— Il s'est enfui.

— Il t'a abandonné ? Comme ça ?

— C'était l'atoumi. Attention à la pluie, radota le vieux.

Les Arabes avaient fui les maisons sûres près de la mosquée Jama-el-Ahmar. Dans les heures précédant l'aube, ils avaient abandonné les bastions aux extrémités du pont du Cœur-Pur, où aucun Juif n'avait attaqué. Les soldats au fez rouge venus d'Irak, les Lions d'Alep au couvre-chef noir et blanc et les guerriers du Grand Mufti s'étaient enfuis. Surpassant leurs ennemis en nombre, à quarante contre un, les forces arabes avaient créé leur propre panique, et y avaient cédé.

Les Arabes ne tenaient plus qu'un seul point, la redoutable forteresse de la montagne. Teddy Reich rejoignit Bagdadi et Gottesmann, et ils contemplèrent le monstre menaçant, au-delà de l'ouadi. Mais Reich ne put réprimer un cri de triomphe.

— Je vous l'avais dit ! Maintenant, ce sont eux qui sont inquiets, pas nous !

Mais ses lieutenants étaient soucieux malgré tout car ils savaient que bientôt il leur faudrait monter à l'assaut de cette citadelle.

A sept heures du matin, Reich et tous ses lieutenants étaient réunis au sommet de l'escalier. Bagdadi se tourna vers Ilana :

— Tu as gagné ton pari. Gottesmann s'est emparé du plateau avant que nous prenions le poste de police. Comment ça s'est passé, là-haut ?

— Tu connais Gottesmann, répondit-elle fièrement. On n'a qu'à le lancer dans une tranchée... C'est lui le responsable de la débâcle arabe. Il a sauté en plein dans le secteur de leur P.C., en tiraillant.

A ce moment, un Arabe qui était resté caché sur le toit du poste de police visa soigneusement Nissim Bagdadi. Les hommes de Reich entendirent un sifflement, une petite explosion, et virent leur camarade s'écrouler devant eux. Ilana se pencha vivement tandis qu'un tireur d'élite juif abattait l'Arabe. Mais comme elle retirait sa main ensanglantée de la poitrine de l'Irakien, Gottesmann se mit à hurler :

— Non ! Non ! Non !

Il se jeta sur Bagdadi et lui arracha ses vêtements, mais le sang coulait par gros à-coups d'une artère sectionnée.

— Nissim ! lança-t-il dans un long hurlement plaintif de bête.

Nissim, nous avons besoin de toi... besoin de toi... La forteresse...

Les mains ruisselantes de sang, il s'efforçait de ranimer son ami mort, tout en prononçant des phrases incohérentes. Ilana se fit aider par deux Palmach pour le transporter chez elle, où on le déposa sur un lit. Puis elle retourna avec eux célébrer la victoire de 1 214 Juifs entêtés sur quelque 19 000 Arabes bien armés.

Pendant trois jours Isidore Gottesmann demeura dans une espèce de torpeur physique et morale. Son corps était épuisé et son esprit ne parvenait pas à assimiler la mort de Bagdadi, qui avait symbolisé le destin commun des Juifs séphardim et eskenazim. Le grand Allemand maigre s'était réfugié dans un sommeil profond.

Au matin du 13 mai, Teddy Reich fit irruption dans la maison, les yeux pétillants de joie.

— Ilana ! Il faut réveiller Gottesmann ! Une nouvelle... une nouvelle...

— Laisse-le dormir, va, dit-elle.

Teddy lui prit alors la main, l'entraîna dans une ronde folle puis il l'embrassa sur les deux joues et elle eut bien du mal à le calmer.

— C'est incroyable, haleta-t-il enfin. Je voulais que Gottesmann sache... La forteresse...

— Eh bien, quoi ?

Ilana ne l'aurait pas dit à Teddy, mais elle soupçonnait Gottesmann d'avoir inconsciemment fui la réalité pour se réfugier dans ce sommeil cataleptique parce que la perspective d'aller attaquer ce monstre de pierre était plus qu'il n'en pouvait supporter.

— La forteresse... Ce matin, deux enfants d'un village des collines y sont montés... tout ouvert... les portes... personne à l'intérieur. Ils sont entrés, ils sont allés partout, ils m'ont rapporté des papiers secrets... des documents... J'y suis monté à mon tour. Ilana ! Toi et moi et Gottesmann, nous aurions pu tenir là-haut un mois, rien que nous trois ! Mais eux, au premier signe d'attaque, ils ont pris la fuite !

Il éclata d'un rire dément, puis il fit une grimace de dépit et se plaqua la main sur la poitrine en gémissant :

— Moi ! Le grand général ! Pendant trois jours, je me suis rongé les ongles à cause de ce maudit fort, et il était abandonné, vide, désert ! Il a été finalement occupé par mes troupes héroïques... deux petits garçons !

La possession du fort fit battre de joie le cœur d'Ilana, mais pas pour longtemps, car en ces jours décisifs, une victoire locale ne signifiait pas la fin mais le commencement d'une nouvelle responsabilité, et Teddy en vint finalement au but réel de sa visite :

— On a besoin de nous à Acre, Ilana. Nous partons ce soir au coucher du soleil.

— Pourquoi Acre ?

— Safad qui recommence. Une position clef. Des tas d'Arabes. Pas de Juifs. Nous devons nous en emparer au plus tôt.

— Tu nous donnes l'ordre de t'aider ? demanda-t-elle avec calme.

— Je le dois. Gottesmann en sera-t-il capable ?

— Il le sera, assura-t-elle.

Après le départ de Teddy, elle réveilla son mari, et lui annonça :

— Ce soir, nous partons pour Acre.

Il ne répondit rien, mais il fut capable de s'habiller seul, et Ilana eut l'impression que le long sommeil lui avait rendu sa maîtrise de soi. Ses nerfs, en tout cas, paraissaient plus solides.

Dans l'après-midi, ils se promenèrent dans la ville qu'ils avaient sauvée, et admirèrent les mosquées abandonnées par les Arabes. En revenant, ils passèrent près du poste de police, et quand Gottesmann vit le formidable édifice, quand il se rappela comment Nissim Bagdadi s'en était emparé par la seule force de sa volonté, quand il se retrouva à l'endroit même où le petit Irakien était tombé, il fut repris de tremblements et se remit à bafouiller des mots sans suite. Puis il serra les poings, se maîtrisa, et murmura :

— Nous avions tant besoin de lui.

Ilana se demanda si Reich voudrait Gottesmann à ses côtés dans cet état. Enfin, la crise passa, et ils quittèrent l'endroit qui l'affectait tant.

Rebbe Itzik vint dire au revoir au jeune couple.

— Mariez-vous, leur conseilla-t-il, sans oser encore regarder Ilana en face.

— Vous vous êtes trompé sur un point, dans vos prévisions, lui dit-elle. Nous avons pris Safad.

Le Vodzher Rebbe sourit.

— Grâce au miracle de Dieu. Enfin... Un miracle s'ajoutant à une force naturelle.

— Vous voulez parler de la pluie ?

— Non, répondit le petit rabbin. C'était bien naturel que Dieu descendît aider ses Juifs sous la pluie. Le miracle, c'est que tant de Juifs aient pu combattre ainsi côte à côte pour une cause commune.

— Nous nous reverrons, lui dit Ilana. En Israël.

— Alors commencera le véritable combat. Pour l'âme d'Israël !

Cette nuit-là, Teddy Reich et un groupe de combattants quittèrent Safad en camion pour aller renforcer les troupes juives qui s'efforçaient de capturer la puissante place forte arabe d'Acre. Ils roulaient tous feux éteints pour ne pas donner l'éveil aux patrouilles ennemies opérant entre Safad et la mer. Tout alla bien jusqu'aux abords de Makor, qui sur ses hauteurs avait gardé la route pendant des millénaires, mais des Arabes venaient d'attaquer le kibboutz et firent volte-face pour tirer sur le camion. Une violente escarmouche suivit, et au bout d'un moment MemMem Bar-El s'écria :

— Ils s'enfuient ! Ecrasons-les !

Les Juifs se déployèrent sur le monticule, et prirent les Arabes en chasse, en tirant. Soudain, l'un des fuyards se retourna et tira au jugé sur ses poursuivants.

Ilana Hacohen tomba en avant et roula au bas de la pente, sans lâcher son fusil. Quand Teddy Reich arriva auprès d'elle, elle était morte.

— Qu'on aille chercher Gottesmann, murmura-t-il.

Deux combattants rattrapèrent le Juif allemand, que l'escarmouche avait achevé de rétablir.

— Par ici, cria Bar-El.

Gottesmann se dirigea dans la nuit vers le groupe de ses amis, réunis autour d'un corps.

— Vous avez capturé un Arabe ? demanda-t-il de loin.

Mais alors ses amis silencieux s'écartèrent, et il vit que le soldat mort était sa femme Ilana, les deux mains encore serrées sur son fusil anglais.

Un cri terrible monta de sa gorge, une longue plainte d'angoisse intolérable. Il se griffa la poitrine comme s'il devenait subitement fou et les émotions accumulées durant dix ans eurent raison de lui. Il perdit la maîtrise qu'il venait à peine de retrouver et il se roula par terre. Il ne parvenait pas à comprendre pleinement ce qui lui arrivait. La mort d'Ilana suivant de si près celle de Bagdadi était plus que son système nerveux ne pouvait tolérer. Un homme peut supporter dix ans de guerre, subir un choc après l'autre, voir massacrer sa famille, ses camarades de résistance trahis, des réfugiés juifs noyés au large de l'Italie, Bagdadi abattu alors qu'on avait le plus besoin de lui... un homme pouvait supporter dix ans de cela, mais pas dix ans et un jour.

Ses mains tremblantes se tendirent pour saisir Ilana, la douce, la compréhensive, la courageuse Ilana de Galilée, mais ses doigts ne trouvèrent que la terre du monticule, la terre d'où ses ancêtres étaient venus. Et tandis que la terre froide s'écoulait entre ses doigts, tandis qu'il sentait sur ses paumes son éternelle impartialité, lentement, il retrouva ses forces, et une rage terrible le posséda, plus violente encore que son premier cri de désespoir. Il se redressa brusquement et tourna le dos à la morte. Il repoussa ses compagnons, et frappé par une douloureuse vision de l'avenir, tourmenté et glorieux comme les visions apocalyptiques de Gomer et du psalmiste en ce même lieu, il hurla au ciel noir :

— Je ne suis plus Isidore Gottesmann. Je ne suis plus un Juif allemand. Je suis l'arbre que l'on a abattu. Mon nom est Ilan. Je serai l'homme de Dieu. Mon nom est Eliav, et je combattrai pour cette terre...

D'un pas de somnambule, il se mit à descendre du mont, en tirant des coups de feu inutiles, comme un ange exterminateur mécanique, et Teddy Reich déclara d'un ton froid et posé :

— Laissez-le. A Acre, nous en aurons besoin de cent comme lui.

Ainsi le Juif Ilan Eliav quitta Makor, tout fulminant d'une sainte rage, et il posa ses pieds sur une route qui ne menait pas seulement à Acre, mais bien au-delà, à Jérusalem et à des définitions qu'il ne pouvait alors prévoir, aveuglé qu'il était par une souffrance incohérente.

LES FOUILLES

NIVEAU 0 — NOVEMBRE 1964

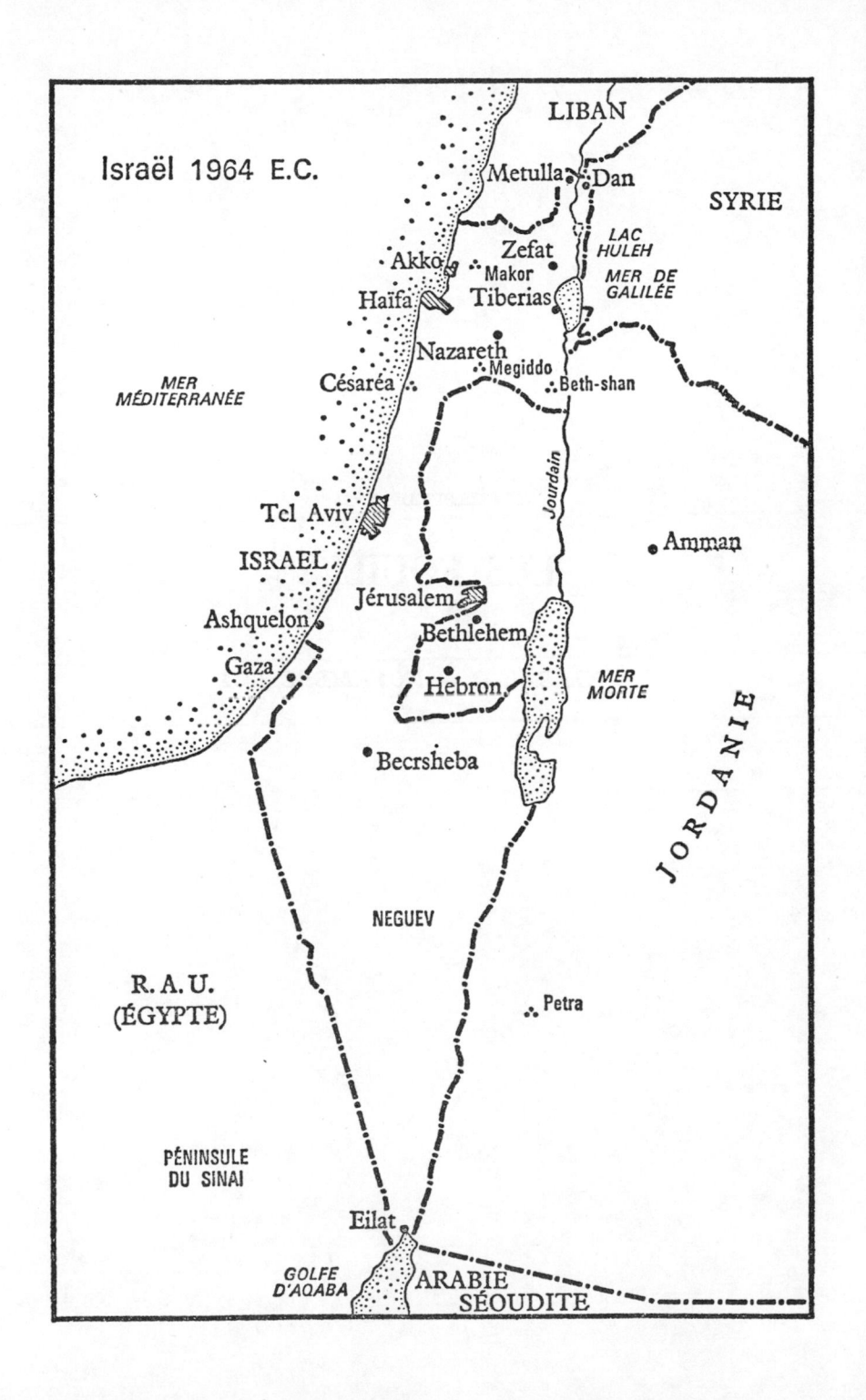

NOVEMBRE arrivant, avec ses menaces de pluie, interrompait les travaux aux fouilles de Makor. Cullinane, sans tout à fait s'en désintéresser, pensait davantage à Vered Bar-El qui donnait sa série de conférences inutiles à Chicago, sur le « Chandelier de la Mort », Paul Zodman expédiait par avion des liasses de coupures de presse montrant Vered posant avec le fameux menorah, et Cullinane était troublé par ces photos qui lui prouvaient à quel point il aimait cette femme délicieuse. Il était bien décidé à la demander en mariage dès son retour, dès sa descente d'avion, à l'aéroport même.

Mais une autre coupure de journal devait lui faire provisoirement oublier ces préoccupations, et altérer le cours des fouilles, non seulement en 1964 mais dans les années à venir.

On annonçait qu'Eliav était pressenti pour un portefeuille du nouveau ministère qui devait être formé à la retraite de M. Kalinsky. Selon des sources autorisées de Jérusalem, sa nomination ne dépendait que de l'accord de certains partis religieux. La première réaction de Cullinane, en lisant l'article, fut que c'était cela sans doute qui empêchait Ilan Eliav et Vered de se marier. Mais il ne comprenait pas très bien pourquoi. Avant qu'il ait l'occasion de demander à Tabari de lui expliquer ce mystère, Schwartz, du kibboutz, vint lui dire qu'une des femmes travaillant au réfectoire désirait le voir. C'était la grande Zipporah, et Cullinane pensa qu'elle venait le prier de l'aider à trouver un emploi lucratif, car elle était roumaine et, partant, ambitieuse. Il ne pensait pas lui être d'un bien grand secours, mais il la reçut quand même.

C'était une forte femme de trente ans, saine, pleine de vivacité, dure au travail et d'une amabilité un peu bourrue dans son service.

— Eh bien, Zipporah ? Que se passe-t-il ?

Elle s'assit, montra le journal avec le nom d'Eliav en caractères gras et, brusquement, elle éclata en sanglots. Cullinane soupira.

— Excusez-moi, professeur Cullinane, gémit-elle d'une voix entrecoupée. J'ai besoin de votre aide...

— Ça m'en a tout l'air, grommela-t-il mais il regretta immédiatement ce ton un peu ironique. Allons, allons, Zipporah, que puis-je faire ? Calmez-vous, voyons.

Elle se moucha bruyamment, laissa échapper encore un sanglot convulsif, puis elle fouilla dans un cabas et posa sur le bureau de l'archéologue une énorme liasse de papiers et de documents usés, comme semblaient en posséder tous les Juifs du monde. Cullinane soupira derechef en s'attendant au pire. Une supplique pour l'ambassade américaine, sans aucun doute... Mais d'une voix posée, elle demanda :

— C'est vrai que le professeur Eliav, il va être ministre ?

— Je ne suis au courant de rien, répondit prudemment le professeur. Mais les journaux ont l'air affirmatifs.

— Ce que je voulais savoir...

Les larmes montèrent de nouveau aux yeux de la pauvre femme, les sanglots l'étouffèrent et Cullinane attendit en se demandant comment la nomination d'Eliav dans le cabinet israélien pouvait bien lui causer un tel chagrin. Etait-elle amoureuse de lui ? Jalouse de Vered Bar-El ?

Enfin Zipporah se calma et murmura :

— Pardon, excusez... Je ne pleure jamais, mais cette fois...

— Allons, voyons ce que je peux faire. De quoi s'agit-il ?... Fumez-vous ?

— Oh oui !

Elle prit une cigarette avec gratitude, en tira quelques bouffées et, son calme revenu, elle dit à l'archéologue :

— Voulez-vous me faire l'honneur de m'écouter, professeur ?

— Certes.

Alors, en mauvais anglais, avec un fort accent roumain, et en exhibant à chaque instant un nouveau papier, une nouvelle carte d'identité, elle raconta son histoire. Elle s'appelait Zipporah Zederbaum, née en Roumanie. Elle avait épousé Isaac Zederbaum neuf ans plus tôt à Tel-Aviv. Un bien mauvais mari, qui ne lui donnait pas d'argent, et l'abandonna plus tard pour une jeune Yéménite, qu'il abandonna aussi pour partir chercher fortune aux Etats-Unis, où il trouva la mort dans un accident d'autocar. Elle avait le certificat de mariage juif, le certificat de décès signé par le rabbin américain et légalisé, son acte de naissance, le tout prouvant qu'elle était une bonne Juive. Or, il y avait au kibboutz un dénommé Yehiam Efrati, un bon Juif aussi, en possession de tous les papiers nécessaires, qui voulait l'épouser. Elle ne demandait pas mieux que de refaire sa vie avec lui car il était travailleur, et ils s'aimaient.

— Eh bien, tout me paraît en ordre, dit Cullinane après qu'elle l'eut obligé à examiner tous les papiers sans exception.

— Oui, soupira-t-elle, mais voilà ce que disent les rabbins de Jérusalem.

Cullinane prit le dernier document qu'elle lui tendait, un papier manifestement officiel, et en lut les passages essentiels :

« Dans le cas de Zipporah Zederbaum, veuve, qui désire se marier avec Yehiam Efrati, célibataire, les juges ont découvert qu'un frère du défunt mari de ladite Zipporah Zederbaum vit encore en Roumanie, et que ce frère vivant, Lévi Zederbaum, refuse d'accorder à la veuve de son frère la permission de se remarier. Sur ce point la loi est formelle,

comme le précise le Deutéronome 25 : 5-10 : « Lorsque des frères demeureront ensemble et que l'un d'eux mourra sans enfants, la femme du défunt ne se mariera point au-dehors avec un étranger ; son beau-frère viendra vers elle, la prendra pour femme et remplira vis-à-vis d'elle son devoir comme beau-frère... S'il ne plaît pas à cet homme d'épouser sa belle-sœur, celle-ci montera à la porte vers les anciens, et dira : Mon beau-frère refuse de perpétuer le nom de son frère en Israël et ne veut pas, en m'épousant, remplir son devoir de beau-frère. Alors les anciens de la ville feront venir cet homme et ils l'interpelleront ; s'il persiste et dit : Il ne me plaît pas de l'épouser — sa belle-sœur s'approchera de lui, à la vue des anciens, lui ôtera son soulier du pied et lui crachera au visage. Puis, prenant la parole, elle dira : Ainsi soit fait à l'homme qui ne réédifie pas la maison de son frère. »

« Depuis très longtemps, les rabbins ont décidé que la veuve d'un mort ne devait pas se remarier sans le consentement du frère du défunt, et il fut précisé que ce consentement devait être donné par écrit, et contresigné par les rabbins autorisés. Dans le cas qui nous occupe, Zipporah Zederbaum n'a qu'à se procurer l'autorisation écrite de son beau-frère Lévi Zederbaum habitant la Roumanie, et elle sera libre de se remarier. Mais s'il refuse de donner ce consentement écrit, elle ne sera pas libre de se remarier. Et sa demande de ce faire sera rejetée. »

Cullinane leva les yeux de l'ahurissant document, et sa première pensée fut que c'était un canular. Mais en regardant la malheureuse femme, il vit bien qu'elle ne plaisantait pas.

— Qu'est-ce que ça signifie ? demanda-t-il, perplexe.

— Ce que ça dit, gronda-t-elle avec rage.

— En Israël, une veuve doit demander l'autorisation de se marier au frère du défunt mari ?

— Oui. C'est la loi.

— Mais où est la difficulté ? Vous avez pu écrire en Roumanie, j'imagine ?

— Oui, et voilà ce que j'ai reçu, s'écria-t-elle, de plus en plus furieuse, la colère prenant le pas sur le chagrin.

Cullinane lut la traduction d'une lettre écrite en roumain, en songeant qu'à la place du beau-frère il aurait probablement écrit la même chose :

Brasov, Roumanie
3 septembre 1964

Aux rabbins de Jérusalem,

· *Il me semble comprendre, en lisant l'invraisemblable document que vous m'avez envoyé, que ma belle-sœur Zipporah Zederbaum, dont le mari est mort, n'est pas libre de se remarier si je ne signe pas un papier déclarant que je n'ai pas envie de l'épouser et que je l'autorise à épouser qui lui plaît.*

J'ai cru comprendre aussi que si j'étais à Jérusalem, ma belle-sœur

serait obligée, en apprenant que je ne veux pas l'épouser, de me déchausser
un pied et de me cracher à la figure.

Nous sommes au XXᵉ siècle, et si je me livrais de quelque façon que
ce fût à ces rites du Moyen Age, les autorités roumaines me considère-
raient à bon droit comme un crétin ou un fou. Je refuse de signer ces
absurdités et je vous conseille d'oublier cette histoire ridicule.

Veuillez agréer tout mon écœurement.

                                        LEVI ZEDERBAUM

— Et maintenant ? Qu'allez-vous faire ? demanda Cullinane en
repliant la lettre.

— Je ne peux rien.

— Comment, rien ?

— C'est pourquoi je suis venue, parce que si M. Eliav...

— Et comment ! Enfin, quoi, c'est inhumain ! Attendez-moi là...

L'archéologue courut aux fouilles, chercha Eliav et commença par
lui demander ce qu'il y avait de vrai dans l'annonce de sa nomination
dans le cabinet.

— Oh, on en parle périodiquement, répondit d'abord Eliav.

— Mais cette fois, ça m'a l'air très sérieux.

— Oui, à moi aussi, mais ne dites pas que je l'ai dit.

— Votre première administrée est dans mon bureau. Une femme
nommée Zipporah Zederbaum. Elle vous attend. Venez.

En entendant ce nom, Eliav sursauta et sa figure se ferma.

— Non, Cullinane. Il m'est impossible de lui parler. Pas maintenant.

— Comment, vous refusez ?

— Ecoutez, je connais cette affaire beaucoup mieux que vous, mon
vieux. J'ai pitié d'elle, mais je ne puis la voir maintenant alors que
j'aurai peut-être à juger son cas plus tard.

— Mais bon Dieu, Ilan, cette femme...

— John ! Rentrez dans votre bureau et consolez-la comme vous
pourrez. Et ne vous mêlez pas de choses qui ne vous regardent pas.

Cullinane, stupéfait, vit son ami s'éloigner à grands pas. Il retourna
auprès de la Roumaine et lui dit avec autant de conviction que possible :

— Je n'ai pas pu parler au professeur Eliav...

— Il refuse de me voir, n'est-ce pas ?

— Oui, avoua l'archéologue, il m'a dit pourquoi.

— Personne ne veut me recevoir. Et je ne peux rien faire.

— Vous ne pouvez vraiment pas vous marier en Israël ?

— Non. Ici nous n'avons que le mariage religieux et si les rabbins
refusent...

— Il me semble avoir entendu dire que si les rabbins refusaient,
certains couples allaient se marier à Chypre.

— Oui, mais l'argent ? Et puis même, si nous sommes mariés à
Chypre, nos enfants seront des bâtards. Et quand ils seront grands, ils
ne pourront pas se marier non plus.

— Je ne puis le croire ! Vous voulez me dire, réellement qu'il n'y a pas un moyen... Enfin, quoi, vous n'avez rien fait de mal !

— Il n'y a aucun moyen, professeur Cullinane.

— Eh bien, si j'étais vous, je ferais tranquillement mes paquets et je m'installerais avec ce brave garçon, avec votre Yehiam Efrati. Et si vous avez besoin de quelqu'un pour porter les valises, j'irai volontiers !

Mais la solide jeune femme soupira et murmura en hochant la tête :

— A quoi bon, si nous ne sommes pas mariés comme il faut ?

Au déjeuner, dans le réfectoire, Cullinane s'assit à côté d'Eliav avec l'intention bien arrêtée de lui dire sa façon de penser, mais son ami le prévint :

— Non, John, je vous en prie, ne me faites pas de sermon. Qu'il ne soit pas question de cette affaire. Je ne peux pas en parler parce que justement, si je fais partie du cabinet, ce sera pour trancher de cas de ce genre, et résoudre ces complexités.

— Complexités ? Inanités, vous voulez dire !

— Si vous voulez, mais c'est la loi d'Israël et quatre-vingt-dix-neuf pour cent de nos lois sont humaines.

— Mais cette pauvre fille...

— Je sais.

— Vous ne partagez pas les sentiments exprimés par le beau-frère ?

Ilan Eliav poussa un profond soupir, puis il expliqua :

— Non, parce que je travaille en ce moment à prouver que Lévi Zederbaum a écrit sa lettre de cette façon afin que la censure roumaine ne le remît pas aux autorités russes.

— Et si vous prouvez la contrainte ?

— Zipporah pourra se remarier.

— Sinon ?

— Elle ne le pourra pas.

— Mais enfin, bon Dieu...

— Assez ! Fichez-moi la paix !

Eliav quitta brusquement le réfectoire, mais dans l'après-midi, il dut regretter son mouvement d'humeur, car il pénétra dans le bureau de Cullinane, avec quelques documents à la main, et il lui dit d'une voix lasse :

— Nous vivons des temps difficiles, mon vieux. Vous me croyez indifférent aux malheurs de Zipporah. Mais lisez donc ces papiers-là.

Et Cullinane prit connaissance des cas qu'Eliav aurait à juger s'il acceptait d'entrer dans le cabinet :

Cas n° 1. Trudl Ginzberg est une femme non juive née à Gretz, en Rhénanie. Elevée dans la religion luthérienne, elle est tombée amoureuse d'Hyman Ginzberg et contre les avertissements de sa famille, elle l'a épousé. A l'avènement du nazisme, elle a souffert toutes les persécutions. Par un inexplicable amour de l'humanité, elle a tenu à coudre l'étoile jaune sur ses vêtements. En voulant protéger ses enfants contre des nazis, elle a reçu un coup de botte dans l'œil droit. Elle est devenue presque aveugle. Grâce à des efforts héroïques, elle a sauvé ses enfants et pendant

quatre ans elle a caché son mari dans une cave, et a subvenu seule aux besoins de toute sa famille en travaillant en usine. Après la guerre, alors qu'elle avait perdu sa foi en Dieu, elle a réussi à réunir une somme suffisante pour amener sa famille en Israël, et là les rabbins ont proclamé : « Trudl Ginzberg est fille de Gentils. Pis, elle est athée, et nous ne pouvons accepter sa conversion. Par conséquent, ni elle ni ses trois enfants ne peuvent être des Juifs. » Tous les efforts qu'elle fit, sa volonté de vivre suivant la loi judaïque, rien ne put fléchir les rabbins. Elle n'est pas juive et ses enfants ne peuvent l'être. Pouvez-vous proposer une solution acceptable par les rabbins ?

Cas n° 2. Dès l'instant où vous verrez Esther Bannarjee et Jaacov vous devinerez qu'ils sont indiens. Ils arrivent de Cochin. Ils ont le teint basané, les yeux sombres, le corps fluet des Indiens, mais ce sont des Juifs. Au XVᵉ siècle, leurs ancêtres ont fui d'Espagne au Portugal, de là en Syrie et se sont installés sur la côte des Indes où ils se sont mariés avec des indigènes au teint sombre. En 1957, quand Esther et Jaacov ont émigré en Israël, les rabbins leur ont dit que, faute d'un papier, ils ne pouvaient être des Juifs. Leur problème est le suivant ; ils veulent se marier mais comme ils ne sont pas officiellement juifs, ils ne le peuvent pas en Israël. S'ils étaient chrétiens, pas de problème. Ils pourraient se marier dans une de nos églises catholiques. Mais ils ne sont pas chrétiens et ne veulent pas l'être. Ils tiennent à rester juifs. En Inde, leurs ancêtres étaient juifs, depuis plus de quatre cents ans, ils ont partagé les malheurs et les triomphes de notre peuple, mais ici en Israël, parce qu'ils ne peuvent présenter de documents datant de plus de quatre générations, ils ne peuvent être juifs. Que faire ?

Cas n° 3. Léon Berkes appartient à une famille juive orthodoxe de Brooklyn. Il a gagné une fortune avec une chaîne d'hôtels kasher dans les Catskills, et quand il a eu soixante ans, il a remis son importante affaire à ses gendres, deux bons Juifs, et il est venu en Israël investir quatre millions de dollars dans le nouvel Etat. Il a donc voulu construire et diriger un hôtel kasher à Acre, mais il s'est heurté à des difficultés inattendues. Les rabbins se sont montrés intraitables sur le chapitre de l'observance du sabbat. Berkes a tout accepté : de ne pas présenter la note ce jour-là parce que c'était interdit, de ne pas avoir d'orchestre, de ne pas faire de feu, et en conséquence de ne pas faire marcher les ascenseurs le jour du sabbat de crainte que les moteurs électriques ne produisent une étincelle. Mais quand les rabbins ont exigé aussi que les portes automatiques séparant les cuisines de la salle de restaurant ne marchent pas non plus, crainte d'une étincelle, Léon Berkes a déclaré qu'il était trop compliqué d'être juif dans le nouvel Etat d'Israël et il est retourné en Amérique avec ses dollars. La question est la suivante : Comment ramener chez nous un homme aussi intéressant ?

— Il me semble, dit Cullinane à Eliav, que vous avez pris sur vos épaules les problèmes de tout le monde.

— Et le plus compliqué est encore le mien.

— Le vôtre ?

— Vous vous rappelez la visite que nous avons faite au Vodzher Rebbe, avec Paul Zodman ?

— Oui.

— Dans la synagogue, pendant l'office, à un moment donné on nous a posé la question « Cohen ou Lévi ? », et toute l'assistance a répondu : « Israël ».

— Oui, et je me souviens qu'à ce moment les Cohen ont mis leur châle sur la tête. Vous m'avez expliqué que les Cohen sont les prêtres, les Lévi les assistants et Israël la masse des fidèles.

— C'est ça. Tous les Juifs font automatiquement partie d'un des trois groupes, et cela remonte aux jours de la Torah. Tous les Juifs nommés Cohen, Katz, Kaplan, Kaganovski... vous devinez aisément les autres... ce sont tous des prêtres ou descendants de prêtres qui encore aujourd'hui jouissent de certains privilèges. Et les Lévi, Lévy, Levine, Lewisohn, Loewe et le reste sont des lévites, et ils ont aussi certains privilèges.

— Tandis que vous autres, pauvres Israël...

— Je ne suis pas un Israël, interrompit Eliav.

— Mais à la synagogue...

— J'ai répondu que je l'étais parce que ces sornettes... C'est-à-dire que ma femme... Je ne vous ai jamais parlé d'Ilana, n'est-ce pas ? Elle est morte ici. Là-bas.

— Quoi !

Eliav ouvrit la bouche et se reprit plusieurs fois avant de pouvoir dire, d'une voix faussement dégagée :

— J'étais le mari d'une fille qui aurait pu servir de drapeau à Israël. Elle était Israël. Elle avait une vertu toute particulière. Elle a été abattue d'un coup de fusil. Là. Juste... là, à cet endroit.

— Ça, par exemple, souffla Cullinane, stupéfait.

Ils se rappelait maintenant le premier soir, quand avec Tabari ils avaient surpris Eliav à genoux sur le tell. Il était enclin à ne rien dire, mais il sentait intuitivement que le silence n'était pas souhaité.

— Ainsi, murmura-t-il, nous déterrions des fantômes ?

— Ça, vous pouvez le dire ! Et un des fantômes a décidé de s'imposer... d'une manière bien irritante.

— Comment ça ?

— Je suis un Cohen, en vérité. J'appartiens à une merveilleuse lignée de saints hommes de la ville de Gretz, en Rhénanie. Or, un Cohen n'a en aucun cas le droit d'épouser une divorcée. La loi d'Israël l'interdit.

— Mais vous êtes bien fiancé avec Vered ?

— Oui, mais si nous voulons nous marier nous devrons aller à Chypre, faire bénir notre union par un quelconque clergyman anglais, et revenir en Israël et y vivre dans le péché.

Cullinane ne put s'empêcher de rire.

— Voilà que nous avons passé des semaines à fouiller pour chercher de l'histoire ancienne, et nous vivions en plein dedans !

— Vous vous trompez, protesta Eliav. Nous avons plongé et fouillé dans le judaïsme, mais vous n'avez pas essayé de le comprendre, John. Nous sommes un peuple particulier avec des lois particulières. Pourquoi vous ai-je conseillé un jour de relire soigneusement le Deutéronome ? Parce qu'il est encore vivace. Ce sont nos lois. Bon Dieu, bon sang de fichu Irlandais, je ne suis pas catholique ! Je ne suis pas un protestant. Je suis un Juif, et j'appartiens à la race la plus ancienne, dont les lois sont les plus anciennes.

— Ça, je commence à m'en apercevoir ! Mais ces histoires de Cohen...

— Vous avez lu le Lévitique aussi. Les prêtres ne devront pas épouser une femme de mauvaise vie, ni une femme répudiée. Et voilà. Nous ne pouvons pas nous marier en Israël, Vered et moi.

— Hé là ! Mais elle est veuve !

— Oui, mais elle était divorcée avant, et c'est ça qui compte. Si j'avais l'intention de rester ici aux fouilles, ce serait différent. Nous irions nous marier à Chypre, et si les rabbins estimaient que nos gosses sont des bâtards, à leur tour ils pourraient aller se marier à l'étranger. Mais il m'est impossible de faire partie du cabinet et de faire fi de la loi juive en même temps.

— Comment ! Pour un portefeuille, vous seriez prêt à renoncer à Vered ?

La violente réaction de Cullinane ne surprit qu'à moitié l'Israélien. Il lui répondit en choisissant ses mots, en s'efforçant de se faire comprendre :

— Pour un autre, un homme dont la patrie est bien assise depuis des générations et des générations, ce serait choquant, sans doute... Mais je suis un Juif, et notre histoire est différente. Nous avons vécu deux mille ans sans patrie, John. Une poignée d'hommes dont j'étais... avec Vered et Bar-El, et ma femme... et un admirable Séphardi nommé Bagdadi, à qui je pense bien souvent... John, nous avons bâti ce pays de nos mains, avec notre sang, nous avons créé un Etat où tous les Juifs du monde peuvent se réfugier pendant les mille ans à venir. Aujourd'hui, cet Etat doit faire face à des difficultés, prendre des décisions graves engageant l'avenir, et Teddy Reich m'a persuadé que l'on avait besoin de moi... La question que vous m'avez posée devrait être formulée autrement. A moi, Juif, il fallait dire : Pour vous soumettre à la loi juive, renonceriez-vous à Vered afin de sauvegarder le concept même d'Israël ?

— Eh bien, que répondez-vous à cela ?

Eliav éluda la question qu'il avait lui-même posée.

— La nuit où ma femme a été tuée sur la colline de Makor, murmura-t-il d'une voix lointaine, notre détachement se rendait à Acre. Vered et Bar-El se sont occupés de moi, car j'avais presque perdu la raison. Nous avons pris d'assaut le port d'Acre, que Tabari tenait avec ses Arabes ; nous étions une trentaine de Juifs contre... oh, je ne sais pas combien d'Arabes. Dans ma rage, je ne sais pas comment je me suis avancé, très loin de nos lignes, et j'aurais certainement été tué sans une toute petite gosse de dix-sept qui m'a couru après, la mitraillette crachant le feu, qui a dégagé la rue et m'a ramené par la main comme un

enfant idiot. Je sens encore la petite main de Vered dans la mienne...

Les deux archéologues se turent un moment, le regard tourné vers les minarets d'Acre, où Vered Bar-El avait sauvé Eliav, et finalement l'Irlandais souffla :

— Vous m'avez donné une certaine leçon d'humilité, mon vieux. Je retire ma question.

— Merci.

— Mais je reprends la vôtre. Avez-vous l'intention d'épouser Vered ou de servir Israël ?

Eliav ne répondit pas.

— Parce que je vous préviens tout de suite, Eliav. Epousez cette fille avant mon départ pour l'Amérique, sinon je l'emmène avec moi. Elle sera ma femme, bon Dieu !

— Vered a lutté pour ce pays, répondit posément Eliav. Elle ne quittera jamais Israël. Elle n'épousera jamais un autre qu'un Juif.

Une dizaine de jours plus tard, l'avion de Vered se posa à l'aéroport de Lod. Le cœur de Cullinane battit plus vite quand il la vit descendre rapidement de l'appareil, vive comme un oiseau qui retrouve son nid.

Il avait eu l'intention de la prendre à bord de sa jeep et de la demander en mariage tout de suite, sur la route de Makor, mais Eliav le devança, la fit monter dans sa voiture et démarra, laissant Cullinane et Tabari s'occuper des bagages.

Lorsque Cullinane finit par les rattraper sur la route poudreuse, Tabari et lui virent devant eux dans la jeep ouverte la petite silhouette raidie de Vered qui semblait discuter avec animation, interrompue de temps en temps par Eliav qui la menaçait du tuyau de sa pipe braquée, comme un maître d'école grondant un élève.

— Vous croyez que cette histoire des Cohen va les obliger à rompre ? demanda Cullinane à l'Arabe.

— Je ne les vois pas mariés, murmura Tabari. Et n'oubliez pas le portefeuille qu'on lui propose. Il ne peut quand même pas l'accepter le lundi et s'en aller épouser une divorcée le mardi.

— Que pensez-vous de ces lois archaïques ?

— Je les prends très au sérieux.

— Tabari !

— Mais si. Il suffit d'étudier l'histoire. Pendant quelque chose comme trois cents générations, ma famille a vécu dans cette région. Et durant ces quelques siècles nous avons vu arriver et disparaître pas mal de peuplades. Mais les Juifs se cramponnent. Eternellement. Parce qu'ils ont justement cette loi de Dieu qui les unit et les tient comme un corset. Aujourd'hui, notre copain Eliav, qui a indiscutablement été un des héros de la naissance de cet Etat, est pris au piège par cette même loi qu'il a contribué à sauvegarder.

— S'il avait deux sous de ce que je pense, grommela Cullinane, il prendrait le premier avion pour Chypre, il se marierait et il enverrait le cabinet aux pelotes.

— John ! protesta l'Arabe. Vous parlez comme un catholique libé-

ral qui obéit au pape quand ça lui chante. Vous tiendriez tête. Moi aussi, sans doute, en tant que musulman. Mais le cas n'est pas le même. Personne ne force Eliav à observer la loi, personne que lui-même qui a contribué à la rétablir.

Ils roulèrent un moment en silence, et puis Tabari prédit à John Culli- nane :

— Dans quinze jours, mon vieux, vous aurez une femme. Cette fille ne va pas épouser Eliav.

— Vous croyez ? murmura Cullinane plein d'espoir.

— Et c'est là que j'ai envie de rigoler. Parce vous voudriez sans doute épouser Vered à Makor, avec les kibboutzniks et le vieux Yousouf comme témoins... Seulement voilà. Ici en Israël, les mariages mixtes sont interdits. Alors en déclarant votre flamme à la petite Vered, tâchez d'avoir en poche deux billets d'avion pour Chypre. Parce qu'ici vous ne pourrez jamais l'épouser.

— A vous entendre, la moitié d'Israël doit aller se marier à Chy- pre. Finalement, je parie que ce ne sont pas les rabbins qui ont inventé ces lois. Ce sont les compagnies d'aviation !

Dans la première jeep, le ton de la conversation était plus sec.

— Tu n'as pas besoin de prendre ces grands airs, disait Vered. Il y a beaucoup de choses qui m'ont plu en Amérique.

— Tu as vu des Juifs américains ? demanda Eliav.

— Oui. Et certains m'ont beaucoup impressionnée.

— Qui ça, par exemple ?

— Les Juifs qui dirigent des hôpitaux, qui subventionnent des univer- sités, des bibliothèques, des musées. Il y en a beaucoup. Et on nous a raconté des histoires. Un Juif peut devenir un très puissant personnage en Amérique.

— Tu as envie d'y habiter ?

— Non. Je veux vivre ici... où j'ai aidé à bâtir une nation. Et je veux vivre avec toi. Je veux que tout soit réglé avant la fin de cette semaine.

— Teddy Reich a rendez-vous avec le Premier ministre...

— Je ne veux pas que Teddy Reich se mêle de ça, ni lui ni per- sonne. Ilan, réponds-moi. Tout de suite. Allons-nous nous marier ? Quand allons-nous nous marier ?

— Comment veux-tu que je décide avant de savoir ce que me dira Teddy Reich ?

— Je vais t'aider, déclara Vered en tirant de sa poche un petit papier. Mardi, il y a un avion d'Air-France pour Chypre. Mercredi, il y a le vol de la Cyprus Airline. Jeudi, c'est la B.E.A.. Et vendredi matin, il y a l'avion d'El Al.

— Et le samedi, j'imagine qu'il y a encore un taxi.

— Il n'y aura pas de samedi... ni de dimanche... jamais.

Elle croisa ses mains sur ses genoux et regarda droit devant elle.

— C'est un ultimatum ? demanda Eliav, les dents serrées sur sa pipe.

— Le dernier appareil que nous pouvons prendre s'envole d'ici à vendredi matin. Si nous ne le prenons pas...

— Tu épouserais Cullinane ? Qui n'est pas juif ? Tu quitterais Israël ? Je ne veux pas le croire.

— Tu le croiras vendredi matin, si tu veux.

Eliav accéléra rageusement et conduisit un moment en silence, puis il ralentit et bougonna :

— Si je renonce au portefeuille, si je trouve une chaire quelconque... en Angleterre... en Amérique... m'épouseras-tu ?

— Ilan, s'écria-t-elle impulsivement en le prenant par le bras, le soir où Ilana a été tuée, j'aurais dû la remplacer tout de suite. Quand j'ai couru dans la rue d'Acre pour te sauver, ce n'était pas parce que tu étais un combattant indispensable. Tu étais un homme, un homme merveilleux, que j'aimais déjà... J'aurais dû t'épouser il y a seize ans, soupira-t-elle et des larmes montèrent à ses yeux. Mais je n'ai pas compris, j'ai été éblouie par MemMem, et maintenant... Décide-toi, Ilan. C'est moi qui te demande en mariage. Epouse-moi tout de suite !

Eliav garda ses mains crispées sur son volant, les dents serrées sur sa pipe. En apercevant les minarets d'Acre, il ralentit pour le croisement et tourna à droite sur la route de Damas. La minute de la décision était passée, et dans divers aéroports du monde, les quatre avions qui voleraient dans la semaine pour Chypre se préparaient à décoller. On était lundi.

Quand les archéologues arrivèrent à Makor, les fouilles sentaient l'automne. Yousouf et sa famille de douze personnes restaient seuls à travailler, et fermer petit à petit les installations. Il était visible que le vieillard serait bientôt isolé en Israël. Déjà, ses enfants apprenaient l'hébreu, et les coutumes du kibboutz. Ses trois femmes s'habituaient à Israël, et celle qui était enceinte était allée consulter le médecin de Kupat Holim pour apprendre à avoir son bébé à la manière moderne. Les mères apprenaient aussi l'hébreu, par leurs enfants, et le vieux patriarche demeurait seul, déplacé dans un univers auquel il ne se ferait jamais.

Le mardi, l'appareil d'Air-France décolla pour Chypre et le Maroc.

Ilan Eliav ne souriait pas du vieux Yousouf et de sa solitude nouvelle, car il se sentait semblablement isolé. Vered se montrait difficile et persistait à exiger une réponse immédiate.

— Le dernier avion part vendredi, avertissait-elle.

Le mercredi arriva, puis le jeudi et le vol de la B.E.A.

Le vendredi matin, Cullinane, qui voyait les deux êtres qu'il chérissait pris dans cette espèce de nasse, essaya d'intervenir, contre son propre intérêt.

— J'aimerais que vous sachiez que ce n'est pas une phrase en l'air quand je dis que vous me brisez le cœur tous les deux, Eliav, si vous renoncez au portefeuille, si vous partez pour Chypre, je vous garantis formellement dix ans de boulot ici à Makor, et une chaire dans une université des environs de Chicago jusqu'à la fin de votre vie. Et je suis

certain de pouvoir trouver à Vered un poste de professeur d'archéologie ou de céramiques antiques. Je vous fais ces propositions parce que je ne voudrais pas vous voir prendre votre décision, poussés par de sordides questions de gros sous.

— On m'a proposé une chaire à Oxford, répondit sèchement Eliav. Vous qui me connaissez, vous vous doutez que c'est tentant.

Tandis qu'ils parlaient, Vered gardait les yeux rivés sur sa montre, et semblait compter les secondes tout bas. Enfin elle leva la tête et annonça d'une voix morne :

— Le dernier avion est parti.

Elle considéra longuement Eliav, les larmes aux yeux, et puis Cullinane la prit tendrement par les épaules et l'entraîna en murmurant :

— Nous reviendrons à Makor, l'été. Quand il le pourra, Eliav s'échappera de Jérusalem et viendra travailler avec nous...

Vered sursauta et le repoussa comme s'il était un inconnu entreprenant.

— John ! Qu'est-ce que vous racontez ? Je vous ai bien averti que je n'épouserai jamais un autre qu'un Juif !

Puis, voyant le choc qu'elle lui causait, elle marmonna un juron et partit en courant.

L'étrangeté de sa conduite devint compréhensible à trois heures de l'après-midi, quand Paul Zodman en personne arriva à l'improviste en Israël, sauta dans une voiture de location à l'aéroport et se lança sur la route de Makor.

Il fit irruption en pleine séance d'études de fin de semaine, et déclara sans préambule :

— Je me suis tenu éloigné pendant une semaine. Pour donner au professeur Eliav le temps de prendre une décision. Il n'a pas épousé Vered. Cullinane non plus. Alors ce sera moi. Dimanche matin.

Ce fut Cullinane qui revint le premier de sa surprise. Il regarda Vered, qui baissait modestement les yeux et ressemblait plus que jamais à la petite déesse Astarté, puis Zodman, en costume bien coupé, rasé de frais, la mine radieuse, et il s'exclama :

— Mais vous êtes déjà marié !

— Je l'étais, rectifia Zodman.

— Bon Dieu ! s'écria l'Irlandais. C'est donc pour ça que vous m'avez câblé de venir à Chicago ? Vous saviez que je ne pouvais pas partir et vous avez misé sur le fait que Vered le pourrait...

Il surprit le double sourire de Vered et de Zodman et, à son propre étonnement, il s'exclama :

— Zodman, vous êtes un beau salaud !

Le millionnaire ne releva pas le propos, mais répondit cordialement :

— Ecoutez-moi, John. Je suis venu ici il y a deux mois, déjà libre. J'ai vu deux autres hommes libres, Eliav et vous, et une adorable veuve... Alors je l'ai fait venir à Chicago pour voir si elle consentirait à m'épouser.

Il y eut un silence, et puis Zodman poursuivit :

— Elle m'a dit non. Elle ne voulait même pas me permettre de lui faire la cour. Elle m'a dit qu'elle était fiancée avec Eliav, et que s'il ne voulait pas l'épouser, à cause de cette affaire des Cohen, elle vous épouserait peut-être, John, et au diable le judaïsme !

Le groupe sursauta, même Vered. Elle leva des yeux suppliants vers Zodman et lui reprocha :

— Vous ne deviez pas en parler.

— Je ne sais trop comment, reprit Zodman sans l'écouter, vous avez tout gâché, et maintenant Vered et moi nous allons nous marier et partir pour Chicago.

Cullinane les considéra à tour de rôle et gémit :

— Tabari, je crois bien qu'on nous abandonne et que nous allons devoir poursuivre les fouilles tous les deux seuls !

Mais, comme Eliav l'avait observé, ce n'est pas toujours facile d'être un Juif. Le millionnaire de Chicago allait bientôt l'apprendre à ses dépens.

Il déclara qu'il conduirait Vered le soir même à Jérusalem pour obtenir une licence de mariage, mais Eliav lui rappela qu'il n'avait pas le droit de conduire le jour du sabbat.

— Au diable le sabbat ! gronda Zodman.

Et, au volant de la voiture de location, il prit la route avec Vered.

A Jérusalem, il ne put voir personne à cause du sabbat et enfin, le dimanche, le conseil rabbinique lui déclara :

— Nous regrettons, monsieur Zodman, mais vous ne pouvez pas vous marier en Israël.

— Et pourquoi pas ?

— Parce que nous jugeons qu'un divorce accordé par un quelconque rabbin américain ne compte pas.

— Rabbi Hirsch Bromberg n'est pas un quelconque rabbin !

— Il ne figure pas sur la liste autorisée.

Maîtrisant sa colère, Zodman ajouta :

— J'ai obtenu un divorce civil parfaitement en règle dans l'Etat d'Illinois.

— Israël ne reconnaît pas le divorce civil.

— Vous voulez me raconter que d'ici, de cette petite pièce, vous entendez juger tous les Juifs du monde ?

— En Israël, c'est à nous qu'il revient de décider qui a le droit de se marier ou non.

— Et moi je n'en ai pas le droit ?

— Non.

Fou de rage, Zodman reprit la voiture et se rendit à Tel-Aviv, à l'ambassade américaine. L'Etat d'Israël tenait Jérusalem pour sa capitale et le gouvernement y siégeait mais les puissances étrangères, sous prétexte que, selon les accords de l'O.N.U., Jérusalem était ville internationale ne reconnaissaient que Tel-Aviv comme capitale, et y avaient leurs ambassades. Le conseiller juridique américain confirma que la situation en

Israël était bien telle que les rabbins l'avaient décrite ; il n'y existait pas de mariage civil ; et il n'y avait aucun moyen possible de tourner
la loi. Zodman ne pouvait en aucune façon épouser Vered Bar-El.

— Naturellement, expliqua le jeune conseiller, il y a Chypre. Les
enfants nés d'un mariage célébré à Chypre ont un avenir incertain, mais
si vous n'avez pas l'intention de vivre en Israël...

— Moi ? Vivre en Israël ? Vous voulez rire ! s'écria Zodman.

Il reconduisit Vered à Makor, en pestant et jurant tout le long du
chemin.

Là, il fut convenu que Zodman et Vered prendraient l'avion pour
Chypre, comme beaucoup de couples juifs, et durant les quelques jours
qu'il fallut à la jeune femme pour mettre en ordre le travail qu'elle avait
accompli pendant la première année de fouilles, les cinq responsables de
l'expédition eurent tout loisir de s'interroger. Vered précisa nettement sa
position : elle ne quittait pas Israël parce qu'elle aimait les grosses voitures
et l'air conditionné, comme l'en accuseraient ses amis, en disant qu'elle
s'était vendue aux « lupanars d'Egypte », ni parce qu'elle avait peur
de l'avenir car elle avait suffisamment donné la mesure de son courage,
ni parce que sa loyauté envers l'Etat juif se relâchait, car elle savait
qu'Israël était la seule solution dans un monde où aucune puissance n'avait
jamais été capable de protéger les Juifs, mais parce qu'à trente-trois ans
elle ne pouvait plus supporter le fardeau d'une religion en passe de devenir un Etat, avec ses problèmes militaires, économiques, politiques et surtout religieux, des plus complexes.

— J'ai fait tout mon devoir envers le judaïsme, proclama-t-elle. J'ai
risqué ma vie dans plus de dix batailles, j'ai perdu mon mari, la plupart
de mes amis, et je crois que j'ai bien le droit de dire : « Rachel, désormais
c'est à toi d'être la Juive. La petite Vered en a trop marre ! »

Ses paroles firent sur Eliav un effet tel que Cullinane crut qu'il allait
la gifler, mais il serra simplement les poings et siffla entre ses dents :

— Comment oses-tu tourner le dos à tout ce pour quoi nous avons
combattu ? As-tu oublié Safad ?

Alors Vered, d'une voix basse, comme si elle venait de découvrir sa
part de vérité, si minime soit-elle, lui répondit :

— Oublié ? Eliav, il me semble que nous autres, Juifs, nous passons
nos vies entières à nous souvenir, et je viens brusquement de m'apercevoir que j'en ai assez de vivre au pays du souvenir. Mon année à Jérusalem commence par Rosh Ashana, où l'on se souvient d'Abraham, il
y a quatre mille ans. Vient ensuite Yom Kippour, et nous nous souvenons de tout. La grande fête des Tabernacles, et nous nous rappelons les
années dans le désert. Nous comptons nos jours en nous souvenant de
nos malheurs. Il y a bien sûr quelques jours heureux. Simhat Torah, Hanuk-
kan, où nous nous souvenons de la victoire des Macchabées, le jour des
Vergers où nous nous souvenons des arbres. A Purim, nous nous rappelons
la Perse d'il y a trois mille ans et à la pâque l'esclavage en Egypte
encore plus lointain. Lag Ba Omer, Shavuot, et le Neuvième d'Ab où
nous pleurons la perte de Jérusalem. Quand l'avons-nous perdue ? Il y

a deux mille ans ! Nous avons encore d'autres journées du souvenir, pour Herzl, et les étudiants, et les socialistes, et les Nations unies, et les braves petits gars morts en défendant Jérusalem en 1948, et la fête de l'Indépendance. Je me suis souvenue de tout, pendant des années, et je croyais que c'était tout naturel de passer sa vie à pleurer un passé mort, à se lamenter pour des malheurs vieux de plus de deux mille ans. C'était un fardeau, mais c'était le nôtre, celui des Juifs, et je l'acceptais. Et puis je suis allée à Chicago. Et j'ai trimbalé ce foutu chandelier de la mort par tout l'Illinois, en faisant des conférences dans les clubs de femmes juives, celles dont les Israéliens se moquent tant, et sais-tu ce que j'ai découvert ? Que ces Juives d'Illinois sont parmi les personnes les plus intéressantes que le monde ait produites. Elles ont des vies merveilleuses, enrichissantes, satisfaisantes, sans jamais se souvenir du Sinaï, de l'Egypte, de la Perse, des Macchabées ou de Jérusalem. Elles travaillent bénévolement dans les musées d'art moderne, elles construisent de nouveaux hôpitaux, elles subventionnent des orchestres symphoniques, elles font tout ce qu'elles peuvent pour rendre leur univers plus agréable à vivre. Et tout ce qu'on leur demande de se rappeler, c'est d'envoyer un chèque pour la prochaine échéance de leur poste de télévision. Tu seras sans doute surpris de l'apprendre, mais j'ai hâte d'être l'une d'elles.

Eliav joignit les mains et s'écria d'une voix douloureuse :

— Et c'est pour ce néant que tu veux sacrifier le judaïsme ? Pour les lupanars d'Egypte, version moderne ?

— Assez ! glapit Vered. Tais-toi ! Ne m'envoie plus ces vieilles sornettes à la tête ! Je te parle raison, et tu marmonnes ce que tous les vieux Juifs sentencieux marmonnent depuis Moïse. Les lupanars d'Egypte. Je refuse de supporter cela plus longtemps ! Je refuse de passer le restant de mes jours à me souvenir ! Je ne veux pas me souvenir !

— Tu ne peux pas ! hurla Eliav. Tu ne sais pas ce que tu dis. Cullinane peut cesser d'être irlandais, et tout le monde s'en fiche. Il peut nous annoncer qu'il n'est plus catholique, ça ne regarde que lui. Mais si tu cries pendant dix ans « Je ne suis pas juive », ça ne signifie rien, parce que ce n'est pas à toi de le dire, c'est à ton voisin. Pas à toi. Aucun Juif ne peut cesser d'être un Juif.

Et le lendemain matin Zodman, le Juif américain, emmena Vered la sabra à Chypre, où ils furent mariés par un pasteur anglican qui gagnait beaucoup d'argent en unissant les couples juifs qui s'aimaient sincèrement mais que la loi juive n'autorisait pas à s'épouser.

Le départ de Zodman et de Vered laissa à Makor une atmosphère d'amertume. Ce fut Cullinane l'Irlandais qui observa :

— En 70, après que Vespasien eut pris Makor, son fils Titus s'empara des symboles du judaïsme et les transporta à Rome. Aujourd'hui, un Zodman les achète et les expédie en Amérique.

— Il a peut-être eu raison, soupira Eliav. Les rênes du judaïsme sont peut-être destinées à passer aux mains des Américains.

Leur tristesse à tous deux était si déprimante que Cullinane inventa une excuse pour courir à Jérusalem. Tabari, conscient de la douleur d'Eliav, se dit qu'il aurait mieux valu que Cullinane restât et permît à Ilan de prendre quelques jours de congé.

Le compatissant Arabe chercha alors comment distraire Eliav et lui faire un peu oublier Vered, et un matin qu'il se trouvait au fond de la tranchée B, au dernier niveau, sous lequel il ne pouvait rien y avoir, il remarqua par hasard que l'extrémité nord-ouest de la roche découverte s'inclinait imperceptiblement vers l'ouest. Prenant un petit piolet, il dégagea avec précaution la base de la roche perpendiculaire, et découvrit, comme il l'avait deviné, que le rocher continuait de descendre dans la direction de l'ouadi.

Il s'assit alors sur une pierre et contempla fixement la roche en songeant à tous les divers peuples qui avaient occupé la colline, mais un mystère demeurait. Où s'était trouvée la source ? Il concentra toute sa pensée sur le plus ancien niveau, vieux de plus de dix mille ans, remontant à l'époque où l'homme commençait à peine à cultiver la terre, et il en arrivait toujours à la même conclusion, inspirée par son atavisme, car il était un descendant de la grande famille d'Ur : les premiers cultivateurs avaient dû planter leurs champs au bas de la pente, afin que la pluie irriguât leurs récoltes et apportât chaque année des sédiments pour féconder des terres qui, sans cela, se seraient vite épuisées. Près du rocher de Makor, où donc avaient pu se trouver ces terrains ?

Enfin, au bout de deux heures de réflexion, il envoya un ouvrier chercher Eliav, qui travaillait à la tranchée A. Le Juif apparut bientôt au bord de l'excavation. Il se pencha et cria :

— Vous avez trouvé quelque chose d'intéressant ?

— Descendez voir.

Quand Eliav vit le bas de la paroi ouest dégagé, il demanda ce qu'il y avait et Tabari lui répondit :

— Examinez la roche. Vous ne remarquez rien ?

Le Juif s'accroupit, examina de près le rocher, puis il se releva, recula, contempla, la direction de la roche et son inclinaison et se retourna brusquement, les yeux brillants.

— Toute la roche s'incline nettement par là-bas ! Et... et si elle continue, il est fort possible que de ce côté, hors du tell...

— Ilan, murmura l'Arabe, j'ai bien l'impression que cette pente va nous conduire au puits.

— C'est bien possible. Mais alors, le puits serait dans l'ouadi ?

Maîtrisant leur surexcitation, les deux hommes dévalèrent la pente abrupte mais tant de déblais s'étaient accumulés dans le fond de l'ouadi que si vraiment il y avait eu une source, elle était comblée et devait maintenant s'écouler en ruisseaux souterrains. Ils allèrent donc très loin, des deux côtés du mont, pour chercher une infiltration ou une plaque d'humidité, mais ils ne trouvèrent rien. Finalement Tabari suggéra :

— Je crois que nous devons suivre la pente, l'inclinaison de la roche, pour voir où elle nous mène.

Eliav approuva, et les deux hommes entreprirent de creuser un petit tunnel les entraînant au-delà de l'extrémité de la roche basique. Ils avaient pris des madriers pour étayer les parois, mais ces étais étaient inutiles car, durant quelque vingt mille ans, le calcaire des eaux d'infiltration avait transformé la terre jadis meuble en brèche, un conglomérat rocheux qu'il était facile de creuser mais qui tenait assez solidement ; le cinquième jour de ces fouilles, Tabari tomba sur une petite poche de cette brèche et comprit que la nouvelle fouille était d'une importance capitale.

— Il faut faire revenir Cullinane immédiatement, déclara-t-il en sortant la tête de l'étroit tunnel.

— Vous avez découvert quelque chose ? demanda Eliav.

— Pas la source, mais...

Tabari ouvrit la main et montra un morceau de brèche contenant un os fossile humain, quelques pointes de silex taillés et un dépôt de fragments calcinés.

— Je crois que nous sommes tombés sur le bord d'une vaste caverne qui devait s'ouvrir sur la pente faisant face à l'ouadi. Je n'ai touché qu'à ce que mon pic a fait tomber. Mais j'ai vu quelque chose qui me paraît significatif. Le corps était enterré avec ces silex. Ce n'était pas par hasard.

Eliav haussa les sourcils.

— Ça pourrait bien remonter à trente mille ans !

— C'est ce que je pense. Et ce n'est pas tout. Juste au-delà de la caverne... tout est comblé, comprenez-moi bien. J'ai cru frapper une roche qui rendait un écho. Comme si ça sonnait creux.

— Peu vraisemblable, jugea Eliav.

— Oui, c'est ce que je me dis. Mais allez donc écouter vous-même.

Ilan Eliav rampa dans le tunnel, jusqu'au bout. Et là, sur sa droite, la paroi nord, il vit, encastré dans la brèche dure, le squelette que Tabari avait découvert, et il ne put s'empêcher de se demander comment cet être — un homme, sans doute — était de son vivant. Quelles terreurs, quelles joies avait-il connues ? Comment l'avait-on enterré, et qu'avait-il pensé avant de mourir ?

Eliav dépassa le squelette et se trouva devant la paroi dont Tabari lui avait parlé. Avec un fragment de cette brèche qui enserrait les ossements, il tapa légèrement et crut entendre un vague écho. Il frappa alors à sa droite et à sa gauche. Le son n'était manifestement pas le même.

Il prit à tâtons le pic de Tabari, près du squelette, et donna de petits coups prudents sur la face de roche calcaire. La pointe s'enfonça facilement et, quand il tira, un morceau de roche tomba. Il la déposa derrière lui et se remit à creuser. Au troisième coup de pic, il fut stupéfait de la netteté de l'écho et il se mit à creuser plus énergiquement, rejetant les fragments derrière lui. Soudain son cœur battit plus fort. Son pic venait de s'enfoncer dans du vide. Il tira légèrement, fit tourner le pic dans le trou dans toutes les directions, mais ne sentit rien. Laissant alors sa lanterne sur place, il rampa aussi vite que possible jusqu'à l'ouverture pour avertir Tabari.

Ainsi le dernier rejeton de la grande famille d'Ur retourna en rampant dans cette terre d'où son peuple prodigieux avait surgi. Tabari dépassa le niveau rocheux sur lequel les Cananéens avaient construit leur ville, et les seizième et dix-septième niveaux, où ses aïeux avaient découvert l'établissement préhistorique qu'ils avaient détruit environ 13 000 av. E. C., et le dix-huitième niveau, où l'homme avait découvert le concept de la religion, le dix-neuvième et le vingtième, où les femmes avaient appris qu'elles pouvaient enterrer leurs morts avec affection, et il arriva ainsi devant la paroi rocheuse où Eliav avait laissé le pic accroché. L'Arabe haletait, ému par ce contact avec cette terre millénaire, et ce fut avec une crainte respectueuse qu'il prit le manche de bois et le fit tourner lentement. Eliav ne s'était pas trompé. La pointe du pic se trouvait dans le vide.

Il tira alors violemment sur le manche, et une grosse masse rocheuse bascula, vacilla comme pour tomber vers lui, mais disparut soudain dans la direction opposée. Sa chute ne fit aucun bruit. De quatre vigoureux coups de pioche, Tabari élargit le trou et se pencha.

Il ne vit rien. Alors il souleva sa lanterne en tremblant, tendit le bras et se pencha de nouveau. Ses yeux ne distinguèrent d'abord rien, car en tombant, le bloc rocheux avait soulevé la poussière des siècles, mais elle retomba lentement et il vit une espèce de long tunnel qui s'enfonçait dans la pierre calcaire.

A gauche et à droite, le tunnel s'allongeait, ses magnifiques voûtes révélant encore le travail soigneux achevé en 963 av. E. C. par son ancêtre Jabaal le Houpoeh, remanié en 1105 par son autre ancêtre Salip ibn Tewfik, baptisé Luc. Les pierres n'avaient fait aucun bruit parce qu'elles étaient tombées sur l'épaisse couche de poussière accumulée depuis ce jour d'avril 1291 où les mameluks avaient massacré le comte Volkmar et entamé la démolition du château fort des croisés.

A droite ou à gauche ? De quel côté se trouvait le puits ? Penché dans l'ouverture, Tabari s'efforçait de s'orienter et son instinct atavique lui souffla que la source devait être vers la droite. Il passa par le trou et s'avança lentement, en posant ses pieds avec précaution afin de ne pas déplacer la poussière, dans les ténèbres mystérieuses que sa lanterne illuminait pour la première fois depuis sept siècles.

Il parvint ainsi à l'extrémité du tunnel et se trouva dans une espèce de salle ronde avec une margelle au milieu. Il se pencha, sans voir d'eau. Alors il détacha un fragment de roche de la paroi et la laissa tomber. Et au bout de quelques secondes, il entendit un clapotis. Le puits de la famille d'Ur était enfin découvert, la source d'eau douce qui avait été la raison même de cette civilisation.

Dans les jours qui suivirent, Tabari et Eliav s'efforcèrent d'avertir Cullinane, mais ils ne purent le joindre au téléphone et ils se résignèrent à poursuivre ces nouvelles fouilles sans lui. Les jeunes gens du kibboutz installèrent des baladeuses, pour permettre le travail autour du puits. Ils ne trouvèrent d'abord que des fragments de poterie, des urnes brisées par des chrétiennes maladroites sept siècles plus tôt et puis Tabari finit

par remarquer le long de la paroi une altération de la roche qui avait échappé aussi bien aux Cananéens qu'aux femmes juives comme Gomer et ses compagnes, ou aux croisés, parce qu'ils n'avaient pas été archéologues. Tabari creusa en cet endroit, et dégagea ainsi le niveau original du puits, quelques pierres noircies sur lesquelles des hommes s'étaient assis autour d'un des premiers feux voulus du monde. Ce fut là, parmi ces pierres, qu'Eliav trouva encastré l'objet qui devait donner toute sa signification préhistorique à Makor, un morceau de silex taillé large comme la main, légèrement convexe et affiné vers la pointe. C'était une hache datant de quelque deux cent mille ans, de l'époque où les hommes se tenaient à peine droits sur leurs pieds, et chassaient le gibier avec des pierres, et le dépeçaient avec ces haches de silex.

— Seigneur, qu'est-ce que c'est que ça ? s'écria le photographe descendu prendre un cliché de la pierre taillée telle qu'elle avait été découverte.

Son flash venait de révéler un objet luisant, grand comme une assiette. C'était une molaire d'éléphant pétrifiée, la dent fossile d'une gigantesque bête abattue près du point d'eau au temps où le climat d'Israël était différent, où l'ouadi était un véritable fleuve. Les archéologues du XXe siècle répugnaient à donner le nom d'homme à ces créatures qui ne savaient pas cultiver la terre, ni pêcher le poisson, ni tailler les arbres, ni apprivoiser le chien, ni se tailler des vêtements, ni même former des mots avec leurs grosses lippes de singe. Mais on ne pouvait non plus les considérer comme des bêtes, car ils savaient faire des outils, ils maniaient une hache, et ils étaient capables, en se comprenant par des grognements, d'organiser une chasse et de tuer un monstre comme cet éléphant. Donc, ils étaient indiscutablement des hommes.

Lorsque Cullinane revint finalement à Makor, il portait un bandeau noir sur un œil, qu'il n'expliqua que par un grondement irrité :
— Hôpital... Les infirmières m'ont dit que vous aviez cherché à me joindre, alors j'ai pensé que vous aviez fait une découverte intéressante, mais je ne pouvais pas bouger.

Il descendit tout de suite dans la galerie, examina le premier squelette, puis le tunnel, le puits et les pierres calcinées. Il n'aurait jamais osé en espérer tant ! En remontant dans le jour ensoleillé, il réunit son équipe.
— Nous avons là du travail pour des années, déclara-t-il. Et quand Ilan Eliav deviendra Premier ministre d'Israël, en 1980 mettons, nous l'inviterons pour faire le discours de fermeture des excavations !

Les jeunes gens du kibboutz l'acclamèrent, et il ajouta, en brandissant la hache de silex.
— Chaque fois que vous trouverez qu'Israël progresse trop lentement, rappelez-vous que nos ancêtres se sont servis d'outils de ce genre pendant plus de deux cent mille ans avant d'atteindre le stade de l'invention suivante, les petites pointes de silex taillés utilisables pour équiper des armes plus subtiles.

La première année des fouilles se terminait en apothéose.

Une fois seul avec son petit état-major, Cullinane leur dit :

— Dès demain, il faut expédier par avion des échantillons de carbone du niveau dix-neuf en Suède et aux Etats-Unis. Et je vous demande à tous de prier pour qu'ils révèlent une date remontant à plus de 30 000 avant l'Ere chrétienne.

Il y eut un moment de silence respectueux, et puis un photographe hasarda :

— Dites, patron, si c'est pas trop demander. Où vous avez pris le coquard ?

Cullinane ne rit pas.

— C'était un samedi matin, et je me rendais en taxi à un rendez-vous privé avec le ministre des Finances pour lui parler d'un transfert de dollars de Chicago. Brusquement une bande de garçons et de jeunes hommes en longs caftans, chapeaux de fourrure et papillotes se sont rués sur la voiture en lançant des pierres et en glapissant « Shabbos ! » Le chauffeur de taxi m'a crié de me baisser, mais en hébreu, et avant que je comprenne bien j'avais reçu une grosse pierre en plein dans l'œil. Les médecins ont eu peur que je ne le perde.

— Je n'ai rien lu de ça dans les journaux, protesta Eliav, tout de suite sur la défensive.

— Le gouvernement a préféré étouffer l'incident. Le chauffeur de taxi m'a dit que ça se produisait assez souvent. Des Juifs orthodoxes qui veulent empêcher les véhicules de rouler le jour du sabbat.

— Bon Dieu, grogna Eliav, ils recommencent donc les lapidations !

— J'ai failli perdre un œil. Et la police n'a fait aucune arrestation. Elle dit que si elle sévit, les rabbins interviendront et feront observer que le Talmud préconise la lapidation des Juifs qui ne respectent pas le sabbat. Les taxis commencent à avoir peur de sortir le samedi. Le même jour que moi, ces voyous ont cassé beaucoup de vitres et de pare-brise.

— Oui, soupira Eliav. C'est le parti religieux. Ils prétendent qu'Israël ne peut exister qui si nous observons scrupuleusement toutes les lois de la Torah et du Talmud, dans leurs moindres détails.

— Mais c'est invraisemblable ! s'écria Cullinane.

— Pour vous catholique, bien sûr, intervint Tabari en riant. Pour moi, musulman, aussi. Mais les Juifs trouvent ça assez naturel, même notre ami Eliav qui s'en défend. Et bientôt, il aura à faire face à ce problème.

— Pendant que j'étais à l'hôpital, dit Cullinane, j'ai eu la triste impression qu'un jour ou l'autre nous aurions tous à faire face à certains problèmes religieux. En attendant, nous ne voulons rien voir. J'ai eu une longue conversation avec un haut fonctionnaire italien, un jour. Il m'a révélé que l'Italie avait été dernièrement à deux doigts d'avoir un gouvernement communiste. Et il m'a posé la question suivante : « En supposant que cela se produise, que fera-t-on du Vatican ? L'enverra-t-on en Russie ? Ira-t-il se réfugier au Etats-Unis ? Ou restera-t-il enfermé dans ses murs, impuissant, en Italie ? » Le jour peut arriver où nous aurons à résoudre ce problème.

— Les religions ont toujours des ennuis, déclara Tabari. L'adversité leur fait du bien. Elles deviennent plus honnêtes.

— Et j'ai aussi l'impression, poursuivit Cullinane, qu'en même temps le monde aura peut-être à résoudre le problème du judaïsme.

— Vous mettez sur le même plan Israël et la religion juive, dit Eliav, et vous vous demandez ce que le monde fera si les Arabes cherchent à éliminer Israël ?

— Oui. Pour la première fois depuis que je suis en Israël... quand j'étais couché là, avec cette blessure stupide, je me suis mis à penser à toutes les idées déformées qui poussent ces voyous dévots à jeter des pierres... Ce que je veux dire, c'est que si le nouvel Israël est représenté par des fanatiques de ce genre, vous ne pouvez quand même pas demander à des gens comme moi de venir à votre secours si les Arabes vous attaquent. Et la disparition d'Israël provoquerait le problème moral dont je parlais à l'instant.

— Vous avez à la fois tort et raison, lui dit Eliav. Vous avez tort en confondant la religion juive et l'Etat d'Israël. Quoi qu'il advienne d'Israël, le judaïsme demeurera. Tout comme le catholicisme a toujours persévéré, même quand le territoire du Vatican était aux mains d'ennemis. Mais vous avez raison en ce sens que nous tous, catholiques, Juifs, Arabes, devons mettre au point un certain code de coexistence, sinon de nouveaux alignements vont se produire que nul ne peut imaginer.

— Un soir, murmura Cullinane, les médecins m'ont fait une piqûre de je ne sais quoi, et j'ai eu comme une vision... d'une Jérusalem que le monde entier avait transformée d'un commun accord en une espèce de zone isolée où le pape avait son petit Vatican parce qu'on ne voulait plus de lui en Italie, et le grand rabbin avait son secteur à lui près du Mur des Lamentations parce qu'Israël le repoussait, et le nouveau prophète de l'Islam avait son territoire, parce qu'aucun pays musulman ne voulait l'accueillir, et les protestants, les hindous, les bouddhistes, chacun avait son coin, et tout le reste du monde laborieux était, comme vous dites, aligné sur de nouvelles normes. Et au-dessus de chaque porte de Jérusalem il y avait un grand écriteau sur lequel on pouvait lire, en seize langues, le mot « Musée ».

— Ce n'était pas une vision, murmura Eliav, et c'est notre mission de veiller à ce que cela ne devienne pas réalité.

Le vendredi suivant, la réponse de Stockholm arriva, et les trois archéologues surexcités se réunirent dans l'ancienne villa aux arcades pour prendre connaissance du câble qui leur dirait si les ossements humains découverts au niveau dix-neuf étaient oui ou non d'une importance capitale. Les savants suédois déclaraient : REF VOTRE ECHANTILLON DIX-NEUF STOP EXPERIENCES REPETEES REVELENT SOIXANTE-HUIT MILLE AVANT E. C. PLUS MOINS TROIS MILLE STOP PARAIT PASSIONNANT

Tabari poussa un cri de joie.

— J'ai un emploi ici pour quinze ans, plus — moins cinq !

— Nous avons de la chance, s'écria Cullinane. De tous les tells disponibles, nous avons pris le bon !

Eliav, toujours pratique, leur rappela :

— Pour creuser dans cette brèche massive, il nous faudra pas mal d'argent.

Les archéologues le regardèrent, et il leur fit comprendre que le gouvernement israélien ne pouvait avancer les fonds, malgré tout l'intérêt de la découverte. Après avoir envisagé diverses solutions, Tabari soupira :

— Alors, je le prononce, le vilain mot ?

— Zodman ?

— Correct.

— Après ce qui s'est passé ? s'écria Eliav.

— Jamais je ne demanderai un centime à Vered et Zodman, protesta Cullinane.

— Mon oncle Mahmoud, déclara posément Tabari, a réussi un jour à soutirer de l'argent pour une même fouille au grand rabbin de Jérusalem, à l'évêque catholique de Damas, à l'iman musulman du Caire et au président baptiste du Robert College d'Istanbul. Sa devise était : « Si tu as besoin d'argent, la honte n'a pas été inventée. » Je vais envoyer à Zodman un câble qui lui fendra le cœur.

Et, en riant, l'Arabe se mit à jouer d'un violon imaginaire. Cullinane le calma en conseillant :

— Attendons d'avoir reçu de Chicago une confirmation du test au carbone.

Les trois archéologues, les jours suivants, pressèrent les ouvriers de ranger le matériel et de fermer les fouilles, mais chaque jour l'un d'eux rampait au fond du dernier tunnel, pour s'asseoir au bord de l'antique source de Makor, et rêver aux êtres vivants qui étaient venus y puiser de l'eau deux cent mille ans avant eux. Pour chacun des trois archéologues, c'était une espèce de rite, une communion mystique. Tabari revenait aux sources de son peuple ; Eliav retrouvait le lieu où l'homme avait commencé sa longue lutte avec le concept de Dieu ; Cullinane y voyait la genèse de ces analyses philosophiques qui selon lui étaient la raison même de l'homme. Mais pour tous, c'était la source, le point primitif où la civilisation du monde avait pris racine.

A la fin de la semaine, ils reçurent le rapport de Chicago :

REF VOTRE NIVEAU DIX-NEUF STOP OBTENONS CATEGORIQUEMENT SOIXANTE-CINQ MILLE PLUS MOINS QUATRE STOP FELICITATIONS.

Dès qu'il eut pris connaissance de la confirmation de l'estimation suédoise, Tabari rédigea un câble ému et fleuri pour Zodman, lui mendiant des fonds. Mais en le lisant Cullinane gronda :

— C'est répugnant. Je vous interdis d'expédier ça !

Tabari proposa alors un autre brouillon dans lequel il expliquait que, Eliav et Cullinane étant à Jérusalem, il prenait sur lui de faire suivre les

rapports de laboratoire, et qu'il faisait confiance à un homme aussi généreux et passionné d'érudition que Paul Zodman...

Cette fois, ce fut Eliav qui protesta :

— C'est révoltant ! Non !

— Mais c'est comme ça que nous avons traité les Anglais, plaisanta Tabari.

— Vous n'avez vraiment pas la moindre vergogne, n'est-ce pas ? lui dit Cullinane, non sans quelque admiration.

— Vous n'avez jamais entendu parler de mon père, sir Tewfik, au temps où il était juge à Acre ? Une nuit, il est allé voir le plaignant d'une affaire compliquée et lui a dit : Fazl, je ne devrais pas être ici, mais je tenais à te rappeler que tu as à choisir entre trois avocats, un Arabe, un Grec et un Anglais. Prends bien soin de choisir le bon. Fazl lui a répondu : Oui, effendi. J'allais prendre l'Anglais mais si tu me le demandes, je choisirai l'Arabe. Sur quoi mon père a répliqué : Tu m'as mal compris. Au contraire, prends soin de choisir l'Anglais, parce que lui me soudoiera en livres sterling. Moi, je vous parie que mon câble nous rapportera un demi-million de dollars de boni.

Deux jours plus tard, ils recevaient la réponse : JE VOIS QUE CULLINANE ET ELIAV N'ONT PAS EU LE CULOT DE CABLER ET APRES LEUR CONDUITE INJURIEUSE ÇA NE M'ETONNE PAS STOP MAIS VOUS AVEZ LE TOUPET· DE ME DEMANDER UN DEMI-MILLION DE DOLLARS DE PLUS POUR POURSUIVRE LES FOUILLES STOP LA REPONSE EST OUI STOP VOUS AVEZ DONNE A VERED ET MOI LE PLUS BEAU CADEAU DE MARIAGE STOP MERCI UN MILLION DE FOIS.

— Un type comme ça, c'est facile de le haïr, dit Tabari en riant. J'aurais dû lui demander un million !

— Il ne manque pas d'élégance, reconnut Eliav. Un cadeau de mariage !

Cullinane déboucha une bouteille de champagne et annonça :

— Je m'en vais descendre dans le fond et offrir à ces vieux fantômes du puits la plus belle fête de leur vie !

La bouteille de champagne à la main il plongea dans les entrailles de la terre et alla verser quelques gouttes de vin pétillant sur les ossements du niveau dix-neuf en chuchotant à ce vénérable homme des cavernes :

— Bon Dieu, que nous avons été heureux de te trouver !

Puis il alla jusqu'au puits, qu'il aspergea de champagne comme un curé donnant l'eau bénite.

— A vous tous, murmura-t-il. Nous reviendrons.

L'écho des profondeurs reprit sa voix et, frappé d'une sorte de crainte respectueuse, il se laissa tomber sur un des bancs de marbre que Tymon Myrmex avait placés là du temps d'Hérode le Grand. Il posa la bouteille par terre et cacha sa figure dans ses mains.

— Vered, Vered, souffla-t-il.

Là, près de ce puits où nul ne pouvait le voir, à part les fantômes des siècles enfuis, il s'avoua à lui-même son désespoir et sa solitude, il comprit

combien avait été profond son amour pour la savante petite Juive. Il eut alors le sentiment qu'il ne se trouverait jamais d'épouse catholique à Chicago, pas plus qu'Eliav ne découvrirait une fiancée juive à Jérusalem. Ils étaient condamnés, l'un à épouser l'Etat d'Israël, l'autre à consacrer sa vie à des analyses philosophiques de l'histoire.

— Vered, Vered, soupira-t-il. Toi seule aurais pu me sauver !

Et, l'après-midi même, il prit l'avion pour Chicago.

Le dernier à descendre au fond du tunnel lorsque toute l'installation eut été bouclée pour l'hiver, fut Ilan Eliav, qui avait gros cœur d'abandonner les fouilles alors justement qu'elles allaient devenir plus passionnantes. La veille, il avait pris la décision d'accepter le portefeuille offert, et d'entrer dans le cabinet. Au puits, dans la pénombre jaunâtre de sa lanterne, il s'assit près de cette eau qui avait représenté la vie pour tant d'êtres humains.

Cette source n'a sûrement pas jailli il y a seulement deux cent mille ans, raisonna-t-il. En dessous, sous ce niveau, il doit y avoir la plaine où les bêtes sauvages erraient, et venaient s'abreuver, et là-bas, un peu plus loin, un arbre au tronc épais derrière lequel se cachait une créature des premiers âges, venue du fond mystérieux de l'Afrique il y a un million d'années, qui guettait l'animal, armée d'une grosse pierre, la première pierre d'Israël transformée en arme. Tel avait été le commencement, la genèse lointaine, et elle ne serait jamais connue, cette main velue attendant dans les roseaux la venue des bêtes au point d'eau... Néanmoins, Eliav se sentait en communion avec ce chasseur. A Safad, songeait-il, nous avons serré la pierre dans nos poings, et nous avons tenu tête au monde. A Jérusalem aussi, et à Acre... Il caressa tendrement la terre humide et fraîche... Et maintenant, nous remontons à la surface, maintenant nous nous dégageons de notre gangue, maintenant nous allons nous épanouir... Il se leva et s'enfonça dans le tunnel, puis dans le boyau étroit, pour regagner l'air libre où Tabari l'attendait.

Dès qu'il le vit, il lui dit ce qu'il méditait depuis plusieurs jours :

— Dépêchez-vous de mettre vos rapports au net, mon vieux Jemail. Parce que Cullinane devra terminer ces travaux tout seul.

— Pourquoi ?

— J'accepte le poste dans le cabinet. Le Premier ministre l'annoncera demain. Et le premier collaborateur que je nommerai ce sera vous. Directeur de mon cabinet.

Il tendit sa main ouverte à l'Arabe, mais Tabari recula.

— Vous savez ce que vous faites ? demanda-t-il avec méfiance.

— Certainement.

Prenant familièrement Tabari par l'épaule, il le mena jusqu'au sommet du mont de Makor, et ils s'assirent sur des pierres déterrées, qui avaient jadis servi à construire une synagogue devenue basilique, mosquée, église. Et là le Juif et le descendant d'Ur discutèrent à cœur ouvert de ce pays qu'ils aimaient tant, comme leurs ancêtres l'avaient fait des siècles, des millénaires plus tôt.

Ils étaient tous deux beaux, dans la force de leur âge, le Juif ascéti-

que, grand et grave, les joues creuses et le grand illuminé, l'homme d'Ur plus lourd, plus basané, plus vif et plus gai. Aux fouilles, ils avaient formé une excellente équipe, assumant la responsabilité des décisions et soutenant l'humeur créatrice du tell. Aujourd'hui, ils tentaient de ressusciter cette association féconde mais tumultueuse que les Hébreux et les Cananéens avaient connue quatre mille ans auparavant, et que les Juifs, et les Arabes avaient retrouvée durant treize cents ans après l'arrivée de l'Islam.

— Il serait grand temps que Juifs et Arabes accomplissent un geste de réconciliation réelle, dit Eliav. Car j'ai bien l'impression que nous allons partager ce bout de l'univers pendant pas mal de siècles.

— Je n'ai aucune envie d'essuyer les plâtres.

— Pour les questions que je vais avoir à débattre, vous me seriez d'un précieux secours. Vous êtes le mieux informé et...

— Si vous me nommez, ça va faire un scandale terrible.

— Je n'en doute pas. Mais nous devons agir en prévoyant le jour où Nasser donnera un poste de cette même importance à un Juif.

— Je ne veux pas vour faire de peine, Ilan, mais vous rêvez. Vous allez au-devant de foutus ennuis.

— Les ennuis, ça me connaît. S'ils me mettent à la porte je pourrai toujours revenir ici et vivre aux crochets de Paul Zodman.

— Mais vous serez plongé jusqu'au cou, que dis-je ? noyé dans les rapports judéo-arabes, et ma présence vous nuirait.

— Au contraire. Vous m'aideriez. A prouver que, même en ces temps difficiles et en ces régions troublées, Juifs et Arabes peuvent vivre en harmonie.

— Il n'y a pas six bonshommes en Israël qui croiront ça.

— Vous êtes un des six, et notre mission consistera à augmenter ce nombre.

— Il y a un passage qui m'a toujours impressionné, dans votre religion, c'est quand votre Dieu juif a mis fin aux sacrifices humains. Et voilà que vous les rétablissez !

— Je cherche à rétablir quelque chose de beaucoup plus ancien. La fraternité qui existait autrefois dans ce pays. Voulez-vous m'y aider ?

Tabari réfléchit un moment, puis il murmura :

— Non... Non, je suis un Arabe, et le fait que je sois resté pour aider à rebâtir cette nation ne m'empêche pas d'être un Arabe à part entière. Je deviendrai votre assistant, Eliav, le jour où votre gouvernement comprendra les Arabes, respectera nos droits, acceptera de nous traiter d'égal à égal, reconnaîtra notre droit à cette terre, consentira à s'associer avec nous...

— Ne l'avons-nous pas été cet été ? Vous et moi, n'avons-nous pas travaillé réellement la main dans la main ?

— Vous et moi, oui. Votre gouvernement et nous autres Arabes ? Non.

Eliav se tut. Il se leva et fit quelques pas au hasard sur le sommet de la colline de Makor, d'où l'on dominait le paysage aride de Galilée qui

jadis avait été couvert de champs, et de vignobles, et de vergers. Il regarda scintiller au loin les minarets et les immeubles d'Acre, puis son regard plongea au bas de la pente, et il soupira. D'une voix lointaine, il murmura :

— Nous avions été vainqueurs à Safad... et puis là, sur cette pente, des Arabes ont tué ma femme. Le lendemain nous avons combattu à dix contre un sous les murs d'Acre, et nous avons pénétré dans la ville... Acre, Jemail, où nous nous sommes connus. Pourquoi n'avez-vous pas fui avec les autres ? Pourquoi êtes-vous resté à Acre, ce jour de 1948, alors que tous les Arabes partaient pour l'exode à leur tour ?

— J'appartiens à cette terre, répondit paisiblement le descendant d'Ur, à ce puits, à ces oliviers. Les miens, mes ancêtres, mon peuple étaient là avant que le vôtre se fût formé. Quand il a été prudent d'être cananéen, nous avons été cananéens. Pour ces mêmes raisons élevées, nous sommes devenus des Phéniciens, et quand les Juifs ont régné sur le pays, nous avons été des Juifs, puis des Grecs, ou des Romains, des chrétiens ou des Arabes, des mameluks ou des Turcs. Si vous nous autorisiez à posséder, à tenir la terre, nous nous moquerions bien du drapeau sous lequel nous vivrions ou de l'église à laquelle il nous faudrait appartenir. Quand mon grand-père était gouverneur de Tibériade, il passait le plus clair de son temps à veiller à ses propres affaires, et mon père, sir Tewfik, a servi les Anglais de la même façon impartiale, parce que tout ce qu'il voulait, tout ce que nous avons toujours voulu, c'est la terre, et uniquement cela.

— Pourquoi cette terre, Jemail ? Qu'a-t-elle de si particulier ?

— Ici, c'est le creuset du monde entier, ici, dans ce petit coin de terre de Galilée. Et puis d'abord, si cette terre a été assez bonne pour être choisie par Dieu, et par Moïse, et Jésus et Mahomet, elle doit être assez bonne pour moi.

— Vous ne croyez pas en Dieu, n'est-ce pas, Jemail ?

— Mais comment donc ! Il doit bien exister un dieu de la terre, qui habite des puits comme le nôtre, qui vit sur des collines comme celle-ci, ou dans les vergers d'oliviers qui renaissent éternellement. Il peut même vivre dans les religions qui ont surgi de sa terre. Mais il ne peut exister ailleurs que sur la terre d'où il est né.

— Nous autres Juifs, nous croyons aussi à l'alliance avec Dieu, et à une Terre promise particulière, et à un peuple élu. Nous sommes de biens vieux frères, Tabari, et dans l'avenir, nous nous rencontrerons souvent, bien souvent, car nous nous comprenons.

Navré de n'avoir pu convaincre Tabari de travailler avec lui, Ilan Eliav quitta Makor et se rendit en pèlerinage à Safad, où il retrouva le petit Rebbe Itzik, plus voûté, plus menu, mais toujours aussi irréductible. La loi d'Israël. La loi, c'était le salut du peuple juif. Le Vodhzer Rebbe ne doutait pas que grâce à leurs rabbins sévères qui les avaient contraints de rester fidèles à la loi, les Juifs avaient résisté à toutes les persécutions.

Et si maintenant la loi soulevait certaines difficultés, ce n'était pas nouveau. Il en avait toujours été ainsi.

En quittant le rabbin, Eliav descendit d'abord au cimetière, puis il gravit le long escalier des Anglais, en s'arrêtant à chaque palier, le cœur lourd, pour pleurer ses amis, ses camarades disparus ; Bagdadi était tombé là ; là-bas, Ilana et Bar-El avaient ri. Et ils étaient tous morts. Quel terrible fardeau doit porter un homme pour gravir l'escalier des ans, s'il survit et tient à gouverner comme l'auraient voulu ses compagnons défunts !

Il monta ainsi jusqu'aux ruines de l'ancien château fort des croisés, et contempla au loin la Ville sainte de Tibériade, blottie au bord de son lac étincelant. Il songea à la fois à un passé tourmenté, turbulent et confus, et au présent, aux lois éternelles qu'il allait devoir faire appliquer et respecter ; et soudain, ces lois qui parfois le révoltaient lui parurent naturelles. La loi ne devait pas être abrogée. Ce qu'il fallait, c'était un nouveau légiste, un grand rabbin pour mener au XXe siècle le combat qu'avait mené Akiba au IIe. La loi devait être humanisée, modernisée. Eliav était certain que si Akiba revenait, il la simplifierait, et la mettrait au goût du jour tout comme il l'avait adaptée à la vie sous les Romains.

La loi devait demeurer, car elle seule pouvait maintenir Israël en vie. Où étaient les Chaldéens et les Moabites, les Assyriens et les Phéniciens, les Mitanniens et les Hittites ? Chacun de ces peuples avait été plus puissant que les Hébreux, et pourtant ils avaient péri, ils avaient disparu dans les brumes du temps, et les Juifs étaient toujours là. Où étaient Mardouk, le grand dieu de Babylone, et le Dagan des Philistins, et le terrible Moloc des Phéniciens ? Ils avaient été des dieux puissants qui frappaient de terreur les cœurs des hommes, mais ils avaient disparu, ils étaient oubliés, et c'était le Dieu des Juifs qui avait non seulement persisté mais qui était devenu celui de presque tout l'univers. Et Dieu exerçait son pouvoir par la loi.

Ce n'était pas une petite affaire que d'être un Juif et le gardien de la loi de Dieu. Car si sa loi était dure, elle était aussi ennoblissante. Elle exigeait le respect, sinon l'obéissance aveugle. Il ne pouvait y avoir de plus haute mission, pensait Eliav, que de déterminer une loi sur laquelle se régleraient non seulement les Juifs d'Israël mais leurs lointains cousins d'Amérique, d'Europe, d'Asie ou d'Océanie.

Le jour de son départ, John Cullinane avait lancé en plaisantant à moitié : « Pourquoi vous autres Juifs vous entêtez-vous à vous rendre la vie si difficile ? » Sur le moment, Eliav n'avait rien trouvé à répondre, mais à présent, ayant perdu Vered à cause de la loi juive, il comprenait. La vie n'était pas faite pour être facile. C'était la vie, tout simplement. Et aucune religion ne défendait avec autant de ténacité la simple dignité de vivre. Le judaïsme ne faisait espérer aucune survie, nul paradis et nul enfer. Ce qui était bon, ce qui était précieux, et pur, se trouvait ici, aujourd'hui, en cette minute même, à Safad. Nous cherchons Dieu si obstinément, songea Eliav, pas tant pour le découvrir que pour nous découvrir nous-mêmes.

De là où il était, il pouvait voir la route près de Tibériade où il avait

fait sauter le camion anglais, les rues de Safad qu'il avait balayées de rafales de mitraillettes, et il jura de ne plus jamais avoir recours à la violence.
Il s'efforcerait d'être un Juif comme le grand Akiba, un paysan qui
n'avait pas appris à lire avant quarante ans, un autodidacte qui était
devenu le maître incontesté de son siècle, un homme qui, à soixante-dix
ans, avait fondé tout un nouveau mode de vie et qui, lorsque les Romains
l'avaient enfin exécuté en lui arrachant des lambeaux de chair avec des
tenailles rougies à blanc (alors qu'il avait quatre-vingt-quinze ans, et qu'il
n'était peut-être pas légalement juif, car on le croyait descendu de Sisera,
ce général lubrique que Jael avait poignardé avec une épingle de tente),
s'était révélé si dévoué à son Dieu que, lorsque les soldats romains arrachèrent son cœur, il se força à rester encore en vie, le temps d'achever
son cri de défi, avant de mourir sur le dernier mot :

— Entends, ô Israël, le Seigneur notre Dieu, l'Eternel est Un !

TABLE DES MATIÈRES

Creation Couverture Lymburner Houpert Inc.

D0989832